Jahrbuch für Wissenschaft und Ethik

JAHRBUCH FÜR WISSENSCHAFT UND ETHIK

Band 6 2001

herausgegeben von
L. Honnefelder (Bonn) und C. Streffer (Essen)

in Verbindung mit
J.P. Beckmann (Hagen), K. Fleischhauer (Bonn) und L. Siep (Münster)

Walter de Gruyter · Berlin · New York 2001

Redaktion

Dr. phil. Michael Fuchs
Dietmar Hübner, M.Phil., Dipl.-Phys.

Ursula Gördel
Simone Hornbergs
Andreas Vieth

Institut für Wissenschaft und Ethik, Niebuhrstraße 51, 53113 Bonn
Tel.: 0228 / 73 19 20; Fax: 0228 / 73 19 50; e-mail: iwe@iwe.uni-bonn.de
http://www.uni-bonn.de/iwe

⊗ Gedruckt auf säurefreiem Papier,
das die US-ANSI-Norm über Haltbarkeit erfüllt.

Die Deutsche Bibliothek – CIP-Einheitsaufnahme

Jahrbuch für Wissenschaft und Ethik. – Berlin : de Gruyter.
Erscheint jährl. – Aufnahme nach Bd. 1 (1996)

Bd. 1 (1996) –

ISSN 1430-9017
ISBN 3-11-017275-5

Printed in Germany
Druck und buchbinderische Verarbeitung: Werner Hildebrand, Berlin
Umschlaggestaltung: Rudolf Hübler, Berlin

Inhaltsverzeichnis

II. Berichte und Kommentare

III. Dokumentation

Editorial

von Ludger Honnefelder und Christian Streffer

Seit dem Erscheinen des vergangenen Bandes des Jahrbuchs für Wissenschaft und Ethik haben bio- und medizinethische Fragestellungen wie kaum zuvor Eingang in die öffentliche Diskussion gefunden. Die Berliner Rede des Bundespräsidenten vom 18. Mai 2001 und ihr Echo, die öffentlichen Erwartungen an die Arbeit der Enquete-Kommission „Recht und Ethik der modernen Medizin" des Deutschen Bundestages und des neu gegründeten Nationalen Ethikrates und die Diskussion in den Wissenschaftsorganisationen, den Universitäten und den Akademien belegen dies ebenso wie die verstärkte Rezeption der Bioethik in den Medien. Der vorliegende Band des Jahrbuchs greift diese Diskussion auf und versucht, zu ihrer Vertiefung beizutragen, indem er Beiträge, Berichte und Dokumente sowohl zu den aktuellen Themen der Stammzellforschung und Klonierung, der Humangenetik und der prädiktiven Gentests, der Sterbehilfe, der Transplantation und der Ressourcenverteilung im Gesundheitswesen als auch zu den allgemeineren Fragen der Medizinethik, der Forschungsethik und der Technikethik bis hin zur Ethik des Völkerrechts und den Grundlagen der Angewandten Ethik versammelt.

Dass die aktuelle Diskussion weitergehen wird, steht allein angesichts der im politischen Raum anstehenden Entscheidungen außer Frage. Doch gehen die Probleme über den aktuellen Anlass weit hinaus. Denn sie enthalten nicht weniger als die Frage, welche Rolle der Ethik im Raum zwischen Wissenschaft und Recht zukommt. Es wird Entscheidendes für die Zukunft davon abhängen, inwieweit es gelingen wird, die mit dieser Frage verbundenen Herausforderungen aufzunehmen.

Da die mit neuen wissenschaftlichen Handlungsmöglichkeiten einhergehenden Probleme und Regelungsnotwendigkeiten grundsätzlich internationaler Art sind, hat das Jahrbuch in seinem Dokumentationsteil stets auch einen Überblick über Stellungnahmen, Empfehlungen und Gesetzentwürfe aus anderen Staaten gegeben. Im diesjährigen Band sind wiederum verschiedene Texte nationaler und internationaler Organisationen abgedruckt, welche den Fortgang der bioethischen Diskussion in Deutschland, in Europa sowie in den USA dokumentieren.

Erstmals finden sich unter den Beiträgen im ersten Teil des Jahrbuchs auch zwei Arbeiten in englischer Sprache von Wissenschaftlern aus dem europäischen Ausland. Die Herausgeber halten dies für außerordentlich wichtig, kann doch die Diskussion in den aktuellen wissenschaftsethischen Fragen nicht ohne ständige Rückkopplung an die europäische und die internationale Diskussion und die in ihr vertretenen Ansätze erfolgen. Dies wird besonders deutlich, wenn Ansätze in einer so spezifischen Weise verfolgt werden, wie dies in den beiden genannten Beiträgen geschieht.

Wie immer danken die Herausgeber sowohl den Organisationen, die dem Abdruck ihrer Texte im Dokumentationsteil zugestimmt haben, als auch denjenigen Institutionen, die durch die Unterstützung verschiedener Projekte und Vorträge zur Entstehung der in diesem Band versammelten Texte beigetragen haben. Dieser Dank gilt insbesondere dem Ministerium für Schule, Wissenschaft und Forschung des Landes Nordrhein-Westfalen. Die Drucklegung des Bandes ist durch den Kreis der Freunde und Förderer des Instituts für Wissenschaft und Ethik ermöglicht worden, denen die Herausgeber dafür ihren herzlichen Dank aussprechen.

I. Beiträge

'Medical Criteria' – What Do They Mean?*

by Göran Hermerén

1. Introduction

My point of departure is that, during the work on an EU-funded comparative project on priorities and resource allocation in health care[1], I occasionally came across a statement made by doctors to the effect that *health care resources ought to be distributed (a) according to medical criteria, and (b) only according to medical criteria.* So naturally I wanted to know what that statement meant.

This is not the place to go into a discussion of if, to what extent and in what contexts the above statement might be justified – probably only for certain types of priority setting problems at the clinical level. It suffices to say that the notion of medical criteria was more complicated than I first thought. Thus, the purpose of this paper is to problematize something that at first sight may appear to be unproblematic rather than to come up with quick and ready solutions to what in my view are difficult problems.

This explains in what context I first became interested in making an analysis of the notion of 'medical criteria'. Below I will try to show that there are many types of medical criteria, that the use of medical criteria sometimes involves social and economic considerations as well as value judgments. A democratic starting point is also that certain issues in health care policy are not just issues for doctors; many others are also concerned directly and indirectly. Also from that perspective it might be interesting to clarify the meaning and uses of 'medical criteria'.

Moreover, there are several sensitive areas where the notion of 'medical criteria' may need particular scrutiny. They include abortion, prenatal diagnostics, neonatal care, psychiatry and genetic testing. Here it is especially important to make clear what is meant by 'medical reasons' and 'medical criteria', to separate medical, economical, ethical, religious, legal and social considerations, and make underlying or hidden values explicit.

The main focus here is on "medical" in contexts such as "medical decisions", "medical reasons", "medical grounds", and "medical criteria". There are interesting differences between criteria, reasons and grounds. But due to limitations of space, I

---

* Based on a lecture given as part of the series "Forum Wissenschaft und Ethik", University of Bonn, December 14, 2000.

1 See e.g. HERMERÉN 1997; HERMERÉN 1999; HERMERÉN 2000; FLEISCHHAUER 1999; FLEISCHHAUER 2000.

will not analyze these differences here. Instead, I will concentrate on "medical" in the context of "medical criteria".

2. Medical situations

I will begin by outlining some activities and situations often referred to as "medical". These situations will provide a starting point for a rough demarcation of "medicine". Thus, I want to avoid beginning with a question-begging definition of medicine and start in a more open-ended way. (A definition of "medicine" would, of course, also provide an answer to what is meant by "medical" – but our problems would then reappear when the choice of this particular definition rather than another had to be justified.)

The first situations of this kind that come to mind are probably when there has been an accident and a doctor is summoned, or when a person is feeling ill, gets a high temperature, and calls for a doctor. But in addition to these there are many others, some of which will be mentioned below. The important thing is not how common these situations are but that these kind of situations occur. It should be noted that some of them presuppose that doctors work in a country where there is a national health care system.

Scarce resources: medical gate keeping

In a situation where the health care resources are scarce, it is essential that they are used in an optimal way, that patients get adequate treatment, that resources are not over-used, and that patients are sent home as soon as possible. Gate keeping then becomes a medical task. This involves finding beds for patients at other wards, checking whether there is someone at home who can take care of the patient when he or she returns, and checking who the patient should see so that he or she does not consult a specialist unless it is necessary, or gets an appointment with a specialist whenever that is necessary.

Risk assessment in connection with forensic examination

Every now and then courts ask psychiatric specialists to estimate the risk that a person suffering from psychiatric disorders such as paranoia, perversions, psychopathology, etc., will commit serious crimes again. Here part of the problem is that the courts sometimes ask the psychiatrist to use a dichotomous scale (dangerous – not-dangerous), when there are scientific reasons to consider several graded dimensions that do not have to vary with each other.

Insurance medicine

If a person covered by health insurance gets a disease, or is injured, a doctor is involved in judging whether that person is entitled to compensation by the insurance company because of what has happened. This judgment by the company is often based on statements made by doctors employed as consultants in private insurance companies.

Medical research

In medical research, doctors and other researchers have to choose between various possible designs of a study as well as alternative inclusion and exclusion criteria. Sometimes they also have to consider questions such as:

- What risk is it ethically acceptable to expose present patients or healthy volunteers to in order to gain new knowledge which may provide future patients with better diagnostic methods and therapies?
- What suffering is it ethically acceptable to expose animals to in order to obtain better medications and pharmaceutical drugs in the future?

Costly care

Sometimes a head of a clinic is asked if a patient that used to be in their ward can be re-admitted. Having been to an intensive care unit, and now needing around the clock care but not intensive care, this patient will require an extensive share of the clinic's resources. Considering the economic situation of the clinic, the head of the clinic may sometimes be forced to say that the patient cannot be admitted. The reason is that the budget of his clinic is too tight to comply with the request.

Elderly care

A doctor is summoned to a nursing home for elderly people. The head nurse is worried about one of the patients. The patient is weak and his only child has just passed away. Should the patient be told? Sometimes a doctor has to consider what a patient can take, socially and psychologically (not only physiologically) – particularly in health care of the elderly.

Conflicts between relatives

A doctor may be involved in conflicts between relatives and patients, or conflicts between relatives, when patients cannot express their own will and the doctor contacts the relatives. For example, one relative says that the patient wants or has said this, the other denies this or says that the opinion of the patient has changed since then. Who should the doctor believe? Who is most trustworthy? For example, this could be a situation where organ donation, or a complicated operation is at stake.

Genetic testing

A woman, knowing that her mother died of breast cancer and that others have also died from cancer in her family, goes to see a clinical geneticist and wants to have her daughter tested. Her sister learns about this and protests: if the test is positive, the sister may draw conclusions about her own increased risk, as well as about the increased risk of her daughter, and she does not want to know. The geneticist here faces a dilemma, where the autonomy of several people is at stake. Whose autonomy should the geneticist favor? Who has a right of veto in this situation?

Care for reasons other than disease or injury

Some doctors are involved in surgery for myopia, clearly presupposing medical competence, even if the reason for the surgery is mainly aesthetic, that is to say, that the operation is performed so that the client will not have to wear thick glasses or contact lenses. The same goes for liposuction, facelift surgery and removal of excess skin from the eyelids, demanded for aesthetic reasons. This also holds for treating "social snoring" (i.e. snoring without apnoea), mainly justified by the desire to improve the quality of life for the partner of that person, not for the person who is snoring.

Time and causes of death

For a very long time, doctors have been asked to examine dead bodies, estimate the time of death and the likely cause of death, etc., not only in normal situations (deaths at home or in institutions) but also in the course of criminal investigations. This is a different task from the standard task in curative medicine (to cure disease, to restore and maintain health, etc.), but medical competence is clearly required.

Certificates by doctors

Other examples of activities by medical doctors without the existence of any disease or injury include the writing of various kinds of certificates such as health certificates, driving licenses, insurance, vaccination for foreign travel, ritual male circumcision, sterilization and re-fertilization.

3. Definitions of medicine

Let us now against this background check some definitions of medicine.

In the *Oxford English Dictionary*, several senses of 'medicine' as a noun and as a verb are distinguished, including some colloquial and some more or less obsolete. Early examples of the usage are recorded, and quotations are given. The important current meanings of the noun are described as follows:

> "1. That department of knowledge and practice which is concerned with the cure, alleviation, and prevention of disease in human beings, and with the restoration and preservation of health. Also, in a more restricted sense, applied to that branch of this department which is the province of the physician, in the modern application of the term; the art of restoring and preserving the health of human beings by the administration of remedial substances and the regulation of diet, habits, and conditions of life; distinguished from Surgery and Obstetrics. [...]
> 2. Any substance or preparation used in the treatment of disease; a medicament; also medicaments generally, 'physic'. Now commonly restricted to medicaments taken internally."

According to the *Oxford Shorter Dictionary*, medicine is "the science and art concerned with the cure, alleviation, and prevention of disease, and with the restoration and preservation of health". The distinction between medicine in a narrow sense (as distinguished from surgery and obstetrics) and in a wide sense (as including surgery and obstetrics) is also made. We may note that this definition too contains the vague expression "concerned with" and that some of the activities and situations described above may fall outside of this definition, depending on precisely how "concerned with" is understood.

According to *Dorland's Dictionary*, "Medicine is the art and science of the diagnosis and treatment of disease and the maintenance of health". This definition is rather like the previous one, though it is even narrower: here there is no reference to prevention, and no reference to restoration of health (I then assume that 'preservation' and 'maintenance' are more or less equivalent in this context).

There is a common problem in these definitions. In speaking of medical (whatever that means) interventions, we should distinguish between the intended effects of the intervention that did occur and those that did not occur. We also need to separate the actual effects that were not foreseen but desired (or desirable) from those actual effects that were not foreseen and not desired. Thus, the intended effects may or may not occur, and the actual effects may sometimes be very different from the intended ones.

For example, cholera was a big killer during the previous century in Sweden and many countries on the European continent between 1830-1896.[2] The incubation period could vary from a few hours to a week. It seemed impossible to explain how the disease spread.

Bags with bran and oats on the body of the sick were recommended. The responsible medical authorities in Sweden recommended laxatives, diuretics, opium, emetics, as well as phlebotomy, probably the most common therapy against many diseases for centuries. It was also recommended that the sick should be rubbed with hard liquor (schnapps) and a mixture of camphor, mustard, pepper and turpentine. Bags with ashes, oats on the body were also prescribed, as well as constant smoking: puffing on big cigars was thought to give protection against the plague.

Some of these treatments were probably as dangerous to the sick as the epidemic itself. Now we believe we know how the disease is spread, and it is treated by, for instance, tetracycline, an antibiotic. Today, there are also effective vaccines. This, of course, shows that research is important. But it also warns against the idea of identifying 'medical' and 'medicine' with interventions promoting health or curing diseases. Thus, the intended effects are one thing, but the actual effects on health and disease may be counterproductive. This suggests that we should focus on the intended rather than the actual effects and thus on the purpose of the interventions.

The important message of these definitions is that they focus on disease and health. Thus, they open up for a discussion of an underlying distinction between certain goals of medicine (e.g. to cure and prevent disease, and to restore and preserve health) and the techniques or methods that could be used to achieve these goals. This is also an idea that has been taken up and developed further by some researchers, as will be seen below.

4. Medicine – techniques and goals

Thus, we may assume that medical activities and situations are related to certain goals. What kinds of goals? Whose goals? Have these goals remained the same throughout history? This partly depends on the level of abstraction chosen. For example, if one is satisfied with a very general statement to the effect that the goal

[2] For details on the cholera plague, see DUREY 1974; DUREY 1979; SVENNERHOLM 1975; ZACKE 1971.

has been to help people in distress or those who suffer, the goals may have remained the same. But this characterization is not specific enough, since it does not differentiate between different kinds of suffering and distress. Also rescue operations by the coast guard, interventions by social services, etc., may save lives, help people in distress and those who suffer.

So let us return to the key questions: What kinds of goals? Whose goals? These questions are important in the present context, since medical criteria are related to, and presuppose, medical goals, goals of medicine and/or goals of the health care system. Thus, to begin with, something has to be said about these two questions mentioned above.

As to the latter question ("Whose goals?"), we have to distinguish between the goals of individual patients, relatives, doctors, clinics, hospitals, patient organizations, taxpayers, politicians, parliaments, governments and international organizations like WHO ("health for all by the year 2000", or the later and somewhat more modest "to reduce inequalities in health").[3] These goals are not the same. Besides, there may be tensions between goals at different levels, as well as between the goals of individual stakeholders at the same level (for example, between relatives, or between different patient organizations). The goals may also change over time.

As to the former question ("What kinds of goals?"), a natural starting point is the humanitarian tradition encapsulated in the formula: "to cure; and if that is not possible, to alleviate pain; and if that is not possible, to comfort." It would carry us too far to trace this tradition in the history of medicine, from Hippocrates and Galen, via the monks and their *Heiligen-Geist-Hospitäler*, to contemporary curative, preventive and predictive medicine.[4] Let me just say that these humanitarian goals have been made more specific recently, by a project of the Hastings Center and the debate this project has started. Thus, the Hastings Center proposed in a report a number of goals of medicine[5], summarized in the following general statements and then further commented on in the text of the report:

- The prevention of disease and injury and the promotion and maintenance of health.
- The relief of pain and suffering caused by maladies.
- The care and cure of those with a malady, and the care of those who cannot be cured.
- The avoidance of premature death and the pursuit of a peaceful death.

There could be tensions and conflicts between these goals in specific situations, for instance, in intensive care and predictive medicine, but I will not pursue this line of

[3] See WHO 1984; WHO 1998; WHO 2000, Chapter 2.

[4] See e.g. CALLAHAN 1987; CASSEL, NEUGARTEN 1998; NORDENFELT, TENGSTRAND 1996.

[5] HASTINGS CENTER 1996.

thought here. Instead I will want to move on to an important distinction, suggested by Pellegrino in a book commenting on and developing the ideas of the Hastings project.[6] There he proposed a distinction between internal ends and external or operational goals of medicine, which is a good starting point for my analysis. The internal ends or goals are obviously related to what I above called the humanitarian tradition in medicine. They include "healing, helping, caring, and curing".[7] These ends, according to Pellegrino

> "[...] make medicine what it is. On this view, the ends of medicine are the same for Hippocrates among the Ancient Greeks, for Maimonides in the Middle Ages, Sydenhamn in the eighteenth century, Osler in the nineteenth century, and for the nameless physicians who will take care of those who are ill on the first spaceship to penetrate intergalactic space."[8]

These internal ends or goals are then distinguished from the variety of means that may be used to achieve them and from what he calls the external (operational) goals of medicine. Clearly, the means chosen will depend on experience, technical achievement, economic resources and scientific knowledge, as well as on ideology and religious views.

There is no doubt a great deal of truth in this. But it should also be noted that the relations between the means and the external goals are not quite clear. Besides, "diagnosis" and "diagnostics" can refer to the goal of finding out what, if anything, the patient suffers from – as well as to the methods and techniques used to answer this question. Analogously, "therapy" can refer to the goal of curing the patient, or of alleviating the symptoms – as well as the methods and techniques used to achieve this.

Pellegrino's account may be somewhat oversimplified for other reasons as well, as we will see. First of all, the goals could be made specific in a number of ways: by breaking them down to area-specific goals, to partial goals, and to time-specific goals.[9] For example, the goals of palliative care are not identical with the goals of curative medicine (of e.g. an orthopedic or urological clinic); the goals of public health may sometimes be in conflict with those of curative medicine. Consider, for instance, the controversies over vaccination programs. Moreover, the goals of presymptomatic testing and predictive medicine are not identical with the goals of preventive medicine. And the goals of medical research may give rise to role conflicts

---

[6] PELLEGRINO 1999.

[7] Ibid., 63. Two pages later he adds to this list of internal ends "and cultivating health".

[8] Ibid., 60-61.

[9] For an example of area specific goals, see AMERICAN SOCIETY OF ANESTHESIOLOGISTS, AMERICAN COLLEGE OF OBSTETRICIANS AND GYNECOLOGISTS 1998.

for the individual doctor when he or she is carrying out research with his/her patients.[10]

Finally, we must not assume that the goals of medicine and the goals of the health care system are identical. In the goals of a health care system, a political dimension is added that is sometimes expressed by clauses like "equal access to health care" where the idea is that differences in age, in geography (where a person happens to be born or live) or economy should not be the basis for discrimination or differential treatment, when it comes to distribution of health care resources. Needless to say, there are different dimensions in different political systems and hence different political goals. The same is true of the goals of international organizations like WHO; they change over time, as we have seen.

5. The relations between criteria and goals

How are these goals relevant to the issue of medical criteria? By introducing a temporal dimension, the relations can be indicated by the following figure:

	Goals	
	intrinsic operational/external political/ethical organizational (WHO)	
Pre	Intervention	*Post* →
criteria for – acting – believing (evidence) ...		criteria for judging if and to what extent one has come closer to the goals – to help an individual patient – to improve public health ...

This temporal dimension underlines the importance of feed back in the practice of medicine and the collective effect of improving the health care system. This is achieved by using certain criteria before (*pre*) making a decision about what to believe or do in a certain situation, then (*post*) using certain criteria of success afterwards. These criteria are all related to the goals of medicine at some level. Depending on the outcome of the evaluation, this may lead to new alternatives of action and new needs of evaluating the results.

[10] ELANDER, HERMERÉN 1995.

The diagram above summarizes one important aspect of the normative dimension of medicine. It is different from the one chosen in many standard works on medical ethics, where focus is on some or all of the traditional four principles.[11] But if the goals are challenged, many of them, if not all, could be supported directly or indirectly by appealing to some of these principles.

6. Criteria: a clarification

There are different types of criteria. According to Simon Blackburn, there are two main senses of "criterion": (i) a sufficient condition of something else; (ii) a condition that may not be sufficient for another, but can be seen *a priori* to provide a good reason for it.[12] The latter is primarily relevant to the analysis of the possibility of private languages. It may be illustrated by statements such as the following, from the same dictionary: "Thus the fact that someone is behaving appropriately may not guarantee logically that they are in pain, but it may be *a priori* true that it is excellent evidence for believing it."[13]

In another dictionary article, Kent Bach adds that there are weaker concepts than the first of the two mentioned by Simon Blackburn: "Generally, a criterion need be sufficient merely in normal circumstances rather than absolutely sufficient."[14] This weaker concept is easier to apply to medical contexts than the absolute ones, and perhaps also than the ones involving *a priori* assumptions. We would then have to spell out the assumptions about what is taken to be normal circumstances in the situation at hand. Given these assumptions, the alleged criterion is sufficient.

Suppose we focus on medical indications when diagnostic test results are interpreted. It is then clear that many things are taken for granted, that there is an area of uncertainty, that the premises may be incomplete, that, in other words, probabilities and interpretations play an important part for the medical judgment. "The art of medicine" is an expression that is perhaps not used as often as it should be today.

A dictionary article by Gereon Wolters makes a useful distinction between semantic and epistemological criteria.[15] Semantic criteria are criteria of meanings that are distinct from explicit definitions of the classical Aristotelian type in terms of *genus proximum* and *differentia specifica*. Epistemological criteria are criteria of evidence, which legitimate (if satisfied) the assumption that events or processes, which cannot be observed directly, have taken place.

---

[11] See BEAUCHAMP, CHILDRESS 1994.
[12] BLACKBURN 1994, 88.
[13] Ibid.
[14] BACH 1995.
[15] WOLTERS 1995.

To say that a characteristic of a patient, for example, a condition such as red spots on the face or the presence of a chemical substance in the urine – or a statement describing such conditions – is a criterion of a certain disease, is to say that if a patient exhibits this condition (or the statement describing it is true), this patient has that disease. A clause like "provided that ..." or "unless that ..." is then often tacitly taken for granted. But, for example, in the case of transplantation, compatibility of blood groups between donor and recipient is a necessary condition for a kidney, liver, heart, lung and pancreas transplantation[16], and thus a criterion in a different sense, namely in the sense that if this condition is not met, there will be no transplantation. Of course, several necessary conditions could be jointly sufficient.

7. Examples of medical criteria in transplantation medicine

Transplantation medicine is particularly interesting in this context, since the problems are the same in many countries: lack of organs and waiting lists. Yet there are many and important differences between different countries in Europe with respect to frequency of transplantations, frequency of life donations, legal regulations and the influence of the family on organ donation.[17] Can these differences be explained merely by referring to medical reasons and medical criteria? This would presuppose that the panorama with regard to heart-, kidney- and liver diseases was significantly different in these countries. It would seem reasonable to assume that the differences are at least partly related to cultural and value differences between the various countries.

It may be an advantage to be somewhat more specific and concrete. In transplantation medicine, many different kinds of criteria are used. For example, there are criteria

- for when a patient has kidney failure or liver cirrhosis;
- for placing a patient on the waiting list;
- for not putting a patient on the waiting list or for removing a patient from the waiting list (counter-indications);
- for selecting a patient from the waiting list to transplantation;
- for selecting patients for clinical trials (e.g. for testing a new drug for immunosuppression).

[16] BUNDESÄRZTEKAMMER 2000.

[17] FLEISCHHAUER et al. 2000.

Let us, to be even more specific, take a closer look at some of these criteria, namely

(A) Criteria for not putting a patient on the waiting list or for removing a patient from the waiting list

These counter-indications are different for different organs, as is obvious from the very thorough guidelines proposed by the German Bundesärztekammer. But a common one for transplantation of kidney, liver, and heart is specifically mentioned:

– HIV infection

In addition to this counter-indication, there are several others, for instance heart- and cardiovascular problems that may make the transplantation too risky or may endanger the success of the transplantation in a longer time perspective. For lung transplantation, the counter-indications include acute pulmonary embolism, certain tumors, progressive and irreversible insufficiency of the kidneys, continuing heavy use of alcohol, nicotine and other drugs.

I take it then that if a patient placed on the waiting list is found to be HIV positive, this is a sufficient condition for removing that person from the waiting list. The reason for this is that the immunosuppressive treatment necessary for any transplantation would be too dangerous for the patient. Besides, if the patient does not survive, the transplanted organ has been wasted. In view of the scarcity of organs available for donation there is fairly general agreement that these organs should be put to optimal use.

(B) Criteria for selecting a patient from the waiting list to transplantation

Here some of the criteria often considered and discussed include[18]:

– age
– organ match
– time on waiting list
– histocompatibility
– ...

In what sense are they used as criteria? They seem to be of somewhat different types. Certainly all of them are not necessary conditions. Suppose one person has spent longer on the waiting list than another of the same age, and that some other conditions are also met, such as histocompatibility with the organ available. In some transplantation units this may then be sufficient for selecting the person who has been on the transplantation waiting list the longest. But in other transplantation centers the practice may vary somewhat.

[18] See e.g. KJELLSTRAND 1988; SCHMIDT 1996.

The rules organizing the waiting lists in transplantation units seem to be interpreted in such a way that waiting time and tissue matching are the most important criteria in Sweden. Moreover, children have priority over adults, first transplants have priority over re-transplants, and, given the scarcity of kidneys, kidneys should be given to patients where the prospect of success is greatest.

(C) Criteria for selecting patients for clinical trials (e.g. for testing a new drug for immunosuppression or possibly for research in xenotransplantation)

Here one might consider principles like

- maximizing the gain of knowledge (choosing the patients from whom we can learn most);
- maximizing the medical benefit (choosing the patients where the chance of success is greatest);
- minimizing the risk (choosing the patients where the risk of complications is smallest, i.e., as a rule, the younger ones);
- minimizing the loss (choosing the patients who are probably going to die soon anyway).

It is not too difficult to realize that the application of these different principles may yield different outcomes in specific situations, i.e., that different persons may be chosen in these situations, depending on which principle is used. Winners and losers are created by such choices.

In that situation the question of on what ground the choice between these principles is made becomes of paramount importance. The somewhat neglected theme of ethics and power surfaces when the focus is on who decides such issues.

8. Some problems

Suppose ability to pay is used as a necessary condition for access to health care services. Then this criterion is used in health care, and thus in applied medicine. But is this a medical criterion, and if so, in what sense? The criterion may have been used by doctors but not as a medical criterion. It certainly is not a medical criterion in the sense that medical competence or medical evidence is necessary to understand and use it.

According to Kilner, the criterion "ability to pay" is used to exclude patients. For the most part the ability to pay criterion has functioned to exclude from treatment those who lack the means to pay for their treatment because they do not have the money required or are not adequately insured.[19] But it could also be used as part of a sufficient condition, that is, provided that other conditions are satisfied, for including patients for treatment.

Kilner is critical of the practice of first finding out whether a patient is able to pay. Instead, he suggests that this inquiry concerning the patient's financial situation should come afterwards. (Various exceptions are possible. For example, *general* – as opposed to private – hospitals could be required to treat a patient regardless of his or her economic status *if* a life threatening condition exists.[20]) But apparently Kilner does not find it objectionable to refuse to treat the patient should the inquiry indicate that the patient is not able to pay. This point is developed as described below, where in particular the two reasons given may strike a European reader as somewhat cynical. But perhaps they say more about the American health care system than about the ethical views of John Kilner.

Only after a patient has been identified as the best candidate for the next available resource on medical grounds should that patient be excluded on the basis of ability to pay. The reasons for such a practice are twofold: first, it will enable those responsible for allocating limited resources among treatments to perceive more accurately the number of patients who are being left to die exclusively for lack of financial support; second, it will focus the kind of attention upon these patients that may well prompt the private donation of funds to pay for their treatment.[21]

What about biological or chronological age as a criterion in organ allocation and in organ procurement – to continue with examples from transplantation medicine? To what extent is this used or regarded as a medical criterion? Empirical studies could no doubt provide an answer to such questions. On the value assumption that it is desirable to optimize the use of the organs, and on the empirical (and possibly false) assumption that there are more young than old donators, and more old than young potential recipients, discrimination of the elderly could be defended. But such a defense would have to include arguing for (something like) the assumptions mentioned.

But there are other, more complex issues. What about compliance or distance? Suppose a person on the waiting list is refused a kidney because doubts about the compliance of that patient have emerged? Or that a person on a waiting list does not receive a particular organ that has become available in another part of the country because the distance between the two hospitals is considered to be too long. In what sense and to what extent are they used as medical criteria, and for what?

---

[19] KILNER 1990, 175.

[20] However, Kilner writes: "Another way that an ability-to-pay criterion is employed even in relatively wealthy countries like the United States is through the denial of critical emergency health care to poor people. Numerous instances of refusal to provide emergency care have been documented in such locations as Illinois, Texas, New York, Tennessee, and California." (Ibid., 176)

[21] Ibid., 189.

Providing that which empirical and normative assumptions are made? Here the empirical assumptions can be more or less far-fetched, and the normative assumptions can also be more or less daring.

Let us now return to some of the medical situations mentioned at the outset of this paper. For example, we may consider decisions by medical doctors about whether a patient sentenced to preventive detention and psychiatric care is dangerous or not, whether certain sad news should be broken to an elderly patient, or which relatives in a controversy are most trustworthy. In what sense are such decisions medical? If there is a gap here between the medical evidence acquired in the medical school and the decision the doctor has to make in situations like these, how and by what is that gap filled?

A further, more general problem concerns the consistency in application. Even if there is agreement as to whether a certain condition is a criterion or not, there may be variations in the estimation of whether this condition is met or variations in the application of the criterion. For example, there is an interesting study demonstrating this, not concerning transplantation but haemodialysis. Eight clinicians in a renal dialysis unit were asked to classify the suitability of 100 cases for regular haemodialysis. Seven categories were used, ranging from "excellent prospect: accept without reservation" to "unequivocal rejection". The differences were considerable. Only 6 of 100 cases were placed in the same category by all eight clinicians.[22]

Problems like these provide the starting point for a discussion of some more theoretical issues. But first some more general conclusions of the analysis suggested above.

9. Types of medical criteria and reasons

Earlier a distinction was made between medicine in a narrow sense (as distinguished from surgery and obstetrics) and in a wide sense (as including surgery and obstetrics). Within each of these areas, there can be several different kinds of medical criteria. Combining the medical situations described earlier with the tentative analysis presented above, I shall now distinguish between three main categories of medical criteria and reasons. The first main type will be called

(A) Clinical/scientific criteria

Several subtypes may be distinguished here. The first subcategory could be called "evidence-based". The main idea, defining this type of clinical/scientific criteria and reasons, is simply that a condition is a medical criterion of this kind, if and only if it is supported by evidence drawn from scientific clinical or pre-clinical studies.

---

22 TAYLOR et al. 1975.

This means that papers published in medical journals, dissertations in the faculty of medicine, books by staff of medical faculties, and so forth, would constitute the evidence on which such criteria are based. The problem with this notion is only that – as even a cursory study of the history of medicine will show – contents in these papers and books differ a great deal over the centuries.

On a strict interpretation, medical criteria are those that get inductive or deductive support from evidence-based medicine, for instance, as interpreted by institutes evaluating medical technology by meta-analyses like SBU (The Swedish Council on Technology Assessment in Health Care) and their counterparts in several other countries. On a much looser interpretation, medical criteria are those that get inductive or deductive support from any treatise in medicine. If the first (strict) interpretation is accepted, much of what is parading as medical criteria and reasons in health care today would not be accepted as such. According to the second and much looser interpretation, obviously much more could be a medical criterion and a medical reason.

Besides, medicine is not static. For example, ten years ago about 50% of those who suffered from serious brain damage died. Today, less than one out of 10 of these patients die thanks to a radically changed method of treating these injuries, as has recently been shown in a doctoral dissertation by Silvana Naredi.[23] Earlier the blood pressure of these patients was increased to make sure that the circulation of blood through the brain was sufficient. Then doctors began to suspect that the method used was counter-productive and increased the swelling of the brain, which increased the risk of damage rather than helping. Therefore they lowered the pressure instead and the results drastically improved. But such changes in medicine are something we have to learn to accept and to live with.

A related type of clinical/scientific criteria, which may be called "competence-related", may be defined as follows: a condition is a medical criterion, if and only if the use (e.g. the understanding, interpretation and application) of it requires medical competence. The intuitive idea is that to make certain tests (such as ultrasound, analysis of anti-bodies in the blood, genetic mutation analysis, examination of chemical substances in the urine, etc.), and to understand the results of the tests, presupposes the sort of competence acquired by being trained as a doctor, and by passing successfully the exams in a medical school. This criterion can be extended by including other health care professions as well, *mutatis mutandis*.

Doctors perform several kinds of tasks. To estimate the time and cause of death – a task mentioned at the end of Section 2 – requires medical competence of the sort mentioned above. But it is not related to the goals of medicine in the straightforward way described below.

[23] For details see NAREDI 2000.

The second main type of medical criteria will be called simply

(B) Goal-related criteria

This label is used to underline the explicit connection between these criteria and the goals of medicine. Here the main idea is that a condition is a medical criterion, if and only if the purpose of using it is to achieve the internal or operational goals of medicine. For instance, these goals include to diagnose, treat or prevent diseases, or to restore and maintain health, either in an individual or in the population at large. The problem with this demarcation is that concepts like disease or health are notoriously vague and controversial. But for practical purposes it should be possible to use the WHO classifications of diseases and disabilities as a point of departure.[24]

Also here there are several subtypes and variations. Focus could be on disease, illness, or health. For example, it can be argued that a condition is a medical criterion, if and only if the use of it has, or rather is intended to have, consequences for the patient's health or for the health of the population. Here health may be defined in terms of absence of disease, life expectancy (expected survival years), quality of life, or some combination such as quality-adjusted life years or disability-adjusted life years (Qalys or Dalys).[25]

The problem with criteria of this type is that medical doctors are not the only ones working to restore, maintain and improve the health of individuals and the general population. Also work done to change diet, life style, traffic safety, housing policy, the job-market situation, etc., will affect the health in the senses indicated above of both individuals and groups in society. So the problem arises on what basis a distinction between these various activities is to be drawn. The notions of health and disease are particularly difficult, since there are so many different theories in this area.

Thus, in the literature there are several attempts to provide a theory about the concept of disease. One of the best-known contemporary theories is the biostatistical theory proposed by Christopher Boorse.[26] The basic idea of this theory is that diseases are internal states that interfere with the normal function, or in the words of Boorse:

> "Normal functioning in a member of the reference class is the performance of each internal part of all its statistically typical functions with at least statistically typical efficiency, i.e. at efficiency levels within or above some chosen central region of their population distribution."[27]

---

[24] See e.g. WHO 1980.

[25] See HUY 2000; MCKIE 1998; WILLIAMS 1995; WILLIAMS 1997; also KATZ et al. 1983.

[26] See BOORSE 1977. For a critical examination of this theory, see LANZERATH 2000; NORDENFELT 1987.

[27] BOORSE 1977, 558-559.

It is important to realize that the idea of a normal function presented above does not entail or imply a positive evaluation of the function. As Boorse puts it:

> "In my view the basic notion of a function is of a contribution to a goal. Organisms are goal-directed in the sense that [...] they are disposed to adjust their behavior to environmental change in ways appropriate to a constant result, the goal."[28]

The same type of conceptual framework may be used to identify a related type of medical criteria, focusing on illness. Accordingly, the basic idea here is that a condition – or a statement describing this condition – is a medical criterion if the purpose of using it is to diagnose, treat or prevent illnesses, either in an individual or in the population at large.

Obviously, I am then assuming that there is a distinction between disease and illness. The first concept is defined in terms of inter-subjectively measurable (and statistically definable) changes in the normal functioning of organs. This is the biostatistical view proposed by Boorse and described briefly above. The second one, however, is defined in terms of subjectively experienced changes in the well-being of the patient. In fact, this covers a variety of related views. For example, Boorse has characterized illness as follows: something is an illness only if it is serious enough to be incapacitating, and therefore is (i) undesirable to its bearer, (ii) a title to special treatment, and (iii) a valid excuse for normally criticizable behavior.

If "health" is defined as "absence of disease or illness", then medical criteria or reasons focusing on health can be conceptually related to the previous ones. But WHO has criticized such negative definitions of health. Instead, "health" has been defined as "a state of complete physical, mental and social well-being".[29] Moreover, other definitions, also positive ones, have been proposed by Pörn and Nordenfelt in terms of goals and goal-directed adaptability (to be explained below). It must be taken into account the possibility that there could be criteria of a slightly different sort from the previous ones, focusing on health.

One basic idea could be that diagnosis and treatment of diseases is not an end in itself but a means to something else, either a welfare conception of health, general happiness, or health in the sense described by Pörn and Nordenfelt: health as a person's ability to attain the goals set by that person and adjust successfully to changing circumstances.[30]

---

[28] Ibid., 555-556.

[29] WHO 1948.

[30] PÖRN 1993, and several earlier papers, as well as NORDENFELT 1987. In Boorse's theory focus is on the performance of each internal part of all its statistically typical functions with at least statistically typical efficiency. These functions are relative to species. Here focus is on the ability to attain goals set by the individual himself or herself and not given by belonging to a certain species.

I am not advocating these definitions, nor am I advocating the WHO definition. What I am saying is only that if these definitions, or definitions like them, are accepted, there are other types of criteria than the ones so far discussed.

Finally, the third group of criteria will here be called

(C) Professional, historical and sociological criteria

Here too, there are several variants. We may distinguish between criteria that are profession-related, history-related or related to patient preferences. Two conditions have to be met. One idea in the first subcategory is simply that a condition is a medical criterion, if and only if it is used by the medical profession in clinical decision-making. The members of the medical profession can then simply be defined as those who have been granted legitimization to practice as doctors by their professional organizations or the relevant authorities in their countries. Moreover, it is crucial that the alleged criterion satisfies the requirements of being a necessary or sufficient ground for acting or believing, in the way suggested above in Section 6.

A variant that stresses temporal aspects, and therefore may be called "history-related criteria", can be demarcated as follows: a condition is a medical criterion if and only if it was first (or early) formulated and used by members of the medical profession in clinical practice and decision-making.

The problem here, however, is that criteria and methods that were first formulated and used by members of the medical profession need not be used today by members of that profession in their clinical decision-making. Phlebotomy might be an example. Also the converse could hold. Doctors today use criteria that were first formulated and described by others, e.g. by colleagues in the natural sciences, such as chemists, physiologists, molecular biologists, in veterinary medicine, in technology or statistics.

Analogously, if the temporal dimension mentioned above is replaced by focus on the group using medical criteria, on the goals and behavior of the group, and on what holds the group together, etc., we may talk of sociological criteria or sociological aspects of uses of such criteria.

The important thing is that a condition can be a medical criterion in one of these senses without being a medical criterion in some other sense, or in all other senses. Thus, even if competence-related criteria, goal-related criteria and profession-related criteria may coincide, and often perhaps do coincide, this is not always the case.

This analysis provides the starting point for a discussion of some more theoretical issues. The first of these is the relations between criteria and value assumptions.

10. Criteria and value assumptions

The first basic problem under this heading is to outline some different positions concerning the place of values in the world of (medical) facts and to relate these positions to medical criteria. Two main positions will be described, which I propose to call "positivist" and "integrationist".[31] These names are not intended to decide the issue or to beg any important questions. There are fairly obvious historical and linguistic reasons for choosing them, but no great importance is attached to these names; other labels could have been chosen as well.

According to the positivist position, (a) a sharp distinction between facts and values both in theory and in practice can and should be maintained, and (b) values fall outside the domain of medical criteria and medicine. Medicine is, or should at least be, value-free. However, according to the integrationist position, (a) it is doubted that such a sharp distinction between facts and values can be maintained, and (b) it is denied that values fall outside the domain of medical criteria and the practice of medicine; at least, certain goals and values are integrated into medical criteria and medicine. Descriptions often contain value-loaded words and are based on selection – not everything that could be said is said. The selection of what is relevant is often based on implicit values and goals.

Another way of expressing this idea is to separate between 'medicine' and 'medical' in a narrow, value-free sense, and a wider sense, provided that such a sharp and clear distinction between facts and values can be maintained. When 'medicine' and 'medical' are used in a wider sense, values and goals are integrated with medical facts and empirical hypotheses. The narrow sense will reduce medicine to just a collection of techniques, changing in the course of history. Moreover, this conception of medicine will give us no reason or explanation of why these techniques are held together, subsumed under the label of 'medicine' (which the goals would provide, on the assumption that the goals and the techniques are integrated).

Personally, I tend to favor the integrationist position, as should be obvious by now. A good case can be made for this position, if medicine is put in a cultural context. I also think there is some linguistic evidence supporting this position.[32] But it is necessary to be more specific than that. If values are integrated, how and in what way are they integrated in medical practice and in medical criteria? In discuss-

---

[31] These positions are not the only ones, of course. An alternative position, influential today, is "moral realism", of which there are several more or less sophisticated versions. The basic idea is that there is an independent moral reality, that value judgments can be true or false, and that normative principles can be objective. Personally I have not been convinced by the arguments for this position. Versions of such a view have been advocated by philosophers like Platts, Lovibond and Wiggins and have been heavily criticised by Margolis in several books, e.g. MARGOLIS 1995; MARGOLIS 1996.

[32] See Section 3 above and the discussion of the definitions.

ing this issue, it will be necessary to consider at least by implication some interdisciplinary problems in the area where the interests of the faculties of medicine, humanities and social sciences intersect. They include how to handle value clashes, encounters between different cultures, conflicts between economic, social, ethical and medical concerns, the borderline between psychology and medicine. Here the analysis of the cultural praxis of medicine will prove to be helpful.

An example of how value-laden criteria and value assumptions enter into the praxis of medicine may be helpful at this point. In neonatal care many difficult decisions have to be made. Sometimes the prognosis is bad and the doctor has to consider not only the possibility of saving a life by aggressive intensive care, complicated operations (which in their turn may give rise to new operations), but also what kind of life the newborn baby is saved to.

For example, consider a boy, five months of age, who suffers from anoxic brain damage with atrophy of the brain and microcephaly. He has difficult cerebral paresis, is blind and deaf, cannot suck and swallow – the boy has to be tube fed (Witzelfistel). Suppose now – and this is based on an actual case[33] – that this boy gets pneumonia with RS virus, and cannot breathe normally. Should he be treated in a respirator? If not, he will not survive. If he is put in a respirator, there is a fair chance that he might survive. But what sort of life is he saved to? What are the consequences for his family, his brothers and sisters, if any?

The difficulties of separating medical and other consequences should not be underestimated in a case like this. Nor should the difficulties be underestimated to describe only the medical aspects of the diagnosis and prognosis and leave to the parents to evaluate them; the way the diagnosis and prognosis is described, the way the alternatives are presented, including choice of words and body language, will not be neutral, or will not be taken to be neutral.

Inevitably, questions about the quality of life, on what a meaningful life is, a life worth living or what a good or acceptable quality of life is, and who should decide such issues, arise. The problems are particularly pressing in neonatal care because the newborn cannot be consulted, because parents may be in a state of shock when they realize how seriously ill their child is, because families differ in their ability to cope with children with multiple severe conditions, because families with different cultural and religious backgrounds are likely to perceive the situation differently and because there are the obvious difficulties for the doctor to know anything about what the future quality of life of the newborn will be.

In prenatal diagnostics and genetic counseling similar problems may arise.

Value assumptions could be relevant to the practice of medicine as well as to the definition of medicine in more ways than one. Three pairs of distinctions will be described below, and they could be combined in a complex matrix. But I will leave it

[33] I owe this example to Dr. Magnus Lindroth, Lund University Hospital. It is here presented in a somewhat simplified way; some details have been omitted.

to the interested reader as an exercise to trace possible combinations of these distinctions. The distinctions I have in mind are those between

(a) explicit and implicit values;
(b) internal and external values;
(c) values before and after: conditions and consequences.

(a) Explicit and implicit values

If a constructive and rational discussion is desired, we must distinguish between implicit and explicit value assumptions of different kinds. The distinction between implicit and explicit value assumptions is not unproblematic; what is implicit to one person may be explicit to another if their cultural and professional background, information, interests, and linguistic training differ.[34]

But for practical purposes, it is possible to distinguish between two cases:

(i) when it is *clearly and openly stated* what is good or bad, what should be avoided and what is to be achieved, when ranking orders between goals are openly stated; and
(ii) when what is good or bad, what should be avoided and achieved, the proper ranking order, etc., is only *suggested or indicated* by the choice of value-loaded words, by the omissions and the positive selections made in the text or statements by clinicians.

In (i), values and value judgments are made explicitly; in (ii) they are made implicitly.

If the parents come from different cultures, or their cultural background is different from that of the doctor, they may talk at cross purposes in examples like the one mentioned above. They understand what the doctor is saying, as well as what is not said, the gestures and the body language against the frame of reference provided by their own culture.

(b) Internal and external values

On the assumption that at least a rough distinction can be made along the lines suggested in the earlier quoted dictionaries between medicine and other human endeavors (like theology, economy, or the practice of law), we may distinguish between values which are internal to medicine and which are imposed from the outside. Internal values may enter into the ranking of different medical criteria of the sort earlier separated: competence-related, goal-related, profession-related.

Consider, for example, blood type or HLA compatibility as a medical criterion when organs are to be allocated in transplantation. Does it always have to be placed at the top in the ranking order? Not necessarily. If the doctor in charge wants to

[34] For an interesting attempt to make implicit values behind directed donation of organs explicit, see VEATCH 1998.

save life, the answer might be yes, and similarly if this is the overriding concern of the patients. But there are groups, like Jehovah's witnesses, for whom salvation and religious reasons are more important than saving lives. Thus they would not place any medical criteria on top in the ranking list. If the patient belongs to such a group, is in his twenties, shows no signs of mental incompetence or confusion, the transplantation team has to take this into account, if they want to give priority to the principle of autonomy.

Moreover, viability, rescue, and many other things are important considerations in transplantation medicine. If both optimal use of an available organ and saving the life of a patient is essential, which is most important if they clash? If alleviating pain and saving and preserving life are medical goals of first importance, but in a particular intensive care situation there is a tension between them, which should be decisive? Suppose (i) trying to save the life of a patient as well as (ii) not exposing a patient to high risks are both desirable. What if the attempt to save a particular patient's life involves a very high risk? Does the risk ever become too high and on what grounds? Which of these concerns should then outweigh the other?

Ranking orders of medical criteria exist and can be studied in, for instance, intensive care units and in neonatal care in order to find out variations in one clinic over time, differences between clinics in different hospitals in the same country or in different countries at the same time. But medical criteria are sometimes combined with external, non-medical ones (and not only in areas like psychiatry and in elderly care).

Such external values and value judgments may play a role in the decision-making of doctors and health-care politicians if, for example, competence-related, goal-related, or profession-related medical criteria are combined with social, ethical, religious and economic considerations. Then a decision about the ranking order has to be made and possible tensions between the criteria have to be addressed. If the patient's life should always be saved at any cost, even if this means there are no resources left for other patients at that hospital, the internal ends of medicine outweigh any economic considerations. (To say this would be to maintain or suggest a rather extreme position without any concern for distributive justice.) But if the cost sometimes is too high, there may be conflicts and tensions between economic and medical criteria.

It is an interesting task to study the ranking order between these different types of criteria. As above, we may here find variations in one clinic over time, differences between clinics in different hospitals in the same country or in different countries at the same time. For example, in the famous Seattle committee – to continue with examples from transplantation medicine – it was decided that one of the criteria on which scarce organs were to be distributed would be on the basis of whether the potential recipient had been a regular church-visitor. The Seattle criteria for transplantation is a good illustration of combinations of medical, social and religious criteria. Regularly visiting the church is certainly not a medical criterion in any sense.[35]

[35] See KJELLSTRAND 1988.

(Incidentally, it could be added that it says something about the individual, the committee and society that accepts such a criterion as being a regular church visitor in this context.) Today, such criteria are no longer used for allocation of organs, at least not in Eurotransplant; see also the present German guidelines.[36]

(c) Values before and after: conditions and consequences

If focus is on the grounds for a decision by a clinician, we may want to distinguish between values (or valuable states of affairs) that have to be obtained before a particular decision is made, and values that are the result of the decision – or which there are good reasons to suppose that the decision will lead to. In the example of neonatal care discussed above, the prognosis was very bad, so bad that the doctors hesitated about treating the boy. When various treatment options were considered, the value of their consequences were considered.

Thus, the final idea in this section is to distinguish between (i) the normative or value conditions that have to be obtained before applying a certain medical criterion or before performing a medical intervention and (ii) the normative consequences of the criteria or reasons when applied; winners and losers are created, some get access to health care, others not. The distinction may be difficult to illustrate by convincing examples but it is clearly a distinction different from the others.

If a person has to be in good health, or has to have made important contributions to society for a certain medical intervention to be performed, and if 'good health' and 'important contributions' cannot be specified in a value-free way, we have an illustration of (i). If this intervention is in fact performed, it may have good or bad consequences for the health and well-being of the person in question. In that case, we have an illustration of (ii).

For example, suppose that a patient is HIV positive or has liver cirrhosis. This particular condition could be bad to the patient and could be regarded as negative in society, not only in view of the reduced life expectancy of the patient (which in turn is based on the value assumption that a long life expectancy is a good thing). But it could also be bad and blameworthy due to preconceived and possibly incorrect ideas on how the patient has acquired this condition (by living a promiscuous sexual life or by excessive consumption of alcohol).

Anyway, suppose that these conditions also preclude liver transplantation in the sense that a patient with these conditions is not put on a waiting list for a new liver, or is never selected from the waiting list for a liver transplantation. Then the negative consequences of this to the patient should be obvious – as well as the positive consequences to the person who gets the liver instead.

Some problems of the sort highlighted above are illustrated by the discussion of the relevance, if any, of the social value or function of a potential patient.

---

[36] See BUNDESÄRZTEKAMMER 2000.

"Social value"

Suppose two persons are both on the waiting list for a kidney transplant. In all relevant respects they are similar except in that one of them has no relatives, and the other is divorced but with three small children at home. Moreover, suppose that a kidney becomes available which both of them could use and that this kidney is transplanted to the latter. If this then is done on medical grounds only, what are these grounds? What role do social considerations play, including the social function of the parent and cost saving for society?

If the prime minister of a country urgently needed medical attention, it is hard not to believe that the minister would get it. Suppose a *clochard* or a highly intelligent drug dealer in Paris or anywhere else was suffering from the same medical condition as the prime minister and needed the same medical attention. Would they get it? It seems safe to say that this is an open question.

Finally, are there any medical grounds for excluding from treatment people who in one sense or other themselves are responsible for their condition, for example, by their lifestyle? Self-inflicted conditions have been much discussed, especially in the context of priority setting. Some governmental commissions have argued that the notion of 'self-inflicted' conditions is not very clear, we know too little about the causes of these conditions, and the difficulties of drawing a clear line is considerable; hence this notion should not be used to deny anyone treatment.[37]

Against such examples and the background in the previous section, it may be asked if "social worth", "social function" or similar criteria are still used today to exclude people from the waiting list or to select people from the waiting list. It is a tricky and controversial question, and one which is surrounded by taboos. Therefore it might be worth asking first about what methods could be used to answer such a question in a reliable way. Are there any? I think so. But it is then essential to separate studies of actions from studies of attitudes or of words and documents. What people say could sometimes, but not always, be a reliable guide to their attitudes; and their attitudes – assuming that we know what they are – could sometimes, but not always, be a reliable clue to what they will do. Documents, like letters, memoirs, or patient records, are sometimes, but not always, reliable guides to what people have done in the past.

Consider now the following statement: "Aber auch als Ausschlusskriterium hat social worth keinesweges ausgedient."[38] On what grounds is this maintained? This is based on one interviewee who, speaking of social counter-indications of murderers and drug-dealers, mentions the risks introduced to society by transplanting such people. Of course, a necessary condition here is that the interviewee not just reports what he (or she) thinks is a commonly held view by others, but expresses his (or her) own beliefs. Even if this is the case, it is far from certain that the interviewee

[37] SWEDISH PARLIAMENTARY PRIORITIES COMMISSION 1995, 115-116.

[38] SCHMIDT 1996, 65.

would act on it. And even if the interviewee would act on it, it is not easy to say how far-reaching conclusions one would want to draw on the basis of one instance – and presumably a great number of counter-instances. Needless to say, I make this point not to criticize the author, who has written an important book about a difficult subject, but just to draw attention to some methodological problems.

Thus, to conclude this section, values could be relevant to medical criteria and medical practice in several ways. They could influence the selection and ranking of the conditions used in the various types of medical criteria. They may have an impact on the application of these criteria. The words used in describing the conditions referred to in the criteria could be more or less openly value-loaded, thus suggesting that the conditions are good or bad. Finally, the consequences of applying the criteria could be good to some, bad to others, and indifferent to others.

11. Wide and narrow conceptions of medical criteria

According to a narrow positivist conception of medicine, medical criteria contain no value judgments or normative assumptions at all (or at least should not contain any such judgments and assumptions). However, according to an integrationist position, they do. But even if an integrationist position is accepted, it is possible to distinguish between more or less wide or narrow conceptions of medical goals and criteria. These distinctions will then be based on an examination of the underlying norms and empirical assumptions. For example, the underlying norms could be related to different interpretations of the goals – and the factual premises be related to more or less far-reaching empirical assumptions.

Thus, under the heading of "normative assumptions" the following list of goals could be considered:

- to reduce premature mortality;
- to increase expected life span;
- to combat disease;
- to reduce symptoms of disease;
- to alleviate pain;
- to improve the quality of life;
- to make it possible to live without using drugs;
- to make it possible to live at home rather than in a nursing home;
- to make it possible to carry out cleaning work at home;
- to make it possible to take part in sports activities.

To what extent are these goals overlapping? Where do we draw the line? Where do the goals and responsibilities of doctors and the health care system end, and where do the responsibilities of other agents begin?

Similarly, considering the empirical assumptions, the following could be contemplated: Is there a direct road to the goal or an indirect one, given more or less far-reaching assumptions? Medical competence is certainly not required to determine the geographical distance between two cities, whether a patient is likely to be compliant or whether he or she has a supportive environment at home. But distance, compliance and supportive environment may be relevant to the effect of the intervention. To decide if and to what extent it is relevant may require medical competence and experience.

12. Power, criteria and ethics

Wider and narrower conceptions of medical criteria could have the function – intended or not – to serve as discussion stoppers or to exclude (alternatively, to include) certain people from taking part in the debate on diagnostic alternatives, treatment options, preventive measures or issues explicitly concerning resource allocation. Thus, the choice of wide or narrow criteria is not just a semantic problem; the choices have consequences, in particular for who is granted access to participate in the debate.

Returning to the italicized statement in the introduction above, we may very well interpret it as a more or less obvious suggestion that doctors – and doctors only – are the ones who should decide issues of resource allocation and priority setting in health care.

Children sometimes suffer from developmental coordination disorder (DCD) and/or attention-deficit/hyperactivity disorder (ADHD). The combination of DCD and ADHD is sometimes referred to as DAMP (deficits in attention, motor control and perception). What sort of condition is DAMP? Which are the criteria of this condition? Do they provide clear cutoffs vis-à-vis normal child behavior? And which of the normative assumptions listed on the previous page is (or should be) the basis for medical interventions on children with this condition? It is not hard to imagine controversies over diagnosis and treatment of this condition, in particular over the extent to which the issue is "medical". Here social scientists and psychologists may be attacked by medical doctors for intruding into medical areas, when they question the diagnosis or treatment in particular cases. Similar controversies have surrounded the "burn-out" phenomenon, at least in Sweden.

Moreover, let us suppose a council is to be elected for dealing with, among other things, the ethical aspects of genetic counseling, the right to know and the right not to know, whether the geneticist should contact all relatives affected by the discovery that a patient has an increased risk for a certain inherited disease, and other controversial issues. Suppose also that this council is called the "medical council", and that only medical doctors are appointed to serve on this council. By calling it "medical", non-medical professions are excluded; and by only appointing medical doctors it is suggested that they are the only ones who should decide these issues, that they are the only ones affected by them and that others should not take part in the debate on these questions.

Medicine is a cultural activity in the sense that every culture has had – and has – its healing profession, whatever the political, cultural, economic or demographic differences. Among the hunters and nomads of Siberia the *schaman* is supposed to cure those who are ill, help to find lost people or things, or reveal the future in general, and leading the rites of his or her tribe. Among the laps the *nåjd* has a similar function. In France in the middle ages, the monasteries played a crucial role for the health care of the population. Today in the industrialized countries the situation is different in many ways. Doctors may be employed by private clinics but also in the national health service system. In addition to traditional medicine, alternative medicine has emerged, such as zone-therapists, homoeopathists, and so forth, with their own healers and gurus.

Those practicing medicine and able to heal (the healing professions) will on that ground acquire both power and social status. But are these healing activities the same everywhere? Have they been the same throughout history? The methods certainly differ, but how about the goals? In raising these questions, we are coming to a close – and to consider a theoretical issue the foregoing analyses have led us to.

13. Theoretical conclusions

Let me first remind you of some of the medical situations described at the outset:

1. medical gate keeping;
2. insurance medicine;
3. medical research;
4. costly care, elderly care;
5. conflicts between relatives;
6. genetic testing;
7. risk assessment in forensic examination;
8. care for reasons other than disease, illness or injury;
9. certificates by doctors;
10. deciding the time of death in criminal investigations.

And we may add some others, such as:

11. public health, from Magistro della Sanità in Venice 1496, in the wake of the bubonic plague, to contemporary institutions of public health;
12. bare-foot doctors in China;
13. predictive medicine;

14. experimental plastic surgery, where cells from the urine bladder are grown and then made into a urethra, which is placed in an artificially (from tissue taken from the outside of the belly) created penis for a woman who wants to change sex and become a man.[39]

Suppose these situations and activities are placed on an arrow of time, referring to the history of medicine, and that we then ask what characterizes each of these activities:

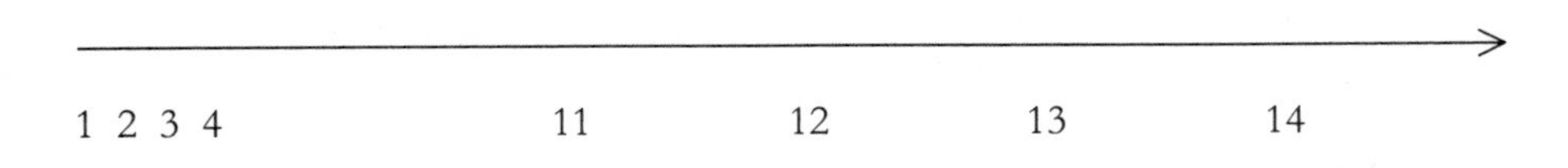

Is there, for example, always and clearly a relation to the goal of fighting disease? Not in the case of writing certificates. To care for individual patients? Not in the case of starting vaccination programs (as part of a public health program). To maintain health? Hardly in predictive medicine. To heal? Not in the case of deciding the time of death and examining the causes of death. To increase life expectancy? Not in the case of experimental plastic surgery. Is medical competence required always? Hardly in the case of bare-foot doctors in China.

What conclusions can be drawn from such observations and interpretations? It appears at first sight to be difficult to indicate a common core of necessary and sufficient conditions defining "medical" criteria as opposed to others. But we must not jump to any rash conclusions. The conclusion could depend on what is counted as characteristics. Is focus only on observable features of the patient? Or are the intentions of the doctor, or the effect of the intervention on relatives and on society at large also included? The intentions could be the same, even if the behavior, the actions and the effects differ.

From a theoretical point of view there are several possibilities of analyzing the concept of medical criteria, just as when focus is on the definition of the concept of art[40]:

(1) *Essentialism*, which is based on the assumption that there is a common core or kernel of the concept, definable in terms of necessary and sufficient conditions. The task of the philosopher in the tradition going back to Plato and Aristotle is then taken to be to identify this common core.

[39] Such work is presently carried out at the Department of experimental plastic surgery at Karolinska Hospital, Stockholm, Sweden.

[40] See e.g. HERMERÉN 1980; HERMERÉN 1983, Chapter 2.

(2) *Family resemblance*[41], combined with a historical approach, which may explain why the label "medical" is applied to certain activities – on the basis of a network of partly overlapping similarities, which have changed over time. The task of the (linguistic) philosopher would then be to describe this network of similarities, 'leaving everything as it is' (Wittgenstein).

(3) *Anti-essentialism*, according to which there is no common core and according to which it is only a matter of historic and bureaucratic accidents (and possibly also the exercise of power by influential groups) that certain activities are lumped together and called "medical". The task of the philosopher would then be to deconstruct the meanings and demonstrate the mistaken assumptions behind this logocentric (or essentialist) fallacy.

I am more inclined to accept (2) or (3), as long as we include public health, presymptomatic testing and predictive medicine, as well as medical research, in the territory we investigate. In fact, the analysis above suggests that (2) is more plausible than (3). If we were to concentrate only on curative medicine, it would be much easier to make a case for the essentialist position (1). Even if there are medical goals also in public health, presymptomatic testing and predictive medicine, as well as in medical research, there are tensions between some of these goals and the goals of curative medicine. These goals are not the same. The criteria will accordingly be at least partly different.[42]

14. Concluding remarks

The main focus of this paper has been on "medical" in contexts like "medical criteria". Much of what has been said in this paper will hold also for the use of "medical" in contexts like "medical grounds" or "medical reasons". In particular, this is

[41] The term "family resemblance" (in German: "Familienähnlichkeit") was introduced into philosophical contexts by WITTGENSTEIN 1958, § 66-67. His approach can be described as phenomenological. Wittgenstein's idea is that we must not assume that the activities referred to by a certain term, or exemplifying a certain concept, have to have anything in common by virtue of which they are referred to by that term. We must *look and see* whether this is the case. For example, activites called "games", like chess, football, bridge, do not have a common feature but are held together by a network of similarities which crop up and disappear. Some games resemble each other in certain ways, other games in others. Wittgenstein writes (§ 67): "I can think of no better expression to characterize these similarities than "family resemblances"; for the various resemblances between members of a family: build, features, colour of eyes, gait, temperament, etc. etc. overlap and criss-cross in the same way. – And I shall say: 'games' form a family."

[42] Kurt Fleischhauer is presently working on a history of the goals of medicine.

true of the relations to the goals of medicine, and the relation to values. In the sensitive areas listed in the introduction (abortion, prenatal diagnosis, etc.), it is also important to make implicit values explicit when medical reasons for beliefs and actions in these areas are discussed.

Thus, to sum up, what I have tried to achieve in this article is to problematize what at first sight appeared rather unproblematic, the notion of medical criteria, applying a method which is perhaps not so common in the field of bioethics, but which presupposes cooperation with health care staff and close study of clinical praxis and allows for harvesting directly from the field of medical practitioners. Having demonstrated the complexity of the medical criteria, distinctions between different kinds of medical criteria have been proposed which should make it possible to make recommendations for future uses of the expression "medical criteria", and in particular to discover talking at cross purposes and disclose pseudo-controversies involving medical criteria.

Finally, this paper is a contribution to the reflection on and understanding of medical practice in the same way that an analysis of legal criteria and legal reasons would be a contribution to the understanding of legal practice.

References

AMERICAN SOCIETY OF ANESTHESIOLOGISTS (ASA), AMERICAN COLLEGE OF OBSTETRICIANS AND GYNECOLOGISTS (ACOG) (1998): *Optimal Goals for Anesthesia Care in Obstetrics*, http://anestit.unipa.it/mirror/asa2/Standards/22.html.

BACH, K. (1995): *Art. "Criterion"*, in: AUDI, R. (ed.): Cambridge Dictionary of Philosophy, Cambridge, 168-169.

BEAUCHAMP, T., CHILDRESS, J.F. (1994): *Principles of Biomedical Ethics*, 4th ed., Oxford, New York.

BLACKBURN, S. (1994): *The Oxford Dictionary of Philosophy*, Oxford, New York.

BOORSE, C. (1977): *Health as a Theoretical Concept*, in: Philosophy of Science 44, 542-573.

BUNDESÄRZTEKAMMER (2000): *Richtlinien zur Organtransplantation gemäß § 16 Transplantationsgesetz*, in: Deutsches Ärzteblatt 97, A-396-411 (reprinted in: Jahrbuch für Wissenschaft und Ethik, Vol. 5, Berlin, New York 2000, 341-372).

CALLAHAN, D. (1987): *Setting Limits. Medical Goals in an Aging Society*, New York.

CASSEL, C.K., NEUGARTEN, B.L. (1998): *The Goals of Medicine in an Aging Society*, http://familyreunion.org/health/cassel/goalsofmed.html.

DUREY, M. (1974): *The First Spasmodic Cholera Epidemic in York, 1832*, York.

– (1979): *The Return of the Plague. British Society and the Cholera 1831-2*, Dublin.

ELANDER, G., HERMERÉN, G. (1995): *Randomized Clinical Trials*, in: Theoretical Medicine 16, 171-182.

FLEISCHHAUER, K. (1999): *Altersdiskriminierung bei der Allokation medizinischer Leistungen. Kritischer Bericht zu einer Diskussion*, in: Jahrbuch für Wissenschaft und Ethik, Vol. 4, Berlin, New York, 195-252.

– (2000): *Abschluss des Forschungsprojekts "Priorities and Resource Allocation in Health Care – A Comparative Study of Some European Countries"*, in: Jahrbuch für Wissenschaft und Ethik, Vol. 5, Berlin, New York, 245-250.

FLEISCHHAUER, K., HERMERÉN, G., HOLM, S., HONNEFELDER, L., KIMURA, R. QUINTANA, O., SERRÃO, D. (2000): *Comparative Report on Transplantation and Relevant Ethical Problems in Five European Countries, and Some Reflections on Japan*, in: Transplant International 13 (4), 266-275.

HASTINGS CENTER (1996): *The Goals of Medicine. Setting New Priorities*, in: Hastings Center Report, Special Suppl., November-December 1996, S1-S27.

HERMERÉN, G. (1980): *The Nature of Aesthetic Theories*, in: AAGAARD-MOGENSEN, L., HERMERÉN, G. (eds.): Contemporary Aesthetics in Scandinavia, Lund, 195-222.

– (1983): *Aspects of Aesthetics*, Lund (Acta LXXVII. Royal Society of Letters at Lund).

– (1997): *Gerechte Verteilung knapper Ressourcen. Entwürfe und ihre Umsetzung – dargestellt am Beispiel Skandinaviens*, in: TRÖHLER, U., REITER-THEIL, S. (eds.): Ethik und Medizin 1947-1997. Was leistet die Kodifizierung von Ethik?, Göttingen, 395-422.

– (1999): *Setting Priorities vs. Management Closures. What is the Ethically Most Sound Way of Handling Changes in the Health Care System?*, in: Acta Oncologica 1, 33-40.

– (2000): *Priorities and Resource Allocation: Problems, Principles and Procedures*, in: WESTERHÄLL, L.V. (ed.): Health Care Prioritisation. Ethical, Legal and Economic Perspectives, Stockholm, 12-30.

HUY, D.Q. (2000): *Quantifying the Burden of Diseases by Using the DALY Method: An Example from Bavi – Vietnam*, Umeå.

KATZ, S., BRANCH, L.G., BRANSON, M.H., PAPSIDERO, J.A., BECK, J.C., GREER, D.S. (1983): *Active Life Expectancy*, in: New England Journal of Medicine 309, 1218-1224.

KILNER, J.F. (1990): *Who Lives, Who Dies? Ethical Criteria in Patient Selection*, New Haven, London.

KJELLSTRAND, C.M. (1988): *Giving Life – Giving Death: Ethical Problems of High-Technology Medicine*, Stockholm.

LANZERATH, D. (2000): *Krankheit und ärztliches Handeln. Zur Funktion des Krankheitsbegriffs in der medizinischen Ethik*, Freiburg i.Br., München.

MARGOLIS, J. (1995): *Historied Thought, Constructed World*, Berkeley, Los Angeles.

– (1996): *Life without Principles*, Oxford.

MCKIE, J. (1998): *The Allocation of Health Care Resources: An Ethical Evaluation of the 'Qaly' Approach*, Aldershot.

NAREDI, S. (2000): *Cerebral Circulation and the Sympathetic Nervous System in Patients with Traumatic Brain Injury or Subarachnoid Hemorrhage*, Göteborg.

NORDENFELT, L. (1987): *On the Nature of Health*, Dordrecht.

NORDENFELT, L., TENGSTRAND, P.A. (eds.) (1996): *The Goals and Limits of Medicine*, Stockholm.

PELLEGRINO, E. (1999): *The Goals and Ends of Medicine: How are They to be Defined?*, in: HANSON, M.J., CALLAHAN, D. (eds.): The Goals of Medicine. The Forgotten Issue in Health Care Reform, Washington D.C., 55-68.

PÖRN, I. (1993): *Health and Adaptedness*, in: Theoretical Medicine 14 (4), 295-303.

SCHMIDT, V.H. (1996): *Politik der Organverteilung*, Baden-Baden.

SVENNERHOLM, A.-M. (1975): *Experimental Studies on Cholera Immunization*, Göteborg.

SWEDISH PARLIAMENTARY PRIORITIES COMMISSION (1995): *Priorities in Health Care. Ethics, Economy, Implementation. Final report*, Stockholm, SOU 1995: 5.

TAYLOR, T.R., AITCHISON, J., PARKER, L.S., MOORE, M.F. (1975): *Individual Differences in Selecting Patients for Regular Hæmodialysis*, in: British Medical Journal 2 (May 17), 380-381.

VEATCH, R.M. (1998): *Egalitarian and Maximin Theories of Justice: Directed Donation of Organs for Transplant*, in: Journal of Medicine and Philosophy 23 (5), 456-476.

WILLIAMS, A. (1995): *The Role of the EuroQol Instrument in QALY Calculations*, York.

– (1997): *Being Reasonable about the Economics of Health. Selected Essays*, ed. by CULYER, A.J., MAYNARD, A., Cheltenham.

WITTGENSTEIN, L. (1958): *Philosophical Investigations (Philosophische Untersuchungen)*, 2nd ed., Oxford.

WOLTERS, G. (1995): *Art. „Kriterium"*, in: MITTELSTRASS, J. (ed.): Enzyklopädie Philosophie und Wissenschaftstheorie, Vol. 2, 497-498.

WORLD HEALTH ORGANIZATION (WHO) (1948): *Constitution of the World Health Organization*, reprinted in: REICH, W.T. (ed.): Encyclopedia of Bioethics, Vol. 5, 2nd ed., New York 1995, 2616.

– (1980): *International Classification of Impairments, Disabilities, and Handicaps: A Manual of Classification Relating to the Consequences of Disease*, Geneva.

– (1984): *Health for All by the Year 2000: What is Primary Health Care?*, Geneva, New York.

– (1998): *The World Health Report. Report of the Director-General 1998. Life in the 21st Century: A Vision for All*, Geneva.

– (2000): *The World Health Report 2000. Health Systems: Improving Performance*, Geneva.

ZACKE, B. (1971): *Koleraepidemien i Stockholm 1834. En socialhistorisk studie*, Stockholm.

Justice over Time. Zum Problem der Gerechtigkeit zwischen den Generationen

von Dietmar Hübner

1. Einführung

In jüngerer Zeit hat innerhalb der Angewandten Ethik die Frage der Gerechtigkeit zwischen den Generationen verstärkt Beachtung gefunden. Insbesondere in zwei Anwendungsgebieten wird diese Frage intensiv diskutiert: zum einen innerhalb der *Ökologischen Ethik*, wo dem Aspekt der Rechte zukünftiger Generationen herausragende Bedeutung beigemessen wird (neben demjenigen der Rechte nichtmenschlicher Lebewesen)[1]; zum anderen innerhalb der *Politischen Ethik*, wo angesichts gewisser demographischer, ökonomischer und auch technologischer Entwicklungen erwogen wird, ob derzeitige auf einem Generationenvertrag beruhende Versorgungssysteme, welche die noch nicht bzw. nicht mehr arbeitenden Altersgruppen durch die Einkünfte der erwerbstätigen Altersgruppen absichern, mittelfristig aufrecht zu erhalten bzw. moralisch zulässig sind (speziell etwa im Bereich der Gesundheitsversorgung)[2].

Obwohl die Frage der Gerechtigkeit zwischen den Generationen in den beiden genannten Anwendungsfeldern in unterschiedlichen Akzentuierungen entgegentritt – als ökologische Frage nach der Verantwortung für entfernte Generationen bzw. als politische Frage nach den Verpflichtungen zwischen nahen Generationen –, lässt sich eine grundsätzliche Gemeinsamkeit der ethischen Problemstellung ausmachen: In beiden Fällen geht es darum, Ressourcenverteilungen dergestalt zu bestimmen, dass sie dem Gedanken einer „justice over time" entsprechen.[3] Mit diesem Stichwort ist die Aufgabe benannt, die *Sozialität* des Menschen, welche ihn überhaupt vor die Notwendigkeit der Verteilung stellt, mit seiner *Temporalität*, die ihn in eine Folge von Generationen einreiht, in angemessener Weise in Verbindung zu bringen. Diese abstrakte philosophische Charakterisierung des Problems schärft den Blick dafür, welchen formalen Anforderungen mögliche Lösungsansätze genügen müssen.

---

[1] Vgl. etwa ATTFIELD 1983; FEINBERG 1974; JONAS 1992; LENK 1983; PATZIG 1983.

[2] Vgl. etwa FLEISCHHAUER 1999; JOHNSON, CONRAD, THOMSON 1989; KOLLWITZ 1999; VON DER SCHULENBURG, KLEINDORFER 1986.

[3] LASLETT 1992, 24.

So können zunächst verschiedene geläufige *Verteilungskriterien* daraufhin untersucht werden, ob sie für den spezifisch zeitlichen Aspekt der Problemstellung überhaupt empfänglich sind. Dies ist bei zumindest zwei gebräuchlichen Kriterien, auf die im weiteren Verlauf noch zurückzukommen sein wird, offensichtlich nicht der Fall. So ist das *egalitaristische* Verteilungskriterium zeitlos: Denn wenn sämtliche Mitglieder einer Gemeinschaft unterschiedslos einen gleich großen Anteil an den zu verteilenden Gütern erhalten, wird ihre Zugehörigkeit zu einer bestimmten Generation (oder auch das Zustandekommen bestehender Ungleichheiten) gar nicht berücksichtigt.[4] Ebenso ist das *sozialistische* Verteilungskriterium zeitlos: Denn wenn der angemessene Anteil an den zu verteilenden Gütern sich einzig nach der Bedürftigkeit der Mitglieder einer Gemeinschaft richtet, bleibt ihre Zugehörigkeit zu einer bestimmten Altersgruppe (oder auch das Zustandekommen etwaiger Notlagen) wiederum irrelevant.[5] Für sich allein genommen weisen diese beiden Kriterien also keinerlei zeitliche Bezugnahme auf. Folglich werden sie Ansprüche, denen – wie es zwischen Angehörigen unterschiedlicher Generationen der Fall sein könnte – ein speziell *zeitlich-biographischer* Aspekt zukommt, ohne geeignete Erweiterung kaum angemessen berücksichtigen können.

Auf die gegenwärtige Diskussion der Gerechtigkeit zwischen den Generationen haben zwei Arbeiten besonders großen Einfluss ausgeübt[6]: John Rawls' Abhandlung *A Theory of Justice* (1971) sowie Norman Daniels' Essay *Am I My Parents' Keeper?* (1988). Auch die folgende Untersuchung wird sich mit diesen beiden Werken

---

[4] Das Kriterium der Gleichheit kann höchst unterschiedlich konkretisiert werden (vgl. DWORKIN 1981, 186 ff.), etwa mit Blick auf die ausgeteilte Ressourcenmenge oder den herbeigeführten Endzustand, aber auch mit Blick auf die bloße Zugänglichkeit von Versorgungsleistungen im Bedarfsfall. Geht man beispielsweise davon aus, dass alle Mitglieder einer Gemeinschaft ein *einheitliches Gesundheitssystem* durchlaufen, so lässt sich dies als eine Realisierung von Gleichheit geltend machen, selbst wenn die Beteiligten aufgrund ihres differierenden Gesundheitszustandes in sehr unterschiedlicher *Häufigkeit* und mit sehr unterschiedlichem *Erfolg* die Angebote dieses Systems wahrnehmen werden (vgl. Abschnitt 3).

[5] Das Kriterium der Bedürftigkeit kann zu anderen Verteilungsformen führen als das Kriterium der Gleichheit (vgl. POWERS 1996, 133 ff.), und speziell auch als dasjenige der Endzustandsgleichheit, etwa wenn die Gesamtmenge der zu verteilenden Güter unter den verschiedenen Distributionen sich ändert oder wenn die Bedürftigkeit nicht anhand der in Frage stehenden Güter selbst bemessen wird. Geht man beispielsweise davon aus, dass die Gruppe der *wirtschaftlich am schlechtesten Gestellten* im Bedarfsfall möglichst hohe Zuwendungen aus öffentlichen Gesundheitsleistungen erfahren sollte, so wäre dies eine Berücksichtigung von Bedürftigkeit, bei der auch in Kauf genommen würde, wenn andere Gruppen durch das System noch *größere Vorteile* hätten oder aber aufgrund ihrer Vermögensverhältnisse im Krankheitsfall auf *medizinische Eigenversorgung* verwiesen würden (vgl. Abschnitt 2).

[6] Vgl. etwa BROCK 1993; CHURCHILL 1994; KERSTING 1999; LAUTERBACH 1999; MOODY 1991; RHODES 1992.

beschäftigen. Denn obwohl ihre jeweiligen Schwerpunktsetzungen leicht divergieren – Rawls befasst sich mehr im Sinne der ökologischen Frage mit dem Sparen für spätere Generationen, Daniels befasst sich mehr im Sinne der politischen Frage mit der Verteilung von Gesundheitsleistungen auf verschiedene gegenwärtige Altersgruppen –, stehen beide Ansätze in einem engen theoretischen Verhältnis zueinander, das sehr klaren Aufschluss liefert über die übergreifenden Strukturerfordernisse, aber auch die grundsätzlichen Schwierigkeiten, denen sich eine Theorie der *Justice over Time* gegenübersieht. Wenn daher die Überlegungen von Rawls und Daniels auch letztlich nicht zufriedenstellen sollten, so lässt sich gerade anhand ihrer Defizite das Problem der Gerechtigkeit zwischen den Generationen schärfer erfassen: in der Aufgabe, die Aspekte der Sozialität und der Temporalität miteinander zu vermitteln, und in deren Tendenz, unter den beiden nun vorzustellenden Konzeptionen doch wieder isoliert zu bleiben.

2. A Theory of Justice

John Rawls' *A Theory of Justice* beruht auf dem Gedanken, dass sich das *ethische* Problem der „Rechtfertigung" von *gerechten* Grundsätzen einer realen Gesellschaft auf das *rationale* Problem des „Gedankenexperiments" einer *klugen* Wahl von fiktiven Urzustandsteilnehmern zurückführen lässt.[7] Die Frage, welche Grundsätze einer Gesellschaft dem Gedanken der „Fairneß" entsprechen, ist also nach Rawls dadurch zu beantworten, dass man untersucht, welchen Grundsätzen die freien und vernünftigen Teilnehmer an dem Abstimmungsprozess eines geeignet formulierten Urzustands „in ihrem eigenen Interesse" zustimmen würden.[8]

Bei diesen Urzustandsteilnehmern setzt Rawls keinerlei moralisch begrüßenswerte Eigenschaften voraus, sondern lediglich den Wunsch nach einem möglichst großen Anteil an den zu verteilenden Gütern sowie die vernunfthaften Kapazitäten zur Abwägung und zur Auswahl der verschiedenen Optionen.[9] Umso empfindlicher hängt das Ergebnis ihrer Wahl von der genauen Formulierung des Urzustands ab, insbesondere von der Frage, welche Kenntnisse über die künftige Gesellschaft und ihre eigene Position darin den Urzustandsteilnehmern zur Verfügung stehen und welche ihnen vorenthalten bleiben.[10] Rawls selbst befürwortet eine Formulierung des Urzustands, in welcher den Teilnehmern durch einen „Schleier des Nichtwissens" nicht allein die eigene spätere gesellschaftliche Position verborgen bleibt (so dass es ihnen unmöglich ist, durch eine unmittelbare Besserstellung dieser Position

[7] Rawls 1971, 35.
[8] Ibid., 28.
[9] Ibid., 166 f.
[10] Ibid., 143.

sich Vorteile zu verschaffen), sondern sogar die Häufigkeitsverteilung der verschiedenen gesellschaftlichen Rollen unbekannt ist (so dass ihnen auch keine Wahrscheinlichkeitsaussagen zur Verfügung stehen, welche dieser Rollen sie im Anschluss an den Urzustand zugelost bekommen könnten).[11] Rawls hält dafür, dass in dieser Formulierung des Urzustands die Teilnehmer sich dafür entscheiden würden, sozio-ökonomische Grundgüter so zu verteilen, dass die entstehenden Ungleichheiten den am wenigsten Begünstigen der Gesellschaft am meisten zugute kommen (*Unterschiedsprinzip*).[12]

Auf die Frage, inwieweit dieser Gedankengang im Einzelnen gerechtfertigt werden kann, wird weiter unten genauer eingegangen werden (Abschnitte 4, 5 und 6). Doch wird man festhalten können, dass Rawls' Ansatz zumindest formal den Anforderungen entspricht, die man an eine *Theory of Justice* stellen wollte: Der Gedanke eines fiktiven Vertragsschlusses unter gleichberechtigten Partnern ist grundsätzlich geeignet, den *sozialen* Gesichtspunkt einer Gemeinschaft mit anderen und einer Konkurrenz um bestimmte Güter aufzugreifen.

Zweifelhaft ist indessen, ob dieser Ansatz auch die Erwartungen an eine *Theory of Time* erfüllen kann. Denn ein ernst zu nehmender *zeitlicher* Aspekt ist in Rawls' Überlegungen nicht erkennbar. Zunächst ist der fiktive Urzustand, auch wenn es in ihm zu einer ‚Abstimmung' kommen mag, seiner Konzeption nach gänzlich atemporal. Auch ist die reale Wirklichkeit diskontinuierlich von ihm abgetrennt und nur metaphorisch als ‚später' zu bezeichnen. Schließlich erscheint sogar diese Wirklichkeit selbst in Rawls' Konzeption punkthaft, statisch: Die *Lebensspanne*, die ein Individuum in ihr zu durchlaufen hätte, wird auf eine *Position*, eine *Rolle*, die es in der Gesellschaft übernimmt, gleichsam summarisch reduziert. Insbesondere diese letztere Entzeitlichung der Wirklichkeit ist kein Zufall in Rawls' Theorie. Denn die rationale Wahl von Verteilungsgrundsätzen setzt voraus, dass die möglichen Konsequenzen dieser Wahl in hinreichender Prägnanz und Allgemeinheit miteinander vergleichbar sind. Insbesondere sollten sie keine zusätzliche Wertigkeit erfahren durch besondere empirisch-biographische Verbindungen, die zwischen den späteren Gesellschaftsmitgliedern entstehen können. Dies ist aber nur gewährleistet, wenn die temporalen Verläufe, die sich in der Wirklichkeit an die Urzustandswahl anschließen, zu atemporalen Zuständen, eben Positionen oder Rollen, zusammengefasst und auf diese Weise kommensurabel gemacht werden.

Rawls' Theorie vermag also, als *Theory of Justice* den Aspekt der Sozialität aufzugreifen; sie ist jedoch nicht imstande, im Sinne einer *Theory of Time* den Aspekt der Temporalität zu berücksichtigen. Ihr Reflexionspunkt ist der einer *sozialen Atemporalität*; ihr Urzustand ist ein Zustand des *Ich mit anderen außerhalb der Zeit*. So verwundert es nicht, dass auch der hergeleitete Verteilungsgrundsatz – das Unterschiedsprinzip – dem zeitlosen Aspekt der *Bedürftigkeit* verpflichtet ist (vgl.

[11] Ibid., 159 ff.
[12] Ibid., 336.

Abschnitt 1); der Aspekt etwaiger zeitlich vermittelter Ansprüche zwischen den Gesellschaftsmitgliedern bleibt der Theorie fremd.

Rawls selbst ist sich dieser Grenzen seines Ansatzes durchaus bewusst. So widmet er dem „Problem der Gerechtigkeit zwischen den Generationen" ein eigenständiges Kapitel seiner Untersuchung, in dem er einige seiner Überlegungen als für die Generationenfrage ungeeignet darstellt und zugunsten unabhängiger Erörterungen zurücknimmt.[13] Insbesondere weigert Rawls sich ausdrücklich, das *Unterschiedsprinzip* auf die Frage der Gerechtigkeit zwischen den Generationen anzuwenden: Der gesuchte „gerechte[] Spargrundsatz" darf nicht dahingehend bestimmt werden, dass die am schlechtesten Gestellten den größten Vorteil genießen. Denn da das Sparen immer zu Lasten der früher Lebenden und zum Vorteil der später Lebenden ausfällt, hätte – sofern eher ein kontinuierlicher Wohlfahrtsanstieg als ein genereller Wohlstandsverfall über die Generationen hinweg zu erwarten ist – die Optimierung der Position der am schlechtesten Gestellten zur Folge, dass „entweder überhaupt nicht oder nicht genug gespart wird" – ein für Rawls inakzeptables Resultat, da es statt zur Verbesserung zur Stagnation der gesellschaftlichen Verhältnisse führen würde.[14]

Nun formuliert Rawls den Urzustand bei genauerem Hinsehen so, dass sich das Unterschiedsprinzip für den Ressourcentransfer zwischen den Generationen auch gar nicht ergeben kann: Nach seiner Version wissen die Urzustandsteilnehmer zwar nicht, „zu welcher Generation sie gehören"[15], aber sie wissen sehr wohl, dass sie nach der Lüftung des Schleiers des Nichtwissens „Zeitgenossen sind"[16]. Damit ist geklärt, dass eine Herleitung des Unterschiedsprinzips als Verteilungsgrundsatz zwischen den Generationen überhaupt nicht ansteht: Denn die relative Generationenposition der Urzustandsteilnehmer ist gar keine Unsicherheitsvariable ihrer Entscheidung. Allerdings führt auch diese Präzisierung des Urzustands zu keinem verbesserten Resultat: Denn in dieser Variante der *Zeitgenossenschaft* haben die Urzustandsteilnehmer auf die ihnen vererbte Gütermenge keinen Einfluss; und ihren eigenen Güteranteil werden sie bevorzugt selbst aufbrauchen. Auch in dieser Version besteht daher zum Sparen kein vernünftiger Grund.[17] Ganz gleich also, ob den Teilnehmern unterschiedliche Generationen zugelost werden können oder ob die Rawls'sche Sonderbedingung der Zeitgenossenschaft gilt: Jeweils wird das gleiche unerwünschte Resultat einer verschwindenden Sparrate reproduziert – mit oder ohne Unterschiedsprinzip.

Um dieses Problem zu bewältigen, führt Rawls zwei weitere Bedingungen in sein Modell ein: nämlich „erstens [...], daß die Beteiligten Vertreter von Nachkommenlinien sind, denen jedenfalls ihre näheren Nachkommen nicht gleichgültig sind; und

[13] Ibid., 319 ff.
[14] Ibid., 321 f.
[15] Ibid., 160.
[16] Ibid., 163.
[17] Ibid., 323.

zweitens, daß der beschlossene Grundsatz so beschaffen sein muß, daß sie wünschen können, alle früheren Generationen möchten ihn befolgt haben".[18] Diese Bedingungen scheinen für sich genommen nicht zu beanstanden und dem Problem der Gerechtigkeit zwischen den Generationen auch tatsächlich angemessen zu sein. Es lässt sich aber nicht verhehlen, dass es sich bei ihnen um ausdrückliche Hinzufügungen handelt, die dem Rawls'schen Modell als solchem äußerlich und wesensfremd sind[19]: Vertreter einer Linie von Nachkommen zu sein, denen man wohlwollend gegenübersteht, ist gerade eine solche empirische und psychische Eigenschaft, wie sie Rawls sonst – mit Hilfe des Schleiers des Nichtwissens – seinen Urzustandsteilnehmern ausdrücklich vorenthalten will. Und wünschen zu können, dass frühere Generationen den gleichen Grundsätzen gefolgt seien wie man selbst, deutet ebenfalls eine voluntative Haltung an, die über das bisherige nüchterne Eigeninteresse der Urzustandsteilnehmer an einer – doch ohnehin als konstant vorausgesetzten – Verfassung hinausweist. Anstelle der sonst lediglich bemühten selbstbezogenen „Vernünftigkeit"[20] und „gegenseitigen Desinteressiertheit"[21] der Urzustandsteilnehmer werden hier auf einmal moralische Qualitäten wie Verantwortlichkeit und Vertrauensfähigkeit importiert, die Rawls' Modell eigentlich nicht voraussetzen, sondern eher rekonstruieren wollte. Wie heterogen diese Hinzufügungen innerhalb von Rawls' Ansatz bleiben, zeigt sich auch an dem auffallend vagen Resultat, das mit ihrer Hilfe aus der Urzustandstheorie zu gewinnen ist: Im Gegensatz zu dem doch recht präzisen Unterschiedsprinzip gelangen die Überlegungen in der Generationenfrage nicht weiter als bis zu irgendeinem „fair scheinenden Ergebnis", dessen Inhalt gänzlich unbestimmt bleibt: „Es läßt sich unmöglich viel Genaues darüber sagen, was für ein Plan für die Sparraten (oder die Bereiche, in denen sie liegen sollten) beschlossen würde [...]."[22]

Wie nachvollziehbar und einsichtig Rawls' Versuch daher auch sein mag, den Generationenaspekt in sein Modell zu integrieren – Ansatz wie Resultat belegen, dass er gezwungen ist, das Modell um theoriefremde Teile zu erweitern, die seine ursprünglichen Erkenntnisse nicht präzisieren, sondern diffuser werden lassen. Die atemporale *Theory of Justice* lässt sich nicht durch temporale Momente der Sorge für die Nachkommen und des Vertrauens auf die Vorfahren nachrüsten, in der Hoffnung, auf diese Weise eine gewünschte Theorie von *Justice over Time* zu gewinnen. Es hilft nicht, mit Blick auf die plötzlich als „Familienoberhäupter"[23] entworfenen Urzustandsteilnehmer zu erwägen, „wieviel sie für ihre näheren Nachkommen zu sparen *bereit wären*, und zu welchen Ansprüchen sie sich gegenüber ihren näheren

[18] Ibid., 323.
[19] Vgl. BIRNBACHER 1988, 129.
[20] RAWLS 1971, 166.
[21] Ibid., 152.
[22] Ibid., 324.
[23] Ibid., 151.

Vorfahren berechtigt *fühlen würden*"[24]. Vielmehr bedürfte es einer strengen Rekonstruktion dessen, welche Bereitschaften *angemessen* und welche Ansprüche *legitim* sind, was also Verantwortlichkeit und Solidarität in der Zeit tatsächlich *meinen*, wenn innerhalb des Rawls'schen Ansatzes eine überzeugende Konzeption von Gerechtigkeit zwischen den Generationen gewonnen werden sollte.

3. A Theory of Time

Norman Daniels hat in seinem Essay *Am I My Parents' Keeper?* den Versuch unternommen, eine solche strenge Behandlung des Generationenproblems im Rawls'schen Sinne zu leisten. Beide Theorien ähneln einander vor allem darin, dass auch Daniels ein *ethisches* Problem auf ein *rationales* Problem zurückzuführen versucht[25]: In seinem Fall ist die Frage, wie die Ressourcen einer Gesellschaft *gerecht* auf verschiedene Altersgruppen zu verteilen sind, äquivalent zu der Frage, wie ein Individuum solche Ressourcen *klug* über seine eigene Lebensspanne verteilen würde (*prudential lifespan account*).[26] Ganz ähnlich also wie Rawls' vernünftige Urzustandswahl fiktiver Vertragspartner die angemessenen Gerechtigkeitsgrundsätze einer realen Gesellschaft erschließen soll (insbesondere die richtige Verteilung von Grundgütern), soll Daniels' vernünftige Ressourcenaufteilung auf die Altersphasen eines einzelnen Lebens die angemessene Ressourcenverteilung zwischen verschiedenen Altersgruppen einer Gesellschaft ergeben (insbesondere die richtige Verteilung von Gesundheitsressourcen)[27]: „What is prudent with respect to different stages of a life determines what is fair between age groups. Prudence here guides justice."[28]

Die formale Ähnlichkeit beider Ansätze könnte Daniels' Überlegungen gerade als die gewünschte zeitliche Modifikation der Rawls'schen Gerechtigkeitstheorie und damit als schlüssige Lösung des Problems der Gerechtigkeit zwischen den Generationen erscheinen lassen. Indessen gibt es einen Umstand in Rawls' Erörterungen, der die Hoffnung, man habe es bei Daniels' Ansatz mit einer zufriedenstellenden Theorie von *Justice over Time* zu tun, grundsätzlich in Frage stellt.

John Rawls wendet sich in seiner Arbeit mit besonderem Nachdruck gegen die utilitaristische Gerechtigkeitsauffassung, welche Nutzen und Schaden, die unterschiedliche Mitglieder einer Gesellschaft treffen können, gegeneinander aufrechnet und lediglich ihren Beitrag zur Nutzensumme bzw. zum Durchschnittsnutzen der Gesamtgesellschaft als relevant erachtet.[29] In diesem Verteilungsgrundsatz macht

---

24 Ibid., 324 (Hervorhebungen vom Verfasser).

25 DANIELS 1988, 66.

26 Ibid., 40 ff.

27 Ibid., 18.

28 Ibid., 155.

29 RAWLS 1971, 40 ff.

Rawls ein tiefer liegendes Defizit aus, das ihn als gerechtigkeitstheoretisches Prinzip aus rein formalen Gründen diskreditiert. Denn das Aufrechnen von Nutzen und Schaden entspringt Rawls zufolge dem Raisonnement einer *einzelnen* Person, die Verluste und Gewinne in verschiedenen Tätigkeitsbereichen und Lebensfeldern gegeneinander abwägt und einander kompensieren lassen kann. Der Utilitarismus übernimmt nun diese Verteilungsregel einer einzelnen Person und überträgt sie auf das Problem der Verteilung zwischen *verschiedenen* Personen.[30] Diese Fortschreibung aber ist konzeptuell inakzeptabel. Denn das ethische *Problem* einer gerechten Distribution stellt sich überhaupt erst aufgrund der Verteilungskonkurrenz zwischen *verschiedenen* Individuen; folglich kann die *Lösung* dieses Problems nicht einfach in dem Verteilungsgrundsatz eines *einzelnen* Individuums gesucht werden.[31]

Nun soll auch nach Daniels' Ansatz die gerechte Ressourcenverteilung zwischen verschiedenen Menschen allein anhand der klugen Ressourcenaufteilung eines einzelnen Menschen erhoben werden. Somit wiederholt der *prudential lifespan account* den Irrtum des Utilitarismus, den gerechten Anteil der verschiedenen Mitglieder einer Gemeinschaft mit dem klugen Anteil eines einzelnen Menschen zu verschiedenen Zeitpunkten zu identifizieren.[32] Gewiss ist Daniels' *Ergebnis* nicht utilitaristisch, weil er stets voraussetzt, dass alle Menschen das gleiche Versorgungssystem durchlaufen, und lediglich die zeitlichen Parameter dieses Systems anhand der Überlegungen des Individuums ermitteln will (vgl. Abschnitt 4). Das ändert aber nichts daran, dass er eben für die Festlegung dieser zeitlichen Parameter die gleiche *Begründungsfigur* wählt, die Rawls am Utilitarismus kritisiert: Das Paradigma individueller Optimierung soll für eine Entwicklung von Gerechtigkeitsgrundsätzen dienen, obwohl es gerade den grundsätzlichen Aspekt der Gerechtigkeit, nämlich die Sozialität des Menschen, ausklammert.

Somit tut Daniels' Theorie zwar mit ihrer Betrachtung der Lebensspanne eines Menschen dem Aspekt der Temporalität genüge und ist insofern eine *Theory of Time*; hingegen verfehlt sie auf geradezu klassische Weise den Aspekt der Sozialität und kann folglich nicht als eine *Theory of Justice* gelten. Sie verfällt einer *temporalen Isolation*; ihr Reflexionspunkt ist das *Ich allein in der Zeit*. Ihre kluge Ressourcenaufteilung enthält zwar eine zeitliche Erstreckung, die aber nicht mit der sozialen Komponente verbunden ist; und wenn Daniels' Theorie bei genauerem Hinsehen in ihren ethischen Ausläufern dem Aspekt der *Gleichheit* verpflichtet ist (vgl. Abschnitt 4), so legt auch sie damit letztlich ein zeitloses Gerechtigkeitskriterium zugrunde und enthält folglich wiederum keine Ansprüche, die auf die zeitliche Gemeinschaft mit anderen verweisen würden.

Die Abstraktion, das Problem der Gerechtigkeit zwischen den Generationen als ein grundsätzliches Problem der Vermittlung von Sozialität und Temporalität zu fassen, hat somit zu einer schlaglichtartigen Beurteilung der Ansätze von Rawls und

[30] Ibid., 42.
[31] Ibid., 45.
[32] Vgl. ibid., 328.

Daniels geführt, die aber freilich einer detaillierteren Ausarbeitung bedarf. Für diese genauere Untersuchung sollen drei Fragen als Leitfaden dienen: (a) Inwieweit lässt sich begründen, dass die Gerechtigkeitsprobleme, welche die beiden Autoren lösen wollen, sich überhaupt mit Rekurs auf die jeweils vorgeschlagene Klugheitswahl erörtern lassen (Abschnitt 4)? (b) Wie sind die genaueren Bedingungen jener Klugheitswahl zu rechtfertigen (Abschnitt 5)? (c) Ist das anhand dieser Bedingungen deduzierte Ergebnis korrekt (Abschnitt 6)?

4. Die Berechtigung der Klugheitswahl

Zunächst stellt sich die Frage, inwiefern Rawls begründen kann, dass das ethische Problem angemessener Gesellschaftsgrundsätze in ein rationales Problem vernünftiger Urzustandswahl übersetzbar sei: Wieso sollte die deskriptive Untersuchung einer klugen Entscheidung von fiktiven Vertragspartnern für die präskriptive Bestimmung der gerechten Struktur von realen Gesellschaften maßgeblich sein?[33]

Diese Frage lässt sich aus Rawls' Sicht durch den Hinweis beantworten, dass das Konzept der Gerechtigkeit als solches an dem Gedanken eines frei geschlossenen Vertrags orientiert sei. Im Sinne dieses Gedankens gewinnen gesellschaftliche Institutionen ihre Berechtigung dadurch, dass sie als aus freien Gründungsakten hervorgehend gedacht werden können.[34] Folglich ist ihre Gerechtigkeit nicht an ihren kontingenten Entstehungsbedingungen zu bemessen, sondern an ihrer Übereinstimmung mit einer idealen Übereinkunft. Eben diese Auffassung stellt aber ihrerseits eine präskriptive Grundannahme dar, die gewährleistet, dass das Resultat jenes rein deskriptiven Vergleichs selbst mit präskriptiver Dignität ausgestattet ist.[35]

Erkennt man also im Sinne des Vertragsgedankens die *präskriptive* Prämisse an, dass Gerechtigkeit in solchen Strukturen besteht, die freie Individuen in einem entsprechenden Einigungsakt wählen *würden*, so lässt sich an dem *deskriptiven* Ergebnis einer idealen Urzustandswahl die Gerechtigkeit realer Institutionen *bemessen*.[36] Es ist die präskriptive Grundannahme des *Vertragsgedankens*, welche die ethische Normativität einer gerechten Gesellschaftsordnung mit der rationalen Normativität einer klugen Wahl verknüpft.

Schon die oberflächliche Lektüre von Daniels' Essay macht deutlich, dass seine Begründung für die Klugheitswahl völlig anderer Art ist. Bei Daniels liefert nicht ein *präskriptives Vorverständnis* dessen, was Gerechtigkeit bedeutet, den Grund für den Übergang vom ethischen zum rationalen Problem, sondern vielmehr eine *deskriptive*

---

[33] Vgl. etwa LYONS 1975, 152; SANDEL 1989, 21.

[34] Vgl. KERSTING 2000, 68 f.

[35] Vgl. BALLESTREM 1977, 121, 123.

[36] Vgl. RAWLS 1971, 28 f.

Tatsache: die Tatsache nämlich, dass jedes Mitglied einer Gesellschaft nicht für immer einer bestimmten Altersstufe angehört, sondern sukzessive alle Altersstufen durchläuft (sofern es nicht vorher stirbt), und dass folglich jede allgemeingültige Verteilungsregel, die zwischen den verschiedenen Altersstufen wirkt, sämtliche Anteile, die sie einem Individuum zu einem bestimmten Zeitpunkt entzieht, zu einem anderen Zeitpunkt an dieses Individuum wieder zurückfließen lässt (sofern diese Verteilungsregel konstant bleibt).[37] Damit aber, so Daniels, sei das Verteilungsproblem zwischen den Generationen gänzlich anders zu bewerten, als es gemeinhin wahrgenommen werde: Es gehe überhaupt nicht um das Problem einer Konkurrenz zwischen verschiedenen Gruppen, wie es sich vielleicht in der Augenblicks-Perspektive darstelle. Vielmehr reduziere sich der interpersonelle Güteraustausch zwischen unterschiedlichen Altersgruppen auf die intrapersonelle Güteranordnung im Lebensplan eines Einzelnen, wenn man die Netto-Auswirkung von Transfers zwischen Altersgruppen über längere Zeiträume hinweg betrachte.[38] Somit könne die Frage der „justice between groups" verlustfrei ersetzt werden durch die Frage der „prudent allocation of resources through the stages of life".[39] Indem die Konkurrenz zwischen verschiedenen Personen zu einem bestimmten Zeitpunkt als ein Transfer über die gesamte Lebensspanne einer einzelnen Person verstanden werde, verwandele sich das ethische Problem, wie diese Konkurrenz gerecht zu gestalten sei, in das rationale Problem, wie jener Transfer klug vorgenommen werden könne. Der auf diese Weise begründete *prudential lifespan account* folgt dem ethisch-rationalen Grundsatz: „By finding out what rational deliberators [...] would accept as prudent to allocate to different stages of their lives, we also discover what is fair between age groups."[40] „[...] whatever is prudent from this perspective constitutes what is just [...]."[41]

Freilich hängt der von Daniels behauptete zeitliche Ausgleich von Voraussetzungen ab, die generell kaum erfüllt sind: Weder bleiben Versorgungssysteme über längere Zeiträume konstant, noch werden sie von allen Individuen vollständig durchlaufen. Somit werden realistisch betrachtet niemals alle Beteiligten eines Generationenvertrags am Ende eine ausgeglichene Güterbilanz aufweisen. Weit wichtiger als diese kontingenten Einwände sind aber die ethischen Bedenken, die auch für den Idealfall gegen Daniels' Analyse zu erheben sind: Selbst wenn die genannten Bedingungen erfüllt wären, so bliebe es doch dabei, dass hier das interpersonelle Verteilungsproblem durch ein intrapersonelles Aufteilungsproblem ersetzt wird. Und der oben im Anschluss an Rawls erhobene Vorwurf, dass Daniels' Theorie mit eben dieser Ersetzung einen ethischen Kardinalfehler begeht, erhärtet sich auch bei genauerer Untersuchung seiner Argumentation.

---

[37] DANIELS 1988, 41.

[38] Ibid., 18, 45.

[39] Ibid., 45.

[40] Ibid., 85.

[41] Ibid., 92.

(a) Denn Daniels' so einleuchtende Ausgangsbeobachtung „The young become the old"[42] ist, bei näherer Betrachtung, schlichtweg falsch: Gewiss werden junge Menschen irgendwann alte Menschen; aber *die* jungen Menschen werden eben nicht *die* alten Menschen, mit denen sie selbst im Austausch standen, sondern *andere* alte Menschen, die ihrerseits mit *anderen* jungen Menschen im Austausch stehen. *De facto* handelt es sich bei den Transfers zwischen Altersgruppen in üblichen Versorgungssystemen also nicht um individuelle, überzeitliche Sparmaßnahmen, sondern um überindividuelle, gegenwärtige Reallokationen. Dass „transfers *between* age groups are really transfers *within* lives"[43], dass „unequal treatment of people by age is a kind of budgeting within a life"[44], sind somit illusionäre Behauptungen: Auch wenn ich selbst *später* ein alter Mensch sein *werde*, steht mir gegenüber doch *jetzt* ein *anderer* alter Mensch. Selbst wenn Transfers zwischen Jung und Alt im Leben eines Menschen in einander ausgleichenden Richtungen fließen, so handelt es sich doch immer noch um verschiedene Menschen, die an diesen Transfers beteiligt sind. Es sind gerade diese interpersonellen Transfers, die den zeitlichen Verpflichtungen zwischen verschiedenen Menschen entsprechen müssen und die den zeitlichen Zusammenhalt innerhalb einer Gesellschaft stiften können. Sie auf intrapersonelle Umverteilungen zu reduzieren, verleugnet die temporal-soziale Verbindlichkeit, der sie entstammen sollten, und die temporal-soziale Verbundenheit, die sie herstellen könnten.[45]

Die Rawls'sche Fundamentalkritik, dass der Transfer zwischen verschiedenen Menschen niemals an der Güterallokation eines einzelnen Menschen orientiert werden darf, trifft Daniels' Ansatz daher – auch wenn er selbst dies bestreitet – in voller Härte. Denn es ist nicht wahr, dass es sich bei der Allokation zwischen Altersgruppen nur in der Perspektive eines „moment or time-slice" um verschiedene Menschen handele, in der „longitudinal perspective of institutions operating over time" hingegen um einen einzigen Menschen: Es *sind* verschiedene Menschen, die jeweils im Austausch miteinander stehen. Dieses simple Faktum ist völlig unabhängig von der Wahl einer Zeitperspektive. Die „boundaries between persons" *werden* überschritten, wenn es zu Transfers zwischen Altersgruppen kommt.[46] Hieran ändert sich nichts, wenn diese Überschreitungen netto in beiden Richtungen gleich häufig stattfinden.[47]

---

[42] Ibid., 18.
[43] Ibid., 63.
[44] Ibid., 46.
[45] Vgl. MOODY 1988, 36.
[46] DANIELS 1988, 46.
[47] Dieser Aspekt wird höchst augenfällig, wenn Margaret Battin sich in der Nachfolge von Daniels mit der Frage befasst, wie die von Daniels im weiteren Verlauf vertretene Rationierung von Gesundheitsleistungen am besten umzusetzen sei. Ihr Ergebnis ist, dass nicht die Vorenthaltung lebensverlängernder Maßnahmen, sondern vielmehr die direkte Tötung sich als das bevorzugt gewählte Mittel erweisen müsse (BATTIN 1987,

„The lifespan approach is based on the suggestion that we must replace the problem of finding a just distribution between ‚us' and ‚them' – between groups – with the problem of finding a prudent allocation of resources for each stage of our lives."[48] Genau dieses ‚replacement' bedeutet den *Verlust* der ethischen Perspektive bei Daniels, nicht ihre fiktiv-prozedurale *Reformulierung* wie bei Rawls. Daniels *transformiert* nicht das ethische in ein rationales Problem, sondern er *reduziert* es darauf.

Es ist daher auch durchaus kein Vorzug, wie Daniels meint, dass er im Gegensatz zu Rawls für seinen Übergang von der Gerechtigkeitsfrage zur Klugheitsfrage keine *moralische Grundüberzeugung* wie den Vertragsgedanken benötigt, sondern nur eine (angebliche) *natürliche Konvergenz* von Generationenproblem und Privatallokation.[49] Denn um den Übergang vom ethischen zum rationalen Problem zu rechtfertigen, bedarf man unumgänglich einer *präskriptiven Prämisse* und kann sich nicht allein auf ein (obendrein fehlinterpretiertes) *deskriptives Faktum* stützen: Eine Klugheitswahl *kann* nicht legitim für ein Gerechtigkeitsproblem substituiert werden, wenn der Bezug zwischen beiden nur deskriptiv, nicht aber präskriptiv ausweisbar ist.

(b) Aber ist dieses konzeptuelle Defizit von Daniels' Theorie denn auch wirklich ein inhaltliches? Wenn sich auch zeigen lässt, dass seine Theorie kein ethisches Problem *löst*, weil sie den Aspekt des interpersonellen Austauschs nicht ernst nimmt – läuft seine Argumentation nicht darauf hinaus, und hat er nicht Recht damit, dass es bei der Allokation zwischen Altersgruppen überhaupt kein ethisches Problem *gibt*, weil dieser interpersonelle Austausch seiner Struktur nach immer schon gerecht ist? Sofern jeder Einzelne alle Altersgruppen durchläuft und sofern zwischen diesen Altersgruppen ein konstantes Transfersystem besteht, werden offensichtlich alle Beteiligten gleich behandelt – zwar herrscht *synchrone* Ungleichheit in der Einzelverteilung, aber immerhin *diachrone* Gleichheit des Güterzugangs. Es scheint letztlich diese stets garantierte Gleichheit zu sein, mit Blick auf welche Daniels behaupten kann: „[...] there *is* no distinct problem of justice between age groups."[50] Lässt sich gegen diese verblüffend einfache Feststellung ernsthaft etwas einwenden?

Ja. Denn sie hängt ab von der Voraussetzung, dass *Gerechtigkeit* sich in *Gleichheit* erschöpft. Nur unter dieser Voraussetzung sind Daniels' Marginalisierung des Gerechtigkeitsproblems und seine Fokussierung auf ein bloßes Klugheitsproblem

---

332). Aber selbst wenn es stimmen sollte, dass vernünftige Entscheider sich zu einer solchen Beendigung ihres *eigenen* Lebens entschließen würden, so bliebe es doch dabei, dass ein entsprechendes Vorgehen mit Blick auf *fremdes* Leben moralisch unvertretbar wäre. Hier zeigt sich deutlich, dass zwischen der Allokation bei einem selbst und der Distribution gegenüber anderen eine unaufhebbare ethische Differenz besteht. Der Irrtum, in einer geeigneten zeitlichen Perspektive die Grenzüberschreitung zwischen Menschen vernachlässigen zu können, wird nur zu offensichtlich, wenn diese Grenzüberschreitung nicht weniger ausmacht als den Übergang vom Suizid zum Mord.

[48] DANIELS 1988, 18.

[49] Ibid., 66 f., 93.

[50] Ibid., 42 (Hervorhebung vom Verfasser).

für den Fall eines konstanten Transfers zwischen vollständig durchlaufenen Generationen gültig. Wenn hingegen Gerechtigkeit nicht auf Gleichheit reduzibel ist, dann kann Ungerechtigkeit auch entstehen, wenn verschiedene Menschen das *gleiche System* in der Zeit durchlaufen, aber ihre *variierenden Ansprüche* jeweils zu verschiedenen Zeiten missachtet werden. Denn Ungerechtigkeiten, die aufgrund früherer Missachtungen von Ansprüchen entstehen, lassen sich nicht durch spätere gegenläufige Missachtungen seitens des Systems ‚ausgleichen', sondern wachsen vielmehr durch solche neuerlichen Verletzungen noch an.[51] Ein ‚Kompensationsprinzip', mit dem man in der Anspruchsdimension allein die Gleichheitslogik einführen wollte, würde Gerechtigkeit nicht auf intrapersonelle Belange reduzieren, sondern in interpersonelle Vergeltung pervertieren.[52]

Hinzuzufügen ist, dass Daniels an anderer Stelle seiner Theorie einen weiteren Eingangspunkt für *Gerechtigkeit* schafft, der aber wiederum dem Aspekt der *Gleichheit* verpflichtet bleibt. Daniels führt nämlich aus, dass der *prudential lifespan account* innerhalb eines *frame* allgemeiner Gerechtigkeitserwägungen anzuwenden sei, der seinerseits zu bestimmen habe, wie *hoch* das jeweilige zu verteilende Gesamtbudget für Gesundheitsleistungen im Vergleich zu anderen gesellschaftlichen Ausgaben sein müsse.[53] Dabei soll der Wert von Gesundheitsleistungen daran bemessen werden, inwieweit sie die Möglichkeiten des „normal functioning" eines Individuums und

---

[51] Vgl. McKerlie 1992, 290 f.

[52] Als Beispiel betrachte man das Prinzip der so genannten „djedówschtschina", einer Machtstruktur, die zeitweise unter den Wehrpflichtigen der sowjetischen Armee praktiziert wurde und während deren zweijähriger Dienstzeit vereinfacht zu folgender Verteilungsregel geführt hatte (vgl. Kläy 1993, 144 ff.; Sapper 1994, 124 ff.): Im ersten Jahr ihrer Dienstzeit waren die jungen Rekruten seitens ihrer älteren Kameraden vielfachen Schikanen ausgesetzt, wurden etwa zu nichtdienstlichen Arbeiten genötigt oder hatten Geld- und Sachgeschenke ihrer Verwandten abzutreten. Im zweiten Jahr ihrer Dienstzeit stiegen sie selbst in die Riege der Altgedienten auf und hielten sich nun ihrerseits an den inzwischen nachgerückten jüngeren Kameraden schadlos. Diese Praxis stellt die geradezu ideale Miniatur eines vollständigen und konstanten Generationentransfers dar und lässt sich daher mit den Mitteln von Daniels' Argumentation durchaus rechtfertigen: Dem Aspekt der *Gleichheit* tut sie vollauf genüge (sieht man einmal davon ab, dass einige Teilnehmer vorzeitig aus dem Verfahren ausschieden oder dass gelegentliche Variationen in der Durchführung des Prinzips vorgekommen sein mögen); gemäß dem *prudential lifespan account* bliebe also lediglich noch zu untersuchen, welche Struktur des Güterflusses innerhalb einer Dienstzeit am vorteilhaftesten wäre (hier ließen sich wahrscheinlich vielfältige Varianten erörtern). Indessen ist wohl höchst fragwürdig, ob irgendeine Form dieser Transfers ernsthaft als Realisation von *Gerechtigkeit* gelten kann. Eher scheinen die bestehenden Ansprüche der Soldaten auf Freistellungen vom Dienst und auf Zuwendungen ihrer Familien bzw. die fehlenden Ansprüche der Älteren auf Freizeit und Eigentum der Jüngeren einen solchen Austausch zwischen den Generationen, ungeachtet aller Kompensation, vom Ansatz her zu diskreditieren.

[53] Daniels 1988, 48, 53.

damit seinen Anteil am „normal opportunity range" einer gegebenen Gesellschaft beeinflussen, auf den es, angesichts seiner Fähigkeiten und Talente, ein Anrecht hätte.[54] Der Grundsatz der „equality of opportunity" soll dann Auskunft über eine angemessene Gesamthöhe der Gesundheitsausgaben oder auch über ihre angemessene Aufteilung auf verschiedene Gesundheitsbereiche geben.[55] Abgesehen davon aber, dass Daniels' Rahmen damit lediglich die *Gesamthöhe* der zu verteilenden Menge in den einzelnen *Gesundheitsbereichen* bestimmt, nicht jedoch die hier interessierende *Verteilung* dieser Ressourcen zwischen den *Generationen*, bleiben auch diese Erörterungen dem atemporalen Gedanken der Gleichheit – hier genauer: der Chancengleichheit – verpflichtet.

Statt eine homogene Theorie von *Justice over Time* zu liefern, stellt Daniels folglich bestenfalls ein heterogenes, zweistufiges Konzept vor: Vorgeordnet ist eine auf den Aspekt der Gleichheit reduzierte, und damit für sich genommen atemporale *Theory of Justice*, deren Erfordernissen im Fall eines vollständigen und konstanten Generationentransfers und eines hinreichenden Gesamtbudgets genüge getan ist; nachgeordnet ist eine auf bloße Nutzen-Optimierung beschränkte, für sich genommen asoziale *Theory of Time*. Es ist Daniels' Beschränkung auf Gleichheit, die es ihm erlaubt, durch die Einführung der temporalen Perspektive die soziale Perspektive als angeblich unproblematisch zu *eliminieren*, wo es eigentlich darum gehen müsste, beide Perspektiven zu *integrieren* durch die Berücksichtigung zeitlich vermittelter, gesellschaftlich gültiger Ansprüche. Denn *Justice over Time* kann nicht heißen, *punktuelle* Vor- und Nachteile aufzuaddieren und allein deren Gesamtsumme *am Ende des Lebens* für relevant zu erachten; sondern sie müsste gerade umgekehrt bedeuten, *zeitgebundene* Ansprüche zu analysieren und ihnen *in jedem Moment* zu entsprechen.

5. Die Bedingungen der Klugheitswahl

Rawls' Theorie wirft die Frage auf, weshalb der Urzustand gerade in der von ihm bevorzugten Variante formuliert werden sollte: Könnte man den Schleier des Nichtwissens nicht auch durchlässiger gestalten, so dass die Urzustandsteilnehmer mehr Informationen hätten, vor allem über die Häufigkeiten der zu vergebenden gesellschaftlichen Rollen, und infolgedessen womöglich auch einen anderen Verteilungsgrundsatz wählen würden, etwa den von Rawls so bekämpften Utilitarismus?[56]

An dieser Stelle kommt der Begriff des Überlegungs-Gleichgewichts ins Spiel. Rawls' eigene Erläuterungen hierzu sind nicht immer glücklich: Gelegentlich scheint seine Bestimmung des Schleiers des Nichtwissens sich lediglich durch „Einfachheit"

[54] Ibid., 69 f.

[55] Ibid., 71 f.

[56] Vgl. etwa HARE 1975, 104; HARSANYI 1982, 46.

auszeichnen zu können, indem sie in bevorzugt leichter Weise eine Lösung des Urzustandsproblems erlaubt; gelegentlich scheint sein Ansatz zur bloßen Rekonstruktion von Intuitionen herhalten zu sollen, indem der Urzustand eben so formuliert wird, „daß die gewünschte Lösung herauskommt".[57] Als bloße Einstimmung dieser beiden Argumentationslinien wäre das Überlegungs-Gleichgewicht aber sicherlich verkürzt aufgefasst: Gewiss lässt sich für den Rawls'schen Schleier argumentieren, dass erstens mit der Gewährung aller allgemeinen und der Verweigerung aller besonderen Kenntnisse eine leicht handhabbare Formulierung gefunden ist und dass zweitens das Ergebnis dieser Formulierung eine gewisse Überzeugungskraft aufweist. Indessen soll das angestrebte Wechselspiel von „möglichst schwachen Bedingungen" in der Bestimmung des Urzustands und „unseren wohlüberlegten Gerechtigkeitsvorstellungen" in der Beurteilung der Resultate nicht im Entweder-Oder dieser beiden Begründungsrichtungen steckenbleiben, sondern sich „von beiden Enden her"[58] auf eine schließlich stabile Gesamtsicht des Problems zubewegen. Ziel ist, dass „sich alles zu einer einheitlichen Theorie zusammenfügt"[59], die vorher nicht, auch nicht in Teilen, vorhanden war. Das Konzept des Überlegungs-Gleichgewichts ist Ausdruck für ein hermeneutisches Projekt der Entwicklung *neuer Einsichten.* Es kann somit keine bloße Kongruenz von deduktiver und induktiver Schlussrichtung bedeuten, deren Prämissen formal befriedigend bzw. intuitiv überzeugend wären. Vielmehr muss es als Selbstversicherung über die gelungene theoretische Einführung eines grundsätzlich angemessenen Gerechtigkeitsaspekts geltend gemacht werden können. Daher wird man gut daran tun, insbesondere den Schleier des Nichtwissens und seine spezielle Ausprägung bei Rawls nicht allein aufgrund seiner einfachen logischen Gestalt[60] und seiner plausiblen moralischen Konsequenzen[61] separat zu beurteilen. Vielmehr muss er – wie oben bereits die Urzustandswahl insgesamt – als unmittelbare Einbindung und theoretische Konzeptualisierung eines *präskriptiv bedeutsamen* Moments verständlich gemacht werden können.

Dies ist leicht möglich. Nach Rawls soll der Schleier des Nichtwissens „die Wirkung von Zufälligkeiten beseitigen, die die Menschen in ungleiche Situationen bringen und zu dem Versuch verführen, gesellschaftliche und natürliche Umstände zu ihrem Vorteil auszunutzen".[62] Somit erscheint der Schleier des Nichtwissens im Rahmen von Rawls' Gedankenexperiment als eine fiktiv-prozedurale Ausmalung eines geradezu definierenden Aspekts von Gerechtigkeit, nämlich des präskriptiven Konzepts der *Unparteilichkeit.*[63] Unparteilichkeit im Vollsinne des Wortes aber ver-

[57] RAWLS 1971, 165.
[58] Ibid., 37.
[59] Ibid., 39.
[60] HARE 1975, 91.
[61] Ibid., 83 f.
[62] RAWLS 1971, 159.
[63] Vgl. BALLESTREM 1977, 124; HARE 1975, 90; HÖFFE 1977, 26.

langt nicht nur, Kenntnisse über die eigene künftige Position, sondern auch Kenntnisse über die eigenen Chancen auf künftige Positionen auszuklammern – selbst wenn diese Chancen für alle Urzustandsteilnehmer gleich sein sollten. Denn geht es im Namen der Unparteilichkeit darum, eine *normative* Bestimmung von Güterverteilungen gegen die *faktischen* Zufälligkeiten in der Welt immun zu machen, so sind hierzu neben allen *individuellen* Eigenschaften einer Person auch alle *kollektiven* Kontingenzen der Gesellschaft insgesamt zu zählen – insofern man beide zum eigenen Vorteil nutzen kann.[64]

Die Frage, ob Daniels' Theorie auf ähnliche Weise ein zentrales Gerechtigkeitsmoment in ihre Bestimmung der Klugheitswahl eingehen lässt, scheint auf den ersten Blick unverständlich zu sein: Wenn im vorigen Abschnitt festgestellt wurde, dass Daniels' Theorie insgesamt als Gerechtigkeitstheorie nicht haltbar ist, wie sollte dann eine spezielle Formulierung in ihr geeignet sein, einen Gerechtigkeitsaspekt zur Geltung bringen? Und doch ist die Frage nicht ohne Bedeutung: Denn wenn Daniels' Theorie auch der präskriptiven Grundlage entbehrt, so könnte ihr immer noch ein Kriterium eingefügt sein, das in ihrem erklärten ethischen Anwendungsbereich eine präskriptive Valenz erkennen lässt – ebenso wie Rawls' Schleier des Nichtwissens als Prinzip der Unparteilichkeit erkennbar bleibt, selbst wenn man die Urzustandswahl insgesamt nicht als gültige ethische Ableitungskonzeption akzeptiert.

Immerhin will auch Daniels in seine Theorie ein „Rawlsian veil of ignorance" einführen, welches dem rationalen Entscheider vor allem das eigene Alter und die eigene Auffassung eines guten Lebens verbergen soll.[65] Und natürlich kann dieser Schleier des Nichtwissens wiederum als Implementierung von Unparteilichkeit verstanden werden. Allerdings macht sich die mangelnde präskriptive Verankerung von Daniels' Theorie nun darin bemerkbar, dass die Formulierung dieses Schleiers weniger zwingend und seine Begründung weniger einleuchtend ausfällt als bei Rawls.

(a) Der erste Aspekt – die Unbekanntheit des eigenen Alters – mag im Rahmen einer Theorie der Ressourcenverteilung zwischen Jung und Alt sehr naheliegend erscheinen als Gewähr von Unparteilichkeit. Erinnert man sich jedoch daran, dass es hier speziell um eine Verteilung medizinischer Leistungen geht, so würde man mindestens ebenso sehr die Unbekanntheit der eigenen Gesundheit anmahnen wollen, um auch diesbezüglich Unparteilichkeit zu gewährleisten. Nun mag man die letztere Bedingung für überflüssig halten angesichts der Tatsache, dass die Gesamthöhe des Gesundheitsbudgets von Daniels als bereits unabhängig festgelegt vorausgesetzt wird, so dass niemand sich einen Vorteil verschaffen kann, indem er die absolute Höhe dieses Gesamtbudgets mit Blick auf seinen eigenen Gesundheitszustand zu optimieren versucht. Allerdings erscheint in diesem Fall die erstere Bedingung ebenso überflüssig, insofern Daniels stets voraussetzt, dass alle Mitglieder der Gesellschaft das gleiche konstante Gesundheitssystem durchlaufen, so dass auch die Kenntnis des eigenen Alters nicht helfen kann, den zeitlichen Verlauf der

[64] Vgl. RAWLS 1971, 165.

[65] DANIELS 1988, 64 f.

Gesundheitsleistungen mit Blick auf den eigenen Lebensabschnitt zu optimieren, ohne dass man in anderen Lebensabschnitten dafür zahlen müsste.

Die Stellen, an denen Daniels eine Begründung seiner ersten Wissensbeschränkung liefert, wirken daher eher wie eine Reaffirmation seiner Rahmenbedingung eines zeitlich konstanten Systems, das von allen Beteiligten vollständig durchschritten wird.[66] Insofern diese Voraussetzung sicherstellt, dass dem Aspekt der Gleichheit entsprochen wird, lässt sich die Verhüllung des eigenen Alters bei Daniels nur als erneute Bekräftigung der Gleichheitsvoraussetzung verstehen – eine Wiederholung, deren Sinn nicht ganz einsichtig wird.

(b) Der zweite Aspekt – die Unbekanntheit der eigenen Auffassung eines guten Lebens – wird von Daniels damit begründet, dass diesbezügliche Präferenzen sich innerhalb eines Lebens wandeln können. Insofern der *prudential lifespan account* aber einen feststehenden Verteilungsplan liefern soll, müsste im Rahmen des Modells verlangt werden, bereits in jungen Jahren eine abschließende Entscheidung über diesen Plan zu treffen. Dies droht zu einer „age-bias“ zugunsten der Jüngeren und zuungunsten der Älteren zu führen, welcher mit der Verhüllung solcher materialer Präferenzen begegnet werden soll.[67] Dieses Vermeiden einer „age-bias“ kann gewiss wiederum als eine Implementierung von Unparteilichkeit, nun mit Blick auf verschiedene Lebenspläne, aufgefasst werden. Innerhalb von Daniels' eigener Perspektive lässt sich diese Verhüllung allerdings kaum plausibel machen.

Denn für Daniels geht es erklärtermaßen gar nicht mehr um einen Grundsatz der Gerechtigkeit bei der Verteilung zwischen verschiedenen Individuen, sondern lediglich um einen Grundsatz der Klugheit bei der Aufteilung für ein einzelnes Individuum. Um aber *klug* zu entscheiden, um zu vermeiden, dass man aufgrund einer „age-bias“ unachtsam spätere Bedürfnisse übersieht, ist es keineswegs erforderlich, Wissen zu *beschränken*, sondern lediglich, es weitsichtig *anzuwenden*. Die Tatsache „[m]y conception of what is good in life changes“ führt gewiss dahin, dass man in der Lage sein sollte „to abstract from [...] the particulars of my conception of what is good at any given time, including the present“.[68] Aber *Abstraktion* bedeutet nicht *Verhüllung*. Hier wird der fundamentale Unterschied zwischen den Ansätzen von Rawls und Daniels deutlich sichtbar: Der Rawls'sche Schleier des Nichtwissens verbirgt die eigene Auffassung vom Guten gegenüber anderen, um gerecht zu sein; der Daniels'sche Schleier des Nichtwissens verbirgt die jetzige Auffassung vom Guten gegenüber früheren oder späteren, um klug zu sein. Aber so einleuchtend ersteres ist, so irrig ist letzteres: Man wird gerechter, wenn man gewisse Dinge nicht berücksichtigt; und gerade um diese *Unparteilichkeit* geht es beim Rawls'schen Schleier des Nichtwissens, da hier das Klugheitsproblem nur ein reformuliertes Gerechtigkeitsproblem ist. Aber man wird nicht klüger, wenn man gewisse Dinge nicht weiß; und genau eine solche *Unkenntnis* würde der Daniels'sche Schleier des Nichtwissens ein-

---

[66] Ibid., 51 f., 67, 75.

[67] Ibid., 55 f.

[68] Ibid., 57 f.

führen, insofern hier das Klugheitsproblem an die Stelle des Gerechtigkeitsproblems getreten ist. Somit ist es auch höchst unangebracht, wenn Daniels den Verzicht auf eine präskriptive Begründung seines Schleiers gegenüber dem vergleichsweise offenen Import präskriptiver Annahmen bei Rawls wiederum als einen konzeptuellen Vorzug erscheinen lassen will: Die Gründe für die Einführung eines Schleiers des Nichtwissens können nicht aus den „requirements of prudence alone“ abgeleitet werden, wie Daniels es sich vorstellt.[69] Denn nur Gerechtigkeit, und nicht Klugheit, kann verlangen, Kenntnisse auszuschließen. Die versäumte präskriptive Anbindung der Klugheitswahl an das Gerechtigkeitsproblem bei Daniels schlägt sich hier in der misslingenden Begründung ihrer Randbedingungen nieder.

6. Das Ergebnis der Klugheitswahl

Akzeptiert man Rawls' Ansatz, die Gerechtigkeitsgrundsätze einer Gesellschaft aus einem fiktiven Urzustand herzuleiten (Vertragsgedanke), und akzeptiert man weiter, in diesen Urzustand einen dicken Schleier des Nichtwissens einzuführen (Unparteilichkeit), so bleibt die Frage zu klären, ob das Ergebnis des so bestimmten Entscheidungsproblems korrekt ist: Würden rein rationale Individuen sich in Rawls' Urzustand tatsächlich für die Optimierung der Lage der am schlechtesten Gestellten entscheiden, oder hängt diese Wahl von bestimmten psychischen Verfasstheiten, vor allem einer womöglich übertriebenen Risikoscheu ab?[70]

In der Entscheidungstheorie unterscheidet man i.a. zwei Situationstypen voneinander und ordnet ihnen jeweils unterschiedliche Handlungsprinzipien zu. So spricht man von *Handeln unter Risiko*, wenn die möglichen Ausgänge und die zugehörigen Wahrscheinlichkeiten der verschiedenen Optionen bekannt sind; für diesen Fall wird häufig vorgeschlagen, die Option mit dem maximalen Nutzen-Erwartungswert zu wählen (EU-Maximierung). Hingegen spricht man von *Handeln unter Unsicherheit*, wenn zwar die möglichen Ausgänge, aber nicht deren Wahrscheinlichkeiten bekannt sind; in diesem Fall wird häufig diejenige Option als zu wählen betrachtet, deren schlechtestmöglicher Ausgang noch am erträglichsten wäre (Maximin-Prinzip).[71] Auch Rawls schließt sich dieser Zuordnung an. Würde man den Urzustand folglich als Situation des Handelns unter Risiko formulieren, indem die Häufigkeiten für die verschiedenen Positionen innerhalb der künftigen Gesellschaft und damit die Wahrscheinlichkeiten für die eigene Position nach der Lüftung des Schleiers des Nicht-

---

[69] Ibid., 64.

[70] Vgl. etwa BALLESTREM 1977, 126; BARBER 1975, 297; BIRNBACHER 1977, 391.

[71] Die Unterscheidung der beiden Situationstypen geht auf KNIGHT 1921, 197 ff., zurück; die Zuweisung der beiden Entscheidungsregeln findet sich z.B. in V. KUTSCHERA 1982, 28.

wissens den Urzustandsteilnehmern bekannt wären, so sollte die Wahl gemäß der EU-Maximierung getroffen werden. Diese Maximierung des eigenen Nutzen-Erwartungswerts wäre aber äquivalent zur Maximierung der Gesamtnutzensumme bzw. des Durchschnittsnutzens innerhalb der Gesellschaft, d.h. zur Wahl utilitaristischer Verteilungsgrundsätze.[72] In der von Rawls bevorzugten Formulierung des Urzustands hingegen hat man es mit einer Situation des Handelns unter Unsicherheit zu tun, da hier auch die Häufigkeiten bzw. Wahrscheinlichkeiten der gesellschaftlichen Rollen verborgen bleiben, so dass gemäß dem Maximin-Prinzip entschieden würde. Diese Optimierung des schlechtesten eigenen möglichen Ergebnisses ist aber gleichbedeutend mit der Optimierung der schlechtesten gesellschaftlichen Position, d.h. mit der Wahl des Rawls'schen Unterschiedsprinzips.[73]

Eine genauere entscheidungstheoretische Analyse, die hier leider nur in ihren Ergebnissen grob skizziert werden kann, führt zu einem leicht modifizierten Bild.[74] Für das Handeln unter Risiko sind Konzeptionen zu berücksichtigen, bei denen nicht eine Maximierung von Nutzen-Erwartungswerten, sondern eine Maximierung von bloßen Güter-Erwartungswerten angeraten ist und überdies im Falle stark divergierender Ausgänge Prinzipien der Vernachlässigung extrem kleiner Wahrscheinlichkeiten und der Vermeidung extrem schlechter Ausgänge hinzuzuziehen sind.[75] Daher würde sich in der Risiko-Version des Urzustands keineswegs der Utilitarismus als Verteilungsprinzip ergeben, sondern eine differenziertere Verteilungsregel. Für das Handeln unter Unsicherheit zeigen weitere Überlegungen, dass Minimum und Maximum einer Option grundsätzlich gleichberechtigt in die Abwägung einzubeziehen sind.[76] Allerdings ist in einer Situation großer Spannweite zwischen beiden eine zunehmende Fokussierung auf das Minimum angebracht, so dass Rawls für die Unsicherheits-Version des Urzustands in der Tat das Unterschiedsprinzip herleiten kann. Das Rawls'sche Ergebnis der Urzustandswahl ist daher grundsätzlich zu bestätigen: Die Entscheidung für das Unterschiedsprinzip ist nicht Zeugnis einer psychisch-kontingenten Risikoscheu, sondern Ergebnis einer rational-verbindlichen Unsicherheitsstrategie. Und vor dem präskriptiven Hintergrund von Rawls' Gesamtentwurf verwandelt sich dieses rationale Prinzip der *Vorsicht* mit Blick auf das eigene Schicksal in ein ethisches Prinzip der *Fürsorge* für das fremde Schicksal.

Um vergleichbare Schlussfolgerungen aus seinem Ansatz ziehen zu können, benötigt Daniels eine angemessene Konkretisierung des „standard principle of individual rational choice: It is rational and prudent that a person take from one stage of his life to give to another in order to make his life as a whole better".[77] Welche kollektive Ressourcenverteilung der *prudential lifespan account* empfehlen kann, hängt also

[72] RAWLS 1971, 186 ff.
[73] Ibid., 174 ff.
[74] Vgl. HÜBNER 2001, 137 ff., 220 ff.
[75] Vgl. RESCHER 1983, 114.
[76] Vgl. ARROW, HURWICZ 1972, 8.
[77] DANIELS 1988, 46.

davon ab, wie das individuelle Umverteilungsziel „to make [...] life as a whole better" sich verbindlich ausdeuten lässt.

(a) Als erste Annäherung zu dieser Konkretisierung wählt Daniels den Grundsatz, dass „basic goods" so zu verteilen sind, dass der jeweilige „plan of life" verfolgt werden kann.[78] Daniels knüpft hier an zwei oben bereits erwähnte Gesichtspunkte an, nämlich einerseits an die Bedeutung, die das Gut Gesundheit für die Realisierung von Lebensplänen hat (Abschnitt 4), und andererseits an die Tatsache, dass die Vorstellungen eines guten Lebens sich im Laufe der Zeit wandeln können (Abschnitt 5). Daher gilt ihm als Maßstab für die Bedeutung von Gesundheitsleistungen in verschiedenen Lebensphasen ihr Beitrag zur Gewährleistung des „age-relative normal opportunity range" einer jeweiligen Gesellschaft.[79] Angesichts der Wandelbarkeit der Vorstellungen von einem guten Leben sollten die Gesundheitsressourcen so verteilt werden, dass die Spielräume jeder Lebensphase möglichst weit offen gehalten werden: Ziel ist „to keep options open".[80]

Auch wenn es hier ausdrücklich um „age-relative" opportunities geht und nicht etwa darum, dass in jedem Lebensalter beliebige Ziele anvisiert werden könnten, so wird man an dieser Stelle Vorbehalte anmelden müssen, die wiederum mit dem mangelnden Bezug zwischen Gerechtigkeitsfrage und Klugheitsproblem bei Daniels in Zusammenhang stehen. Denn der „opportunity range" einer Person hängt nicht allein von gesundheitlichen und gesellschaftlichen Gegebenheiten ab, sondern auch von biographischen Parametern. Insbesondere verkleinert sich dieser Möglichkeitsraum im Alter nicht allein deshalb, weil gewisse Aktivitäten physisch oder sozial unzugänglich werden, sondern weil man sich im Laufe der Zeit für andere Aktivitäten entschieden hat – dies teilweise in Form gewachsener Verpflichtungen, die nun entsprechende zeitlich vermittelte Ansprüche entstehen lassen. Der „age-relative normal opportunity range" einer Gesellschaft ist deshalb eine nur bedingt relevante Orientierungsgröße für die Lebensplanung, ganz unabhängig davon, wie weit oder wie eng dieser Raum zu denken wäre. Denn die Wahlmöglichkeiten einer Person verengen sich mit zunehmendem Alter nicht nur *absolut mit* dem Möglichkeitsraum ihrer Altersgruppe, sondern auch *relativ zum* Möglichkeitsraum ihrer Altersgruppe – und dies ist keine rein deskriptive, sondern eine auch präskriptive Aussage, angesichts temporaler Verpflichtungen und Ansprüche, die im Laufe eines Lebens entstehen.[81]

In Rawls' atemporalem Urzustand ist eine Offenheit für verschiedenste Lebensentwürfe sinnvoll, da tatsächlich alle denkbaren Rollen noch zugelost werden können; hingegen ist in Daniels' temporalem Modell eine solche Offenheit deplaziert, da das Spektrum möglicher Rollen zwangsläufig immer kleiner wird. Auch ist diese Offenheit in Rawls' sozialer Gerechtigkeitstheorie als Implementierung von

---

[78] Ibid., 59.

[79] Ibid., 76.

[80] Ibid., 58.

[81] Vgl. CALLAHAN 1995, 136; WOLF 1999, 224.

Toleranz gegenüber anderen moralisch bedeutungsvoll; hingegen wird sie in Daniels' isolierender Klugheitstheorie als Entpflichtung seiner selbst sogar moralisch fragwürdig. Es ist bemerkenswert, wie auf diese Weise die Einführung der zeitlichen Komponente die ethische Argumentation geradezu umkehrt: In unzeitlicher Perspektive lässt sich aus dem individuellen Wunsch nach freier Lebenswahl auf die kollektive Pflicht zur Bereitstellung eines entsprechend weiten Möglichkeitsrahmens schließen; in zeitlicher Perspektive demgegenüber begründet die kollektive Erwartung eines verantwortungsvollen Lebensvollzugs die individuelle Pflicht zur Erfüllung des sich entsprechend verengenden Verwirklichungsrahmens. Anders formuliert: So angemessen es ist, mit der Wahl *eigener Optionen* die Möglichkeiten *anderer Menschen* nicht zu beeinträchtigen, so unangemessen ist es, mit der Wahl *früherer Optionen* nicht die Möglichkeiten *späterer Entscheidungen* einzuschränken. Das Offenhalten aller denkbaren Verwirklichungsmöglichkeiten von Vorstellungen eines guten Lebens ist innerhalb der Rawls'schen Theorie *vernünftig*, weil nach der *einmaligen Lüftung* des Schleiers des Nichtwissens ein Individuum sich mit jeder dieser möglichen Wertvorstellungen wiederfinden könnte. Und die Ablehnung einer unklugen Einengung eigener Möglichkeiten begründet dann – angesichts der gelungenen *präskriptiven Anbindung* bei Rawls – die *moralische* Verurteilung einer ungerechten Einengung fremder Möglichkeiten. Aber das Offenhalten aller denkbaren Verwirklichungsmöglichkeiten von Vorstellungen eines guten Lebens ist innerhalb der Daniels'schen Theorie *unangebracht*, da in der *zeitlichen Erstreckung* eines Lebens irreversible Grundentscheidungen gefordert sind, die eine ständige, auch jeweils altersrelativ denkbare Umorientierung des Individuums ausschließen bzw. verbieten. Wenn diese zwangsläufige Einengung eigener Möglichkeiten aber nicht als unklug bezeichnet werden kann, sondern sogar moralisch affirmiert werden muss, so kann sie auch nicht zur Kritik an einer Einengung fremder Möglichkeiten dienen, sondern bekräftigt sogar – nun geradezu in Umkehrung der *präskriptiven Intention* bei Daniels – die *moralische* Bedeutung gewisser biographischer Festlegungen. Wo Rawls' Offenheit für die eigenen *nach dem Urzustand bestehenden Interessen* rational nachvollziehbar ist und sich zwanglos in die moralische Toleranz gegenüber den Interessen anderer transformiert (gegen einen „dogmatism about what is good"), da ist Daniels' Offenheit für die eigenen *im Verlaufe des Lebens sich wandelnden Interessen* rational überzogen und bleibt in der präskriptiv fragwürdigen Konzeption einer Toleranz gegenüber sich selbst stecken („that I must be tolerant of the plans of life I may come to have").[82]

(b) Bei den genaueren Konsequenzen, die Daniels aus diesen Vorüberlegungen für seine Klugheitswahl zieht, lehnt er sich an dasselbe Schema an wie Rawls: Für ein Handeln unter Risiko befürwortet er die EU-Maximierung, für ein Handeln unter Unsicherheit das Maximin-Prinzip.[83] Folglich sind hier analoge Einschränkungen zu machen wie bei Rawls. Auffallend ist freilich, dass bei Rawls die beiden Ent-

---

[82] DANIELS 1988, 59.
[83] Ibid., 88 f.

scheidungsgrundsätze zu gegenläufigen Resultaten führen (Utilitarismus bzw. Unterschiedsprinzip), während sie bei Daniels angeblich das gleiche Ergebnis nach sich ziehen (stärkere Investitionen in frühere Jahre und gewisse Restriktionen in späteren Jahren, insbesondere mit Blick auf lebensverlängernde Maßnahmen[84]): Denn bei der EU-Maximierung soll der Nutzen späterer Jahre gegenüber dem Nutzen früherer Jahre diskontiert werden; und das Maximin-Prinzip soll dazu führen, dass die Gefahr, aufgrund unzureichender Gesundheitsleistungen in jüngeren Jahren ein normales Lebensalter nicht zu erreichen, stärker gewichtet wird als die Gefahr, aufgrund beschränkter Gesundheitsleistungen in späteren Jahren kein besonders hohes Lebensalter zu erreichen. Beide Prinzipien sollen somit eine grundsätzliche Bevorzugung von lebensverlängernden Gesundheitsleistungen in früheren gegenüber späteren Jahren begründen.[85]

Nun ist die verstärkte Bereitstellung medizinischer Leistungen für jüngere Patienten gegenüber älteren Patienten nicht unplausibel, da eine solche Aufteilung i.a. einen größeren medizinischen Effekt verspricht (gemessen in Lebensjahren oder auch in ‚Lebensjahren mal Lebensqualität'). Zwar gilt dieser Zusammenhang angesichts der erheblichen Schwankungsbreite im Gesamtgesundheitszustand von Patienten gleicher Altersgruppen gewiss nicht immer (anstelle des ‚chronologischen Alters' wird hier gelegentlich auf das ‚biologische Alter' verwiesen).[86] Zumindest im Falle lebensverlängernder Maßnahmen jedoch scheint die Bilanz bei einer Investition in frühere statt in spätere Jahre zwangsläufig auf einen höheren Gewinn hinauszulaufen. Und doch ist nicht ganz unumstritten, ob eine entsprechende Allokationsregel tatsächlich auch aus *Daniels' eigenem Klugheits-Ansatz* ableitbar ist.[87] Zunächst kann die Argumentation aufgrund der EU-Maximierung in Frage gestellt werden: Dass spätere Jahre zumeist eine höhere Belastung durch Krankheiten und Behinderungen aufweisen, lässt ihre Diskontierung und entsprechend geringere Begleitung durch Gesundheitsmaßnahmen nicht unbedingt klug erscheinen – auch nicht im Falle lebensverlängernder Maßnahmen. Ebenso ist die Argumentation aufgrund des Maximin-Prinzips nur bedingt nachvollziehbar: Wenn die Bilanz eines Lebens nicht als notwendig positive Summe von Erlebnissen und Aktivitäten entworfen wird, kann Vernachlässigung im hohen Alter eine grauenhaftere Perspektive sein als ein früher Tod – auch wenn die erste Variante eine größere Anzahl von Lebensjahren mit sich bringt.

Unabhängig davon, ob man diese Bedenken für triftig hält oder ob man Daniels' Überlegungen grundsätzlich zustimmt – die Diskussion macht einen weiteren fundamentalen Unterschied zur Rawls'schen Theorie deutlich: Bei Rawls besteht der strittige Punkt darin, ob die Entscheidung gemäß der *formalen Regel* der EU-Maximierung oder aber der *formalen Regel* des Maximin-Prinzips erfolgen sollte, woraus sich

[84] Ibid., 83 ff.

[85] Ibid., 87 ff.

[86] Vgl. FLEISCHHAUER 1999, 217 f., 240 f.

[87] Vgl. CALLAHAN 1995, 137; KERSTING 1999, 159 Anm.; POWERS 1995, 171.

unmittelbar der Utilitarismus bzw. das Unterschiedsprinzip ergibt; diese Frage ist durch entsprechende entscheidungstheoretische Untersuchungen beantwortbar. Bei Daniels hingegen liegt der strittige Punkt in den *materialen Bewertungen* von jüngeren bzw. späteren Jahren, auf deren Grundlage *beliebige* Entscheidungsprinzipien zu der von ihm behaupteten Bevorzugung früherer gegenüber späteren Jahren führen sollen; diese Wertungen entziehen sich entscheidungstheoretischen Erörterungen. Dieser Unterschied liegt gewiss darin begründet, dass Daniels mit der konkreten Ressourcenverteilung über die Jahre hinweg ein sehr viel präziseres Resultat anzielt als Rawls mit der abstrakten Abwägung zwischen Utilitarismus und Unterschiedsprinzip. Doch gerade angesichts dieser Aufgabe ist es offenbar wiederum kein Vorzug, wie Daniels meint, dass er, im Gegensatz zu Rawls, mit Hilfe unterschiedlicher Entscheidungsprinzipien (angeblich) das gleiche Ergebnis herleiten kann. Vielmehr belegt es nur, wie sehr dieses Ergebnis von materialen Wertungen abhängt (diese mögen korrekt sein oder nicht), und wie gering das rein formale Klärungspotential seiner Theorie bleibt.

7. Abschluss

Die Diskussion der Ansätze von Rawls und Daniels hat noch kein zufriedenstellendes Konzept einer *Theory of Justice over Time*, die Sozialität und Temporalität miteinander vermitteln könnte, erkennbar werden lassen. Dieses negative Ergebnis bedeutet nicht, dass das skizzierte Vermittlungsproblem unlösbar wäre; es kann allerdings Anlass zu Zweifeln geben, ob dieses Problem wohl mit Hilfe des Modells einer Klugheitswahl bewältigt werden kann.[88] Zumindest bei Rawls und Daniels führt dieses Modell dazu, dass die fragliche Entscheidungssituation *entweder* den sozialen *oder* den temporalen Aspekt aufgreift und somit zweistufige, heterogene Ansätze hervorbringt, die den jeweils anderen Aspekt isolieren (nachordnen bzw. vorordnen), statt beide Gesichtspunkte in eine homogene Theorie zu integrieren. Es wäre zu erwägen, ob diese Fokussierung auf den einen oder den anderen Aspekt des sozial-temporalen Problems unvermeidlich ist, sobald man versucht, es auf eine rationale Entscheidungssituation abzubilden. Insbesondere das in all diesen Klugheitsmodellen typischerweise zur Anwendung kommende Konzept eines Schleiers des Nichtwissens würde sich für die Rekonstruktion zeitlich vermittelter Ansprüche

[88] Vorbehalte dieser Art finden sich auch bei Madison Powers. Allerdings werden dort Zweifel an hypothetischen Wahlmodellen geäußert erstens mit Blick auf die abstrakte Begründung von *Gerechtigkeitstheorien* überhaupt und zweitens mit Blick auf das konkrete Problem der Verteilung von *Gesundheitsleistungen* (vgl. POWERS 1995, 148). Demgegenüber gelten die hier erwogenen Zweifel der grundsätzlichen, aber speziellen Frage von *Justice over Time*.

verbieten, falls hier nicht ein „*Verfahren[] des Wegsehens*", sondern eher ein „*Verfahren des Hinsehens*" gefragt wäre.[89]

Die Überlegungen von Rawls und Daniels gehören, trotz ihrer formalen Ähnlichkeit, unterschiedlichen Theorietypen an: Rawls' Ansatz stellt eine deontologische Konzeption dar, in der von einem grundsätzlichen Vorrang des Rechten vor dem Guten ausgegangen wird.[90] Daniels' Ansatz folgt demgegenüber einer teleologischen Konzeption, insofern es innerhalb des vorausgesetzten Gleichheitsrahmens vorrangig um die Maximierung von „well-being over the lifespan" geht.[91] Wenn nun dieser *deontologische* und jener *teleologische* Ansatz das Problem zeitvermittelter Ansprüche nicht angemessen zu behandeln vermögen, so könnte man sich zu dem Schluss ermutigt finden, dass die Lösung durch das Hinzutreten eines Ansatzes des dritten Ethiktyps gewonnen werden müsse – d.h. durch Überlegungen *tugendethischer* Art. In die Richtung eines Tugendansatzes scheinen beide Autoren gelegentlich selbst zu weisen: Wenn Rawls seine Urzustandsteilnehmer als Vertreter von Nachkommenlinien konzipiert, die als „Väter" die angemessene Sparrate für ihre „Söhne und Enkel" bestimmen, indem sie sich fragen, zu welchen Ansprüchen sie selbst sich „gegenüber ihren Vätern und Großvätern [...] berechtigt fühlen würden"[92], so wird der Rahmen der Urzustandswahl für einen Import unabhängiger Angemessenheitsüberlegungen benutzt, die mit ihrem Rekurs auf Verwandtschaftsverhältnisse einen impliziten Appell an entsprechende Tugenden erkennen lassen. Und wenn Daniels einräumt, dass die Bewertung von Gesundheitsleistungen mit Blick auf die Möglichkeitsräume einer Gesellschaft nicht mehr greift, sobald es um schwere unheilbare Erkrankungen geht, bei denen „other moral considerations, such as beneficence" relevant werden[93], so beginnt auch er, seine Theorie um Tugenderwägungen zu ergänzen. Es ist aber kein Zufall, wenn sowohl bei Rawls als auch bei Daniels diese Erwägungen ihrem ursprünglichen Klugheitsansatz gegenüber äußerlich bleiben. Denn es ist davon auszugehen, dass sich der Tugendaspekt einer Rekonstruktion innerhalb eines rationalen Entscheidungsmodells weitgehend verschließt.

Vor dem Hintergrund solcher Erwägungen verwundert es nicht, dass andere Autoren das Problem der Gerechtigkeit zwischen den Generationen nicht vom Paradigma der klugen Wahl aus angehen, sondern sich um eine genauere Bestimmung dessen bemühen, was Jungsein und Altsein bedeuten und welche Haltungen zwischen den Mitgliedern verschiedener Generationen – innerhalb der Familie oder innerhalb der Gesellschaft insgesamt – jenen Bedeutungen gerecht werden.[94] Frei-

[89] Vgl. KERSTING 2000, 357.

[90] RAWLS 1971, 48, 50.

[91] DANIELS 1988, 78.

[92] RAWLS 1971, 324.

[93] DANIELS 1988, 107.

[94] Vgl. etwa BLUSTEIN 1982, 99 ff.; ENGLISH 1979, 354 ff.; SCHOEMAN 1980, 9 ff.; WICCLAIR 1993, 121 ff.

lich haben Ansätze dieser Art nicht jene stringente Ableitungskraft, die rationalen Entscheidungsmodellen eignet; und entsprechend weit gehen ihre Ergebnisse auseinander: Daniel Callahan entwirft ein Bild des Alters, bei dem es zur Pflicht der älteren Menschen wird, allmählich hinter die Bedürfnisse der jüngeren zurückzutreten[95]; von hier folgert er, dass jenseits des Erreichens eines „natural life span" eine recht rigorose Beschränkung lebensverlängernder Gesundheitsleistungen angebracht sei[96]. Geoffrey Cupit macht geltend, dass die Gerechtigkeit von Verteilungen nicht an der faktischen Distribution von Gütern zu bemessen sei, sondern an ihrer expressiven Würdigung des Status von Menschen[97]; sodann erwägt er die „veneration thesis", der zufolge älteren Menschen aufgrund ihrer längeren Lebensgeschichte ein größerer Respekt gebührt als jüngeren[98]. Im Ergebnis weisen Ansätze dieser Art also gravierende Unterschiede auf; und dennoch sind sie von ihrer rein konzeptuellen Herangehensweise her vielleicht am Ende besser als Klugheitsmodelle geeignet, das Problem von Ansprüchen zu bewältigen, die aufgrund des zeitlichen Zusammenlebens von Menschen entstehen: Womöglich reicht ein Rekurs auf zu befolgende Rechtspflichten oder zu maximierende Güterwerte nicht aus, um das Problem der Gerechtigkeit zwischen den Generationen, der gewachsenen Verbindlichkeiten und der temporalen Ansprüche, zu bewältigen; womöglich setzt es voraus, eine Orientierung über die angemessene Haltung zu den zeitlich-moralischen Verbindungen zwischen Menschen zu gewinnen.

Literatur

ARROW, K.J., HURWICZ, L. (1972): *An Optimality Criterion for Decision-making under Ignorance*, in: CARTER, C.F., FORD, J.L. (eds.): Uncertainty and Expectation in Economics. Essays in Honour of G.L.S. Shackle, Oxford, 1-11.

ATTFIELD, R. (1983): *The Ethics of Environmental Concern*, Oxford.

BALLESTREM, K.G. (1977): *Methodologische Probleme in Rawls' Theorie der Gerechtigkeit*, in: HÖFFE, O. (Hg.): Über John Rawls' Theorie der Gerechtigkeit, Frankfurt a.M., 108-127.

BARBER, B.R. (1975): *Justifying Justice: Problems of Psychology, Politics and Measurement in Rawls*, in: DANIELS, N. (ed.): Reading Rawls. Critical Studies in Rawls' *A Theory of Justice*, New York, 227-318.

[95] CALLAHAN 1995, 48 ff., 82 ff.

[96] Ibid., 133 ff., 141 ff.

[97] CUPIT 1998, 709 f.

[98] Ibid., 716 f.

BATTIN, M.P. (1987): *Age Rationing and the Just Distribution of Health Care: Is There a Duty to Die?*, in: Ethics 97 (2), 317-340.

BIRNBACHER, D. (1977): *Rawls' „Theorie der Gerechtigkeit" und das Problem der Gerechtigkeit zwischen den Generationen*, in: Zeitschrift für philosophische Forschung 31 (3), 385-401.

– (1988): *Verantwortung für zukünftige Generationen*, Stuttgart.

BLUSTEIN, J. (1982): *Parents and Children. The Ethics of the Family*, New York, Oxford.

BROCK, D.W. (1993): *Life and Death. Philosophical Essays in Biomedical Ethics*, Cambridge, 388-407.

CALLAHAN, D. (1995): *Setting Limits. Medical Goals in an Aging Society*, 2nd ed., Washington.

CHURCHILL, L.R. (1994): *Self-Interest and Universal Health Care. Why Well-Insured Americans Should Support Coverage for Everyone*, Cambridge (Massachusetts), London.

CUPIT, G. (1998): *Justice, Age, and Veneration*, in: Ethics 108 (4), 702-718.

DANIELS, N. (1988): *Am I My Parents' Keeper? An Essay on Justice between the Young and the Old*, New York, Oxford.

DWORKIN, R. (1981): *What is Equality? Part 1: Equality of Welfare*, in: Philosophy and Public Affairs 10 (3), 185-246; *What is Equality? Part 2: Equality of Resources*, in: Philosophy and Public Affairs 10 (4), 283-345.

ENGLISH, J. (1979): *What Do Grown Children Owe Their Parents?*, in: O'NEILL, O., RUDDICK, W. (eds.): Having Children. Philosophical and Legal Reflections on Parenthood, New York, 351-356.

FEINBERG, J. (1974): *Die Rechte der Tiere und zukünftiger Generationen*, in: BIRNBACHER, D. (Hg.): Ökologie und Ethik, Stuttgart 1980, 140-179.

FLEISCHHAUER, K. (1999): *Altersdiskriminierung bei der Allokation medizinischer Leistungen. Kritischer Bericht zu einer Diskussion*, in: Jahrbuch für Wissenschaft und Ethik, Bd. 4, Berlin, New York, 195-252.

HARE, R.M. (1975): *Rawls' Theory of Justice*, in: DANIELS, N. (ed.): Reading Rawls. Critical Studies in Rawls' *A Theory of Justice*, New York, 81-107.

HARSANYI, J.C. (1982): *Morality and the Theory of Rational Behaviour*, in: SEN, A., WILLIAMS, B. (eds.): Utilitarianism and Beyond, Cambridge, 39-62.

HÖFFE, O. (1977): *Kritische Einführung in Rawls' Theorie der Gerechtigkeit*, in: HÖFFE, O. (Hg.): Über John Rawls' Theorie der Gerechtigkeit, Frankfurt a.M., 11-40.

HÜBNER, D. (2001): *Entscheidung und Geschichte. Rationale Prinzipien, narrative Strukturen und ein Streit in der Ökologischen Ethik*, Freiburg i.Br., München.

JOHNSON, P., CONRAD, C., THOMSON, D. (eds.) (1989): *Workers Versus Pensioners: Intergenerational Justice in an Ageing World*, Manchester, New York.

JONAS, H. (1992): *Das Prinzip Verantwortung. Versuch einer Ethik für die technologische Zivilisation*, 2. Aufl., Frankfurt a.M.

KERSTING, W. (1999): *Über Gerechtigkeit im Gesundheitswesen*, in: Jahrbuch für Wissenschaft und Ethik, Bd. 4, Berlin, New York, 143-173.

– (2000): *Theorien der sozialen Gerechtigkeit*, Stuttgart, Weimar.

KLÄY, D. (1993): *Perestrojka in der Sowjetarmee. Eine empirische Analyse der sowjetischen Militärpresse unter Gorbatschow 1985-1991*, Zürich.

KNIGHT, F.H. (1921): *Risk, Uncertainty and Profit*, Chicago 1971.

KOLLWITZ, A.A. (1999): *Verteilungsgerechtigkeit und Generationenkonflikt. Uneingeschränkte Gesundheitsleistungen auch für Ältere?* (Berliner Medizinethische Schriften. Beiträge zu ethischen und rechtlichen Fragen der Medizin, Bd. 35), Dortmund.

V. KUTSCHERA, F. (1982): *Grundlagen der Ethik*, Berlin, New York.

LASLETT, P. (1992): *Is There a Generational Contract?*, in: LASLETT, P., FISHKIN, J.S. (eds.): Justice between Age Groups and Generations, New Haven, London, 24-47.

LAUTERBACH, K.W. (1999): *Effizienz und Gerechtigkeit im Gesundheitswesen*, in: Jahrbuch für Wissenschaft und Ethik, Bd. 4, Berlin, New York, 187-194.

LENK, H. (1983): *Erweiterte Verantwortung. Natur und künftige Generationen als ethische Gegenstände*, in: MAYER-MALY, D., SIMONS, P.M. (Hg.): Das Naturrechtsdenken heute und morgen. Gedächtnisschrift für René Marcic, Berlin, 833-846.

LYONS, D. (1975): *Nature and Soundness of the Contract and Coherence Arguments*, in: DANIELS, N. (ed.): Reading Rawls. Critical Studies in Rawls' *A Theory of Justice*, New York, 141-167.

MCKERLIE, D. (1992): *Equality Between Age-Groups*, in: Philosophy and Public Affairs 21 (3), 275-295.

MOODY, H.R. (1988): *Generational Equity and Social Insurance*, in: The Journal of Medicine and Philosophy 13 (1), 31-56.

– (1991): *Allocation, Yes; Age-based Rationing, No*, in: BINSTOCK, R.H., POST, S.G. (eds.): Too Old for Health Care? Controversies in Medicine, Law, Economics, and Ethics, Baltimore, London, 180-203.

PATZIG, G. (1983): *Ökologische Ethik*, in: MARKL, H. (Hg.): Natur und Geschichte, München, Wien, 329-347.

POWERS, M. (1995): *Hypothetical Choice Approaches to Health Care Allocation*, in: HUMBER, J.M., ALMEDER, R.F. (eds.): Allocating Health Care Resources, Totowa, 147-176.

– (1996): *Forget About Equality*, in: Kennedy Institute of Ethics Journal 6 (2), 129-144.

RAWLS, J. (1971): *Eine Theorie der Gerechtigkeit (A Theory of Justice)*, 8. Aufl., Frankfurt a.M. 1994.

RESCHER, N. (1983): *Risk. A Philosophical Introduction to the Theory of Risk Evaluation and Management*, Lanham, New York, London.

RHODES, R.P. (1992): *Health Care, Politics, and Distributive Justice. The Ironic Triumph*, Albany.

SANDEL, M.J. (1989): *Liberalism and the Limits of Justice*, Cambridge.

SAPPER, M. (1994): *Die Auswirkungen des Afghanistan-Krieges auf die Sowjetgesellschaft. Eine Studie zum Legitimitätsverlust des Militärischen in der Perestrojka*, Münster, Hamburg.

SCHOEMAN, F. (1980): *Rights of Children, Rights of Parents, and the Moral Basis of the Family*, in: Ethics 91 (1), 6-19.

VON DER SCHULENBURG, J.-M. GRAF, KLEINDORFER, P.R. (1986): *Wie stabil ist der Generationenvertrag in der sozialen Krankenversicherung? Zum Problem der Gerechtigkeit und Akzeptanz intergenerativer Umverteilung*, in: GÄFGEN, G. (Hg.): Ökonomie des Gesundheitswesens. Jahrestagung des Vereins für Socialpolitik, Gesellschaft für Wirtschafts- und Sozialwissenschaften in Saarbrücken vom 16.-18. September 1985, Berlin, 413-434.

WICCLAIR, M.R. (1993): *Ethics and the Elderly*, New York, Oxford.

WOLF, C. (1999): *Health Care Access, Population Ageing, and Intergenerational Justice*, in: LESSER, A.H. (ed.): Ageing, Autonomy and Resources, Aldershot, Brookfield, 212-245.

Deciding on Life – An Ethical Analysis of the Manchester Conjoined Twins Case

by Søren Holm and Charles A. Erin

Introduction[1]

During the fall of 2000, the UK was gripped by a tragic moral dilemma and associated court drama unfolding at St Mary's Hospital in Manchester and in the English courts. In early August a pair of conjoined twins had been born at the hospital. It quickly became clear that if they were separated surgically only one of them could live, and if they were not separated they would both die.

Such cases where separation is necessary for long term survival, but where it will necessarily lead to the death of one twin, are very rare. That said, the last few months of 2000 saw at least three similar cases reported, apart from that of Mary and Jodie.

Diana Cristina and Leydi Johana were born on 9th September, 2000, in Medellin, Columbia, conjoined, weighing less than 4 kg in total, and sharing a liver, part of their intestines, and pancreas. Doctors at Leon XIII Hospital, began a 16½ hour operation to separate the twins on 12th September, following which, early on 14th September, Diana Cristina died from respiratory failure, despite having been considered to have had a better chance of survival than her sister. At this time, Leydi Johana was "delicate but stable" with a "guarded" prognosis.[2] One significant difference between this case and that of Jodie and Mary is that, according to hospital spokesmen, the twins' parents "signed a consent form *during* the surgery [...] acknowledging that separation might save only one of the twins".[3]

---

1 Many references in this paper are to internet sites. All sites were available on the 7th of February, 2001, with the content referred to here. The reason for the extensive use of internet references is that much of the factual material about this case and other similar cases is not available anywhere else.

2 ANONYMOUS (2000): *Columbian 'Siamese' twin girl dies after separation*, Quepasa, http://www.quepasa.com/Front_End/SecondaryB/0,1225,261454-2-792,00.html, posted 14th September, 2000 – source: Reuters.

3 Ibid. (our emphasis).

Janlee and Janlean Luna, from Puerto Rico, were born conjoined at the abdomen, sharing a liver, kidney, and bladder. Three days after a 17 hour operation to separate them, Janlee died of complications on 9th October, 2000.[4]

Diogo and Diego were born on 9th November, 2000, in Campina Grande, Brazil, joined at the upper body, and sharing a single heart and liver. Diego died shortly following separation surgery at the Portuguese Hospital in Recife, with Diogo reported to be in a critical condition, with heart and kidney problems.[5] Again, the notion of one twin being sacrificed for the sake of another was made explicit in this case:

> " 'One of them probably will have to be sacrificed to save the life of the other,' said [Dr Marta Lucia de] Albequerque, although she added that doctors first will try to save both children."[6]

Again, a significant difference between this case and that of Jodie and Mary is that both parents, Daniel Ataide Leite and Jomaria Pereira, are reported to have "*agreed* to the operation after doctors said both twins could die because of respiratory problems".[7]

The notion of 'sacrificing' one conjoined twin in order to save the other is not new of itself, and was encountered, for example, in the case of Marta and Milagro, born, in a shanty town in Peru, joined at the chest, and sharing one heart, a liver, and intestines. The twins' mother, Marta Milagro Pascula Juarez, originally hoped the operation could be performed in Miami, Florida, USA, but was later referred to Dr Carlo Marcelletti in Palermo, Sicily. The separation surgery was carried out on 27th May, 2000, but both 3-month-old sisters died within hours of each other thereafter.[8] The mother had made a "tearful choice" to give permission for the operation. Note, however, that, in this case, senior church officials had decided "the operation was morally legitimate and could not be condemned", though one doctor "refused

[4] ANONYMOUS (2000): *Siamese twin dies 3 days after separation surgery*, Amarillo Globe News, http://www.amarillonet.com/stories/101000/usn_siamese.shtml, posted 10th October, 2000 – source: Associated Press.

[5] ANONYMOUS (2000): *One conjoined twin dies after separation operation in Brazil*, CNN, http://www.cnn.com/2000/WORLD/americas/11/20/brazil.siamesetwins.ap/, posted 20th November, 2000 – source: Associated Press.

[6] ANONYMOUS: (2000): *One of Brazilian conjoined twins likely to die after surgery*, http://europe.cnn.com/2000/WORLD/americas/11/18/brazil.conjoinedtwins.ap/, posted 18th November, 2000 – source: Associated Press.

[7] ANONYMOUS (2000): *One conjoined twin dies after separation operation in Brazil*, CNN, http://www.cnn.com/2000/WORLD/americas/11/20/brazil.siamesetwins.ap/, posted 20th November, 2000 – source: Associated Press (our emphasis).

[8] ANONYMOUS (2000): *Siamese twins from Peru die after surgery in Italy*, CNN, http://www.cnn.com/2000/WORLD/europe/05/27/italy.siamese/index.html, posted 27th May, 2000 – source: Associated Press, and Reuters.

to take part in the surgery on ethical grounds, once it was decided that it would not be possible to save both twins".[9] Whilst this case apparently drew widespread attention and raised much moral debate in Italy, it did not create anything like the same impact elsewhere.[10]

In a similar vein, the Lakeberg twins, Amy and Angela, were separated in August 1993 at seven weeks' old, having been born joined at the chest with a fused liver and sharing one heart, in the foreknowledge that Amy would be sacrificed to save Angela. At the time, the debate generated in the U.S. by this case focused on the financial limits which ought to be imposed on such interventions. Ten months following the separation operation, on 9th June, 1994, the surviving twin sister, Angela, died.[11]

And, perhaps, the "use one to save the other" attitude may find analogy with other cases reported in recent years. Consider the case from 1996 of Sarahi and Sarah Morales, for example, who were born in Tijuana, Mexico, joined at the chest and abdomen, sharing a liver but with separate lungs and hearts. Within 35 minutes of the six hour operation to separate the twins at Children's Hospital in San Diego, Sarahi, 17 days old, died of heart failure. Following the operation, it was envisaged that some of Sarahi's tissues and bones would be used to build a chest wall for Sarah, who remained in critical but stable condition.[12] In this case, Sarahi was considered to have "depended on her attached sister's stronger heart to survive for 15 days prior to the surgery". Note, however, that "[t]he family agreed and was quite anxious to see if any portion of Sarahi [...] has the opportunity to help Sarah".[13]

In the Manchester case, the parents were against separation, and the hospital went to court to obtain a declaration authorising separation. This was granted by the High Court, and later upheld by the Court of Appeal. About 3 months after the birth, the separation was performed.

---

[9] Ibid.

[10] See, for example, ANONYMOUS (2000): *Issues arising following death of Siamese twins – Parents are examples of dignity and faith*, Zenit News Agency – The World Seen From Rome, http://www.zenit.org/english/archive/0005/ZE000530.html#item8, posted 30th May, 2000.

[11] See, for example, TOUFLEXIS, A. (1994): *The brief life of Angela Lakeberg – After 10 months of great hope and healing, the Siamese twin rejoins her sister in death*, Time, http://www.time.com/time/magazine/archive/1994/940627/940627.medicine.html, posted 27th June, 1994 (Vol. 143, No. 26).

[12] See, for example, ANONYMOUS (1996): *One Siamese twin dies after separation*, CNN Europe, http://europe.cnn.com/HEALTH/9601/siamese_twins/index.html, posted 27th January, 1996; FORDAHL, M. (1996): *Twin's death may mean life for sister*, The News Times, http://www.newstimes.com/archive96/jan2996/nae.htm, posted 29th January, 1996.

[13] Ibid.

This paper will analyse the two main ethical questions that this case raises:

1. Can separation be ethically justified in this situation?
2. Is the overriding of the parents' decision justifiable?

The Court of Appeal judgement[14] is riddled with inconsistencies, but unravelling these is beyond the scope of the present paper.

The facts in more detail

The parents of the twins, Rina and Michaelangelo Attard[15], come from the small Maltese Island of Gozo and it is their first pregnancy. At around four months pregnant, a routine ultrasound scan shows that the mother is carrying conjoined twins. Malta has an agreement with the British National Health Service concerning specialised medical treatments that are not carried out in Malta. Under this agreement, the mother is admitted to St Mary's Hospital in Manchester because the paediatric consultant surgeon to Malta, Mr Adrian Bianchi, a doctor of Maltese descent (and also from Gozo), is working as a consultant at this hospital. At this stage little is known about the state of the twins, apart from the fact that they are conjoined.

During the later part of the pregnancy further investigations are performed and it is discovered that one of the twins is smaller than the other, and that there are multiple anomalies present. The mother is offered a termination of pregnancy but refuses, partly on religious grounds (both the parents are devout Catholics).

On the 8th of August 2000, the twins are both born alive, despite earlier predictions from the obstetricians that the smaller twin would not survive birth.

Investigations show that they are ischiopagus tetrapus conjoined twins.[16] Their bodies are fused from the umbilicus to the sacrum, and the lower ends of their spines and spinal cords are fused. The only major organ they share is a joined bladder; however the heart and lungs of the smaller twin (called Mary in the court proceedings) are non-functional. Her supply of oxygenated blood comes from the larger twin (called Jodie) whose aorta feeds into Mary's aorta. There are a number of other abnormalities present in both twins, including imperforate anus and a cloachal

[14] ROYAL COURTS OF JUSTICE (2000): *Draft Judgement, Case No. B1/2000/2969*, 22nd September, 2000, A (Children). The judgement is available in full at: http://wood.ccta.gov.uk/courtser/judgements.nsf/4c13e0ec8c3b58278025683f003e2f56/1528b7c833d9675c80256962004aac18?OpenDocument.

[15] ANONYMOUS (2000): *Siamese twin parents named*, BBC News Online, http://news.bbc.co.uk/hi/english/health/newsid_1058000/1058223.stm, posted 6th December, 2000.

[16] The medical facts related here were agreed upon by several teams of doctors, including specialists from other hospitals called in as experts by the Court of Appeal.

abnormality. It is important to note, in respect of the ethical analysis that follows, that Jodie seems to be neurologically normal, whereas Mary has a number of severe brain malformations and abnormal neurological responses. It is, however, unclear exactly what kind of neurological problems Mary would have, if she survives into childhood. She is, clearly, not brain dead, nor in a state equivalent to persistent vegetative state, nor in a persistent coma. She responds to stimuli of both a painful and a pleasant nature.

It is believed that if the twins are not separated two future scenarios are possible:

1. Jodie's heart and lungs will slowly become affected by the strain of providing a blood supply for two rapidly growing bodies, and the twins will die of congestive heart failure (within a time-span estimated to be between 6 months and a couple of years).
2. Mary will die, for instance due to thrombosis of major vessels, and it will be necessary to perform an emergency separation procedure in order to save Jodie.

If an emergency separation is performed the doctors estimate that there is a 60% mortality risk for Jodie, whereas an elective separation is estimated to have a mortality risk of only 6%. No estimation is given of the chance of attempting an emergency separation in a situation where Mary dies before Jodie.[17] Any separation operation will lead to the death of Mary.

It is believed that, although Jodie will have to undergo a series of operations through childhood to correct her congenital malformations, she will eventually be able to lead a substantially normal life if separated from Mary.

The doctors approach the parents in order to get them to consent to an elective separation of the twins, but the parents will not consent. They claim: (i) that since a separation will kill Mary it is against their Catholic faith; and (ii) that they love both of their children equally and cannot choose between them who shall live and who shall die. There is no indication in the record that the parents would oppose an emergency separation in the event of Mary dying before Jodie.

On the 18th of August, 10 days after the birth[18], the hospital initiates proceedings in the High Court under the Children Act of 1989 in order to get:

---

[17] There may be situations where Mary's death would be followed by Jodie's death within minutes and therefore no separation could practicably be attempted.

[18] One might well wonder why the hospital brought the case so quickly. Apparently the relationship and communication between the medical team and the parents was always good, it never broke down. Would it not have been better not to go to court and continue to try to convince the parents that elective separation was the right choice? The speed with which St Mary's Hospital went to law may constitute some indication of the medico-legal climate current in the UK.

"A declaration that in the circumstances where (the children) cannot give valid consent and where (the parents) withhold their consent, it shall be lawful and in (the children's) best interests to

(a) carry out such operative procedures not amounting to separation upon (Jodie and/or Mary);
(b) perform an emergency separation procedure upon (Jodie and/or Mary); and/or
(c) perform an elective separation procedure upon (Jodie and Mary)."[19]

This declaration is granted on 25th August. The parents appeal, as does the Official Solicitor acting on behalf of Mary. On 22nd September, the Court of Appeal dismisses the appeal and upholds the declaration. On 6th November, the elective separation operation is performed, the connection between Jodie's and Mary's aortae is clamped and Mary dies in the operating room. Jodie survives, and is, at the time of writing[20], recovering as expected and making good progress[21], although she is not expected to be discharged from hospital until the spring, or early summer of 2001[22]. According to Adrian Bianchi, Jodie is expected to enjoy a "relatively good quality of life with her family".[23]

At the inquest into Mary's death, convened on 15th December, 2000, the Manchester coroner rejects the traditional verdicts ("accidental death", "misadventure", "unlawful killing", "lawful killing", and "open") as inapplicable, and records the following, rarely invoked, narrative verdict:

"Mary died following surgery to separate her from her conjoined twin, which surgery was permitted by an order of the High Court, confirmed by the Court of Appeal."[24]

---

[19] ROYAL COURTS OF JUSTICE 2000, Section II.14.

[20] Early February, 2001.

[21] ANONYMOUS (2001): *Siamese twin Jodie "making progress"*, BBC News Online, http://news.bbc.co.uk/hi/english/health/newsid_1105000/1105070.stm, posted 7th January, 2001.

[22] ANONYMOUS (2001): *Siamese twin Mary laid to rest*, BBC News Online, http://news.bbc.co.uk/hi/english/world/europe/newsid_1125000/1125515.stm, posted 19th January, 2001. Note, Jodie, whose true name was revealed as Gracie Attard, eventually returned home to Gozo on 17th June, 2001, having made the predicted "remarkable progress". See ANONYMOUS (2001): *Siamese twin returns home*, BBC New Online, http://news.bbc.co.uk/hi/english/health/newsid_1392000/1392811.stm, posted 17th June, 2001.

[23] BUNYAN, N. (2000): *"Bright and alert" Jodie makes rapid progress*, Daily Telegraph Online, http://www.lineone.net/telegraph/2000/12/16/news/bright_45.html, posted 16th December, 2000.

[24] ANONYMOUS (2000): *Siamese twin inquest verdict*, BBC News Online, http://news.bbc.co.uk/hi/english/health/newsid_1072000/1072031.stm, posted 15th Decem-

Mary is buried on Gozo on the 19th of January, 2001. The name on her gravestone is Rosie Gracie Attard.[25]

Some initial problems with the facts

One analytical problem that this case raises, and one which can make the interpretation of the medical facts more problematic than in many other cases, is that it is unclear precisely how we should consider the body of Jodie and Mary before separation. Is there one body, or are there two bodies that are conjoined? When we talk about "Jodie's heart supplying Mary", is that a true description, or should we instead be talking about "the heart that will be Jodie's, after the separation, supplying the twin body"?[26]

Developmentally, conjoined twins come from a single fertilised egg. At an early state in embryonic development the embryonic disk may split in two. This normally gives rise to separate monozygotic twins, but in very rare cases the split is not total, and a set of conjoined twins is the result. Conjoined twins are genetically identical and their bodies have never been fully separate. We are not here talking about a fused body, but, rather, a never fully separated body. And herein lies the semantic difficulty.

Nevertheless, it seems pretty clear from cases of conjoined twins who were not separated and survived, the most celebrated being that of Chang and Eng (the original "Siamese twins")[27], that we are certainly talking about two persons. Whilst it is true that Chang and Eng were never separated, one may be able to make sense of saying that, to a large extent, they lived "separate" lives. Having ultimately settled in Wilkesboro, North Carolina, Chang and Eng Bunker married two of a local clergyman's (nine) daughters, Adelaide and Sallie Yates (respectively). Hard times and prodigious childbearing[28] led to both the sisters, and the twins arguing, with "Chang

---

ber, 2000. One may well wonder why the choice of words is "Mary dies following surgery [...]" and not "Mary dies as a result of surgery [...]".

[25] ANONYMOUS (2001): *Siamese twin Mary laid to rest*, BBC News Online, http://news.bbc.co.uk/hi/english/world/europe/newsid_1125000/1125515.stm, posted 19th January, 2001; ANONYMOUS (2001): *Emotional farewell for Siamese twin Mary*, Manchester Metro News, 26th January, 2001.

[26] In the following paragraphs, we do struggle with the language because there are no truly adequate terms in English to describe two individuals in one body.

[27] See, for example, ANONYMOUS (1996): *A Social History of Conjoined Twins*, exhibition notes of Laura E. Beardsley: *Body Doubles: Siamese Twins in Fact and Fiction*, an exhibit at the Mütter Museum of the College of Physicians, Philadelphia, PA, USA, Spring 1995, ZYGOTE, http://zygote.swarthmore.edu/cleave4b.html, posted 5th April, 1996.

[28] Eng and Sallie had 11 children, and Chang and Adelaide 10! See, for example, ANONYMOUS (2001): *The Siamese Twins – Eng and Chang Bunker*, Old Wilkes Inc., http://www.wilkesboro.com/OldWilkesInc/engchang.htm, undated, last accessed 7th

drowning his troubles in whiskey and Eng playing poker".[29] As a result, two houses were built, less than a mile separating them, but with Sallie and Adelaide living apart, and Chang and Eng sharing time with each family, on a three days on, three days off arrangement.[30]

We are thus on fairly safe ground if we allocate one brain to Jodie and one brain to Mary, based on the fact that they are two distinct entities, and could become two distinct persons. But what about other organs: How do we decide how to allocate them? Three options seem to be available:

1. geographical distribution;
2. distribution by functional control; and
3. distribution by functional necessity.

According to the geographical principle of distribution a plane is drawn separating the two bodies, and organs on one side of the plane are allocated to one twin, and organs on the other side to the other twin. Organs crossing the dividing plane are divided between the two twins. In the current case, this principle of division seems to give the result desired by the surgeons (i.e. at least one twin with a fully functioning set of organs), but in other cases it does not (e.g. cases with only one centrally placed heart). Such a geographical distribution also seems to be fairly arbitrary, and without any underlying justification.

Another possible principle would look at which twin had physiological control over a given organ, for instance by supplying the nerves innervating the organ, or the vessels leading to and from the organ. The underlying idea would be that whoever controls an organ, should also have the "right" to that organ. The problem with this dividing principle is, however, that functional control may also be divided. Hormones and other substances in the bloodstream produced by one twin affect organs placed in the other twin's body; and organs may also receive nerves from both twins, even if they are located clearly within the body of only one of the twins.

The third possible division would be along the lines of functional necessity: If a twin needs a certain organ to obtain proper physiological functioning that organ should be allocated to that twin. This would be analogous to how other basic goods are often allocated. The problem with this principle is, however, that in situations where there are only enough organs available to make one of the twins fully functional, we need to make a prior decision about which of the two twins should be the fully functional one. A principle based on functional necessity will not solve this problem for us.

February, 2001. (It is interesting to note that in Siam, as youngsters, they were known as "the Chinese Twins" due to their lineage.)

[29] Ibid.

[30] Ibid.

There thus seems to be no principled, and easily justifiable way of deciding what organ belongs to which child.

Can elective separation be ethically justified?

The essential ethical problem in justifying the elective separation operation in this case is whether it is morally supportable to perform an act which will directly lead to the death of one human being, in order to increase the chances of future survival of another human being.[31]

In giving this analysis of the basic problem we explicitly reject one other possible interpretation of the situation. The interpretation we reject is that the separation operation does not directly lead to the death of Mary, but only leads to her death indirectly, as a side-effect of an operation aimed at saving Jodie. We find this interpretation totally implausible for the following reasons. First, we are able to specify with great accuracy the exact act that kills Mary, i.e. the act of clamping the connection between Jodie's and her aorta. Second, the operation is performed in a way designed to optimize Jodie's chances of survival and future normal functioning by using tissues 'belonging' to Mary in rebuilding Jodie. Third, no meaningful attempts are made to keep Mary alive, for instance by connecting her to a heart-lung machine, or by postponing the operation until a neonatal heart-lung donor becomes available. Indeed, it is not clear from the reports of the case that this was ever even contemplated by the surgical team. Everything thus points towards Mary being seen as expendable in the context of an elective separation.

In the following we will analyse the question of justification through the lenses of three ethical positions or approaches: (i) consequentialism; (ii) rights theories; and (iii) a so-called "right to life" position.

A consequentialist approach

In an early commentary on the case, Huxtable suggested that the lead judgement in the Court of Appeal by Justice Ward relies on consequentialist reasoning, and a balancing of the quality of life of Jodie and Mary, although the judgement itself denies this.[32] It is obvious that a consequentialist approach is a promising way of justifying the separation of the twins. At the time of decision, the decision tree is as shown in Figure 1, given the facts detailed above.

---

[31] HARRIS, J. (2001): *The Survival Lottery*, in: HARRIS, J. (ed.): Bioethics, Oxford, 300-318.

[32] HUXTABLE, R. (2000): *The Court of Appeal and conjoined twins: condemning the unworthy life?*, in: Bulletin of Medical Ethics 162, 13-18.

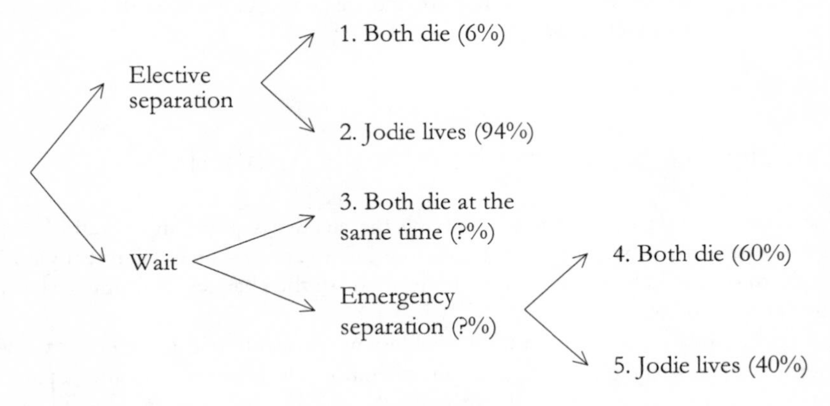

Fig. 1: Decision Tree

If the situation where Jodie lives generates better consequences than the situation where both twins die, it is clear that elective separation dominates waiting as a strategy because it generates a 94% chance of obtaining the best outcome, whereas waiting generates less than a 40% chance.

In estimating the consequences of the different outcomes a standard consequentialist analysis enumerates the consequences falling on all the affected parties of a given decision and adds these together to arrive at the total consequences for that decision.

Consequentialists disagree among themselves as to exactly what consequences matter and how they should be enumerated and measured. There are many different approaches to this, and it will be impossible to analyse this problem from the point of view of all the different approaches. Here we will therefore simplify and only look at the three main approaches:

1. classical or hedonistic consequentialism, where consequences are measured in terms of pleasant or unpleasant experiences;
2. preference consequentialism, where consequences are measured in terms of fulfilment of preferences; and
3. objective list consequentialism, where consequences are measured in terms of the degree to which the interests on a specified list of objective interests are fulfilled.[33]

---

[33] Such a list might for instance claim that we all have objective interests in life, personal development, appreciation of beauty, and reproduction. A state of affairs would therefore be evaluated only on its impact on these four interests.

Hedonistic consequentialism was initially put forward by Jeremy Bentham, but is no longer popular, partly because it raises a number of theoretic problems concerning the unity of pleasant sensory experiences. Preference consequentialism is the form of consequentialism espoused by most modern consequentialists, including well-known bioethicists like Jonathan Glover and John Harris. Objective list consequentialism is mentioned as a possibility by Derek Parfit, but it has never attracted any strong following, mainly because of problems in justifying the choice of interests in the list of objective interests.

The consequences of the five possible outcomes for the two main parties are sketched in schematic form in Figure 2 (based on elective separation taking place at 3 months, natural death of both twins or emergency separation taking place at 9 months, and Jodie surviving 70 years if she survives the separation).

From Figures 1 and 2, it follows that an analysis based on hedonistic consequentialism, or on objective list consequentialism, unequivocally shows that elective separation is the ethically superior decision. This will be true even if Jodie's life after separation is characterised by moderate handicap or our estimation of her longevity is too generous, simply because the good consequences in her expected *years* of life can easily outweigh the 6 extra *months* of life that Mary will get if we follow a waiting strategy.

If we, however, follow the most common form of modern consequentialism, i.e. preference consequentialism, we reach the seemingly paradoxical result that all five choices are morally equal. Why it this so? Well, on the preference consequentialist account the only preferences that count are preferences that the parties in question actually hold or have held. It is highly unlikely that newborn human individuals have any preferences, and if they have preferences these most certainly do not include a preference to continue living, since such a preference requires the mental concept of life as something extending in time. Killing a newborn human being therefore cannot frustrate its preference for life, and conversely letting it live cannot satisfy such a preference, because there is simply no preference to frustrate or satisfy. Preference consequentialists therefore usually align themselves with a personhood account of full moral status according to which full moral status (including a right to life) is only attained well after birth.

That some being will have certain preferences in the future, or already has potential preferences is not enough to generate present obligations on others to further these preferences or not frustrate them.[34]

We can therefore conclude that consequentialist reasoning only justifies elective separation if we accept versions of consequentialism that are currently out of favour. According to modern, mainstream, preference consequentialism, the decision is morally neutral.

[34] Most preference consequentialists reject the idea of objective interests.

		Outcome 1	Outcome 2	Outcome 3	Outcome 4	Outcome 5
Hedonistic consequentialism	Mary	3 months of experiences	3 months of experiences	9 months of experiences	9 months of experiences	9 months of experiences
	Jodie	3 months of experiences	70 years of experiences	9 months of experiences	9 months of experiences	70 years of experiences
Preference consequentialism	Mary	0	0	0	0	0
	Jodie	0	0	0	0	0
Objective list consequentialism	Mary	3 months of interest fulfilment	3 months of interest fulfilment	9 months of interest fulfilment	9 months of interest fulfilment	9 months of interest fulfilment
	Jodie	3 months of interest fulfilment	70 years of interest fulfilment	9 months of interest fulfilment	9 months of interest fulfilment	70 years of interest fulfilment

Fig. 2: Consequences of outcomes 1 – 5 for Jodie and Mary

Rights theories

The two chief, rival theories of rights are Interest Theory and Choice Theory. Whilst each theory purports to give an account of the concept of a genuine right, each gives a radically different conception of a right, and, consequently, of the right holder. According to the interest conception, rights serve to further individual welfare, whilst, on the choice conception, the raison d'être of rights is the advancement of freedom or autonomy. Thus we have two rival views of the right-holder which L.W. Sumner describes as follows: On the former conception, the right-holder is "the passive beneficiary of a network of protective and supportive duties shared by others"[35], while, on the latter, she is "the active manager of a network of normative relations connecting her to others".[36] It follows that on the interest conception the prerequisite for being a right-holder is the possession of interests, and that on the choice conception it is the possession of appropriate managerial abilities.[37]

An analysis on Choice Theory

Many would immediately conclude that by denying rights to those entities which lack the appropriate managerial abilities, including neonates, the Choice Theorist would thereby deny such entities the kinds of protections which come of right holding. Some Choice Theorists, however, would deny this[38], and Sumner himself adopts the choice conception of rights, but incorporates into his theoretical approach the notion of relational duties based on a benefit analysis, concluding:

> "It is therefore conceptually possible for us to owe duties to any creature capable of being harmed or benefited, and for any such creature to have claims against us."[39]

---

[35] SUMNER, L.W. (1987): *The Moral Foundation Of Rights*, Oxford, 47.

[36] Ibid.

[37] Of course, the interest conception might be expected to incorporate much of what Choice Theory has to offer simply by labeling autonomy an "interest". However, this is to ignore the distinct internal logic of each theory. Interest Theory certainly may be expected to distribute rights more widely than Choice Theory.

[38] For example, following Sumner, Erin maintains that all right holders, by dint of the capacities which right holding on Choice Theory demands of right holders, bear non-correlative *obligations* to various entities which do not qualify as right holders. This notion is the focus of a major work in progress, provisionally entitled *Obligations as Trumps?*

[39] SUMNER 1987, 204.

According to Sumner's version of Choice Theory, we can say that neither Jodie nor Mary are right holders. This being so, it is absurd to ascribe to them the (moral) right to life. However, due to the fact that both children are capable of being harmed or benefited, they may be owed certain obligations by right holders. Precisely what these obligations are, and what force they have, are questions which require more exploration than we have space for here. What it seems we can say without causing much of a quandary, is that on Choice Theory there can be no conflict of rights between those of Mary and Jodie in this situation. Now, it is possible, and we would say likely, that these two entities – and we are assuming that we are talking about two entities (though not persons) here – are owed obligations by their parents. One basic obligation toward their children which one might expect of parents according to this view, would be to try their best to ensure these entities are given every available opportunity to develop moral agency and themselves become right holders (and thus duty bearers). However, unless it can be shown, categorically, that one or other has absolutely no potential to develop the requisite capacities for moral agency, it is difficult to see how on Choice Theory one can draw any distinction between what the parents owe each child. Prior to the surgery which will, almost certainly in foresight, and does in actuality, end her life, can it reasonably be said that Mary lacks such potential? Her future mental capacities are difficult to predict, and the same is true of whether she will live long enough to develop these capacities sufficiently to count as a moral agent.

However, answering the question above is not the end of the story. One must also enquire as to the position of the rights of the parents. What, if anything, can "trump" the parents' wish that neither of their children be harmed? This is one way of articulating the Attards' wishes. However, the way this wish is articulated is that Jodie and Mary not be separated in an elective operation. One question, then, is whether these two versions of the parents' wish are mutually inclusive. One way in which the perceived need for the separation of Jodie and Mary was popularly understood is captured in the phrase "kill one to save the other". Another way of interpreting the situation would be "save one or lose both". Whether such alternate phraseology has anything more than semantic force is moot. However, all of this seems to speak to the parents' deliberations prior to coming to their decision. It seems to us that, if the parents' rights are to hold sway, this decision can only be challenged by demonstrating that the parents suffer defects in control, defects in reasoning, defects in information, or defects in stability.[40] There is no evidence for any of this.

But *should* the parents' rights hold sway? That is to say, is the legal decision to allow the medical team to proceed with separation against the parents' wishes and without their consent morally justifiable?

One case that initially looks like it could shed some light is that of Janet P., a practicing Jehova's Witness who refused her consent for blood transfusions for her

---

[40] HARRIS, J. (1985): *The Value Of Life – An Introduction To Medical Ethics*, London, 196-200.

newborn daughter, necessary to prevent retardation and possible death. At a hearing convened at the Columbia Hospital for Women, Superior Court Judge Tim Murphy ordered that the neonate be assigned a Guardian to sign the requisite releases, and she was given the transfusions and survived. However, during the hearing, Janet P. began haemorrhaging, and was diagnosed as requiring an emergency hysterectomy. Her husband, also a Jehova's Witness, consented to the hysterectomy, but not to blood transfusions, and Judge Murphy refused to authorize the latter. Janet P. bled to death within a few hours.[41]

It seems to us that Judge Murphy's decisions were both ethically justifiable and quite consistent. Whilst Choice Theory's strong focus on a moral agent's personal autonomy would support even that agent's suicide[42], protection for Janet P.'s newborn must come from a source other than rights. And, it seems to us, it would be quite correct for the State to intervene to protect the interests of the neonate, even where to do so goes against the wishes of its parents. Can we apply this reasoning to the case of Jodie and Mary?

Probably not, if we adhere to Choice Theory. Within a Choice Theory framework we would still have to solve the problem based on assessment of the likelihood of each of the twins becoming a moral agent, and this would lead straight back into the problems outlined above. But perhaps Interest Theory offers a better option.

An analysis on Interest Theory

As may be expected, the situation from the perspective of (the more popular) Interest Theory is markedly different from that of Choice Theory. Of the essence is that, as entities possessing interests, Interest Theory will ascribe rights to Jodie and Mary. Surely, among these, perhaps foremost among them, is the right to life, discussed below. Where, as in the case of Jodie and Mary, the facts dictate that we can save one or neither, is this a sufficient foundation for the implicit sacrifice? How are we to resolve what amounts to a conflict of rights on Interest Theory? This is a question that Choice Theorists are pleased to lay at the door of Interest Theory, for it seems that the answer must be that resolution of such conflicts ultimately boils down to the kind of consequentialist reasoning deployed above, and there is a great deal of tension between such a moral calculus and the very concept of rights. As Jeremy Waldron puts it, Interest Theory "indicates that conflicts of rights, though not logically necessary, are in the circumstances of the real world more or less inevitable".[43] The charge to which Interest Theorists such as Waldron are very sensitive is that when the right of one individual conflicts with that of another, on

---

41 Details of this case are taken from BEAUCHAMP, T.L., CHILDRESS, J.F. (1983): *Principles of Biomedical Ethics*, New York, Appendix I, 298-299.

42 Assuming no defects in reasoning, etc.

43 WALDRON J. (1989): *Rights in Conflict*, in: Ethics 99, 503-519 (at 505).

Interest Theory the resolution of that conflict amounts to a trade-off much in the sense of the utilitarian tradition: If there are only resources available to perform the duty correlative to the right of one of two individuals whose rights are in conflict, we should perform the duty which will result in the greatest good, or happiness, for example. And we thus have a shading of Interest Theory into a theory of utility, tantamount to extensional equivalency.

It is clear that Jodie's and Mary's parents have an *interest* in both their children surviving. Leaving aside the perplexing question of just how we might, in practical terms, make sense of such an interest acting as the ground for a *right* that both children survive, what are we to do when the duties correlative to this presumed right *cannot* be fulfilled? It seems to us that Interest Theory cannot provide a decisive answer on its own, and we must revert to consequentialism.

A "right to life" approach

Is it possible to justify elective separation, if we begin with the premise that every human being has an inalienable right to life?[44]

One possibility would be to claim that even if Mary has an inalienable right to life, her prospective quality of life would be so bad that it would be better for *her* not to be living. This argument is, however, quite implausible given the facts of the case. Mary's life would have been short and characterised by major disabilities, but there is no evidence that it would be characterised by so much suffering that it would not be worth living.

A second, equally implausible option would be to try to conceptualise Mary as an innocent attacker or parasite on Jodie, literally draining Jodie of her life blood. If this was a plausible interpretation of the situation we can justify the killing of Mary, by the necessity of protecting Jodie. What makes this approach problematic is primarily two things: (i) We do not know enough about the precise fetal development of this set of conjoined twins, it may be that the deficient development of Mary's heart and lungs was caused by her connection to Jodie (and that Jodie was therefore causally implicated in bringing about the current state of Mary); and (ii) protection against innocent attackers by killing them is normally believed only to be justified if carried out by the person attacked. Let us imagine that you are falling from the top of a high building and I am on the ground in danger of being killed by you hitting me, thereby cushioning your fall and saving you. In such a situation I would be justi-

[44] The view presented here is not "vitalism", i.e. the view that human life is an absolute moral value and that it is wrong either to shorten it or to fail to lengthen it, but instead the "sanctity of life" view that human life is possessed of an intrinsic dignity which entitles it to protection from unjust attack. The "right to life" is essentially a right not to be intentionally killed. See KEOWN, J. (1997): *Restoring Moral and Intellectual Shape to the Law after Bland*, in: Law Quarterly Review 113, 481-503.

fied in firing my sci-fi disintegrator gun at you to save myself as an act of self-defence, but a bystander would not be justified in doing the same. A bystander would have no way of identifying you as the attacker and me as the victim. Seen from the bystander's point of view the situation is symmetrical: Whatever he does one person dies and one lives.

We are thus left with a situation where two human beings have an inalienable right to life, where both will die if nothing is done, and where one may live if the other's life is ended. In such a situation the "right to life" approach must lead to the conclusion that the situation is tragic, but that killing one to save another is not an available option. If both had been competent adults we could have hoped that one of them would have volunteered his or her life, but no outsider can "volunteer" a life of the incompetent.

Perhaps surprisingly, Bishop Elio Sgreccia, Vice-President of the Pontifical Academy for Life and Director of the Bio-ethics Institute of the Catholic University of Rome, has accepted elective separation in a comparable Italian case from May 2000 involving a set of 3 months old Peruvian conjoined twins. The twins where joined at the chest and shared one heart. Both were otherwise normal and had normal neurological responses. In reaction to this case, Bishop Sgreccia is reported as saying that he:

> "[...] believes that from the medical point of view, the operation was 'correct, although an extreme situation.'
> He said that his moral judgment was incomplete because he had not been able to speak with the doctors on the case.
> 'Above all, it must be proved that it was not possible to save both', but the doctors had excluded this possibility. 'In the second place, one would have to be certain that the girls could not continue to live together, given proper medical care', but this was also excluded by the specialists. Given the expert opinions, that in the given circumstances both girls would die, Bishop Sgreccia regarded the operation as justified.
> A subtlety remains in this case, however, according to Bishop Sgreccia. The operation could not be carried out to save one girl at the cost of the other's life. That is, the death of the second girl must come as a side effect of the operation to save the first. The doctor cannot simply kill one child and then work to save the other. This last aspect made the operation even more complicated from the technical point of view. But, keeping the circumstances in mind, the Bio-ethics Committee of the Palermo Hospital approved the surgery."[45]

---

[45] ANONYMOUS (2000): *Issues arising following death of siamese twins – parents are examples of dignity and faith*, Zenit News Agency – The World Seen From Rome, http://www.zenit.org/english/archive/0005/ZE000530.html#item8, posted 30th May, 2000.

From the quote, it seems that the Bishop believes that it is possible to see the inevitable death of one child as a side-effect and not as an intended effect of the operation. We have rejected this view above, and we have great difficulty in seeing how one can describe the purpose of such operations if not as "saving one child at the cost of the other's life". If that was *not* the purpose of the operation, it is difficult to see why one would perform it at all.

Head swapping

Can we get closer to the reasoning behind the doctors' insistence on an elective separation? Let us try to simplify for a moment. This is, perhaps, *simplistic*, but it would appear from the facts available that Jodie was chosen to be "saved" not for what she *was*, but for what she had the *potential* to become. It seems equally true to say that we[46] were prepared to "sacrifice" Mary for Jodie's sake, not because of what Mary *was*, but because of what she *lacked the potential* to become.

Assuming that we *can*, for intellectual purposes, make sense of an abstract "separation" of Jodie and Mary whilst in their conjoined state, and we readily admit to the controversial nature of such a mental exercise, we might say, *very* simplistically, and for the sake of the argument, that, prior to the physical separation, Jodie had the "better" head and the "better" body, and Mary the "not so good" head and the "not so good" body. This is merely to say that, in all likelihood, Jodie has, prior to separation, but *with* separation in mind, an excellent chance of surviving to develop a biographical existence, despite various, perhaps major somatic problems, whereas the probability that Mary might, once separated, survive to develop a biographical existence is, likely, considerably less than 100%.

Now, what if we were to "swap heads". That is, consider the case in which Mary still has the "not so good" head, but the "better" body; and Jodie has the "better" head, but "not so good" body. If this scenario was the one confronted by the St Mary's Hospital team, would the decision as to who to sacrifice and who to try to save be affected?[47] We doubt it. Our strong intuition is that, despite the implicit demands for a far more complicated surgical intervention, if separation was to be decided upon, it would remain the case that Jodie was the twin the surgeons would attempt to save. And if a separation was totally impossible, the twins would in a "swapped heads scenario" probably have been allowed to stay conjoined, so that Jodie could have continued living for as long as possible.

If our intuition on this point is correct, it indicates that the evaluation of the value of the lives of the two twins in actual fact is based mainly on the degree to which each of them is neurologically normal.

[46] We do not mean here to imply the conflation of the State with its citizenry.

[47] Again, put very simplistically, for the sake of the argument.

The rôle of parental choice

One of the reasons that the Manchester conjoined twins case generated such a high degree of media attention is that the hospital very early on went to court, in order to be allowed to act against the parents' directly expressed desire that no elective separation procedure should be performed. The courts followed the hospital's request, and this seems to indicate that both the doctors (via the hospital), and the courts believed that the parents had made the wrong decision, and that this was a decision that was so wrong that it should be overridden.

This could either be because the parents' decision was morally wrong, or because it did not conform to the standards we expect of parents making decisions for their children.

As we have seen above in the analysis of the moral justification of elective separation the justification is not straightforward or univocal. On some moral theories separation can be justified as the morally best option, whereas others make it a neutral choice, and others again make it impermissible. We are therefore not able to show compellingly that elective separation is the only morally right outcome. The decision the parents made is therefore at the very least not clearly morally wrong.

We normally assume that the choices parents make for their children should be allowed to prevail if (i) the children are so young that they are not able to make decisions for themselves, and (ii) the choices are not made against the best interests of the children. We do not expect parents always to choose in ways that maximise the interests of their children, but we do expect them not to choose in ways that seriously damage these interests. We also allow parents substantial latitude in deciding what the best interest of their children is. It is generally seen as allowable for parents to balance the interests of a given child against the interests of other children, and against the interests of the parents themselves. Not allowing parents room for such balancing will entail that the parents themselves will have to give up their own interests, every time they are in conflict with their child's interests; and that they would face irresolvable moral dilemmas every time the interests of two of their children could not be optimized simultaneously.

In a recent article on the present English legal position regarding parental decisions in health care, the presumption of parental choice is stated in the following way:

> "Effectively there is a starting point that the united view of both parents is correct in identifying where their child's welfare lies. That will be cancelled out

where the court finds on the evidence that their view is contrary to the welfare of the child [...]."[48]

In the present case the parents of Jodie and Mary believed it to be in the best interest of their children not to perform the elective separation that would result in Mary's death. Is society justified in overriding this decision?

If we want to find faults in the parents' reasoning, there seem to be three areas where they can have made errors:

1. They may have misidentified Jodie's and Mary's best interests;
2. They may have balanced the interests of their two children wrongly; or
3. They may have balanced the interests of their children and their own interests wrongly.

We are not going to dwell on the third point, since the interests of the parents themselves seem to have played no role in their reasoning.

If we look at the question of misidentification of interests, the parents seem to claim that both of their children have an interest in living, or that it is in the interest of both children not to die. This identification of interests may be wrong, e.g. if preference consequentialism is right, but in that case what follows is that neither of the children have an interest in living. There is no basis at all for claiming that Jodie has an interest in living, whereas Mary has none. As mentioned above it is, given the facts of this case, quite implausible to suggest that Mary has a life that is so bad that it is not worth living.

This leads us to the second possible error in the reasoning of the parents, and the question: Have they balanced the interests of the two children correctly?

It may be the case that even if both children have an interest in living, Jodie's interest is stronger than Mary's and that it should prevail in the balancing. This view may sound quite plausible: Jodie has a much longer life expectancy and is much less neurologically and mentally disabled. But accepting this view necessarily requires us also to accept that the strength of an interest in living depends on the length and/or quality of the life in question. Adopting this as a general principle for determining the strength of an interest in living would have substantial implications for many areas of social policy and law.[49] Many of these implication are quite controversial,

---

[48] OATES, L. (2000): *The courts' role in decisions about medical treatment*, in: British Medical Journal 321, 1282-1284 (at 1284). The author of this paper, Laurence Oates, is Official Solicitor for England and Wales and represented Mary in the two court cases.

[49] Consider for instance the following hypothetical case:
James and Martin are conjoined twins who share one set of lungs and a heart situated in James's body. They are 20 years old, but doctors have predicted that if they are not separated they will both die within 5-10 years. If they are separated James can lead a normal life, but Martin will die. Both twins are mentally normal. However, one day

and it seems almost perverse to fault the parents in this case for maintaining that their daughters' interests in life are equal, when we as a society like to proclaim the equal value and worth of all human beings.

Conclusion

The case of Jodie and Mary is philosophically intriguing, politically challenging, and, above all, tragic, whichever way one cares to view it. The analysis in this paper has shown that the conclusion that elective separation of Mary and Jodie is morally mandatory can only be reached if one holds a somewhat incongruent set of moral principles.

Elective separation can be justified as morally mandatory if either:

1. Jodie's life is valuable prior to separation, but Mary's life is not valuable at all; or
2. Jodie's life is more valuable than Mary's life prior to separation, and it can be morally acceptable to kill one valuable being to save another.

The first of these justifications is problematic on the facts of the case, because our knowledge about the respective neurological state of the two twins give us no reason for giving some value to Jodie's life, but no value at all to Mary's.

The second justification also has as a necessary first premise that we can, at the present time, assign value to Jodie's and Mary's lives. This is denied by most consequentialists, and by many rights theorists, but accepted by the "right to life" position. The second premise, that it can be morally acceptable to kill one valuable being to save another, is accepted by many consequentialists, and some rights theorists[50], but denied by the "right to life" position. It is, however, only if both premises are held at the same time that the "desired" conclusion follows.

The paper further shows that the justification for overriding the parents' choice of non-intervention is also questionable.

Martin is hit in the head by a falling object and sustains moderate brain damage. His IQ is estimated to be about 40 and he has epileptic seizures that are difficult to control with drugs. Would a separation operation be more justified after Martin's injury than before?

[50] Some Interest Theorists might accept that Jodie's interests count for more than Mary's, or, perhaps, that Jodie has *more* interests than Mary, and thus that, when these interests come into conflict, something like an utilitarian calculus will yield that Jodie's consequent rights "trump" Mary's. However, to claim this may be to be less than fair to Interest Theorists. Just how Interest Theorists deal with conflicts of rights is, as we say, a matter of some controversy. See, for example, WALDRON 1989.

Vom Sinn und Ziel der Humangenetik

von Peter Propping

Am 16. Februar 2001 wurde in *Nature* und *Science* die vollendete Sequenzierung des menschlichen Genoms bekannt gegeben. Zwar fehlen an der vollständigen Sequenz noch etwa 10%, weil gewisse Abfolgen der genetischen Buchstaben besonders schwer zu analysieren sind. Trotzdem eröffnet uns bereits das vorhandene Wissen weitreichende Möglichkeiten, die biologische Natur des Menschen immer weiter aufzuklären. Der wesentliche Nutzen dürfte sich dabei für das Verständnis der Ursachen von Krankheiten, deren Diagnostik und Therapie ergeben.

Die erfolgreiche Sequenzierung des menschlichen Genoms hat die ohnehin heftige öffentliche Debatte über Keimbahntherapie und genetische Diagnostik, insbesondere pränatale Diagnostik, weiter verschärft. Es vergeht kaum ein Tag, an dem nicht ein Politiker, Ethiker oder Genetiker in einer führenden Tages- oder Wochenzeitung zu den gewollten oder befürchteten Anwendungen der modernen Genetik Stellung nimmt. Die Mächtigkeit genetischer Methoden, mögliche Konflikte mit traditionellen Wertvorstellungen, die internationale Entwicklung und damit der Zwang des Faktischen machen Entscheidungen in der ‚Biopolitik' unumgänglich.

Ein Exponent unter den Befürwortern eines unbeschränkten Zugangs des Individuums zu den Anwendungen der Genetik ist der Molekularbiologe James D. Watson, der 1953 zusammen mit Francis Crick die Doppelhelixstruktur der Erbsubstanz DNA entdeckt hat und dafür 1962 mit dem Nobelpreis ausgezeichnet worden ist. Watson gehörte 1998 auch zu der Gruppe prominenter Wissenschaftler, die auf einer Konferenz in Kalifornien zu einer Änderung der Einstellung zur Keimbahntherapie beim Menschen aufgerufen haben.[1]

Am 26. September 2000 plädierte Watson in der *Frankfurter Allgemeinen Zeitung* für die umfassende medizinische Nutzung des Wissens, das sich aus dem Humangenomprojekt ergibt. Er spricht von den „erschütternden Tragödien, die Erbkrankheiten im Leben vieler Menschen anrichten". Es solle die Erleichterung darüber im Vordergrund stehen, dass künftig niemand gezwungen werde, ein Kind zu lieben und zu unterstützen, dessen Leben niemals Anlass zur Hoffnung auf Erfolge gebe. Aus diesem Grund werde es während der nächsten Jahrzehnte einen immer stärkeren Konsens darüber geben, dass Menschen das Recht haben, dem Leben erbgeschädigter Föten ein Ende zu setzen. Watson sieht allenfalls unnötiges Leid durch Gesetze, die „die Geburt erblich behinderter Kinder erzwingen, obwohl die Eltern es vorziehen würden, solche Schwangerschaften abzubrechen".[2]

---

1 STOCK, CAMPBELL 2000.

2 WATSON 2000.

Das Plädoyer Watsons stellt eine Verengung humangenetischer Forschungsziele dar. Der unbefangene Leser könnte schließen, die wesentliche Begründung für das Humangenomprojekt sei die Perfektionierung der Pränataldiagnostik gewesen. Nicht zuletzt durch derartige Formulierungen aufgeschreckt, konzentriert sich die öffentliche Diskussion über die Konsequenzen aus der Entschlüsselung des menschlichen Genoms, die in jüngerer Zeit in Deutschland außerordentlich intensiv und breit geführt wird, auf die vorgeburtliche Diagnostik, insbesondere die Präimplantationsdiagnostik. Andererseits wird von Experten immer wieder auf die großen Chancen hingewiesen, die sich durch die Entschlüsselung des menschlichen Genoms für die Therapie von Krankheiten ergeben. Für diejenigen, die mit der humangenetischen Theorie und Praxis nicht vertraut sind, ist es angesichts der verbreiteten Ängste schwer, sich ein ausgewogenes Urteil zu bilden. Dazu kommt die Last der NS-Vergangenheit.

Die ethische Beurteilung von Handlungsoptionen der modernen Genetik muss von den medizinischen und naturwissenschaftlichen Möglichkeiten und Notwendigkeiten ausgehen. Sie muss außerdem die historischen Erfahrungen und die soziale Wirklichkeit berücksichtigen. Aus diesem Grund soll zunächst ein kurzer Abriss der Entwicklung der Genetik im 20. Jahrhundert gegeben werden.

Wege und Irrwege der Genetik im 20. Jahrhundert

Am 14. März, 24. April und 2. Juni des Jahres 1900 legten die drei Botaniker Hugo De Vries aus Amsterdam, Carl Correns aus Tübingen und Erich Tschermak aus Österreich der Deutschen Botanischen Gesellschaft die Ergebnisse ihrer Kreuzungsversuche an Erbsen und anderen Pflanzen vor. Sie hatten die von Mendel 1865 entdeckten Vererbungsgesetze unabhängig von ihm wieder entdeckt, indem sie wie dieser die Nachkommenschaft verschiedener Erbsenlinien nach umfangreichen Kreuzungsversuchen statistisch analysierten. Alle drei Wiederentdecker erkannten ausdrücklich Mendels Primat an. Als vierter in diesem Kreis muss der englische Botaniker William Bateson genannt werden, der im Jahre 1900 ebenfalls unmittelbar vor der Wiederentdeckung von Mendels Gesetzen stand. Bateson hatte auch in den Folgejahren eine großen Anteil an der Konzeption des Faches. Er prägte nicht nur den Begriff ‚Genetik', sondern auch andere Termini wie ‚Homozygotie', ‚Heterozygotie', ‚Allel' und ‚Epistase'. Von ‚Dominanz' und ‚Rezessivität' hatte bereits Mendel gesprochen.

1900 ist das Geburtsjahr der modernen Genetik. Von diesem Zeitpunkt an wurde anhand verschiedener Untersuchungsgegenstände – darunter die Fruchtfliege Drosophila melanogaster, Pilze, Bakterien, Viren, Würmer, Maus, Zebrafisch, Mensch – eine umfassende genetische Theorie entwickelt und damit das Tor zu einem immer tieferen Verständnis für die lebendige Natur weit geöffnet. 1902 wandte der englische Arzt Archibald Garrod die Mendelschen Gesetze auf die Vererbung angeborener Stoffwechselstörungen des Menschen an. Im Jahre 1909 führte der dänische Botaniker Wilhelm Johannsen den Begriff ‚Gen' ein. Bereits ein Jahr zuvor hatten der englische Mathematiker Godfrey Hardy und der Stuttgarter Arzt Wilhelm Weinberg unabhängig voneinander erkannt, dass die genetische Zusammensetzung einer Population gleich bleibt, solange keine Selektion vorliegt oder Mutationen auftreten. Durch den Anschluss an die Chromosomentheorie und Biochemie, die Verwendung der Methoden der Zellzucht, die Integration in die gesamte Biologie und Medizin und schließlich durch das Handwerkszeug der Molekulargenetik wurde ein immer vollständigeres Bild von den Gesetzmäßigkeiten der Vererbung entworfen. Die vollständige Sequenzierung des menschlichen Genoms ist der vorläufige Abschluss einer zielstrebigen Entwicklung.

Es muss aber auch der andere Entwicklungsstrang erwähnt werden, der für die Genetik eine fatale Bedeutung bekommen sollte und dessen Verfechter zu Beginn des neuen Jahrhunderts ein Zeichen setzen wollten. Die Ideen nahmen von der anderen großen Entdeckung der Biologie des 19. Jahrhunderts ihren Ausgang, der von Charles Darwin 1859 formulierten Evolutionstheorie. Am 1. Januar 1900 stellten die Professoren Johannes Conrad, Nationalökonom in Halle, Eberhard Fraas, Paläontologe in Stuttgart, und Ernst Haeckel, Biologe in Jena, Wissenschaftlern aller Länder die Frage: „Was lernen wir aus den Prinzipien der Descendenztheorie in Beziehung auf die innenpolitische Entwicklung und Gesetzgebung der Staaten?" Der Industrielle Friedrich Alfred Krupp hatte für die Beantwortung der Frage 30.000 Mark ausgesetzt. Der erste Preis ging an den Arzt Wilhelm Schallmayer für sein Buch „Vererbung und Auslese im Lebenslauf der Völker. Eine staatswissenschaftliche Studie aufgrund der neueren Biologie". Der Autor war Exponent der sozialdarwinistischen Bewegung, die im frühen 20. Jahrhundert nicht nur in Deutschland außerordentlich populär war.

Die Entwicklung hatte mit dem Engländer Francis Galton begonnen, der mit seiner Untersuchung über die Vererbung von Begabungen – veröffentlicht 1865, im gleichen Jahr wie Mendels Kreuzungsversuche – zum Begründer der statistischen Analyse erblicher Eigenschaften wurde. Galton prägte den Begriff der ‚Eugenik'. Die Eugenik sollte mit wissenschaftlichen Methoden erforschen, wie die erbliche Beschaffenheit künftiger Generationen verbessert werden könnte.

Das deutsche Pendant der Eugenik war die 1895 von dem Nationalökonomen und Arzt Alfred Ploetz inaugurierte „Rassenhygiene". Ploetz sah in der Ausschaltung des „Kampfes ums Dasein" in der Zivilisation die Ursache des biologischen Niedergangs. Durch die Rassenhygiene sollte der „Kampf ums Dasein mit all seinem Jammer entbehrlich werden", sie sollte auch den „tragischen Konflikt" zwischen biologischer Notwendigkeit und Humanität lösen. Die Einschränkung der „Fortpflanzung Minderwertiger" und die „Begünstigung der Fortpflanzung Tüchtiger" sollte allerdings von der Verantwortung für die Schwachen begleitet werden.[3]

---

[3] Vgl. DOELEKE 1975.

Für die Eugeniker, Rassenhygieniker und Sozialdarwinisten war die Beschäftigung mit der Vererbung von Beginn an mit gesellschaftspolitischen Zielen, mit Hoffnungen und vor allem Ängsten vor einer ‚genetischen Degeneration' der Bevölkerung verbunden.[4] Die von Ploetz geforderte Verantwortung für die Schwachen war bald vergessen. Die Eugeniker hatten die Vision, dass der Mensch seine eigene Evolution in die Hand nimmt. Im Rückblick ist offensichtlich, dass die Vision hinsichtlich des zu erreichenden Ziels, der verfügbaren Methoden und insbesondere der praktischen Durchführung naiv und verantwortungslos war.

Die Bedeutung der Genetik für die Medizin

Das Genom ist die Gesamtheit der Erbanlagen einer Zelle. Da alle Zellen eines Organismus – mit Ausnahme der Keimzellen – genetisch identisch sind, bezeichnet man als Genom auch die Gesamtheit der genetischen Information einer Person im Unterschied zu dem Genom einer anderen Person. Die genetische Information ist als Abfolge der vier Basenpaare des genetischen Alphabets in der Erbsubstanz DNA verschlüsselt. Wie ein Lochstreifen trägt ein DNA-Faden die komplette Information für den Bauplan und die Funktionsabläufe einer Zelle und des Gesamtorganismus. Die DNA, die sich im Kern jeder Körperzelle befindet, ist in 23 Chromosomenpaaren hochgradig verdichtet. 46 Abschnitte des 2 × 1 m langen DNA-Fadens sind sozusagen päckchenartig in jeweils einem Chromosom enthalten. Das menschliche Genom ist diploid, die genetische Information liegt also in den Körperzellen doppelt vor. In den befruchtungsfähigen Keimzellen (Samenzellen, Eizellen) liegt nur der einfache Satz der genetischen Information vor, Keimzellen sind haploid.

Man kann die menschlichen Chromosomen, die meist aus den Lymphozyten des peripheren Blutes gewonnen werden, nach spezifischer Anfärbung im Hinblick auf Anzahl und Struktur lichtmikroskopisch untersuchen. Chromosomenstörungen sind eine wichtige Ursache angeborener Krankheiten. Bei der Bildung der Keimzellen muss der diploide Chromosomensatz halbiert werden, so dass jeweils nur ein Chromosom eines Paares in die Keimzelle gelangt. Dieser Reduktionsvorgang ist außerordentlich störanfällig, so dass sich in den befruchteten Eizellen in einem hohen Prozentsatz (50% und mehr) numerische Chromosomenanomalien finden. Die meisten dieser chromosomalen Imbalancen sind mit einer normalen Embryonalentwicklung nicht vereinbar, sie führen daher zum frühzeitigen Absterben des Embryos. Unter spontanen Fehlgeburten findet man in über 50% numerische Chromosomenstörungen. Unter Neugeborenen kommen nur Trisomien der Chromosomen 13, 18 und 21 sowie der Geschlechts-Chromosomen vor, außerdem die

---

[4] PROPPING 1989.

Monosomie X. Zusammen mit den seltenen strukturellen Störungen der Chromosomen weisen sie eine Häufigkeit von 0,5% auf. Die Neugeborenen mit einer numerischen Chromosomenanomalie stellen damit den kleinen überlebenden Rest einer ursprünglich viel größeren Zahl von Embryonen dar. In der Embryonalentwicklung hat eine Selektion gegen chromosomale Imbalancen stattgefunden.

Numerische Chromosomenanomalien sind Folge von Mutationen, die insbesondere in weiblichen Keimzellen entstehen und mit zunehmendem Alter häufiger auftreten. Daher nehmen viele Schwangere, die älter als 35 Jahre sind, die Möglichkeit der vorgeburtlichen Diagnostik in Anspruch.

Chromosomenanalysen haben auch in der Krebsforschung große Bedeutung. Der Malignisierungsprozess nimmt von einer Körperzelle seinen Ausgang, in der es zu einer Mutation gekommen ist, die das Zellwachstum dereguliert. Infolgedessen wird das Auftreten weiterer Mutationen, eventuell auch Chromosomenmutationen, begünstigt, so dass sich ein maligner Zellklon entwickelt. Die Identifikation einer chromosomalen Störung kann einen Hinweis auf ein Gen geben, das auf dem betreffenden Chromosom lokalisiert und an der Malignisierung beteiligt ist. Die Entwicklung der molekularen Zytogenetik in der letzten Dekade hat das Auflösungsvermögen der Chromosomenanalyse stark erhöht und treibt die Erforschung der Malignisierungsmechanismen weiter voran.

Chromosomenstörungen betreffen große Anzahlen von Genen, die benachbart liegen, aber funktionell in keinem Zusammenhang stehen. Wenn eine Mutation – im Extremfall nur der Austausch eines einzigen Basenpaars – eine Funktionsstörung zur Folge hat, die der Organismus nicht kompensieren kann, dann resultiert ein einfacher (monogener), d.h. Mendelscher Erbgang. Merkmale mit Mendelschem Erbgang (dominanter, rezessiver Erbgang) stellen genetische Sonderfälle dar, die für die Wissenschaft besonders gute Untersuchungsmöglichkeiten bieten. Am 31. März 2001 waren in der Online-Ausgabe von OMIM (Online Mendelian Inheritance in Man) 9.096 Merkmale verzeichnet, die erwiesenermaßen einem Mendelschen Erbgang folgen.[5] Ein großer Teil dieser Merkmale, von denen etwa ¾ Krankheiten sind, ist in der Bevölkerung selten. Der Genetiker kann aus der Tatsache eines Mendelschen Erbganges auf die Existenz einer spezifischen Mutation in der DNA schließen. Die simultane Anwendbarkeit formalgenetischer Verfahren und genetischer Labormethoden ist eine faszinierende Eigenschaft der Genetik, sie macht ihre analytische Mächtigkeit aus. Eine Mendelsche Krankheit stellt ein Schlüsselloch dar, durch das der Genetiker einen kleinen Ausschnitt des Genoms untersuchen und dadurch auch Einblicke in die Physiologie und Pathophysiologie gewinnen kann.

An der Entstehung vieler häufiger Krankheiten sind genetische Faktoren in bislang unübersichtlicher Weise beteiligt, z.B. bei Hypertonie, Diabetes mellitus, Epilepsie, Migräne, Schizophrenie, manisch-depressiver Krankheit. Wir können das Gewicht der genetischen Faktoren meist nur aus Familien- und Zwillingsuntersuchungen abschätzen. Das Muster des familiären Auftretens ist jedoch meist nicht

---

[5] NATIONAL CENTER FOR BIOTECHNOLOGY INFORMATION 2001.

mit einem Mendelschen Erbgang vereinbar. Die Krankheiten werden als ‚genetisch komplex' bzw. ‚multifaktoriell' bezeichnet. Viele dieser Krankheiten dürften einen Endzustand darstellen, zu dem verschiedene Mechanismen, darunter auch genetische, beigetragen haben. Man stellt sich vor, dass eine Kombination bestimmter genetischer Varianten eine Disposition schafft, die häufig erst in Wechselwirkung mit äußeren Einflüssen die eigentliche Krankheit erzeugt. Die der Disposition zugrunde liegende Ätiologie, d.h. die für die meisten der genannten Krankheiten relevanten Gene sind bisher unbekannt. Eher als alle anderen Methoden bietet die Genetik die Möglichkeit, die Ursachen multifaktorieller Krankheiten aufzuklären.

Genetische Krankheitsforschung heißt Ursachenforschung. Dabei bedeutet die Identifikation eines Gens, dessen Mutation eine Mendelsche Krankheit zur Folge hat, in den meisten Fällen gleichzeitig die Aufdeckung einer biologischen Grundfunktion. Wegen der hohen funktionellen Bedeutung kann dem Forscher ein evolutionäres Argument einen entscheidenden Fingerzeig geben. Wenn eine potentiell krankheitsrelevante Mutation in einem Gen den Austausch einer Aminosäure zur Folge hat, die ‚evolutionär konserviert' ist, dann ist diese Tatsache ein starkes Argument dafür, dass diese Mutation tatsächlich die Ursache der betreffenden monogenen Krankheit ist. Die Position einer bestimmten Aminosäure ist so wichtig, dass Mutationen, die in der Evolution zu einer anderen Aminosäure geführt haben, immer mit einer Funktionsbeeinträchtigung verbunden waren und daher wieder verschwunden sind. Weil es sich eben um eine biologische Grundfunktion handelt, hat die betreffende Mutation in dem betreffenden Gen einen Mendelschen Erbgang zur Folge.

Bei genetisch komplexen Krankheiten dürften andere Mechanismen wirksam sein. Einer solchen Krankheit wird meist die Verschiebung eines funktionellen Gleichgewichts oder Regelkreises zugrunde liegen. Diese Verschiebung des Gleichgewichts ist mit einer Krankheitsdisposition verbunden. Der funktionelle Effekt kommt dadurch zustande, dass mehrere Mutationen, die bei einem Menschen gleichzeitig vorliegen, auf Proteinebene Auswirkungen haben. Derartige Effekte sind bisher allenfalls ansatzweise verstanden. Man kann aber sicher sagen, dass jede der Mutationen, die zu der Disposition zu einer multifaktoriellen Krankheit beiträgt, das Krankheitsrisiko nur in begrenztem Ausmaß erhöht. Jede der Mutationen ist mit einem ‚relativen Risiko' für die betreffende Krankheit verbunden. Ob eine Krankheitsdisposition tatsächlich zu einer Krankheit führt, hängt u.a. auch von verschiedenen äußeren Faktoren ab (z.B. exogene Trigger, Ernährung, Infekte, seelische Einflüsse). Dies kann z.B. erklären, warum nur ein Teil, wenn auch der überwiegende, der eineiigen Zwillinge für eine komplexe Krankheit konkordant betroffen ist. Bei monogenen Krankheiten ist die Konkordanz dagegen vollständig.

Die ‚Labilität' der phänotypischen Auswirkung unterscheidet multifaktorielle Krankheiten grundsätzlich von monogenen Krankheiten. Da nicht jede genetische Disposition auch zu einer Krankheit führt, lassen sich multifaktorielle Krankheiten therapeutisch in der Regel eher beeinflussen als monogene. Dies zeigen auch die bereits existierenden Möglichkeiten der Behandlung. Krankheiten wie Hypertonie, Epilepsie, Diabetes mellitus, Allergien, Schizophrenie, manisch-depressive Krankheit sind in gewissem Ausmaß medikamentös behandelbar, jedenfalls besser als die meisten Krankheiten mit Mendelschem Erbgang. Die vorhandenen Therapiekonzepte sind dabei meist nur empirisch und mit begrenztem Verständnis für die Pathogenese gefunden worden. Die wissenschaftliche Bearbeitung monogener und multifaktorieller Krankheiten hat daher unterschiedliche Konsequenzen. Bei monogenen Krankheiten dient die wissenschaftliche Bearbeitung dem Verständnis biologischer Grundfunktionen, bei multifaktoriellen Krankheiten schafft sie die Voraussetzungen für neue Therapien.

Monogene und multifaktorielle Krankheiten im evolutionären Kontext

Seit einigen Jahren gelingt es immer besser, die Evolution des Menschen mit genetischen Methoden nachzuvollziehen. Zusammen mit den noch begrenzten Kenntnissen über die Populationsgenetik genetisch komplexer Krankheiten beginnt sich auch ein Bild der Entstehung von Krankheitsdispositionen herauszubilden.[6] Für monogene Krankheiten gilt: An jedem Genort, für den eine Mendelsche Krankheit bekannt ist, gibt es zahlreiche verschiedene Mutationen. Jede dieser Mutationen ist selten und kommt in verschiedenen Bevölkerungen meist in unterschiedlicher Häufigkeit vor. Da die zu Krankheiten führenden Mutationen für den Träger mit einem gewissen Nachteil verbunden sind, müssen sie meist evolutionär jung sein. Sie sind wahrscheinlich meist nur einige tausend Jahre alt, d.h. sie sind in Teilpopulationen aufgetreten, nachdem der moderne Mensch vor 100.000 Jahren begonnen hat, sich von Ostafrika aus über die Welt zu verbreiten.

Viele komplexe Krankheiten kommen in der Bevölkerung mit Häufigkeiten im Prozentbereich vor. Die Krankheiten treten zwar familiär auf, sie lassen eine Segregation entsprechend einem Mendelschen Erbgang aber vermissen. Bei vielen komplexen Krankheiten betragen die Wiederholungsrisiken bei Verwandten 1. Grades 10-15%. Dieses Risiko ist also etwa 5-15 mal so hoch wie die Krankheitshäufigkeit in der Allgemeinbevölkerung. Es ist unwahrscheinlich, dass eine einzige Mutation den gesamten Krankheits-Phänotyp erklären kann. Viel wahrscheinlicher ist, dass mehrere Gene, die Mutationen tragen, zu einer Krankheitsdisposition beitragen. Es entscheiden auch exogene Einflüsse darüber, ob eine Krankheit resultiert. Die für die Krankheitsdisposition verantwortlichen Genvarianten müssen in der Bevölkerung häufig sein, sonst könnte man die relativ hohen Wiederholungsrisiken unter Verwandten 1. Grades nicht erklären. Die Genetik bezeichnet Genvarianten, die in der Bevölkerung häufig sind, als ‚Polymorphismen'.

[6] CHAKRAVARTI 1999.

Es ist wahrscheinlich, dass Genvarianten, die zu einer komplexen Krankheit disponieren und in der Bevölkerung häufig sind, unter evolutionären Aspekten älter sind als die Mutationen, die zu monogenen Krankheiten führen. Sie dürften in früheren Perioden der Menschheitsgeschichte mit einem Selektionsvorteil verbunden gewesen sein. ‚Selektionsvorteil' bedeutet, dass der Träger einer bestimmten Genvariante im Mittel mehr Kinder hatte (die wiederum das reproduktionsfähige Alter erreichten) als der Durchschnitt der Bevölkerung. Genvarianten, die zum nicht-Insulin-pflichtigen Diabetes mellitus disponieren, könnten den Trägern z.B. in Zeiten knapper Nahrungsverfügbarkeit sehr gut einen Selektionsvorteil verschafft haben, indem der Blutzuckerspiegel auch bei Hunger hoch gehalten wurde. Ein niedriger Blutzuckerspiegel ist mit herabgesetzter Leistungsfähigkeit verbunden. In Zeiten guter Ernährung wird die diabetische Stoffwechsellage zum Nachteil, weil ein überhöhter Blutzuckerspiegel resultiert. Analoge Mechanismen könnten andere Dispositionen begünstigt haben. Die folgenden, wenn auch noch schlecht gestützten Zusammenhänge werden z.B. diskutiert: Hypertonie und kurzfristige Aktions- und Durchsetzungsfähigkeit, allergische Krankheiten und gute Infekt- oder Parasitenabwehr, manische Depression und Initiativefähigkeit sowie Furchtlosigkeit, Schizophrenie und vorsichtig-misstrauisches soziales Verhalten.

Die angedeuteten Zusammenhänge sind momentan noch weitgehend hypothetisch, sollten in den kommenden Jahrzehnten jedoch einer wissenschaftlichen Bearbeitung zugänglich werden. Mit Hilfe der genetischen Forschung werden die Dispositionen zu den multifaktoriellen Krankheiten aufgeklärt werden. Die Kenntnis einer Disposition wird auch einen Einblick in die genetische Beeinflussung funktioneller Regelmechanismen und Verständnis für die evolutionären Zusammenhänge ermöglichen. In diesem Lichte ist es plausibel, dass Personen, die von einer der häufigen Dispositionskrankheiten betroffen sind, die Bürde einer früheren genetischen Anpassung der Menschheit tragen. Mit dieser Vorstellung wäre auch vereinbar, dass Erkrankte auf Grund von Genkombinationen eine erhöhte Dosis von Dispositionsgenen besitzen.

Die Mechanismen, die in der Evolution wirksam waren, dürften große Teile der heutigen Menschheit betreffen. Populationsgenetische Daten machen es wahrscheinlich, dass es vor etwa 100.000 Jahren (d.h. vor etwa 4.000 Generationen, wenn man die enorme Vermehrung des Menschen ignoriert) in der Evolution des modernen Menschen einen ‚Engpass' gegeben hat. Man hält es z.B. für möglich, dass nur etwa 10.000 Individuen die Vorfahren der heutigen Europäer waren.[7] Die genetischen Dispositionen sind Teil unseres biologischen Erbes und Kennzeichen der menschlichen Natur. Dafür spricht auch, dass multifaktorielle Krankheiten bei vielen Bevölkerungen der Erde in vergleichbarer Größenordnung vorkommen. Die durch die Evolution herbeigeführte genetische Variabilität der Menschheit hat ihr in der Vergangenheit eine Anpassung an wechselnde Lebensbedingungen ermöglicht. Dies wird auch in Zukunft so sein.

---

[7] Ibid.

Diagnostische Anwendungen der Genetik in der Medizin

Die Aufklärung der genetischen Grundlage vieler hundert monogener Krankheiten und Chromosomenstörungen erlaubt eine immer breitere diagnostische Anwendung genetischer Methoden. Zwei spezielle Anwendungen der genetischen Diagnostik betreffen besonders sensible Bereiche: die prädiktive Diagnostik von genetischen Krankheiten, die sich erst im Laufe des Lebens manifestieren, und die pränatale Diagnostik. Die prädiktive genetische Diagnostik hat viele Facetten, insbesondere mit Blick auf die vorhandenen oder nicht vorhandenen Präventionsmöglichkeiten.[8] Wegen der besonderen Situation bei den spät manifesten erblichen neurodegenerativen Krankheiten – z.B. Chorea Huntington, autosomal-dominant erbliche Formen der spinozerebellären Ataxien und Alzheimersche Krankheit – sind von Humangenetikern, Neurologen und Selbsthilfegruppen besondere Empfehlungen formuliert worden.[9] Für die Gruppe der erblichen Krebskrankheiten hat die Bundesärztekammer sehr konkrete Richtlinien erlassen.[10]

In der Diagnostik multifaktorieller Krankheiten spielen genetische Methoden aufgrund der Vorläufigkeit unseres Wissens und der begrenzten Aussagekraft bislang nur eine untergeordnete Rolle.

Die Vorstellung, der Mensch könne seine Evolution selbst in die Hand nehmen, wurde – wie oben erwähnt – schon von den Eugenikern des frühen 20. Jahrhunderts vertreten. Unter dem Eindruck der weitreichenden, früher ungeahnten Möglichkeiten der Genetik werden ähnliche Vorstellungen heute wieder vorgebracht, wie der eingangs zitierte Beitrag von Watson zeigt. Wegen der Implikationen für unser Menschenbild und das menschliche Zusammenleben soll im Folgenden aus genetischer Sicht im Lichte der Thesen von Watson nur auf die pränatale Diagnostik eingegangen werden.

Pränatale Diagnostik

Seit Mitte der 70er Jahre ist es möglich, eine Reihe von Krankheiten pränatal zu diagnostizieren. Soweit es sich um genetische Krankheiten handelt, werden nach Entnahme embryonalen bzw. fetalen Gewebes (Chorionzottenbiopsie ab der 11. Schwangerschaftswoche, Amniozentese in der 14.-17. Schwangerschaftswoche, Fetalblutpunktion ab der 19. Schwangerschaftswoche) Methoden der Chromoso-

---

[8] PROPPING 1995.

[9] INTERNATIONAL HUNTINGTON ASSOCIATION, WORLD FEDERATION OF NEUROLOGY 1994; DEUTSCHE HEREDO-ATAXIE GESELLSCHAFT 1995.

[10] BUNDESÄRZTEKAMMER 1998.

menuntersuchung oder der Molekulargenetik eingesetzt. Diese invasiven Verfahren sind mit einem gewissen Fehlgeburtsrisiko verbunden (Chorionzottenbiopsie 2-3%, Amniozentese bis 1%). Im Hinblick auf angeborene Fehlbildungen spielt die Ultraschalluntersuchung des Embryos bzw. Feten eine immer größere Rolle. Die invasiven Untersuchungsverfahren werden nur Schwangeren empfohlen, die ein erhöhtes Risiko für die Geburt eines Kindes mit einer angeborenen Krankheit haben. In Deutschland werden gegenwärtig bei einer jährlichen Geburtenzahl von etwa 750.000 bei etwa 10% der Schwangerschaften invasive pränatale Untersuchungen vorgenommen.[11]

Die häufigste Indikation für eine pränatale genetische Untersuchung ist das erhöhte Alter der Schwangeren, da das Risiko für verschiedene numerische Chromosomenaberrationen bei dem Kind mit dem Alter der Frau zunimmt. Das etwaige Risiko für die Geburt eines Kindes mit einem Down-Syndrom (Trisomie 21) beträgt z.B. bei 30-jährigen Müttern 1:1.000, im Alter von 40 Jahren 1:100 und mit 45 Jahren 1:25. Bei über 95% der vorgeburtlichen Chromosomenuntersuchungen werden Normalbefunde erhoben, so dass die häufig besorgte Schwangere beruhigt werden kann.

Eine pränatale Untersuchung auf eine monogen erbliche Krankheit setzt voraus, dass bei einem Elternpaar ein erhöhtes Risiko erkennbar ist. Ungezielte Screening-Untersuchungen sind angesichts des eingriffsbedingten Abortrisikos nicht sinnvoll. Bei autosomal-dominant erblichen Krankheiten beträgt das Wiederholungsrisiko für die Kinder eines Patienten 50%. Personen, die von einer autosomal-dominanten Krankheit betroffen sind, wünschen nur selten eine vorgeburtliche Untersuchung. Dies dürfte einerseits darauf beruhen, dass viele dominant erbliche Krankheiten erst im Laufe des Lebens manifest werden und nicht so schwer wie rezessive Krankheiten sind. Eine Rolle dürfte aber auch spielen, dass die Träger einer dominant erblichen Krankheit ihre eigene Situation nicht als unzumutbar empfinden. Ein Risiko für die Geburt eines Kindes mit einer rezessiv erblichen Krankheit wird in der Regel erst dadurch erkennbar, dass einem Elternpaar ein betroffenes Kind geboren ist. Bei autosomal-rezessivem Erbgang ist dadurch die Heterozygotie beider Eltern, bei X-chromosomal-rezessivem Erbgang die Mutter als Konduktorin identifiziert. Das Wiederholungsrisiko für weitere Kinder beträgt bei beiden Erbgängen 25%, im Falle des X-chromosomal-rezessiven Erbgangs sind dabei nur Jungen betroffen. Im Unterschied zu den meisten Krankheiten mit dominantem sind die Krankheiten mit rezessivem Erbgang meist früh manifest und im Verlauf schwer. Dazu zählen z.B. schwere Muskelkrankheiten, bei Geburt oder kurz danach manifeste degenerative Hirnkrankheiten, viele Formen der geistigen Behinderung oder schwere Immundefekte. Viele Eltern, die bereits ein betroffenes Kind haben oder verloren haben, möchten daraufhin eine pränatale Diagnostik durchführen lassen. Vielfach gibt den Eltern überhaupt erst die Möglichkeit einer pränatalen Diagnostik den Mut, das Wiederholungsrisiko zu ertragen. Es ist wichtig, dass die Schwangere vor jeder prä-

[11] NIPPERT et al. 1997.

natalen Diagnostik über die Aussagekraft und Zuverlässigkeit der Untersuchung, das Risiko des Eingriffs und die Handlungsoptionen nach Vorliegen des Ergebnisses aufgeklärt und genetisch beraten wird.

Es gibt bislang nur wenige Krankheiten, bei denen eine vorgeburtliche Therapie möglich ist. Daran wird sich in absehbarer Zukunft auch nicht viel ändern. Wenn pränatal nachgewiesen worden ist, dass das geborene Kind von einer schweren, unbehandelbaren Krankheit betroffen sein wird, ist es in vielen Ländern erlaubt, die Schwangerschaft abzubrechen. Der Humangenetiker Schmidtke hat darauf hingewiesen, dass es in verschiedenen Ländern zwei Ansätze gibt, unter bestimmten Voraussetzungen die Zulässigkeit der Beendigung werdenden menschlichen Lebens zu bejahen, obwohl überall das Tötungsverbot gilt.[12] In vielen Ländern wird die Zulässigkeit des Schwangerschaftsabbruches bei einer genetisch bedingten Störung des erwarteten Kindes mit dieser Störung selbst begründet. Diese Länder folgen letztlich der Argumentation von Watson, die allerdings zusätzlich durch ihre Diktion Kritik hervorrufen musste. Der andere, in Deutschland beschrittene Weg geht von einem Konflikt der Lebensinteressen der Schwangeren und des werdenden Kindes aus. In diesem Konflikt wird letztlich das Lebensinteresse der Schwangeren über das des werdenden Kindes gestellt. Der seit 1995 in Deutschland gültige § 218 StGB lautet: „Der mit Einwilligung der Schwangeren von einem Arzt vorgenommene Schwangerschaftsabbruch ist nicht rechtswidrig, wenn der Abbruch der Schwangerschaft unter Berücksichtigung der gegenwärtigen und zukünftigen Lebensverhältnisse der Schwangeren nach ärztlicher Erkenntnis angezeigt ist, um eine Gefahr für das Leben oder die Gefahr einer schwerwiegenden Beeinträchtigung des körperlichen oder seelischen Gesundheitszustandes der Schwangeren abzuwenden, und die Gefahr nicht auf andere für sie zumutbare Weise abgewendet werden kann."

Der bis 1995 in der alten Bundesrepublik gültige § 218 StGB unterschied außer der so genannten Notlagenindikation eine ‚medizinische', ‚ethische' und auf der Basis der Konflikt-Argumentation eine ‚embryopathische' Indikation zum straffreien Schwangerschaftsabbruch. Daher liegen nur bis 1994 differenzierte statistische Angaben vor. In den alten Bundesländern sind 1994 über die Gesetzliche Krankenversicherung 58.499 zytogenetische Pränataluntersuchungen abgerechnet worden.[13] Inklusive der privat abgerechneten dürfte es sich um jährlich etwa 65.000 zytogenetische Pränataluntersuchungen gehandelt haben (1992: 720.794 Geborene in den alten Bundesländern). Die Amniozentese ist mit einem eingriffsbedingten Abortrisiko von 0,5-1,0% behaftet; bei der Chorionzottenbiopsie liegt dieses Risiko bei 2-3%. Die invasive Pränataldiagnostik dürfte als Komplikation damit jährlich etwa 800 Aborte mit sich gebracht haben. Für 1994 gibt das Statistische Jahrbuch 838 Schwangerschaftsabbrüche aus ‚embryopathischer' Indikation an. Damit kommt auf jeden Abort aus ‚embryopathischer' Indikation etwa eine punktionsbedingte Fehlgeburt.

---

[12] SCHMIDTKE 2001.

[13] NIPPERT et al. 1997.

Entgegen vielen Befürchtungen hat die Anzahl von Schwangerschaftsabbrüchen wegen einer Behinderung des Kindes nicht zugenommen, sondern ist auf weniger als ein Drittel zurückgegangen. 1980 sind aus ‚embryopathischer' Indikation 3.053 Schwangerschaften abgebrochen worden. Seitdem hat deren Anzahl bei etwa gleichbleibender Geburtenzahl 1994 auf die erwähnten 838 Abbrüche abgenommen. Vermutlich beruht der Rückgang auf einer verbesserten Diagnostik, weil früher schon allein beim Verdacht einer Behinderung Schwangerschaften abgebrochen wurden, und auf der genetischen Beratung. Wer selber humangenetische Beratungen durchführt, weiß, dass den Frauen, die sich wegen einer Behinderung des Kindes zum Abbruch der Schwangerschaft entschließen, die Entscheidung meist sehr schwer fällt. Sie durchleiden ihre Situation nicht selten unter Tränen. Es handelt sich tatsächlich um einen Konflikt.

Pränatale Diagnostik kann sich durchaus auch förderlich auf die Geburt eines Kindes auswirken. Dafür ein Beispiel: Viele Paare, deren Kind in den 80er Jahren im Säuglingsalter an der autosomal-rezessiven spinalen Muskelatrophie verstorben war, sind keine weitere Schwangerschaft eingegangen. Als nach Kartierung des Krankheitsgens Anfang der 90er Jahre die pränatale Diagnostik für spinale Muskelatrophie verfügbar wurde, erhielt unser Institut von solchen Paaren eine Flut von Anfragen aus ganz Deutschland. Sie gaben ausdrücklich an, nur dann eine Schwangerschaft eingehen zu wollen, wenn bei ihnen eine pränatale Diagnostik durchgeführt würde.

Die Frage der Präimplantationsdiagnostik

Die bisher praktizierte Pränataldiagnostik ist gegebenenfalls mit einem späten Schwangerschaftsabbruch belastet (22. Woche, eventuell sogar noch später, da der gültige § 218 StGB keine zeitliche Grenze setzt). Späte Abbrüche könnten durch die im Ausland entwickelte Präimplantationsdiagnostik (‚preimplatation genetic diagnosis', PGD) vermieden werden. Dabei werden durch In-vitro-Fertilisation zunächst mehrere Embryonen erzeugt. Im Acht-Zell-Stadium oder auch etwas später wird eine einzelne Zelle des Embryos entfernt und gezielt zytogenetisch oder molekulargenetisch untersucht. Es werden sodann nur die Embryonen in den Uterus der Frau transferiert, bei denen die befürchtete genetische Störung ausgeschlossen ist. Die Methode kann als technisch etabliert angesehen werden. In einer europäischen Multicenter-Studie wurde über die Geburt von 162 Kindern nach 1318 PGD-Zyklen berichtet.[14] In Deutschland ist die PGD aufgrund des Embryonenschutzgesetzes verboten: Eine In-vitro-Befruchtung darf nur zur Herbeiführung einer Schwangerschaft durchgeführt werden; außerdem sind die bei der PGD verwende-

[14] GERAEDTS et al. 2000.

ten Zellen noch totipotent, so dass ihre Nichtimplantierung als Tötung eines potentiellen Menschen angesehen wird.

Die Bundesärztekammer hat im März 2000 einen Diskussionsentwurf zu einer Richtlinie zur Präimplantationsdiagnostik vorgelegt.[15] In diesem Diskussionsentwurf wird angeregt, diese Methode für besondere Fälle und unter strengen und restriktiven Bedingungen zu legalisieren. Seitdem wird in der deutschen Öffentlichkeit intensiv, kontrovers und unversöhnlich über PGD debattiert. Die entscheidende Frage ist der Status des Embryos. Es besteht weitgehender Konsens darüber, dass der Embryo als früheste Form einer individuellen menschlichen Existenz schutzwürdig ist. Ebenso besteht weitgehend Einigkeit darüber, dass die Schutzwürdigkeit des Embryos mit der Bildung des Genoms beginnt. Bei der Bemessung des Umfangs der Schutzwürdigkeit menschlicher Embryonen sind wir heute im nationalen und internationalen Dialog mit zwei Positionen konfrontiert.[16] Die einen erkennen das Lebensrecht und den Schutz im umfassenden Sinne kategorisch an, was jede Einschränkung auch nach Güterabwägung hinsichtlich eines Ziels ausschließt. Die anderen relativieren in grundsätzlicher Anerkennung des Lebensschutzes dieses Prinzip im Sinne einer Güterabwägung auf Zwecke hin. Diese Position lässt nach sorgfältiger Prüfung eines nachgewiesenen hochrangigen Ziels einen abgestuften Rechtsschutz des Embryos zu.

Bei der Beurteilung der PGD kommt man an gewissen Realitäten nicht vorbei. Hormonale Nidationshemmer, die ja das Absterben des Embryos durch Verhinderung der Implantation in den Uterus bewirken, sind rechtlich und gesellschaftlich akzeptiert. Der Schwangerschaftsabbruch aus einer Notlagenindikation ist innerhalb der ersten 12 Schwangerschaftswochen, also bis zum Zeitpunkt der weitgehend abgeschlossenen Organdifferenzierung des Embryos, in Deutschland straffrei möglich. Aus medizinischer Indikation ist der Abbruch sogar ohne zeitliche Befristung nicht rechtswidrig.

Manche Paare, die ein Kind oder mehrere Kinder wegen einer schweren, nicht behandelbaren genetischen Krankheit verloren haben und sich ein gesundes Kind wünschen, wollen unbedingt einen Schwangerschaftsabbruch vermeiden. Für diese Fälle kommt eine PGD in Betracht. Wie jeder genetische Berater weiß, ist es solchen Paaren nicht leicht zu vermitteln, dass eine totipotente Zelle im Reagenzglas einen höheren Rechtsschutz genießen soll als ein ausdifferenzierter Fet.

Ein weiteres Argument für die Anwendung der PGD kommt aus der Reproduktionsmedizin. Eine verbreitete Methode zur Behandlung der Unfruchtbarkeit von Paaren ist die In-vitro-Fertilisation (IVF) bzw. intrazytoplasmatische Injektion von Spermien (ICSI). Die Zygoten werden nach wenigen Zellteilungen in den Uterus transferiert. Die Methode führt in etwa 20% der Behandlungszyklen zur Geburt eines Kindes. Es ist nun gut bekannt, dass 50% und mehr der Embryonen im Präimplantationsstadium Chromosomenstörungen aufweisen, die als Neumutatio-

[15] BUNDESÄRZTEKAMMER 2000.

[16] HEPP 2000.

nen aufgetreten und ganz überwiegend nicht mit einer normalen Entwicklung vereinbar sind.[17] Man transferiert also zu einem großen Teil Embryonen in den Uterus, die gar nicht zur Geburt eines Kindes führen können. Wenn man nur Embryonen transferieren könnte, die erwiesenermaßen keine Chromosomenstörung tragen, dann würde sich die Erfolgsrate von IVF und ICSI beträchtlich steigern lassen. Da die Behandlungsverfahren für die Frau eine erhebliche Belastung darstellen und wegen der geringen Erfolgsrate oft mehrfach wiederholt werden müssen, ist es aus Sicht der Frau eigentlich ein Gebot, nur solche Embryonen zu transferieren, die auch eine Entwicklungschance haben.

Nach Lage der Dinge ist zu erwarten, dass die Präimplantationsdiagnostik letztlich auch in Deutschland zugelassen werden wird, vor allem im Hinblick auf die herkömmliche Pränataldiagnostik. Dabei wird man sich wohl entlang der Linie der Konflikt-Argumentation bewegen, die in § 218 StGB auch zur Rechtfertigung des Schwangerschaftsabbruchs bei der ‚medizinischen Indikation' herangezogen wird. Um welche Größenordnung von Untersuchungen wird es gehen? Die Zahl der Präimplantationsdiagnosen zur Vermeidung einer monogen erblichen Krankheit oder einer erblichen Chromosomenstörung wird begrenzt sein, zumal die Untersuchung eine In-vitro-Fertilisation erfordert, was wiederum für das Paar, insbesondere die Frau, eine erhebliche Belastung darstellt. Es dürfte sich in Deutschland nur um wenige hundert Untersuchungen pro Jahr handeln. Wenn nach jeder In-vitro-Fertilisation routinemäßig Chromosomenstörungen ausgeschlossen werden sollen, dann würden jährlich etwa 50.000 PGDs durchgeführt. Dies ist die Größenordnung der jährlich in Deutschland durchgeführten In-vitro-Fertilisationen.

Eine in die Praxis eingeführte Präimplantationsdiagnostik kann zu Fehlentwicklungen führen. Bei vielen ist die Sorge groß, dass das Verfahren über kurz oder lang auch zur Diagnostik von Phänotypen mit geringem oder gar ohne Krankheitswert eingesetzt wird. Deshalb sollten Vorkehrungen getroffen werden: Neben einer fallbezogenen Überwachung aller PGDs mit Indikation, Anzahl untersuchter und transferierter Embryonen und Komplikationen sollten alle Untersuchungen fortlaufend in einem Register erfasst werden.

Die verbreitete Sorge vor einem Ausufern der PGD wird auch von manchen Wissenschaftlern genährt. Die pathetisch formulierte Vision des Nobelpreisträgers James Watson, die eingangs zitiert wurde, gehört zu den Äußerungen, die Angst erzeugen. Dies gilt auch für eine zunehmende Anzahl von Veröffentlichungen des Auslandes[18]: Zunächst will man ein Elternpaar mit Hilfe von Microarrays auf solche Mutationen screenen, die zu den verschiedensten multifaktoriellen Krankheiten disponieren oder an der Ausbildung des IQ und anderer ‚normaler' Eigenschaften beteiligt sind. Anschließend soll der Embryo präimplantativ systematisch auf diese Mutationen untersucht werden Es sollen nur die Embryonen transferiert werden,

[17] WELLS, DELHANTY 2000.

[18] Vgl. etwa SILVER 1998; BRENNER, COHEN 2000.

die die erwünschte genetische Ausstattung besitzen. Technisch dürften sich solche Vorstellungen in den nächsten 10-20 Jahren realisieren lassen.

Abgesehen von den sozialen Einflüssen, die eine breit angewandte Präimplantationsdiagnostik hätte, müssten bei einer systematisch angelegten Selektion gegen bestimmte Allele eventuell auch populationsgenetische Konsequenzen bedacht werden. Die bisherige Pränataldiagnostik ist ganz auf das Recht des Individuums abgestellt, populationsgenetische Aspekte spielen keine Rolle. Da bisher nahezu ausschließlich auf chromosomale Neumutationen oder eindeutig monogene Krankheiten untersucht wird, wird es allenfalls im Verlaufe vieler Generationen zu wahrscheinlich auch nur geringen Verschiebungen in der Frequenz von Krankheits-Allelen in der Bevölkerung kommen.

Wenn ein gewisser Anteil der Geborenen jedoch systematisch nach bestimmten Allelen selektiert worden ist, die an der Entstehung multifaktorieller Krankheiten beteiligt sind, dann hinge die Größe des Effekts von der Konsequenz der pränatalen Selektion und dem Umfang der Inanspruchnahme ab. Gegenwärtig sind 0,5% aller Neugeborenen in Deutschland durch IVF oder ICSI entstanden, und zwar mit steigender Tendenz. Bei einem so kleinen Anteil würde ein populationsgenetischer Effekt erst nach vielen Generationen eintreten. Kürzerfristig wirksame Effekte könnten sich jedoch ergeben, wenn ein größerer Anteil der Geborenen zuvor einer PGD mit systematischer Selektion unterworfen wäre. Dafür eine Beispielrechnung. Das Allel APO E4, das zur Alzheimerschen Krankheit disponiert, hat in Deutschland eine Allelfrequenz von 15%, so dass 25% der Bevölkerung heterozygot sind. Wenn 5% aller Geburten zuvor einer PGD unterzogen wären und die für APO E4 Heterozygoten systematisch eliminiert würden, dann würde die Allelfrequenz in der ersten Generation um 1,3% abnehmen.

Wie oben skizziert, spiegelt die genetische Konstitution der Bevölkerung die Evolution des Menschen wider. Träger des Allels APO E4 konnten unter Hungerbedingungen sehr wahrscheinlich besser Kalorien mobilisieren als Träger der Allele E2 und E3.[19] Da wir die Lebensbedingungen zukünftiger Generationen nicht kennen, sollte man mit gerichteten Veränderungen der genetischen Zusammensetzung der Bevölkerung sehr zurückhaltend sein.[20] Soweit dies gegenwärtig beurteilt werden kann, ist es nicht erstrebenswert, Allele im Genpool zu reduzieren, die an der Entstehung multifaktorieller Krankheiten beteiligt sind. In anderer Kombination oder in geringerer Dosis dürften diese Allele im Bereich des ‚Normalen' durchaus günstige Wirkungen haben. Der Einfluss, den ein bestimmtes Allel im Stoffwechsel spielt, ist sehr schwer zu überblicken, vielleicht sogar niemals. Ein Gen bildet im Durchschnitt 20 oder mehr Proteine, die in die verschiedensten Funktionen involviert sein können. Es ist eine Situation denkbar, in der man im Interesse der genetischen Zusammensetzung der Bevölkerung dem Individuum allein nicht mehr das Recht

[19] CORBO, SCACCI 1999.
[20] BROSIUS, KREITMAN 2000.

zubilligen kann, über die genetische Ausstattung seiner Nachkommen zu entscheiden. Entgegen den Thesen von James Watson ist hier Bedächtigkeit erforderlich.

Die Präimplantationsdiagnostik sollte nur zur Vermeidung schwerer angeborener Krankheiten eingesetzt werden dürfen, nicht für die Untersuchung auf Dispositionsgene. Pragmatisch formuliert, könnte man festlegen, dass sie nur zulässig ist, wenn der untersuchte Genotyp mit überwiegender Wahrscheinlichkeit, d.h. in über 50% der Fälle, zu einer Krankheit führt. Mit dieser Bedingung wäre eine Selektion gegen Allele, die an der Disposition zu multifaktoriellen Krankheiten beteiligt sind, weitgehend ausgeschlossen. Auch wenn eine PGD kaum jemals allein zum Ausschluss eines Dispositions-Genotyps durchgeführt werden wird, so könnten diagnostische Labors auf den Gedanken verfallen, derartige Untersuchungen als ‚Nebenindikation' anzubieten.

Keimbahntherapie – keine sinnvolle Option

Die gezielte Korrektur von Mutationen mit deletären Auswirkungen ist zur Krankheitsvermeidung in jüngster Zeit propagiert worden.[21] Derartige Eingriffe müssten in 100% erfolgreich sein, da andernfalls ein Kind mit einer schweren Krankheit geboren würde. Die Eingriffe dürften auch keine Nebenwirkungen haben. Beide Bedingungen liegen außerhalb aller gegenwärtigen Vorstellungen. Da ein Gen im Allgemeinen in verschiedene Funktionen involviert sein dürfte, hätte eine genetische Veränderung so unübersichtliche Folgen, dass sie nicht zu verantworten ist. Wenn die genetische Forschung die Ätiologie und Pathogenese von Krankheiten besser verstehen hilft, dann dürften sich auch neue Möglichkeiten für die Pharmakotherapie ergeben. Der am Phänotyp ansetzenden Therapie gehört auch weiterhin die Zukunft.

Blick zurück in Angst

Wenn in Deutschland über die Anwendungen der Genetik debattiert wird, dann sind die Irrwege der Vergangenheit immer gegenwärtig. Was in den Köpfen der Eugeniker und Rassenhygieniker des frühen 20. Jahrhunderts schwärmerisch der Höherentwicklung des Menschen dienen sollte, führte zum „Gesetz zur Verhütung erbkranken Nachwuchses" und endete in den Gaskammern der Psychiatrischen Krankenhäuser und Konzentrationslager. Es ist deshalb verständlich, wenn in Deutschland jede Debatte über die Anwendung der Genetik mit einem angstvollen

---

[21] STOCK, CAMPBELL 2000.

Blick zurück begleitet wird. Man muss die Fehler der Vergangenheit kennen, ihre Beschwörung darf aber nicht zu einem Ritual werden.

Trotz aller Bürde der Vergangenheit darf nicht vergessen werden, welche großen Chancen die Anwendung der Genetik in den nächsten Jahrzehnten für die Medizin eröffnet. Der bei weitem größte Nutzen wird sich für ein Verständnis der Ätiologie und Pathogenese komplexer Krankheiten ergeben. Dieses Verständnis wird neue, spezifischere und effizientere Strategien für Prävention und Therapie ermöglichen. Dieses große Ziel ist die entscheidende Begründung für die Entschlüsselung des menschlichen Genoms und die sich daraus ergebenden funktionellen Untersuchungen. Die vorgeburtliche Diagnostik einschließlich der Präimplantationsdiagnostik kann nur eine *ultima ratio* in dem Konflikt zwischen den Interessen der Schwangeren und dem Lebensrecht des Ungeborenen sein.

Literatur

BRENNER C., COHEN, J. (2000): *The genetic revolution in artificial reproduction: a view of the future*, in: Human Reproduction 5, Suppl. 5, 111-116.

BROSIUS, J., KREITMAN, M. (2000): *Eugenics – evolutionary nonsense?*, in: Nature Genetics 25, 253.

BUNDESÄRZTEKAMMER (1998): *Richtlinien zur Diagnostik der genetischen Disposition für Krebserkrankungen*, in: Deutsches Ärzteblatt 95, A-1396-1403.

– (2000): *Diskussionsentwurf zu einer Richtlinie zur Präimplantationsdiagnostik*, in: Deutsches Ärzteblatt 97, A-525-528 (abgedruckt in: Jahrbuch für Wissenschaft und Ethik, Bd. 5, Berlin, New York 2000, 415-422).

CHAKRAVARTI, A. (1999): *Population genetics – making sense out of sequence*, in: Nature Genetics 21, Suppl. 1, 56-60.

CORBO, R.M., SCACCI, R. (1999): *Apolipoprotein E (APOE) allele distribution in the world. Is APOE 4 a ‚thrifty' allele?*, in: Annals of Human Genetics 63, 301-310.

DEUTSCHE HEREDO-ATAXIE GESELLSCHAFT (1995): *Richtlinien für die Anwendung molekulargenetischer Untersuchungen zur Vorhersage und Diagnostik von Heredo-Ataxien*, http://www.ataxie.de.

DOELEKE, W. (1975): *Alfred Ploetz (1860-1940). Sozialdarwinist und Gesellschaftsbiologie*, Frankfurt a.M. (med. Diss.).

GERAEDTS, J., HANDYSIDE, A., HARPER, J., LIEBAERS, I., SERMON, K., STAESSER, T.A., VIVILLE, S., WILTON, L. (2000): *ESHRE preimplantation genetic diagnosis (PGD) consortium data collection II (May 2000)*, in: Human Reproduction 15, 2673-2683.

HEPP H. (2000): *Präimplantationsdiagnostik – medizinische, ethische und rechtliche Aspekte*, in: Deutsches Ärzteblatt 97, A-1213-1221.

INTERNATIONAL HUNTINGTON ASSOCIATION, WORLD FEDERATION OF NEUROLOGY (1994): *Guidelines for the molecular genetic predictive test in Huntington's disease*, in: Journal of Medical Genetics 31, 555-559.

NATIONAL CENTER FOR BIOTECHNOLOGY INFORMATION (2001): *OMIM (Online Mendelian Inheritance in Man)*, http://www3.ncbi.nlm.nih.gov/Omim.

NIPPERT, I., NIPPERT, R.P., HORST, J., SCHMIDTKE, J. (1997): *Die medizinisch-genetische Versorgung in Deutschland*, in: Medizinische Genetik 9, 188-205.

PROPPING, P. (1989): *Psychiatrische Genetik. Konzepte und Befunde*, Berlin, Heidelberg, New York.

– (1995): *Prädiktive Diagnose genetischer Krankheiten*, in: Deutsches Ärzteblatt 92, A-3310-3315.

SCHMIDTKE, J. (2001): *Ein Biegen und Brechen. Embryonen spalten endgültig das moralische Empfinden*, in: Frankfurter Allgemeine Zeitung 53 (5. Februar 2001), 56.

SILVER, M. (1998): *Remaking Eden. Cloning and beyond in a Brave New World*, New York (deutsch: *Das geklonte Paradies*, München 1998).

STOCK, G., CAMPBELL, J. (2000): *Engineering the human germline. An exploration of the science and ethics of altering the genes we pass to our children*, Oxford.

WATSON, J.D. (2000): *Die Ethik des Genoms*, in: Frankfurter Allgemeine Zeitung 52 (26. September 2000), 55.

WELLS, D., DELHANTY, J.D. (2000): *Comprehensive chromosomal analysis of human preimplantation embryos using whole genome amplification single cell comparative genomic hybridization*, in: Molecular Human Reproduction 6, 1055-1062.

Die Natürlichkeit unserer intellektuellen Anlagen. Zur Debatte um ihre gentechnische Verbesserung

von Michael Fuchs

„Alle Menschen streben von Natur nach Wissen. Dies beweist die Liebe zu den Sinneswahrnehmungen; denn auch ohne den Nutzen werden sie an sich geliebt und vor allen anderen die Wahrnehmungen mittels der Augen."[1] Diese Sätze, die ersten des ersten Buchs der Metaphysik des Aristoteles, geben vielleicht eine gute Erklärungsgrundlage, warum den Menschen sehr an ihrer Sehfähigkeit gelegen ist. Sie machen auch das Bemühen verständlich, diese mithilfe geschliffener Gläser zu verbessern. Angesichts des Erfolgs dieser Bemühungen, der sich schon seit einigen Jahrhunderten einstellt, mag es auch nicht verwundern, wenn Menschen Ähnliches auch für weitere Voraussetzungen des Wissenserwerbs erhoffen. Das wohl radikalste Vorhaben in diesem Zusammenhang, die gentechnische Verbesserung der intellektuellen Anlagen, musste indes lange als bloß fiktional gelten. Gibt es Indizien, dass sich dies geändert hat oder ändern wird?

In der Zeitschrift *Nature* berichteten 1999 Wissenschaftler aus Princeton, Cambridge Massachusetts und St. Louis, dass sie bei transgenen Mäusen eine verbesserte Erinnerungsfähigkeit festgestellt hätten, die sie auf die Überexpression eines bestimmten für Synapsen zuständigen Rezeptors zurückführten. Sie schlussfolgerten, dass eine genetische Verbesserung (*enhancement*) mentaler und kognitiver Merkmale wie Intelligenz und Erinnerung bei Säugetieren durchführbar sei. Zugleich sei mit der Identifikation von NR2B als einem molekularen Schalter im Erinnerungsprozess ein möglicher neuer Angriffspunkt zur Behandlung von Lern- und Gedächtnisstörungen aufgezeigt.[2]

Die transgenen Mäuse wiesen gegenüber den nichtmanipulierten Mäusen folgende signifikante Unterschiede auf. Sie zeigten bessere Langzeitresultate beim optischen Wiedererkennen von Objekten. 24 Stunden nach einem Furchtkonditionierungstraining durch ein Geräuschsignal und Elektroschocks waren ihre Furchtreaktionen deutlich erhöht. Zugleich waren sie besser in der Lage, in der Folge zwischen dem Schock als dem eigentlich furchtkonditionierenden Moment und dem Tonsignal als Kontextbedingung zu unterscheiden. Auch im räumlichen Lernen erwiesen sich die transgenen Mäuse als überlegen. Im Wasserlabyrinth mit verborgener Rettungsplattform konnten sie sich die räumlichen Verhältnisse schneller einprägen als ihre nicht genetisch modifizierten Artgenossen.

---

[1] ARISTOTELES, *Metaphysik I*, 1, 980a 21-24.
[2] TANG et al. 1999.

Neuere Studien, bei denen auch eine der maßgeblichen Arbeitsgruppen mitbeteiligt war und transgene Mäuse aus Princeton verwendet wurden, haben allerdings nichtintendierte Besonderheiten festgestellt. Die transgenen Mäuse zeigten sich deutlich empfindlicher für dauerhafte Schmerzen als die nicht gentechnisch veränderten Mäuse.[3]

Die Bedeutung dieser Resultate für die Spezies Mensch bleibt spekulativ.[4] Zunächst ist offen, ob sich die Ergebnisse und Schlussfolgerungen bezogen auf Mäuse durch weitere Untersuchungen erhärten lassen. Was die Übertragbarkeit auf den Menschen angeht, so ist nicht nur problematisch, ob sich beim Menschen eine vergleichbare Technik anwenden lässt, sondern grundsätzlicher ist zu fragen, ob menschliche Erkenntniskraft nicht etwas ganz anderes ist als das von den Mäusen demonstrierte Verhalten. Im Folgenden soll daher zunächst die Frage aufgeworfen, wenngleich nicht abschließend beantwortet werden, was menschliche Intelligenz ist und woher sie kommt (1). Im Anschluss sollen einige Argumente für und gegen eine gentechnische Verbesserung der menschlichen Intelligenz aus der aktuellen Debatte vorgetragen werden (2). Im Weiteren soll diese Fragestellung systematisch geprüft werden, indem zunächst das Ziel der Handlungsoption gewürdigt wird (3) und sodann Vergleiche des vorgeschlagenen Mittels mit anderen Mitteln der Steigerung kognitiver Leistungen durchgeführt werden (3, 4, 5, 6). Der Beitrag schließt mit einem vorläufigen Fazit (7).

1. Was ist Intelligenz und woher kommt sie?

Die Lernleistungen der Mäuse beziehen sich vor allem auf das Gedächtnis. Fraglich ist, wie das Verhältnis von Gedächtnis und Intelligenz zu bestimmen ist. Berühmt ist die Auffassung Michel de Montaignes, der gerade in der Schwäche des Gedächtnisses eine große Chance für intellektuelle Kreativität sah. Betrachtet man indes seine Essays, so fällt auch in seiner Schreibweise auf, dass der gelungene Einfall aus dem Schatz seines Wissens genährt wird. Die Intelligenzforschung hat auf die Vielfalt und Heterogenität kognitiver Leistungen hingewiesen. Blickt man auf die Mausexperimente, so fällt auf, dass neben dem Gedächtnis auch das räumliche Lernen angesprochen wird. Neben Gedächtnis, schlussfolgerndem Denken, Sprachverständnis, Wortflüssigkeit, Rechengewandtheit und Auffassungsgeschwindigkeit gilt das räumliche Denken in der psychologischen Intelligenzforschung verbreitet als eigenständige Komponente der Intelligenz. Strittig bleibt, welche Gewichtung man den Komponenten geben soll und ob der Intelligenz als Ganzer eine gewisse Einheit zugesprochen werden soll oder ob sie eine bloße Sammelbezeichnung ist. Es

[3] WEI et al. 2001, 168.

[4] Vgl. KAHN 2000, 182.

fällt auf, dass Definitionen, die sich an den geistigen Voraussetzungen praktischer Problemlösung orientieren, sehr allgemein bleiben. So wird Intelligenz häufig als geistige Anpassungsfähigkeit an neue Aufgaben und Bedingungen des Lebens aufgefasst oder auch als Befähigung, zweckgerichtet zu handeln, vernünftig zu denken und sich erfolgreich mit seiner Umwelt auseinanderzusetzen.

Auch der Streit um die Erblichkeit von Intelligenz und ihren einzelnen Komponenten ist nicht gelöst. Der Dissens ist alles andere als neu. Er lässt sich vielmehr bis in die vorsokratische Philosophie und Naturbetrachtung zurückverfolgen. Was sich allerdings seit Demokrit und Empedokles geändert hat, ist, dass die von beiden vertretenen Extrempositionen des Präformismus und des Epigenetismus in ihrer Reinform durch die Empirie, d.h. durch Zwillings- und Adoptionsstudien als widerlegt gelten können. Diese Ergebnisse hinsichtlich der genetischen Komponente der menschlichen Intelligenz werden durch die Ergebnisse der molekularbiologischen Forschung zumindest insoweit unterstrichen, als eindeutige genetische Ursachen für viele Formen angeborener geistiger Behinderungen und auch für bestimmte Formen von Demenz aufgezeigt werden konnten. Der Anteil, der Genom und Umwelt bei der Entwicklung komplexer Eigenschaften und Verhaltensdispostionen zukommt, wird freilich weiter Gegenstand von Forschungen und auch von gesellschaftlichen Kontroversen bleiben.[5] Offen ist auch, ob und in welchem Maße die Erforschung des Genoms die spezifisch menschlichen Komponenten der Intelligenz darlegen, erklären und einem verändernden Eingriff zugänglich machen kann. Beim derzeitigen Stand der Forschung scheint es aber nicht verwunderlich, wenn Naturwissenschaftler wie James Watson, der Mitentdecker der Doppelhelixstruktur der DNA und Nobelpreisträger von 1962, einen verbessernden gentechnischen Eingriff in die menschliche Intelligenz für durchführbar halten.[6] Aus Sicht der philosophischen

[5] Der ethische Teil dieser Kontroverse betrifft die Frage der Legitimität der Intelligenzforschung sowie die öffentliche Darstellung und gesellschaftspolitische Instrumentalisierung der Ergebnisse. Vgl. dazu DANIELS, MCGUFFIN, OWEN 1996; GARLAND 1998; GOODEY 1996; HARPER 1995; HERRNSTEIN, MURRAY 1996; NIH-DOE JOINT WORKING GROUP ON THE ETHICAL, LEGAL, AND SOCIAL IMPLICATIONS OF HUMAN GENOME RESEARCH 1996.

[6] James Watson erklärte in einem Interview mit der Frankfurter Allgemeinen Zeitung vom 28. Juni 2000, er persönlich glaube, „dass Individuen das Recht haben sollten, ihre Zukunft oder diejenige ihrer Kinder zu perfektionieren". Er begründet so einerseits die Berechtigung des elterlichen Wunsches, das Geschlecht zu wählen, andererseits aber auch von Entscheidungen im Interesse des Kindes: „[I]ch bin dafür, die Evolution zu verbessern, wann immer das möglich ist, sofern wir damit gesündere und klügere menschliche Wesen schaffen." (MÜLLER-JUNG, WATSON 2000) In Deutschland wurde vor allem seine These zur pränatalen Selektion (vgl. auch WATSON 2000) rezipiert und diskutiert (PROPPING 2000; PROPPING 2001) sowie die Frage des krankheitsbezogenen gentechnischen Eingriffs (FEY, GETHMANN 2001). Watson hat aber darüber hinaus mehrfach auf die genetische Basis von geistigen Anlagen – insbesondere auch der Intelligenz – hingewiesen und ihre Steigerung postuliert: „If more intelligent human beings

Ethik ist es daher keineswegs voreilig, die andere Komponente der These von Watson, nämlich die Wünschbarkeit einer solchen Intelligenzsteigerung einer Prüfung zu unterziehen.

2. Die aktuelle Debatte

Während für James Watson der Vorteil der höheren Intelligenz unserer Mitmenschen und Kinder auf der Hand liegt und er die Beweislast den Bestreitern zumutet, wurden in der Philosophie einige knappe Argumente für ein Intelligence-Enhancement vorgetragen. Als ‚enhancement' bezeichnet man in der Medizinethik allgemein einen korrigierenden Eingriff in den menschlichen Körper, durch den nicht eine Krankheit behandelt wird bzw. der nicht medizinisch indiziert ist. Solche nicht auf die Prävention oder Therapie einer Krankheit, sondern auf andere Merkmale gerichteten Eingriffe können u.a. im Bereich der kosmetischen Chirurgie und im Bereich des Sports (Doping) erfolgen. Vielfach wird ‚enhancement' synonym mit ‚enhancement genetic engineering' für die gezielte Beeinflussung genetisch determinierter menschlicher Eigenschaften verwendet. Es fällt auf, dass unter den nichtkrankheitsbezogenen Merkmalen insbesondere die Intelligenz als verbesserungswürdig angesehen wird.

So ergibt sich für James Hudson im Rahmen einer allgemeinen hedonistischen Werttheorie eine deutliche Priorität der kognitiven Voraussetzungen als Zielgrößen einer verbessernden Intervention.[7] Sara Goering kommt mithilfe des Gedankenexperimentes eines Schleiers des Nichtwissens zu eben diesem Ergebnis. Anders als Rasse, sexuelle Präferenz oder spezifische Auffassungen der Schönheit ergeben sich auch ohne das Wissen um die Gesellschaft, in der wir leben, Präferenzen für eine Verbesserung der intellektuellen Fähigkeiten: „Presumably, improving intellectual capabilities would be desirable in any society, and having more of it in a society that is less intelligent would not result in any significant disadvantage."[8]

---

might someday be created, would we not think less well about ourselves as we exist today? Yet anyone who proclaims that we are now perfect as humans has to be a silly crank." (WATSON 1997, 636)

[7] „I claim that the human property the enhancement of which would do most to enrich experience is intelligence." (HUDSON 2000, 131)

[8] GOERING 2000, 337. Sie ist allerdings insgesamt vorsichtiger und zurückhaltender als Hudson, der sich auch weitere Formen der nichtkrankheitsbezogenen genetischen Intervention vorstellen kann. Sie fordert über das vorgeschlagene Instrument hinaus weitere Prüfungen und Reflexionen. Ähnlich betrachtet auch Keenan aus theologischer Sicht intellektuellen Scharfsinn als ein Gut, das nicht nur bewahrt, sondern verfolgt werden sollte (KEENAN 1999, 115). Das Mittel der gentechnischen Steigerung wird dazu erwogen, aber nicht definitiv affirmiert.

Die Plädoyers für derartige Projekte haben indes auch Zurückweisung erfahren. In die Reihe der von Kurt Bayertz kritisierten Argumente gehört das zuletzt genannte der kulturübergreifenden Priorität. Zwar seien geistige Fähigkeiten unter allen gesellschaftlichen Verhältnissen von Vorteil. Ihr Nutzen aber würde in einer Gesellschaft von Jägern und Sammlern „hinter dem scharfer Sinne zurückbleiben“.[9] Auch wäre in Mitteleuropa noch vor wenigen Jahrhunderten „die kulturelle Bedeutung von Intelligenz im Vergleich zur Frömmigkeit als geringer eingeschätzt worden“.[10] Bayertz stützt seine Ablehnung einer gentechnischen Verbesserung der Intelligenz von Menschen auf drei weitere Argumente, ohne deren Verhältnis untereinander und zum vorgenannten eigens zu explizieren. So nennt er die Unmöglichkeit eines gezielten und risikolosen Eingriffs, die Vermengung von individueller und gesellschaftlicher Wünschbarkeit und schließlich die Manipulation der Subjektivität.[11] Unter den Kritikern eines gentechnischen Enhancement hat in jüngster Zeit vor allem Axel Kahn eigens auf das Projekt des Intelligence-Enhancement Bezug genommen. Ausschlaggebend für seine Ablehnung scheint das von ihm befürchtete Ergebnis zu sein, nämlich der Umstand,.dass durch dieses Projekt Ungleichheiten nicht ausgeglichen, sondern vergrößert würden.[12] Wie Kahn beschäftigen sich aber auch Befürworter der gentechnischen Intelligenzverbesserung mit Fragen der Verteilung dieses Interventionsangebots.[13] Jonathan Glover empfiehlt statt eines freien „Supermarktes“ ein gemischtes System, das die Verteilung und Vergabe regeln soll.[14] Tristram Engelhardt will gleichzeitig zwei Einwände immunisieren; nämlich sowohl den, die gentechnische Verbesserungsmöglichkeit führe zu größeren Ungleichheiten, wie auch den Einwand, der Ausgleich natürlicher Ungleichheiten durch ein Programm gentechnischer Egalisierung sei nicht erstrebenswert.[15] Er stellt deshalb die Frage nach der grundsätzlichen Erlaubtheit der gentechnischen Intelligenzsteigerung als Frage nach einem Vetorecht von Individuen gegen das allgemeine Angebot einer Steigerung des Intelligenzquotienten um fünf Punkte.[16] Allerdings scheint gerade in dieser Ausprägung das Angebot der Intelligenzsteigerung seinen Reiz für einzelne Eltern zu verlieren. Denn der Vorteil eines solchen Eingriffs liegt nach Meinung

---

[9] BAYERTZ 1987, 247.

[10] Ibid.

[11] Ibid., 265-273.

[12] KAHN 2000, 259.

[13] Vgl. GOERING 2000, 338. HOLTUG 1993 kommt aufgrund einer konsequentialistischen Prüfung der Verteilungsfrage zu einem ablehnenden Urteil über Intelligence-Enhancement.

[14] GLOVER 1984, 50 f.

[15] ENGELHARDT 1984, 289 sowie 287-289. Letzterer Einwand findet sich bei PARENS 1995, 145-147.

[16] ENGELHARDT 1984, 283, 289. Im Rahmen seiner liberalistischen Ausgangsvoraussetzungen verwundert nicht, dass Engelhardt ein solches Vetorecht gegen den Wunsch anderer Eltern bestreitet (vgl. ibid., 289).

einiger Autoren im Positionsgewinn gegenüber potentiellen Konkurrenten, sei es in der Schule oder auf dem Arbeitsmarkt oder auch bei der Partnerwahl. Damit aber ist die Frage aufgeworfen, inwiefern hohe bzw. erhöhte Intelligenz als erstrebenswert angesehen werden kann.

3. Das Ziel der Intelligenzsteigerung

Definiert man Intelligenz als geistige Anpassungsfähigkeit an neue Aufgaben und Bedingungen des Lebens oder auch als Befähigung, zweckgerichtet zu handeln, vernünftig zu denken und sich erfolgreich mit seiner Umwelt auseinander zu setzen, so liegt das Erstrebenswerte der Intelligenz auf der Hand. Unstrittig scheint auch, dass diese Begabung bei Menschen in unterschiedlichem Maße vorliegt und dass ein höheres Maß wünschenswert ist. Einwände gegen den Versuch, diese Begabung zu befördern, welche auf den Eigenwert der menschlichen Unvollkommenheit abheben[17], scheinen angesichts real möglicher und auch denkbarer Interventionsprojekte ins Leere zu laufen. Denn obschon offen ist, in welchem *Maße* eine Steigerung der einzelnen intellektuellen Leistungen erreicht werden könnte, so steht doch außer Zweifel, dass daraus ein nach wie vor endlicher Verstand resultieren würde.[18] Selbst wenn man die zum Teil gravierenden sozialen Probleme Hochbegabter in Rechnung stellt, erscheint es problematisch, ein Maß festzulegen, oberhalb dessen man die intellektuelle Begabung an sich als ein Zuviel des Gutes ansehen könnte. Dies ändert sich erst dann, wenn man annimmt, dass die Steigerung der Intelligenz zu Lasten anderer Fähigkeiten geht. Damit ließen sich neben Verknüpfungen wie jener zwischen der gesteigerten Erinnerungskraft und der Empfindlichkeit für chronische Schmerzen auch Verbindungen zwischen hoher Intelligenz und verminderter Fähigkeit zu emotionalen Bindungen denken. Obschon dies gelegentlich unterstellt wird, sind solche Verbindungen keineswegs zwingend. Für die weitere Prüfung soll daher von möglichen derartigen Verknüpfungen abgesehen werden.

Auch unter dieser Voraussetzung stellt sich indes die Frage der Gewichtung der Intelligenz im Verhältnis zu anderen Gütern. So scheint Bayertz schon aufgrund des allgemeinen Arguments der historischen Relativität solcher Gewichtungen das Projekt der gentechnischen Intelligenzsteigerung abzulehnen. Die von Bayertz hierzu eingebrachten Beispiele werfen allerdings Rückfragen auf. So fragt sich etwa, ob nicht auch im mittelalterlichen Mitteleuropa eine außerordentliche intellektuelle

---

17 Vgl. PARENS 1995 mit Bezug auf genetisches Enhancement im Allgemeinen.

18 Das graduell „verbesserte" Kind ist nicht perfekt. Eher ließe sich das Kind, dessen Genom nicht manipuliert wurde, als perfekt ansehen: Glenn McGee führt aus, dass jedes Kind deshalb als vollkommen gefeiert werden könne, weil es die besondere Vereinigung von zwei besonderen Menschen repräsentiere (vgl. MCGEE 1997, 18).

Begabung eher die Chance zu einem gesellschaftlichen Aufstieg bot als eine außerordentliche Frömmigkeit. Zudem wäre zu klären, ob eine Priorisierung aufgrund von Wertschätzungen durch andere nicht durch eine Betrachtungsweise ergänzt werden müsste, die Fragen des Gelingens im Zusammenhang des Vollzugs bestimmter Handlungen angeht. Diese Betrachtungsweise könnte ergeben, dass intellektuelle Leistungen nicht nur deshalb geschätzt werden, weil sie praktischen Erfolg oder Anerkennung durch andere vermitteln, sondern weil sie ähnlich wie die Erfahrung des Schönen beim Subjekt ein unmittelbares Wohlgefallen hervorrufen.

Allerdings kann man bezweifeln, dass elterliche Projekte zur gentechnischen Intelligenzsteigerung tatsächlich die Steigerung von subjektiven Erfahrungen des Gelingens intendieren würden. Gregory Kavka ordnet Intelligenz deshalb den positionalen Gütern zu. Diese sind per definitionem knapp: Nicht jeder kann der erste in einer Reihe sein. Innerhalb der positionalen Güter gehöre Intelligenz in die Gruppe der kompetitiven Güter.[19] Da hohe Intelligenz demnach gerade durch den Vorsprung gegenüber anderen zum Gut wird, schätzt man auch die Steigerung nur insoweit, als sie den gesellschaftlichen Konkurrenten *nicht* widerfährt. Allerdings will Kavka hieraus noch kein Argument gegen eine Steigerung des Normalmerkmals Intelligenz ableiten, da bei kompetitiven Gütern auch die Defizienz nur im Verhältnis zu einem sozialen Durchschnitt ausgesagt werden kann. Der Vorschlag, zwischen erlaubter Korrektur von Defizienzen und unerlaubtem Enhancement von normalen Vermögen zu unterscheiden, scheitere daher.[20] Kavka macht allerdings hier die Voraussetzung, dass die Defizienz eines kompetitiven Gutes praktisch so aufgefasst werden sollte, als komme ihr ein Krankheitswert zu. Bestreitet man dies, so legt sich die Schlussfolgerung nahe, dass die Steigerung eines kompetitiven Gutes nur dann ein gesellschaftliches Ziel sein kann, wenn der Vorteil einer Umverteilung die Risiken des Eingriffs überwiegt. Die Behauptung eines solchen Vorteils würde entweder einen starken Egalitarismus voraussetzen oder die Rechtfertigung einer verschärften sozialen Ungleichheit erfordern.

Für einige Autoren tritt hohe Intelligenz weder als ein subjektives Gut noch als ein kompetitives Gut auf, sondern als ein Instrument im Rahmen gesellschaftlicher Zielsetzungen. Jonathan Glover und einige andere Autoren entwerfen eine Zukunftsgeschichte des Projekts der Moderne, in der die Wissensgesellschaft an die Grenzen ihrer Erkenntnisfähigkeit gerät, was zumindest einige gesellschaftlich nützliche Projekte gefährden könnte. Glover geht in seinem Zukunftsszenario weit über die Annahme einer Erhöhung des IQ hinaus und spekuliert über Überschreitungen der *conditio humana*. In der Überschreitung zeigt sich für ihn das eigentlich Mensch-

---

[19] „These are physical or psychological dimensions, like beauty, sociability, and intelligence, along which people are ranked and whose possession in higher degrees is (or is thought to be) positively related to one's chances of obtaining such important social goods as wealth, power, status, and a wider choice or careers, friends, and mates." (KAVKA 1994, 164)

[20] Vgl. ibid., 166 f.

liche, da der Mensch bislang niemals dauerhaft einen Stillstand der Erkenntnis erleben musste. Häufig wird die Notwendigkeit einer Intelligenzsteigerung zur Vermehrung des gesellschaftlichen Nutzens auch ohne diese erkenntnispsychologische Tiefendimension behauptet.[21] Das Enhancement-Projekt erscheint hier als Anpassung des Menschen an eine Außenwelt, die der Mensch in einer Weise geprägt hat, dass er in ihr nicht mehr ohne dieses Mittel zurechtkommt. In der Tat scheinen einige anthropogene Probleme die Menschen vor besondere Herausforderungen zu stellen. Glover bleibt eine Antwort schuldig, inwiefern die Lösung solcher Probleme wie Überbevölkerung, Armut oder Umweltverschmutzung tatsächlich an prinzipiell veränderbaren kognitiven Kapazitäten scheitert. Kritiker solcher Szenarien fordern daher ursachenorientierte Lösungsstrategien und vergleichen das Projekt der gentechnischen Intelligenzsteigerung mit der gentechnischen Impfung gegen Strahlenrisiken.[22]

So ist also wenig wahrscheinlich, dass irgendwann ein Zwang zur kollektiven Inanspruchnahme verbesserter kognitiver Fähigkeiten bestehen könnte. Als Methode der Wahl zur Bewältigung globaler Herausforderungen wäre sie zwar denkbar, doch erschiene sie als ein unpassendes Mittel, denn dieses Mittel stünde im Verdacht, erneut Probleme jenes Typs zu erzeugen, die es bekämpfen will. Auch unter kompetitiven Gesichtspunkten kommt die Zulassung einer gentechnischen Intelligenzsteigerung schwerlich als gesellschaftliches Ziel in Frage. Indes sind es diese kompetitiven Gesichtspunkte, die die besondere soziale Kraft des Wunsches nach gentechnischer Intelligenzsteigerung erzeugen. Würde diese Option von einzelnen Eltern genutzt, um den eigenen Kindern einen Vorteil zu verschaffen, so könnte mit einem sozialen Sog gerechnet werden, der den ursprünglichen Handlungszweck neutralisieren würde. Diese Überlegungen werfen schwierige Fragen der Durchsetzbarkeit eines Verbots auf.[23]

Gegen die Angemessenheit eines Verbots und damit für das Projekt könnte die Tatsache sprechen, dass das Gut der Intelligenz nicht auf seine kompetitiven und kollektiv-instrumentellen Aspekte reduziert werden kann. Deshalb muss über das Ziel hinaus auch die Angemessenheit des vorgeschlagenen Mittels geprüft werden. Für die Prüfung neuer Mittel hat sich hierfür in der speziellen Ethik der Vergleich mit etablierten Verfahrensweisen als unverzichtbar erwiesen.

[21] Vgl. dazu die Hinweise bei BAYERTZ 1987, 247-249 und 265-273.

[22] Vgl. vor allem Bayertz: „Nicht die gesellschaftlichen Bedingungen werden dem Menschen, sondern der Mensch den gesellschaftlichen Bedingungen angepaßt." (Ibid., 274)

[23] Vgl. dazu GARDNER 1995.

4. Das traditionelle Angebot von Erziehung und Bildung

Die wichtigste Vergleichsfolie für die gentechnische Verbesserung der kognitiven Fähigkeiten stellt das Instrument der Erziehung dar. Vielen Autoren dient die weitreichende Übereinstimmung zwischen den Zielsetzungen und den Resultaten als das wichtigste Argument zugunsten der gentechnischen Intervention. Dabei kann unterschieden werden zwischen einer Plausibilisierungsstrategie, die auf das Konzept der Autonomie abhebt, und einer anderen, die Probleme der distributiven Gerechtigkeit behandelt.

Das Argument, das im Zuge der Autonomiefrage entwickelt wird, lautet, ein Anspruch auf eine unverfälschte Identität könne nicht erhoben werden, da diese bereits unvermeidlich durch die identitätsbildende Rolle der Erziehung dem Individuum entzogen sei. Die Spezies *homo sapiens* könne die Aufzucht der Jungen nicht der Natur überlassen.[24]

Diesen Hinweisen kann im Grundsatz zugestimmt werden. Selbst der Verzicht auf erzieherische Gestaltungsversuche im Sinne eines *laissez faire* prägt die Identitätsbildung, denn mangels einer vorgegebenen natürlichen Identität, die nur zur Entfaltung gelangen müsste, lässt ein solcher Verzicht andere Umwelteinflüsse zum Zuge kommen. Im Regelfall ist die Erziehung sogar von sehr weitreichenden Ambitionen geleitet. Andererseits aber werden Eltern auch immer wieder in ihren Absichten frustriert. Es wäre zumindest denkbar, dass die Ergebnisse gentechnischer Eingriffe in stärkerem Maße prädizierbar wären als Erziehungserfolge.

Doch lassen sich noch deutlichere Unterschiede zwischen dem Mittel der gentechnischen Intervention im frühesten Entwicklungsstadium und der Erziehung erkennen. Durch Erziehung gebildete Merkmale gehen nicht in das Erbgut ein, sie sind daher nicht in gleicher Weise für nachfolgende Generationen prägend. Inwiefern solche Eingriffe irreversibel sind und in welchem Maße sie für spätere Generationen prägend sind, wäre näher zu prüfen.

Die grundsätzliche Differenz kommt dann in den Blick, wenn man Erziehung nicht als Einbahngeschehen begreift, sondern als Kommunikationsgeschehen. Nach der aufgeklärten Vorstellung nämlich verfolgt Erziehung nicht nur das Ziel, bestimmte Charakterzüge oder Verhaltensdispositionen herauszubilden, sondern will vor allem jene Eigenschaft hervorbringen, zur Wahl der eigenen Identität befähigt zu sein. Anders als bei der Herstellung eines Produkts haben Fortpflanzung und Erziehung das gemeinsame Ziel, etwas hervorzubringen, was den schöpferischen Prozess auf eigene Faust fortsetzt. Dies scheint auch der Punkt zu sein, auf den

[24] So insbesondere HEYD 1992, 177-190. Ähnliche, wenngleich nicht so weit ausgefeilte Argumentationsstrategien werden auch von NEWSON, WILLIAMSON 1999, HARRIS 1993 und GOERING 2000 verfolgt.

Bayertz abhebt, wenn er den gentechnischen Eingriff in die Intelligenz als Manipulation der Subjektivität kritisiert.[25] In der Tat wird man jene Elemente des Genoms, die die kognitiven Fähigkeiten beeinflussen, als sehr personnahe Momente des Genoms betrachten. Dies gilt wahrscheinlich auch dann, wenn man zwischen verschiedenen kognitiven Fähigkeiten einer Person differenziert und ihre zentrale identitätsstiftende Rolle unterschiedlich einschätzt. David Heyd, der die skizzierte aufgeklärte Auffassung von Erziehung teilt, hebt indes hervor, dass Erziehungsmaßnahmen insbesondere in der frühesten Phase auch identitätssetzenden Charakter haben. Der Unterschied zwischen dem gentechnischen Eingriff und der Erziehung sei daher nur graduell.[26] Zudem geht sein ethisches Konzept davon aus, dass nur solche Eingriffe als problematisch angesehen werden können, die als Korrekturen einer bereits gegebenen Identität zu dieser in Spannung treten. Obschon das individuelle Lebewesen niemals ein bloßer Freiraum ist, lässt sich kein materieller Kern ausmachen, der die ursprüngliche Identität konstituiert. Heyd zieht hieraus den Schluss, dass eine Grenze für den Eingriff in der frühesten Lebensphase erst da festzumachen ist, wo die Eltern das entstehende Kind nicht mehr als sich hinreichend ähnlich betrachten, um es als ihr eigenes ansehen zu können.[27] Diese von ihm vertretene Position nennt er einen *generocentrism*.

Der Vergleich zwischen gentechnischem Eingriff und Erziehung wirft umgekehrt auch ein Licht auf Weichenstellungen der Erziehung.[28] Glenn McGee wendet dies so, dass unabhängig von der Verschiedenheit der Mittel in beiden Verfahren verfehlte Haltungen und Ambitionen begegnen können, und spricht in diesem Zusammenhang von fünf elterlichen Sünden, nämlich Planungssucht (*calculativeness*), Herrschaftsanmaßung (*overbearing*), Kurzsichtigkeit (*shortsightedness*), schnelle Entschlüsse zu irreversiblen Schritten sowie ein Handlungsoptionen grundsätzlich verschließender Pessimismus.[29]

Gregory Kavka zieht den Vergleich zur Erziehung heran, um den Vorwurf einer drohenden unfairen Verteilung der Eingriffsangebote bzw. ihrer Annahme zu entkräften. Der Staat könne Eltern die Begünstigung der Chancen für die eigenen Kinder durch die Genomkorrektur nicht verbieten, da er auch das Angebot privater Schulen als Wahlmöglichkeit zulasse.[30]

---

25 Bayertz 1987, 269-273.

26 Heyd 1992, 167; vgl. auch Glover 1984, 158.

27 Heyd 1992, 174.

28 Vgl. Macer, Akiyama, Alora 1995, 802.

29 McGee 1997, 17-22.

30 Kavka 1994, 167. Ungleichheit werde deshalb nicht neu erzeugt, sondern nur anders: „Old aristocracies of birth, color, or gender may dissipate, only to be replaced by a new genetic aristocracy, or ‚genetocracy'." (Ibid., 170 f.)

Eine andere Stoßrichtung erhält der Vergleich, wo der gentechnische Eingriff als Schlussfolgerung aus dem konstatierten Scheitern der Erziehung erwogen wird.[31] Hier wird nicht die Legitimität eines bestimmten Eingriffs in die Selbstbestimmung eines Individuums durch eine gemeinhin akzeptierte andere Weise des Eingriffs nahegelegt; die Frage der Autonomie wird vielmehr ausgeblendet. Fragt man aber nach der Autonomie, so scheinen auch die oben festgestellten graduellen Unterschiede von Bedeutung zu sein. Dies hat auch für die kompetitive Rolle der Intelligenz und ihre Rückwirkung auf die Selbsteinschätzung Konsequenzen. Zwar führt der Besuch privater Schulen häufig zu großer gesellschaftlicher Anerkennung, seine Wirkung auf die kognitiven Fähigkeiten kann aber gleichwohl fehlgehen. Kognitive Leistungen können daher zumindest in Teilen als eigene Leistungen angesehen werden und so der Selbstachtung und der Selbstverwirklichung zugute kommen. Eben dies würde nach einer gentechnischen Verbesserung nur noch sehr eingeschränkt gelten. Allerdings würde die graduelle gentechnische Verbesserung auch keine unvergleichlich größeren Vorteile begründen, als diese durch die natürliche genetische Ausstattung gegeben sind. Auch diese natürliche Ausstattung ist unverdient. Sie ist aber in jedem Fall konstitutiv für das eigene Selbst, und sie ist nicht Ergebnis planhaften Handelns anderer, sondern des Zufalls.

5. Identitätsgestaltung durch Partner- und Gametenwahl

Bekanntlich hat die Möglichkeit der so genannten heterologen Insemination dazu geführt, dass die genetische Ausstattung der gezeugten Lebewesen nicht völlig dem Zufall anheimfällt. Gerade zur Erhellung der Perspektive des Kindes wurde deshalb die merkmalsorientierte Auswahl von Samenspendern mit Verfahren der Intelligenzsteigerung durch gentechnische Intervention während der frühesten Entwicklungsphase verglichen.[32]

Auch Newson und Williamson ziehen diesen Vergleich heran.[33] Sie verweisen auf Forschungsergebnisse, die keine Veränderung des Selbstwertgefühls bei Kindern belegen, welche nach merkmalsorientierter Spendersamenwahl bei heterologer Insemination geboren wurden. Ob sich erhärten lässt, dass keine Veränderungen des Selbstwertgefühls stattfinden, muss hier offen bleiben. In jedem Fall könnte die

---

[31] So in den knappen Bemerkungen der berühmten Elmauer Rede von Peter Sloterdijk zu Zähmung und Züchtung (SLOTERDIJK 1999). In ihr klingt zusätzlich zu der kognitiven Dimension die affektive und moralische Dimension der genetischen Ausstattung an. Zudem führt Sloterdijk die Diskussion auf einer kollektivistischen, nicht auf einer individualistischen Ebene.

[32] CHADWICK 1987, 125-127; HARRIS 1993, 186.

[33] NEWSON, WILLIAMSON 1999, 338.

merkmalsorientierte Wahl elterliche Erwartungen erkennen lassen und entsprechende Ängste auslösen, diese nicht befriedigen zu können.

Dies gilt nicht in gleicher Weise im Falle der Einflussnahme auf die natürliche genetische Ausstattung, wie sie durch die Partnerwahl geschieht. Die Vergleichsfolie der Partnerwahl ist in der Debatte um die Gentechnik, in der Diskussion um eugenische Ziele und auch in der jüngsten Auseinandersetzung mit den Thesen von James Watson wiederholt herangezogen worden.[34] Allerdings wird bei dieser Wahl, sofern sie nicht durch einen Dritten oder nur durch *einen* der Partner geschieht, nicht ein einziges Merkmal gewählt, sondern in einer wechselseitigen Wahl eine indefinite Menge von Eigenschaften. Diese Wahl erfolgt nur in wenigen Fällen primär mit Blick auf die zu erwartenden Eigenschaften der Nachkommen. Auch wo dies der Fall ist, erlaubt sie aufgrund der genetischen Rekombination keine auch nur annähernd verlässlichen Prognosen über komplexe Eigenschaften der Nachkommen. Die für den Fall der heterologen Befruchtung denkbare Fiktion der gezielten Aufwertung bzw. Steigerung einer vorfindlichen individuellen Identität kann hier gar nicht erst entstehen.

Die herangezogenen Vergleiche können daher zwar den Wunsch belegen, auf komplexe Merkmale der eigenen Nachkommen durch genetische Entscheidungen Einfluss zu nehmen, die Einflussnahme ist aber nur sehr begrenzt möglich und macht das Kind zwar in seiner Existenz zu einem Produkt geplanten elterlichen Handelns, nicht aber in seiner Identität.

6. Leistungssteigerungen durch Pharmaka

Eine gezielte Einflussnahme auf Voraussetzungen für kognitive Leistungen sind weit früher als von der Etablierung gentechnischer Verfahren von der Entwicklung entsprechender Pharmaka zu erwarten. Die Arbeit an Medikamenten, die krankheitsbedingte Störungen von Hirnfunktionen beheben oder ausgleichen sollen, wird zumindest einige Produkte hervorbringen, die geeignet sind, Hirnfunktionen auch dann zu verbessern, wenn sie ohne Krankheitsbezug unterdurchschnittlich gut ausgeprägt sind oder wenn sie normal oder gar überdurchschnittlich entwickelt sind. Bislang wurde diese Möglichkeit nicht zum Anlass genommen, auch die Forschung im Bereich von Alzheimerscher Krankheit oder anderen Demenzkrankheiten mit dem Hinweis auf einen drohenden Dammbruch in Frage zu stellen. Dieser Umstand kann aber nicht so gedeutet werden, dass die Etablierung oder Nutzung solcher Verfahren des Enhancement akzeptiert wäre. Nur dann ließe sich daraus ein Argument gewinnen, dass wegen der moralischen Vergleichbarkeit auch das gentechnische Enhancement als legitim gelten müsste. Vielmehr legt James McGaugh nahe,

[34] Vgl. HEYD 1992, 175; FEY, GETHMANN 2001.

man solle sorgfältig mögliche Vorteile einer Verbesserung der kognitiven Performanz und Nachteile eines unkontrollierten Medikamenteneinsatzes zur Steigerung von Gedächtnis-, Lern- und Erkenntnisleistungen abwägen.[35] Auch Whitehouse et al. tragen Bedenken und verweisen darauf, dass ein solcher Gebrauch von Pharmaka sich nicht durch traditionelle medizinische Normen für pharmazeutische Anwendungen regeln lasse. Die Autoren sehen vielmehr Parallelen zu anderen Gebrauchsweisen von Medikamenten, wie der von leistungssteigernden Mitteln im Sport.[36]

7. Schlussüberlegungen und offene Fragen

Menschliche Erkenntnisleistungen verdanken sich nicht nur den intellektuellen Anlagen, sondern auch den Anstrengungen, die Einzelne oder mehrere Personen zusammen in einer bestimmten Situation oder über eine längere Zeit auf sich nehmen. Auch die jeweiligen individuellen Anlagen sind nur zu einem Teil genetisch bedingt. Ob dieser Bereich durch gentechnische Interventionen korrigiert werden kann, wird in Zukunft vermehrt diskutiert werden. Das Ergebnis ist offen. Ob gezielte Korrekturen aber überhaupt wünschbar sind, sollte nicht erst dann untersucht werden, wenn ein Ergebnis hierzu vorliegt.

Zunächst wurde die Zielsetzung betrachtet. Obschon einige in der Debatte vorgetragene Gründe für eine gentechnische Intelligenzsteigerung wenig plausibel sind und andere mit Blick auf das gesellschaftliche Wohl nicht überzeugen, konnte nicht grundsätzlich ausgeschlossen werden, dass der Wunsch nach einem entsprechenden Eingriff von moralisch achtenswerten Überlegungen ausgeht. Deshalb wurde auch die Angemessenheit der vorgeschlagenen Mittel im Blick auf dieses möglicherweise begrüßenswerte Ziel untersucht. Dabei wurden Vergleiche mit anderen, die Intelligenz beeinflussenden Methoden angestellt.

Die vorgestellte Liste von möglicherweise vergleichbaren Verfahren zur Verbesserung der kognitiven Leistungsfähigkeit ist nicht vollständig. Nicht thematisiert wurde der soziale Druck, den wir auf schwangere Frauen ausüben, auf Alkoholkonsum zu verzichten oder diesen zu reduzieren. Insbesondere aber blieb bei den diskutierten gentechnischen Verfahren der Eingriff in den erwachsenen Menschen unberührt.[37] Dies müsste ergänzt werden, sobald sich hierfür denkbare Szenarien abzeichnen. Auch die gentechnische Einflussnahme auf die Gameten vor der Befruchtung würde eine zusätzliche spezifische Auseinandersetzung erfordern.

---

[35] McGaugh 1991, 393-395.

[36] Die Autoren fordern zunächst eine breite gesellschaftliche Diskussion (vgl. Whitehouse et al. 1997, 22).

[37] Vgl. dazu die Hinweise bei Walters, Palmer 1997, 99-142, insbesondere 123.

Des ungeachtet stellt sich der fremdgeplante Eingriff in das Genom eines Menschen in seiner frühen Entwicklungsphase als ein besonderes Mittel dar, weil er zum einen gezielt stattfindet, prognostizierbar ist und entsprechend konkrete Erwartungen auslöst und zum anderen nicht durch den Betroffenen gefordert oder bestätigt ist. Auch wenn dieser Eingriff nicht im strengen Sinne irreversibel ist, weil seine Folgen für spätere Generationen sich durch weitere genetische Kombinationen und durch epigenetische Einflüsse verflüchtigen können, so wäre damit doch eine Gruppe von Menschen um die Natürlichkeit ihrer Anlagen gebracht. Solche Natürlichkeit bedeutet nicht einfach den *status quo*, sondern die Unabhängigkeit von gezieltem fremden Handeln, das individuelle Identität in zentraler und durch das Individuum nicht zurückweisbarer Weise prägt. Bereits mit Blick auf die unmittelbar durch den Eingriff betroffene Person scheint auch dann, wenn man die Wertschätzung der kognitiven Anlagen kulturalistischem Zweifel entzieht, der Eingriff in die Identität des entstandenen Lebewesens nicht gerechtfertigt.

Dieses Urteil wird bekräftigt, wenn man in Rechnung stellt, dass sich angesichts der komplexen genetischen Bedingtheit kognitiver Eigenschaften auch die Gefährlichkeit eines Eingriffs in diese gegenüber dem Eingriff in monogene Erbzusammenhänge vervielfältigen würde. Neben gesundheitlichen Gefahren könnte dies auch die Beförderung anderer nichtgewünschter Merkmale beinhalten. Zudem wird die Abwägung zwischen Risiken und Nutzen anders ausfallen als bei Krankheitstherapien, deren Nutzen weitgehend unstrittig ist. Stellt man dies mit in Rechnung, so muss verwundern, dass sich schon vor einigen Jahren bei einer Befragung in Ostasien und Ozeanien etwa 70% der Befragten in Indien und Thailand für eine gentechnische Intervention zur Verbesserung der Intelligenz aussprachen.[38] Eine offene Debatte über die tatsächliche Wünschbarkeit solcher Praktiken und ihre ethische Beurteilung ist deshalb auch bei uns notwendig und dringlich.

Literatur

ARISTOTELES, *Metaphysik*, hg. von SEIDL, H., 1. Halbband, 3. Aufl., Hamburg 1989 (Philosophische Bibliothek 307).

BAYERTZ, K. (1987): *GenEthik. Probleme der Technisierung menschlicher Fortpflanzung*, Reinbek bei Hamburg.

CHADWICK, R. (1987): *The Perfect Baby. Introduction*, in: CHADWICK, R. (ed.): Ethics, Reproduction and Genetic Control, London, New York, Sydney, 93-135.

DANIELS, J.D., MCGUFFIN, P., OWEN, M. (1996): *Molecular Genetic Research on IQ: Can it be Done? Should it be Done?*, in: Journal of Biosocial Science 28, 491-507.

[38] MACER, AKIYAMA, ALORA 1995, 798.

ENGELHARDT, H.T. JR. (1984): *Persons and Humans: Refashioning Ourselves in a Better Image and Likeness*, in: Zygon 19 (3), 281-295.

FEY, G.H., GETHMANN, C.F. (2001): *Wir dürfen unsere Evolution nicht dem Zufall überlassen*, in: Frankfurter Allgemeine Zeitung 53 (30. Januar 2001), 49.

GARDNER, W. (1995): *Can Human Genetic Enhancement be Prohibited?*, in: The Journal of Medicine and Philosophy 20, 65-84.

GARLAND, E.A. (1998): *Genetics and Behavior*, in: Encyclopedia of Applied Ethics, Vol. 2, San Diego, London, Boston, 435-443.

GLOVER, J. (1984): *What Sort of People Should There Be? Genetic Engineering, Brain Control and Their Impact on Our Future World*, Harmondsworth.

GOERING, S. (2000): *Gene Therapies and the Pursuit of a Better Human*, in: Cambridge Quarterly of Healthcare Ethics 9, 330-341.

GOODEY, C. (1996): *Genetic Markers for Intelligence*, in: Bulletin of Medical Ethics 120, 13-16.

HARPER, P.S. (1995): *DNA Markers Associated with High Versus Low IQ: Ethical Considerations*, in: Behavior Genetics 25 (2), 197-198.

HARRIS, J. (1993): *Is Gene Therapy a Form of Eugenics?*, in: Bioethics 7 (2-3), 178-187.

HERRNSTEIN, R.J., MURRAY, C. (1996): *The bell curve. Intelligence and class structure in American life*, New York, London, Toronto.

HEYD, D. (1992): *Genethics. Moral Issues in the Creation of People*, Berkeley, Los Angeles, Oxford.

HOLTUG, N. (1993): *Human Gene Therapy: Down the Slippery Slope?*, in: Bioethics 7 (5), 402-419.

HUDSON, J. (2000): *What Kinds of People Should We Create?*, in: Journal of Applied Philosophy 17 (2), 131-143.

KAHN, A. (2000): *Et l'homme dans tout ça?*, Paris.

KAVKA, G.S. (1994): *Upside Risks: Social Consequences of Beneficial Biotechnology*, in: CRANOR, C.F. (ed.): Are Genes Us? The Social Consequences of the New Genetics, New Brunswick, New Jersey, 155-179.

KEENAN, J.F. (1999): *„Whose Perfection is it Anyway?": A Virtuous Consideration of Enhancement*, in: Christian Bioethics 5 (2), 104-120.

MACER, D.R.J., AKIYAMA, S., ALORA, A.T. (1995): *Special Feature: International Perceptions and Approval of Gene Therapy*, in: Human Gene Therapy 6, 791-803.

MCGAUGH, J.L. (1991): *Enhancing Cognitive Performance*, in: Southern California Law Review 65, 383-395.

MCGEE, G. (1997): *Parenting in an Era of Genetics*, in: Hastings Center Report 27 (2), 16-22.

MÜLLER-JUNG, J., WATSON, J.D. (2000): *Sollen wir den Piloten ins Gehirn blicken? Ein Gespräch mit James D. Watson, dem Pionier der Erbgutanalyse*, in: Frankfurter Allgemeine Zeitung 52 (28. Juni 2000).

NEWSON, A., WILLIAMSON, R. (1999): *Should We Undertake Genetic Research on Intelligence?*, in: Bioethics 13 (3-4), 327-342.

NIH-DOE JOINT WORKING GROUP ON THE ETHICAL, LEGAL, AND SOCIAL IMPLICATIONS OF HUMAN GENOME RESEARCH (1996): *The Bell Curve: Statement*, in: American Journal of Human Genetics 59, 487-488.

PARENS, E. (1995): *The Goodness of Fragility: On the Prospect of Genetic Technologies Aimed at the Enhancement of Human Capacities*, in: Kennedy Institute of Ethics Journal 5 (2), 141-153.

PROPPING, P. (2000): *Irrtum, Mr. Watson! Das Genom ist nur ein Konstrukt und der Mensch mehr als die Summe seiner Gene*, in: Frankfurter Allgemeine Zeitung 52 (4. Oktober 2000), 67.

– (2001): *Vom Sinn und Ziel der Humangenetik*, in diesem Jahrbuch auf den Seiten 89-106.

SLOTERDIJK, P. (1999): *Regeln für den Menschenpark. Ein Antwortschreiben zum Brief über den Humanismus*, in: Die Zeit 54 (38) (16. September 1999), 14.

TANG, Y.-P., SHIMIZU, E., DUBE, G.R., et al. (1999): *Genetic Enhancement of Learning and Memory in Mice*, in: Nature 401, 63-69.

WALTERS, L., PALMER, J.G. (1997): *The Ethics of Human Gene Therapy*, New York, Oxford.

WATSON, J.D. (1997): *Genes and Politics*, in: Journal of Molecular Medicine 75, 624-636.

– (2000): *Die Ethik des Genoms. Warum wir Gott nicht mehr die Zukunft des Menschen überlassen dürfen*, Frankfurter Allgemeine Zeitung 52 (26. September 2000).

WEI, F., WANG, G.-D., KERCHNER, G.A., et al. (2001): *Genetic Enhancement of Inflammatory Pain by Forebrain NR2B Overexpression*, in: Nature Neuroscience 4 (2), 164-169.

WHITEHOUSE, P.J., JUENGST, E., MEHLMANN, M., MURRAY, T. (1997): *Enhancing Cognition in the Intellectually Intact*, in: Hastings Center Report 3, 14-22.

Die Biomedizin-Konvention und das Verbot der Verwendung genetischer Informationen für Versicherungszwecke*

von Jochen Taupitz

I. Der Regelungsgehalt der Menschenrechtskonvention und Problemstellung

Eine wachsende Zahl genetischer Tests[1] ermöglicht es, die Disposition von Personen für bestimmte Krankheiten zu erkennen und damit das Ausbrechen der Krankheit – u.U. schon Jahrzehnte im Voraus – mit großer Treffergenauigkeit oder zumindest unter genauerer Eingrenzung der Erkrankungswahrscheinlichkeit vorherzusagen. Derartiges Wissen um eine genetische Disposition kann sehr positive Auswirkungen haben, wenn etwa durch gezielte Verhaltensweisen, z.B. eine Diät, der Krankheitsverlauf günstig beeinflusst oder, wie z.B. bei der Phenylketonurie (PKU)[2], der „fühlbare" Krankheitsausbruch sogar völlig vermieden werden kann. Allerdings kann genetisches Wissen auch negative Folgen zeitigen, etwa in Form der psychischen Belastung durch das Wissen um die drohende Krankheit oder sogar einen frühen Tod.[3] Daneben werden diskriminierende Praktiken in verschiedenen Bereichen befürchtet, wenn immer mehr und immer genauere Kenntnisse über den (zukünftigen) gesundheitlichen Status eines Menschen gewonnen werden können. Der Blick richtet sich dabei zur Zeit vor allem auf Versicherer, die Menschen mit „schlechten Genen" den Abschluss von Versicherungsverträgen verweigern könnten.[4] Beispielsweise ist im Koalitionsvertrag zwischen der Sozialdemokratischen Partei Deutschlands und Bündnis 90/Die GRÜNEN vom 20. Oktober 1998 die

---

* Erweiterte Fassung eines Vortrags im Rahmen der Ringvorlesung „Forum Wissenschaft und Ethik" am 16. November 2000 an der Universität Bonn.

[1] Weltweit gibt es bereits mehr als 1.000 Tests auf meist seltene Erbkrankheiten. Auf 300 Erbkrankheiten können Labors routinemäßig testen; vgl. CZAJKA 2001, 336; N.N. 2000a, 15.

[2] BARTRAM, FONATSCH 2000, 64 ff.; die PKU ist eine Störung des Aminosäurestoffwechsels und führt im Laufe der ersten Lebensjahre zu einer sehr schweren geistigen Behinderung. Sofern sie rechtzeitig erkannt wird, kann sie durch eine (möglichst lebenslang eingehaltene) Diät erfolgreich therapeutisch angegangen werden.

[3] Näher zu den Gefahren genetischer Informationen TAUPITZ 2000d, 82 f.

[4] Vgl. hier nur die Beschreibung der Gefahren bei TINNEFELD 2000, 10 f.

Absicht verankert, „den Schutz der Bürgerinnen und Bürger vor genetischer Diskriminierung insbesondere im Bereich der Kranken- und Lebensversicherung [zu] gewährleisten."[5] Deutlicher noch hat der Bundesrat die Bundesregierung im Herbst letzten Jahres aufgefordert, Gentests als Voraussetzung für den Abschluss von Lebens- und Krankenversicherungsverträgen sowie die Frage des Versicherers nach bereits durchgeführten Tests grundsätzlich und vorbehaltlich eng begrenzter Ausnahmen zu verbieten.[6]

Auch auf internationaler Ebene ist ein Verbot der Verwendung genetischer Informationen beim Abschluss von Versicherungsverträgen wiederholt thematisiert worden, etwa in einer Entschließung des Europäischen Parlaments im Jahre 1989[7] und in einer Empfehlung des Ministerkomitees des Europarats im Jahre 1992[8]. Besondere Bedeutung hat die Frage der Verwendung genetischer Daten durch die Menschenrechtskonvention zur Biomedizin des Europarates (MRB) erlangt[9], die inzwischen von neun der 43 Mitgliedstaaten des Europarates ratifiziert wurde[10] und damit in diesen Ländern in Kraft getreten ist. Deutschland hat sich noch nicht zu einem Beitritt entschließen können, so dass die Bestimmungen der Konvention für Deutschland noch nicht verbindlich sind. Bei einem Beitritt ist Deutschland allerdings verpflichtet, die Vorschriften der Konvention (im Sinne von *Mindest*schutzstandards[11]) in das nationale Recht zu übernehmen (Art. 1, Art. 23), sofern nicht zu einzelnen Bestimmungen gemäß Art. 36 ein Vorbehalt erklärt wird.

---

[5] Erstaunlicherweise findet sich diese Aussage unter Punkt IV „Ökologische Modernisierung", Unterpunkt 2 „Umweltschutz: wirksam, effizient und demokratisch".

[6] Bundesrats-Drucksache 530/00 (Beschluss) vom 10. November 2000.

[7] ABlEG Nr. C 96/168 vom 17. April 1989; danach sollen Versicherungen vor und nach Abschluss eines Versicherungsvertrages kein Recht haben, die Durchführung genetischer Analysen oder die Mitteilung der Ergebnisse von genetischen Analysen zu verlangen (Nr. 19); nicht einmal die Mitteilung von genetischen Daten, die dem Versicherungsnehmer ohne einen Gentest bekannt wurden, soll vom Versicherer verlangt werden dürfen (Nr. 20).

[8] Siehe näher SIMON 2001, 80.

[9] Genaue Bezeichnung: *Convention for the Protection of Human Rights and Dignity of the Human Being with Regard to the Application of Biology and Medicine: Convention on Human Rights and Biomedicine* (COUNCIL OF EUROPE 1997a). Siehe dazu die Beiträge in ESER 1999; HONNEFELDER, TAUPITZ, WINTER 1999; ferner HERDEGEN, SPRANGER 2000, Randnr. 1 ff.; RIEDEL 1997, 179 ff.; TAUPITZ 1998b, 542 ff.

[10] Slowakische Republik (15. Januar 1998), San Marino (20. März 1998), Griechenland (6. Oktober 1998), Slowenien (5. November 1998), Dänemark (10. August 1999), Spanien (1. September 1999), Georgien (22. November 2000), Rumänien (24. April 2001) und Tschechische Republik (22. Juni 2001).

[11] Ein weitergehender nationaler Schutz zugunsten der Individuen ist nach Art. 27 des Abkommens ausdrücklich erlaubt; vgl. näher TAUPITZ 1998b, 543.

Art. 12 der Konvention lautet in der (nicht-amtlichen) deutschen Übersetzung[12]:

> „Untersuchungen, die es ermöglichen, genetisch bedingte Krankheiten vorherzusagen oder bei einer Person entweder das Vorhandensein eines für eine Krankheit verantwortlichen Gens festzustellen oder eine genetische Prädisposition oder Anfälligkeit für eine Krankheit zu erkennen, dürfen nur für Gesundheitszwecke oder für gesundheitsbezogene wissenschaftliche Forschung und nur unter der Voraussetzung einer angemessenen genetischen Beratung vorgenommen werden."

Mit dieser Vorschrift verbietet die Konvention implizit die Durchführung eines genetischen Tests zum Zwecke der Anbahnung eines Versicherungsvertrages (wie auch der Explanatory Report zum Übereinkommen[13] unmissverständlich ausführt).[14] Dieses Verbot, das sich der Sache nach als Datenerhebungsverbot darstellt, gilt nicht nur dann, wenn die Datenerhebung auf Verlangen des Versicherers (und daraufhin erfolgter Zustimmung des Versicherungsinteressenten) durchgeführt wird, sondern auch dann, wenn der Versicherungsinteressent den Test vollkommen freiwillig und aus eigenem Antrieb hat durchführen lassen, um seine aufgrund nicht-genetischer Untersuchungsmethoden vom Versicherer bezweifelte gesundheitliche „Robustheit" nachweisen zu können[15]; denn auf die Frage der Freiwilligkeit oder auf die Frage, wer den Test zu nicht-gesundheitsbezogenen Zwecken letztlich veranlasst hat, kommt es nicht an. Der Begriff „Gesundheitszweck" in Art. 12 kann auch nicht etwa dahingehend verstanden werden, dass sämtliche irgendwie und mittelbar mit der Gesundheit zusammenhängenden Zwecke verfolgt werden dürften, also z.B. eine Kostenersparnis im Gesundheitswesen und davon abgeleitet im Personenversicherungsbereich; vielmehr sind erkennbar nur Zwecke gemeint, die der Gesundheit des betroffenen Genträgers oder anderer individualisierbarer Personen konkret dienen.[16] Auch bezieht sich Art. 12 zumindest seinem Wortlaut nach nicht etwa nur auf

---

[12] Verbindlich sind nach Art. 38 des Übereinkommens nur die englische und die französische Fassung. Die englische Fassung lautet: „Predictive genetic tests – Tests which are predictive of genetic diseases or which serve either to identify the subject as a carrier of a gene responsible for a disease or to detect a genetic predisposition or susceptibility to a disease may be performed only for health purposes or for scientific research linked to health purposes, and subject to appropriate genetic counselling." (COUNCIL OF EUROPE 1997a, Art. 12)

[13] COUNCIL OF EUROPE 1997b (DIR/JUR (97) 5 vom Mai 1997), Nr. 86.

[14] Siehe zur Auslegung des Art. 12 auch DEGENER 1998, 14; SIMON 2001, 81 f.

[15] Anderer Ansicht SPRANGER 2000, 819 f., der nur die erstgenannte Situation vom Verbot umfasst sieht; wie hier dagegen offenbar HONNEFELDER 1997, 308: Durch Art. 12 werde die Vornahme prädiktiver Tests „dem Versicherungswesen [...] entzogen".

[16] Zutreffend HOFMANN 1999, 205; SPRANGER 2000, 819; siehe auch den Explanatory Report: COUNCIL OF EUROPE 1997b, Nr. 84.

prädiktive genetische Tests[17] (wie es aber die Überschrift zu Art. 12 und auch der Explanatory Report andeuten[18]), sondern auch auf solche, die die (genauere) Diagnose einer bereits bestehenden Krankheit ermöglichen („Vorhandensein eines für eine Krankheit verantwortlichen Gens").

Nicht verboten ist nach Art. 12 allerdings (unstreitig) die Verwendung von bereits vorhandenen genetischen Informationen. Art. 12 enthält also kein Verwertungsverbot, das die „Zweitverwendung" von genetischen Informationen, die für Gesundheitszwecke ermittelt wurden, nunmehr für andere Zwecke (etwa Versicherungszwecke) verbietet. Diesbezüglich könnte allerdings Art. 11 der Konvention einschlägig sein.[19] Dort heißt es:

> „Jede Form von Diskriminierung einer Person aufgrund ihres genetischen Erbes ist verboten."

Daraus folgt möglicherweise ein generelles Verbot, genetische Informationen *überhaupt* bei Abschluss eines Versicherungsvertrages zu berücksichtigen. Der Explanatory Report ist freilich dahingehend nicht sehr aussagekräftig, stellt vielmehr nur (aber immerhin) klar, dass unter „discrimination" lediglich eine „unfair discrimination" zu verstehen sei.[20] Damit spitzt sich das Problem auf die Frage zu, ob und unter welchen Umständen eine unterschiedliche Gestaltung der Konditionen finanzieller Risikovorsorge (insbesondere durch Versicherungen) bzw. die Verweigerung einer entsprechenden Risikovorsorge wegen einer genetischen Disposition der zu versichernden Person tatsächlich als „unfair discrimination" zu verstehen ist.

Nachfolgend soll deshalb untersucht werden,

- inwieweit das deutsche Recht mit den Regelungen der Konvention übereinstimmt oder bei einem Beitritt Deutschlands an die Regeln der Konvention anzupassen ist; oder
- ob Deutschland den Vorgaben der Konvention bei einem Beitritt *nicht* folgen kann, vielmehr einen Vorbehalt nach Art. 36 der Konvention erklären muss.

---

[17] So aber GRAF VITZTHUM, KÄMMERER 1999, 324; HOFMANN 1999, 205; SPRANGER 2000, 819 ff.

[18] COUNCIL OF EUROPE 1997b, Nr. 78 ff.

[19] In der Tat entnimmt Spranger dieser Vorschrift ein weitgehendes Verbot der Berücksichtigung genetischer Informationen im Versicherungsbereich (SPRANGER 2000, 819).

[20] COUNCIL OF EUROPE 1997b, Nr. 77.

II. Das Problem unterschiedlicher nationaler Systeme der finanziellen Absicherung von (Gesundheits-) Risiken

Eine internationale Regelung mit unmittelbarer Auswirkung auf den Bereich der Versicherungen muss in Rechnung stellen, dass es in den verschiedenen Ländern (auch Europas) ganz unterschiedliche Systeme der finanziellen Vorsorge gegen (Gesundheits-) Risiken gibt. Dies betrifft im Hinblick auf das vorliegende Thema vor allem die Unterscheidung zwischen mehr oder weniger unmittelbar vom Staat organisierter und paternalistische Züge tragender *Pflichtversicherung* für alle Bürger einerseits und vom Staat nicht erzwungener, auf dem Gedanken der Selbstverantwortung beruhender *freiwilliger Versicherung* andererseits. Beide Systeme existieren in vielen Ländern nebeneinander, und zwar nicht nur bezogen auf unterschiedliche Risiken (indem z.B. im Hinblick auf Krankheitsrisiken ein Pflichtversicherungssystem besteht, die finanzielle Absicherung der Angehörigen beim [vorzeitigen] Tod des Versicherten dagegen vom Abschluss freiwilliger Versicherungen abhängt), sondern auch im Hinblick auf ein und dasselbe Risiko: Insbesondere das im vorliegenden Zusammenhang bedeutsame Krankheitsrisiko wird in zahlreichen Ländern teils vom „öffentlichen Sektor", teils dagegen vom „privaten Sektor" erfasst.[21] Dabei ist „öffentlich" in der Regel mit (beitrags- oder steuerfinanzierter) Zwangsmitgliedschaft oder sonstiger *per-se*-Beteiligung gleichzusetzen, während „privat" in der Regel dem Prinzip der Freiwilligkeit auf beitragsfinanzierter Grundlage entspricht. Da beide Regime – wie bezüglich der deutschen Rechtslage zu zeigen sein wird – ganz unterschiedliche Auswirkungen auf die „versicherungsrechtliche" Bedeutung genetischer Unterschiede zwischen den Menschen haben und da beide Teilbereiche nicht zusammenhanglos nebeneinander stehen, ist es ein wenig erstaunlich, dass die Menschenrechtskonvention zur Biomedizin diesen Problemkreis mit keinem Wort thematisiert.

[21] Siehe etwa den Systemvergleich bei ABEL, VAN DER ZEE 1995, 113 ff.; ferner (insbesondere auch bezogen auf das vorliegende Thema) MCGLEENAN, WIESING 2000, 367 ff.; zum sehr differenzierten Krankenversicherungssystem der USA KRUSE 1997, 15 ff.

III. Grundlagen des deutschen Versicherungsrechts: Risikoneutralität der Sozialversicherung und Risikobezogenheit der Privatversicherung

1. Sozialversicherung

Das aus dem Grundgesetz abgeleitete Sozialstaatsprinzip ist in Deutschland (heute) die Grundlage eines breit gefächerten Systems von Sozialversicherungen gegen elementare Lebensrisiken. Es bietet Schutz vor den finanziellen Folgen von Krankheiten durch die gesetzliche Krankenversicherung (geregelt im SGB V) sowie die Sicherung der Hinterbliebenen bei vorzeitigem Tod des Ernährers durch die gesetzliche Rentenversicherung (geregelt im SGB VI). Hinzu tritt die gesetzliche Unfallversicherung (geregelt im SGB VII), die den Betroffenen vor den wirtschaftlichen Nachteilen eines Arbeitsunfalls und einer Berufskrankheit absichert. Darüber hinaus ist eine Existenzsicherung nicht Arbeitsfähiger (auch nicht arbeitsfähiger Hinterbliebener) auf niedrigem Niveau durch die steuerfinanzierte Sozialhilfe gewährleistet.

Ein Sozialversicherungsverhältnis, also ein Kranken-, Unfall- oder Rentenversicherungsverhältnis, kommt entweder unmittelbar kraft Gesetzes (nämlich im [Regel-] Fall der gesetzlich angeordneten Versicherungspflicht) oder durch Willenserklärungen zustande (so in den eher seltenen Fällen der so genannten Versicherungsberechtigung).[22] Unabhängig davon darf ein Versicherungsträger keinen Versicherungsnachfrager, für den er gesetzlich zuständig ist, abweisen. Zudem gehört es zu den Grundprinzipien der Sozialversicherung, keine „risikoäquivalente", also in Abhängigkeit vom Risiko des Eintritts des Versicherungsfalles festgesetzte Prämie zu erheben. Denn der „soziale Ausgleich" durch die auch *ex ante* erfolgende Umverteilung zugunsten der Personen mit hohem Risiko („schlechte Risiken") und zu Lasten von „guten Risiken" ist eine der wesentlichen Rechtfertigungen für die Existenz der Sozialversicherung.[23] Konsequenterweise trifft den Versicherungsinteressenten keine Auskunftspflicht über seinen Gesundheitszustand und findet keine medizinische Risikoprüfung mit anschließender Risikoselektion statt. Als Anknüpfungspunkte für die Bemessung der Versicherungsbeiträge werden vielmehr ausschließlich Kriterien herangezogen, die sich nach der *wirtschaftlichen* Leistungsfähig-

---

[22] § 2 Abs. 1 SGB IV.

[23] Vgl. etwa BOYSEN 2001, 38; BREYER 2000, 165. Im Übrigen kann die Sozialversicherung auch deshalb auf eine individuelle Risikoprüfung verzichten, weil der pflichtversicherte Personenkreis, Beginn, Art und Höhe des Versicherungsschutzes gesetzlich festgelegt sind und damit gewährleistet ist, dass die Risikoverteilung ziemlich genau dem Bevölkerungsdurchschnitt entspricht und auch weitgehend stabil (insbesondere ohne Gefahr der Antiselektion, siehe dazu unten, Fußnote 52) ist; vgl. RUPPRECHT 1999, 97.

keit der Mitglieder, nicht aber nach deren individuellem Risiko richten.[24] Dementsprechend zahlt der gut Verdienende aus *sozialen* Gründen mehr als ein weniger gut Verdienender, selbst wenn dessen gesamte Familie ohne besonderen Beitrag mitversichert ist. Persönliche (insbesondere gesundheitliche) Risiken haben dagegen keine aufnahme- oder beitragsorientierten Konsequenzen und führen auch nicht zur Möglichkeit des Ausschlusses aus der Sozialversicherung: Das Sozialversicherungsverhältnis kommt „ohne Ansehen der Person" (wohl aber mit Blick auf ihr Portemonnaie) zustande. Für die Begründung eines Sozialversicherungsverhältnisses hat folglich auch das Wissen um die genetische Disposition des (zukünftig) Leistungsberechtigten und damit zugleich die Durchführung einer genetischen Untersuchung keinerlei Relevanz. Das deutsche Sozialversicherungssystem entspricht damit vollkommen den Vorgaben der Menschenrechtskonvention (MRB).

2. Privatversicherung

a) Einleitung

Ganz anders sieht es in der *privatrechtlichen* Personenversicherung (Privatversicherung) aus. Hier besteht weder ein rechtlicher Zwang für die Bürger, sich einen entsprechenden Versicherungsschutz zu beschaffen[25], noch besteht ein Abschlusszwang für den Versicherer. Grundlage der Entscheidung über den Vertragsschluss und die Prämienkalkulation ist hier das individuelle (im vorliegenden Zusammenhang: medizinische) Risiko, und zwar so, wie es sich *bei Abschluss* des Vertrages darstellt, so dass *vor* Abschluss des Vertrages eine Risikoprüfung notwendig ist.[26] Denn Vertragsgegenstand ist die Versicherung gegen ein bestimmtes Risiko zu einem bestimmten Preis, so dass dem Versicherer als Anbieter seiner Leistung vor Vertragsschluss die Beurteilung dieses Risikos und das entsprechende In-Verhältnis-Setzen von Leistung und Gegenleistung möglich sein muss: Das Äquivalenzprinzip liegt in der Natur der Privatversicherung.

---

[24] Siehe hier nur SCHULIN 1991, 76 ff. (Krankenversicherung), 125 f. (Unfallversicherung, hier wird allerdings auch der Grad der Unfallgefahren in den jeweiligen Unternehmen berücksichtigt), 194 ff. (Rentenversicherung).

[25] Eine Ausnahme bildet im hier interessierenden Bereich die Pflegeversicherung; die insoweit bestehende Versicherungspflicht knüpft an den jeweiligen Krankenversicherungsschutz entweder in der gesetzlichen oder in der privaten Krankenversicherung an.

[26] Näher SAHMER 2000, 47 f.; SCHULZ-WEIDNER 1993, 200 ff.

b) Risikoprüfung vor Vertragsschluss und Mitwirkungsobliegenheiten des Versicherungsinteressenten: Elemente und Ziele

aa) Elemente der Risikoprüfung

Die Risikoprüfung vor Abschluss eines privaten Versicherungsvertrages besteht aus zwei zentralen Elementen[27]:

(1) Nach § 16 Abs. 1 Satz 1 und 2 Versicherungsvertragsgesetz (VVG) hat der Versicherungsinteressent dem Versicherer vor Abschluss des Vertrages alle ihm bekannten und für die Annahmeentscheidung des Versicherers *erheblichen* Umstände anzuzeigen (Anzeigeobliegenheit). Erheblich sind nach § 16 Abs. 1 Satz 3 VVG im Zweifel alle Umstände, nach denen der Versicherer ausdrücklich und schriftlich gefragt hat.[28] Auch eine ausdrückliche Frage kann allerdings die Grundvoraussetzung nicht aus den Angeln heben, dass es sich bei dem erfragten Umstand um einen für die Annahmeentscheidung bezogen auf den fraglichen Versicherungsvertrag *erheblichen* Umstand handeln muss, nämlich die Kenntnis des Versicherers zur Risikobeurteilung tatsächlich geeignet, erforderlich und verhältnismäßig sein muss. Selbst eine ausdrückliche Frage ermöglicht damit keine umfassende Ausforschung.[29] Dabei kann die Beurteilung der Risikoerheblichkeit eines medizinischen Befundes je nach Versicherungsart (Kranken-, Lebens-, Berufsunfähigkeitsversicherung) durchaus unterschiedlich ausfallen.[30] Insbesondere hängt die Bewertung der einzelnen Faktoren nicht nur von ihrer aktuellen klinischen Bedeutung ab, sondern angesichts der langen Laufzeit der meisten Verträge auch von ihren möglichen langfristigen Auswirkungen auf den Gesundheitszustand.[31] Es werden daher anerkanntermaßen auch solche Zustände als risikoerheblich angesehen, die *noch* keine Krankheitssymptome zeitigen (z.B. Bluthochdruck[32], geringfügig erhöhte Cholesterin-Werte[33], HIV-Infektion im symptomfreien Frühstadium[34]) oder aber schon seit Jahren bis

---

[27] Näher, auch zum Folgenden, LORENZ 1999, 1310.

[28] In diesem Fall ist es Sache des Versicherungsinteressenten, darzulegen und zu beweisen, dass bestimmte Umstände dennoch unerheblich sind; siehe BUNDESGERICHTSHOF, Versicherungsrecht 2000, 1486.

[29] Näher BERBERICH 1998a, 1191 f.; BERBERICH 1998b, 135, 156 ff.; siehe auch ARBEITSKREIS „GENFORSCHUNG“ 1991, 216; HERDEGEN 2000, 636; näher noch unten bei Fußnote 182 f.

[30] SIMON 2001, 104.

[31] RAESTRUP 1987, 42.

[32] OBERLANDESGERICHT HAMBURG, Versicherungsrecht 1977, 1151 f.; OBERLANDESGERICHT HAMM, Versicherungsrecht 1984, 958; OBERLANDESGERICHT KÖLN, Versicherungsrecht 1986, 1186, 1187.

[33] OBERLANDESGERICHT KÖLN, Versicherungsrecht 1991, 871.

[34] Zur Obliegenheit des Antragstellers, eine HIV-Infektion bei Abschluss eines privaten Versicherungsvertrages (gegebenenfalls auch ungefragt) anzuzeigen, siehe LANDGERICHT FRANKFURT, Neue Juristische Wochenschrift – Rechtsprechungs-Report 1991, 607; LANDGERICHT HAMBURG, Zeitschrift für Schadensrecht 1989, 127 f.; WERBER

Jahrzehnten keine oder keine wesentlichen Symptome *mehr* verursacht haben[35], die sich also im Verhältnis zum aktuellen Gesundheitszustand im „präklinischen" Stadium befinden[36]. Zudem gelten anerkanntermaßen vor allem in der Lebensversicherung auch bestimmte hereditäre Erkrankungen von Familienmitgliedern als risikoerheblich; deshalb werden beispielsweise familiär aufgetretene Kreislauf-, Zucker- und Gemütskrankheiten bei der Risikoprüfung berücksichtigt.[37]

Anzuzeigen sind nach § 16 Abs. 1 Satz 1 VVG auch gefahrerhebliche Umstände, nach denen der Versicherer nicht ausdrücklich gefragt hat, wobei der Versicherungsinteressent in diesem Fall allerdings – wie darzustellen sein wird – vor unangemessenen Folgen einer unterlassenen Anzeige durch besonders hohe Anforderungen an sein Verschulden geschützt wird. Die Anzeigeobliegenheit kann im Übrigen durch eine nach § 34a VVG zulässige Abrede zu Gunsten des Versicherungsinteressenten abbedungen werden.

(2) Das zweite Element der Risikoprüfung besteht in der Möglichkeit des Versicherers, eine ärztliche Untersuchung des Versicherungsinteressenten zur Feststellung seines Gesundheitszustandes zu verlangen.[38] Dieses Element ist zwar nur in § 160 VVG genannt und hier bezogen auf die Lebensversicherung implizit als zulässig vorausgesetzt[39], wird aber allgemein als zulässig angesehen[40]. Im Rahmen einer ärztlichen Untersuchung werden dabei u.U. auch Krankheiten (also Risiken) aufgedeckt, die dem Versicherungsinteressenten selbst noch nicht bekannt waren und deshalb von ihm auch nicht angezeigt werden konnten.

(3) Bezüge zu beiden Elementen beinhaltet schließlich das Begehren des Versicherers, der Antragsteller möge die Ärzte, die ihn bisher behandelt haben, benennen und von der Schweigepflicht entbinden. Dem Versicherer wird es dadurch möglich, durch Rückfrage bei den entsprechenden Ärzten eine weitere Klärung herbeizuführen und gegebenenfalls genauere Befunde erheben zu lassen. Auch dieses Begehren

---

1991, 194, 196. Zur HIV-Infektion als Gesundheitsstörung im Sinne einer Leistungsausschlussklausel betreffend Vorerkrankungen siehe ferner OBERLANDESGERICHT DÜSSELDORF, Versicherungsrecht 1992, 948 f.

[35] Beispiel: seit 20 Jahren symptomlose, seinerzeit leichte Erkrankung an Malaria; KAMMERGERICHT BERLIN, Versicherungsrecht 1969, 53. Siehe auch LANDGERICHT LÜBECK, Versicherungsrecht 1953, 395: 10 symptomlose Jahre seit Lungen- und Rippenfellentzündung. Weitere Beispiele bei SIMON 2001, 104.

[36] Ibid., 104.

[37] Näher ibid., 104 f.; siehe ferner unten bei Fußnote 186.

[38] Näher zur ärztlichen Untersuchung BERBERICH 1998b, 92 f., 277 f.; RAESTRUP 1987, 51 ff.; SCHULZ-WEIDNER 1993, 218 ff.

[39] „Durch die Vereinbarung, dass derjenige, auf dessen Person eine Versicherung genommen werden soll, sich zuvor einer ärztlichen Untersuchung zu unterwerfen hat, wird ein Recht des Versicherers, die Vornahme der Untersuchung zu verlangen, nicht begründet."

[40] SCHULZ-WEIDNER 1993, 219; WIESE 1994, 78; TJADEN 2001, 206 (mit Nachweisen).

ist im Gesetz nicht ausdrücklich erwähnt, wird aber allgemein als legitim angesehen.[41]

bb) Ziele der Risikoprüfung

Die Risikoprüfung dient (wie einleitend bemerkt) dazu, das gegebenenfalls zu übernehmende Risiko für den Versicherer kalkulierbar zu machen. Dies ist in mehrfacher Hinsicht von Bedeutung:

(1) Durch die Kalkulation der Risiken soll sichergestellt werden, dass die Übernahme der Risiken den von den Versicherern für ihren Geschäftsbetrieb aufgestellten geschäftsplanmäßigen Vorgaben entspricht und die Leistungskraft der Unternehmen nicht übersteigt. Die Risikoprüfung dient damit auch dazu, die dauernde Erfüllbarkeit der gegenüber den Versicherungsnehmern eingegangenen Verpflichtungen zu gewährleisten[42], liegt also sowohl im Interesse der Versicherer als auch in dem der (vom entsprechenden Versicherer zusammengeführten) Versichertengemeinschaft.

(2) Die Risikoprüfung stellt zudem ein Instrument des (zunehmend internationaler werdenden[43]) Wettbewerbs dar.[44] Denn je strenger sie gehandhabt wird, desto günstiger ist das Risikokollektiv und desto geringer können die Prämien angesetzt werden bzw. umso günstiger fallen der Gewinn und eine etwa vorgesehene Überschussbeteiligung der Versicherungsnehmer aus; auch insofern dient die Risikoprüfung somit sowohl den Interessen der Versicherer als auch denen der Versichertengemeinschaft.[45] Unter Umständen kann ein besonderes Leistungsangebot des Versicherers im Wettbewerb mit anderen Versicherern aber auch gerade umgekehrt darin liegen, dass Versicherungsschutz *ohne* eine entsprechende Risikoprüfung angeboten und dafür eine mehr oder weniger deutlich angehobene Prämie verlangt wird.[46]

(3) Des Weiteren lässt sich eine risikogerechte Prämie und damit eine Risikoprüfung vor Vertragsschluss aus dem Gesichtspunkt der Gleichbehandlung ableiten[47]: Aus dem Blickwinkel des Versichertenkollektivs müssen die Prämien so gestaltet sein, dass alle Versicherungsnehmer bezüglich des Risikos, das sie in den Pool mit

---

[41] ARBEITSKREIS „GENFORSCHUNG" 1991, 217; WIESE 1994, 78; SIMON 2001, 105 (auch zu den Grenzen des Zugriffs auf Arztunterlagen).

[42] Vgl. § 11 VVG; ferner BERBERICH 1998b, 102 ff.; LORENZ 1999, 1310.

[43] Siehe dazu im vorliegenden Zusammenhang BICKEL 1996, 178; SPRANGER 2000, 816.

[44] BERBERICH 1998b, 22 f.; LORENZ 1999, 1310.

[45] ARBEITSKREIS „GENFORSCHUNG" 1991, 217; DEUTSCHE FORSCHUNGSGEMEINSCHAFT 2000, 37, 60; HERDEGEN 2000, 635; WIESE 1994, 79; DEUTSCH 1986, 4 (bezogen auf die Krankenversicherung); anderer Ansicht HIRSCH, EBERBACH 1987, 376, die lediglich auf die Gewinnorientierung des Versicherers abstellen.

[46] Siehe dazu noch unten bei Fußnote 109.

[47] Siehe dazu BERBERICH 1998b, 23, 27.

einbringen, fair behandelt werden („aktuarische Fairness"[48]). Das bedeutet, dass Versicherungsinteressenten mit gleicher Risikostruktur hinsichtlich der Vertragskonditionen gleich, Versicherungsinteressenten mit einer abweichenden Risikostruktur aber ungleich behandelt werden. Erst während der Laufzeit des Vertrages findet ein „sozialer", „solidarischer" oder wie auch immer zu bezeichnender „Ausgleich" insoweit statt, als weder der Versicherer noch der Versicherte einseitig wegen einer erst nach Vertragsschluss feststellbaren oder sich verändernden Risikolage eine Änderung der Vertragskonditionen verlangen kann.[49] Dementsprechend kann bezogen auf den Zeitpunkt des Versicherungsvertrags*abschlusses* keineswegs von einer Risiko- oder Solidargemeinschaft gesprochen werden[50]; sie wird vielmehr erst *durch* den Vertrag gebildet und entfaltet sich erst *während* der Laufzeit des Vertrages[51].

(4) Schließlich und vor allem dient die Risikoprüfung auch dazu, der Gefahr einer so genannten Antiselektion zu begegnen, also der Gefahr, dass ein Versicherungsinteressent in Kenntnis eines bestimmten Umstandes (etwa einer Krankheit) und gerade wegen dieses Umstandes eine Personenversicherung abschließt, um zu erreichen, dass der Versicherer nach nur wenigen und geringen Prämienzahlungen hohe Leistungen an den Versicherungsnehmer selbst oder an einen von ihm benannten Bezugsberechtigten zu erbringen hat.[52] Auch insofern ist sowohl das Interesse des Versicherers als auch dasjenige „seiner" Versichertengemeinschaft betroffen: Es soll vermieden werden, dass sich Personen mit hohem Risiko Versicherungsschutz zu Lasten der gesunden Mehrheit erschleichen.[53] Die ärztliche Untersuchung dient aus diesem Blickwinkel nicht zuletzt dazu, die dem Versicherungsinteressenten obliegende Anzeige ihm bekannter gefahrerheblicher Umstände auf Vollständigkeit und Richtigkeit hin kontrollieren zu können.

---

[48] SCHÖFFSKI 2000, 153 f.

[49] Näher BERBERICH 1998b, 51; SAHMER 2000, 47; SCHULZ-WEIDNER 1993, 200 f.

[50] BOYSEN 2001, 39; HANIEL 2001, 37; anderer Ansicht AUSSCHUSS FÜR FORSCHUNG, TECHNOLOGIE UND TECHNIKFOLGENABSCHÄTZUNG 1994, 66; HOFMANN 1999, 197; TINNEFELD, BÖHM 1992, 65.

[51] Ebenso HAUSHEER 1999, 605: „Einzelrisiken werden [durch die Versicherung] nach dem Gesetz der großen Zahl in die Gefahrengemeinschaft der Prämienzahlenden oder Beitragsleistenden *überführt*. Insofern *entsteht* eine Schicksalsgemeinschaft auf der Grundlage der gegenseitigen Solidarität." (Hervorhebungen vom Verfasser)

[52] AUSSCHUSS FÜR FORSCHUNG, TECHNOLOGIE UND TECHNIKFOLGENABSCHÄTZUNG 1994, 66; BERBERICH 1998a, 1191 f.; BERBERICH 1998b, 23 ff.; BIRNBACHER 2000, 40; BREYER 2000, 172 ff.; FISCHER, BERBERICH 1999, 89 f.; MCGLEENAN, WIESING 2000, 367 ff.; LORENZ 1999, 1314 f.; SCHÖFFSKI 2000, 151 ff. („asymmetrische Informationsverteilung als Kernproblem des Versicherungswesens"). – Zur Quantifizierung der Gefahr einer Antiselektion siehe BREYER 2000, 176 ff.; FISCHER, BERBERICH 1999, 93 ff.; WAMBACH 2000, 7 ff.; bezogen auf AIDS siehe AKERMANN 1998, 94 ff.

[53] Ibid., 94 f.

c) Entscheidungsmöglichkeiten des Versicherers auf der Basis der Risikoprüfung

In der Diskussion um die Verwendung genetischer Informationen im Versicherungsbereich wird immer wieder die Befürchtung geäußert, die Durchführung einer genetischen Analyse führe zwangsläufig dazu, dass demjenigen, bei dem eine genetische Disposition für eine bestimmte Krankheit festgestellt wird, die Möglichkeit zur Vorsorge durch private Personenversicherungen genommen wird. Dabei wird jedoch übersehen, dass der Versicherer ganz unterschiedliche Möglichkeiten hat, um auf das entsprechende Wissen zu reagieren.[54] So kann er:

- den Antrag zu der allgemein geforderten Prämie annehmen;
- einen mehr oder weniger hohen Risikozuschlag auf die Prämie verlangen[55];
- einen begrenzten Risikoausschluss vorsehen, also vereinbaren, dass er nicht leisten muss, wenn sich gerade das ausgeschlossene Risiko verwirklicht;
- eine Laufzeitbegrenzung (insbesondere in der Lebensversicherung) vornehmen;
- den Antrag ganz ablehnen;
- oder aber umgekehrt dem Versicherungsinteressenten wegen dessen überdurchschnittlich günstigen Risikoprofils einen Prämiennachlass gewähren[56].

Die Entscheidung des Versicherers wird davon abhängen, wie er den fraglichen Umstand bewertet. Er wird den Antrag wahrscheinlich nicht ablehnen und auch keinen Risikoausschluss verlangen, wenn der Ausbruch der fraglichen Krankheit sehr unsicher ist, keine erheblichen Leistungspflichten des Versicherers begründet oder jedenfalls nicht während der Laufzeit des Vertrages zu erwarten ist, wie etwa bei einer nur über einen relativ kurzen Zeitraum laufenden Risikolebensversicherung zur Absicherung eines Baudarlehens. Die Beurteilung der jeweiligen (guten oder schlechten) Risiken ist eine Frage der versicherungsmathematischen Einschätzung[57], so dass weder die gute Vorhersagekraft einer bestimmten Information noch die mit der Information verbundene Unsicherheit als solche für oder gegen die Berücksichtigung der entsprechenden Information spricht. „Es kommt eben" – und das gilt für

---

[54] LORENZ 1999, 1310; SCHULZ-WEIDNER 1993, 220 ff.; Zahlenangaben zur Praxis bei RAESTRUP 1990, 37; RUPPRECHT 1999, 96; zur ausländischen Praxis siehe SCHÖFFSKI 2000, 173 f.

[55] In der Lebensversicherung zahlen 5% bis 7% eine höhere Prämie; vgl. REGENAUER 2001b, A-594. Der Prämienzuschlag kann gestaffelt werden, etwa je nach Laufzeit des Vertrages und Eintritt des Versicherungsfalles; vgl. RAESTRUP 1987, 56 f.

[56] Diese Möglichkeit wird gerade im Hinblick auf genetisch bedingte Resistenzen gegen bestimmte Krankheiten zunehmende Bedeutung erlangen; siehe auch AUSSCHUSS FÜR BILDUNG, FORSCHUNG UND TECHNOLOGIEFOLGENABSCHÄTZUNG 2000, 53. Ähnliches gilt aus dem Blickwinkel der Pharmakogenetik; siehe dazu etwa SCHMIDTKE 1997, 167 f.

[57] Siehe dazu hier nur BERBERICH 1998b, 6 ff., 260 ff.; RAESTRUP 1987, 18 ff., 32 ff.; REGENAUER 2001b, A-594 f.; zur Diskussion um die aktuarische Relevanz genetischer Daten ferner MCGLEENAN, WIESING 2000, 380 f.

genetische Informationen wie für andere medizinische Informationen auch – „darauf an".

d) Rechtsfolgen einer Verletzung der Mitwirkungsobliegenheiten des Versicherungsinteressenten

Hat der Versicherungsinteressent ihm bekannte gefahrerhebliche Umstände nicht oder nicht richtig angezeigt (§§ 16, 17 VVG), kann sich der Versicherer durch Rücktritt von der Verpflichtung zur Leistung befreien, wenn ihm der nicht angezeigte Umstand unbekannt war[58] und wenn der Antragsteller *schuldhaft* gehandelt hat (§ 16 Abs. 3 VVG). Bei nicht angezeigten Umständen, nach denen der Versicherer nicht ausdrücklich gefragt hat, kann der Versicherer jedoch nur zurücktreten, wenn der Antragsteller *arglistig* gehandelt hat (§ 18 VVG).[59] Ein Rücktritt berührt die Leistungspflicht des Versicherers allerdings nicht, wenn der pflichtwidrig nicht angezeigte Umstand den Eintritt des Versicherungsfalls und den Umfang der Leistung nicht beeinflusst hat (§ 21 VVG).

Bei arglistigem Verhalten des Antragstellers kann der Versicherer den Vertrag nach § 22 VVG auch wegen arglistiger Täuschung anfechten und dadurch seine Leistungspflicht beseitigen.[60] Allein die vorsätzlich falsche Beantwortung von Fragen nach dem Gesundheitszustand lässt aber nach Ansicht der Rechtsprechung noch nicht den Schluss auf eine Täuschungsabsicht zu, solange es sich nicht um erkennbar schwerwiegende oder chronische Krankheiten handelt.[61]

Bei unverschuldeter Verletzung der Anzeigeobliegenheit hat der Versicherer gemäß § 41 VVG nur die Möglichkeit, das Versicherungsverhältnis zu kündigen oder vom Beginn der laufenden Versicherungsperiode an eine höhere Prämie zu verlangen, um hierdurch die Äquivalenz von Leistung und Gegenleistung herzustellen.[62] Diese Regelung gilt allerdings nicht für die Krankenversicherung (§ 178a Abs. 2 VVG).

---

[58] Zur Frage, inwieweit der Versicherer deshalb Kenntnis hat, weil er auf eigene Datenbanken oder diejenigen eines verbundenen Unternehmens zugreifen kann, siehe BUNDESGERICHTSHOF, Versicherungsrecht 2000, 1486, 1487 (mit weiteren Nachweisen).

[59] Arglist ist vom Versicherer zu beweisen; siehe KNAPPMANN 1996, 82; TAUPITZ 2000b, 44.

[60] Näher KNAPPMANN 1996, 81; LORENZ 1999, 1311.

[61] Siehe die Nachweise bei PRÖLSS, MARTIN 1998, § 22, Randnr. 5; SCHULZ-WEIDNER 1993, 227 f.

[62] Zur Problematik dieser Regelung bezogen auf genetische Informationen siehe AUSSCHUSS FÜR BILDUNG, FORSCHUNG UND TECHNOLOGIEFOLGENABSCHÄTZUNG 2000, 58.

IV. Überblick über ausländische Regelungen zur Verwendung genetischer Informationen beim Abschluss von Versicherungsverträgen[63]

Vorschriften, die eine Verwendung genetischer Informationen beim Abschluss von Privatversicherungsverträgen am stärksten *beschränken,* existieren in *Belgien* (seit 1992), *Frankreich* (seit 1994), *Norwegen* (seit 1994), *Österreich* (seit 1994) und *Italien* (seit 1997). In diesen Ländern ist es sowohl verboten, die Durchführung eines genetischen Tests zur Voraussetzung des Vertragsabschlusses zu machen, als auch schon vorhandene genetische Informationen bei der Prämienkalkulation zu berücksichtigen. So heißt es z.B. in § 67 des *österreichischen* Gentechnikgesetzes kurz und bündig: „Versicherern einschließlich deren Beauftragten und Mitarbeitern ist es verboten, Ergebnisse von Genanalysen von ihren [...] Versicherungsnehmern oder Versicherungswerbern [...] zu erheben, zu verlangen, anzunehmen oder sonst zu verwerten."[64] In den *USA* gilt Entsprechendes in manchen Einzelstaaten für Krankenversicherungsverträge (wobei von Bedeutung ist, dass eine soziale Krankenversicherung dort so gut wie nicht existiert), während die Verwendung von Gentests beim Abschluss von Lebensversicherungsverträgen grundsätzlich erlaubt ist.[65]

Andere Länder wie *Dänemark* (seit 1997) verbieten lediglich die Verwendung genetischer Informationen, die *prädiktiven* Charakter haben; erlaubt ist also die Verwendung von Informationen über den aktuellen oder vergangenen Gesundheitszustand des Antragstellers.

Eine ähnliche und zugleich weiter differenzierende Regelung findet sich in dem Entwurf eines *schweizerischen* Humangenetikgesetzes.[66] Nach Art. 22 dürfen präsymptomatische genetische Untersuchungen, also solche, die mit dem Ziel der Erkennung von Krankheiten vor dem Auftreten von Symptomen durchgeführt werden, weder für die Begründung eines Versicherungsverhältnisses verlangt noch deren Ergebnisse verwertet werden; nach dem Begleitbericht betrifft dieses Verbot

---

[63] Näher zum Folgenden BERBERICH 1998b, 348 ff.; FISCHER, BERBERICH 1999, 102 ff.; MCGLEENAN, WIESING 2000, 367 ff.; REGENAUER 2001a, 12 ff.; SCHÖFFSKI 2000, 188 ff.; SIMON 2001, 27 ff.; SPRANGER 2000, 817 ff.; TAUPITZ 2000b, 15 ff.; siehe ferner die Landesberichte in TAUPITZ 2001.

[64] Bundesgesetzblatt 1994, 4111.

[65] Näher MCGLEENAN, WIESING 2000, 377; SIMON 2001, 49 ff.; Jost, Landesbericht USA, in TAUPITZ 2001.

[66] Vorentwurf für ein Bundesgesetz über genetische Untersuchungen beim Menschen; Erläuterungen zu dem Entwurf bei HAUSHEER 1999, 593 ff.; siehe ferner SIMON 2001, 29 ff.

sowohl die Sozialversicherung als auch die private Personenversicherung.[67] Die einzige zugelassene Ausnahme betrifft das Recht des Antragstellers, Untersuchungsergebnisse mitzuteilen, um darzulegen, dass er zu Unrecht in eine Gruppe mit erhöhtem Risiko eingestuft worden ist. Zudem kann das zuständige Bundesamt auf begründeten Antrag der Versicherungsverbände oder einer Versicherungseinrichtung für bestimmte *nicht-obligatorische* Versicherungsarten jene präsymptomatischen Untersuchungen festlegen, nach deren Ergebnissen sich Versicherer beim Antragsteller erkundigen dürfen (Art. 23). Durch die diese Öffnungsklausel, durch die aus dem strikten Verbot ein Verbot mit Erlaubnisvorbehalt wird, enthält der Entwurf immerhin eine gewisse Möglichkeit der Flexibilität für die Zukunft; dies ist in einem Bereich, in dem schon die naturwissenschaftliche Entwicklung, erst recht aber die gesellschaftspolitische Diskussion noch in vollem Gange ist, von erheblicher Bedeutung.

In den *Niederlanden* trat 1998 ein Gesetz in Kraft, das es Versicherern verbietet, genetische Tests als Voraussetzung des Vertragsschlusses zu verlangen. Auch darf der Versicherer Auskunft über die beim Antragsteller bereits vorhandenen genetischen Informationen nur bei Lebensversicherungsverträgen mit einer Summe von zur Zeit über 300.000 Gulden (dies entspricht ca. 266.500 DM) und bei Berufsunfähigkeitsversicherungen mit einer Rentenzahlung von zur Zeit über 60.000 Gulden (Rentenzahlung ab dem ersten Jahr der Berufsunfähigkeit) bzw. 40.000 Gulden (Rentenzahlung ab dem zweiten Jahr der Berufsunfähigkeit) verlangen.[68]

In ähnlich differenzierender Weise existiert in *Großbritannien* ein (zeitlich befristetes[69]) freiwilliges Moratorium der Versicherer, wonach sie sich verpflichten, bei Lebensversicherungspolicen keine genetischen Tests zu verlangen und auch von bereits vorhandenen genetischen Informationen keinen Gebrauch zu machen, sofern es sich um eine Lebensversicherung zur Absicherung eines Hypothekendarlehens handelt und die Versicherungssumme 100.000 Pfund (dies entspricht ca. 334.400 DM) nicht überschreitet.[70] Im Übrigen ist der Antragsteller allerdings verpflichtet, auf eine entsprechende Frage Auskunft über bereits vorhandene genetische Informationen zu geben. Eine vergleichbare Selbstbeschränkung haben sich auch die *schwedischen* Versicherer auferlegt.

---

67 Begleitbericht zum Vorentwurf für ein (schweizerisches) Bundesgesetz über genetische Untersuchungen beim Menschen (September 1998), Nr. 242.1.

68 Näher BERBERICH 1998b, 356 ff.; MCGLEENAN, WIESING 2000, 375, 377; SIMON 2001, 46 ff.; zu den Folgen (u.a. Anhebung der Prämien um 10% und Deckelung der Versicherungsleistungen) siehe AKERMANN 1999, 388.

69 Das Moratorium gilt bis Dezember 2001; siehe nachfolgende Fußnote.

70 Vgl. den *Code of Practice* der Association of British Insurers (ASSOCIATION OF BRITISH INSURERS 1999). Siehe dazu auch BERBERICH 1998b, 114 ff.; BREYER 2000, 169; MCGLEENAN, WIESING 2000, 372 ff.; O'NEILL 1998, 720 ff.; SCHÖFFSKI 2000, 191; SIMON 2001, 36 ff.; SPRANGER 2000, 818.

Zusammenfassend ist festzuhalten,

- dass es in einigen Ländern rechtliche Regelungen gibt, die *jede* Verwendung genetischer Informationen oder aber zumindest die Verwendung prädiktiver genetischer Informationen bei Abschluss eines Versicherungsvertrages verbieten und konsequenterweise auch das Verlangen eines Versicherers nach Durchführung eines genetischen Tests untersagen;
- dass andere Länder zwar keinen speziellen Gentest zum Zweck des Abschlusses eines Versicherungsvertrages erlauben (also ein „Erhebungsverbot" enthalten), wohl aber die Frage des Versicherers nach schon vorhandenen genetischen Informationen beim Versicherungsinteressenten gestatten (also kein „Verwertungsverbot" statuieren);
- dass das Fragerecht in der letztgenannten Gruppe zum Teil nur gewährt wird bei Verträgen, die über eine gewisse Grundversorgung hinausgehen, während innerhalb eines zur Grundsicherung gezählten Bereichs (innerhalb von „fair limits"[71]) genetische Informationen unberücksichtigt bleiben müssen.

Wichtig ist zudem, dass in den meisten Ländern bisher *keine* speziellen gesetzlichen Regeln zur Berücksichtigung genetischer Daten beim Abschluss von Versicherungsverträgen existieren. Weithin werden genetische Informationen wie andere medizinische Informationen behandelt[72], so dass der Antragsteller sie zu offenbaren[73] bzw. zumindest auf Nachfrage mitzuteilen hat[74]. Soweit bekannt ist, wird allerdings von Seiten der Versicherer bisher in kaum einem Land[75] die Durchführung eines genetischen Tests aus Anlass des Abschlusses eines Versicherungsvertrages von den Antragstellern verlangt; in zahlreichen Ländern haben die Versicherer sogar ausdrücklich erklärt, angesichts bisher fehlender medizinischer Relevanz und angesichts des bisher geringen Risikos der Antiselektion vorerst davon abzusehen, spezielle Tests von den Antragstellern zu verlangen.[76]

---

[71] McGleenan, Wiesing 2000, 375.

[72] So ausdrücklich der Erlass des portugiesischen Gesundheitsministeriums vom 18. September 1997; vgl. dazu Simon 2001, 70.

[73] Siehe z.B. zu Neuseeland: Skegg, Landesbericht Neuseeland, in Taupitz 2001. Zu den Unterschieden in der Frage, wie weit die unaufgefordert zu erfüllende Offenbarungspflicht reicht, siehe McGleenan, Wiesing 2000, 378; Simon 2001, 27 ff.

[74] Siehe etwa zu Portugal, Spanien, Kanada und Japan: Ibid., 70 ff.

[75] Ausnahme: USA; siehe Hofmann 1999, 191; Schöffski 2000, 201 f.; Simon 2001, 16.

[76] So etwa die *Investment and Financial Services Association* in Australien, siehe Berberich 1998b, 119 f.; Naffine, Landesbericht Australien, in Taupitz 2001; zu Großbritannien und Schweden: siehe oben bei Fußnote 70 und Berberich 1998b, 114 ff.; zu Deutschland: siehe unten bei Fußnote 77 ff.

V. Die derzeitige Situation in Deutschland hinsichtlich der Verwendung genetischer Informationen beim Abschluss von Privatversicherungsverträgen

Auch in Deutschland bestehen keine speziellen gesetzlichen Regelungen zur Berücksichtigung genetischer Informationen beim Abschluss von Versicherungsverträgen.

1. Sonderfall: Nachversicherung von Neugeborenen in der Krankenversicherung

Allerdings haben nach § 2 Abs. 2 der in Deutschland verwendeten Musterbedingungen für die Krankheitskosten- und Krankenhaustagegeldversicherung (MBKK 94) Neugeborene, bei denen ein Elternteil mindestens drei Monate versichert ist, bei Anmeldung binnen 2 Monaten nach der Geburt Anspruch auf den gleichen Versicherungsschutz wie jener, ohne dass ein Prämienzuschlag z.B. bei Behinderung erhoben werden darf. Diese Regelung schließt damit bezogen auf das neugeborene Kind eine Berücksichtigung genetischer Informationen aus.

2. Die Praxis der deutschen Versicherer beim Abschluss von Versicherungsverträgen

Die Mitgliedsunternehmen des *Verbandes der Lebensversicherungsunternehmen e.V.* haben sich im Jahre 1988 auf ein Moratorium geeinigt, das u.a. vorsieht, in der Lebensversicherung – unabhängig von der Versicherungssumme – weder einen Gentest zu verlangen noch auf den Antragsformularen explizit nach dem Ergebnis etwaiger bereits durchgeführter Tests zu fragen.[77] Im gleichen Sinne hat sich 1997 (und erst kürzlich wieder[78]) bezogen auf sämtliche privaten Personenversicherer der *Gesamtverband der Deutschen Versicherungswirtschaft GDV* geäußert.[79] Hintergrund ist, abgesehen von der gesellschaftspolitischen Relevanz eines entsprechenden Verlangens, sowohl die Tatsache, dass es bisher nur wenige prädiktive Tests gibt, die eine eindeutige Aussage liefern, als auch der Umstand, dass bisher nicht von einem einseitigen Wissensvorsprung einer nennenswerten Zahl von Antragstellern auszugehen ist, wie auch schließlich die Tatsache, dass es im Grunde nicht den Interessen der Versicherungen entspricht, eine zu starke Aufsplitterung der Versichertenkollektive

---

[77] BERBERICH 1998b, 112 ff.; BREYER 2000, 169.

[78] Siehe die Mitteilung zum GDV-Pressekolloquium 1999, N.N. 1999, 464.

[79] BERBERICH 1998b, 114, 281.

vorzunehmen.[80] „Es rechnet sich nicht", lässt sich die Auffassung der Versicherungswirtschaft zusammenfassend kennzeichnen[81], die sich u.a. daran zeigt, dass auch derzeit selbst Routineprüfungen nur bei hohen Antragssummen (in der Lebensversicherung) bzw. Abkürzung der Wartezeit (in der Krankenversicherung) durchgeführt werden. Tendenziell mag sich dies allerdings ändern, wenn Gentests in der Zukunft immer preisgünstiger zu haben sein werden. Denn sie werden dann bei den *Versicherungen*, die sie vom Antragsteller verlangen, nur noch vergleichsweise geringe Kosten verursachen; und es werden auch immer mehr *Antragsteller von sich aus* entsprechende Tests durchführen lassen und ihr Wissen versicherungsmäßig auszunutzen versuchen.

Da der Antragsteller zudem – wie dargestellt – nach § 16 VVG verpflichtet ist, ihm bekannte risikoerhebliche Umstände auch ohne konkrete Frage anzuzeigen, führt das dargestellte Moratorium im Übrigen nicht etwa dazu, dass genetische Informationen im Privatversicherungsrecht keinerlei Bedeutung hätten; denn das Moratorium betrifft eben nur die ausdrückliche *Frage* des Versicherers, lässt aber die kraft Gesetzes *ungefragt* zu erfüllende Anzeigeobliegenheit unberührt. Zudem erfasst das Moratorium ausländische Anbieter von vornherein nicht. Gleichwohl kann dem Moratorium eine gewisse Wirkung im Hinblick auf die *Unerheblichkeit* genetischer Informationen für das Zustandekommen von Versicherungsverträgen nicht abgesprochen werden, da ein Rücktritt des Versicherers als Sanktion einer Verletzung der *ungefragt* zu erfüllenden Anzeigeobliegenheit – wie ebenfalls dargestellt – nur bei (schwer zu beweisendem) arglistigem Verschweigen des Antragstellers in Betracht kommt.

Im Übrigen beinhalten jene Formulare, die die Lebensversicherer zum Zweck der Erstellung eines ärztlichen Gesundheitszeugnisses herausgeben[82], durchaus einige Fragen, die aufgrund ihrer weiten Formulierung auch genetische Tests mit umfassen können. Dies gilt etwa für die Fragen: „Haben andere Ärzte, außer den bereits benannten, Sie innerhalb der letzten fünf Jahre untersucht, beraten oder behandelt? Wann? Weshalb?", und: „Sind Sie in Krankenhäusern oder sonstigen ärztlich geleiteten Einrichtungen untersucht oder behandelt worden? Wann? Weshalb?". Da genetische Tests gegenwärtig nur in ärztlich geleiteten Instituten oder Praxen durchgeführt werden, ist ihre Durchführung von den genannten Fragen offenbar mit umfasst. Auch die Frage, ob beim Antragsteller sonstige Krankheiten, Gebrechen, körperliche Fehler oder Beschwerden bestanden oder bestehen, nach denen nicht ausdrücklich gefragt ist, kann jedenfalls dann, wenn man genetische Anomalien als „körperliche Fehler" auffasst[83], durchaus als implizite Frage nach einem entspre-

---

[80] Siehe AUSSCHUSS FÜR BILDUNG, FORSCHUNG UND TECHNIKFOLGENABSCHÄTZUNG 2000, 51; SAHMER 2000, 47.

[81] Regenauer, zitiert bei CZAJKA 2001, 336 f.

[82] Siehe dazu BREYER 2000, 169 f.

[83] Zu genetischen Anomalien als „Körperschäden" im Sinne des Heilpraktikergesetzes siehe TAUPITZ 2000d, 113 f.

chenden Gentest verstanden werden. Inwieweit die Versicherer ihre eigenen Fragen aber in diesem weiten Sinne verstehen und inwieweit dem Versicherungsinteressenten das Nicht-Offenbaren eines positiven Gentests vorgeworfen wird, ist bisher unklar. Auf diese Unsicherheit ist in der Literatur bereits kritisch hingewiesen worden.[84]

Eine *ärztliche Untersuchung* (die, wie vorstehend dargelegt, nach der Praxis der Versicherer einen Gentest bisher nicht umfasst) wird regelmäßig bei der *Lebensversicherung* erst bei Vereinbarung einer Versicherungssumme von mehr als 250.000 DM[85] (d.h. bei 1% aller Abschlüsse[86]) sowie bei der selbständigen *Berufsunfähigkeits-* und *Pflegerentenversicherung* erst ab einer jährlich versicherten Rente von mehr als 30.000 DM verlangt[87]. Beim Abschluss eines *Krankenversicherungsvertrages* wird eine Gesundheitsuntersuchung in der Regel nur dann verlangt, wenn der Antragsteller den Wegfall der üblichen Wartezeiten vor Beginn des Versicherungsschutzes beantragt.[88]

VI. Argumente *für* ein *Verbot* der *Erhebung* genetischer Daten für Versicherungszwecke und Prüfung ihrer Tragfähigkeit aus dem Blickwinkel des deutschen Rechts

Der Versicherungsinteressent wird in seinen Rechts- und Interessenpositionen zweifellos am stärksten tangiert, wenn er vom Versicherungsunternehmen dazu veranlasst werden kann, durch Duldung einer körperlichen Untersuchung und gegebenenfalls aktive Mitwirkung daran zur Offenlegung seiner eigenen genetischen Veranlagung beizutragen; sehr drastisch hat man denn auch vom Zwang zu einem „genetischen Striptease" gesprochen.[89] Nicht von ungefähr werden gegen ein derartiges Begehren der Versicherer Bedenken erhoben, die nicht selten zu der Forderung nach einem gesetzlichen Verbot des Verlangens genetischer Tests vor Abschluss von Versicherungsverträgen führen.[90] Aus dem Blickwinkel der

[84] BREYER 2000, 169 f.

[85] Bei Versicherungssummen von mehr als 400.000 DM bzw. 800.000 DM werden jeweils intensivere ärztliche Untersuchungen verlangt; siehe BERBERICH 1998b, 161 f.

[86] AUSSCHUSS FÜR BILDUNG, FORSCHUNG UND TECHNIKFOLGENABSCHÄTZUNG 2000, 52; SCHMIDTKE 1998, 110.

[87] HOFMANN 1999, 191; LORENZ 1999, 1310; PRÄVE 1992, 280.

[88] BERBERICH 1998b, 277; HOFMANN 1999, 191; PRÄVE 1992, 280.

[89] HIRSCH, EBERBACH 1987, 379; SCHMIDT 1991, 69; SIMON 1991, 12.

[90] Entschließung des Bundesrates vom 16. Oktober 1992, Bundesrats-Drucksache 424/92 (Beschluss), II 2 e, 6; AUSSCHUSS FÜR BILDUNG, FORSCHUNG UND TECHNOLOGIEFOLGENABSCHÄTZUNG 2000, 64; BIOETHIK-KOMMISSION DES LANDES RHEINLAND-

Menschenrechtskonvention zur Biomedizin stellt sich die Frage, ob Deutschland bei einem Beitritt zur MRB nicht sogar *gezwungen* ist, ein entsprechendes Verbot zu erlassen.

1. Das Recht auf (gen-) informationelle Selbstbestimmung

Der Haupteinwand gegen das Begehren des Versicherers, der Versicherungsinteressent möge sich vor Vertragsschluss genetisch testen lassen, geht dahin, dass das Recht des Versicherungsinteressenten auf (gen-) informationelle Selbstbestimmung verletzt werde.[91] Das Recht auf informationelle Selbstbestimmung, das aus dem (verfassungsrechtlich und einfachgesetzlich geschützten[92]) allgemeinen Persönlichkeitsrecht abgeleitet wird[93], beinhaltet in der Tat zum einen das Recht, selbst zu bestimmen, zu welchem Zweck personenbezogene Daten (hier über die eigene genetische Disposition) erhoben und verwendet werden[94]; und es beinhaltet zum anderen das Recht auf Nichtwissen, also das Recht, über die eigene genetische Dis-

Pfalz 1989, 43; ETHIK-BEIRAT BEIM BUNDESMINISTERIUM FÜR GESUNDHEIT 2000, Nr. 23; BICKEL 1996, 179; MÜLLER 1999, 1180; PRÄVE 1992, 281 ff.; SCHIRA 1997, 191 ff.; SIMON 1993, 30 f.; STUMPER 1996, 212 ff.; WIESE 1994, 80 ff. (mit weiteren Nachweisen); DEUTSCH 1999, Randnr. 663 (aber nur bezogen auf die Lebensversicherung); BUND-LÄNDER-ARBEITSGRUPPE „GENOMANALYSE“ 1990, 19, 43 f. (aber nur bezogen auf die Krankenversicherung hinsichtlich nicht unmittelbar bevorstehender Krankheiten); ebenso HOFMANN 1999, 197 f. – Nur für den Fall, dass die Versicherer ihre derzeit geübte Zurückhaltung nicht beibehalten, AUSSCHUSS FÜR FORSCHUNG, TECHNOLOGIE UND TECHNIKFOLGENABSCHÄTZUNG 1989, 16 f.; ENQUETE-KOMMISSION „CHANCEN UND RISIKEN DER GENTECHNOLOGIE“ DES BUNDESTAGES 1987, XV, 174 f.

[91] BIOETHIK-KOMMISSION DES LANDES RHEINLAND-PFALZ 1989, 43; DEUTSCHE FORSCHUNGSGEMEINSCHAFT 2000, 37, 39, 60; ENQUETE-KOMMISSION „CHANCEN UND RISIKEN DER GENTECHNOLOGIE“ DES BUNDESTAGES 1987, 174; BICKEL 1996, 179; FENGER, SCHÖFFSKI 2000, 450; MÜLLER 1999, 1180; SCHMIDT 1991, 65 ff.; SCHÖFFSKI 2000, 167; STUMPER 1996, 212 ff.; WIESE 1994, 78 ff. (mit weiteren Nachweisen); kritisch aber (abgesehen von den unten, Fußnoten 96, 107, Genannten) HERDEGEN 2000, 635 f.

[92] Kein Schutz besteht allerdings über das Strafrecht; auch das zivilrechtliche Instrumentarium (insbesondere in Gestalt von § 823 Abs. 1, § 847 BGB) weist erhebliche Lücken auf; siehe dazu hier nur TAUPITZ 2000a, A 14 ff.

[93] Siehe statt vieler BVerfGE 65, 1, 43 f.

[94] BUNDESVERFASSUNGSGERICHT, Neue Juristische Wochenschrift 2001, 879, 880; DEUTSCH 1986, 2; TAUPITZ 1992, 1089 f.; TAUPITZ 2000f, 72 ff., 76; TJADEN 2001, 112 ff.; WIESE 1994, 16 ff.

position, etwa im Hinblick auf belastende Befunde, *nicht* Bescheid wissen zu müssen[95].

Eine Verletzung des Rechts auf (gen-) informationelle Selbstbestimmung käme in der Tat in Betracht, wenn der Versicherungsinteressent *gezwungen* werden könnte, einen Test – auch gegen seinen Willen – durchführen zu lassen. Gerade das ist aber nicht der Fall.[96] Gemäß § 160 VVG[97] kann ein entsprechender Zwang selbst dann nicht ausgeübt werden, wenn eine ausdrückliche *Vereinbarung* über die Durchführung des Tests getroffen wurde; denn nach dieser Vorschrift besteht schon kein Recht des Versicherers, die Vornahme einer vereinbarten Untersuchung zu *verlangen.* § 160 VVG betrifft zwar unmittelbar nur die vorvertragliche ärztliche Untersuchung bei der Lebensversicherung, stellt aber nach zutreffender Auffassung die Konkretisierung eines allgemeinen Rechtssatzes dar.[98] Ein rechtlicher Zwang zur Vornahme genetischer Tests besteht also nicht.

Damit stellt sich allenfalls die Frage, ob der Versicherungsinteressent einem gleichartig wirkenden *faktischen* Zwang ausgesetzt ist, weil ihm sonst die Möglichkeit zum Abschluss privater Personenversicherungen genommen wird.[99] Gegen einen rechtlich relevanten faktischen Zwang zur Vornahme genetischer Tests spricht jedoch, dass ein nicht unerheblicher Teil der Bevölkerung keine privaten Personenversicherungen abgeschlossen hat[100], weil der sozialstaatlich notwendige Versicherungsschutz ohne Berücksichtigung genetischer Unterschiede in Deutschland[101] durch die Sozialversicherung gewährt wird und zu gewähren ist[102]: Der Abschluss privater Personenversicherungen ist demgemäß hier (ganz anders als beispielsweise

---

[95] DAMM 1998a, 130 ff.; DAMM 1999b, 433 ff.; KOPPERNOCK 1997, 89 ff.; SIMON 2001, 111 ff.; TAUPITZ 1998a, 583 ff.; TAUPITZ 2000f, 72 ff., 76; WIESE 1991, 475 ff.

[96] Zutreffend LORENZ 1999, 1312; dazu, dass das Recht auf Nichtwissen durch das Begehren des Versicherers auf Durchführung eines Gentests nicht verletzt wird, vgl. auch SPRANGER 2000, 816 f.

[97] Text siehe oben, Fußnote 39.

[98] LORENZ 1999, 1312.

[99] Bejahend DONNER, SIMON 1990, 917; HOFMANN 1999, 195 ff.; PRÄVE 1992, 281; SCHIRA 1997, 105; SCHMIDT 1991, 66; SCHÖFFSKI 2000, 167; SIMON 1993, 26; STUMPER 1996, 212 ff., 243; WIESE 1994, 80 ff.

[100] LORENZ 1999, 1312; ARBEITSKREIS „GENFORSCHUNG" 1991, 218; SIMON 2001, 120 f.

[101] Im Ausland wird häufig auch bei Begründung des Sozialversicherungsverhältnisses auf den Gesundheitszustand des potentiellen Versicherten abgestellt, siehe etwa zur Schweiz HAUSHEER 1992, 513 f.

[102] Zur Funktion der Sozialversicherung, einen solidarischen Ausgleich genetischer Unterschiede zu bewirken, vgl. auch MCGLEENAN, WIESING 2000, 381. Demgemäß stellt es einen Fehler im System der deutschen Sozialversicherung dar, wenn z.B. Beamte, Selbständige oder Gutverdienende nicht der Sozialversicherungspflicht unterliegen (§§ 6 ff. SGB V); siehe BREYER 2000, 180; ARBEITSGRUPPE „HUMANGENETIK" DER EUROPÄISCHEN AKADEMIE 2000, 187; siehe auch SCHÖFFSKI 2000, 161 f.

in den USA[103]) richtigerweise kein Teil der individuellen *Daseinsvorsorge*, sondern Teil der individuellen „*Wohlseinsvorsorge*".[104] Und selbst wenn einem Versicherungsinteressenten im Einzelfall der Zugang zur Sozialversicherung aus irgendwelchen Gründen verwehrt sein sollte[105] und deshalb ein faktischer Zwang zum Abschluss einer privaten Personenversicherung besteht[106], so stellt dies doch ein originäres Problem des Sozialversicherungsrechts dar, so dass *hier* für Abhilfe zu sorgen ist[107]. Insbesondere geht es nicht an, dass gerade der vom Betroffenen ausgewählte private Personenversicherer die fragliche sozialstaatliche Aufgabe zu erfüllen und zu eigenen Lasten und zu Lasten des von ihm gebildeten Versichertenkollektivs den erwünschten Versicherungsschutz ohne die Möglichkeit eines angemessenen In-Verhältnis-Setzens von Leistung und Gegenleistung zu gewähren hat.[108]

Im Übrigen wurde bereits darauf hingewiesen, dass ein besonderes Leistungsangebot des Versicherers im *Wettbewerb* mit anderen Versicherern gerade darin liegen kann, Versicherungsschutz *ohne* eine genetisch ausgerichtete Risikoprüfung anzubieten und dafür eine mehr oder weniger deutlich angehobene Prämie zu verlangen. In der Tat ist gerade aus dem Blickwinkel der Prämisse, das Nichtwissen des eigenen Genoms stelle für die Versicherungsinteressenten einen Wert an sich dar, davon auszugehen, dass mindestens *ein* Versicherungsanbieter das von den Nachfragern höher geschätzte Produkt „Versicherungsschutz ohne vorherigen Gentest" auf den Markt bringt, solange der Markt der Privatversicherungen (wie es in Europa der Fall ist) weder kartelliert ist noch Zutrittsbeschränkungen existieren.[109] Dem Antragsteller steht es somit jederzeit frei, sich einen solchen Vertragspartner zu suchen.

Vor allem aber kann er, wenn ihm sein Nichtwissen etwas „wert" ist, auch „vorsorglich" zur Aufrechterhaltung seines Nichtwissens einen individuellen Risikoausschluss oder Prämienzuschlag (nur) hinsichtlich entsprechender genetisch bedingter Krankheiten vereinbaren, ohne zu wissen und wissen zu müssen, ob der Risikoausschluss bzw. Prämienzuschlag aufgrund seiner eigenen genetischen Konstitution

---

[103] Siehe dazu hier nur O'NEILL 1998, 717; SIMON 2001, 49 ff.; MCGLEENAN, WIESING 2000, 368 f.

[104] LORENZ 1999, 1312; siehe auch BIRNBACHER 2000, 44 f.: „Wahlbedarf an Sicherheit"; im Ergebnis so auch SIMON 2001, 121.

[105] SCHIRA 1997, 105, spricht davon, dass dies in „Randbereichen" der Fall sei.

[106] Dies kann allenfalls für die Krankenversicherung, nicht aber für die Lebensversicherung angenommen werden; siehe BERBERICH 1998b, 171, 177 ff.; BUND-LÄNDER-ARBEITSGRUPPE „GENOMANALYSE" 1990, 19, 44; HOFMANN 1999, 195 ff., 200; anderer Ansicht SCHIRA 1997, 110 f., 113 f.; SCHULZ-WEIDNER 1993, 177.

[107] So auch BERBERICH 1998b, 176 ff.; BIRNBACHER 2000, 44 f.; BREYER 2000, 180; HANIEL 2001, 37; LORENZ 1999, 1312; WELSER 1991, 222; siehe auch SCHÖFFSKI 2000, 169 f.; zur Forderung nach einer (nicht von der jeweiligen genetischen Konstitution abhängigen) Basisversicherung für alle auch WOLFF 2001, 11.

[108] LORENZ 1999, 1312; WELSER 1991, 222.

[109] BREYER 2000, 181; siehe auch KARTEN 1991, 647; RAESTRUP 1990, 37.

wirklich im konkreten Fall indiziert ist.[110] In einem solchen Fall wird der Versicherer keinerlei Anlass haben, einen entsprechenden Test zu verlangen. Und wenn die *Enquete-Kommission „Chancen und Risiken der Gentechnologie" des Bundestages* (zu Recht) davon ausgeht, dass der Versicherer berechtigt sei, genetisch bedingte Krankheiten von vornherein aus dem von ihm angebotenen Versicherungsschutz auszunehmen[111], dann muss es auch möglich sein, dass der Versicherer die genetische Veranlagung zu bestimmten Krankheiten zwar grundsätzlich in den von ihm angebotenen Versicherungsschutz einbezieht, jedoch dem Versicherungsinteressenten die Möglichkeit eröffnet, auf die Einbeziehung dieses Schutzes (gegebenenfalls vorsichtshalber und zur Aufrechterhaltung seines Nichtwissens) zu verzichten. Auch aus diesem Blickwinkel kann somit nicht von einem faktischen Zwang zur Durchführung eines Gentests unter Verletzung des Rechts auf Nichtwissen ausgegangen werden.

Nicht ganz von der Hand zu weisen ist allerdings der Einwand, dass ein Versicherungsinteressent durch die anlässlich eines Versicherungsantrags durchgeführte Gesundheitsuntersuchung unter Einschluss eines genetischen Tests u.U. überraschenderweise Kenntnis von einer eigenen genetischen Disposition erhält, mit der er nicht gerechnet hat und von der er auch keine Kenntnis hätte erlangen wollen. Immerhin handelt es sich bei genetischen Informationen um solche mit u.U. erheblicher „Eingriffstiefe"[112], die bei dem Betroffenen gravierende Auswirkungen auf das individuelle Selbstverständnis, das zukünftige Verhalten und möglicherweise auf komplette Lebensentwürfe haben können[113]. Eine faktische *Gefährdung* des Rechts auf Nichtwissen ist damit nicht zu leugnen. Insofern würde es auch wenig nützen, wenn nur der Versicherer, nicht aber der Versicherungsinteressent über das Ergebnis des Tests informiert würde; denn jedenfalls bei *erheblicher* Risikoerhöhung aufgrund einer genetischen Disposition würde der Versicherer naheliegenderweise Schlussfolgerungen aus dem Test ziehen, die dem Antragsteller kaum verborgen bleiben könnten. Jedoch gilt Vergleichbares auch bei Entdeckung einer bisher noch unerkannten schweren Krankheit (z.B. AIDS) anlässlich einer Gesundheitsuntersuchung im Vorfeld des Abschlusses einer privaten Versicherung. Wenn aber insoweit keine durchgreifenden Bedenken gegen das Verlangen nach einer Gesundheitsüberprüfung bestehen, dann lässt sich kaum begründen, warum dies gerade bezogen auf genetische Analysen anders sein soll.[114]

---

[110] Vgl. zur Bedeutung der Verfügbarkeit von (gegebenenfalls nur gegen einen Mehrpreis erhältlichen) Alternativen auch BIRNBACHER 2000, 45.

[111] ENQUETE-KOMMISSION „CHANCEN UND RISIKEN DER GENTECHNOLOGIE" DES BUNDESTAGES 1987, 174.

[112] DEUTSCH 1992, 169.

[113] DAMM 1998b, 932; DAMM 1999a, 438 (mit weiteren Nachweisen); TAUPITZ 2000d, 82 f.

[114] Zutreffend BERNAT 1995, 43; zur Vergleichbarkeit von genetischen und sonstigen Erkrankungen vgl. auch HERDEGEN, SPRANGER 2000, Randnr. 21; SCHMIDTKE 1997, 145 ff.; SCHMIDTKE 1998, 110.

Insgesamt kann das Verlangen eines privaten Versicherers nach Durchführung genetischer Tests vor Abschluss eines Versicherungsvertrages nicht unter Hinweis auf das (gen-) informationelle Selbstbestimmungsrecht des Versicherungsinteressenten für unzulässig erklärt werden.

2. Das Diskriminierungsverbot

Ein weiteres Argument gegen die Durchführung genetischer Tests vor Abschluss von Versicherungsverträgen geht dahin, dass der Versicherungsinteressent diskriminiert werde, wenn er bei Vorhandensein gefahrerheblicher genetischer Dispositionen keinen privaten Personenversicherungsschutz erlangen kann.[115] Für die eigenen Gene sei man nun einmal nicht verantwortlich und könne man deshalb auch nicht verantwortlich gemacht werden, heißt es häufig plakativ. Zudem dürften „genetisch Benachteiligte" nicht zusätzlich finanziell benachteiligt und damit gewissermaßen „doppelt" für ihre „schlechten Gene" „bestraft" werden, zumal sie doch eigentlich besonders auf Versicherungsleistungen angewiesen seien[116]: Ihr Ausschluss aus dem Versicherungssystem führe zu einer „genetischen Klassengesellschaft".[117] Auch dieses Argument überzeugt jedoch nicht[118]:

Zunächst hat der Versicherer – wie dargelegt – ganz unterschiedlich weit reichende Reaktionsmöglichkeiten, wenn der Versicherungsinteressent tatsächlich ein erhöhtes genetisches Risiko in sich trägt. Der Versicherer wird sich schon im eigenen wirtschaftlichen Interesse sehr genau überlegen, ob er einen Risikoträger wirklich ganz ablehnt oder ob er nicht nur auf einem begrenzten Risikoausschluss oder einem Risikoaufschlag zur Prämie besteht. Das Interesse der Versicherungsunternehmen ist immerhin keineswegs darauf gerichtet, nur wenige extrem „gute" Risiken zu versichern, also solche, bei denen der Versicherungsfall mit hoher Wahrscheinlichkeit nicht eintreten wird.[119] Vielmehr besteht sein wirtschaftliches Interesse darin, möglichst viele Kunden zu gewinnen, d.h. möglichst viele Risiken zu übernehmen; denn je größer die Zahl der versicherten Risiken ist, um so kleiner ist das wirtschaftliche Risiko des Versicherers.[120] Schon von daher wird ein Versicherungsunternehmen einem Risikoträger nicht leichtfertig jeden Vertragsschluss verweigern. Nicht von ungefähr werden ja mittlerweile z.B. auch spezielle Versicherun-

[115] Begleitbericht zum Vorentwurf eines (schweizerischen) Humangenetikgesetzes (siehe oben, Fußnote 67), Nr. 1.11, 2; BICKEL 1996, 179; PRÄVE 1992, 282 f.; SPRANGER 2000, 819 f.

[116] Vgl. BIOETHIK-KOMMISSION DES LANDES RHEINLAND-PFALZ 1989, 42; BAUER 1999, 210, 214; HIRSCH, EBERBACH 1987, 376 f.; HOFMANN 1999, 197.

[117] PRÄVE 1992, 282.

[118] HANIEL 2001, 35; LORENZ 1999, 1312 f.; RUPPRECHT 1999, 99.

[119] HEINRICH 2001, 25; RUPPRECHT 1999, 95; SAHMER 2000, 53.

[120] CLARKE, MORGAN 1994, 40 f.; HEINRICH 2001, 25; RUPPRECHT 1999, 95.

gen für (früher als unversicherbar geltende[121]) HIV-Infizierte[122] oder für Chorea Huntington-Patienten angeboten[123]. Die erfolgreiche Einführung von Dread Disease-Versicherungen, die als Sonderform der Lebensversicherung nicht mehr nur im Todesfall oder am Ende der vereinbarten Laufzeit Leistungen erbringen, sondern auch die Folgen einer lebensbedrohlichen Krankheit absichern und bereits zu Lebzeiten des Versicherten leisten[124], zeigt im Übrigen, dass die Versicherungsbranche sogar in Gestalt neuer Versicherungsformen einem vorhandenen Bedarf an Versicherungsschutz Rechnung zu tragen in der Lage ist und dies auch für den Bereich genetischer Erkrankungen (beispielsweise in Form von speziellen Gentest-Versicherungen[125]) vermehrt zutreffen wird[126].

Zum zweiten ist zu dem Diskriminierungsargument zu sagen, dass das Privatrecht (hier das Privatversicherungsrecht) weitaus weniger Gleichbehandlung als das öffentliche Recht (hier das Sozialversicherungsrecht) verlangt. Verfassungsdogmatisch spiegelt sich dies in der nur mittelbaren Drittwirkung der Grundrechte (und damit auch des Art. 3 GG) wider. Abgesehen von Ausnahmen und abgesehen von der relativ hohen Sittenwidrigkeitsgrenze dürfen Privatrechtssubjekte (anders als der Staat, der unmittelbar an Art. 3 GG gebunden ist) andere Privatrechtssubjekte durchaus ungleich behandeln.

Vor allem aber gilt (und zwar auch im unmittelbaren Anwendungsbereich des Art. 3 GG), dass im rechtlichen Sinne nur derjenige diskriminiert wird, der *ohne anerkennenswerten sachlichen Grund* anders behandelt wird als andere[127]; zu Recht versteht denn auch die MRB unter einer gemäß Art. 11 verbotenen „discrimination"

[121] SCHULZ-WEIDNER 1993, 222; zu Epileptikern siehe HELM 1968, 26 f.; weitere Beispiele bei HEINRICH 2001, 25; Anfang des 20. Jahrhunderts wurden noch 40% aller Lebensversicherungsverträge abgelehnt; zu jener Zeit galt jeder chronisch Kranke als nicht versicherbar. Heute ist dieser Anteil auf unter 2% gesunken, siehe REGENAUER 2001b, A-594.

[122] Vgl. N.N. 2000b, 6 f.

[123] DIETSCHI 1999.

[124] Dazu SCHATTSCHNEIDER, WITTKAMP 1997, 220 ff.; SCHÖFFSKI 2000, 185 f. – Die Liste der versicherten Krankheiten umfasst in der Regel Herzinfarkt, Bypass-Operation, Krebs, Schlaganfall, Nierenversagen, AIDS und Multiple Sklerose, wobei eine – vom Wettbewerb abhängige – zunehmende Verlängerung der Liste zu verzeichnen ist.

[125] Dazu MCGLEENAN, WIESING 2000, 380; SCHÖFFSKI 2000, 170 f.

[126] In Großbritannien existieren bereits heute Policen, die sich direkt auf Erbkrankheiten spezialisieren; danach wird eine Zahlung fällig, wenn ein Neugeborenes in den ersten beiden Lebensjahren beispielsweise an Muskeldystrophie, Zystischer Fibrose, Trisomie 21 oder Spina bifida erkrankt; siehe ibid., 185.

[127] BERBERICH 1998b, 127; LORENZ 1999, 1313; RUPPRECHT 1999, 99; SIMON 2001, 22 (mit Hinweis darauf, dass der Begriff Diskriminierung in den USA anders verstanden wird).

nur eine „unfair discrimination“[128]. Eine solche „unfair discrimination“, also eine sachlich nicht gerechtfertigte Ungleichbehandlung, liegt jedoch nicht vor, wenn ein Versicherungsinteressent mit einer gefahrerheblichen genetischen Disposition den angestrebten Versicherungsschutz nicht oder nicht zu denselben Konditionen erhält wie ein Versicherungsinteressent ohne eine solche Disposition.[129] Denn die gefahrerhebliche genetische Disposition ist – ebenso wie eine bereits ausgebrochene Krankheit, das Alter oder auch das (immerhin genetisch bedingte!) Geschlecht – ein *sachlicher* Differenzierungsgrund. Und wenn Krankheit, Alter oder Geschlecht anerkanntermaßen auch *anerkennenswerte* Differenzierungsgründe im Privatversicherungsrecht darstellen[130] und sowohl im Krankenversicherungsrecht als auch im Lebensversicherungsrecht zu – bezogen auf das Geschlecht sogar *gegenläufigen* – Unterschieden in der Prämiengestaltung führen[131] (und dies auch nicht etwa als Verstoß gegen das „Geschlechterungleichbehandlungsverbot“ des Art. 3 Abs. 2 Satz 1 GG betrachtet wird), dann ist nicht ersichtlich, wie begründet werden könnte, dass gerade für die genetische *Disposition* zu einer bestimmten Krankheit etwas anderes gelten soll. Ganz im Gegenteil entspricht die Risikoäquivalenz der Vertragsbedingungen dem Grundprinzip der (privatrechtlichen) Personenversicherung.[132] Dabei kommt es auch nicht darauf an, ob der Versicherungsinteressent für sein höheres Risiko „verantwortlich“ ist oder nicht, ob er also das Risiko in einer ihm zurechenbaren Weise (mit-) verursacht hat: Auch der unverschuldet Kranke steht in den Verhandlungen über den Abschluss eines Versicherungsvertrages schlechter da als der Gesunde, so dass nicht plausibel dargelegt werden kann, warum dies bezogen auf bloße Dispositionen zu einer Krankheit anders sein soll.

Zwar kann die Aussage- und Vorhersagekraft genetischer Tests unterschiedlich hoch sein, und zwar sowohl im Hinblick auf das „Ob“ und das „Wann“ des Ausbruchs einer Krankheit als auch im Hinblick auf das Krankheitsbild selbst (also das „Wie“). Auch diese Unsicherheit spricht jedoch nicht gegen die Berücksichtigung genetischer Informationen bei der Prämienkalkulation, weil auch das Alter und das Geschlecht natürlich keine sichere Aussage über das Auftreten von Krankheiten bzw. den Zeitpunkt des Todeseintritts ermöglichen und selbst bei bereits ausgebrochenen (genetisch bedingten oder auf anderen Faktoren beruhenden) Krankheiten

[128] Siehe oben bei Fußnote 20; ferner FISCHER, BERBERICH 1999, 119; HERDEGEN 2000, 636; HERDEGEN, SPRANGER 2000, Randnr. 14; Kopetzki, Landesbericht Österreich, in TAUPITZ 2001.

[129] LORENZ 1999, 1313; RUPPRECHT 1999, 99; SAHMER 2000, 52 f.

[130] BREYER 2000, 180; HERDEGEN, SPRANGER 2000, Randnr. 21; LORENZ 1999, 1313; zur Vergleichbarkeit von genetischen und anderen Erkrankungen siehe auch SCHMIDTKE 1997, 138 ff.

[131] In der Krankenversicherung zahlen Frauen in der Regel höhere, in der Lebensversicherung dagegen geringere Prämien, weil sie – genetisch bedingt und statistisch feststellbar – mit mehr Krankheiten länger leben als Männer.

[132] Vgl. dazu oben Abschnitt III. 2.

immer unsicher ist, welche konkreten *Kosten* sie – in der Zukunft – mit Wirkung für den Versicherer verursachen werden. Bereits oben wurde denn auch darauf hingewiesen, dass aus versicherungsmathematischer Sicht kein grundsätzlicher Unterschied zwischen genetischen und anderen Risikofaktoren gemacht werden kann.[133] Es ist auch reichlich abwegig anzunehmen, dass die Versicherer eine „genetische Vorverurteilung" vornehmen und prognostisch unsichere und interpretationsbedürftige genetische Daten ohne Kontext zu Scheinfakten verfestigen, die zu erhöhten Prämien führen, als handele es sich bereits um Fakten im Sinne sicherer Befunde.[134] Man kann vielmehr davon ausgehen, dass gerade bei Versicherungen das Wissen um (bloße) statistische Wahrscheinlichkeiten sehr ausgeprägt vorhanden ist und keinerlei Anlass besteht, gerade bezüglich genetischer Informationen die Grundsätze der Versicherungsmathematik über Bord zu werfen.

Im Ergebnis lässt sich daher festhalten, dass auch die Gefahr einer Diskriminierung nicht als Argument dafür herhalten kann, das vorvertragliche Begehren eines Versicherers nach Durchführung genetischer Tests für unzulässig zu erklären.

3. Die Gefahr des Datenmissbrauchs

Ein drittes Argument gegen die Zulässigkeit vorvertraglicher genetischer Tests im Privatversicherungsrecht wird aus der Gefahr des Datenmissbrauchs abgeleitet.[135] Wenn jedoch solche Gefahren tatsächlich bestehen sollten, dann müsste zunächst versucht werden, ihnen mit den Regeln jenes Rechtsgebietes zu begegnen, in dem sie auftreten, also im Datenschutzrecht und im Recht der beruflichen (auch die Angehörigen eines Unternehmens der Privatversicherung treffenden und gemäß § 203 StGB strafrechtlich sanktionierten) Schweigepflicht.[136] Nur wenn sich erweisen sollte, dass dies nicht hinreichend möglich ist (was mehr als fraglich ist), könnte an die Möglichkeit gedacht werden, die Datenerhebung als solche zu verbieten. Dann bleibt aber immer noch die Frage zu beantworten, warum nur eine Datenerhebung für Zwecke der privaten Personenversicherung zu untersagen ist und nicht vielmehr genetische Tests *völlig* verboten werden müssten, was niemand ernstlich befürwortet. Denn es kann wohl kaum ernsthaft behauptet werden, dass die Gefahr des Datenmissbrauchs gerade im Bereich der privaten Personenversicherung im Vergleich zu anderen Bereichen besonders hoch ist.[137]

---

[133] Oben bei Fußnote 57.

[134] Siehe aber die dahingehenden Befürchtungen bei HIRSCH, EBERBACH 1987, 380; SCHMIDT 1991, 66; SIMON 1991, 12; siehe auch BIOETHIK-KOMMISSION DES LANDES RHEINLAND-PFALZ 1989, 43.

[135] ARBEITSKREIS „GENFORSCHUNG" 1991, 218 f.; BIOETHIK-KOMMISSION DES LANDES RHEINLAND-PFALZ 1989, 44 f.; PRÄVE 1991, 83; PRÄVE 1992, 282 f.

[136] LORENZ 1999, 1313.

[137] Siehe auch BERBERICH 1998b, 131; RAESTRUP 1990, 37.

4. Versicherungsinadäquate Beseitigung von Unsicherheit unter Auflösung der Risiko- und Solidargemeinschaft

Ein viertes Argument gegen die Durchführung genetischer Tests lautet, dass die vorvertragliche Aufdeckung gefahrerheblicher genetischer Dispositionen dem Zweck der privaten Personenversicherung, nämlich dem Risikoausgleich unter Zugrundelegung des Merkmals der Unsicherheit, zuwiderlaufe.[138] Auf eine Formel gebracht laute die Konsequenz: „Wer keine Versicherung braucht, wird keine abschließen; wer eine braucht, wird keine abschließen können."[139] Auch dieses Argument überzeugt jedoch nicht[140]:

Zum einen wurde bereits oben dargelegt, dass von einer Risiko- und Solidargemeinschaft *vor* und *bei* Abschluss eines Versicherungsvertrages gerade nicht gesprochen werden kann[141] – das Äquivalenzprinzip und die ihm dienende Risikoprognose und Risikoselektion bei Vertragsschluss sind vielmehr tragende Elemente der privaten Personenversicherung[142].

Zum zweiten ist bei genetischen Dispositionen zu bestimmten Krankheiten abgesehen von wenigen Ausnahmefällen immer unsicher, ob, wann und in welcher Intensität (auch Kostenintensität) die entsprechende Krankheit ausbricht, womit insbesondere die großen Unterschiede bezüglich der Penetranz[143] und Expressivität[144] angesprochen sind[145].

Zum dritten besteht in jedem Fall die Ungewissheit, ob der Betroffene nicht zuvor durch *andere* Ereignisse erkrankt, einen Unfall erleidet oder stirbt. Die genetische Testung beseitigt also keineswegs die für eine Versicherung notwendige Ungewissheit – unterminiert also auch nicht den Gedanken der Versicherung an sich[146] –, sondern dient vielmehr allein dazu, die sachgerechte Einstufung der Risiken bei Vertragsabschluss zu fördern. Und insofern gilt: Je *größer* die *Unsicherheit* ist, ob die bloße genetische *Disposition* zu einer Erkrankung später tatsächlich zum Ausbruch der Krankheit (und wenn ja, in welcher Intensität sie zum Ausbruch der Krankheit)

---

[138] AUSSCHUSS FÜR FORSCHUNG, TECHNOLOGIE UND TECHNIKFOLGENABSCHÄTZUNG 1994, 68; BIOETHIK-KOMMISSION DES LANDES RHEINLAND-PFALZ 1989, 42 f.; BAUER 1999, 210, 214 f.; BICKEL 1996, 179; HOFMANN 1999, 197; SCHMIDT 1991, 66 f.; SCHÖFFSKI 2000, 162; WIESE 1994, 81.

[139] BAYERTZ 2000, 451, 458.

[140] BERBERICH 1998b, 27 f.; BREYER 2000, 179 ff.; LORENZ 1999, 1313.

[141] Oben bei Fußnote 50 f.

[142] Zur Bedeutung der Risikosymmetrie gerade auch bezogen auf genetische Dispositionen siehe SIMON 2001, 123.

[143] Penetranz ist die Wahrscheinlichkeit, mit der ein Gen in Wechselwirkung mit anderen Einflussgrößen (zumindest) ein krankheitsrelevantes Symptom zeigt.

[144] Expressivität bezeichnet den Ausprägungsgrad des Phänotyps, den Schweregrad der (hereditären) Krankheit, das Spektrum der Symptome.

[145] Dazu BARTRAM, FONATSCH 2000, 54 f., 66 f.; FEY, SEEL 2000, 38 ff.; WOLFF 2001, 7.

[146] So auch MCGLEENAN, WIESING 2000, 379 (mit Nachweisen zur Gegenauffassung).

führen wird, umso weniger Anlass besteht für den Versicherer, einen Versicherungsantrag ganz abzulehnen oder ihn nur zu besonderen Konditionen anzunehmen.[147] Je *geringer* aber diese Unsicherheit ist, um so eher besteht für den Versicherer Anlass, die fraglichen Umstände gemäß der Risikobezogenheit der privaten Personenversicherung in seine Überlegungen einzubeziehen. Auch hier gilt es, präzise zwischen der Aussagekraft *verschiedener* genetischer Tests (genauer: bezüglich der jeweiligen genetischen Disposition) zu unterscheiden und die Verwertung entsprechender Erkenntnisse nicht *pauschal* als „willkürlich und damit diskriminierend" abzuqualifizieren.[148] Noch einmal sei gesagt: Wenn eine die „Unsicherheit" verringernde Kenntnis von einer bereits ausgebrochenen Krankheit, von Alter oder Geschlecht *legitimerweise* in die Entscheidung des Versicherers einfließt, dann lässt sich nicht begründen, dass dies für andere in ähnlicher Weise die Unsicherheit verringernde Umstände nicht auch zu gelten hat.

Man kann auch nicht argumentieren, dass die Versicherer in der Vergangenheit gut ohne entsprechende Kenntnisse über (risikorelevante) genetische Prädispositionen der Versicherten auskamen, auf dieser Basis des Nichtwissens *faktisch* ein solidarischer Ausgleich zwischen den verschiedenen Genträgern stattgefunden habe und dieses Prinzip des solidarischen Ausgleichs auch in Zukunft nicht verlassen werden dürfe.[149] Richtig ist zwar, dass die Versicherer durchaus eher an der Bildung großer Risikogruppen als an einer allzu genauen Kenntnis über Erkrankungswahrscheinlichkeiten einzelner Versicherter interessiert sind[150] und deshalb auch heute schon nicht alles das erfragen, was zu einer allzu starken Zergliederung der Versichertenkollektive führen könnte[151]; schon aus diesem Grund ist für die Zukunft nicht damit zu rechnen, dass genetische Unterschiede zwischen den Menschen überhaupt in dem Maße Bedeutung beim Abschluss von Versicherungsverträgen erlangen werden, wie dies immer wieder befürchtet wird. Jedoch steht hier das *prinzipielle Fragerecht* der Versicherer zur Debatte, und dieses kann nicht unter Hinweis darauf verneint werden, dass die fraglichen Informationen *bisher* keine Rolle gespielt hätten. Denn zum einen müsste eine derartige Argumentation zur Folge haben, dass auch neue Krankheiten, von denen man früher nichts wusste, weil es sie nicht gab oder weil man sie nicht diagnostizieren konnte, ebensowenig bei der Risikobewertung berücksichtigt werden dürften wie neue oder verfeinerte Diagnosemethoden zur Erkennung bereits „ausgebrochener", aber noch nicht „sichtbarer" Krankheiten (Beispiele: Röntgendiagnostik, Computertomographie). Eine solche „Versteinerung"

---

[147] Zur Frage der statistischen Relevanz genetischer Daten bereits oben bei Fußnote 30 ff. und 57.

[148] So aber SCHWINTOWSKI 2001, 16.

[149] In dieser Richtung aber ARBEITSKREIS „GENFORSCHUNG" 1991, 219; BIOETHIK-KOMMISSION DES LANDES RHEINLAND-PFALZ 1989, 43; HIRSCH, EBERBACH 1987, 380 f.; WIESE 1994, 81.

[150] Siehe oben bei Fußnote 80.

[151] SIMON 2001, 18 f.

der Risikotarifierung kann jedoch nicht ernstlich befürwortet werden. Vor allem aber ist zum zweiten zu berücksichtigen, dass früher zwischen Versicherern und Versicherten bezogen auf die genetische Konstitution der Versicherten im Zweifel eine *Symmetrie des Nichtwissens* bestand, so dass weder die Versicherungsinteressenten „Kapital aus den eigenen Genen“ schlagen konnten noch die Versicherer ein Interesse an der Ausweitung genanalytischer Möglichkeiten hatten.[152] Gerade diese Symmetrie des Nichtwissens ist aber heute (und erst recht in der Zukunft) nicht mehr gewährleistet, weil Versicherungsinteressenten durchaus die Möglichkeit haben, sich testen zu lassen und daraus Konsequenzen für ihren Versicherungsschutz zu ziehen.[153] Dementsprechend geht die Frage heute dahin, ob *einer* der (zukünftigen) Vertragspartner gleichheitswidrig und unter Inkaufnahme des Risikos missbräuchlicher Antiselektion durch den anderen Vertragspartner von den gewachsenen Erkenntnismöglichkeiten ausgeschlossen werden darf. Auf diese Frage ist später noch gesondert zurückzukommen.[154]

5. Sozialpolitisch unerwünschte Verlagerung von Risiken in die Sozialversicherung

Ein letztes Argument gegen die Zulässigkeit des Verlangens genetischer Tests vor Abschluss von Privatversicherungsverträgen lautet, dass Versicherungsinteressenten mit „schlechten“ Genen, die die von den Privatversicherern verlangten Prämien nicht zu zahlen gewillt oder in der Lage sind, auf die Sozialversicherung ausweichen müssten und damit (wegen einer Kumulation schlechter Risiken in der Sozialversicherung) der Bestand des Sozialversicherungssystems gefährdet sei.[155] Hilfsweise fielen sie der Sozialhilfe und damit der Allgemeinheit zur Last, was ebenso sozialpolitisch unerwünscht sei. Letztlich könnten die Privatversicherer damit zum eigenen Vorteil eine Auslese guter Risiken auf Kosten des Sozialsystems betreiben.

Auch diese Argumentation kann nicht überzeugen. Wenn es ethisch, sozialpolitisch oder rechtlich bedenklich wäre, (prädiktive) genetische gesundheitsbezogene Informationen zur Risikobewertung beim Abschluss von Privatversicherungsverträgen zu verwenden, dann müsste man konsequenterweise jegliche Risikotarifierung seitens der Versicherer ablehnen, was aber zu Recht niemand fordert.[156] Denn auch Prämienzuschläge oder Risikoausschlüsse wegen des Alters oder Geschlechts des

---

[152] KARTEN 1991, 648; SAHMER 2000, 52.

[153] Näher FISCHER, BERBERICH 1999, 96 f.

[154] Unten bei Fußnote 191 ff.

[155] AUSSCHUSS FÜR BILDUNG, FORSCHUNG UND TECHNIKFOLGENABSCHÄTZUNG 2000, 54, 56; AUSSCHUSS FÜR FORSCHUNG, TECHNOLOGIE UND TECHNIKFOLGENABSCHÄTZUNG 1994, 66; BIOETHIK-KOMMISSION DES LANDES RHEINLAND-PFALZ 1989, 43; BICKEL 1996, 179; HIRSCH, EBERBACH 1987, 377 f.; SCHMIDT 1991, 66 f.; WIESE 1994, 82.

[156] BREYER 2000, 183.

Versicherungsinteressenten oder wegen einer bei ihm bereits ausgebrochenen oder absehbarerweise unmittelbar bevorstehenden Krankheit (z.B. symptomfreie HIV-Infektion im Frühstadium) führen zu der Gefahr, dass der Versicherungsberechtigte den für ihn selbst als „günstiger" eingeschätzten Sozialversicherungsschutz wählt. Es liegt in der *Natur der Risikotarifierung* in der *privaten* Personenversicherung, dass damit – eben *anders* als in der sozialen Pflichtversicherung – sowohl von Seiten der Versicherer als auch von Seiten der Versicherungsinteressenten eine *risikobezogene* Auswahl getroffen wird und legitimerweise getroffen werden kann. Solange man dem Versicherungsinteressenten das Recht gewährt, sich einen „günstigen" Versicherer auszusuchen, kann man dem Versicherer nicht das Recht verweigern, günstige Vertragsbedingungen anzubieten.

Sieht man einen Solidarausgleich zwischen Gesunden und (dispositiv) Kranken schon bezogen auf den Zeitpunkt des Zustandekommens eines Versicherungsverhältnisses als wesentliches *Grundprinzip* einer Gesellschaft an, welches sich in einer Risikoneutralität der Versicherungskonditionen niederzuschlagen hat (und nur aus diesem Blickwinkel könnte man gegen die Risikotarifierung in der Privatversicherung argumentieren), dann erscheint es allerdings in der Tat als ein Konstruktionsmangel des Sozialsystems, wenn die Mitgliedschaft in diesem Bereich der Grundsicherung für bestimmte Bevölkerungsgruppen (z.B. Beamte, Selbständige und Gutverdienende) nicht obligatorisch oder sogar u.U. nicht erreichbar ist.[157] Aber auch hier gilt wiederum – wie bereits betont –, dass dieser Mangel konsequenterweise systemgerecht in der Sozialversicherung beseitigt werden muss, nicht aber durch systeminadäquate „Versozialisierung" der Privatversicherung. Deshalb gilt es auch sehr genau zu überlegen, ob es – wie zunehmend gefordert wird – wirklich angebracht ist, die Daseinsvorsorge der Bürger immer mehr aus dem Sozialversicherungssystem heraus in den Bereich des Privatversicherungssystems hinein zu verlagern.

6. Die Furcht vor dem gläsernen Menschen

Die Vorbehalte gegenüber dem Zugang von Versicherungen zu den Ergebnissen genetischer Tests lassen sich insgesamt unter dem Schlagwort vom „gläsernen Menschen" bündeln. Die darin zum Ausdruck kommende Furcht ist jedoch unberechtigt. Ein allgemeiner Gentest, der Aussagen über die Lebenserwartung eines Menschen oder weiter gefasst über seine gesamte physische und psychische „Zukunft" liefern könnte, existiert nicht und wird nach einhelliger Auffassung aller Fachleute auch in Zukunft nicht verfügbar sein. Zudem wurde bereits darauf hingewiesen, dass die Versicherungen nicht das Recht haben und auch gar nicht daran interessiert sind, „alles" über die zu versichernde Person zu erfahren. Es geht vielmehr lediglich

[157] Siehe oben, Fußnote 102. In Deutschland sind ca. 9% der Bevölkerung privat krankenversichert, siehe SIMON 2001, 120.

um Informationen über *bestimmte* Risiken, die eine *unmittelbare Auswirkung* auf den konkret in Frage stehenden privatrechtlichen Vertrag haben, nämlich das darin zu vereinbarende Verhältnis von Leistung und Gegenleistung betreffen. Und schließlich steht auch nicht etwa der Einblick in den jedem Menschen eigenen und unverwechselbaren Genotyp in Frage, wie er z.B. aus strafrechtlicher Sicht zur Identitätsfeststellung (DNA-Fingerprint) genutzt wird und wegen der Schwere der Beeinträchtigung des Rechts auf informationelle Selbstbestimmung hier grundsätzlich nur auf richterliche Anordnung erfolgen darf.[158] Informationen zur Identität des Antragstellers lassen sich für die Versicherungen einfacher und preiswerter – etwa anhand eines Personalausweises – gewinnen, so dass die Versicherungen schon aus diesem Grund an entsprechenden Informationen nicht interessiert sind.[159]

7. Zwischenergebnis

Insgesamt ist damit keiner derjenigen Einwände tragfähig, die dem Begehren eines Versicherers nach Durchführung genetischer Tests vor Abschluss eines Privatversicherungsvertrages entgegengebracht werden. Schon aus diesem Grund wäre die Einführung eines gesetzlichen Verbots im deutschen Recht unangebracht. Die Unangemessenheit eines gesetzlichen Verbots tritt aber noch stärker hervor, wenn man die folgenden Argumente hinzunimmt, die *für* die *Zulässigkeit* des Verlangens nach Durchführung genetischer Tests sprechen.

VII. Argumente *gegen* ein *Verbot* der *Erhebung* genetischer Daten für Versicherungszwecke aus dem Blickwinkel des deutschen Rechts

1. Vergleich genetischer Tests mit anderen medizinischen Untersuchungen

Ein zentrales Argument für die Zulässigkeit genetischer Tests vor Abschluss von Privatversicherungsverträgen liefert der Vergleich mit dem allgemein als zulässig angesehenen Begehren nach Durchführung medizinischer Untersuchungen vor Abschluss von Versicherungsverträgen.[160] Die medizinischen Untersuchungen können und sollen auch Krankheiten aufdecken, von denen der Versicherungsinteres-

[158] Näher GOLEMBIEWSKI 2001, 1036 ff.; siehe zum DNA-Fingerprint im Strafverfahren auch BUNDESVERFASSUNGSGERICHT, Neue Juristische Wochenschrift 2001, 879 ff.

[159] REGENAUER 2001b, A-595.

[160] LORENZ 1999, 1311; TJADEN 2001, 255.

sent bisher nichts wusste, weil sie noch nicht zu einem äußeren Krankheitsbild geführt haben, und zwar unabhängig davon, ob der Versicherungsinteressent davon wissen *wollte* bzw. damit rechnen *musste* oder nicht. Zu denken ist etwa an die noch unerkannte HIV-Infektion, wie sie ja keineswegs nur selbstverschuldet z.B. durch fehlende eigene Vorsorge des Betroffenen im Sexualverhalten entstanden sein kann[161], oder an den noch nicht entdeckten, also noch „schlummernden" Krebs. Die *Ziele* der medizinischen Untersuchungen im Vorfeld eines Versicherungsvertrages unterscheiden sich also nicht von denen, die mit genetischen Untersuchungen verfolgt werden. Ganz allgemein stellen genetische Tests, wenn sie in der Hand von verantwortlich handelnden Ärzten liegen, letztlich eine Form der medizinischen Diagnostik dar wie andere Formen auch[162]:

- Sie unterscheiden sich nicht *per se* und grundlegend von anderen *Arten* der *Informationsgewinnung*, was sich schon daran zeigt, dass diagnostische Methoden auf der Genotypebene (molekulargenetisch, zytogenetisch und molekularzytogenetisch) mehr und mehr dazu verwendet werden, um auch bereits ausgebrochene und nicht-erbliche Krankheiten zu diagnostizieren[163], und umgekehrt Methoden auf der Phänotypebene (klinisch[164], bildgebend[165] und biochemisch[166]) z.T. seit langem dazu dienen, genetisch bedingte Krankheiten festzustellen.
- Sie unterscheiden sich von anderen medizinischen Untersuchungen auch nicht *per se* und grundlegend aus dem Blickwinkel des *Inhalts* der Information, da auch andere Untersuchungen auf die *erblichen* (und damit genetischen) Ursachen von Erkrankungen und Erkrankungsrisiken gerichtet sind. Beispielsweise können das Serumcholesterin, der Blutzucker, Bestandteile des Urins, der Bluthochdruck und der Salzgehalt des Schweißes verlässliche, hochspezifische Indikatoren genetischer Störungen sein.[167]
- Auch lässt sich keine unterschiedliche Beziehung zur *Therapiefähigkeit* herstellen in dem Sinne, dass aufgedeckte bereits ausgebrochene Krankheiten stets, aufgedeckte gefahrerhebliche genetische Dispositionen dagegen nie therapiefähig und

[161] Zur (partiellen) Vergleichbarkeit des Verlaufs von AIDS mit einer spätmanifestierenden genetischen Erkrankung siehe SCHMIDTKE 1997, 148.

[162] Siehe BERNAT 1995, 46 f.; BREYER 2000, 182 ff.; SAHMER 2000, 51 f.; SIMON 2001, 122; WELSER 1991, 222 f.; siehe auch den Erlass des portugiesischen Gesundheitsministeriums vom 18. September 1997, dazu SIMON 2001, 70; in der Tendenz noch anders TAUPITZ 1992, 1090.

[163] Siehe BARTRAM, FONATSCH 2000, 59 f.; ferner BERBERICH 1998b, 163.

[164] Café-au-lait-Flecken als Symptom einer Neurofibromatose I.

[165] Zystennieren als Ausdruck einer autosomal-dominant erblichen polyzystischen Nierenerkrankung.

[166] Erhöhtes Serum-Cholesterin als Hinweis auf familiäre Hypercholesterinämie.

[167] SCHMIDTKE 1997, 86. Zur unklaren Trennlinie zwischen genetischen und nicht-genetischen Informationen siehe auch SCHÖFFSKI 2000, 167 f.

deshalb belastender wären.[168] Und es besteht auch kein grundlegender Unterschied im Hinblick auf die *Art der Erkrankung* (z.B. Krebserkrankung, Stoffwechselerkrankung, Entwicklungsstörung), da gleichartige Erkrankungen sowohl als Manifestation einer vererbten genetischen Disposition als auch spontan (bzw. aufgrund einer sich erst im Laufe des Lebens – z.B. durch Umweltfaktoren hervorgerufenen – genetischen Veränderung) induziert auftreten können.

– Genetische Untersuchungen unterscheiden sich auch nicht im Hinblick auf die *Aussagekraft per se* und grundlegend von anderen Untersuchungen, und zwar weder aus dem Blickwinkel der Prädiktivität noch aus dem Blickwinkel ihres Charakters als Wahrscheinlichkeitsaussagen: Auch andere medizinische Untersuchungen zielen darauf ab, mehr oder weniger sicher eine *zukünftige* Erkrankung zu erkennen oder zu verhindern bzw. das *Risiko* einer zukünftigen Erkrankung einzugrenzen und zu verringern, wie etwa das Beispiel der Diagnose des Bluthochdrucks deutlich zeigt. Zudem führen viele genetische Dispositionen erst im Zusammenwirken mit anderen genetischen Veranlagungen oder mit Umweltfaktoren (wozu auch die Lebensgewohnheiten des Anlageträgers gehören) zum Ausbruch der fraglichen Krankheit[169], so dass sich häufig allenfalls ein „relatives Risiko" angeben lässt, also die Wahrscheinlichkeit, mit der der Träger eines bestimmten Genotyps im Vergleich zu einer Person, die diesen Genotyp nicht trägt, eine bestimmte Krankheit ausprägen wird. Damit kann auch keineswegs durchgängig gesagt werden, dass dem Betroffenen bei Kenntnis seiner fraglichen genetischen Disposition in aller Brutalität bewusst sein müsse, dass das „endgültige" Urteil über ihn gefällt sei und sein Schicksal nunmehr unverrückbar feststehe.

– Und schließlich wird eine genetische Analyse auch aus dem Blickwinkel des Abschlusses eines Versicherungsvertrages keineswegs *zwangsläufig „lange"* vor Ausbruch einer entsprechenden Krankheit, für die eine genetische Prädisposition besteht, durchgeführt: Genetisch bedingte Krankheiten brechen keineswegs typischerweise erst im höheren Lebensalter aus[170], und keineswegs jeder Versicherungsvertrag wird schon „in jungen Jahren" des Versicherten geschlossen. Von daher ist es aber mehr als zufällig (und kein hinreichender Grund für eine unterschiedliche Behandlung), ob eine genetische Analyse (etwa im Hinblick auf Chorea Huntington) unmittelbar *vor* Auftreten der ersten Symptome oder aber unmittelbar *nach* Auftreten der ersten (möglicherweise noch nicht zutreffend

---

[168] LORENZ 1999, 1311.

[169] FEY, SEEL 2000, 5 ff.; ausführlich KULOZIK et al. 2000, 285 ff., 303 ff., 455 f.

[170] Beispiele für den ungefähren Zeitpunkt der Entwicklung von Erstsymptomen, verursacht durch genetische Störungen: Zystische Fibrose: bei Geburt (eventuell schon pränatal); Phenylketonurie: 1. Lebensjahr; autosomal-dominant erbliche polyzystische Nierenerkrankung: ab 2. Lebensjahrzehnt; Chorea Huntington: 4. bis 5. Lebensjahrzehnt; Morbus Alzheimer (familiäre Form): um 60. Lebensjahr.

gedeuteten) Symptome erfolgt.[171] Dementsprechend dürfte man nicht genetische Analysen an sich, sondern nur solche mit einer über einen bestimmten Zeitraum hinausreichenden Prädiktivität im Vorfeld eines Versicherungsvertrages verbieten[172], wenn man die Prädiktivität als Problem ansieht (wobei aber gerade in der Lebensversicherung das momentane Vorliegen einer Krankheit ohnehin ausschließlich deshalb interessant ist, weil daraus eine Prognose über die Wahrscheinlichkeit eines frühen Todes abgeleitet werden soll[173]). Dies müsste dann aber konsequenterweise und zur Vermeidung einer gegen Art. 3 GG verstoßenden Ungleichbehandlung auch für andere medizinische Untersuchungen, etwa gerichtet auf die Ermittlung physikalischer Werte (Bluthochdruck) oder physiologischer Werte (Enzyme) gelten[174], was aber von niemandem ernsthaft gefordert wird[175].

Insgesamt setzt sich in der Literatur und in Beratungsgremien zunehmend die Erkenntnis durch, dass Befunde aus Gentests wie andere medizinische Ergebnisse auch zu behandeln seien und es für die Frage der Verwendung von genetischen Informationen beim Abschluss von Versicherungsverträgen nicht auf die *Methode*, sondern auf die *Ergebnisse* der Analyse ankomme.[176] Die Tatsache, dass genetische Tests bisherige Probleme u.U. verschärfen können[177], reicht in der Tat nicht aus, um sie rechtlich grundlegend anders zu behandeln als sonstige medizinische Ergeb-

---

[171] Anders HIRSCH, EBERBACH 1987, 380: Es müsse ein scharfer Trennstrich gezogen werden zwischen Daten der Vergangenheit und Gegenwart einerseits und denen der Zukunft andererseits.

[172] In dieser Richtung bezogen auf die Krankenversicherung (nämlich für Zulässigkeit der genetischen Analyse lediglich zur Ermittlung von bereits bestehenden oder „unmittelbar bevorstehenden Krankheiten") BUND-LÄNDER-ARBEITSGRUPPE „GENOMANALYSE" 1990, 19, 43; ganz ähnlich AUSSCHUSS FÜR FORSCHUNG, TECHNOLOGIE UND TECHNIKFOLGENABSCHÄTZUNG 1989, 16; AUSSCHUSS FÜR FORSCHUNG, TECHNOLOGIE UND TECHNIKFOLGENABSCHÄTZUNG 1994, 69 ff.; BIOETHIK-KOMMISSION DES LANDES RHEINLAND-PFALZ 1989, 44 ff.; ENQUETE-KOMMISSION „CHANCEN UND RISIKEN DER GENTECHNOLOGIE" DES BUNDESTAGES 1987, 174 f.; Entschließung des Bundesrates vom 16. Oktober 1992, Bundesrats-Drucksache 424/92 (Beschluss), II 2 e, 6; BICKEL 1996, 179; HOFMANN 1999, 197 f.; ohne diese Begrenzung DEUTSCH 1999, Randnr. 663.

[173] SCHMIDTKE 1998, 110; BREYER 2000, 183.

[174] Vgl. auch SCHULZ-WEIDNER 1993, 237 f.; SIMON 1993, 27.

[175] Siehe auch ETHIK-BEIRAT BEIM BUNDESMINISTERIUM FÜR GESUNDHEIT 2000, Nr. 23.

[176] AUSSCHUSS FÜR BILDUNG, FORSCHUNG UND TECHNOLOGIEFOLGENABSCHÄTZUNG 2000, 57; BREYER 2000, 182 f.; LORENZ 1999, 1311 f.; MCGLEENAN, WIESING 2000, 370; SIMON 2001, 121, 125, 137; TAUPITZ 2000b, 27 f., 36 ff.

[177] Dazu etwa BOYSEN 2001, 42 f.; FENGER, SCHÖFFSKI 2000, 450; WOLFF 2001, 2 f., 11.

nisse[178]. Ein anderes Vorgehen würde eine gleichheitswidrige Ungleichbehandlung gleichartiger Sachverhalte bedeuten.

Allerdings sollte mit Nachdruck darauf gedrängt werden, dass personenbezogene genetische Analysen – und zwar insbesondere auch jene im Vorfeld eines Versicherungsvertrages – wie andere medizinische Untersuchungen mit potentiell großer Eingriffstiefe nur von Ärzten durchgeführt werden.[179] Nur durch einen derartigen Arztvorbehalt ist hinreichend sicherzustellen, dass eine genetische Untersuchung nur dann durchgeführt wird, wenn eine *Indikation* hierfür besteht, wobei eine medizinische Indikation auch dann erforderlich sein sollte, wenn die fragliche Information für Zwecke einer Versicherung ermittelt werden soll.[180] Zudem kann nur durch einen Arztvorbehalt gewährleistet werden, dass die erforderliche fachkundige Beratung *vor* und *nach* Durchführung des Tests erbracht wird. Denn die größeren Gefahren durch genetische Tests drohen der Bevölkerung nicht von Seiten der Versicherungen, die die Antragsteller bis zum letzten Gen „ausforschen"[181] (dies werden und dürfen die Versicherer schon mangels Risikorelevanz nicht tun[182], so dass eine „unspezifische Genomanalyse" von vornherein nicht zur Debatte steht[183]), sondern von werbewirksam angepriesenen Gentests zur Eigenanwendung[184], deren Ergebnisse die Betroffenen nicht sachgerecht interpretieren und bewerten können. Hier müsste rechtzeitig durch einen Arztvorbehalt, flankiert durch eine Verschreibungspflicht für Gentests, Vorsorge getroffen werden, um den sich im Ausland abzeichnenden Gefahren entgegenzusteuern.[185]

---

[178] HANIEL 2001, 35 ff.; HEINRICH 2001, 28 f.; REGENAUER 2001a, 21; SCHMIDTKE 1998, 110 f.; SIMON 2001, 122; WOLFF 2001, 11.

[179] Näher TAUPITZ 2000d, 102 ff.; TAUPITZ 2000e, 155 ff.

[180] TAUPITZ 2000b, 37 f.; für das Erfordernis einer Indikation als Voraussetzung des Verlangens eines genetischen Tests seitens eines Versicherers vgl. auch AUSSCHUSS FÜR BILDUNG, FORSCHUNG UND TECHNOLOGIEFOLGENABSCHÄTZUNG 2000, 57.

[181] Vgl. BIOETHIK-KOMMISSION DES LANDES RHEINLAND-PFALZ 1989, 42.

[182] BERBERICH 1998b, 135, 287; LORENZ 1999, 1311; SAHMER 2000, 51; WELSER 1991, 191, 222. Siehe schon oben bei Fußnote 29 zum Erfordernis, dass die Kenntnis des fraglichen Umstandes zur Risikobeurteilung geeignet, erforderlich und verhältnismäßig sein muss.

[183] HERDEGEN 2000, 636; LORENZ 1999, 1311.

[184] Siehe dazu im vorliegenden Zusammenhang etwa SCHÖFFSKI 2000, 54 f.; SIMON 2001, 20 f.; WOLFF 2001, 9 f.

[185] Ausführlich TAUPITZ 2000d, 102 ff.; TAUPITZ 2000e, 155 ff.; in den USA sollen mehr als 40% der auf gentechnischem Gebiet arbeitenden Laboratorien genetische Tests allein aufgrund eines Begehrens eines Betroffenen und ohne Einbeziehung eines Arztes durchführen, siehe FISCHER, BERBERICH 1999, 96.

2. Vergleich genetischer Tests mit einer Familienanamnese

Ein weiteres auf den Gleichbehandlungsgrundsatz hinauslaufendes und für die Zulässigkeit genetischer Tests vor Abschluss von Privatversicherungsverträgen sprechendes Argument ergibt sich aus dem Recht des Versicherers, den Antragsteller im Rahmen der so genannten Familienanamnese danach zu befragen, ob in seiner Familie häufiger dieselben gefahrerheblichen Krankheiten aufgetreten sind.[186] Praktiziert wird die Familienanamnese vor allem in der Lebensversicherung, eher selten dagegen in der Krankenversicherung.[187] Dementsprechend beinhalten die bereits erwähnten Formulare, die von den Lebensversicherern zur Erstellung eines ärztlichen Gesundheitszeugnisses herausgegeben werden, u.a. die Frage, ob bei Eltern oder Geschwistern Herz- oder Kreislauferkrankungen, Zuckerkrankheit oder Gemütserkrankungen vorgekommen sind. Wenn es aber dem Versicherer damit offenkundig und unbestrittenermaßen auf die genetische Veranlagung des Versicherungsinteressenten ankommen darf, dann lässt sich nicht begründen, dass er dieselbe Veranlagung nicht viel valider durch einen genetischen Test ermitteln lassen darf. Ganz im Gegenteil könnte es geradezu als Diskriminierung eines Versicherungsinteressenten angesehen werden, wenn der Versicherer die höchst unzuverlässige Methode der „abfragenden" und von den eigentlichen Ursachen der fraglichen Erkrankung abstrahierenden Familienanamnese zur Grundlage seiner Prämienberechnung machen darf, nicht dagegen eine (mit Zustimmung des Betroffenen durchgeführte) wissenschaftlich viel aussagekräftigere Methode der Risikobeurteilung. Immerhin gebietet der Gleichheitssatz nicht nur, wesentlich Gleiches gleich zu behandeln, sondern verlangt auch, wesentlich Ungleiches ungleich zu behandeln. Die durch genetische Tests herbeiführbare (vergleichsweise) größere Sicherheit bewirkt damit gerade das Gegenteil von Diskriminierung.

3. Die Vertragsfreiheit und die unternehmerische Gestaltungs- und Betätigungsfreiheit (auch) des Privatversicherers

Für die Zulässigkeit des Begehrens eines Versicherers, der Versicherungsinteressent möge vor der Entscheidung des Versicherers über die Annahme des Versicherungsantrags einen genetischen Test durchführen lassen, spricht des Weiteren das verfassungsrechtlich garantierte Recht (auch) des Versicherers auf Vertragsfreiheit (Art. 2 in Verbindung mit Art. 19 Abs. 3 GG) sowie das ebenfalls verfassungsrechtlich geschützte Recht des Versicherers auf unternehmerische Gestaltungs- und Betäti-

[186] LORENZ 1999, 1311; SCHULZ-WEIDNER 1993, 207 f., 218 f.; WOLFF 2001, 3 f.; Begleitbericht zum Vorentwurf eines (schweizerischen) Humangenetikgesetzes (siehe oben, Fußnote 67), Nr. 242.1.

[187] SAHMER 2000, 49; BERBERICH 1998b, 281 f.

gungsfreiheit (Art. 12 in Verbindung mit Art. 19 Abs. 3 GG).[188] Aufgrund dieser Rechte steht es einem Privatversicherungsunternehmen grundsätzlich frei, Verträge zu beliebigen Konditionen anzubieten. Dazu gehört u.a. das Recht, keinen Vertrag abzuschließen, wenn der Antragsteller die Herausgabe risikoerheblicher Informationen verweigert, sowie das Recht, Verträge nur mit solchen Personen abzuschließen, die sich zuvor einem bestimmten Test mit dem Ziel der Risikobeurteilung unterzogen haben. Ein Verbot des genannten Verlangens würde einen schwerwiegenden Eingriff in die verfassungsrechtlich geschützte unternehmerische Freiheit der privaten Personenversicherer und eine Angleichung an die – wie dargestellt – ganz anders strukturierte und motivierte Sozialversicherung bedeuten, weil feststellbare Risikounterschiede zwischen den Versicherungsinteressenten nicht berücksichtigt werden dürften. Ein entsprechendes Verbot hätte damit zur Folge, dass „die guten Risiken" nicht nur – und dies völlig zu Recht – die *nach* dem Vertragsabschluss entstehenden Risikoerhöhungen bei anderen Risikoträgern mitzutragen und damit für einen Risikoausgleich zu sorgen hätten, sondern auch die schon *vor* dem Abschluss der Verträge vorhandenen. Das aber widerspricht der Risikobezogenheit der Konditionen in der Privatversicherung.[189] Und wenn in der Vergangenheit (zu Recht) nicht einmal Veranlassung bestanden hat, aus „sozialen Gründen" durch Gesetz dafür zu sorgen, dass z.B. HIV-Infizierte zu gleichen Bedingungen wie Nicht-Infizierte Versicherungsschutz in der Privatversicherung erlangen können[190], dann lässt sich ein pauschaler Eingriff in die unternehmerische Freiheit der Privatversicherer bezogen auf die bloßen genetischen Prädispositionen der Versicherungsinteressenten ebenfalls nicht begründen.

4. Die Verhinderung einer missbräuchlichen Antiselektion

Für die Zulässigkeit des Begehrens der Versicherer auf Durchführung von bestimmten Gentests vor Abschluss eines Versicherungsvertrages spricht schließlich und vor allem, dass nur dadurch in effektiver Weise der Gefahr einer Antiselektion begegnet werden kann, also der Gefahr, dass ein Versicherungsinteressent in Kenntnis einer gefahrerheblichen genetischen Disposition und gerade deswegen Personenversicherungsverträge abschließt, um sich oder von ihm bestimmten

---

[188] BERBERICH 1998a, 1191 f.; BERBERICH 1998b, 202; HERDEGEN 2000, 635 f.; HERDEGEN, SPRANGER 2000, Randnr. 17, 22; LORENZ 1999, 1313.

[189] Siehe oben Abschnitt III.2.; ferner HERDEGEN 2000, 635: Die Statuierung eines umfassenden Ausforschungsverbots dürfe der Versicherungswirtschaft nicht ohne weiteres das Risiko der nachteiligen genetischen Prädisposition des Antragstellers auferlegen.

[190] Antwort des Parlamentarischen Staatssekretärs Dr. Häfele auf eine parlamentarische Anfrage der Abgeordneten Wilms-Kegel (DIE GRÜNEN), Bundestags-Drucksache 11/2388 vom 27. Mai 1988, 4 f. – Zur lange bestehenden Unversicherbarkeit HIV-Infizierter siehe oben bei Fußnote 121.

Bezugsberechtigten einen ungerechtfertigten Versicherungsschutz zu verschaffen.[191] Schon bisher dient die ärztliche Untersuchung, die ein Versicherer vor Abschluss eines Privatversicherungsvertrages verlangen *kann*, wie dargelegt, *auch* dazu, die vom Versicherungsinteressenten gegebenen und für die Risikobeurteilung des Versicherers relevanten „körperbezogenen" Informationen auf Richtigkeit und Vollständigkeit überprüfen zu können. Dass das an sich zulässige Kontrollinstrument der ärztlichen Untersuchung gerade *bezogen auf genetische Informationen* unanwendbar sein soll, lässt sich nicht plausibel begründen. Ganz im Gegenteil wäre eine nicht zu rechtfertigende Ungleichbehandlung die Folge, wenn derjenige, der über Kenntnisse aus Gentests verfügt, die Möglichkeit erhielte, daraus individuelle Vorteile gegenüber demjenigen zu erzielen, der vergleichbare Informationen z.B. aus einer „traditionellen" Blutuntersuchung gewonnen hat.[192]

Selbst wenn man das Begehren der Versicherer auf Durchführung von (risikoerheblichen) Gentests vor Vertragsabschluss nicht *generell* zulässt, muss dem Versicherer wegen der Gefahr von Antiselektion zumindest *im Einzelfall* (z.B. bei konkretem Verdacht falscher Angaben, bei Beantragung einer ungewöhnlich hohen Versicherungssumme oder im Falle des Antrags auf Wegfall üblicher Wartezeiten vor Beginn des Versicherungsschutzes) die Möglichkeit offen stehen, den Vertragsabschluss gemäß der bisherigen Praxis von einer ärztlichen Untersuchung der zu versichernden Person abhängig zu machen. Sofern im konkreten Fall eine medizinische Indikation hierfür gegeben ist, muss diese Untersuchung auch eine genetische Analyse umfassen können.

Unerheblich ist bei dieser Beurteilung, dass das Risiko der Antiselektion zur Zeit noch als gering anzusehen ist, weil Versicherungsinteressenten bisher – soweit erkennbar – praktisch nicht von der Möglichkeit Gebrauch machen, eigenes genetisches Wissen im Versicherungsbereich „auszunutzen", und die Versicherer deshalb faktisch auch keine Tests verlangen. Denn zu erörtern sind hier die prinzipielle *Zulässigkeit* eines entsprechenden Verlangens der Versicherer und die Frage, ob der Gesetzgeber ein entsprechendes Verlangen *für die Zukunft* ausschließen sollte bzw. ausschließen darf. Gerade ein solches Verbot kann aber – wie vorstehend dargelegt wurde – nicht begründet werden. Die derzeit fehlende *praktische* Relevanz spricht allerdings als *weiteres* Argument gegen einen aktuell bestehenden „Handlungsbedarf" des Gesetzgebers, der insbesondere kein Verbot der Verwendung genetischer Informationen erlassen sollte, das schon nach wenigen Jahren durch Fortschritte in der Humangenetik zu negativen Konsequenzen für die Funktionsfähigkeit von Kranken- und Lebensversicherungsmärkten führen könnte[193]: Gerade im Fall lediglich präventiver Schutzmaßnahmen gegen in ihrem genauen Umfang noch nicht absehbare Gefahren ist es nicht nur ein Gebot der Vernunft, sondern Ausprägung des verfassungsrechtlichen *Übermaßverbotes*, nicht übereilt die Gesetzgebung zu

---

[191] Siehe oben bei Fußnote 52.

[192] HERDEGEN 2000, 636; MCGLEENAN, WIESING 2000, 370; RUPPRECHT 1999, 99.

[193] ARBEITSGRUPPE „HUMANGENETIK" DER EUROPÄISCHEN AKADEMIE 2000, 187.

bemühen, sofern nicht die andernfalls zu gewärtigenden Schäden gravierend und irreparabel wären.[194]

Der verschiedentlich unterbreitete und in manchen Ländern verwirklichte Vorschlag schließlich, genetische Tests bei Lebensversicherungsverträgen erst ab einer bestimmten Versicherungssumme zu erlauben[195], ist jedenfalls dann nicht realisierbar, wenn eine „Stückelung" des Versicherungsschutzes durch Abschluss mehrerer kleinerer Verträge bei unterschiedlichen Unternehmen nicht zuverlässig zu verhindern ist[196]. Ob eine solche Stückelung verhindert werden kann, hängt wiederum von einem entsprechenden Datenaustausch zwischen den verschiedenen Versicherern ab, der allerdings aus Gründen des Datenschutzes (d.h. konkret des Persönlichkeitsschutzes) eher zurückzudrängen als zu fördern wäre.

VIII. Ergebnis

Im Ergebnis lässt sich damit festhalten, dass in einem Staat, in dem (wie in Deutschland) eine Sozialversicherung für eine ausreichende Daseinsvorsorge unabhängig von der jeweiligen genetischen Disposition der Bürger sorgt, kein einziges Argument wirklich stichhaltig ist, um das Begehren der Privatversicherer nach Durchführung genetischer Tests vor Abschluss von Versicherungsverträgen *per se* zu verbieten.[197] Im Gegenteil widerspricht ein solches Verbot den Grundprinzipien des Privatversicherungsrechts und verletzt wesentliche verfassungsrechtlich geschützte Freiheitsrechte der Privatversicherer. Angesichts der Tatsache, dass Versicherer im Vorfeld des Abschlusses eines Versicherungsvertrages (außerhalb des Pflichtversicherungsbereichs) unstreitig andere (auch prädiktive) medizinische Untersuchungen ebenso wie eine Familienanamnese verlangen und deren Ergebnisse verwenden dürfen und kein *grundlegender* Unterschied zwischen genetischen Analysen und anderen medizinischen Untersuchungen sowie den entsprechenden Ergebnissen besteht, widerspräche ein an die Privatversicherer gerichtetes gesetzliches Verbot, von den Versicherungsinteressenten gegebenenfalls, nämlich soweit dies für die Risikobeurteilung erheblich ist, genetische Untersuchungen als Entscheidungsgrundlage für

---

[194] Zutreffend TJADEN 2001, 249 f.

[195] Siehe aus jüngerer Zeit etwa ETHIK-BEIRAT BEIM BUNDESMINISTERIUM FÜR GESUNDHEIT 2000, Nr. 23; FENGER, SCHÖFFSKI 2000, 449 ff.; SIMON 2001, 123 ff., 126, 138.

[196] BREYER 2000, 166; MCGLEENAN, WIESING 2000, 375.

[197] So auch ARBEITSGRUPPE „HUMANGENETIK" DER EUROPÄISCHEN AKADEMIE 2000, 187; BIRNBACHER 2000, 44 f.; BREYER 2000, 179 ff.; FISCHER, BERBERICH 1999, 96 ff.; HERDEGEN 2000, 635 ff.; LORENZ 1999, 1309 ff.; RUPPRECHT 1999, 95 ff.; SAHMER 2000, 47 ff.; SIMON 2001, 107 ff., 125, 136 ff.; TAUPITZ 2000b, 22 ff., 40 f.; TAUPITZ 2000c, 147 f.; TJADEN 2001, 211 f.; siehe auch HERDEGEN, SPRANGER 2000, Randnr. 22; HOFMANN 1999, 196 ff., 201.

den Abschluss eines Versicherungsvertrages zu verlangen, zudem dem Gleichheitsgrundsatz. Für die Frage der Verwendung von Informationen beim Abschluss von Versicherungsverträgen kann es nicht auf die *Methode*, sondern allenfalls auf die *Ergebnisse* der Analyse ankommen. Bezogen auf die Ergebnisse wiederum kann nicht widerspruchsfrei begründet werden, dass im präklinischen Stadium gewonnene Informationen wie Bluthochdruck, erhöhter Cholesterin-Spiegel oder erhöhte Blutzuckerwerte (ebenso wie eine HIV-Infektion im symptomfreien Frühstadium oder der schlummernde Krebs) ohne Rücksicht auf etwaige genetische Ursachen zur (zukunftsgerichteten, also prädiktiven) Risikobewertung herangezogen werden dürfen, die gleiche Information aber dann, wenn ihre genetische Ursächlichkeit feststeht, nicht berücksichtigt werden darf, während andere genetische Informationen (etwa bezogen auf das Geschlecht oder eine bereits ausgebrochene genetisch bedingte Krankheit) ebenso wie das Alter sehr wohl für die Risikobeurteilung des Versicherers eine Rolle spielen dürfen.

IX. Folgerungen für einen Beitritt Deutschlands zur Menschenrechtskonvention (MRB)

1. Die Notwendigkeit eines Vorbehalts zu Art. 12 MRB hinsichtlich des Verbots der Erhebung genetischer Informationen für Zwecke nicht-obligatorischer Versicherungen

Angesichts des vorstehenden Befundes müsste Deutschland für den Bereich der *nicht-obligatorischen* Versicherungen einen Vorbehalt bezogen auf Art. 12 MRB erklären, wenn Deutschland sich (endlich) zum Beitritt zu dieser Konvention entschlösse.[198] Denn wie dargestellt verbietet Art. 12 die Durchführung eines genetischen Tests, sofern die Durchführung nicht für Gesundheitszwecke (sondern z.B. für Zwecke des Abschlusses eines Versicherungsvertrages) erfolgt, und sind die Vertragsstaaten des Abkommens (sofern kein Vorbehalt erklärt wird) verpflichtet, dieses Verbot in ihr nationales Recht hinein umzusetzen (so dass Deutschland ein entsprechendes Verbotsgesetz schaffen müsste). Mit einem entsprechenden Vorbehalt wäre zugleich den Bedenken, dass sich „Gesundheitszwecke" wegen der

[198] Dazu, dass eine „Ratifikation des Abkommens durch Deutschland insoweit [nämlich wegen Verletzung schutzwürdiger Rechtspositionen der Versicherungsunternehmen] mit schweren verfassungsrechtlichen Problemen behaftet wäre", siehe auch HERDEGEN 2000, 636. Zu weitgehend aber LORENZ 1999, 1315, der sich gänzlich gegen einen Beitritt ausspricht und die Möglichkeit eines Vorbehalts nicht erwähnt; unklar hinsichtlich der Konsequenzen auch TJADEN 2001, 255 f. (der aber zu Recht die Willkürlichkeit des Art. 12 der Konvention kritisiert).

Unschärfe des Begriffs „Gesundheit“ nur schwer bestimmen lassen[199] und dass das (subjektiv) verfolgte Ziel einer Untersuchung (für „Gesundheitszwecke“) der latenten Gefahr des Vortäuschens von Zielen ausgesetzt und deshalb zur Gefahrsteuerung ohnehin nur bedingt tauglich ist[200], Rechnung getragen.

Redlicherweise wäre ein Vorbehalt auch nicht etwa deshalb entbehrlich, weil eine Ausnahme vom Verbot des Art. 12[201] bereits (konventionsimmanent) auf Art. 26 Abs. 1 des Abkommens gestützt werden könnte[202]. Zwar kann die nationale Rechtsordnung nach dieser Vorschrift eine Einschränkung der Ge- und Verbote des Abkommens vorsehen, soweit dies eine Maßnahme darstellt, die in einer demokratischen Gesellschaft u.a. „zum Schutz der Rechte und Freiheiten anderer notwendig ist“. Nach dem zwar nicht verbindlichen, die Intention des Abkommens aber doch zum Ausdruck bringenden Explanatory Report sollen jedoch ökonomische Gründe insofern gerade nicht maßgeblich sein.[203] Damit können die (vor allem ökonomisch ausgerichteten) Interessen der Versicherer und der Versichertengemeinschaft nicht zur Begründung einer Ausnahme von Art. 12 herangezogen werden.[204] Hierfür spricht letztlich auch Art. 2 des Übereinkommens[205], wonach das Interesse und das Wohl des menschlichen Lebewesens Vorrang gegenüber dem bloßen Interesse der Gesellschaft haben, so dass kollektive Interessen und Interessen von juristischen Personen bzw. Unternehmen offenbar wertungsmäßig hinter die Individualinteressen von natürlichen Personen zurückgestellt werden.

Was schließlich das vom Wortlaut des Art. 12 mitumfasste (aber offenbar nicht beabsichtigte und auch nicht berechtigte) Verbot der Durchführung *nicht*-prädiktiver genetischer Tests im Vorfeld des Abschlusses eines Versicherungsvertrages (zur genaueren Diagnose einer bereits *bestehenden* und für den Versicherungsvertrag relevanten Krankheit) angeht, könnte durch eine *Interpretationserklärung* klargestellt werden, dass Art. 12 von deutscher Seite aus nicht im Sinne eines derart weitreichenden Verbots interpretiert wird.[206]

---

199 TAUPITZ 2000d, 100.

200 Ibid., 101 f.; kritisch auch TINNEFELD 2000, 13.

201 Die nach Art. 26 Abs. 1 möglichen Einschränkungen dürfen sich von vornherein nicht auf (u.a.) Art. 11 beziehen, so ausdrücklich Art. 26 Abs. 2 MRB.

202 Zweifelnd HERDEGEN 2000, 636.

203 COUNCIL OF EUROPE 1997b, Nr. 156, 157; siehe zur engen Auslegung des Art. 26 Abs. 1 dort ferner Nr. 159.

204 Anders aber offenbar FISCHER, BERBERICH 1999, 119.

205 So auch (allerdings ohne Eingehen auf Art. 26) SPRANGER 2000, 820.

206 Zur Funktion einer Interpretationserklärung (im Unterschied zu einem Vorbehalt) siehe TAUPITZ, SCHELLING 1999, 112 f.; den Unterschied zwischen Vorbehalt und Interpretationserklärung verkennt KÖHLER 2000, 9, wenn er (mit gleicher Zielrichtung wie TAUPITZ, SCHELLING 1999) einen klarstellenden Vorbehalt im Hinblick auf die Vorschriften der Konvention bezüglich der Forschung an Einwilligungsunfähigen vorschlägt.

2. Zum weiteren Gehalt des Art. 12 MRB

Abgesehen davon, dass Art. 12 MRB nach den vorstehenden Ausführungen eine unangemessene und gegen den Gleichheitssatz verstoßende Beschränkung der unternehmerischen Gestaltungsfreiheit der Versicherer vorsieht, enthält diese Vorschrift zwar insofern einen berechtigten Kern, als sie die angemessene genetische Beratung vor Durchführung einer genetischen Diagnostik vorschreibt. Gerade aus diesem Blickwinkel ist jedoch zu kritisieren, dass den Gefahren durch genetische Tests, die objektiv *nicht* zur Erkennung von Krankheiten etc. *geeignet* sind, deren Eignung den Betroffenen vielmehr nur *vorgespiegelt* wird, von vornherein nicht entgegengesteuert wird; denn Art. 12 erfasst nur „Untersuchungen, die es *ermöglichen*, genetisch bedingte Krankheiten vorherzusagen". Damit bleiben zu große Freiräume für betrügerische Machenschaften.[207] Diesbezüglich wäre allerdings die Erklärung eines Vorbehalts nicht notwendig; denn da das Abkommen lediglich Mindestschutzstandards einführen will, könnte das nationale Recht eine (strengere) Bestimmung vorsehen, die in der Sache der zum Heilpraktikergesetz entwickelten „Eindruckstheorie" folgen müsste.[208] Im Ergebnis bedeutet dies, dass eine genetische Beratung auch dann erforderlich sein sollte, wenn bei dem Betroffenen der Eindruck erweckt wird, ein Test könne bei ihm die genetischen Ursachen einer bestimmten (zu erwartenden) Krankheit aufdecken.

3. Zum Gehalt von Art. 11 MRB

Ein Vorbehalt gegen Art. 11 MRB ist richtigerweise nicht erforderlich, weil Art. 11 bei zutreffender Interpretation lediglich eine „unfair discrimination" untersagt und in der risikoadäquaten (also zur Risikobeurteilung geeigneten, erforderlichen und verhältnismäßigen) Berücksichtigung genetischer Informationen im Bereich freiwilliger Versicherungen nach den vorstehenden Ausführungen keine „unfair discrimination" zu sehen ist. Allerdings mag es durchaus angezeigt sein, dies (im Zusammenhang mit dem für notwendig gehaltenen Vorbehalt gegen Art. 12 MRB) durch eine Interpretationserklärung deutlich zum Ausdruck zu bringen.

---

[207] TAUPITZ 2000d, 100.
[208] Dazu TAUPITZ 1993, 175; TAUPITZ 2000d, 110 f.

X. Zur Verwendung *bereits vorhandener genetischer Daten* für Versicherungszwecke

Angesichts der vorstehenden Ausführungen zum Verlangen der Versicherer, der Versicherungsinteressent möge vor Vertragsschluss einen (auf bestimmte genetische Veranlagungen bezogenen) genetischen Test vorlegen, kann ein an die Versicherer gerichtetes Verbot, nach den (zur Risikobeurteilung geeigneten, erforderlichen und verhältnismäßigen) Ergebnissen *bereits durchgeführter* Gentests zu *fragen*, erst recht nicht begründet werden.[209] Denn hier geht es nur um die Anzeige der dem Versicherungsinteressenten bereits bekannten Testergebnisse, so dass dessen Recht auf Nichtwissen von vornherein nicht tangiert sein kann. Ganz im Gegenteil spricht *für* die *Zulässigkeit* zumindest eines entsprechenden Fragerechts auf Seiten des Versicherers der Umstand, dass nur dadurch *Vertragsparität* durch *Informationsparität* zu erreichen ist und nur dadurch der Gefahr von Antiselektion hinreichend entgegengewirkt werden kann.[210] Wenn der Gesetzgeber dem Versicherer verbieten würde, nach den beim Versicherungsinteressenten bereits bekannten genetischen Daten zu *fragen*, dann lässt sich kaum begründen, dass der Antragsteller die Daten gleichwohl *ungefragt* im Rahmen seiner Anzeigeobliegenheit nach § 16 Abs. 1 Satz 1 und 2 VVG zu offenbaren haben soll. Denn das *Fragerecht* korrespondiert mit der Erheblichkeit des fraglichen Umstands für die Entscheidung des Versicherers, den Vertrag überhaupt oder zu bestimmten Konditionen zu schließen; nicht von ungefähr gilt nach § 16 Abs. 1 Satz 3 VVG ein Umstand, nach dem der Versicherer ausdrücklich und schriftlich gefragt hat, im Zweifel als erheblich. Daraus ist im Gegenschluss zu folgern, dass alle anderen Umstände im Zweifel unerheblich sind.[211] Zudem ist es ein allgemeiner Grundsatz des Vertragsrechts, dass auf eine konkrete Frage eines Vertragspartners hin im Zweifel *weitergehend* zu informieren ist als ohne entsprechende Frage, dass aber nicht umgekehrt die *unaufgeforderte* Offenbarung weiter reicht als das Fragerecht.[212] Durch ein entsprechendes Frageverbot würde demnach die Möglichkeit missbräuchlicher Antiselektion zu Lasten der Versicherer weitestgehend legalisiert.

---

[209] Dies entspricht im Ergebnis herrschender Auffassung; siehe neben den in Fußnote 197 Genannten ferner hier nur ARBEITSKREIS „GENFORSCHUNG“ 1991, 210 f.; DEUTSCHE FORSCHUNGSGEMEINSCHAFT 2000, 37, 60; BERBERICH 1998b, 394; BICKEL 1996, 179; HANIEL 2001, 35; HOFMANN 1999, 202 ff.; anderer Ansicht aber (mit Einschränkungen) PRÄVE 1992, 283; WIESE 1994, 84 ff.

[210] AUSSCHUSS FÜR BILDUNG, FORSCHUNG UND TECHNOLOGIEFOLGENABSCHÄTZUNG 2000, 55; BICKEL 1996, 179; LORENZ 1999, 1314; SPRANGER 2000, 820.

[211] KNAPPMANN 1996, 82.

[212] TAUPITZ 1989, 4.

Im Übrigen kann man nicht einerseits beklagen, dass die Antragsteller über die Relevanz genetischer Informationen bei Abschluss eines Versicherungsvertrages im Unklaren seien[213], gleichzeitig aber dem Versicherer verwehren, durch entsprechende Fragen gegenüber den Antragstellern deutlich zu machen, dass es ihm auf die fraglichen Informationen für die Entscheidung über das Ob und den Inhalt des Vertrages ankommt. Die Ausübung des Fragerechts führt aus diesem Blickwinkel vielmehr zu größerer Rechtssicherheit, macht dem Antragsteller nämlich deutlich, dass er insoweit eine Anzeigeobliegenheit hat.

Zusammenfassend ist festzuhalten, dass auch ein an die Versicherer gerichtetes Verbot, nach etwaigen vom Versicherungsinteressenten bereits durchgeführten Gentests zu fragen, nicht begründet werden kann. Es lässt sich richtigerweise auch nicht aus der Menschenrechtskonvention zur Biomedizin ableiten, da Art. 12 MRB insoweit von vornherein nicht greift und aus den vorstehend genannten Gründen in der risikoadäquaten Berücksichtigung genetischer Informationen im Versicherungswesen keine „unfair discrimination" im Sinne des Art. 11 MRB zu sehen ist.

XI. Zusammenfassung

(1) Genetische Tests stellen, wenn sie in der Hand von verantwortlich handelnden Ärzten liegen, eine Form der medizinischen Diagnostik dar wie andere Formen auch – mit Chancen *und* Risiken. Sie unterscheiden sich nicht *per se* und grundlegend von anderen *Arten* der *Informationsgewinnung*, was sich schon daran zeigt, dass gentechnische Methoden mehr und mehr dazu verwendet werden, um auch bereits ausgebrochene nicht-erbliche Krankheiten zu diagnostizieren. Gleiches gilt aus dem Blickwinkel des *Inhalts* der Information, da auch andere Untersuchungen auf die *erblichen Ursachen* von Erkrankungen und Erkrankungsrisiken gerichtet sind. Ein prinzipieller Unterschied besteht auch nicht im Hinblick auf die *Aussagekraft*, und zwar sowohl bezogen auf die Prädiktivität als auch bezogen auf ihren Charakter als Wahrscheinlichkeitsaussagen. Denn auch andere medizinische Untersuchungen zielen darauf ab, mehr oder weniger sicher eine *zukünftige* Erkrankung zu erkennen oder zu verhindern bzw. das *Risiko* für eine zukünftige Erkrankung einzugrenzen und zu verringern, wie etwa das Beispiel der Diagnose des Bluthochdrucks deutlich zeigt.

Es lässt sich auch keine unterschiedliche Beziehung zur Therapiefähigkeit herstellen in dem Sinne, dass aufgedeckte bereits ausgebrochene Krankheiten stets, aufgedeckte gefahrerhebliche genetische Dispositionen dagegen nie therapiefähig und deshalb für den Betroffenen belastender wären; ein solcher prinzipieller Unterschied in den Behandlungsmöglichkeiten besteht gerade nicht. Und schließlich führen viele genetische Dispositionen auch erst im Zusammenwirken mit anderen

[213] Siehe oben bei Fußnote 84.

genetischen Veranlagungen und/oder mit Umweltfaktoren zum Ausbruch der entsprechenden Krankheit, so dass auch keineswegs durchgängig gesagt werden kann, dass dem Betroffenen bei Kenntnis einer genetischen Disposition in aller Brutalität bewusst sein müsse, dass das „endgültige" Urteil über ihn gefällt sei und sein Schicksal nunmehr unverrückbar feststehe.

(2) Genetische Untersuchungen und ihre Ergebnisse dürfen (auch) im Rahmen des Versicherungsrechts nicht grundlegend anders behandelt werden als sonstige medizinische Untersuchungen und ihre Ergebnisse. In einem Staat, in dem (wie in Deutschland) eine Sozialversicherung für eine ausreichende Daseinsvorsorge unabhängig von der jeweiligen genetischen Disposition der Bürger sorgt, spricht weder das Recht auf (gen-) informationelle Selbstbestimmung des Versicherungsinteressenten noch das Diskriminierungsverbot durchgreifend für ein Verbot der Durchführung solcher genetischer Tests vor Abschluss von nicht-obligatorischen Versicherungsverträgen, deren Ergebnis für den Versicherer zur Risikobeurteilung geeignet, erforderlich und verhältnismäßig ist. Auch die Gefahr des Datenmissbrauchs oder die Sorge vor einer (versicherungsinadäquaten) Beseitigung von Unsicherheit trägt ein solches Verbot nicht. Im Gegenteil widerspräche ein solches Verbot den Grundprinzipien des Privatversicherungsrechts und verletzte wesentliche verfassungsrechtlich geschützte Freiheitsrechte der Privatversicherer.

(3) Für die Zulässigkeit des Begehrens eines Versicherers, der Versicherungsinteressent möge vor Abschluss des Versicherungsvertrages einen Gentest durchführen lassen, spricht zudem, dass nur dadurch in effektiver Weise der Gefahr einer Antiselektion begegnet werden kann, also der Gefahr, dass ein Versicherungsinteressent in Kenntnis einer gefahrerheblichen genetischen Disposition und gerade deswegen Personenversicherungsverträge abschließt, um sich oder von ihm bestimmten Bezugsberechtigten einen ungerechtfertigten Versicherungsschutz zu verschaffen.

Selbst wenn man einer (von den Versicherern ohnehin nicht geplanten und auch nicht sachgerechten) *routinemäßigen* Durchführung von (risikoerheblichen) Gentests vor Vertragsabschluss ablehnend gegenübersteht, muss dem Versicherer wegen der Gefahr von Antiselektion zumindest *im Einzelfall* (z.B. bei konkretem Verdacht falscher Angaben, bei Beantragung einer ungewöhnlich hohen Versicherungssumme oder im Falle des Antrags auf Wegfall üblicher Wartezeiten vor Beginn des Versicherungsschutzes) die Möglichkeit offenstehen, den Vertragsabschluss gemäß der bisherigen Praxis von einer ärztlichen Untersuchung der zu versichernden Person abhängig zu machen. Sofern im konkreten Fall eine medizinische Indikation hierfür gegeben ist, muss diese Untersuchung auch eine genetische Analyse umfassen können.

(4) Ein durchgängiges Verbot des Begehrens genetischer Tests seitens der Versicherer verletzte den Gleichheitssatz, da Versicherer im Vorfeld des Abschlusses eines nicht-obligatorischen Versicherungsvertrages unstreitig andere (auch prädiktive) medizinische Untersuchungen ebenso wie eine Familienanamnese verlangen und deren Ergebnisse verwenden dürfen und kein *grundlegender* Unterschied zwischen genetischen Analysen und anderen medizinischen Analysen sowie den jeweili-

gen Ergebnissen besteht. Es lässt sich auch nicht begründen, dass ein Antragsteller Informationen über eine bestimmte Erkrankung dann zu offenbaren hat, wenn sie aufgrund einer „traditionellen“ medizinischen Untersuchung erlangt wurden, die gleiche Information aber verschweigen darf, wenn eine genetische Analyse zugrunde liegt. Eine solche „Methodendiskriminierung“ ist nicht zu rechtfertigen.

(5) Eine genetische Analyse wird im Übrigen auch aus dem Blickwinkel des Abschlusses eines Versicherungsvertrages keineswegs *zwangsläufig „lange“* vor Ausbruch einer entsprechenden Krankheit, für die eine genetische Prädisposition besteht, durchgeführt: Genetisch bedingte Krankheiten brechen keineswegs typischerweise erst im höheren Lebensalter aus, und keineswegs jeder Versicherungsvertrag wird schon „in jungen Jahren“ des Versicherten geschlossen. Von daher ist es mehr als zufällig (und kein hinreichender Grund für eine unterschiedliche Behandlung), ob eine genetische Analyse (gegebenenfalls unmittelbar) *vor* oder (gegebenenfalls unmittelbar) *nach* Auftreten der ersten (möglicherweise noch nicht zutreffend gedeuteten) Symptome erfolgt.

(6) Wenn es ethisch oder rechtlich bedenklich wäre, prädiktive Informationen zur Risikobewertung beim Abschluss von Privatversicherungsverträgen zu verwenden, dann müsste man konsequenterweise jegliche Risikotarifierung seitens der Privatversicherer ablehnen (was aber zu Recht niemand fordert). Und solange man dem Versicherungsinteressenten das Recht gewährt, sich einen „günstigen“ Versicherer auszusuchen, kann man dem Versicherer nicht das Recht verweigern, günstige Vertragsbedingungen anzubieten.

(7) Wenn man davon ausgeht, dass ein Solidarausgleich zugunsten von Menschen mit angeborenen Krankheitsdispositionen stattzufinden habe, dann ist damit die originäre Aufgabe der *Pflichtversicherung* (in Deutschland der *Sozialversicherung*) angesprochen, nicht aber die auf der Grundlage von *Vertragsfreiheit* agierende und auf dem Gedanken der *Risikoäquivalenz* beruhende Privatversicherung. Sieht man allerdings diesen Solidarausgleich als wesentliches *Grundprinzip* einer Gesellschaft an, dann erscheint es in der Tat als ein Konstruktionsmangel des Sozialsystems, wenn die Mitgliedschaft im Bereich der Grundsicherung für bestimmte Bevölkerungsgruppen (z.B. Beamte, Selbständige und Gutverdienende) nicht obligatorisch oder sogar u.U. nicht erreichbar ist. Konsequenterweise muss dieser Mangel dann aber systemgerecht in der Sozialversicherung beseitigt werden, nicht aber durch systeminadäquate „Versozialisierung“ der Privatversicherung, nämlich durch einseitige Inanspruchnahme gerade jenes Privatversicherers, den sich ein Versicherungsinteressent – aus welchen Gründen auch immer – als seinen Vertragspartner ausgesucht hat und der dann allein aus diesem Grund die fragliche sozialstaatliche Aufgabe ohne die Möglichkeit eines angemessenen In-Verhältnis-Setzens von Leistung und Gegenleistung zu eigenen Lasten und zu Lasten des von ihm gebildeten Versichertenkollektivs zu erfüllen hat. Deshalb gilt es auch sehr genau zu überlegen, ob es – wie zunehmend gefordert wird – wirklich angebracht ist, die Daseinsvorsorge der Bürger immer mehr aus dem Sozialversicherungssystem heraus in den Bereich des Privatversicherungssystems hinein zu verlagern.

(8) Aus den vorgenannten Gründen ist das in Art. 12 MRB enthaltene Verbot einer Durchführung prädiktiv krankheitserkennender Gentests außerhalb von Gesundheitszwecken bezogen auf die deutsche Rechtslage willkürlich. Es entspricht zwar dem deutschen Sozialversicherungssystem, widerspricht aber den Grundlagen der Privatversicherung und führt hier zu einer verfassungswidrigen Sonderbehandlung einer bestimmten medizinischen Methode. Deutschland muss deshalb bei einem Beitritt zur Menschenrechtskonvention (bezogen auf den Bereich nicht-obligatorischer Versicherungen) einen Vorbehalt gemäß Art. 36 MRB erklären.

(9) Ein Vorbehalt gegen Art. 11 MRB ist dagegen nicht erforderlich, weil Art. 11 bei richtiger Interpretation lediglich eine „unfair discrimination" untersagt und in der risikoadäquaten (also zur Risikobeurteilung geeigneten, erforderlichen und verhältnismäßigen) Berücksichtigung genetischer Informationen im Versicherungsbereich keine „unfair discrimination" zu sehen ist. Dies sollte allerdings durch eine Interpretationserklärung verdeutlicht werden.

(10) Erst recht kann nach den vorstehenden Ausführungen kein an die Privatversicherer gerichtetes Verbot gerechtfertigt werden, nach den (zur Risikobeurteilung geeigneten, erforderlichen und verhältnismäßigen) Ergebnissen bereits durchgeführter Gentests zu fragen. Ein derartiges Frageverbot verletzt das Recht und die Möglichkeit, *Vertragsparität* durch *Informationsparität* zu erreichen. Es lässt sich richtigerweise auch nicht aus der Menschenrechtskonvention zur Biomedizin ableiten, da Art. 12 MRB insoweit von vornherein nicht greift und aus den vorstehend genannten Gründen in der risikoadäquaten Berücksichtigung genetischer Informationen im Versicherungswesen keine „unfair discrimination" im Sinne des Art. 11 MRB zu sehen ist.

Literatur

ABEL, T., VAN DER ZEE, J. (1995): *Public and Private Responsibility for Health: A Comparative Analysis of Attitudes towards Financing and the Right for Health Care*, in: LÜSCHEN, G., COCKERHAM, W., VAN DER ZEE, J., STEVENS, F., DIEDERIKS, J., GARCIA FERRANDO, M., D'HOUTAUD, A., PEETERS, R., ABEL, T., NIEMANN, S.: Health Systems in the European Union. Diversity, Convergence and Integration, München, 113-126.

AKERMANN, S. (1998): *AIDS und Lebensversicherung in Deutschland*, in: Versicherungsmedizin 50 (3), 94-98.

– (1999): *Genetik und private Lebens- und Krankenversicherung*, in: Versicherungswirtschaft 54 (6), 388-389.

ARBEITSGRUPPE „HUMANGENETIK" DER EUROPÄISCHEN AKADEMIE (2000): *Empfehlungen*, in: BARTRAM, C.R., BECKMANN, J.P., BREYER, F., FEY, G.,

FONATSCH, C., IRRGANG, B., TAUPITZ, J., SEEL, K-M., THIELE, F.: Humangenetische Diagnostik, Berlin, Heidelberg, 185-187.

ARBEITSKREIS „GENFORSCHUNG“ (1991): *Erster Bericht*, in: BUNDESMINISTER FÜR FORSCHUNG UND TECHNOLOGIE (Hg.): Die Erforschung des menschlichen Genoms, Frankfurt a.M.

ASSOCIATION OF BRITISH INSURERS (1999): *Genetic Tests and Insurance*, http://www.insurance.org.uk/consumer2/consumer.htm (life and pensions/genetic tests and insurance).

AUSSCHUSS FÜR BILDUNG, FORSCHUNG UND TECHNOLOGIEFOLGENABSCHÄTZUNG (2000): *Bericht*, Bundestags-Drucksache 14/4656.

AUSSCHUSS FÜR FORSCHUNG, TECHNOLOGIE UND TECHNIKFOLGENABSCHÄTZUNG (1989): *Bericht*, Bundestags-Drucksache 11/5320.

– (1994): *Bericht*, Bundestags-Drucksache 12/7094.

BARTRAM, C.R., FONATSCH, C. (2000): *Humangenetische Beratung und Diagnostik im Zeitalter der Molekularen Medizin*, in: BARTRAM, C.R., BECKMANN, J.P., BREYER, F., FEY, G., FONATSCH, C., IRRGANG, B., TAUPITZ, J., SEEL, K-M., THIELE, F.: Humangenetische Diagnostik, Berlin, Heidelberg, 51-71.

BAUER, A.W. (1999): *Prädiktive Medizin und der Wandel ethischer Werte*, in: Forum Deutsche Krebsgesellschaft 14, 210-216.

BAYERTZ, K. (2000): *Molekulare Medizin: ein ethisches Problem?*, in: KULOZIK, A.E., HENTZE, M.W., HAGEMEIER, C., BARTRAM, C.R. (Hg.): Molekulare Medizin, Berlin, 451-459.

BERBERICH, K. (1998a): *Zur aktuellen Bedeutung genetischer Tests in der Privatversicherung*, in: Versicherungswirtschaft 53 (17), 1190-1194.

– (1998b): *Zur Zulässigkeit genetischer Tests in der Lebens- und privaten Krankenversicherung*, Karlsruhe.

BERNAT, E. (1995): *Recht und Humangenetik – ein österreichischer Diskussionsbeitrag*, in: DEUTSCH, E., KLINGMÜLLER, E., KULLMANN, H.J. (Hg.): Festschrift für Erich Steffen, Berlin, 33-56.

BICKEL, H. (1996): *Möglichkeiten und Risiken der Gentechnik*, in: Verwaltungs-Archiv 87 (2), 169-190.

BIOETHIK-KOMMISSION DES LANDES RHEINLAND-PFALZ (1989): *Bericht*, in: CAESAR, P. (Hg.): Humangenetik, Heidelberg.

BIRNBACHER, D. (2000): *Ethische Überlegungen im Zusammenhang mit Gendiagnostik und Versicherung*, in: THIELE, F. (Hg.): Genetische Diagnostik und Versicherungsschutz, Bad Neuenahr-Ahrweiler, 39-46.

BOYSEN T. (2001): *Wirtschaftlichkeit vs. Solidarität? Gesetzliche und private Krankenversicherungen vor neuen Herausforderungen*, in: Forum TTN 5, 38-44.

BREYER, F. (2000): *Implikationen der Humangenetik für Versicherungsmärkte*, in: BARTRAM, C.R., BECKMANN, J.P., BREYER, F., FEY, G., FONATSCH, C., IRRGANG, B., TAUPITZ, J., SEEL, K-M., THIELE, F.: Humangenetische Diagnostik, Berlin, Heidelberg, 163-184.

BUND-LÄNDER-ARBEITSGRUPPE „GENOMANALYSE" (1990): *Abschlußbericht*, Bundesanzeiger Nr. 161a (29. August 1990).

CLARKE, M., MORGAN, D. (1994): *England & Wales: A Report*, in: CENTRO DE DIREITO BIOMÉDICO, FACULDADE DE DIREITO – UNIVERSIDADE DE COIMBRA, INSTITUT FÜR ARZT- UND ARZNEIMITTELRECHT, UNIVERSITÄT GÖTTINGEN (eds.): Genome Analysis. Legal Rules – Practical Application, Coimbra, 25-67.

COUNCIL OF EUROPE (1997a): *Convention for the Protection of Human Rights and Dignity of the Human Being with Regard to the Application of Biology and Medicine: Convention on Human Rights and Biomedicine*, in: Jahrbuch für Wissenschaft und Ethik, Bd. 2, Berlin, New York, 285-303.

– (1997b): *Explanatory Report to the Convention for the Protection of Human Rights and Dignity of the Human Being with Regard to the Application of Biology and Medicine: Convention on Human Rights and Biomedicine*, in: Jahrbuch für Wissenschaft und Ethik, Bd. 3, Berlin, New York 1998, 231-258.

CZAJKA, S. (2001): *Vorhandene Gentests offen legen*, in: Pharmazeutische Zeitung 146 (51), 336-337.

DAMM, R. (1998a): *Persönlichkeitsrecht und Persönlichkeitsrechte*, in: HELDRICH, A., SCHLECHTRIEM, P., SCHMIDT, E. (Hg.): Festschrift für Helmut Heinrichs, München, 115-139.

– (1998b): *Persönlichkeitsschutz und medizintechnische Entwicklung*, in: Juristen Zeitung 53 (19), 926-938.

– (1999a): *Prädiktive Medizin und Patientenautonomie*, in: Medizinrecht 17 (10), 437-448.

– (1999b): *Recht auf Nichtwissen?*, in: Universitas 54 (5), 433-447.

DEGENER, T. (1998): *Chronologie der Bioethik-Konvention und ihre Streitpunkte*, in: Kritische Vierteljahresschrift für Gesetzgebung 81 (1), 7-33.

DEUTSCH, E. (1986): *Die Genomanalyse: Neue Rechtsprobleme*, in: Zeitschrift für Rechtspolitik 19 (1), 1-4.

– (1992): *Das Persönlichkeitsrecht des Patienten*, in: Archiv für die civilistische Praxis 192, 161-180.

– (1999): *Medizinrecht*, 4. Aufl., Berlin, Heidelberg.

DEUTSCHE FORSCHUNGSGEMEINSCHAFT (2000): *Humangenomforschung und prädiktive genetische Diagnostik: Möglichkeiten – Grenzen – Konsequenzen*, in: DEUTSCHE FOR-

SCHUNGSGEMEINSCHAFT (Hg.): Humangenomforschung – Perspektiven und Konsequenzen, Weinheim, 37-66.

DIETSCHI, I. (1999): *Wie versicherbar sind „schlechte Gene"?*, in: Neue Zürcher Zeitung (internationale Ausgabe), 7. Dezember 1999.

DONNER, H., SIMON, J. (1990): *Genomanalyse und Verfassung*, in: Die öffentliche Verwaltung 43 (21), 907-918.

ENQUETE-KOMMISSION „CHANCEN UND RISIKEN DER GENTECHNOLOGIE" DES BUNDESTAGES (1987): *Bericht*, Bundestags-Drucksache 10/6775.

ESER, A. (Hg.) (1999): *Biomedizin und Menschenrechte*, Frankfurt a.M.

ETHIK-BEIRAT BEIM BUNDESMINISTERIUM FÜR GESUNDHEIT (2000): *Prädiktive Gentests. Eckpunkte für eine ethische und rechtliche Orientierung*, http://www.bmgesundheit.de/themen/gen/gen.htm (abgedruckt in diesem Jahrbuch auf den Seiten 443-456).

FENGER, H., SCHÖFFSKI, O. (2000): *Gentests und Lebensversicherung: Juristische und ökonomische Aspekte*, in: Neue Zeitschrift für Versicherung und Recht 3 (10), 449-454.

FEY, G., SEEL, K-M. (2000): *Naturwissenschaftliche Grundlagen einer prädiktiven Genetik*, in: BARTRAM, C.R., BECKMANN, J.P., BREYER, F., FEY, G., FONATSCH, C., IRRGANG, B., TAUPITZ, J., SEEL, K-M., THIELE, F.: Humangenetische Diagnostik, Berlin, Heidelberg, 5-45.

FISCHER, E.P., BERBERICH, K. (1999): *Impact of Modern Genetics on Life Insurance* (= Publications of the Cologne Re Nr. 42), Köln.

GOLEMBIEWSKI, C. (2001): *Entbehrlichkeit einer richterlichen Anordnung der DNA-Analyse bei Einwilligung des Betroffenen?*, Neue Juristische Wochenschrift 54 (14), 1036-1038.

GRAF VITZTHUM, W., KÄMMERER, J.A. (1999): *Law and Medicine in Germany – Some Major Current Problems*, in: STARCK, C. (ed.): Constitutionalism, Universalism and Democracy – a Comparative Analysis, Baden-Baden, 307-334.

HANIEL A. (2001): *Die Nutzung von Gentests durch Versicherungen aus ethischer Sicht*, Forum TTN 5, 33-37.

HAUSHEER, H. (1992): *DNS-Analyse und Recht: Eine Auslegeordnung*, in: Zeitschrift des Bernischen Juristen-Vereins 128, 493-529.

– (1999): *Ein schweizerischer Vorentwurf zu einem Humangenetikgesetz*, in: AHRENS, H.-J., BAR, CH. V., FISCHER, G., SPICKHOFF, A., TAUPITZ, J. (Hg.): Festschrift für Erwin Deutsch, Köln, Berlin, Bonn, 593-611.

HEINRICH, J. (2001): *Gentests in der Lebensversicherung*, Forum TTN 5, 23-29.

HELM, H. (1968): *Versicherungsschutz bei Epilepsie*, in: Versicherungsrecht 19 (1), 25-29.

HERDEGEN, M. (2000): *Die Erforschung des Humangenoms als Herausforderung für das Recht*, in: Juristen Zeitung 55 (13), 633-641.

HERDEGEN, M., SPRANGER, T.M. (2000): *Internationales Recht/Erläuterungen, 5. Biomedizin-Übereinkommen*, in: HERDEGEN, M. (Hg.): Internationale Praxis Gentechnikrecht, Heidelberg.

HIRSCH, G., EBERBACH, W. (1987): *Auf dem Weg zum künstlichen Leben*, Basel.

HOFMANN, C. (1999): *Rechtsfragen der Genomanalyse*, Frankfurt a.M.

HONNEFELDER, L. (1997): *Das Menschenrechtsübereinkommen zur Biomedizin des Europarats. Zur zweiten und endgültigen Fassung des Dokuments*, in: Jahrbuch für Wissenschaft und Ethik, Bd. 2, Berlin, New York, 305-318.

HONNEFELDER, L., TAUPITZ, J., WINTER, S.F. (1999): *Das Übereinkommen über Menschenrechte und Biomedizin des Europarates*, Sankt Augustin.

KARTEN, W. (1991): *Risiken der Gentechnologie für die Assekuranz*, in: HOPP, F.W., MEHL, G. (Hg.): Versicherungen in Europa heute und morgen. Geburtstagsschrift für Georg Büchner, Karlsruhe, 645-651.

KNAPPMANN, U. (1996): *Grenzen und Beschränkungen der Rechte des Versicherers bei Verletzung der Anzeigepflichten (§§ 16 ff. VVG) durch den Versicherungsnehmer*, in: recht und schaden 23 (3), 81-86.

KÖHLER, M. (2000): *Europäische Bioethikkonvention – Beitritt unter Vorbehalt?*, in: Zeitschrift für Rechtspolitik 33 (1), 8-10.

KOPPERNOCK, M. (1997): *Das Recht auf bioethische Selbstbestimmung*, Baden-Baden.

KRUSE, J. (1997): *Das Krankenversicherungssystem der USA*, Baden-Baden.

KULOZIK, A.E., HENTZE, M.W., HAGEMEIER, C., BARTRAM, C.R. (2000): *Molekulare Medizin*, Berlin.

LORENZ, E. (1999): *Zur Berücksichtigung genetischer Tests und ihrer Ergebnisse beim Abschluß von Personenversicherungsverträgen*, in: Versicherungsrecht 50 (31), 1309-1315.

MCGLEENAN, T., WIESING, U. (2000): *Genetics and Insurance: European Policy Options*, in: European Journal of Health Law 8 (7), 367-385.

MÜLLER, H. (1999): *Reformbedarf im Versicherungsrecht*, in: Betriebs-Berater 54 (23), 1178-1180.

N.N. (1999): *Lebensversicherer verlangen keine Gentests bei Vertragsabschluß*, in: Versicherungswirtschaft 1999, 464.

N.N. (2000a): *BÄK warnt vor frei verfügbaren Gentests*, in: BÄK-intern (November 2000), 15.

N.N. (2000b): *Die Versicherung von HIV-positiven Antragstellern*, in: Risiko Prüfung aktuell (Newsletter der Kölnischen Rück zur Risikoprüfung) 1/2000, 6-7.

O'NEILL, O. (1998): *Insurance and Genetics: The Current State of Play*, in: The Modern Law Review 61 (5), 716-723.

PRÄVE, P. (1991): *Genomanalyse und Lebensversicherung*, in: Zeitschrift für Versicherungswesen 42 (4), 82-84.

– (1992): *Das Recht des Versicherungsnehmers auf gen-informationelle Selbstbestimmung*, in: Versicherungsrecht 43 (7), 279-284.

PRÖLSS, E.R., MARTIN, A. (1998): *Versicherungsvertragsgesetz*, 26. Aufl., München.

RAESTRUP, O. (1987): *Leitfaden der Lebensversicherungsmedizin*, 2. Aufl., Karlsruhe.

– (1990): *Versicherung und Genomanalyse*, in: Versicherungsmedizin 42 (2), 37-38.

REGENAUER, A. (2001a): *Genetische Diagnostik und Versicherung – Die internationale Lage*, Forum TTN 5, 12-22.

– (2001b): *Versicherungsmedizin und Gentests: Kein Interesse am gläsernen Patienten*, in: Deutsches Ärzteblatt 98 (10), A-593-596.

RIEDEL, E. (1997): *Global Responsibilities and Bioethics: Reflections on the Council of Europe's Bioethics Convention*, in: Indiana Journal of Global Legal Studies 5 (1), 179-190.

RUPPRECHT, G. (1999): *Folgen der Genomanalyse für die Versicherungswirtschaft*, in: GESAMTVERBAND DER DEUTSCHEN VERSICHERUNGSWIRTSCHAFT E.V. (Hg.): Gentechnik – Grenzzone menschlichen Handelns?, Karlsruhe, 95-101.

SAHMER, S. (2000): *Private Krankenversicherung und Gentests*, in: THIELE, F. (Hg.): Genetische Diagnostik und Versicherungsschutz, Bad Neuenahr-Ahrweiler, 47-54.

SCHATTSCHNEIDER, U., WITTKAMP, F. (1997): *Das Lebensversicherungsprodukt Dread Disease und seine Entwicklungspotentiale auf dem deutschen Versicherungsmarkt*, in: Verwaltungswirtschaft 52 (4), 220-223.

SCHIRA, H.P. (1997): *Die Bewertung der Genomanalyse im Arbeits- und Versicherungsbereich aus strafrechtlicher Sicht*, Regensburg (jur. Diss.).

SCHMIDT, A. (1991): *Rechtliche Gesichtspunkte der Genomanalyse*, Frankfurt a.M.

SCHMIDTKE, J. (1997): *Vererbung und Ererbtes – ein humangenetischer Ratgeber*, Reinbek bei Hamburg.

– (1998): *Gentests in der Lebensversicherung*, in: Versicherungsmedizin 50 (3), 110-111.

SCHÖFFSKI, O. (2000): *Gendiagnostik: Versicherung und Gesundheitswesen*, Karlsruhe.

SCHULIN, B. (1991): *Sozialrecht. Ein Studienbuch*, 4. Aufl., Düsseldorf.

SCHULZ-WEIDNER, W. (1993): *Der versicherungsrechtliche Rahmen für eine Verwertung von Genomanalysen*, Baden-Baden.

SCHWINTOWSKI, H.P. (2001): *Gentests in der Lebens- und Krankenversicherung*, in: Verbraucher und Recht 16 (1), 15-16.

SIMON, J. (1991): *Genomanalyse – Anwendungsmöglichkeiten und rechtlicher Regelungsbedarf*, in: Monatsschrift für deutsches Recht 45 (1), 5-14.

– (1993): *Risikoregulierung und Rechtspolitik im Bereich der Genomanalyse*, in: DAMM, R., HART, D. (Hg.): Rechtliche Regulierung von Gesundheitsrisiken, Baden-Baden, 19-37.

– (2001): *Gendiagnostik und Versicherung*, Baden-Baden.

SPRANGER, T.M. (2000): *Prädiktive Tests und genetische Diskriminierung im Versicherungswesen*, in: Versicherungsrecht 51 (19), 815-821.

STUMPER, K. (1996): *Informationelle Selbstbestimmung und DNA-Analysen*, Frankfurt a.M.

TAUPITZ, J. (1989): *Die zivilrechtliche Pflicht zur unaufgeforderten Offenbarung eigenen Fehlverhaltens*, Tübingen.

– (1992): *Privatrechtliche Rechtspositionen um die Genomanalyse: Eigentum, Persönlichkeit, Leistung*, in: Juristen Zeitung 47 (22), 1089-1099.

– (1993): *Körperpsychotherapie als erlaubnispflichtige Heilkundeausübung*, in: Arztrecht 28 (6), 173-179.

– (1998a): *Das Recht auf Nichtwissen*, in: HANAU, P., LORENZ, E., MATTHES, H.-C. (Hg.): Festschrift für Günther Wiese, Neuwied, 583-602.

– (1998b): *Die Menschenrechtskonvention zur Biomedizin – akzeptabel, notwendig oder unannehmbar für die Bundesrepublik?*, in: Versicherungsrecht 49 (13), 542-546.

– (2000a): *Empfehlen sich zivilrechtliche Regelungen zur Absicherung der Patientenautonomie am Ende des Lebens?*, Gutachten A zum 63. Deutschen Juristentag, München.

– (2000b): *Genetische Diagnostik und Versicherungsrecht*, Karlsruhe.

– (2000c): *Genetische Diagnostik und Versicherungsrecht – 4 Thesen*, in: Versicherungsmedizin 52 (3), 147-148.

– (2000d): *Genetische Tests. Rechtliche Möglichkeiten einer Steuerung ihrer Gefahren*, in: BARTRAM, C.R., BECKMANN, J.P., BREYER, F., FEY, G., FONATSCH, C., IRRGANG, B., TAUPITZ, J., SEEL, K-M., THIELE, F.: Humangenetische Diagnostik, Berlin, Heidelberg, 82-125.

– (2000e): *Juristische Argumente für einen (beschränkten) Arztvorbehalt und Formulierungsvorschlag*, in: BARTRAM, C.R., BECKMANN, J.P., BREYER, F., FEY, G., FONATSCH, C., IRRGANG, B., TAUPITZ, J., SEEL, K-M., THIELE, F.: Humangenetische Diagnostik, Berlin, Heidelberg, 155-161.

– (2000f): *Lässt sich aus der Verfassung ein Grundrecht auf Kenntnis der eigenen genetischen Konstitution ableiten?*, in: BARTRAM, C.R., BECKMANN, J.P., BREYER, F., FEY, G.,

FONATSCH, C., IRRGANG, B., TAUPITZ, J., SEEL, K-M., THIELE, F.: Humangenetische Diagnostik, Berlin, Heidelberg, 72-81.

– (Hg.) (2001): *Die Menschenrechtskonvention zur Biomedizin – taugliches Vorbild für eine weltweit geltende Regelung?*, Heidelberg (im Ersch.).

TAUPITZ, J., SCHELLING, H. (1999): *Mindeststandards als realistische Möglichkeit*, in: ESER, A. (Hg.): Biomedizin und Menschenrechte, Frankfurt a.M., 94-113.

TINNEFELD, M-T. (2000): *Menschenwürde, Biomedizin und Datenschutz*, in: Zeitschrift für Rechtspolitik 33 (1), 10-13.

TINNEFELD, M-T., BÖHM, I. (1992): *Genomanalyse und Persönlichkeitsrecht – Chancen und Gefährdungen*, in: Datenschutz und Datensicherung 16 (2), 62-65.

TJADEN, M. (2001): *Genomanalyse als Verfassungsproblem*, Frankfurt a.M.

WAMBACH, A. (2000): *Die ökonomischen Auswirkungen von Gentests auf Versicherungsmärkte*, in: THIELE, F. (Hg.): Genetische Diagnostik und Versicherungsschutz, Bad Neuenahr-Ahrweiler, 7-16.

WELSER, R. (1991): *Gentechnologie und schadenersatzrechtliche Haftung*, in: (ÖSTERREICHISCHES) BUNDESMINISTERIUM FÜR WISSENSCHAFT UND FORSCHUNG (Hg.): Gentechnologie im österreichischen Recht, Wien, 191-231.

WERBER, M. (1991): *Versicherungsrechtliche Fragen um AIDS*, in: Zeitschrift für die gesamte Versicherungswissenschaft 80, 187-202.

WIESE, G. (1991): *Gibt es ein Recht auf Nichtwissen?*, in: JAYME, E., LAUFS, A., MISERA, K., REINHART, G., SERICK, R. (Hg.): Festschrift für Hubert Niederländer, Heidelberg, 475 – 488.

– (1994): *Genetische Analysen und Rechtsordnung*, Neuwied.

WOLFF, G. (2001): *Genetische Diagnostik und Versicherungen aus Sicht der Humangenetik*, Forum TTN 5, 2-11.

Ethik der Technik als provisorische Moral*

von Christoph Hubig

Die Paarung von „Ethik" und „Moral" im Titel dürfte irritieren: Denn üblicherweise wird an der Unterscheidung zwischen beiden – ungeachtet unterschiedlicher Fassungen – mit guten Gründen festgehalten, und dies soll hier auch so bleiben. Im Anschluss an die weit verbreitete Unterscheidungsstrategie soll unter Ethik die Rechtfertigung von Moral und unter Moral der Inbegriff anerkannter handlungsleitender Regeln (Prinzipien, Normen etc.) verstanden werden. Adjektivisch gewendet: Moralisch wären ein Vollzug oder das Subjekt dieses Vollzuges dann, wenn die Entscheidung zum Vollzug an Regeln der Mittelwahl und Zwecksetzung orientiert, also durch anerkannte Gründe geleitet und nicht durch interne oder externe Auslöser bestimmt ist; ethisch wäre ein solchermaßen als Handeln ausgezeichneter Vollzug dann, wenn seine moralische Orientierung sich ihrerseits als gerechtfertigt erwiesen hat. Zusätzliche Spezifizierungen von „moralisch" wie „universal-moralisch", „rollen-moralisch" o.ä. signalisieren den Topos bzw. die Strategie, unter denen die Rechtfertigung vollzogen wurde; dies gilt nun auch für „provisorisch-moralisch": In Anlehnung an diese Begriffsprägung durch René Descartes und in bewusster Nutzung der Mehrfachbedeutung von „provisorisch" wird hier eine Moral – in rechtfertigender Absicht – dahingehend ausgezeichnet, dass sie (a) sich dem Erfordernis einer Vorschau ins (partiell) Ungewisse stellt, in Verbindung damit (b) sich als Moral der Vorsorge (u.a. des Bevorratens und Gewappnetseins) entwirft und schließlich (c) in Konsequenz der Konfrontation mit (partiellen) Ungewissheiten und daraus resultierenden Entscheidungsunsicherheiten sich explizit als vorläufige, die eigene Revisionsbedürftigkeit unterstellende Moral begreift. Im Unterschied zu Descartes, dessen provisorische Moral noch unter dem Fernziel einer in ihrem Rechtfertigungsstatus endgültig zu sichernden Moral stand, hätte sich – wie zu zeigen sein wird – eine moderne provisorische Moral mit ihrer Vorläufigkeit dauerhaft abzufinden. Dies bedeutet jedoch, wie wir sehen werden, keinesfalls Relativismus, Nonkognitivismus oder „moralischen Nihilismus", denn es werden sich Prinzipien und Kriterien finden lassen, die jenen Verdikten nicht unterliegen.

Mit „Ethik der Technik als provisorische Moral" ist also gemeint, dass technisches Handeln bzw. ein Umgang mit Technik (Entwicklung, Fertigung, Ver-

---

* Erweiterte Fassung eines Vortrags im Rahmen der Ringvorlesung „Forum Wissenschaft und Ethik" am 25. Januar 2001 an der Universität Bonn. Nadia Mazouz und Niels Gottschalk-Mazouz danke ich für Hinweise.

marktung, Nutzung, Entsorgung) dann „ethisch“ wird, wenn seine Moral unter Prinzipien und Kriterien rechtfertigbar ist, die dem provisorischen Status der Anerkennung und Umsetzung jener Moral gerecht werden.

1. Technik, anwendungsbezogene und allgemeine Ethik

Nach gängigem Verständnis ist „Technik“ die Domäne des Könnens (der als Mittel verwendbaren Artefakte und Verfahren sowie der für den Umgang mit jenen notwendigen Fertigkeiten und Fähigkeiten) relativ zu hypothetischen Zwecken. Der Wissenstyp, in dem dieses Können (soweit als repräsentatives Wissen überhaupt darstellbar) seinen Ausdruck findet, ist derjenige des Verfügungswissens. Es stellt sich dar in Form von hypothetischen technischen Imperativen, welche personen- und situationsneutral einen Mitteleinsatz nahelegen, sofern dessen Wirkung tatsächlich Handlungszweck ist und die Art der Herbeiführung der Wirkung gebilligt wird. Es werden mithin bestimmte Dinge und Verfahren als Elemente von Handlungsschemata (*types*) ausgezeichnet, ihre Nutzung (bis hin zum Auslösen eines Mechanismus) soll die Zweckrealisierung gelingen lassen.

Die Fokussierung auf dieses Mittel-Zweck-Schema von Technik (*poiesis*-Modell) kann allerdings leicht dazu führen, dass zwei weitere – wesentliche – Dimensionen der Technik übersehen werden: Zum einen die Rolle der Kenntnis und Einschätzung gegebener oder gesuchter Mittel für die *Bildung* von Zwecken überhaupt, denn die Modellierung eines Zweckes (im Unterschied zu einem bloßen Wunsch) setzt die Annahme einer möglichen und aus der Sicht des Handelnden zu wollenden Herbeiführbarkeit voraus. Zwecke können nicht als Zwecke unabhängig von ihrer möglichen Realisierbarkeit gesetzt werden (und etwa erst im Nachhinein Mittel „heiligen“; intensives Wünschen mag solcherlei vielleicht bewirken, indem problematische Mittel derart „geheiligt“ werden, dass die Wünsche realisierbar erscheinen, somit zu Zwecken werden – Wünsche sind offenbar nicht nur verschiedentlich „Väter des Gedankens“, sondern auch des Zweckes; in vielen Fällen bleibt es aber beim bloßen Wünschen, weil ein Mitteleinsatz nicht vertraut ist, nicht disponibel ist und/oder nicht als rechtfertigbar erscheint). Zum anderen wird oft übersehen, dass die Gesamtverfasstheit der Mittel, die „Welt als Welt von Mitteln“ (Hegel), die „Mittelhaftigkeit“ unseres Weltbezugs und unserer Stellung in der Welt als technisch vermittelter uns überhaupt erst erlaubt, uns als moralische Subjekte zu begreifen, also als solche, die in der Lage sind, Zwecke zu wählen und Mittel zur Zweckrealisierung einzusetzen. Technik ist insofern nicht nur etwas, womit Subjekte umgehen und auf welches sich Subjekte erkennend und wertend richten, sondern sie ist ihrerseits Ermöglichungsgrund unseres Lebens (*praxis*) einschließlich „technischen Handelns“ i.e.S. Diese Verfasstheit des Technischen als Kultur, welche unter Begriffen wie „Gewebe“ (der Athene, s.u.), „System“ (Stoa und Nachfolger), „Ge-stell“

(Martin Heidegger), „Medialität" in der technikphilosophischen Tradition[1] gedacht wird, ist in wiederum anderer Weise ethisch sensitiv, als es bei den anderen Dimensionen (Mittel zur Zweckrealisierung, Mittelhaftigkeit zur Zweckermöglichung) gegeben ist.

Während technisches Handeln einerseits die Wahl von Zwecken voraussetzt, andererseits diese in zweifach verschiedener Hinsicht erst ermöglicht, wird von der Ethik eine hinreichende Begründung (Rechtfertigung) der Regeln der Wahl des Handlungsvollzugs überhaupt erwartet. In solchen Situationen des Entscheidens soll Ethik „orientieren"; der hier einschlägige Wissenstyp sei das „Orientierungswissen" als Wissen um Imperative, Normen, Gesetze etc., soweit diese sich auf die Handlungsentscheidung insgesamt beziehen.[2] Allerdings ist hier die unterschiedliche Verwendung von „Orientierung" zu differenzieren[3]: Zunächst kann erwartet werden, dass ein Beitrag zum „Sich-Orientieren", also zu einer reflexiven Orientierung, aus der Ethik heraus erbracht wird. Gemeint ist dabei, dass in Ansehung der persönlichen und situativen Verfasstheit des Handlungssubjektes in (möglicherweise krisenhaften und konfliktträchtigen) Entscheidungssituationen Ratschläge entwickelt werden dafür, was das Subjekt konkret wollen sollte, d.h. welche Maximen ausdrücken (können), was hier erstrebenswert ist, wohin das Subjekt sich wenden, in welcher Richtung es weiter agieren soll. Letztlich kann die Entscheidung nicht abgenommen werden, es können jedoch verschiedene Handlungsoptionen in ihrer unterschiedlichen Wertung, Gewichtung und Rechtfertigbarkeit abgewogen vorgestellt werden. Dieser Beitrag zu einer reflexiven Orientierung in Form von Ratschlägen ist dasjenige, was in der Regel von einer anwendungsbezogenen Ethik erwartet wird – ein Terrain, auf dem die Klugheitsethiken ihre Leistung entfalten und auf dem auch gerade ihre Leistung unverzichtbar ist. Im Unterschied hierzu wird von „allgemeiner Ethik" bei gegebenem Handlungsziel und im Hinblick auf eine Vollzugsoption erwartet, dass diese validiert wird bezüglich ihres Erlaubtseins, Gebotenseins oder Verbotenseins in Ansehung bestimmter Eigenschaften, also auf der Basis einer (ihrerseits rechtfertigungsbedürftigen) Klassifikation. Es wird dann eine Orientierung „gegeben" (transitiv), die jedoch allein nicht einen hinreichenden Beitrag zu einer Entscheidungsfindung erbringt, weil diese bereits reflexive Orientierung voraussetzen würde. Insofern ist ein solches transitives „Orientierungswissen" eher eine Art höherstufiges Verfügungswissen[4] in dem Sinne, dass, sofern Handlungsoptionen als solche gewonnen und ausgezeichnet wurden, allgemein-ethische

---

[1] Zur Darstellung dieser Tradition vgl. HUBIG, CH. (2001): *Mittel oder Medium? Technische Weltgestaltung und ihre verkürzten Theorien*, in: Jahrbuch der Hochschule der Künste 2001, Braunschweig (im Ersch.).

[2] MITTELSTRASS, J. (1992): *Leonardo-Welt. Über Wissenschaft, Forschung und Verantwortung*, Frankfurt a.M., 33 ff., 304.

[3] HUBIG, CH. (1997): *Technologische Kultur*, Leipzig, 19 f.

[4] Vgl. LUCKNER, A. (2000): *Orientierungswissen und Technikethik*, in: Dialektik. Zeitschrift für Kulturphilosophie 2000 (2), 57-78, hier 63.

Imperative bzw. ein entsprechend begründetes Recht diese Optionen zusätzlich auszeichnen, so wie ein „Kompass“ (Kants Charakterisierung des kategorischen Imperativs) bestehende Wege und Richtungen (Maximen) charakterisiert.[5] Die unterschiedlichen Prinzipien unterschiedlicher Ethiken stellen ein Wissen vor, unter dem bestimmte Handlungskonzepte zusätzlich bewertbar sind, sofern sie bestimmte Eigenschaften aufweisen, die situativ (Fähigkeiten und Werthaltungen des Subjekts, Sachlagen etc.) bedingt sind.

Analog zu der eingangs vorgenommenen dreifachen Charakterisierung von Technik können nun mögliche Bezüge technischen Handelns zu einer anwendungsbezogenen (reflexiv orientierenden) und allgemeinen (transitiv orientierenden) Ethik folgendermaßen entwickelt werden: (a) Im Hinblick auf das Abwägen zwischen gewünschten Wirkungen und auftretenden Nebenwirkungen (z.B. Umweltverbrauch, Umweltlasten) kann aus anwendungsbezogen-ethischen Überlegungen in Ansehung konkurrierender, impliziter, latenter und/oder höherstufiger Präferenzen und in Relation zur Situation eine „gewichtete Landkarte“ der Vollzugsoptionen (des Mitteleinsatzes) in Form eines klugen Ratschlags entfaltet werden, notwendigerweise deliberativ und konsiliatorisch im Abgleich mit der situativen Verfasstheit koagierender Subjekte, denn eine Handlungssituation kann in ihrer Spezifik nicht unabhängig von der Handlungssituation anderer konturiert werden. Zur Debatte steht letztlich die Integration des Handlungsvollzugs in die Sozietät unter einer Gesamtvorstellung gelingenden Lebens (s.u.) in Ansehung der Gesamtheit der Handlungsvollzüge. Ähnlich verhält es sich (b) mit dem Abwägen der Chancen und Risiken von Zweckrealisierung bzw. von Zweckverfehlung beim Einsatz von Technik für die Gewinnung von Handlungszwecken selbst. Die Bewertung hinreichender Sicherheit und zulässiger Risiken ist zu entfalten relativ zu Standort/Verfasstheit, Bedarfslagen/Zielen und möglichen Handlungs-/Risiko-Pfaden. Wenn es hingegen und darüber hinaus darum geht, (c) die Medialität des Technischen, also ihre Leistung zur Ermöglichung von Mittel- und Zweckwahl überhaupt (ihren Beitrag zur Handlungskompetenz) zu beurteilen, ist eine Dimension erreicht, in der es nicht mehr um die Gewinnung von situativ gebundenen begründeten Handlungsentscheidungen geht, sondern um Fragen von Wünschbarkeit und Zulässigkeit der Bildung, Einschränkung oder Erweiterung von Handlungsspielräumen überhaupt sowie einer Bindungswirkung entsprechender Techniken für die Herausbildung von Selbstkonzepten handlungsfähiger Subjekte. Dabei stehen unterschiedliche Vorstellungen über die Möglichkeit gelingenden Lebens zur Diskussion. Neben der Möglichkeit, in Handlungssituationen zu kommen bzw. sich zu diesen entscheidend zu verhalten, wird die Bewertung dieser Möglichkeit thematisiert, und diese Bewertung hängt an Konzepten von Freiheit, Handlung, Gelingen, Glück, wie sie allgemeine Ethiken für klärbar halten, so dass hier zunächst ein Bezug der Technik zur allgemein-ethischen Reflexion ersichtlich wird. Solcherlei gilt schließlich auch entsprechend für die Frage eines ethischen Erlaubtseins, Ver- oder Gebotenseins der Nutzung technischer

[5] KANT, I. (1785): *Grundlegung zur Metaphysik der Sitten*, BA 21.

Mittel bzw. der Ausprägung so oder so gefasster Medialität eines jeweils Spezifisch-Technischen unter vorausgesetzten Eigenschaften von *act-types*. Es geht also um die Eröffnung (Erlaubnis) oder Verschließung (Verbot) von Handlungsspielräumen (im Falle des Gebots um die Einschränkung auf eine Handlungsoption – hier konvergieren anwendungsbezogene und allgemeine Ethik). Auch unumstrittene Antworten allgemeiner Ethik im Sinne einer transitiven Orientierung bedürfen in jedem Fall zusätzlicher Regeln ihrer Applikation auf die entsprechende Situationsspezifik. Eine Ethik der Technik stellt sich in keinem Fall als eine „Technik der Ethik" dahingehend vor, dass sozusagen eine Bewertung der Adäquatheit des technischen Mitteleinsatzes zwangsläufig aus einem wie auch immer gearteten Wissenstyp folgt. Wenn wir uns nun zunächst einmal an diesen Bezugsrahmen halten, lassen sich innerhalb der unterschiedlichen Orientierungstypen die Orientierungsprobleme eines Umgangs mit Technik genauer fassen; allerdings werden damit zugleich die Hoffnungen auf zu operationalisierende Antworten anwendungsbezogener oder allgemeiner Ethik deutlich gedämpft.

2. Orientierungsprobleme eines Umgangs mit Technik

Sowohl reflexives als auch transitives Orientieren sieht sich mit zwei Problemdimensionen konfrontiert, einer epistemischen und einer normativen. Die epistemische entfaltet sich mit Blick auf die Notwendigkeit eines Umgangs mit unsicherem Wissen; die normative erhält ihre Brisanz angesichts des so genannten Wertpluralismus, der sich *prima facie* nicht bloß in einer Vielfalt von „Prinzipien" ausdrückt, die Werthaltungen verkörpern, sondern auch – und radikaler – in einer Vielfalt von Auffassungen über dasjenige, was überhaupt ein Wert (oder eine „Würde") sei, welchem ein oberstes handlungsorientierendes Prinzip entspräche.

Die Wissensproblematik erhält ihre Virulenz durch die zivilisatorische Herausbildung moderner Technik, welche durch eine immer weiter steigende Eingriffstiefe in Natur- und Sozialgefüge gekennzeichnet ist, sowie damit einhergehend durch eine zunehmende Erweiterung des Umfangs und der Langfristigkeit von Bindungen, die die Folgen technischen Handelns zeitigen: von der Handwerkstechnik mit im Wesentlichen überschaubaren und vom Handlungssubjekt verantwortbaren Folgen über die Maschinentechnik, bei deren vom Handlungssubjekt nurmehr ausgelösten Prozessen neben fremdem Wissen und Wollen komplexe Bedingungsgefüge (Ressourcennutzung, Arbeitsteilung etc.) und Resultatgemengelagen (Nebenfolgen etc.) zur Aktualisierung gelangen, bis hin zu den modernen Systemtechniken, deren Nutzung für die Handlungssubjekte insofern in vielen Bereichen nicht mehr disponibel ist, als sie die Bedingungen für technisches Handeln i.e.S. abgeben (Systeme der

Energiebereitstellung, der Kommunikation, des Verkehrs, des Gesundheitserhalts etc.).[6]

Die anthropogenen Effekte dieser Entwicklung berühren die Verfasstheit von Natur als Ertrag der Evolution in Gestalt des Optionenspielraums eines Sich-Verhaltens zu dieser Natur. Er umfasst die elementaren Ressourcen für die Gestaltung von Technik als auch die elementaren Bedingungen der Herausbildung sozialer/kultureller Nutzungsmuster, die ihrerseits der Bildung individueller Identität vorausliegen. Zwar versucht man, über die Erstellung von Simulationen und Szenarien diese „Folgenexplosion" kognitiv in den Griff zu bekommen; gleichwohl wird dabei ersichtlich, dass nicht bloß eine steigende Ungewissheit der Folgen eine steigende Unsicherheit des Entscheidens nach sich zieht, sondern aufgrund der Entscheidungsabhängigkeit der Simulations- und Szenarienbildung (Auswahl und Gewichtung der Parameter, Validierung der Datenmengen, Auszeichnung bestimmter Indikatoren etc.) die Ungewissheit noch potenziert wird.[7] Dies spiegelt sich in den Expertendilemmata zu wesentlichen Fragen unserer Zukunftsentwicklung und -gestaltung, deren wissenschaftstheoretische Achillesferse in der Problematik liegt, welche gesicherten methodischen Standards, naturgesetzlichen Zusammenhänge und empirischen Befunde jeweils *heranzuziehen* sind, um bestimmte beobachtete Trends (Resultate) so auf zu unterstellende Ursachen und Bedingungen zurückzuführen, dass deren Manipulation die Entwicklung in gewünschte und verantwortbare Bahnen zu lenken erlaubt. Die Unsicherheit des Einsatzes technischer Mittel (von der Bekämpfung des Waldsterbens bis zur Klimavorsorge, von der Sicherung der Ernährungsbasis bis zur Gewährleistung von Gesundheit) hängt an der Ungewissheit solcher „abduktiven" Schlüsse, bei denen unter Voraussetzung eines als gesichert betrachteten Sach- und Methodenwissens von erkannten Befunden auf vorausliegende Sachlagen geschlossen wird, in der Absicht, dass deren Bearbeitung zu gewünschten Effekten führt.[8] Die hypothetischen Imperative technischen Handelns werden angesichts der von den Experten bereitgestellten „konkurrierenden Wirklichkeiten" fragil; und umgekehrt produziert erst die handlungsmäßige Aktualisierung dieser Imperative immer neue Befunde, die unser Wissen ausmachen, welches somit seinerseits technikinduziert ist. Aufgrund der kognitiven Schwäche beim Identifizieren von Problemlagen (bzw. den Konkurrenzen beim Identifizieren dieser Problemlagen) wird die Herstellung eines Bezugs selbst zu gegebenen und als gesichert betrachteten Wertsystemen problematisch, weil sich in der Zukunft abzeichnende Engpässe und Mangellagen ebenso schwer identifizieren

---

[6] HUBIG, CH. (1995): *Technik- und Wissenschaftsethik. Ein Leitfaden*, 2. Aufl., Berlin, Heidelberg, New York, 19 ff., 53-60.

[7] HUBIG, CH. (1999): *Pragmatische Entscheidungslegitimation angesichts von Expertendilemmata*, in: GRUNWALD, A., SAUPE, S. (Hg.): Ethik in der Technikgestaltung, Berlin, Heidelberg, New York, 197-209.

[8] HUBIG, CH. (1997): *Expertendilemma und Abduktion*, http://www.uni-stuttgart.de/wt/hubig-antritt.html.

lassen wie aus der Vergangenheit übernommene Amortisationslasten. Angesichts jener Restriktionen wird eine normative Beurteilung dieses Handelns, welches sich an seinem Charakter als „Handeln" festmacht, zunehmend erschwert.[9] Denn die damit verbundene Aufgabe der Bewahrung von Zukunftsfähigkeit wird gerade durch die Zukunftsträchtigkeit und Zukunftslastigkeit dieses Handelns, die gezeitigten „Sachzwänge", unterlaufen.

Die Schwierigkeiten eines Wertbezugs von Technik sind mit dem Hinweis auf Wissensunsicherheiten nicht abgedeckt. In ihrem Handlungsbezug ist Technik immer auf Werte bezogen; sie ist also nicht wertfrei in dem Sinne wie Schicksal, Zufall oder die von uns modellierten Gesetze einer Als-ob-Natur, deren „Werthaftigkeit" allenfalls auf Unterstellungen beruht. Allerdings ist die Wertbezüglichkeit von Technik unterschiedlich strukturiert: *Wertneutralität* im Sinne einer Anschlussfähigkeit an unterschiedlichste Wertungen auf der Basis einer durch Technik ermöglichten Wertkompetenz überhaupt lässt sich ausmachen für Technik in ihrer Eigenschaft als Medialität. Dies findet seinen Ausdruck etwa in der Stilisierung der Athene als Erfinderin der Technik im Sinne eines „Webens" materialer Bedingungen des Überlebens (Bekleidung), psychischer Bedingungen (Affektbeherrschung durch die „gewebte" Kunst) und sozialer Bedingungen (des Aushandelns von Regeln, etwa in der Orestie).[10] *Wertambivalenz* finden wir bei konkreten Techniken sowohl im kontradiktorischen Sinne, wie etwa bei der Medizintechnik (Sophokles: „Zum Guten oder zum Schlechten hin"[11]), als auch im konträren oder subkonträren Sinne, wenn nebeneinander bestehende Werthaftigkeiten gemeinsam als gut oder als schlecht erweisbar sind (Beispiele finden sich im Felde ökologischer und ökonomischer Wertungen), und schließlich finden sich in bestimmten Fällen eindeutige Wertfixierungen in positiver oder negativer Hinsicht, wenn Techniken einzig einem vorsätzlichen moralischem Fehlgebrauch dienlich sind oder – in seltenen Fällen – einzig einem guten Zweck zugeordnet werden können.

Die Modellierung der Wertambivalenz hängt zum einen ab von der internen Struktur des Werthorizontes, des „Tableaus" von Werten, die oftmals intern dahingehend konfligieren, dass die Erfüllung eines Wertes derjenigen eines anderen abträglich ist.[12] Zum anderen wird eine tiefere Dimension einer Konfliktträchtigkeit von Werten und damit zusammenhängend einer Wertambivalenz von Technik ersichtlich, und zwar in Rücksicht auf gänzlich unterschiedliche Konzepte von Werthaftigkeit überhaupt: Sofern Werte als Güter an sich begriffen werden, kommt

---

[9] Hierauf reflektiert die so genannte Technokratie-Debatte im Anschluss an SCHELSKY, H. (1961): *Der Mensch in der wissenschaftlichen Zivilisation*, Köln, Opladen.

[10] Hierzu HUBIG, CH. (2000): *Historische Wurzeln der Technikphilosophie*, in: HUBIG, CH., HUNING, A., ROPOHL, G. (Hg.): Nachdenken über Technik, Berlin, 19-40, hier 21.

[11] SOPHOKLES, *Antigone*, V. 365.

[12] Dies wird ersichtlich mit Blick auf das Grundwerte-Tableau in der *VDI-Richtlinie (3780) Technikbewertung*, vgl. hierzu: HUBIG, CH. (2000): *Wertprobleme in der Technikbewertung*, in: RAPP, F. (Hg.): Normative Technikbewertung, Berlin, 23-37.

ihnen – als „Objektwerten" – Würde zu; sofern sie als Eigenschaften begriffen werden – bei „Wertobjekten" –, sind sie in ihrer Werthaftigkeit abhängig von den jeweils zugrunde gelegten Maßstäben, und sofern sie als diese Maßstäbe selbst erachtet werden, bestimmen sie die Auszeichnung bestimmter Güter als Werte oder die Auszeichnung bestimmter Eigenschaften von Gütern als wertvoll.[13] In konkreten Entscheidungssituationen können solche Wertauffassungen aufeinander treffen und die „latente Imperativität"[14] von Werten für entsprechendes Handeln in unaustragbare Kontroversen bringen – wenn etwa von den Verfechtern eines Objektwertes die Frage, welchen Wert denn dieses Objekt „hätte" für einen zu realisierenden Zweck, empört zurückgewiesen wird (so z.B. kürzlich in der Kontroverse um die Verlegung einer Pipeline durch den Naturpark Wattenmeer). Fundamentale, prinzipielle Wertkontroversen wurzeln in vielen Fällen eher in Kontroversen um Konzepte von Wert selbst als in kontroversen Wertvorstellungen: so auch in der Nachhaltigkeitsdiskussion, in der Positionen, welche aus biozentrischer Perspektive Natur als Wert, als Gut an sich betrachten, auf Positionen stoßen, welche Natur als *Träger* bestimmter wertvoller Eigenschaften erachten, wertvoll nach Maßgabe einer Funktion, die auch nichtnatürlichen Gegenständen zukommen kann und aus anthropozentrischer Perspektive begründet wird, und schließlich Positionen, welche Nachhaltigkeit i.e.S. von Systemerhalt als obersten Wertmaßstab ansehen, nach Maßgabe dessen wechselnde Eigenschaften von wechselnden Trägern (als Systemelementen) unterschiedlich einschätzbar sind.

Eine Ethik der Technik muss sich diesen beiden Herausforderungen stellen: der Herausforderung unsicheren Wissens und der Herausforderung eines Objekt- oder höherstufigen Wertpluralismus.

3. Wie kann Ethik auf diese Problemlage reagieren?

Den Herausforderungen des Wertpluralismus stellen sich Ethiken in ihrer modernen Ausprägung insofern, als sie höherstufige Regeln zur Rechtfertigung suchen, wie mit pluralen Wertorientierungen umzugehen ist.

Utilitaristische Konzepte stützen sich dabei auf die Instanzen latenter, impliziter und höherstufiger Präferenzen, welche sich auf die Herausbildbarkeit konkreter Präferenzen beziehen, und sie hoffen, hier einen archimedischen Punkt zu finden, von dem aus sowohl die subjektinterne als auch intersubjektive Präferenzenkoordination

[13] HUBIG, CH. (1989): Art. *Wert*, in: KRINGS, H. (Hg.): Staatslexikon, 7. Aufl., Bd. 5, München, 106-108.

[14] KRAFT, V. (1951): *Die Grundlagen der wissenschaftlichen Wertlehre*, Wien, 137; vgl. HEYDE, J.E. (1926): *Wert. Eine philosophische Grundlegung*, Erfurt.

vollzogen werden kann. Dabei entstehen Probleme zum einen dahingehend, was überhaupt als Präferenz ausgezeichnet werden soll (bewusst, rational ...), zum anderen bezüglich entstehender Paradoxien und Dilemmata der Präferenzenkoordination[15], und schließlich wird die Hypothek unsicheren Wissens über die Folgen – wie in jedem konsequentialistischen Ansatz – weiter mitgeschleppt.

Diskursethiken sehen die Problemlösung in einer Legitimation der Verfahren, mittels derer die Gültigkeit von Normen und ihrer Applikation erwiesen werden soll. Die Legitimation stützt sich auf „nicht hintergehbare" Prinzipien wie das Diskursprinzip, nach dem „Gültigkeit" äquivalent erachtet wird mit „Zustimmung finden können", und Argumentationsregeln, nach denen „Gültigkeit" äquivalent gesetzt wird mit „zwangloser Akzeptanz der Folgen einer allgemeinen Befolgung einer Norm". Auf der Basis immer bereits vollzogener Anerkennung von „Präsuppositionen" rationaler (öffentlicher) Argumentation (als Paradigma von Handlungsbegründung überhaupt) sollen sie Rechtfertigung auszeichnen. Dieser Bezug von Handlungsrationalität auf argumentativ vertretene Handlungsbegründung, von Nachvollziehbarkeit der Handlungsbegründung auf allgemeine Nachvollziehbarkeit unter dem Anspruch von Öffentlichkeit, ist nicht selbstverständlich. Er lässt sich nicht als Implikationsbeziehung modellieren. Denn die Standards argumentativer Rationalität (Wohlinformiertheit, Herrschaftsfreiheit, Gleichberechtigung der Diskursteilnehmer etc.) bedürfen eines *eigenen* Anerkennungsaktes, dessen Ausbleiben ein „rein strategisches" Handeln nicht irrational werden lässt. Allerdings wird strategisches Handeln nur unter der Idee einer Realisierung der Bedingungen für jene ideale Diskursivität gewürdigt. Die Motivation zu einem derartig „guten" Argumentationsideal kann nicht argumentativ erzwungen werden. Eine Forderung nach kontrafaktischer/potentieller Öffentlichkeit als Berücksichtigung „möglicher" Diskursteilnehmer vermag nicht *per se* das Inklusionsproblem zu lösen: zu entscheiden, welche nicht-argumentationsfähigen Betroffenen, die möglicherweise andere Rationalitätsstandards verfolgen oder die gegebenen Rationalitätsstandards nur möglicherweise verfolgen, in welcher Weise einzubeziehen sind.[16] Ähnlich voraussetzungsstark ist die Argumentationsregel. Sie birgt drei Probleme: das oben erwähnte Problem einer Ungewissheit von Folgen; die Binnenproblematik der Forderung nach einer Akzeptanz der Folgen einer *allgemeinen* Befolgung (da es keinen Übergang von individuellen Präferenzordnungen zu kollektiven Präferenzordnungen gibt, der

[15] SEN, A.K. (1970): *Collective Choice and Social Welfare*, London.

[16] Neuere Arbeiten zur Diskursethik stellen die Abwägung über Eintrittsbedingungen, einzubeziehende Diskursteilnehmer sowie die Kriterien einer Relativierung der allgemeinen Zustimmbarkeit zunehmend in die Kompetenz der Diskurse selbst. Dadurch werden Anwendungsdiskurse ermöglicht, die klugheitsethische Züge aufweisen. Dies betrifft insbesondere auch eine stärkere Gewichtung des Fallibilismus diskursiver Rechtfertigung. Diskurse stehen aber weiter unter dem Ideal herrschaftsfreier Zustimmbarkeit. Vgl. hierzu die umfassende Darstellung von GOTTSCHALK-MAZOUZ, N. (2000): *Diskursethik. Theorien – Entwicklungen – Perspektiven*, Berlin.

im Einklang mit den Minimalbedingungen eines demokratischen Liberalismus steht[17]); und schließlich die Problematik der Forderung, dass Werthaltungen nur Kandidaten der Beurteilung sind und somit eine Motivation zum zur-Disposition-Stellen der Werte vorausgesetzt werden muss. Letzteres schränkt die Leistungsfähigkeit dieser Rechtfertigungsstrategie auf diejenigen ein, die den Diskurs als „Monolog des guten Willens mit sich selbst" (Krings[18]) unter diesen Bedingungen führen *wollen*. Damit regionalisieren sich Diskurse aber auf die Rationalitätsstandards derjenigen, die sie führen. Die transitive Orientierung, die sie erhalten, wird erkauft durch eine gewisse Anti-Funktionalität des Diskurses unter Entscheidungsdruck und Endlichkeitsbedingungen; Diskurse, die Habermas zu Recht als „keine Institutionen, sondern Gegen-Institutionen schlechthin" bezeichnet[19], sind eher Ausdruck des Willens zu einer umfassenden Reflexion, welche – im Gegensatz zu Institutionen – die jeweilige Normativität des Faktischen problematisiert. Schließlich wird die Rückbindung von Diskurserträgen an die unterschiedlichen Lebenswelten der Beteiligten einer *nachgeordneten* Klugheit überantwortet, die sich lediglich noch einem Applikationsproblem stellt.[20] Ein Abwägen, welches die situative Verfasstheit eines Betroffenen zum Ausgangspunkt nimmt, um etwa Relativierungen diskursiver Ansprüche zu rechtfertigen, hätte diese Relativierungen wiederum im Diskurs zur Vertretung zu bringen, was aber in den Widerspruch führt, dass nur diejenigen Aspekte situativer Verfasstheit geltend gemacht werden können, die allgemein nachvollziehbar sind, womit das Individuelle, welches die Relativierung begründen sollte, seinerseits relativiert ist.[21]

Diesem Problem stellen sich nun explizit die Klugheitsethiken, welche von Kant disqualifiziert wurden unter dem Verweis darauf, dass hier lediglich unter individuellen Vorstellungen von gelingendem Leben als Vorstellungen individueller Einbildungskraft Ratschläge für eine sinnvolle konkrete, situationsspezifische Zwecksetzung generiert würden. In dieser Einschätzung wird der Anspruch von Klugheitsethiken unzulässig verkürzt: Denn seit ihrer Prägung durch Aristoteles ist auch die Klugheit als Vermögen auf ein Unbedingtes gerichtet, formal charakterisiert als Selbstzweckhaftigkeit, vorfindlich in jeglichem Streben und jeglicher Werthaltung als

17 ARROW, K.J. (1963): *Social Choice and Individual Values*, 2. Aufl., New York.

18 KRINGS, H. (1979): *Replik*, in: BAUMGARTNER, H.M. (Hg.): Prinzip Freiheit, Freiburg, München, 345-412, hier 365.

19 HABERMAS, J., LUHMANN, N. (1971): *Theorie der Gesellschaft oder Sozialtechnologie*, Frankfurt a.M., 200.

20 HABERMAS, J. (1983): *Moralbewußtsein und kommunikatives Handeln*, Frankfurt a.M., 115.

21 Die Ethik eines politischen Liberalismus, wie sie etwa in den neueren Arbeiten von John Rawls entwickelt ist, wäre in diese Problemskizze sicherlich als maßgebliche dritte Argumentationslinie aufzunehmen. Abgesehen von Unterschieden in der Begründungsstrategie weist sie jedoch große Ähnlichkeiten mit der nachfolgend entwickelten Argumentation auf (z.B. mit Blick auf den „overlapping consent"). Eine differenzierte Herausarbeitung der Unterschiede hätte hier nicht den nötigen Raum.

Hinsichtnahme letztlich auf ein Ziel, welches selbst nicht mehr Mittel ist, sondern sich selbst genügt. Das Strategische ist also nicht mehr dubioser Beurteilungskandidat vor einer Instanz, die sich als „Würde“ z.B. reiner Autonomie ausbuchstabiert, sondern in dem Strategischen wird als sein (intrinsisches) „Wesen“ – trotz aller Unterschiede seiner Ausprägungen – das Interesse am Gelingen als Basis ernst genommen und weiter verfolgt. Dass „das Gute“ kein Oberbegriff ist[22], dem bestimmte Vollzüge subsumierbar oder nicht subsumierbar sind, sondern nur Hinsichtnahmen des Gelingens beschreibt, die untereinander in ein sinnvolles Verhältnis mit Blick auf einen gelingenden Gesamtlebensvollzug zu bringen sind, ist Ausgangspunkt jeglicher Klugheitsethik.

Ferner – und dies ist nun für die Technik besonders relevant – sind Handlungen danach zu gewichten, dass die Wahl der Handlungsmittel nicht bloß dem Gelingen der konkreten Handlung (der Realisierung eines Ertrags) dienlich sein soll, sondern ihre Qualität sich danach bemisst, inwiefern sie zum Gelingen des Gesamtlebensvollzugs beitragen, und zwar nicht als zu zeitigendem Produkt, sondern durch ihre inhärente Qualität: als Vollzug Teil des Gesamtlebensvollzugs zu sein nach Maßgabe dessen, inwieweit in ihnen selbst bei ihrem Vollzug ein „Erfülltsein“, eine „Selbstzweckhaftigkeit“, ein Glück innewohnt, welches Teil eines dauernden Glückes sein kann („eine Schwalbe macht noch keinen Frühling“).[23] Gelingen, Erfüllung, Glück als sekundäre Intentionen jeglicher Zielverfolgung begründen Ratschläge der Klugheit, die auf die Vermeidung derjenigen Handlungen zielen, die dem Gelingen selbst abträglich sind, weil sie Mangel und Überfluss (modern: Amortisationslasten vergeudeter Ressourcen) zeitigen.

Das jeweilige Tableau von Ratschlägen, welches die verschiedenen Klugheitsethiken in ihrer Tradition entwickelt haben, weist oftmals gegensätzliche Regeln auf (vgl. unten das Beispiel Descartes', oder etwa Gracians Regel, man solle beherzt die Dinge anpacken, im Gegensatz zur Feststellung, es sei eine Kunst, die Dinge ruhen zu lassen etc.). Dies ist der Tatsache geschuldet, dass eine allgemeine (transitive) Orientierung am Ideal des Gelingens die Situationsspezifik im Auge behält. Insofern kann – relativ zu möglichen Strategien – im Wesentlichen nur angeraten werden, wie all das zu vermeiden ist, welches dem Gelingen überhaupt abträglich ist. Hierdurch entsteht ein Wissen „im Umriss“ (Aristoteles), und innerhalb dieser Grenzen, die den Umriss ausmachen, wird die Gelingenschance für eine reflexive Orientierung vorgestellt. Hierin liegt ein doppeltes Moment der Universalisierung, sowohl über den singulären Vollzug hinaus in die Zukunft als auch mit Blick auf die Einbettung in den Gesamtlebensvollzug der Sozietät. Die Beurteilung einer solchen Verfasstheit eines Vollzugs ist nicht durch irgendwelche Grundsätze selbst zu leisten, sondern nur durch ein erfahrungsgesättigtes Beurteilungsvermögen, welches in seiner Anlage

---

[22] ARISTOTELES, *Nikomachische Ethik*, 1096a 24 ff.

[23] Ibid., 1140a 25-28; vgl. zu diesem Paradigma einer „inclusive-end-Theorie des Glücks“ in der modernen Tugenddiskussion stellvertretend DEN UYL, D. (1991): *The Virtue of Prudence*, New York.

der Gestaltung und Bereicherung durch Viele bedarf, die ihre unterschiedlichen Erfahrungen und Perspektiven „zusammenbringen". Es rekrutiert sich im Modus einer intersubjektiven Beratung, da dem Einzelnen die zur Beurteilung hinreichenden Kenntnisse und Fähigkeiten fehlen. Die Beurteilung soll eine „Mitte für *uns*" markieren, welche sich als Mitte in Ansehung der zu vermeidenden Extreme begreift. Sowohl um die Subjekte so weit zu bilden, dass sie ihre Handlungen in dieser „Mitte" halten, als auch um die Folgen, die in diesen Handlungen erstrebt werden, so zu koordinieren (gegebenenfalls zu kompensieren etc.), dass die zu vermeidenden Effekte nicht auftreten, bedarf es der Politik, welche insofern „die Ethik vervollkommnet".[24] Die Achtung vor dieser Funktion politischer Institutionalität ist daher ein wesentliches Essential von Klugheitsethiken.

Da der Grundansatz unter der Perspektive des Gesamtlebensvollzugs modelliert ist, sind der Erhalt der Bedingungen für die Gestaltung eines gelingenden Lebens und die Berücksichtigung der Zukunftsoffenheit konkreter Vollzüge wichtige Instanzen, von denen aus Klugheitsethiker argumentieren. Die Bedingungen unseres Handelns finden wir in institutioneller Verfasstheit vor (dies gilt auch für die „naturalen" Bedingungen), und die Gestaltung der Möglichkeitsräume des Handelns ist institutionalisiert. Klugheitsethiken berücksichtigen entsprechend die normative Kraft des institutionell Faktischen und reflektieren in ihren Ratschlägen das Verhältnis der Individuen zu den Institutionen. Da nicht singuläre Vollzüge durch die Beurteilung unter einer übergeordneten „sicheren" Instanz ein für alle Mal gerechtfertigt werden, sondern Möglichkeiten und Grenzen für das Gelingen solcher Vollzüge in bestimmten Spielräumen aufgezeigt werden (reflexives Orientieren), ist die Berücksichtigung des Fallibilismus jeglichen Handelns (in Abhängigkeit von sich verändernden Bedingungen, verändernden Möglichkeiten der Optionenwahl, veränderter situativer Verfasstheit von Bedarfslagen, Fertigkeiten etc.) ein weiterer zentraler Topos der Klugheitsethiken. Sicherheit beanspruchen die Ratschläge daher auch für sich selbst nicht. Stehen damit die Klugheitsethiken insgesamt unter dem Verdikt des Relativismus?

4. Klugheitsethiken in provisorisch-moralischer Absicht

Mit der Formulierung vom „Wissen im Umriss" (*typos*), welches Klugheitsethik bereitstellt, hat bereits Aristoteles signalisiert, dass es einerseits in der Tat um Relativierungen geht, wenn eine konkrete Entscheidung als klug gerechtfertigt werden soll, Relativierungen zwischen den genannten Rechtfertigungsgesichtspunkten in

[24] ARISTOTELES, *Nikomachische Ethik*, 1181b 15 f.; ARISTOTELES, *Politik*, 1280b 29-35, 1288a 38 f., 1332a 32 ff.

Ansehung der konkreten Situation. Die Kennzeichnung des Umrisses selbst ist jedoch nicht relativ, sondern immanenten Eigenschaften des Strebens geschuldet, die genau erfassbar sind und in den allgemeinen Empfehlungen für ein kluges Handeln ihren Niederschlag finden. Dabei müssen die Kriterien immer neu und situationsangepasst abgewogen werden mit den Konsequenzen der Befolgung der unter ihnen entwickelten Ratschläge. In der modernen Diskussion versucht man, diesem Anspruch durch die Modellierung von „Überlegungsgleichgewichten" nachzukommen (worauf wir weiter unten noch einzugehen haben).

Die Motive der (aristotelischen) Klugheitsethik finden wir nun in einer für uns besonders interessanten Ausprägung wieder, der provisorischen Moral des Descartes[25] – deshalb interessant, weil Descartes' Überlegungen in einer moralischen und wissenschaftlichen Umbruchsituation ihren Ort haben, die mit unserer gegenwärtigen Situation vergleichbar ist. Während Aristoteles seine Überlegungen zur Ethik, Politik und Ökonomie, zumindest was das Wissen im Umriss betrifft, an der institutionellen Verfasstheit der *polis* (analog zum „Haus") orientieren konnte, auf deren Boden eine relativ übersichtliche „Landkarte" von Handlungsoptionen und klugen Strategien zu entfalten war, geht Descartes davon aus, dass wir über kein „ethisches Haus" mehr verfügen. Ratschläge für das Gelingen eines Gesamtlebensvollzugs sind daher abzuschwächen zu Ratschlägen für die Geling*barkeit* eines solchen Vollzugs oder, um im Bild zu bleiben, zu Ratschlägen, wie ein „Zelt" geartet sein müsse, welches uns in der dynamisierten Situation des Unterwegsseins (Charakteristikum moderner Wissenschaft und Technik) ein Weiterkommen ermöglicht.

Aus dieser (höherstufigen) „Not" ist die „Tugend" der provisorischen Moral zu machen. Wer kein Haus hat, ist deshalb noch nicht zur Obdachlosigkeit verurteilt. Von den vier prominenten Regeln, die Descartes vorschlägt, erscheinen die ersten drei *prima facie* als gegensätzlich. Bei genauerer Betrachtung wird jedoch ersichtlich, dass sie sich zum einen gegenseitig zu relativieren vermögen, zum anderen jeweils eine der drei Regeln höherstufig die anderen beiden und ihr Verhältnis zueinander regieren kann.

Die erste Regel schlägt vor, dass man sich an bewährter Sittlichkeit und bestehenden, anerkannten moralischen und rechtlichen Regeln orientieren solle, somit die Rechtfertigungslast dem Neuen zukomme. Dieser konservativen und im Extremfall konformistischen Regel scheint die zweite Regel zu widersprechen, nämlich unter Ungewissheit sich für die in ihrer Zielführung wahrscheinlicher erscheinende Problemlösung zu entscheiden und diese Entscheidung durchzuhalten, ungeachtet ausstehender Sicherheitsgarantie für die Richtigkeit der Entscheidung. (Das Bild eines Verirrten im Wald, der sich für eine Richtung entscheiden und diese beibehalten soll, weil damit seine Chance steigt, den Wald unversehrt zu verlassen, veranschaulicht die Situation.) Schließlich fordert eine dritte Regel zur Selbstbescheidung auf, sich in die Grenzen des Machbaren zu fügen und nichts zu erstreben, was jenseits der eigenen Fähigkeiten und Fertigkeiten und jenseits der Möglich-

[25] DESCARTES, R. (1637): *Discours de la méthode*, Hamburg 1960, Kap. III.

keiten disponibler Mittel liegt. Dem Probabiliorismus der zweiten Regel steht so hier ein eher tutioristisch-stoisch motivierter Ratschlag entgegen, der im Extremfall als Fatalismusforderung interpretiert werden kann.

Die vierte Regel beinhaltet den vagen Hinweis, das eigene Beurteilungsvermögen immer weiter zu vervollkommnen, was voraussetzt, dass man sich über dessen eigene Unzulänglichkeit vergewissert hat.[26] Das Urteilsvermögen ist aber dasjenige Vermögen, unter welchem das In-Anschlag-Bringen der jeweiligen Regeln unter Betrachtung der Situationsspezifik gerechtfertigt werden kann, so bei der ersten Regel, insofern ihr Befolgen voraussetzt, dass keine neue und neuen Problemdruck erzeugende Entscheidungssituation besteht, während die zweite Regel unter Krisendruck und ohne Kenntnis sicherer Lösungsoptionen ihre Angemessenheit findet und die dritte Regel als Aufforderung zur Unterlassung auf fundamentale Ungewissheit, Unfähigkeit und Desorientierung im besonderen Fall absieht. Alle drei Regeln zugleich im Auge zu behalten, verhindert jedoch, dass Vereinseitigungen durch ausschließliche Orientierung an einer der drei Regeln auftreten, weil unabhängig von einer Situationsspezifik diese Regeln fürs Ganze gelten: etwa qualitativ neue Situationen unvermittelt unter bewährten Orientierungen behandelt werden (Regel 1) oder vorschnell eine fatalistische Selbstbeschränkung praktiziert wird (Regel 3), ohne dass die Möglichkeit, mit Unsicherheiten umzugehen und entsprechende Strategien hierzu einzusetzen, ins Auge gefasst wird (Regel 2). Zugleich können die einzelnen Regeln jeweils regulativ wirken für den Einsatz der jeweils anderen, wenn etwa unter der Regel der Selbstbeschränkung fallbezogen die selbstsichere Orientierung am Bewährten genauso zurückgewiesen werden kann wie ein selbstsicherer Dezisionismus, der glaubt, auf das wahrscheinlich Richtige setzen zu dürfen, ohne Makrorisiken und Gefahren zu berücksichtigen, die sich dadurch ergeben können, dass durch die immer weiter verfolgte Entscheidung Situationen auftreten, in denen ein Abwägen selbst nicht mehr möglich ist. Deutlich wird, dass die Architektur dieses Regelsystems insgesamt dem Anspruch verpflichtet ist, in spezifischen Situationen die Entscheidungen so zu treffen, dass eine gelingende Lebensführung möglich bleibt.

Descartes hat diese Regeln nicht weiter differenziert und erläutert; wenn wir aber im Bild bleiben, dass ein „Zelt" unser Unterwegssein gewährleisten soll, kann nach Kriterien eines guten Zeltes gefragt werden, und hinter diesen Kriterien finden wir einen Kanon von Eigenschaften, unter dem beim Abwägen zwischen unsicheren Optionen diejenigen ausgezeichnet werden können, die eher diesen Kriterien entsprechen: Flexibilität, Stabilität, Sturm- und Krisensicherheit sowie Anpassungsfähigkeit an unterschiedliche Erfordernisse („unterschiedliches Gelände") machen ein Zelt aus, dessen Festigkeit nicht mit Starrheit und dessen Gestaltwandel nicht mit Amorphizität verwechselt werden darf. Reparabilität, Fehlerfreundlichkeit für

---

[26] Zur Ausarbeitung der Relativierungsbeziehung zwischen den kartesischen Regeln vgl. LUCKNER, A. (1996): *Elemente provisorischer Moral*, in: HUBIG, CH., POSER, H. (Hg.): *Cognitio Humana – Dynamik des Wissens und der Werte*, Bd. 1, Leipzig, 68-77.

diejenigen, die es aufbauen, leichte Revisionsmöglichkeit (Auf- und Abbaubarkeit, Standortwechsel) und situationsangepasste leicht vollziehbare Optimierbarkeit berücksichtigten die eingeschränkten Fähigkeiten seiner Nutzer, und in Ansehung dieser Kompetenzdefizite sollten die Nutzer sich mit einer gemäßigten Suffizienz zufrieden geben, d.h. ein Zelt nicht mit den Ansprüchen eines Hauses überfordern und trotzdem dieses so anlegen, dass ein angenehmer Aufenthalt ermöglicht wird. Eine solche Unterkunft sollte auf vielen Schultern ruhen, von vielen tragbar (weiter transportierbar) sein, was im übertragenen Sinne als Kriterium möglichst hoher Diversivität formulierbar ist, vermöge derer Erleichterungen, Kompensationen, Partizipation und Hilfeleistung etc. allererst realisierbar werden. (Es ist leicht absehbar, wie sich diese Kriterien in Anschlag bringen lassen z.B. zur Beurteilung der Optionen der Energiebereitstellung, -nutzung und Entsorgung/Endlagerung.) Die Stabilität und Sicherheit eines Hauses macht es gerade angreifbar, wenn die Situation, für die es gebaut war, sich wandelt. Freilich sind wir an diesem Punkt der Überlegungen noch weit davon entfernt, eine Operationalisierung im Hinblick auf das konkrete Entscheiden und den Umgang mit Ungewissheit und Unsicherheit in der Technikgestaltung vorstellen zu können.

Ersichtlich wird, dass die Klugheitsethiken darauf abheben, dass hinter einem epistemisch begründeten Pluralismus von Einschätzungen und Wertungen (im Sinne unterschiedlicher Herstellung von Wertbezügen konkreter Sachverhalte) und hinter einem normativen Pluralismus (im Sinne einer unterschiedlichen Favorisierung von Hinsichtnahmen des Strebens) eine Wertbasis reklamierbar wird, die sich auf einen Gesamtlebensvollzug richtet, in dem gelingendes Handeln nicht bloß partiell, sondern als Totalität möglich ist. Ein solcher Lebensvollzug setzt voraus, dass diejenigen Bedingungen und Verfasstheiten in ihrem Bestand gewährleistet sind, die zur Herausbildung entscheidungsfähiger Ich-Identität vonnöten sind, und dass ein weitest möglicher Spielraum von Optionen des Entscheidens (im Sinne positiver Freiheit) gewährleistet bleibt.

Man kann diese Bedingungen als basale Werte bezeichnen, unter denen (als höherstufigen Werten) ein Umgang und eine Gewichtung konkreter Werthaltungen möglich wird[27]: Die Herausbildung und Bewahrung einer Identität des Handlungssubjektes als Träger von Präferenzen, fähig zur Selbstzuschreibung von Verantwortlichkeit, (negativ) frei von Fremdbestimmtheit durch Notlagen welcher Art auch immer (einschließlich subjektiv vermittelter in Form von Herrschaft) macht das elementare Vermächtnis, unsere Selbstauffassung überhaupt aus, so dass die Elemente jenes basalen Wertes als Vermächtniswerte bezeichnet werden können, als bewahrenswerte Gesamtheit all dessen, was die Konstituierung individueller Subjektivität ermöglicht, sei es im positiven Sinne durch direkte Identifizierung, sei es im negativen Sinne durch Identifizierung qua Distanzierung: Traditionen, Sozialgefüge, Landschaft, Sicherheit, Privatheit, also alle Herkunftsgarantien und

[27] Vgl. HUBIG, CH. (1995): *Technik- und Wissenschaftsethik. Ein Leitfaden*, 2. Aufl., Berlin, Heidelberg, New York, 139-146.

Herkunftsdistanzierungspotentiale. Daneben wäre – als zweiter basaler Wert – unter „Optionswert"[28] all dasjenige zusammenzufassen, was zur Gewährleistung positiver Freiheit Kompetenz, Fähigkeit und Fertigkeit sowie dingliche Ausstattung ausmacht, bestimmte Zwecke und Mittel weitest möglich frei zu wählen, also den Bereich der Handlungsoptionen nachhaltig möglichst weit und offen zu halten: Kreativität, Mobilität, Partizipation, öffentliche Zugänglichkeit, Transparenz, Wachstums- und Entwicklungschancen etc.

Bezüglich der Vermächtniswerte liegt hier keine extensional begründbare Unterscheidung vor; so kann „Natur" Vermächtniswert in dem Sinne sein, dass der Erhalt eines Sich-in-Beziehung-setzen-Könnens Voraussetzung subjektiver Identitätsbildung ist, wie auch der Erhalt einer möglichst hohen Diversivität von Natur unterschiedliche Nutzungen im Bereich der Mittel- und Zweckwahl erlaubt, also Optionswertcharakter hat. Mannigfache Versuche, Kataloge von Grundwerten auf der Basis eines Konzepts von *capabilities* o.ä. (stellvertretend Martha Nussbaum[29]) zu entwerfen, lassen sich unter diesen Gesichtspunkten strukturieren und rechtfertigen. Die Annahme von Werten als Gütern, Eigenschaften von Gütern und Regeln lassen sich von Fall zu Fall unter Verweis auf ihren Vermächtniswert- oder Optionswertcharakter rechtfertigen. Ähnlich wie die Selbstzweckhaftigkeit von *praxis* im Gegensatz zur Zweckorientierung von *poiesis* nicht eine extensionale Unterscheidung zwischen zwei Handlungsklassen, sondern eine intensionale Unterscheidung von Handlungseigenschaften erlaubt, nach der eine Handlung unter klugheitsethischen Gesichtspunkten umso gerechtfertigter ist, je mehr Praxis-Intensionen sie aufweist, kann man auch bei Entscheidungen zwischen konkreten technischen Gestaltungsoptionen diejenige als vorzuziehen rechtfertigen, deren Vermächtniswert und/oder Optionswertcharakter höher ist. Aber auch diese Priorisierungsregeln sind noch allzu vage, wenn auch der „Umrisscharakter" deutlicher geworden sein dürfte. Wenn sich konkrete Regeln finden lassen sollten, so müssen sich diese als Umsetzungen jener Options- und Vermächtniswertbezugnahme verdeutlichen lassen.

---

[28] Vgl. auch BIRNBACHER, B. (1993): *Ethische Dimensionen der Bewertung technischer Risiken*, in: SCHNÄDELBACH, H., KEIL, G. (Hg.): Philosophie der Gegenwart – Gegenwart der Philosophie, Hamburg, 307-320.

[29] NUSSBAUM, M. (1990): *Aristotelian Social Democracy*, in: DOUGLAS, R.B. (ed.): Liberalism and the Good, New York, 203-252; NUSSBAUM, M. (1993): *Non relative Virtues*, in: NUSSBAUM, M., SEN, A. (eds.): The Quality of Life, Oxford, 242-269.

5. Dissensmanagement unter der Idee einer provisorischen Moral

Die Grundintuition, die den nachfolgenden Konkretisierungsvorschlag leitet, ist diese: Wenn wir alle Orientierungen unter einen Fallibilismusvorbehalt stellen, dürften diejenigen, die einem faktischen Konsens verpflichtet sind, aufgrund von dessen Kontingenz am ehesten dem Vereinseitigungsverdikt zu unterstellen sein. Die Diskursethik, die jener Falle durch die Forderung nach einem kontrafaktischen Konsens, dem auch die nicht am konkreten Diskurs Beteiligten sollen zustimmen können, zu entgehen suchte, ist aufgrund ihrer Konsensorientierung m.E. noch nicht radikal genug. Die Idee ist daher, Wege zu suchen, unter denen Dissense weitest möglich erhalten bleiben in der Erwartung, dass damit das Potential subjektiver Identitätsbildung als auch freier Handlungswahl weitest möglich gewährleistet bleibt, und zwar für alle Betroffenen. Über formale Differenzierungen im Betroffensein unter einem vorausgesetzten Interesse aller an einem gelingenden Gesamtlebensvollzug lassen sich dann unterschiedliche Strategien des Umgangs mit Dissens („Dissensmanagement") auszeichnen und bestimmten Situationstypen des Entscheidens zuordnen. Diese Typisierung und Zuordnung müsste ihrerseits gerechtfertigt werden – sofern sie sich als eine Konkretisierung klugheitsethischer Ambitionen erweisen soll – durch ihre Eigenart, einer notwendigen wechselseitigen Relativierung von Klugheitsregeln untereinander zu entsprechen (um eben Vereinseitigungen zu vermeiden), und sie müsste als konkrete Herausbildung spezifischer *Typen* herzustellender Überlegungsgleichgewichte erweisbar sein, wenn sie jeweils einen Spielraum des Abwägens, also der Herstellung situationsspezifisch *konkreter* Überlegungsgleichgewichte ausmachen soll. Dies soll abschließend gezeigt werden.

5.1 Individualisierung des Entscheidens – individuelle Rechtfertigung der Zweck- und Mittelwahl

Die liberalistische Strategie, Entscheidungen und ihre Rechtfertigung in die Kompetenz von Individuen zu stellen – was das Leitbild unserer Marktwirtschaft abgibt –, setzt eine Situationsspezifik voraus, in der die Gratifikationen und Risiken allein vom betroffenen Individuum getragen werden. Angesichts unsicheren Wissens, pluraler Wertbezüge und -haltungen kann hier den Individuen anheim gestellt werden, sich für Handlungsoptionen zu entscheiden, die ihnen als die für sie am wahrscheinlich günstigsten erscheinen.

Eine eigenverantwortliche Lösungssuche, die die Spielräume individueller Kreativität erhält, setzt freilich voraus, dass den Individuen nicht das Wissen über die Unterschiedlichkeit der Optionen vorenthalten wird: Bei der Nutzung gentechnisch optimierter Nahrungsmittel, über deren Risikolastigkeit Dissens besteht, könnte man die Wahl den Individuen dann überlassen, wenn die entsprechenden Nahrungsmittel hinreichend gekennzeichnet sind (einschließlich Herstellungsdatum, aus dem bei langer Lagerfähigkeit Vitamin- und andere Nährstoffverluste eruierbar sind). Der Allergiker und der „Bequeme" könnten dann für sich entscheiden, welche Option sie vorziehen. Ähnliches könnte gelten für die Wahl unterschiedlicher medizinischer Therapietypen, die Wahl von bequemlichkeitsfördernden technischen Assistenzsystemen, die zu Routinisierungsverlusten führen können, oder für die Wahl unterschiedlicher Medien des Kommunizierens, der Mobilität etc.

Die Favorisierung der zweiten kartesischen Regel, individuelle Entscheidungen zu treffen und durchzuhalten, ist mit Blick auf die Situationsspezifik zu relativieren durch die dritte Regel der Selbstbescheidung in die Grenzen der eigenen Handlungsmacht: In vielen Fällen tangiert das „einsame Entscheiden" durchaus die Sozietät, weil im Schadensfall Risiken abgewälzt werden und bei massenhafter Nutzung bestimmter Optionen, welche sich in Gänze erst *ex post* abzeichnet, ein Schiefe-Ebene-Effekt auftreten kann und die ursprünglich angebotenen Handlungsalternativen, aus welchen Gründen auch immer – meistens ökonomischen –, verdrängt werden (etwa bei der Nutzung des elektronischen Zahlungsverkehrs, welche die Risiken des Transparentwerdens von Konsum- und Lebensstilen der einzelnen Individuen mit sich führt). Die Beschränkung auf die individuelle Handlungsmacht wäre in den wenigen Situationen, in denen diese Dissensmanagementstrategie greifen kann, wirklich radikal zu denken: Dissense über Organtransplantation und das Hirntod-Kriterium wären im Sinne der Individualisierung der Entscheidungsfindung nur dann jener liberalen Lösung zuzuführen, wenn die Befürworter der Organintransplantation zugleich die Bereitschaft zur Organextransplantation auch für sich selbst äußerten, weil sonst die Situationsspezifik, über die jene Strategie überhaupt regieren könnte, verletzt wird (etwa dann, wenn die überwältigende Mehrheit die Organintransplantation für sich als Möglichkeit in Anspruch nimmt, aber nur eine verschwindende Minderheit einen Organspenderausweis mit sich führt). Das Überlegungsgleichgewicht, welches im Rahmen der Wahlmöglichkeiten von jedem einzelnen für sich selbst herzustellen wäre, ist dasjenige zwischen rationalen Präferenzen über Handlungen angesichts ihrer Gelingenswahrscheinlichkeiten und gegebenen Präferenzen über die Handlungskonsequenzen. Instanz der Herstellung eines solchen Überlegungsgleichgewichts wären Wünsche und Präferenzen zweiter und höherstufiger Ordnung, unter denen das Individuum sich mit Blick auf das Gelingen seines Lebensvollzugs selbst entwirft – ein Gleichgewicht, welches jeweils *intra*personell hergestellt wird.

5.2 Regionalisierung des Entscheidens – an unterschiedliche Problemlagen angepasste Rechtfertigung der Zweck- und Mittelwahl

In Abhängigkeit von unterschiedlichen Problemlagen, insbesondere Krisensituationen, können zwischen Gruppen von Betroffenen durchaus unterschiedliche Präferenzhierarchien bestehen. In den Fällen, in denen elementare Bedingungen der

Befriedigung von Grundbedürfnissen in unterschiedlicher Weise nicht gewährleistet sind, können von den Betroffenen Lösungen favorisiert werden, die für andere unerträglich erscheinen, insbesondere was die Akzeptabilität von Risiken betrifft oder die Einschränkung von bürgerlichen Rechten.

In solchen Situationen bietet sich an, die bestehenden Dissense nicht grundsätzlich aufzulösen, sondern eine fremde Rechtfertigung zwar nicht zu teilen, aber ihre Gültigkeit für die anders situierte Problemregion zu konzedieren. Entstehende Einbußen und Nachteile können durch Kompensationen im Zuge von „Mediationen" relativiert werden; ein Ausgleich ist ja im emphatischen Sinne erst notwendig, wenn sein Entstehungsgrund selbst nicht disponibel erscheint. Insbesondere im Hinblick auf das Nord-Süd-Gefälle erscheint eine derartige Kasuistik als Einschränkung von Raum- und Zeithorizonten bei Gültigkeitsüberlegungen angebracht, z.B. bezüglich bestimmter Umweltschutz- und Sicherheitsstandards.

Es findet hier eine Orientierung an der ersten Regel des Descartes als Orientierung am jeweils regional Bewährten statt in Relativierung durch die dritte Regel der Selbstbescheidung. Ihre Grenzen findet diese Dissensmanagementstrategie dort, wo aus der Beibehaltung komplementärer angepasster Problemlösungen in Verbindung mit möglichen Kompensationen Effekte resultieren, die als globale Wirkungen ihrerseits nicht kompensierbar erscheinen und den Bedingungserhalt des Gesamtsystems gefährden. Regionalistische Lösungen zu konzedieren (wobei unter Region eine Problemlage, nicht *prima facie* eine geographische Region zu verstehen ist), erlaubt, dass innerhalb der Problemregionen die Entwicklungspotentiale optimal genutzt werden. Die Herstellung eines entsprechenden Überlegungsgleichgewichtes als Resultat des Abwägens im zugestandenen Möglichkeitsspielraum des Entscheidens folgt derselben Architektur wie unter der Individualisierungsstrategie; nur findet hier das Abwägen nicht intra- sondern *inter*personell statt.

5.3 Problemrückverschiebung – Neubegründung des Prozesses einer Lösungssuche

Wenn die Entscheidungssituation eine Spezifik dergestalt aufweist, dass gegebene Lösungsoptionen dem Bedingungserhalt im Sinne der Gewährleistung von Vermächtnis- und Optionswerten abträglich sind, wäre es fatal, einem Probabiliorismus freien Lauf zu lassen; aber angesichts gegebener Entscheidungsnotwendigkeiten kann auch nicht einfach zu einem Tutiorismus entsprechend der dritten Regel des Descartes Zuflucht genommen werden, wenngleich aus dieser Regel gute Gründe für eine Entscheidungsenthaltung zunächst abgeleitet werden können. Diese Entscheidungsenthaltung bezieht sich jedoch nur auf die gegebenen Optionen und entlastet nicht von einer Entscheidung zur Problemlösung überhaupt.

Eine solche kann dadurch in Angriff genommen werden, dass man nicht weiter versucht, mit den bestehenden Dissensen über die angebotenen Entscheidungsoptionen umzugehen, sondern das Problem neu aufrollt, wobei man sich an der ersten Regel des Descartes dahingehend orientieren kann, dass bestimmte Bedarfslagen und Ansprüche in ihrer Tradition nicht in Frage gestellt werden. Ein neuer Rekurs auf diese Bedarfslagen vermag dann neue Suchräume zu eröffnen, von denen erwartet werden kann, dass sich hier gänzlich neue Lösungsoptionen abzeichnen. Angesichts der Situation, dass etwa die großen Strategien der Energiebereitstellung allesamt umweltschädigend sind, dass die unterschiedlichen Optionen der Müllentsorgung, des Tourismus, des Verkehrs, der Bereitstellung von Nahrungsmitteln etc. mit den unterschiedlichsten Nachteilen behaftet sind, empfiehlt es sich, den Blick zurück auf die Problemwurzeln zu lenken: Die hinreichende Versorgung mit Energie*dienstleistungen* (Wärme, Licht, Mobilität) muss nicht bloß durch die Bereitstellung hinreichender Mengen an Endenergie gewährleistet werden; die Versorgung mit qualitativ hochwertigen Gütern einschließlich Nahrungsmitteln kann so gestaltet werden, dass das Müllvolumen reduziert wird, Wohlbefinden und Gesundheit bedürfen nicht zwingend der touristisch optimierten Rekreation, und durch entsprechende Organisationsformen und Distributionsstrategien können Versorgungs- und Verkehrsprobleme auch gelöst werden durch den Einsatz entsprechender Substitute. Dabei werden oftmals Optionen mit geringeren Amortisationslasten und geringerer Krisenanfälligkeit ersichtlich.

Wir finden hier also den Vorschlag einer wechselseitigen Relativierung und eines Abgleichs zwischen der ersten und der dritten Regel des Descartes; die Überlegungsgleichgewichte, die herzustellen sind, sind diejenigen zwischen praktischen Grundsätzen, die ihre Legitimität aus dem Anspruch nach Bedürfnisbefriedigung beziehen (und in entsprechende ethische Dilemmata führen), und moralischen Urteilen über Vor- und Nachteile der entsprechenden Optionen auf der Basis ethischer Intuitionen, die sich am Bedingungserhalt des Streben-Könnens orientieren.

5.4 Entscheidungsverschiebung – Moratorium und Unterlassen

Wenn Entscheidungssituationen dadurch gekennzeichnet sind, dass aufgrund einer hohen Ungewissheit über die Folgenträchtigkeit und einer damit verbundenen nicht mehr kalkulierbaren Unsicherheit des Entscheidens bei gleichzeitig ausstehendem Problemlösungsdruck eine radikale Desorientiertheit vorliegt, greift *prima facie* die dritte Regel des Descartes. Der Dissens bleibt bestehen, hat aber keine handlungsträchtigen Konsequenzen. Eine solche Situation wäre etwa diejenige, dass durch eine technische Innovation Emissionen in einem hohen Maße stattfinden, welche aufgrund ihrer Nicht-Rückholbarkeit sich dem Fallibilismusvorbehalt entziehen und ungeachtet einer bloß möglichen Schädlichkeit aufgrund dieser Qualität problematisch sind.

Freilich ist auch die Orientierung an der dritten Regel unter die Hypothek ihrer Relativierungsnotwendigkeit zu stellen, und zwar insofern, als die bloße Verschiebung der Entscheidung sich vorbehält, bei entstehenden Notlagen das Risiko einzugehen, um Schlimmeres zu verhüten, also den Tutiorismus durch den Probabiliorismus zu ersetzen. (Ein relativ niedrig einzuschätzender Problemlösungsdruck, explosionsgefährdete Kühlmittel zu ersetzen, hätte unter diesen Gesichtspunkten den Einsatz von „relativ sichereren" FCKWs nicht rechtfertigen dürfen.) Eine Entscheidungsverschiebung erscheint als angemessen angesichts von Gefahren, und als revidierbar, sofern die Gefahren in Risiken transformiert werden können. Die Entscheidungsverschiebung ist Konsequenz der Unmöglichkeit, ein Überlegungsgleichgewicht zwischen wohlüberlegten Urteilen und Urteilen über die Angemessenheit der Bedingungen ihres Zustandekommens herzustellen. Ein (gemäßigter und sich als revidierbar erachtender) Tutiorismus ist diejenige Instanz, unter der die Entscheidungsverschiebung und ihre Aufhebung gerechtfertigt wird.

Zwischen Risikoscheu (Optionswertverletzung) und Waghalsigkeit (Vermächtniswertverletzung) – man erinnere sich an die aristotelische Bestimmung von Tapferkeit als „Mitte" zwischen Feigheit und Verwegenheit – sollen also Entscheidungen solange ausgesetzt werden, bis die die Beweislast tragenden optimistischen Prognosen nicht mehr durch negative Prognosen, soweit diese Gefahren in Aussicht stellen, relativiert werden – eine abgeschwächte „Heuristik der Furcht", die sich deutlich von der harten Forderung Hans Jonas' nach Favorisierung der jeweils schlechtesten Prognose[30] unterscheidet, und zwar mit Blick auf das Problem von Unterlassungsrisiken, welche Jonas nicht hinreichend berücksichtigt.

5.5 Prohibition – Verbot individueller Entscheidungsfindung/ Unterdrückung von strittigen Entscheidungsoptionen

Wenn eine Situation dadurch gekennzeichnet ist, dass unter den strittigen Entscheidungsoptionen sich solche finden, die insofern Overkill-Charakter haben, als ihre Verfolgung Disponibilität überhaupt gefährdet, also zentrale Vermächtniswerte, die für den Erhalt der Subjektposition unverzichtbar sind, verletzt (Klonen, technische Manipulation von „Persönlichkeit") oder essentielle Handlungsspielräume irreversibel und nicht kompensierbar zerstört (etwa durch die Entwicklung bestimmter Hybridwesen insbesondere im Bereich von Mikroorganismen, das Aufbrauchen nicht substituierbarer Ressourcen, irreversible Klimaschäden etc.), dann sind trotz unterschiedlicher Einschätzungen dieser Optionen prohibitive Maßnahmen angemessen.

Abgesehen von pragmatischen Problemen ihrer Durchsetzbarkeit (es gibt in der Kulturgeschichte keine Prohibition, die sich nicht als umgehbar herausgestellt hätte) bedarf aber auch diese Strategie eines Umgangs mit Dissensen, welche sich primär an der ersten Regel des Descartes orientiert, ihrer Relativierung: Denn über Prohibitionen können auch Lösungspotentiale selbst zerstört werden, sofern die Prohibition sich an Akzeptanzlagen orientiert, die unter anderen Bedingungen anders aus-

[30] JONAS, H. (1979): *Das Prinzip Verantwortung. Versuch einer Ethik für die technische Zivilisation*, Frankfurt a.M., 63.

fallen könnten (therapeutisches Klonen, Einsatz von Kernenergie auf der Basis anderer technischer Standards, Eingriffe in Ökosysteme, die deren Diversivität und Variabilität nicht gefährden, etc.). Die Prohibition sollte daher angemessen sein insofern, als sie tatsächlich missliche Lösungsoptionen, nicht aber strittige Lösungspotentiale betrifft.

Das Überlegungsgleichgewicht, welches herzustellen wäre, müsste eines zwischen unparteilichen Prinzipien und zuzulassenden bzw. auszuklammernden Grundsätzen ihrer Realisierung sein unter der Instanz des Autonomieerhaltes. Bei der Betrachtung entsprechender praktischer Grundsätze sind auch diejenigen in Erwägung zu ziehen, unter denen der verpflichtende Anspruch von Prinzipien umgangen werden kann. Falls diese Umgehungsmöglichkeiten nicht verhindert werden können, ist Prohibition keine kluge Strategie.

5.6 Kompromisse – das notwendige Übel

Ein klugheitsgeleitetes Abwägen beim Umgang mit Dissensen wird oftmals verwechselt mit der Suche nach Kompromissen. Bei dieser am häufigsten anzutreffenden Form eines Dissensmanagements, bei der jeder sein Gesicht wahrt, wird häufig übersehen, dass die Probleme nicht gelöst, sondern ihre Lösung bloß aufgeschoben wird (Energiemix, Verkehrsmix, sanfter Tourismus etc.) und lediglich vorübergehend einige Nebenfolgen gemindert werden. Kompromisse zeitigen Verspätungseffekte und fortwährende Reaktionszwänge, schleppen Problemlösungshypotheken und Amortisationszwänge mit sich fort, insbesondere weil Strukturinnovationen in Orientierung an der Strategie der Problemrückverschiebung (5.3) verdrängt werden. Insofern führen sie ein hohes Unterlassungsrisiko mit sich. Indem „bewährte" Problemlösungen bloß in eingeschränkter Form fortgeschrieben werden und ihre Komplexität mit der Erhöhung der Umwelterfordernisse steigt, werden sie zunehmend unverfügbar. Insofern erscheinen sie nur dort legitimierbar, wo sie als Lösungen mit „schlechtem Gewissen" zunächst eine Atempause verschaffen, bis andere Dissensmanagementstrategien greifen können.

Ihre Orientierung an der ersten Regel des Descartes sollte also hintergründig relativiert werden durch die Orientierung an der dritten Regel. Die im Zuge der Kompromissfindung verfochtene Herstellung von Überlegungsgleichgewichten zwischen überparteilichen Akzeptanzlagen und individuellen Interessen nach Maßgabe des Traditionserhaltes erscheint lediglich dort angemessen, wo am Traditionserhalt ein Institutionenerhalt hängt und durch die Verletzung an sich problematischer Besitzstände das Institutionengefüge selbst so weit zerstört würde, dass sein Vermächtniswertstatus überhaupt gefährdet wäre. Kompromisse wie diejenigen zwischen Ökonomie und Ökologie wären in zielführende Lösungen überführbar, wenn in Orientierung an der Dissensmanagementstrategie der Regionalisierung (5.2) ökonomische und ökologische Ansprüche für sich in getrennten Problemregionen so weit erfüllt würden, dass Kompensationen möglich sind, also z.B. nicht ein Ökotop durch eine kleine und ökonomisch ineffektive Trasse eingeschränkt beschädigt wird, sondern eine ökonomisch optimale Trasse (die dann auch ökologisch positive Effekte zeitigt) in ihrer negativen Auswirkung durch Renaturierungsmaßnahmen andernorts kompensiert wird.

Vorschläge, Dissense „stehen zu lassen“ und in adäquater Weise mit ihnen umzugehen, bedürfen aber eines höherstufigen Konsenses hierüber. Dieser – so die Empfehlung der Klugheitsethik und insbesondere ihrer Ausprägung als „provisorischer Moral“ – sollte sich am Modell strategischen Handelns, zu dem wir verurteilt sind und welches sich in der technischen Welterschließung (in theoretischer und praktischer Absicht) verkörpert, orientieren, also Technik ernst nehmen. Und gerade hierin erweist sich die Triftigkeit eines solchen Ansatzes für eine Ethik der Technik.

Wahrnehmung oder Rechtfertigung? Zum Verhältnis inferenzieller und nicht-inferenzieller Erkenntnis in der partikularistischen Ethik

von Andreas Vieth und Michael Quante

> Es gibt einen Augenblick
> beim Erzählen, wo sich die Dinge
> so nahe kommen, dass die Konturen
> sich aufzulösen beginnen.
> Dann schweigt man besser!
>
> Raoul Schrott

Ein charakteristisches Merkmal der Hauptströmungen der neuzeitlichen Ethik ist die Auffassung, dass Wahrnehmung und Rechtfertigung zwei voneinander unabhängige Phänomene darstellen. Diese Dichotomie wurde zu einem bestimmenden Merkmal ethischer Theorien. Dabei wird der Wahrnehmung zumeist die Funktion einer passiven Bereitstellung äußerer Inputs zugewiesen, die von den aktiven Vermögen des Geistes und des Verstandes bearbeitet und untersucht werden. Aus der Perspektive des Handelnden besteht die ethische Aufgabe darin, das Handeln in einer Situation zu rechtfertigen. Rechtfertigungen für Handlungen bauen daher zwar auf der Wahrnehmung relevanter Aspekte einer Situation auf, nehmen diese aber nur zum Ausgangspunkt einer davon in ihrer Geltung unabhängigen Reflexion. Wahrnehmung selbst ist für die Wege der Reflexion bedeutungslos und selbst nicht reflexiv. Dies hat zur Folge, dass die sittliche Qualität einer Handlung allein davon abhängt, inwieweit sie rational oder vernünftig gerechtfertigt werden kann. In ethischer Hinsicht sind Wahrnehmungen als Input und Handlungen als Output voneinander unabhängig.

Schon eine oberflächliche Beschäftigung mit der Bio- und Medizinethik zeigt jedoch, dass Wahrnehmung und Rechtfertigung nicht als zwei voneinander unabhängige Phänomene aufgefasst werden sollten.[1] Die Diskussionslage zwischen drei zentralen Modellen in diesem Bereich – *principlism*, *deductivism* und *casuism* – macht dabei deutlich, dass Kontextualität des Handelns nicht nur eine Aufwertung der

[1] Vgl. QUANTE, VIETH 2000.

Wahrnehmung in der Ethik erfordert, sondern zudem ein verändertes Verständnis davon voraussetzt, was es heißt, sich ethisch zu rechtfertigen. Um einer Situation gerecht werden zu können und in ihr richtig und gut zu handeln, muss man in der Lage sein, sie angemessen zu erfassen. Wahrnehmungen selbst sind – abgesehen von ihrer epistemischen Funktion – in zwei Hinsichten in der Ethik zentral: (i) Nur eine Person, die einen Lebensweg hinter sich hat und mit anderen ein Zusammenleben geteilt hat, kann Situationen angemessen wahrnehmen und ihr Leben handelnd fortführen.[2] (ii) Die Wahrnehmung einer Situation liefert einer Person immer auch Gründe für ihr Handeln und vermittelt ihr dadurch eine Rechtfertigung.[3] Wahrnehmungen mögen zwar nicht unangreifbar sein, sie stellen aber immer zumindest *prima-facie*-Gründe bereit und sind nur selten ganz unbegründet.

In unserem Beitrag „Angewandte Ethik oder Ethik in Anwendung?" plädieren wir daher für ein Verständnis von Ethik, das die Akzeptanz dreier metaethischer Prämissen voraussetzt: (1) einen Intuitionismus im Sinne des direkten und nicht-inferenziellen Erfassens evaluativer Gehalte; (2) eine realistische Konzeption evaluativer Eigenschaften als notwendige Voraussetzung für ein solches Erfassen; (3) einen Partikularismus in dem Sinne, dass nie ausgeschlossen werden kann, dass ein bestimmter Aspekt einer Situation ethisch relevant sein könnte, obwohl er bis *dato* nie in diesem Sinne auffiel.[4] Natürlich sind diese Prämissen nicht unabhängig voneinander. Wahrnehmung, so die These des vorliegenden Artikels, ist weder passiv noch vermittelt sie bloß vorreflexive Gehalte. Die wahrgenommene Wirklichkeit ist daher nicht nur in motivationaler, sondern auch in reflexiver Hinsicht bedeutungsvoll: Wie man zu denken, zu reflektieren und zu begründen hat, hängt auch von der Situation ab, in der man gefordert ist. Es geht also in der Ethik viel weniger, als rationalistische Ethiken es zulassen wollen, darum, sich für sein Handeln zu *rechtfertigen*. Demgegenüber muss man hervorheben, dass es in erster Linie gilt, die Dinge in der richtigen Weise zu *sehen*.

Wahrnehmungen und Prinzipien des richtigen Handelns sind – wie in diesem Artikel herausgearbeitet werden soll – zwei nicht voneinander zu trennende Aspekte. Unter Wahrnehmung soll im Folgenden nicht Sinneswahrnehmung (hören, dass ...; sehen, dass ... usw.) verstanden werden, sondern ein Gespür von Personen für Situationen, das es ihnen erlaubt, sich in ihrem Leben so zu orientieren, dass es gelingt. Wahrnehmung in diesem Sinne ist eine direkte, nicht-inferenzielle Form der Erkenntnis, die einfach dadurch *da ist*, dass eine Person die Dinge in (für sie) charakteristischer Weise sieht. Sie ist zu unterscheiden von inferenziellen Formen des Wissens – d.h. der Form der Erkenntnis, die im weitesten Sinne durch diskursive

2 Den Begriff „Leben" verwenden wir in diesem Beitrag durchgehend im Sinne des personalen Lebens, d.h. der biographischen Identität von Personen, nicht in einem auf die Biologie reduzierten Sinn; vgl. dazu ausführlich QUANTE 2002.

3 Vgl. MCDOWELL 1995.

4 Vgl. QUANTE, VIETH 2000, Abschnitt 4.2.

Reflexion (Schlüsse Ziehen, Nutzenkalkül, Anwendung des kategorischen Imperativs usw.) *gewonnen wird.*

In der Ethik spielen beide Formen der Erkenntnis eine Rolle. Im Folgenden wird Wahrnehmung als ein *partikularistisches* Erkenntnisvermögen verstanden, diskursive Reflexion dagegen als *rationalistisches.* Die entsprechenden Positionen sollen als Partikularismus bzw. als Rationalismus bezeichnet werden. Auch wenn man bei Kant in diesem Sinne partikularistische Aspekte findet, muss man ihn als Rationalisten bezeichnen bzw. als Universalisten – im Sinne eines extremen Rationalismus, der als Ideal der Rechtfertigung Letztbegründung favorisiert.[5]

Im *ersten* Abschnitt wird am Beispiel des Rationalisten Kant[6] gezeigt, aus welchen Gründen der Rationalismus nicht-inferenziellen Erkenntnisformen epistemischen Charakter abspricht. Drei Prämissen sind dabei konstitutiv für eine rationalistische Position. Ihre Bedeutung für die Kantische Ethik wird in den beiden Unterabschnitten untersucht: Der Rationalist hebt die Passivität und Heteronomie der Wahrnehmung hervor und spielt sie gegen die Aktivität und die Autonomie der Vernunft aus (1.1). Lässt man die bloß rhetorische Herablassung, mit der Kant die Wahrnehmung als Quelle ethischen Wissens diskreditiert, außer Acht, dann findet man gewichtige Indizien für partikularistische Aspekte in der Kantischen Ethik, die – ganz grundsätzlich – auf eine Doppelrolle von Prinzipien in der Ethik verweisen (1.2).

Der *zweite* Abschnitt richtet sich gegen das rationalistische Verständnis von Wahrnehmung: Ein Gespür von Personen für Situationen darf nicht als passive Wahrnehmung verstanden werden, deren kognitive Aspekte nur als heteronome Motivationen fungieren können (2.1). Ein Gespür für Situationen ist in dem Sinne aktiv, dass Personen es sich im Wahrnehmen von Situationen erarbeitet haben und im Wahrnehmen daran weiterarbeiten (2.2). Ein Gespür für Situationen ist nicht einfach ein „Gefühl", sondern ein vielschichtiges und komplexes Phänomen, das Personen als Personen auszeichnet. Die „eigene Glückseligkeit" – im Kantischen Sinne – ist daher eine ergiebige Rechtfertigungsbasis (2.3).

---

[5] Es sei betont, dass unter „Rationalismus" nur eine bestimmte Form einer *ethischen* Epistemologie bzw. Rechtfertigungslehre verstanden werden soll. Gegenüber einem metaphysischen Rationalismus – die Welt bzw. der Kosmos ist vernünftig, und Menschen können wahre Erkenntnis über die Welt erlangen, insofern sie am kosmischen Prinzip teilhaben – bleibt diese Position neutral. – Kant wird von uns als „extremer" Rationalist bezeichnet, da seiner Auffassung zufolge *nur* inferenzielle Formen des Erkennens ethisches Wissen konstituieren können (vgl. Anm. 24). Die im vorliegenden Artikel gebräuchliche Opposition von Rationalismus und Partikularismus entnehmen wir der Sache nach (freilich mit anderer Wertung) aus KANT 1785, 441-445.

[6] Dabei erheben wir nicht den Anspruch auf die beste oder einzig richtige Deutung der Texte Kants; unser Verständnis seiner Theorie halten wir jedoch sowohl für eine naheliegende Deutung als auch für eine weitgehend geteilte Lesart.

Im *dritten* Abschnitt werden die für die Ethik konstatierte Doppelrolle von Prinzipien und die im Gespür für Situationen vorhandenen Rechtfertigungsressourcen weiterverfolgt. Dabei gilt es zunächst, eine Doppeldeutigkeit des Partikularismusbegriffs zu benennen (3.1). Im Anschluss daran wird für einen Primat nicht-inferenzieller Erkenntnisformen in der Ethik argumentiert (3.2). Die Kritik am Rationalismus in der Ethik wird dann erweitert: Der Rationalismus verwechselt Rechtfertigung mit Erklärung. Auf der Basis der Unterscheidung eines *rationalistischen* und eines *partikularistischen* Prinzipienbegriffs kann man dann erstens zeigen, dass der Partikularist in der Lage ist, Bedingungen für gerechtfertigtes Handeln anzugeben. Zweitens eröffnet sich auch eine Möglichkeit innerhalb des Partikularismus, die Funktion rationalistischer Erkenntnisformen für die Ethik zu integrieren. Inferenzielle Erkenntnisformen sind ein zusätzlicher Aspekt des Gespürs von Personen für Situationen und eine Imaginationskraft, durch die Personen ihr Gespür erweitern und verfeinern (3.3).

Abschließend werden die Ergebnisse dieses Artikels im *vierten* Abschnitt zusammengefasst.

1. Das Verhältnis von Wahrnehmung und Rechtfertigung bei Kant

Für die Bestimmung des Verhältnisses von Wahrnehmung und Rechtfertigung sind bei Kant – wie bei allen Rationalisten – drei Prämissen zentral. Rationalistische Ethiken beruhen im Wesentlichen auf folgenden Annahmen:

(P1) Wahrnehmung, als ein (direktes, nicht-inferenzielles) Erfassen von dem Erfassenden äußeren Gegenständen bzw. Eigenschaften, ist passiv bzw. bloß aufnehmend. Der diskursive Verstand ist dagegen aktiv, indem er Wissen (auf inferenziellem Wege) konstruiert.

(P2) Reflexion als Tätigkeit des Geistes, die im ethischen Sinne zu rechtfertigen vermag, leitet ihre Rechtfertigungsgründe nicht aus dem Gehalt von Wahrnehmungen ab, sondern aus der Vernunft bzw. aus rationalen Prinzipien. Gehalte von Wahrnehmungen können nicht dafür benutzt werden, die Richtigkeit von Handlungen zu begründen, weil Richtigkeit eine formale Eigenschaft ist und nicht als Situationsgerechtigkeit verstanden werden darf.

Man muss die Motivationen für die beiden ersten Prämissen streng auseinander halten. Die erste Prämisse ist deskriptiv: Wahrnehmung ist bloß aufnehmend und *deshalb* teilen Wahrnehmungen und der Bereich des Wahrgenommenen die Eigenschaften der Zufälligkeit und des Veränderlichen. Die zweite Prämisse ist normativ: Rechtfertigung in der Ethik muss dem Handeln eine feste Basis geben. Konstitutiv für einen rationalistischen Ansatz ist nun eine dritte Prämisse:

(P3) Die ethische Basis des Handelns muss zumindest fester sein, als Wahrnehmungen es ermöglichen. (Am besten jedoch wäre es, wenn die Basis die Form eines Gesetzes hätte.)

1.1 Ethisches Wissen ist ausschließlich inferenziell

Für die Kantische Ethik sind diese drei Prämissen charakteristisch. Nach Kant ist die praktische Vernunft von Wesen, die mit ihr ausgestattet sind, hinreichend für das Verständnis, das Wesen dieser Art von sittlichen Normen und ihrer Geltung haben. Sinnliche Erfahrung – sei sie innere Vorstellung der Leidenschaft, sei sie eine Wahrnehmung der äußeren Wirklichkeit – trägt nichts zum Verständnis bei, das vernünftige Wesen als vernünftige Wesens davon haben, wie sie handeln sollen. Wahrnehmung scheint daher für die ethische Qualität des Handelns keine Rolle zu spielen.

> „Sie [sc. die Lehren der Sittlichkeit] gebieten für jedermann, ohne Rücksicht auf seine Neigungen zu nehmen: blos weil und sofern er frei ist und praktische Vernunft hat. Die Belehrung in ihren Gesetzen ist nicht aus der Beobachtung seiner selbst und der Thierheit in ihm, nicht aus der Wahrnehmung des Weltlaufs geschöpft, von dem, was geschieht und wie gehandelt wird [...], sondern die Vernunft gebietet, wie gehandelt werden soll, wenn gleich noch kein Beispiel davon angetroffen würde, auch nimmt sie keine Rücksicht auf den Vortheil, der uns dadurch erwachsen kann, und den freilich nur die Erfahrung lehren könnte.“[7]

Es ist jedoch kaum vorstellbar, dass man ohne Wahrnehmungen von Situationen handeln könnte: So kann man schon die Problemstellung als solche, ob man eine Herz-Lungen-Maschine bei einem hirntoten Menschen abstellen darf, nicht analytisch und unabhängig von der Erfahrung aus der Vernunft ableiten.[8] Dies betrifft *auch* die moralische Dimension einer solchen Situation.[9] In Kants *Grundlegung zur Metaphysik der Sitten* setzt die Beschreibung der Beispiele voraus, dass Personen vor der Anwendung des kategorischen Imperativs eine Vorstellung moralisch relevanter Aspekte eines anvisierten Handelns haben.[10] Sie sind fähig, Situationen wahrzunehmen und sie gezielt so zu beschreiben, dass sie in der Lage sind, Maximen zu bilden,

---

[7] KANT 1797, 216.

[8] Vgl. KANT 1785, 454.

[9] KANT 1788, 36 (vgl. unten Anm. 28).

[10] KANT 1785, 421-424. Vgl. HERMAN 1993, 75: „Kant's moral agents are not morally naive. In the examples Kant gives [...] the agents know the features of their proposed actions that raise moral questions before they use the CI [sc. den kategorischen Imperativ] to determine their permissibility.“

auf die dann der kategorische Imperativ als eine Methode zur Prüfung von Maximen angewendet werden kann. Auch Kant geht daher von der Wahrnehmung bzw. von einer bestimmten erworbenen Fähigkeit, Situationen zu erfassen, als Ansatzpunkt ethischer Überlegungen aus.

Eine Person ist zunächst durch die An- bzw. Abgewöhnung bestimmter beharrlicher Neigungen in ihrer biographischen Entwicklung in der Lage, von Situationen durch Wahrnehmung motiviert zu werden.[11] Wahrnehmung stellt aber, nach Kant, keine *Kriterien* für die Richtigkeit von Handlungen zur Verfügung, sondern lediglich materiale Ziele für den Willen. So kann die faktische Willensbestimmung – d.h. das, worauf der Wille sich als ein Ziel richtet – zwar „gemäß dem moralischen Gesetze" sein, aber diese Gemäßheit beruht ursprünglich nur auf einem Gefühl und begründet so nur *Legalität*, auf keinen Fall aber *Moralität*.[12] Ein solches Gefühl darf allerdings nicht mit Gefühlen im umgangssprachlichen Sinne verwechselt werden, da es Maximen – d.h. subjektive Prinzipien des Wollens – vermittelt. Es ist also eher ein Gespür bzw. eine *sensitivity*.[13] Das Kantische „Gefühl" ist also als Wahrnehmung ein kognitives[14] und zugleich motivierendes mentales Ereignis und als Fähigkeit ein erworbenes Vermögen. Als solches ist es jedoch nur Ursprung „unechter Prinzipien der Sittlichkeit"[15], weil der Wille in ihnen durch äußere Objekte fremdbestimmt ist. Unechte Prinzipien haben nicht die Form des Gesetzes und sind daher bloß Ausdruck des Eigendünkels.

> „Nun gehört der Hang zur Selbstschätzung mit zu den Neigungen, denen das moralische Gesetz Abbruch thut, so fern jene blos auf der Sinnlichkeit beruht. Also schlägt das moralische Gesetz den Eigendünkel nieder. Da dieses Gesetz aber doch etwas an sich Positives ist, nämlich die Form einer intellektuellen Causalität, d.i. der Freiheit, so ist es [...] zugleich ein Gegenstand der *Achtung* und [...] mithin auch der Grund eines positiven Gefühls, das nicht empirischen Ursprungs ist und a priori erkannt wird."[16]

In der Wahrnehmung ist der Geist heteronom, insofern er durch Objekte außerhalb seiner selbst bestimmt wird. Wenn eine Person sich durch ihr Gefühl oder ihre Neigung bestimmen lässt, d.h. ihren motivationalen Charakter in sich zur Wirkung kommen lässt, dann ist sie unfrei und fremdbestimmt. Die Autonomie des Willens liegt dagegen in seiner Vernünftigkeit. Der Kantischen Position liegt die These zugrunde, dass Wahrnehmungen a- oder gar ir-rational sind, aber deshalb nicht ohne weiteres gleich unmoralisch.

---

[11] KANT 1797, 479.

[12] KANT 1788, 71 f.

[13] Vgl. die Verwendungsweise von *sensitivity* bei MCDOWELL 1979, 51.

[14] Es hat auch bei Kant einen „Gegenstand": KANT 1787, 75.

[15] KANT 1785, 411, 442.

[16] KANT 1788, 73.

Irrational sind sie zumindest in dem Sinne, dass sie ein triebhaftes Streben nach einem bestimmten Ziel auslösen können (motivationaler Aspekt), das nicht von der praktischen Vernunft gelenkt ist und daher nicht die Form des Gesetzes hat (falsch-kognitiver Aspekt).[17] Eine vernünftige Person ist in der Lage, aufgrund der Wahrnehmung einer Situation Maximen zu bilden und dadurch eine Vorstellung vom subjektiven Prinzip des Handelns zu entwickeln, das dann der Prüfung durch den kategorischen Imperativ unterzogen werden kann.[18] Vernünftige Personen können also die falsch-kognitiven Aspekte ihres Gespürs für Situationen durch richtig-kognitive ersetzen und dadurch den ethischen Charakter ihres Strebens bzw. ihrer Motivation verändern.

Der Gegensatz zwischen falsch- und richtig-kognitiv bezieht sich auf den Gegenstandsbereich der Erkenntnisvermögen: Wahrnehmungen beziehen sich auf eine subjektunabhängige Realität, deren charakteristische Merkmale – Unstetigkeit, Veränderlichkeit etc. – durch den Weg der Erkenntnis (kausale Affizierung) sich auf den Bereich der Vorstellungen überträgt (und damit auf das Handeln). Sein Handeln darauf zu gründen, ist *falsch*. Wahrnehmungen bzw. Erkenntnisse, die vom Gegenstandsbereich, auf den sich die „sinnliche" Wahrnehmung bezieht, unabhängig sind – also Vernunfterkenntnisse –, führen zu klaren, sicheren und beständigen Vorstellungen. Diese Eigenschaften übertragen sich, wenn Vorstellungen dieser Art allein motivational wirksam werden, auf das Handeln. Sein Handeln darauf zu gründen, ist *richtig*.

Ein zur praktischen Vernunft fähiges Wesen kann seine Vernünftigkeit kultivieren und so den „Eigendünkel" überwinden, indem es sein falsches Gespür für Situationen durch ein richtiges bzw. „positives" Gefühl ersetzt – dieses Gefühl ist Achtung für das Gesetz und wird von Kant als „selbstgewirkt" bezeichnet.[19]

1.2 Wahrnehmung und Rechtfertigung: partikularistische Aspekte in der Kantischen Ethik

Die Sittlichkeit des Handelns ist dem extremen Rationalisten zufolge *nur* und nach der Auffassung eines gemäßigten *wesentlich* durch die Vernunft erkennbar, indem sie z.B. durch die Anwendung des kategorischen Imperatives prüft, ob eine Maxime die Form des Gesetzes hat.[20] Für den Kantischen Ansatz sind daher nicht nur die beiden oben genannten Prämissen kennzeichnend, sie sind auch voneinander abhängig: Die Passivität der Wahrnehmung (P1) wird vor dem Hintergrund der Autonomie der Vernunft und des von ihr abhängigen Konzeptes der ethischen Rechtfertigung (P2) gesehen. Beide – Wahrnehmung und Rechtfertigung – werden gegeneinander

[17] KANT 1785, 400, 403; KANT 1788, 36.
[18] KANT 1785, 421.
[19] Ibid., 401; KANT 1788, 73.
[20] Ibid., 36; KANT 1797, 225.

ausgespielt (P3). Es bleibt jedoch ein bloßes Postulat, dass Wahrnehmung nur abbildend ist. Es ist eine bloße Behauptung, dass Personen in ihren „Neigungen" (im Kantischen Sinne) nicht zumindest *prima facie* gerechtfertigt sind. Und auch die These, dass man in der Ethik nach gesetzesförmigem Wissen zu suchen hat, ist nicht alternativlos.[21]

Die genannten Prämissen rationalistischer Ethiken gelten aber auch für den Kantischen Ansatz nicht ohne jede Ausnahme. Im Folgenden soll gezeigt werden, dass selbst Kant dem Wahrnehmungsvermögen eine ethisch diskriminierende Funktion zuweist, ohne welche die Anwendung des kategorischen Imperativs als eines Prüfprinzips für Maximen sinnlos bliebe. Diese Diagnose dient im folgenden Abschnitt als Ausgangspunkt für eine Neubestimmung des Verhältnisses von Wahrnehmung und Rechtfertigung.

An einem wichtigen Punkt in seinem Ansatz setzt Kant die Prämissen P1 und P2 außer Kraft. Er geht davon aus, dass jede Person unabhängig von der Anwendung ihres Vernunftvermögens in der Lage ist, die Grenze zwischen Selbstsucht und Selbstliebe zu bestimmen – allein durch ihr Auge.[22] In dieser Beziehung ist die Wahrnehmung (entgegen P1) aktiv, weil sie eine Form perzeptiven Unterscheidens darstellt, die nicht bloß rezeptiv ist, sondern eine aktive Kompetenz, die sonst nur der Vernunft zugeschrieben wird, voraussetzt. Kant gesteht weiterhin zu, dass die Neigung – im Sinne der Fähigkeit einer Person, die Dinge in einer bestimmten Weise zu sehen und daraus Motivationen zu beziehen – nicht unstrukturiert und chaotisch ist. Für sie sind *rules of moral salience* konstitutiv.[23] Die Kantische Neigung besitzt – nach Barbara Herman – eine reflexive, aber irrationale Struktur, welche die Wahrnehmungen von Personen prägt. Kant selbst formuliert weniger neutral:

> „Alle Neigungen zusammen (die auch wohl in ein erträgliches System[24] gebracht werden können, und deren Befriedigung alsdann eigene Glückseligkeit heißt) machen die Selbstsucht (*solipsismus*) aus."[25]

---

[21] Vgl. hierzu die Aristotelische Auffassung, dass die Ethik keine Wissenschaft ist (ARISTOTELES, *Nikomachische Ethik*, 6.8/viii, 1142a 23-24) und keine universalen Wahrheiten kennt (ibid., 5.10/x, besonders 1137b 19-24).

[22] KANT 1788, 36. Die Unterscheidung zwischen Selbstsucht und Selbstliebe ist keine Leistung der Vernunft, sondern eine anthropologische Grundkonstante (*praedispositio*). In diesem Sinne ist sie also zwar nicht unabhängig von der (praktischen) Vernunft, aber nicht das Ergebnis einer Reflexion oder eines Raisonnements (vgl. KANT 1797, 399).

[23] HERMAN 1993, Kap. 4, besonders 79-81; vgl. auch ibid., 143-151.

[24] Die Bedeutung der systematischen Aspekte der Neigung dürfen in der Kantischen Philosophie jedoch nicht überschätzt werden. Kant wendet sich gegen eine „vermischte Sittenlehre", die sich sowohl aus der Triebfeder des Gefühls als auch aus der Vernunft speist. Die Neigung ist zwar „systematisch", ihre systematischen Aspekte lassen sich aber nicht unter *ein Prinzip* bringen, so dass die auf sie gegründete moralische Qualität von Handlungen zufällig bleibt (KANT 1785, 410 f.).

[25] KANT 1788, 73.

Selbstsucht ist also die Ursache dafür, dass Personen Situationen in einer bestimmten Weise wahrnehmen und von bestimmten hervorstechenden und sich aufdrängenden Aspekten motiviert werden.[26] Sie ist damit ein Einfühlungsvermögen, das kognitiv (insofern Objekte erfasst werden) und eine Triebfeder für das Handeln ist. Auch wenn Kant das System der Neigungen pejorativ[27] als „Selbstsucht" bezeichnet, besitzt es dennoch eine gewisse Leistungsfähigkeit und stellt ein „erträgliches System" dar. Blendet man den rhetorischen Charakter der Abwertung dieses Systems aus, dann werden selbst für Kant die Gründe für eine Akzeptanz von P2 weniger plausibel.[28] Dies verweist darauf, dass „ethische Prinzipien" bei Kant einen Doppelcharakter haben.[29]

Das erträgliche System beruht auf *Prinzipien der Neigung*, die eine Person nur zufällig zum Guten leiten, weil dieses System unter kein *Prinzip der Sittlichkeit* gebracht werden kann.[30] Die einen sind konstitutiv für die Art, wie Personen die Dinge sehen, das andere ist Ausgangspunkt für das Verstehen der Rechtfertigungsgründe für das Handeln vernünftiger Personen. Diese Doppelfunktion von Prinzipien ist nicht nur für die Kantische Ethik zentral, sondern sie stellt einen Grundzug ethischen Erwägens überhaupt dar: Ethische Erwägungen, rationales Abwägen und diskursive Argumentation können zwar nur vor dem Hintergrund eines ethischen Gespürs, das in sich strukturiert und reichhaltig ist, gesehen werden. Gegenüber einer nicht-inferenziellen Form ethischen Erkennens und Wissens sind rationalistische Reflexionen aber immer sekundär. In zwei Hinsichten allerdings reicht ein Gespür für Situationen nicht aus: (1) Wenn man sich mit sich selbst oder mit anderen darüber verständigen will, was richtig und was falsch ist, muss man in der Lage sein, das erträgliche System der Neigungen zu thematisieren und zu explizieren. (2) Wenn man sich in einer Situation befindet, in der man merkt, dass das eigene Gespür für Situa-

---

[26] Vgl. WIGGINS 1975/76, 233; MCDOWELL 1979, 68.

[27] John McDowell beschreibt die psychologische Quelle dieser Grundintuition der Kantischen Ethik (MCDOWELL 1979, § 4, besonders 60 f.).

[28] Zumindest die Unterscheidung zwischen moralischer Relevanz und Irrelevanz bestimmter Gegenstände ist nach Kant nicht *synthetisch a priori*, wird also nicht durch Vernunft, sondern *a posteriori* durch „Neigung" oder „Selbstsucht" erfasst: „So deutlich und scharf sind die Grenzen der Sittlichkeit und der Selbstliebe abgeschnitten, dass selbst das gemeinste Auge den Unterschied, ob etwas zu der einen oder der andern gehöre, gar nicht verfehlen kann" (KANT 1788, 36; vgl. auch KANT 1785, 389). Vgl. dagegen HERMAN 1993, 77: „The rules of moral salience do not themselves have moral weight – or not in the way that rules of prima facie duties do."

[29] Diesen Doppelcharakter erkennt man auch daran, dass zwischen der Vorstellung, die vernünftige Wesen *a priori* vom sittlichen Gesetz haben, und ihrem Lebenswandel ein vermittelndes Vermögen – die Urteilskraft – nötig ist (vgl. KANT 1785, 389; KANT 1787, 132).

[30] Vgl. unten Abschnitt 3.3.

tionen (vielleicht auch das anderer) versagt, muss man Hypothesen bilden können und diese ausprobieren. – Beides ist ohne diskursive Reflexion nicht denkbar.[31]

2. Systematische Überlegungen zum Status der Wahrnehmung in der ethischen Erfahrung

Das erträgliche System der Neigung, dessen Leistungskraft Kant für die Ethik ungenutzt lässt zugunsten des Vernunftvermögens und diskursiver Reflexion, soll in den folgenden Unterabschnitten näher betrachtet werden. Zunächst wird gegen die rationalistische Vorstellung argumentiert, dass Personen in der Wahrnehmung passiv sind und nur in der Betätigung der Vernunft aktiv und frei (2.1). Wahrnehmung von – oder besser: ein Gespür für – Situationen ist eine kognitive Form des Erkennens, die Personen im Verlaufe ihres Lebens erlernen, indem sie sich handelnd eine – besser: ihre – Sicht der Dinge *erarbeiten*. Diese Form des Erkennens wird von Kant zutreffend als System der Neigung bezeichnet: Kognitive und motivationale Aspekte bilden im Verlaufe einer Biographie eine untrennbare Einheit. In diesem Sinne ist das Gespür für Situationen eine direkte Form des Erkennens und kann daher als „Wahrnehmung" bezeichnet werden (2.2). Insofern Erkennen (Kognition) und Handeln (Motivation) eine untrennbare Einheit bilden, ist die Weise, in der Personen ihre Umwelt wahrnehmen, ein ethischer Rechtfertigungsgrund. In diesem Sinne kann man das Prinzip, das eine Handlung (z.B. die Hilfeleistung) rechtfertigt, sehen – man muss nicht auf es schließen. Auch wenn Biographien sich in sozialen Kontexten entwickeln und in Auseinandersetzung mit der belebten und unbelebten Umwelt ihre Prägung erhalten, scheint das Gespür für Situationen, das sich in ihrem Verlauf entwickelt, in letzter Instanz subjektiv zu sein. Dies spiegelt sich in den Kantischen Bezeichnungen für ein solches Gespür wider: „Neigung", „Selbstsucht" und „eigene Glückseligkeit". In Unterabschnitt 2.3 soll daher die Komplexität und Vielschichtigkeit des Gespürs für Situationen skizziert werden, welche die Vorstellung, dass Wahrnehmungen Handlungen rechtfertigen können, plausibel macht.

2.1 Das aktiv-passiv-Modell der Wahrnehmung

Ein wesentlicher Aspekt der Kantischen Ethik ist die Vorstellung, dass eine Person im Wahrnehmen einer Situation und in ihrer Reaktion darauf passiv ist. Sie bezieht ihre Motivation in diesem Fall nicht aus sich heraus, sondern von außen. Eine vom erträglichen System der Neigung determinierte Person ist daher in ihrem Handeln nicht-spontan und unfrei (heteronom). Richtiges Handeln dagegen, dessen ethische

[31] LOVIBOND 1983, Kap. 45.

Richtigkeit nicht bloß zufällig und empirisch kontingent ist, muss daher seine Kriterien aus einer Quelle beziehen, die weniger unzuverlässig ist als das „Auge“. Eine solche Quelle kann nach Kant nur die diskursive Vernunft sein, die in der Lage ist, die variierenden Aspekte des Handelns unter *ein* Prinzip zu bringen.[32] Die erste Prämisse des Rationalisten ist jedoch falsch.

Das Bild, von dem diese Kantischen Grundintuitionen geprägt sind, ist spezifisch neuzeitlich und rationalistisch.[33] Es setzt voraus, dass die Quelle von Wahrnehmungen äußere Stimuli sind, die auf kausalem Wege Sinnesorgane affizieren. Diese äußeren Stimuli mögen zwar in einem gewissen Sinne „strukturiert“ sein, aber sie reichen nicht dazu hin, dass Wahrnehmungen in einem ethisch relevanten Sinne *kognitiv* sind: Das System der Neigung ist daher nur *erträglich*. In diesem Sinne sind zur Autonomie fähige Personen – nach Kant – gegenüber Wahrnehmungen und der wahrgenommenen Wirklichkeit passiv und rein perzeptiv.[34] Ethische Rechtfertigung wird dagegen zu einer rein aktiven Aufgabe und damit dem diskursiven Verstand zugeordnet, der aktiv eine vollständige und abschließbare Begründung hervorbringen kann. Es ist klar, dass die Empirie nicht in diesem Sinne rechtfertigen kann, weil sie nicht abgeschlossen ist und nicht vollständig explizierbar. Der neuzeitliche Rationalismus beruht auf nicht selbstverständlichen ontologischen bzw. metaphysischen Annahmen: die grundlegendste ist die Trennung von Geist und Materie.[35] Der Geist bzw. die (menschliche) Vernunft ist das aktive, ordnende und gesetzmäßige Prinzip der Erkenntnis; die Materie das passive, ungeordnete und zufällige des Universums. Die Welt und die Erkenntnis stehen in Opposition: Weil eine Wirkung nicht größer sein kann als ihre Ursache, können Personen, wenn sie in einer Wahrnehmung kausal affiziert werden, durch die Wahrnehmung keine Erkenntnis und keine Rechtfertigungsgründe für ihr Handeln erlangen, weil die affizierende Wirklichkeit nichtrational ist.[36]

In der Antike findet man weder eine scharf gezogene Grenze zwischen dem menschlichen Geist und dem Rest der Welt (beide sind vernünftig) noch eine strikte

---

[32] Vgl. auch KANT 1787, 429 f.

[33] Vgl. zum folgenden auch BEN-ZEEV 1984.

[34] KANT 1785, 441; KANT 1797, 217. Wir folgen im Wesentlichen der strikten Kantischen Opposition von Autonomie und Heteronomie (KANT 1785, 441-445).Vgl. BEN-ZEEV 1984, 332: „The passivity assumption was [...] one way of bridging the mind-body gap in the perceptual realm.“ Daraus kann man zum einen den Schluss ziehen, dass Wahrnehmung von Situationen in philosophischen Kontexten, die das *mind-body-gap* nicht kennen, einen ganz anderen Status haben muss (eben einen *epistemischen*). Daraus kann man zum anderen den Schluss ziehen, dass moderne partikularistische Ansätze in der Ethik (z.B. der John McDowells) in der Weise, wie sie metaphysische bzw. ontologische Fragen diskutieren (z.B. den Realismus gegenüber Werten), immer noch abhängig sind von der Vorstellung eines *mind-body-gap* im neuzeitlichen Sinne (vgl. MCDOWELL 1985).

[35] Vgl. BEN-ZEEV 1984, 332 f.

[36] Vgl. ibid., 333; das Verständnis von „Welt“ ist dabei geprägt durch das Weltbild der neuzeitlichen Naturwissenschaften.

Dichotomie zwischen dem Körper von Lebewesen und ihrer Seele (beide besitzen für sich genommen nur bedingt Eigenständigkeit), noch wird der qualitative Unterschied zwischen der menschlichen und der tierischen bzw. pflanzlichen Seele überbetont.[37] Es gibt daher, philosophisch gesehen, Alternativen zu der kruden Kantischen Opposition von Heteronomie und Autonomie, die in der programmatischen These ihren Niederschlag findet: „Der Verstand vermag nichts anzuschauen und die Sinne nichts zu denken.“[38]

Kognitivität von Wahrnehmungen ist – entgegen den rationalistischen Vorurteilen – ein graduelles Phänomen.[39] Jede Form thematisierender, expliziter und diskursiver Kognitivität (das Erfassen von Propositionen; das Glauben an und Hoffen auf etwas; die Anwendung des kategorischen Imperatives) beruht auf Wahrnehmungen, die immer in irgendeiner (vielleicht sehr schwachen und impliziten)[40] Weise begrifflich strukturiert sind. In der Erfahrung einer Person reichert sich diese Kognitivität durch ihr Handeln an. Personen werden durch Wahrnehmungen motiviert, weil sie Dinge als relevant für sich erkennen und darin Ziele für ihr Handeln besitzen.

2.2 Ein Gespür für Situationen: das Basisphänomen der *salience*

Der Dissens zwischen Partikularisten und Rationalisten kann an ihrer Haltung gegenüber der Wahrnehmung verdeutlicht werden. In der Kantischen Ethik ist der Verstand Quelle für ethisch begründbare Muster, Pläne und Vorstellungen, an denen man sich im Leben und Handeln orientieren muss. Sein Leben ethisch richtig zu führen, heißt also, auf inferenziellem Wege zu Vorstellungen zu gelangen, in deren Bewusstsein Handlungen ausgeführt werden müssen. Wenn eine Person aufgrund ihrer Wahrnehmung von Situationen – formal gesehen – richtig handelt, dann ist ihr sittlicher Wert dennoch gering: Die Handlung geschieht pflichtgemäß und nicht aus Pflicht. Gegenüber einem Rationalisten lehnt der Partikularist die Vorstellung ab, man könne auf inferenziellem Wege gewonnenes Wissen in seinem Handeln direkt umsetzen: Eine im Kantischen Sinn autonome Handlung ist ihm zufolge eine Fiktion. Die zweite Prämisse der rationalistischen Ansätze erscheint ihm als unplausibel.

---

[37] Es ist hier nicht der Ort, diese Thesen weiter auszuführen. Vgl. ANNAS 1992; BEN-ZEEV 1984, Abschnitt 2; FREDE 1992.

[38] KANT 1787, 75.

[39] Für eine Position, die an einem vorkonzeptionellen Begriff von Wahrnehmung (Repräsentationen, Erscheinungen) festhält vgl. ALSTON 1998, besonders §§ 3 ff., sowie MILLAR 2000. – Das im Haupttext vorgebrachte Argument orientiert sich an der antiken (Aristotelischen und Stoischen) Vorstellung, dass jedes Lebewesen nach dem Glück (*eudiaimonia*) und dem gelingenden Leben strebt; vgl. dazu VIETH 2001.

[40] CASHDOLLAR 1973.

Darüber hinaus lehnt der Partikularist die Kantische Entgegensetzung von Verstand und Sinnlichkeit grundsätzlich ab: „Der Verstand vermag anzuschauen und die Sinne zu denken.“[41] Der Partikularist muss jedoch in einem weiteren Schritt zeigen, welche Funktion nicht-inferenzielle Formen der Erkenntnis für das Leben von Personen haben.[42] Er lehnt bestimmte rationalistische Grundannahmen ab:

(i) Eine Vorstellung davon, was es heißt, ein gelingendes Leben zu führen, sei ein Plan, der wie eine Blaupause auf das Leben (eines oder verschiedener Menschen) angewendet werden kann.
(ii) Um die ethische Qualität einer Handlung zu verstehen, bedürfe es einer besonderen Art von Kausalität oder einer mysteriösen Entscheidungsinstanz, durch die das Erkannte im Handeln umgesetzt wird.[43]
(iii) Tugendhaftigkeit ist ein Vermögen der Seele, das Personen sich, indem sie handeln, erarbeiten. Sie ist eine Form von *Know-How* und wird nicht nur von Aristoteles als ein besonderes[44] Auge der Seele bezeichnet[45]. Der Rationalist lehnt dieses „Auge“ als Kriterium richtigen Handelns ab.
(iv) In diesem Sinne – d.h. als Auge der Seele – ist Tugend eine nicht einmal im minimalen Sinne verallgemeinerbare „universale“ Struktur des Handelns, sondern der Zustand einer bestimmten individuellen Seele. Auch gemäßigten Rationalisten zufolge besteht eine wesentliche Dimension ethisch richtigen Handelns in bestimmten Formen der Verallgemeinerbarkeit.
(v) Eine tugendhafte Seele ist somit ein Einzelding[46], das wahrnimmt, handelt und bisweilen – aber nicht allzu oft – auch denkt und Schlüsse zieht[47]. Tugend als ein Wahrnehmungsvermögen, das direkt (also nicht-inferenziell) erkennt, ist eine Form der Wahrnehmung. Der Rationalist misstraut der Wahrnehmung, weil er eine von ihr in moralischer Hinsicht geleitete Person als heteronom charakterisiert.

---

41 Die Reflexivität der Sinnlichkeit ist ein zentrales Thema in einer Reihe von Aufsätzen John McDowells; vgl. McDowell 1979; McDowell 1980; McDowell 1985; McDowell 1998.

42 Vgl. unten Unterabschnitt 3.3.

43 Vgl. McDowell 1978.

44 „Besonders“ ist das Auge der Seele nur insofern, als es ein Wahrnehmungsvermögen ist, das zwar nicht unabhängig von den Sinnen (Sehen, Hören, ...), aber auch nicht auf sie reduzierbar ist – insbesondere nicht auf das Sehen.

45 Aristoteles, *Nikomachische Ethik*, 1143b 13 f., 1144a 29-31. Wahrnehmungen als Äußerungen des „Auges der Seele“ sind zugleich eine Form des Strebens (ibid., 3.6/iv).

46 Die Tatsache, dass Tugend ein „Einzelding“ ist – in Aristotelischer Terminologie eine „Haltung der Seele“ (*hexis psuchēs*, ibid., 1144a 29-31) –, macht deutlich, dass alle Versuche von Rationalisten, tugendethische Elemente in ihren Ansatz zu integrieren, unangemessen sind. (Vgl. für einen solchen Ansatz O'Neill 1996, besonders Kap 3.)

47 Vgl. die Diskussion der Wohlberatenheit (*euboulia*) bei Aristoteles (Aristoteles, *Nikomachische Ethik*, 6.10/ix).

(vi) Das rationalistische Ideal der vollständigen Explizierbarkeit dessen, was es heißt, als Mensch ein gelingendes Leben zu führen, ist Fiktion.[48] Es setzt voraus, dass man für die Beschreibung einen externen – d.h. rein theoretischen und nicht-praktischen – Standpunkt einnehmen kann (und muss).[49] Einer solchen Perspektive misst der Partikularist nur bedingt Wert bei.

In welcher Form wird Wahrnehmung im Sinne eines Gespürs von Personen für Situationen nun zum Ausgangspunkt partikularistischer Ethiken? Personen werden im Verlauf ihres Lebens und durch eine (mehr oder weniger) erfolgreiche Sozialisation empfänglich dafür, Situationen zu erfassen. Eine Situation zu erfassen heißt, nicht nur bestimmte Aspekte in bestimmter Weise wahrzunehmen, sondern auch, bestimmte Aspekte nicht wahrzunehmen. Generell spricht McDowell von *salience* bzw. von den *salient features* von Situationen.[50]

Die Empfänglichkeit einer Person für bestimmte moralisch relevante und nicht-relevante Aspekte einer Situation setzt voraus, dass eine Situation ein bestimmtes „Relief" hat. Ein Partikularismus im Sinne McDowells ist also ein ethischer Realismus: Ob eine Person in moralischer Hinsicht stumpfsinnig ist oder nicht, bemisst sich daran, ob sie von diesen Aspekten affiziert wird.

Dies könnte so verstanden werden, als meinte der Partikularist mit dem Gespür von Personen für Situationen das Erfassen einer metaphysischen Welt der Werte im Sinne platonischer Intuitionen. Der Partikularist muss aber nicht nur die Idee eines „view from *nowhere*" ablehnen, sondern auch die Vorstellung der rein theoretischen Schau eines „view *from* somewhere". Die Wahrnehmung von Situationen ist vielmehr die Weise, in der Personen in Situationen leben und handeln. Eine Situation wahrzunehmen, heißt nicht, sich mit etwas konfrontiert zu sehen, sondern an etwas in einer bestimmten Weise beteiligt zu sein. Daher betont der Partikularist, dass die Wahrnehmung von ethisch relevanten Aspekten einer Situation nicht nur kognitiv ist, sondern immer auch motivational. In dieser Hinsicht sind Personen in die Situationen, die sie (bloß) wahrzunehmen scheinen („view from ..."), zugleich mehr oder weniger angemessen involviert.

Der Rationalist wird hier kritisch einwenden, dass hervorstechende Merkmale von Situationen (*salient features*) in dem Sinne subjektiv sind, dass nur Personen sie wahrnehmen, die so beschaffen sind, dass sie in der Lage sind, sie wahrzunehmen. Die Kritik trifft jedoch nur auf den nicht-inferenziellen Charakter von Wahrnehmungen zu und ist in diesem Sinne trivial: Die Wahrnehmungen einer Person X sind ihre Wahrnehmungen, und nicht die einer Person Y. Wenn der Rationalist sei-

---

[48] Vgl. auch BLUM 2000; WILL 1988, 153 f. Vgl. auch MCDOWELL 1979, 66-68; MCDOWELL 1998, 36 f.

[49] Wie in Abschnitt 1 gezeigt, gilt dies selbst für Kant nicht in jeder Hinsicht: Die wichtigste Unterscheidung in der Ethik – die zwischen Relevanz und Nicht-Relevanz – ist nicht von der Vernunft rekonstruierbar, sondern eine Leistung des „Auges".

[50] Vgl. z.B. MCDOWELL 1979, 69-71. Er bezieht sich auf WIGGINS 1975/76, 236.

ne Kritik auf den Gehalt der Wahrnehmung ausdehnt, dann irrt er. Das System der Neigung ist *erträglich*: An Situationen sind viele Personen beteiligt, die sich ihrerseits in einem sozialen Raum befinden.[51] Die Weise, in der viele Personen in ihrer je eigenen Weise zu leben für Situationen konstitutiv sind, erzeugt das ethische Relief einer Situation. Ein Gespür für Situationen ist daher nicht eine Form des intuitiven Erkennens, das sich – wie bei Platon – auf eine vom Erkennen, Handeln und Leben unabhängige Realität bezieht, die in unserer Umwelt instantiiert ist. Personen leben, und dabei sind andere Personen für *ihr* Leben – ihr eigenes *und* das anderer – konstitutiv.

Das Falsche und Bedrohliche an der Vorstellung eines „view from somewhere" ist nicht die Perspektivität und Relativität des Erkenntnisaktes, dem gegenüber ein „view from nowhere" Objektivität und intersubjektive Gültigkeit verspricht, sondern (viel grundsätzlicher) die Unterscheidung eines wahrnehmenden Subjekts und eines wahrgenommenen Objekts – sie ist ein Residuum der rationalistischen Metaphysik (vgl. Unterabschnitt 2.1). Personen können nicht nur nicht auf eine besondere Perspektive zurückgreifen, wenn sie sich rechtfertigen wollen, sondern sie können nicht einmal aus dem Leben heraustreten, indem sie einfach nur wahrnehmen und beobachten. Die umfassendste Form der Beobachtung ist das Leben eines Lebewesens selbst.[52]

„Leben" als der umfassende Rahmen des Wahrnehmens und Handelns einer Person ist nicht *kodifizierbar* – in diesem Sinne gleicht es einem Strudel, der klare Grenzen und den geraden Fluss des Lebensstromes in sich hinabzieht.[53] Man kann daher kein Konzept des gelingenden Lebens angeben, durch dessen Anwendung das Leben einer bestimmten Person tugendhaft wird. Es gibt daher, gemäß der Auffassung des Partikularisten, nur bedingt *rules of moral salience*.[54] Man muss Kant also darin Recht geben, dass Wahrnehmung als nicht-inferenzielle Form des Erkennens keinen gesetzesförmigen Charakter hat. Das System der Neigung ist tatsächlich nur „erträglich", aber dem Partikularisten reicht das aus: Er baut nicht auf den tröstenden Mythos eines kafkaesken Gesetzes.[55]

Die Nichtkodifizierbarkeit des (richtigen) Lebens hat tiefgehende Konsequenzen: Wenn eine Handlung als solche nur vor einem Hintergrund gesehen werden kann und die Vorstellung eines solchen Hintergrundes insgesamt vage bleibt, dann ist die

---

51 Die offensichtliche Schwierigkeit für die hier beschriebene und gegenüber rationalistischen Theorien favorisierte Position, Situationen mit einem ethischen Relief zu konzipieren, in denen keine Personen vorkommen (z.B. abgeschiedene Ökosysteme und Landschaften), muss an dieser Stelle außer Acht gelassen werden. (Vgl. SIEP 1996, 241-249; SIEP 1998.)

52 Vgl. den passenden Ausdruck John McDowells „whirl of organism" (MCDOWELL 1979, 60).

53 MCDOWELL 1979, § 5; MCDOWELL 1998, 34 f.

54 Vgl. oben Abschnitt 1.2.

55 MCDOWELL 1979, 61.

Vorstellung, die man von seinen (einzelnen) Handlungen (als einzelne) hat, ebenfalls vage. Der Nichtkodifizierbarkeit dessen, was es heißt, ein (gelingendes) Leben zu führen, korrespondiert die nicht vollständige Explizierbarkeit einer bestimmten Handlung und ihrer Gründe. Eine Handlung zu verstehen – d.h. Gründe für sie anzuführen –, ist letztlich nur vor dem Hintergrund des Lebens als Ganzem möglich. Gründe ermöglichen es daher zwar, Handlungen zu *verstehen*, aber sie *erklären* sie nicht. Man darf also das vertraute Phänomen, dass man sich einen Plan zurechtlegt und ihm gemäß handelt, nicht in dem Sinne verstehen, dass man inferenziell eine Ursache für eine Handlung erzeugt. Man handelt, weil man die Dinge so sieht, wie man sie sieht. Durch ihr Gespür für Situationen erfassen Personen das motivationale Relief einer Situation, weil in der Wahrnehmung bestimmte Aspekte in bestimmter Weise hervortreten (*salience*).

2.3 Ein Gespür für Situationen: ein komplexes Phänomen

Zwei Dinge müssen hervorgehoben werden, bevor das Gespür für Situationen, das Personen sich im Verlauf ihres Lebens erarbeiten, differenzierter betrachtet wird: (i) Ein Gespür für Situationen, wie es im vorangehenden Unterabschnitt behandelt wurde, ist kein homogenes Vermögen, sondern es muss als vielschichtiges Phänomen mit ganz unterschiedlichen Ausprägungen angesehen werden.[56] (ii) Die folgende Beschreibung des Gespürs für Situationen könnte als unangemessen angesehen werden, weil sie viel eher die Darstellung einer Lebensform zu sein scheint. Dieser Eindruck ist richtig und gewollt: Wahrnehmen und Handeln sind keine unterschiedlichen Phänomene im Leben von Menschen, sondern sie *sind* das Leben, das Personen mehr oder weniger tugendhaft führen. Insofern es keine festere Basis für die Rechtfertigung des Handelns gibt als das Leben – und das System der Neigung daher als *erstaunlich erträglich* angesehen werden muss –, ist auch die dritte Prämisse des Rationalisten falsch.

In den folgenden Absätzen sollen einige wichtige Aspekte des Gespürs von Personen für Situationen aufgelistet werden, die für sich genommen weder notwendig noch hinreichend sind.[57] Das moralische Gespür, das Kant pejorativ als „Neigung" oder „Selbstsucht" bezeichnet, ermöglicht aufgrund seiner Komplexität und Vielschichtigkeit nicht nur das angemessene Erfassen von Situationen (wenn eine Person ein *gutes* Gespür für Situationen entwickelt hat), sondern ist auch Ansatzpunkt der Kritik (bzw. des Lobes) von Personen.

---

[56] „[S]ituational perception is not a unified capacity" (BLUM 1994, 46; vgl. auch BLUM 2000, 206).

[57] „My view is not that there is some absolute number of distinct moral sensitivity" (BLUM 1994, 47).

Das im vorangehenden Unterabschnitt eingeführte Konzept der *salience* muss in diesem Zusammenhang als ein Aspekt des Gespürs von Personen für bestimmte hervorstechende Aspekte von Situationen konkretisiert werden. Lawrence Blum betont die Gradualität von *salience*: Aspekte von Situationen können mehr oder weniger bewusst werden.[58] Die Art und Weise, wie bestimmte Aspekte von Situationen bewusst werden, zeichnet verschiedene Personen voreinander aus. Blum führt als Beispiel eine Situation in der U-Bahn an: John und Joan sitzen in einem mäßig gefüllten Wagon, in dem alle Sitzplätze besetzt sind. Eine Frau mit ziemlich vollen Einkaufstaschen steht, wobei sich klar zeigt, dass sie sich unbehaglich fühlt, weil sie sich nur schwer zugleich festhalten und ihre Einkaufstaschen kontrollieren kann. Während John die Frau zwar registriert, erfasst Joan insbesondere das Gefühl des Unbehagens der Frau. Von Joan auf diesen Aspekt aufmerksam gemacht, würde John vielleicht in dem Sinne reagieren, dass er ohne weiteres aufsteht und der Frau *aus Höflichkeit* seinen Platz anbietet. Man würde die Situation falsch rekonstruieren, wenn man für John einen Wechsel der Beschreibung und Interpretation der Situation annehmen würde, da er im Prinzip alles richtig gesehen hat. Seine Wahrnehmung stattet ihn jedoch – im Gegensatz zu Joan – nicht mit einem Handlungsgrund aus. Auch von Joan auf den Aspekt des Unbehagens der Frau aufmerksam gemacht, reagiert John nicht wirklich so, dass sein Verhalten in Verbindung mit dem relevanten Merkmal der Situation steht. Er hilft nicht, weil die Lage, in der die Frau sich befindet, ihn auffordert, sondern weil man in gewissen Situationen hilft.[59] Beide – Joan und John – sind gleichermaßen aufmerksam, beide sehen die Situation richtig, aber Joan nimmt sie schärfer wahr als John.

Hervorstechende Merkmale von Situationen können auch komplexe Konzepte eher generellen Charakters sein. Blum führt das Beispiel eines weißen Mannes an, der am Straßenrand auf ein Taxi wartet.[60] Nur wenige Meter vor ihm steht, ebenfalls auf ein Taxi wartend, eine schwarze Frau mit einem Kind. Ein Fahrer hält, nachdem er an der Frau vorbeigefahren war, bei dem Mann. Er ist froh über das Taxi, so dass ihm nicht zu Bewusstsein kommt, dass der Taxifahrer aus rassistischen Gründen weiße Kunden bevorzugt. Im Taxi sitzend kommt er jedoch zu einer Neubewertung, und er sieht, nachdem die Freude sich gelegt hat, die Situation in einem anderen Licht, in dem nun der Rassismus des Fahrers zentral ist. Eine solche Veränderung der Sichtweise hängt nur bisweilen davon ab, dass man Konzepte anwendet und Schlüsse zieht. Man gewinnt Aufschluss über zwei Merkmale des ethischen Gespürs, wenn man das Beispiel betrachtet:

[58] Ibid., 31-33.

[59] „His deficiency is a situational self-absorption or attentional laziness“ (ibid., 33). Es könnte jedoch auch einfach nur der Fall sein, dass John unkonzentriert oder müde ist und sein Blick daher nicht die gewohnte Schärfe hat.

[60] Ibid., 36 f.

(i) Die Neubewertung der Wahrnehmung einer Situation kann nur stattfinden, weil – wenn die Freude sich gelegt hat – andere Aspekte der Wahrnehmung, die durch die Emotion unterdrückt wurden, nun in den Vordergrund treten.[61] Je nachdem eine wie gute Person der erfolgreiche Taxijäger ist, drängt sich ihm ganz von selbst (unmittelbar und nicht-inferenziell) die veränderte Sichtweise auf, oder er bedarf einer diskursiven Reflexion, in der er bestimmte Konzepte in Schlüssen, die er zieht, zur Anwendung auf seine Wahrnehmung bringt. Vielfach wird aber auch eine – gerade im letzteren Fall – externe Kritik nötig sein. Voraussetzung für diese drei Varianten ist die konzeptionelle Aufgeladenheit einer Wahrnehmung: Man sieht – mehr oder weniger deutlich – Rassismus in einer Situation.

(ii) Die Wahrnehmung einer Situation erstreckt sich nicht nur darauf, motivierende Aspekte von Situationen zu erfassen und (durch sie veranlasst) in einer bestimmten Weise zu handeln, sondern auch darauf, die Wahrnehmung selbst wahrzunehmen. Man sollte die „Reflexion" des erfolgreichen Taxijägers zu Beginn seiner Fahrt als ein Nachwirken der Wahrnehmung in ihm betrachten. Es wäre aber ebenfalls unangemessen, wenn man die (nicht-inferenzielle) Neubewertung als eine zweite Wahrnehmung betrachtete, die nicht die ursprüngliche Situation zum Objekt hat, sondern die Wahrnehmung dieser Situation. Wahrnehmungen sind nicht in dieser Weise *diskret.* Ein Gespür für Situationen ist daher als Wahrnehmung – im Sinne der Aktivierung eines Vermögens – zeitlich ausgedehnt.[62] Die Tatsache, dass eine Wahrnehmung präsent bleibt, ist im Falle des Taxijägers zentral. Wahrnehmungen eröffnen, insofern die hervorstechenden Merkmale von Situationen, derer man sich in ihnen gewahr wird, in bestimmten Phasen einer Wahrnehmung wechseln, ein kritisches Potential, das unabhängig von diskursiver Vernunft und rationaler Argumentation ist.

Gerade das Taxi-Beispiel Lawrence Blums macht deutlich, dass *salience* nicht darauf reduziert werden darf, dass eine Person, die ein bestimmtes Gespür hat, von bestimmten hervorstechenden Aspekten einer Situation motiviert wird, in einer gewissen Weise zu handeln. Das Gespür für Situationen ist immer auch eine Form der Selbstbeobachtung, die sich nicht auf das Schema des wahrnehmenden Subjekts und

---

[61] Bezogen auf Motivationen als Gründe für Handlungen benutzt John McDowell hierfür das Konzept des *silencing* (McDOWELL 1978, §§ 9 f.; McDOWELL 1979, 55 f.; McDOWELL 1980, 17 f.).

[62] Die Fähigkeit, einzelne Wahrnehmungen von Situationen voneinander zu unterscheiden, ist selbst eine Leistung des Gespürs für Situationen. In diesem Sinne muss man das Vermögen, das es Personen ermöglicht, im Wahrnehmen motiviert zu werden, grundsätzlich holistisch konzipieren; die Vorstellung „atomarer" Inputs als Ursachen für Handlungen ist daher unangemessen (vgl. dazu Unterabschnitt 3.3).

des wahrgenommenen Objekts beschränken lässt.[63] Dies macht deutlich, dass die Kantische Ablehnung des Systems der Neigung und der Selbstsucht nur vor dem Hintergrund einer Verarmung des Wahrnehmungsbegriffs als plausibel erscheinen kann.

Ein weiterer Aspekt der Wahrnehmung ist ihr reflexiver Charakter, da die Komplexität von Situationen es erforderlich machen kann, hervorstechende Merkmale zu „gewichten". Die Kantische Intuition, dass Neigung und Selbstsucht zu einem Bereich menschlicher Phänomene gehören, in dem es prinzipiell unmöglich ist, Eindeutigkeit und Universalität des Urteils bzw. der Wahrnehmung zu erzeugen, beruht zu einem großen Teil darauf, dass Situationen viele zum Teil gegeneinander stehende *saliences* haben können. Daher nehmen nicht nur verschiedene Personen eine Situation unterschiedlich wahr, sondern einer Person kann das *unmittelbare* nicht-inferenzielle Erfassen einer Situation schwer fallen. Es kann sein, dass man, ohne wirklich zu reflektieren und Beschreibungen einer Situation zu erzeugen bzw. sie gegeneinander abzuwägen, eine gewisse Zeit benötigt, um eine Situation klar zu sehen. Genau hinzuschauen bzw. sich eine Situation genau zu vergegenwärtigen[64], kann als eine Form des „Heranzoomens" oder des „Scharfstellens" verstanden werden, durch das eine Person verschiedene hervorstechende Merkmale einer Situation gewichtet. Gewichtung in diesem Sinne darf jedoch nicht als eine Form der rationalen Abwägung und der diskursiven Interpretation (z.B. im Sinne eines Kalküls) aufgefasst werden, durch die der Gehalt einer Wahrnehmung seinen nicht-inferenziellen Charakter verlieren würde. Vielmehr handelt es sich um eine abwägende Betrachtungsweise, die intuitiv bestimmte Aspekte von Situationen zu Ensembles gruppiert. Eine Situation erschließt sich in der Wahrnehmung nicht notwendig unmittelbar und eineindeutig. Dieser Aspekt ethischer Wahrnehmungen lässt sich nur schwer von rationalen und diskursiven Erwägungen abgrenzen, weil die Übergänge hier sicherlich fließend sind.[65] Denn das Bild des Zoomens oder des Scharfstellens verweist auf deliberative Aspekte des Gespürs, das Personen für Situationen, in die sie mehr oder weniger involviert sind, haben.

In bestimmten Situationen reicht es nicht aus, die evaluative bzw. normative Dimension dessen, womit man sich konfrontiert sieht, rezeptiv aufzunehmen. Man muss zudem aufgeschlossen dafür sein, wie beteiligte Personen beteiligt sind: ob sie Unbehagen empfinden, ängstlich sind, gar leiden, oder ob ihnen Unrecht geschieht. Empathie darf man jedoch, wie Blum hervorhebt[66], nicht so interpretieren, dass der

---

[63] Vgl. dazu VIETH 2001, Kap. 4.

[64] Vgl. WIGGINS 1976, 113: „Staying within the participant perspective, what the theorist may do is *lower the level of optical resolution*. Suppressing irrelevancies and trivialities, he may perceive, and then persuade others to perceive, the capriciousness of some of the discriminations we unthinkingly engage in."

[65] Vgl. die Unterscheidung von Wohlberatenheit (*euboulia*) und „glücklichem Treffen" (*eustochia*) bei Aristoteles (ARISTOTELES, *Nikomachische Ethik*, 6.10/ix).

[66] BLUM 1994, 47, 195.

Wahrnehmende aufgrund bestimmter Indizien darauf zurückschließt, ob andere Personen leiden, Angst empfinden oder aufgrund ihrer Verletzlichkeit bedroht sind. Es kann unter bestimmten Umständen einen moralisch relevanten Unterschied machen, ob man einem Blinden über die Straße hilft, weil man sieht, dass die Umstände hier so-und-so beschaffen sind, oder weil man sich in der angemessenen Weise in eine Situation einfühlt und die Beklommenheit des Blinden erfasst, der in der Situation überfordert ist. Personen, die in der Lage sind, einer Situation empathisch zu begegnen, erfassen sie präziser und sicherer als solche, die „rational" und „distanziert" reagieren. Es könnte z.B. eine Erklärung für das oben genannte Beispiel des weißen Mannes, der in rassistische Verhaltensmuster des Taxifahrers verwickelt wird, darstellen, dass er in unangemessener Weise einen Mangel an Einfühlungsvermögen hat.[67] Empathie ist daher ein besonderer Aspekt des wahrnehmenden Verstehens von Situationen.

Empathie in dem beschriebenen Sinne hat zwei Merkmale: (i) sie ermöglicht es, die Weise der Involviertheit anderer Personen zu sehen; (ii) sie ermöglicht es, sich selbst als durch die Wahrnehmung von Situationen an ihnen beteiligt zu sehen. Besonders aus dem zweiten Aspekt ergibt sich ein weiteres charakteristisches Merkmal des Strebens einer Person danach, Situationen gerecht zu werden. Der empathische Charakter von Wahrnehmungen verweist darauf, dass *Sorge für etwas* ein in ethischer Hinsicht wichtiger Aspekt des Wahrnehmens einer Person sein kann. So kann man z.B. das Verhalten einer Krankenschwester nicht als Wahrnehmung einer Situation beschreiben, aufgrund der sie in einer bestimmten Weise handelt, sondern sie fühlt sich in sie ein. Selbst in der Bewahrung ihrer professionellen Distanz zielt ihre Wahrnehmung darauf, sich in angemessener Weise um einen Patienten zu *kümmern*. Es ist ein wesentliches Merkmal ihres Handelns und ihrer Perspektive, sich als sorgender Aspekt einer komplexen Situation zu begreifen. In der Beherrschung ihrer Kunstfertigkeit wird „Sorge" dabei insofern zu einem Gesichtspunkt ihres Handelns, als Sehen und Sich-Kümmern miteinander zu einer professionellen Perspektive verschmelzen: „Wahrnehmen von *x*" ist daher immer zugleich auch „Sorgen für *x*". Die Krankenschwester würde etwas falsch machen, wenn sie sich als neutrale Beobachterin begriffe, die eine Situation vom einem Standpunkt der Unbeteiligtheit erfassen müsste.[68] Sorge in diesem für die Wahrnehmung einer Situation konstitutiven Sinne muss von sorgendem Verhalten unterschieden werden. Die Wahrung einer professionellen Distanz darf nur innerhalb dieses Rahmens angesiedelt und nicht als das Einnehmen eines unbeteiligten Standpunktes verstanden werden.

Zusammenfassend kann gesagt werden, dass ein motivationaler Zustand des Bewusstseins, der die psychische Basis dafür ist, dass man eine Situation in einer bestimmten Weise sieht, kein für die Person selbst unkritisches und unhintergehbares Faktum darstellt. Eine in richtiger Weise herangewachsene Person erfasst mit dem

[67] Nicht auszuschließen wäre jedoch auch die Möglichkeit, dass er in der beschriebenen Situation (ausnahmsweise) unkonzentriert oder fahrig war.

[68] Vgl. BENNER, WRUBEL 1989, 86 f., 91-93.

Gehalt einer Situationswahrnehmung zugleich auch ihre Rolle in Bezug auf die Situation und ihre eigene (sittliche) Beschaffenheit. Zwar führt eine Explikation des Gehaltes von Situationswahrnehmungen nicht zu einer vollständigen Konzeption des gelingenden Lebens, und Personen sind insofern gegenüber der Art, wie sie die Dinge sehen, passiv. In diesem Sinne sind Personen weniger gegenüber einer „äußeren" Situation heteronom – wie Kant betont – als vielmehr sich selbst gegenüber. Diese Einschränkung verweist aber nur auf einen wichtigen Aspekt der *conditio humana*: Personen können sich selbst zu keinem Zeitpunkt vollständig hinterfragen oder interpretieren.[69] Die Kantische Geringschätzung der Neigung beruht demgegenüber auf der falschen Vorstellung, dass eine Person durch ihre Vernunft sich selbst gegenüber ihrem eigenen Handeln in eine vollständig externe Beobachterposition bringen kann, die es ihr ermöglicht, sich selbst, insofern man eine bestimmte Handlung erwägt, abschließend zu beurteilen. Man sollte daher Wahrnehmung und Reflexion in keine unangemessene Opposition zueinander bringen.

3. Verschiedene Modelle der ethischen Rechtfertigung

Unsere Kritik an rationalistischen Ansätzen soll nun gegen den Einwand abgesichert werden, dass eine partikularistische, am Einzelfall orientierte Ethik bestimmte sinnvolle Rechtfertigungsansprüche nicht erfüllen kann. Dabei muss man zwei Aspekte dieses Einwandes unterscheiden:

(a) Partikularistische Ansätze sind in der Ethik unangemessen, weil man es in der Ethik – im Wesentlichen – mit Prinzipien zu tun hat. Da Prinzipien nicht „partikulär" sind, kann der Partikularismus in der Ethik nicht richtig sein.

(b) Prinzipien sind *allgemein* und *abstrakt*, so dass man den Einzelfall nur als Instantiierung von Prinzipien ansehen kann, keinesfalls aber können Prinzipien in einer Situation wahrgenommen werden. Eine partikularistische Ethik kann also deshalb nicht angemessen sein, weil Prinzipien zumindest in der Ethik wichtig sind und man sie nicht wahrnehmen kann.

Beide Kritikpunkte beruhen jedoch auf einem unklaren Prinzipienbegriff. In diesem Zusammenhang soll die Doppelfunktion von Prinzipien als *Prinzipien der Neigung* und als *Prinzip der Sittlichkeit* bei Kant aus partikularistischer Sicht genauer beleuchtet werden. Der Partikularist kann durchaus Prinzipien in seine Ethik einbinden und vor allem auch die Position vertreten, dass man Prinzipien *wahrnehmen* kann – dass man also ein nicht-inferenzielles (zugleich erworbenes und empirisches) Verständnis von ethisch relevanten Aspekten einer Situation hat (z.B. die Relevanz und Gestalt

[69] Vgl. MCDOWELL 1998, § 10.

des Prinzips der Autonomie im Rahmen medizinischen Handelns). Wenn man von Wahrnehmungen als Äußerungen eines Gespürs einer Person für Situationen spricht, dann muss man die Eigenschaften der Gehalte dieser Vorstellungen vom Charakter dieser Vorstellungen unterscheiden. Ein Partikularist kann vielen rationalistischen Fehlkonzeptionen dadurch begegnen, dass er Wahrnehmungen als eine Art von Vorstellungen bezeichnet, die für eine Person einen direkten bzw. nicht-inferenziellen Charakter haben. Davon zu unterscheiden sind Vorstellungen inferenziellen Charakters. Gehalte von Vorstellungen im Sinne einer direkten Form des Erkennens können generell oder partikulär sein (3.1). Der Partikularist kann einen direkten und nicht-inferenziellen Generalismus in der Ethik vertreten und somit die Anforderungen der Rechtfertigung in seine Theorie einpassen. Als ontologischer Partikularismus gedeutet, ergibt sich daraus eine vollständige Abhängigkeit rationalistischer Erkenntnisgewinnung in der Ethik vom Partikularismus (3.2). Der Partikularist wendet auf diese Weise die Kantische Ablehnung einer „vermischten Sittenlehre" gegen den Rationalisten selbst.[70] Aufbauend auf den Unterscheidungen in Unterabschnitt 3.1 muss man in epistemologischer Hinsicht zwei Formen von Prinzipien unterscheiden: rationalistische und partikularistische. Letztere rechtfertigen Handeln; erstere rechtfertigen Hoffnungen auf eine gezielte Erweiterung des ethischen Wissens (3.3).

3.1 Partikularismus: Klärung einer Doppeldeutigkeit von „partikulär"

Gehalte von Wahrnehmungen im Sinne der Aktivierung eines ethischen Gespürs für Situationen (i) können *generell* sein, aber auch *partikulär*. So kann man als Arzt *sehen*, dass – im Gegensatz zu anderen Situationen – hier und jetzt das Prinzip der „Autonomie" als ein für diese Situation konstitutives Prinzip relevant ist; und man sieht zudem, *indem* man Autonomie wahrnimmt, was es heißt, als Arzt hier und jetzt Autonomie zu gewährleisten. Andernfalls käme man als Arzt gar nicht auf die Idee, die Relevanz einer Entscheidung seines Patienten, die z.B. mit seinem Arztethos konfligiert, zu respektieren. Neben solchen generellen Gehalten des ethischen Gespürs stehen aber auch partikuläre, wie z.B. das Leiden des Patienten, das für den Arzt in seiner konkreten Ausformung relevant ist und für sein Handeln bestimmend wird (z.B. sieht ein Arzt, in welcher Form und Dosierung er ein Medikament bei diesem oder jenem Patienten verabreichen muss). Wahrnehmungen im Sinne nicht-inferenziellen Erkennens (ii) sind demgegenüber immer partikulär in dem Sinne, dass man durch sie eine konkrete (eben diese und nicht jene) Situation erfasst. Unabhängig davon, ob der Gehalt einer Wahrnehmung generell oder partikulär ist, erfasst man daher wahrnehmend ein Situations*token* und kein -*type*. Der Grund hierfür

[70] Vgl. KANT 1785, 410 f.

ist der *nicht-inferenzielle* Charakter des Gespürs für Situationen, das Personen als mehr oder weniger tugendhaft auszeichnet.

Nach Kant besteht ethisches Wissen darin zu erkennen, ob eine Maxime auf ein Prinzip zurückgeführt werden kann. Ethisches *Wissen* ist also (ausschließlich) inferenziell. Eine subjektive Maxime ist also nur insofern ethisch relevant, als eine rationale Erkenntnis es ermöglicht, eine Relation zwischen einer Situation und dem (sittlichen) Gesetz herzustellen. In diesem Sinne ist ethische Erkenntnis *abstrakt* und ausschließlich auf Typen von Situationen gerichtet: Für Kant bedarf jede ethische Erkenntnis einer diskursiven Herleitung, in der die empirischen und kontingenten Aspekte einer Situation auf Prinzipien bzw. *das* Prinzip zurückgeführt werden. Der Partikularist behauptet dagegen, dass ethische Erkenntnis nicht-inferenziell und somit *konkret* ist, weil sie sich immer auf Situations*token* bezieht. Er kann von dieser Grundannahme nicht abgehen, weil er immer darauf verpflichtet ist, zumindest die Möglichkeit einzuräumen, dass Aspekte von Situationen, die sich zwar bisher noch nie als ethisch relevant erwiesen haben, potenziell ausschlaggebend werden können. Wahrnehmungen als Äußerungen eines ethischen Gespürs sind immer partikulär im Sinne von *konkret*, sie können darüber hinaus partikulär in dem Sinne sein, dass ihre Gehalte *nicht generell* sind. Der Partikularist ist jedoch nur darauf verpflichtet, als Basis *jedes* ethischen Wissens direkte Formen ethischen Erkennens anzunehmen.

3.2 Die Abhängigkeit des Rationalismus vom Partikularismus

Warum muss man sich in der Frage, ob ethische Erkenntnis abstrakt oder konkret ist, für eine der beiden Seiten entscheiden? Schon bei Aristoteles beruht die These des Partikularismus auf einer ontologischen Annahme: Der Gegenstandsbereich der Ethik ist in dem Sinne veränderlich, dass es von ihm kein gesetzesförmiges Wissen geben kann.[71] Ein Rationalist muss im Gegensatz dazu dem Gegenstandsbereich ethischer Erkenntnis zumindest in dem Sinne Unveränderlichkeit zusprechen, dass es möglich wird, ihn wissend zu erfassen. Der Gegenstandsbereich muss so beschaffen sein, dass möglich wird, Situationen, die hinreichend ähnlich *sind*, als hinreichend ähnlich zu *erkennen*.[72] Nur wenn dies so ist und wenn man die Ähnlichkeit er-

[71] Auch wenn Kant sicherlich ein Rationalist ist und ethische Erkenntnis seiner Auffassung nach wesentlich inferenziell, folgt er Aristoteles dennoch. Vernünftige Personen wenden den kategorischen Imperativ nicht auf jede Maxime ihres Handelns an, sondern nur auf ethisch relevante. Die ethische Relevanz von Maximen kann aber nicht aus dem Sittengesetz abgeleitet werden (vgl. oben Abschnitt 1).

[72] Hierbei handelt es sich nicht um ein epistemisches (‚Kann man die evaluative oder normative Dimension von Situationen nicht-inferenziell erfassen?') oder ein epistemologisches Problem (‚Welche logische Struktur hat direktes Erkennen bzw. welche Bedingungen für die Möglichkeit direkten Erkennens gibt es?'), sondern um ein ontologisches (‚Ist das Erkennen selbst ein Aspekt der Situation oder nicht?'). Rationalisten verneinen

kennen kann, kann der Rationalist sagen, dass man zwei Situationen gleich bewerten müsse, weil sie in moralischer Hinsicht hinreichend ähnlich sind. Da der Gegenstandsbereich der Empirie durch Wahrnehmung eine solche Erkenntnis nicht zulässt, wendet sich der Rationalist dem Sitten*gesetz* zu. Der Partikularist darf diesem Universalisierungsdruck dagegen auf keinen Fall nachgeben, selbst wenn er die Universalisierungsbedingung formal als Rationalitätsprinzip akzeptiert: Natürlich muss man Gleiches gleich behandeln! Aber er muss hervorheben, dass wir niemals sicher sein können, dass diese Gleichheitsbedingung erfüllt ist.

Warum muss ein Partikularist nun betonen, dass ethische Erkenntnis, die Kriterien für richtiges Handeln zur Verfügung stellt, nur nicht-inferenziell sein kann? Warum kann ethisches Wissen – unabhängig davon, ob sein Gehalt partikulär oder generell ist – nur *konkret* sein? Diese Fragen forcieren die Ausgangsfrage dieses Unterabschnittes.

Die Aristotelische These, dass es in der Ethik kein Wissen gebe – also dass *phronēsis* keine *epistēmē* sei – hängt nicht nur von der Kontingenz der Welt ab, sondern ganz wesentlich auch davon, dass das Gespür einer Person für Situationen erworben ist. Eine Person wirkt handelnd nicht nur in der Welt (in einer Welt, der sie als Person gegenübersteht), sondern sie verändert sich auch selbst durch die Erfahrungen, die sie dabei macht. Ein wesentlicher Aspekt dieser Erfahrung ist das Handeln für sich genommen. Die Weise, in der Personen Situationen wahrnehmen, ist daher ihrerseits ein Aspekt der Situation; und zwar ein in ethischer Hinsicht wesentlicher.

Die universalistische Minimalbedingung des Rationalisten, hinreichend ähnliche Situationen gleich zu behandeln, kann der Partikularist also deshalb nicht zugestehen, weil sie das Gespür einer Person für Situationen von den Situationen, die sie aufgrund des Gespürs erfasst, abtrennt. Denn nur wenn das Gespür für Situationen als unveränderlich gedacht wird, könnte der Partikularist seinen „rationalistischen" Schluss ziehen: „... also muss diese Situation so behandelt werden wie jene." Mit der These der Nicht-Inferenzialität ethischer Erkenntnis hebt der Partikularist also den aktiven Charakter der ethischen Erfahrung hervor: Erkennen und Handeln sind ein und dasselbe. Eine ethische Beobachterposition ist nicht nur epistemisch unzugänglich, sondern der *Gegenstandsbereich* ethischen Wissens ist so beschaffen, dass es sie gar nicht geben kann. Personen verfügen also weder über ein „view from nowhere" noch über ein „view from somewhere".

Ein Universalist, der daran festhält, dass ethische Erkenntnis abstrakt und inferenziell ist, muss zeigen können, dass es möglich ist, Prinzipien nicht nur ohne Verweis auf die Empirie zu verstehen, sondern auch den Katalog ihrer Anwendungsbedingungen.[73] Kann er das nicht – und der Partikularist kann u.E. getrost auf einen

---

die ontologische Frage, indem sie ein spezielles Erkenntnisvermögen (Vernunft) oder bestimmte Prüfverfahren (kategorischer Imperativ, Nutzen-Kalküle) postulieren.

[73] Vgl. aber NUSSBAUM 1990, 71: „[E]xcellent choice cannot be captured in general rules, because it is a matter of fitting one's choice to the complex requirements of a concrete situation, taking all of its contextual features into account." Nussbaum schließt daraus,

Vorschlag warten – dann besitzt der Universalist keinen Begriff davon, was es heißt, ethische Prinzipien zu verstehen. Universalistische Prüf- und Reinigungsverfahren, die empirischen Ballast beseitigen, müssen ihn stets – im Sinne einer praktischen Urteilskraft – mit sich tragen.

Aristoteles würde bestreiten, dass eine solche Prüfung überhaupt sinnvoll ist, weil der *Gegenstandsbereich*, auf den ethische Erkenntnis sich bezieht, eine solche Systematik nicht besitzt. Selbst Kant ist (zumindest) in dem Sinne Partikularist, dass die Unterscheidung zwischen ethischer Relevanz und Nicht-Relevanz nicht auf dem Verständnis, das Personen vom Sittengesetz haben, beruht.[74]

3.3 Der Partikularismus und das Problem der Rechtfertigung in der Ethik

Der Partikularist muss sich über eine wichtige Konsequenz seines Theorietyps im Klaren sein: Wenn ethische Erkenntnis *konkret* ist, dann darf er als *einziges* Kriterium für die Richtigkeit und Falschheit von Handlungen bzw. das Vorhandensein moralischer Eigenschaften sein ethisches Gespür zulassen. Denn jede Form der Kommunikation über ethische Probleme (auch die der reflexiven Selbstvergewisserung) beruht auf der Explikation von Aspekten von Wahrnehmungen – mithin auf Beschreibungen von Situationen. Beschreibungen und Erzählungen sind jedoch, unabhängig davon, wie detailreich sie sind, abstrakt.[75] Dadurch erhalten zwar in ihnen die

---

dass z.B. ein Handbuch des Humors eine Fehlkonstruktion ist (ibid., 71 f.). Vgl. auch McNaughton 1988, 197-199.

[74] Dass er in einem weiteren Sinne Partikularist sein könnte, ergibt sich evtl. aus seiner Forderung: „Ohne Sinnlichkeit würde uns kein Gegenstand gegeben und ohne Verstand keiner gedacht werden. Gedanken ohne Inhalt sind leer, Anschauungen ohne Begriffe sind blind. Daher ist es eben so nothwendig, seine Begriffe sinnlich zu machen [...], als seine Anschauungen sich verständlich zu machen" (Kant 1787, 75). Man mag Stellen dieser Art zwar partikularistisch deuten, dennoch bleibt die Trennung zwischen Sinnlichkeit und Verstand eine nicht-partikularistische Grundkonstante (vgl. ibid.), und Vernunftwesen haben keinen vom Verstand zur Verfügung gestellten Begriff ethischer Relevanz.

[75] Vgl. O'Neill 1996, 94 f. O'Neill betont, dass Abstraktheit nicht bedeute, dass Beschreibungen nicht (praktisch) nachvollziehbar seien (vgl. McDowell 1994, Kap. 2.1 und 2.2). Das ist falsch. Der Partikularist meint mit praktischer Nachvollziehbarkeit ein Verständnis von etwas in der Teilnehmerperspektive: So ist den Autoren dieses Textes die Handhabung eines Liegerades (rational) nachvollziehbar (sie würden Erklärungen, wie man ein solches Gerät bedient, verstehen und könnten, wenn sie sich ein solches Gerät anschauten, es als Fahrrad identifizieren und sich einen Reim auf seine Handhabung machen). Aber sie haben kein praktisches Verständnis davon: Ihnen ist die Teilnehmerperspektive nicht ohne „blaue Flecke" zugänglich. Vgl. das Aristotelische Konzept der „praktischen Wahrheit" (z.B. Aristoteles, *Nikomachische Ethik*, 6.2/ii, 1139a 17-27).

Dinge Konturen, durch die eine Sicht der Dinge kommunizierbar wird. Wenn man aber eine Situation beschreibt und in der Beschreibung Aspekte als ethisch relevant hervorhebt, dann ist man darauf verpflichtet, das jedes Situations*token*, das hinreichend ähnlich ist, dieselbe Eigenschaft besitzt. Wenn der Partikularist dies als mögliche selbständige Quelle ethischen Wissens zulässt, dann vertritt er keinen Partikularismus mehr.[76]

Es scheint nun, dass der Partikularist durch eine unangemessene Betonung des Gespürs für Situationen, das Personen im Verlaufe ihrer Biographie erwerben und verfeinern, sich jede Möglichkeit nimmt, sich vor sich selbst und anderen zu rechtfertigen. Der Verweis auf mein Gespür und der Hinweis darauf, dass ich es hier und jetzt aber so und so sehe, scheint jede Diskussion unmöglich zu machen. Es widerspräche jedoch in der Tat der Aufgabe der Ethik, sie zu einer Art *ad-hoc*-Theorie zu machen. Eine partikularistische Ethik muss daher in bestimmter Weise – d.h. nichtrationalistisch – Prinzipien einbinden können. Auf der Grundlage der oben eingeführten Unterscheidungen einerseits zwischen generellen und partikularen Gehalten von Wahrnehmungen und andererseits zwischen dem nicht-inferenziellen Charakter von Wahrnehmungen eines ethischen Gespürs und dem inferenziellen Charakter diskursiver Reflexionen kann man nun zwei Formen von Prinzipien unterscheiden:

(i) *rationalistische Prinzipien*: Gehalte von Vorstellungen, die nicht aus einer direkten Form des Erkennens (z.B. Wahrnehmungen) herrühren, die also erschlossen sind (z.B. durch die Anwendung rationalistischer Prüfverfahren wie den kategorischen Imperativ), stellen rationalistische Prinzipien dar. In diesem Sinne sind Prinzipien „abstrakt“ – d.h. unabhängig von der direkten, praktischen Erfahrung von Personen. Gehalte rationalistischer Prinzipien sollte man nicht als generell bzw. partikulär bezeichnen, sondern als spezifisch oder unspezifisch.[77]

(ii) *partikularistische Prinzipien*: Gehalte von Vorstellungen, die aus einer direkten Form des Erkennens (z.B. Wahrnehmungen eines ethischen Gespürs: der Kantischen Neigung bzw. der McDowellschen *sensitivity*) herrühren, die also nicht-inferenziell (aber dennoch kognitiv) sind, stellen partikularistische Prinzipien dar. In diesem Sinne sind Prinzipien *konkret*, weil sie direkt und nichtinferenziell sind. Konkrete Gehalte können aber generell sein (ein Arzt sieht, was Autonomie in diesem Falle heißt und in welcher Beziehung sie zum *nihilnocere*-Prinzip seiner Profession steht).[78]

---

[76] Vgl. Unterabschnitt 3.2 und DANCY 1993, 56 f.

[77] Diese Unterscheidung spielt darauf an, dass Beschreibungen von Situationen detailreich (also spezifisch) sein können oder detailarm (also unspezifisch), dass sie aber immer abstrakt sind. Die Beschreibung einer Situation – unabhängig davon wie detailreich oder -arm – ist immer auch die Beschreibung *jeder* hinreichend ähnlichen Situation.

[78] Wann immer eine Person in der Lage ist, eine Situation in zeitlicher und/oder räumlicher Hinsicht zu individuieren (z.B. den Alltag im Gegensatz zu einem Feiertag), bedarf es partikularistischer Prinzipien *generellen* Gehaltes (z.B. ‚Am Feiertag dürfen keine Last-

Die Bestimmung des Verhältnisses dieser beiden Arten von Prinzipien ist zentral für die Beziehung zwischen Wahrnehmung und Rechtfertigung.[79] Der Vertreter einer partikularistischen Ethik ist nicht darauf festgelegt, sein Gespür für Situationen als Grundlage einer *ad-hoc*-Ethik zu konzipieren, die ihn letztlich darauf verpflichten würde, dass er sich selbst und anderen gegenüber keine Rechenschaft für seine Sicht der Dinge abgegeben kann. Die Vertreter rationalistischer Ethiken heben dies zu Recht als einen zentralen Aspekt ethischer Selbstvergewisserung und Verständigung hervor.

Das in Unterabschnitt 2.3 dargestellte kritische Potential eines Gespürs für Situationen ist in Bezug auf die Genesis biographisches Ergebnis und in Bezug auf seine Geltung ein Resultat seiner Komplexität, Vielschichtigkeit und nicht-diskursiven Reflexivität. Für ein Gespür dieser Art sind *partikularistische Prinzipien* konstitutiv. Wahrnehmen und Handeln sind – gemäß dem Partikularisten – so sehr miteinander verschmolzen, dass Rechtfertigung und Motivation eine untrennbare Einheit darstellen. Von diesem Konzept der Rechtfertigung ist ein zweites „rationalistisches" zu unterscheiden.

Auch wenn partikularistische Prinzipien bei Kant nicht explizit genannt werden, so sind sie dennoch für sein Konzept der Neigung und der Selbstsucht zentral. Partikularistische Prinzipien sind „implizit": Man kann sie zwar thematisieren, man kann ihre Systematizität explizieren, aber es ist wichtig zu sehen, dass man dadurch ihren partikularistischen Charakter außer Acht lassen muss. Sie werden zu rationalistischen Prinzipien umgeformt. Dies ist in der Tat eine wesentliche Fähigkeit von Personen und ein zentraler Aspekt der Ethik, aber die Bildung rationalistischer Prinzipien ist gegenüber partikularistischen Prinzipien sekundär.[80]

Prinzipien der letzteren Art haben gegenüber partikularistischen den direkten Charakter verloren: Man hat von ihnen kein praktisches Verständnis. Für den Partikularisten liegt hierin in dem Sinne ein Defizit, dass diese um den Charakter der Direktheit verarmten Prinzipien keine unmittelbare[81] Rolle in der Erklärung von

---

wagen fahren, und man darf auch nicht seinen Garten umgraben.'). – Es gibt also Raum für einen Generalismus in einer Theorie der Gründe für Handeln, der ohne Universalisierbarkeitsbedingungen auskommt. (Vgl. dagegen die Ablehnung des Generalismus bei DANCY 1993, 56 f.)

[79] Beide Arten von Prinzipien müssen im Sinne des griechischen *archē* als Ursachen von etwas verstanden werden und dürfen nicht als Ausgangspunkte bzw. Axiome von Schlüssen und Argumentationen aufgefasst werden. Partikularistische Prinzipien (und nur diese) sind Ursachen von Handlungen und *Know-How*; rationalistische Prinzipien sind Ursachen von Wissen (*Know-That*), und keine Ursachen von Handlungen (vgl. GARFIELD 2000, 194-196).

[80] Vgl. LOVIBOND 1983, 195: „Our acquisition of the concepts we shall use as participants in *Sittlichkeit*, or customary ethics, also provides us with the intellectual resources we need for the purposes of *Moralität*" (vgl. ibid., Kap. 16).

[81] Ein Modell für eine indirekte Rolle rationalistischer Prinzipien im Handeln müsste das Erfassen eines Prinzips (z.B. dass Lügen verboten ist) durch einen *Entschluss* (dieses

Handlungen und dem Leben von Personen spielen können. Es ist der Auffassung des Partikularisten zufolge falsch, dass das Verständnis, das alle vernünftigen Wesen von der Sittlichkeit haben, ohne Rücksicht auf die Neigungen für jedes dieser Wesen „gebietenden" Charakter hat. Wesen dieser Art mögen zwar die Lehren der Sittlichkeit nachvollziehen können, und sie mögen in abstrakter Hinsicht ihren gebietenden Charakter verstehen, aber diese Lehren sind nicht schon allein durch das explizite Verständnis, das Vernunftwesen von ihnen zugänglich ist, in dem Sinne gebietend, dass sie für ihr Handeln konstitutiv sein *können*. Es ist eine falsche Vorstellung, dass Vernunftwesen aufgrund ihrer Fähigkeit, Pläne zu durchdenken, sich zurecht zu legen und ihnen entschlossen zuzustimmen, in der Lage sind, gemäß ihnen zu handeln. Man wird nicht allein dadurch, dass man alle Handbücher der Tischlerkunst gelesen und verstanden hat, ein Tischler – geschweige denn ein guter.

Auf der Basis rationalistischer Prinzipien, abhängig davon, wie spezifisch sie ausgestaltet werden, kann man Rechtfertigung kommunizierbar machen und sein praktisches Verständnis von sich gezielt erweitern.[82] Es zeichnet zur Vernunft fähige Lebewesen aus, dass sie an sich in ethischer Hinsicht arbeiten können, indem sie ihr Gespür für Situationen neuen Umständen anpassen. Rationalität in diesem Sinne ist eine in der Sprache verfügbare Vorstellungskraft, die den „konservativen" Charakter des Partikularismus aufweicht. Auf der Basis inferenzieller Reflexionen begründete Erwartungen erzeugen zu können, die es erlauben, das bisher bloß erträgliche System der Neigung noch erträglicher zu machen, ist eine weitere Form der ethischen bzw. moralischen Rechtfertigung.

Beide Rechtfertigungskonzepte haben in der Ethik ihren Platz, der durch Fehlschlüsse nicht verrückt werden darf: Sich handelnd auf eine *Situation* zu beziehen, muss davon unterschieden werden, dass man sich auch rechtfertigend auf eine *Situation* beziehen kann. Die beiden Modi haben scheinbar einen unterschiedlichen Gegenstand: (a) die Situation als direkt und nicht-inferenziell wahrgenommene; (b) die Situation als mehr oder weniger spezifische narrative Struktur (Beschreibung). Dass die Art und Weise, wie man in seinem Handeln gerechtfertigt ist, indem man sich handelnd auf Situationen bezieht, nicht trivial ist, zeigt die Möglichkeit, dass man sich auch rechtfertigend auf *diese* Situation beziehen kann.

Nun scheint hier ein Fehlschluss vorzuliegen, da eine „Situation" einmal ein *token* (a) und einmal ein *type* (b) ist. Ein Fehlschluss liegt jedoch nur dann vor, wenn man von diskursiven und rationalen Rechtfertigungen erwartet, dass sie Handlungen *erklären*. Denn eine Beschreibung dessen, was man als die Person, die man ist, wahrnimmt, expliziert den (partikulären und generellen) Gehalt der Wahrnehmung und *nicht* ihren nicht-inferenziellen bzw. motivationalen Charakter. Die Tatsache, dass eine Situation motiviert, ist ein verstehbares, aber kein erklärbares Faktum. Wollte

Prinzip hier und jetzt umzusetzen) ergänzen. In diesem Sinne hat jede rationalistische Ethik ein Problem, das keine partikularistische hat: *Why to be moral?* (Vgl. GARFIELD 2000, 194-196.)

[82] LOVIBOND 1983, Kap. 41, 45.

man erklären, warum eine Situation motiviert, müsste man das Leben der Person als Ganzes erfassen – das ist aber ein sinnloses Unterfangen und geht an dem Interesse vorbei, das Personen daran haben, sich vor sich selbst und anderen durch die Angabe von Gründen zu rechtfertigen. Personen wollen ihre Handlungen als ein Streben nach dem gelingenden Leben *verstehen.* Es ist jedoch keine epistemologische Aussage, dass Personen als Personen nicht in der Lage sind, die Ursache für eine Handlung zu erfassen: Ihr Leben als Person ist ein *soziales* Phänomen. Personen werden sich daher direkt und nicht-inferenziell ihrer Motivationen nur bedingt *bewusst.*

4. Rechtfertigende Wahrnehmung und Rechtfertigung der Wahrnehmung

Wahrnehmung oder Rechtfertigung? Wenn man das „oder" als ausschließliches versteht, dann gerät man in die falsche Opposition des Rationalisten: D.h. man gibt entweder die Vorstellung ethischer Rechtfertigung auf, oder man schließt das Gespür von Personen für Situationen als Rechtfertigungsressource aus der Ethik aus. Soll man es daher als „einschließliches" auffassen? So muss man ihr Verhältnis zueinander bestimmen. Dabei erweist sich die Ambivalenz des Prinzipienbegriffs im Sinne rationalistischer und partikularistischer Prinzipien als Hindernis. Die Schwierigkeit besteht in der Bestimmung des Verhältnisses nicht-inferenzieller und reflexiver Formen der Erkenntnis zueinander. Der Modus-Wechsel bereitet beiden Parteien – Rationalisten ebenso wie Partikularisten – Probleme.

Der Partikularist muss – viel grundsätzlicher – diesen Gegensatz, der ihm vom Rationalisten vorgegeben wird, aufgeben, indem er Wahrnehmung als direkte Form der Erkenntnis zum Ausgangspunkt in der Ethik macht. Diskursive Vernunft kann dagegen nur eine nachgeordnete Funktion erfüllen. Gegenüber dem rationalistischen Prinzipienbegriff muss der Partikularist aber eine differenzierte Haltung einnehmen. Er muss einerseits die Vorstellung, dass man eine rationale und *universale Struktur* des Handelns entweder aus der Vernunft ableiten oder durch Explikation des Gespürs für Situationen herleiten kann, ablehnen. Die Weise, in der Personen ein Verständnis von rationalistischen Prinzipien haben, ist immer abhängig von ihrem Gespür für Situationen. Dies gilt im Grunde selbst für die Kantische Ethik, insofern es vielfältige Hinweise darauf gibt, dass vernünftige Prüfprozeduren für Maximen nicht von in ethischer Hinsicht naiven Personen sinnvoll angewendet werden können.

Andererseits muss der Partikularist akzeptieren, dass es keine Letztbegründung gibt und dass es nicht möglich ist, andere Personen in jeder Hinsicht durch Argumente von bestimmten ethisch relevanten Dingen zu überzeugen. Kants Misstrauen gegenüber der Empirie ist insofern berechtigt. Es beruht aber auf falschen metaphysischen Voraussetzungen, die ihn zu einer unangemessen Konzeption ethischer Rechtfertigung motivierten. Insbesondere gibt der Partikularist die Vorstellung eines subjektiven Zustandes der Moralität auf, in dem alle Handlungen einer Person explizit und in einer für die Person thematischen Weise die Form des Gesetzes haben. Ein auf diese Weise selbstgewirktes Gefühl muss Fiktion bleiben. Vernünftige menschliche Lebewesen können ihr Streben nach einem gelingenden Leben nicht auf diese Weise kontrollieren.

Darüber hinaus ist das Ideal eines Reiches der Zwecke, in dem die individuelle Achtung für das Gesetz zu einer systematischen Verbindung aller vernünftigen Wesen ausgebaut wird, eine unangemessene Ausdehnung des Aufgabenbereiches der Ethik. Diese Kantische Idee beruht auf der Übertragung der ethisch gerechtfertigten Beziehung des Handelns einer Person zum Sittengesetz auf intersubjektive Relationen und das Handeln zwischen Personen. Da das Prinzip der Autonomie in allen vernünftigen Wesen das gleiche ist, scheint diese Vorstellung auf den ersten Blick verlockend. Die Aufgabe der Ethik besteht jedoch – nach partikularistischer Ansicht – darin, Bedingungen für ein gelingendes Leben anzugeben. Das Prinzip eines gelingenden Lebens hat aber nicht die Form eines Gesetzes – weder in der Hinsicht einer vollständigen Explizierbarkeit des menschlichen Glücks, noch insofern es für jedes menschliche Lebewesen dieselbe Gestalt hat. Rationalisten neigen dazu, Ethik und Politik zu sehr aneinander anzunähern: In der Ethik geht es um das gute Leben, nicht um das gute Zusammenleben. Dass ein Leben nur in einem förderlichen sozialen Umfeld gut gelingen kann, bleibt davon unberührt.

Die Akzeptanz intersubjektiver Konflikte – in dem Sinne, dass es in der Ethik nicht um soziale Harmonie geht – und die Konzentration auf ein nicht klar zu fassendes theoretisches Ziel in der Ethik – das gelingende Leben – bedeuten nicht, dass man als Partikularist die Vorstellung aufgeben müsste, sich für sein Handeln zu rechtfertigen. Ein Gespür von Personen für Situationen als direkte und nicht-inferenzielle Form der Erkenntnis bietet sowohl durch seine Genese als auch aufgrund der Komplexität und Vielschichtigkeit der Gehalte, die durch es vor Augen geführt werden, die Möglichkeit, sich durch Verweis auf generelle und partikulare Aspekte seiner Sicht der Dinge zu rechtfertigen. Eine solche Rechtfertigung wird andere so weit überzeugen, wie ihr praktisches Selbstverständnis auf einem geteilten Hintergrund basiert. Die soziale Verfasstheit des personalen Lebens sowie die anthropologischen Gemeinsamkeiten einer geteilten Lebensform sind damit das Tor, welches dem Partikularismus den Bereich intersubjektiver ethischer Rechtfertigung erschließt.[83]

[83] Vgl. dazu auch QUANTE 2002. Erwähnt sei abschließend noch, dass die Entwicklung und soziale Etablierung intersubjektiver Begründungsformen selbst ethisch gerechtfertigt werden kann, weil (und wenn) sie der einzelnen Person Orientierung, Sicherheit und Entlastung bietet.

Literatur

ALSTON, W.P. (1998): *Perception and Conception*, in: ALSTON, W.P.: Pragmatism, Reason, and Norms, A Realistic Assessment, New York, 59-87.

ANNAS, J.E. (1992): *Hellenistic Philosophy of Mind*, Berkeley, Los Angeles, London.

ARISTOTELES (4. Jh. v. Chr.): *Nikomachische Ethik*, hg. von DIRLMEIER, F., Stuttgart 1999.

BENNER, P., WRUBEL, J. (1989): *The Primacy of Caring. Stress and Coping in Health and Illness*, Menlo Park.

BEN-ZEEV, A. (1984): *The Passivity Assumption of the Sensation-Perception Distinction*, in: British Journal for the Philosophy of Science 35, 327-343.

BLUM, L.A. (1994): *Moral Perception and Particularity*, Cambridge, New York, Melbourne.

– (2000): *Against Deriving Particularity*, in: HOOKER, B., LITTLE, M. (eds.): Moral Particularism, Oxford, New York, 205-226.

CASHDOLLAR, S. (1973): *Aristotle's Account of Incidental Perception*, in: Phronesis 18, 156-175.

DANCY, J. (1993): *Moral Reasons*, Oxford, Cambridge (Massachusetts).

FREDE, D. (1992): *The Cognitive Role of* Phantasia *in Aristotle*, in: NUSSBAUM, M.C., OKSENBERG RORTY, A. (eds.): Essays on Aristotles's De Anima, Oxford, New York, 279-295.

GARFIELD, J. (2000): *Particularity and Principle: The Structure of Moral Knowledge*, in: HOOKER, B., LITTLE, M. (eds.): *Moral Particularism*, Oxford, New York, 178-204.

HERMAN, B. (1993): *The Practice of Moral Judgment*, Cambridge (Massachusetts), London.

KANT, I. (1785): *Grundlegung zur Metaphysik der Sitten*, Riga, Nachdruck in: Kants Werke, Akademie-Textausgabe, Bd. 4, Berlin 1968, 385-463.

– (1787): *Kritik der reinen Vernunft*, 2. Aufl., Riga, Nachdruck in: Kants Werke, Akademie-Textausgabe, Bd. 3, Berlin 1968, 1-552.

– (1788): *Kritik der praktischen Vernunft*, Riga, Nachdruck in: Kants Werke, Akademie-Textausgabe, Bd. 5, Berlin 1968, 1-164.

– (1797): *Metaphysik der Sitten*, Königsberg, Nachdruck in: Kants Werke, Akademie-Textausgabe, Bd. 6, Berlin 1968, 203-493.

LOVIBOND, S. (1983): *Realism and Imagination in Ethics*, Minneapolis.

MCDOWELL, J. (1978): *Are Moral Requirements Hypothetical Imperatives?*, in: MCDOWELL, J.: Mind, Value, and Reality, Cambridge, London 1998, 77-94.

– (1979): *Virtue and Reason*, in: MCDOWELL, J.: Mind, Value, and Reality, Cambridge, London 1998, 50-73.

– (1980): *The Role of* Eudaimonia *in Aristotle's Ethics*, in: MCDOWELL, J.: Mind, Value, and Reality, Cambridge, London 1998, 3-22.

– (1985): *Values and Secondary Qualities*, in: MCDOWELL, J.: Mind, Value, and Reality, Cambridge, London 1998, 131-166.

– (1994): *Mind and World*, Cambridge, London.

– (1995): *Might there be External Reasons?*, in: MCDOWELL, J.: Mind, Value, and Reality, Cambridge, London 1998, 95-111.

– (1998): *Some Issues in Aristotle's Moral Psychology*, in: MCDOWELL, J.: Mind, Value, and Reality, Cambridge, London 1998, 23-49.

MCNAUGHTON, D. (1988): *Moral Vision. An Introduction to Ethics*, Oxford, Cambridge (Massachusetts).

MILLAR, A. (2000): *The Scope of Perceptual Knowledge*, in: Philosophy 75, 73-88.

NUSSBAUM, M.C. (1990): *Love's Knowledge. Essays on Philosophy and Literature*, New York, Oxford.

O'NEILL, O. (1996): *Tugend und Gerechtigkeit. Eine konstruktive Darstellung des praktischen Denkens*, Berlin.

QUANTE, M. (2002): *Personales Leben und menschlicher Tod*, Frankfurt a.M. (in Vorb.).

QUANTE, M., VIETH, A. (2000): *Angewandte Ethik oder Ethik in Anwendung? Überlegungen zur Weiterentwicklung des principlism*, in: Jahrbuch für Wissenschaft und Ethik, Bd. 5, Berlin, New York, 5-34.

SIEP, L. (1996): *Eine Skizze zur Grundlegung der Bioethik*, in: Zeitschrift für philosophische Forschung 50, 236-253.

– (1998): *Natur als Norm? Zur Rekonstruktion eines normativen Naturbegriffes in der angewandten Ethik*, in: DREYER, M., FLEISCHHAUER, K. (Hg.): Natur und Person im ethischen Disput, Freiburg i.Br., München, 191-206.

VIETH, A. (2001): *Epistemische Aspekte ethischen Denkens, Fühlens und Urteilens* (Münster, Diss.).

WIGGINS, D. (1975/76): *Deliberation and Practical Reason*, in: WIGGINS, D.: Needs, Values, Truth, 3rd ed., Oxford, New York 1998, 215-237.

– (1976): *Truth, Invention, and the Meaning of Life*, in: WIGGINS, D.: Needs, Values, Truth, 3rd ed., Oxford, New York 1998, 87-137.

WILL, F.L. (1988): *Beyond Deduction*, New York, London.

Ethik des Völkerrechts: Zum Problem der Rechtfertigung Humanitärer Interventionen

von Barbara Merker

In der öffentlichen Diskussion über die Bewertung Humanitärer Intervention anlässlich des Kosovo-Krieges[1] sind alle logisch möglichen normativen Positionen faktisch auch vertreten worden. Es wurde behauptet, der Krieg sei moralisch und völkerrechtlich erlaubt bzw. geboten. Es wurde behauptet, der Krieg sei moralisch und völkerrechtlich verboten. Es wurde behauptet, der Krieg sei zwar vielleicht völkerrechtlich erlaubt bzw. geboten, aber moralisch verboten. Und es wurde behauptet, der Krieg sei völkerrechtlich verboten, aber moralisch erlaubt bzw. geboten.

Einige Aspekte dieser Kontroverse möchte ich im Folgenden unabhängig von dem spezifischen Fall der Kosovo-Intervention etwas genauer betrachten. Im ersten Teil skizziere ich kurz die völkerrechtliche Diskussion über die Legalität Humanitärer Interventionen. Im zweiten Teil versuche ich eine Explikation der völkerrechtlichen Normen, auf die die Verteidiger und Kritikerinnen Humanitärer Interventionen sich berufen. Im dritten Teil wende ich mich der moralischen Diskussion über die Legitimität Humanitärer Interventionen zu. Der Zusammenhang der drei Teile ergibt sich schon aus der Frage nach der Ethik des Völkerrechts.[2] Da die kontroverse völkerrechtliche Diskussion sich an völkerrechtlichen Normen entzündet, die nicht immer gleichrangig und gleichzeitig befolgt werden können, möchte ich diesen anscheinenden Normen- bzw. Handlungskonflikt etwas genauer untersuchen. Ich möchte zeigen, dass der Konflikt letztlich nicht, wie es den Anschein hat, ein Konflikt zwischen heterogenen Normen ist, sondern ein moralischer Konflikt anderer Art, der nur vom Standpunkt bestimmter Ethiktypen als Konflikt auch lösbar ist.

---

[1] Aus Gründen, die ich im Folgenden noch darstellen und kritisieren werde, wird im heutigen Völkerrecht der Ausdruck „Krieg" fast vollständig vermieden und durch den Ausdruck „bewaffneter (internationaler) Konflikt" ersetzt.

[2] Den Ausdruck „Ethik" gebrauche ich hier gleichbedeutend mit „Moral". Dabei geht es mir nicht um die Bewertung der inneren Gesinnung derer, die humanitär intervenieren oder eine solche Intervention anordnen, sondern ausschließlich um die moralische Bewertung dieser *Aktion*, ihrer möglichen Implikationen, Begleiterscheinungen und Folgen. Die prinzipielle moralische Akzeptabilität Humanitärer Interventionen ist eine notwendige Bedingung für ihre Billigung in einem legitimen Völkerrecht.

1. Die völkerrechtliche Kontroverse

Auf der einen Seite der völkerrechtlichen Auseinandersetzung um die Humanitäre Intervention stehen die, die die völkerrechtliche Legalität einer Humanitären Intervention bestreiten. Sie interpretieren die Friedenswahrung als höchstes völkerrechtliches Gut, aus dem das Prinzip der staatlichen Souveränität und das Gebot militärischer Nichteinmischung in die innerstaatlichen Angelegenheiten fremder Staaten abgeleitet sei. Eine Ausnahme von dieser grundsätzlichen Ächtung des Krieges bildet nach dieser Auffassung lediglich die „individuelle oder kollektive Selbstverteidigung von Staaten", wie sie in Artikel 51 der Charta der Vereinten Nationen festgeschrieben ist. Nur in diesem Fall sei auch die vorherige Zustimmung durch den Sicherheitsrat der Vereinten Nationen entbehrlich, der aber nachträglich zustimmen müsse.[3] Häufig wird zudem noch unterstellt, dass lediglich Staaten Völkerrechtssubjekte seien.

Auf der anderen Seite der Auseinandersetzung stehen diejenigen, die Humanitäre Interventionen für völkerrechtlich legal halten. Sie stützen sich dabei auf unterschiedlich extensive Rechtsquellen und bedienen sich zweier grundsätzlich unterschiedener argumentativer Strategien. Die einen erkennen, gestützt vornehmlich oder ausschließlich auf die Charta der Vereinten Nationen, die Wahrung des Weltfriedens als oberste völkerrechtliche Norm an. Doch versuchen sie, Humanitäre Interventionen als Ausnahme von dem Gewaltverbot mit Rekurs auf dieses Verbot zu rechtfertigen, indem sie argumentieren, dass massive Menschenrechtsverletzungen den Weltfrieden bedrohen. Gewalt darf dieser Position zufolge also nicht nur

---

[3] Vgl. TÖNNIES 1999. Ihr zufolge ist der Zweck der Charta „Weltkriegsvermeidung", die vor „Menschenrechtsverletzungsvermeidung" geht. Vgl. MAUS 1999, der zufolge die UN-Charta der Überzeugung Ausdruck gibt, „daß nur ein Frieden auf der Basis zwischenstaatlichen Rechts die Voraussetzungen dafür schafft, daß Menschenrechte eingehalten werden". Fremd sei der Charta dagegen die Vorstellung, „Menschenrechte könnten mit kriegerischen Mitteln erzwungen werden. Wer die UN-Charta bricht, verstößt daher nicht nur gegen den Buchstaben des Völkerrechts, sondern auch gegen die Idee der Menschenrechte." Sie kritisiert die Tendenz, Kapitel 7 der Charta so zu interpretieren, dass jeder „beliebige innere Konflikt oder eine unbefriedigende Menschenrechtslage" zu „einer Gefährdung des Weltfriedens" erklärt werden. Sie hält humanitäre militärische Interventionen für „widerrechtlich", aber in extremen Umständen für „praktisch" – gemeint ist vielleicht: moralisch – „notwendig". Als Entscheidungsinstanz dafür kommt ihr zufolge nur die UNO in Frage, die nicht „militärisch effizienter werden oder sich gar zu einer Art Weltregierung mit einem Gewaltmonopol entwickeln" solle, sondern „mehr Mittel" erhalten solle, „um präventiv gewaltsamen Konflikten vorzubeugen und friedenssichernd nach Kapitel 6 der UN-Charta einzugreifen". Vgl. auch SIMMA 2000, 11 f., für den wie für Maus Völkermord eine Ausnahme vom Gewaltverbot rechtfertigt, die im Kosovo-Konflikt allerdings nicht zu legitimieren sei.

im Fall individueller und kollektiver Selbstverteidigung angewandt werden, sondern auch als Mittel *zur Wahrung des Weltfriedens*. Eine Humanitäre Intervention, die bestimmte massive Menschenrechtsverletzungen beseitigt, ist demnach dann erlaubt, wenn die Menschenrechtsverletzungen weltfriedensbedrohende Wirkungen haben oder haben könnten. Offen bleibt dabei, wie wörtlich und extensiv der Ausdruck „Weltfriede" zu verstehen ist. Zweck der Humanitären Intervention ist dieser Argumentation zufolge also nicht die Beseitigung der Menschenrechtsverletzungen, sondern die Wahrung des Weltfriedens.[4]

Die andere Gruppe von Befürwortern Humanitärer Interventionen behauptet, dass diese auch ohne förmliche Zustimmung der Vereinten Nationen und der betroffenen Regierung *mit dem Zweck der Beseitigung massiver Menschenrechtsverletzungen* durchgeführt werden dürfen bzw. müssen.[5] Sie berufen sich dabei auf bestehendes Völkerrecht: Sie stützen sich auf die Charta der Vereinten Nationen oder erinnern auch daran, dass das Völkerrecht nicht identisch ist mit dem in der Charta niedergelegten Recht. Sie berufen sich auf die Charta der Vereinten Nationen, indem sie zum Beispiel das in Artikel 51 fixierte Recht auf individuelle und kollektive Selbstverteidigung von Staaten, also das Recht auf Notwehr, zum Recht auf Nothilfe so erweitern,[6] dass militärische Nothilfe nicht nur zwischen Staaten, sondern auch für Gruppen von Individuen innerhalb von Staaten in Frage kommt. Dass dieses auch im Geiste der Charta und des Völkerrechts generell ist, sehen einige bestätigt durch

---

[4] Mit der „Bedrohung der internationalen Sicherheit" wurde auch in der UN-Resolution 688 vom April 1991 die Einrichtung von Flugverbotszonen über dem irakischen Luftraum und von Schutzzonen für kurdische Flüchtlinge im Nordirak begründet.

[5] Klein zufolge hat „das Gewaltverbot" nicht „grundsätzlich Vorrang vor dem Menschenrechtsschutz". Eine Zustimmung des Sicherheitsrats zu humanitären militärischen Maßnahmen zum Schutz der Menschenrechte und dessen Entscheidungsmonopol hält er wegen der bereits erreichten Normativierung des Menschenrechtsschutzes nicht für unbedingt nötig. Allerdings könne der Sicherheitsrat „die Sache jederzeit in seine Hand nehmen und damit die bisherige Aktion ablösen", so wie dies auch im Artikel 51 vorgesehen sei (KLEIN 1999). Brunkhorst ist dagegen der Auffassung, dass die Zustimmung der Vereinten Nationen auch im Falle der Berufung auf Notwehr oder Nothilfe nachträglich eingeholt und dadurch die Intervention auf ihre Rechtmäßigkeit hin überprüft werden müsse. Die Militäraktion der NATO sieht er „durch eine nachträgliche Resolution des Sicherheitsrates vom 10. Juni zumindest indirekt legitimiert" (BRUNKHORST 1999b). Während Klein der Ansicht ist, dass es keine Interventionspflicht gibt, ist Senghaas der Auffassung, „daß es eine Art von Rechtspflicht" gibt (SENGHAAS 1999).

[6] Vgl. MERKEL 2000, 81, der offen lässt, aus welcher Völkerrechtsquelle man die Pflicht zur Nothilfe formell herleiten mag. Sie wäre nach seiner Auffassung „sogar gegen den Widerstand der Völkerrechtsdoktrin, ja sogar der Mehrheit der Staaten zulässig" und sei auch ohne eine Ermächtigung durch den Sicherheitsrat nicht rechtswidrig, wie umgekehrt ein solcher Beschluss eine rechtswidrige Intervention nicht legalisieren könne. Merkel geht davon aus, dass das Völkerrecht inzwischen den Rechtsstatus von Individuen auch im Bereich seiner Zuständigkeit anerkennt.

die Allgemeine Menschenrechtserklärung, die Konvention zur Verhütung und Bestrafung des Völkermords von 1948, die Menschenrechtspakte von 1966 (1976), die Leitsätze der Kriegsverbrechertribunale von Nürnberg und Tokyo, die „Verbrechen gegen die Menschlichkeit" bestrafen, aber auch durch die Entscheidungen der Organe der Vereinten Nationen wie Resolutionen der Vollversammlung, Beschlüsse des Sicherheitsrates, Urteile des Internationalen Gerichtshofes. Sie sehen darin das explizite Bekenntnis, dass auch die Wahrung von Menschenrechten ein völkerrechtlich hochrangiges Gut ist. Es wird verwiesen auf die Schlussakte von Helsinki, in der explizit zum Ausdruck gebracht wird, dass Menschenrechtsverletzungen keine innere Angelegenheit von Staaten sind. Und es wird verwiesen auf das Zwischenurteil des Internationalen Gerichtshofs in Den Haag vom 11. Juli 1996 zur Klage Bosniens gegen Serbien/Montenegro, in dem von der Pflicht aller Staaten die Rede ist, Völkermord zu verhindern. Auch die sogenannten *erga-omnes*-Verpflichtungen, die jeder Staat gegen die Staatengemeinschaft insgesamt hat, zeigen nach verbreiteter Auffassung, dass völkerrechtlich nicht nur Staaten, sondern auch Individuen und Gruppen geschützt werden sollten. Noch andere sehen in solchen Argumentationen weitblickend den fälligen Paradigmenwechsel vom Völkerrecht in ein Weltbürgerrecht, das Staatsangehörige auch gegen die eigene Regierung schützt.[7] Unterschiedlich sind dabei die Auffassungen, ob und welche Rolle die Nationalstaaten noch spielen sollten.[8]

Die Kontroversen über die völkerrechtliche Bewertung Humanitärer Interventionen entstehen anscheinend durch Normenkonflikte, für deren Lösung das Völkerrecht keine geeigneten Mittel bereitstellt. So gebietet die Charta der Vereinten Nationen *erstens* die Verhütung der „Geißel des Krieges", die Wahrung des „Weltfriedens" und der „internationalen Sicherheit" (Artikel 1,1). *Zweitens* gebietet die Charta neben der Achtung der „Gleichberechtigung" auch die Achtung vor der „Selbstbestimmung der Völker" (Artikel 1,2). Zweideutig ist dies, weil der Ausdruck „Völker" zum einen politisch und juristisch im Sinne von „Staaten" verstanden

---

[7] Vgl. HABERMAS 1999. Vgl. dagegen SENGHAAS 1999, für den das Völkerrecht schon ein Weltbürgerrecht oder Weltinnenrecht ist und nicht erst im Vorgriff darauf befindlich. Für Habermas ist die „wichtigste Konsequenz eines durch die Souveränität der Staaten hindurchgreifenden Rechts" die „persönliche Haftung von Funktionären für ihre in Staats- und Kriegsdiensten begangenen Verbrechen" (HABERMAS 1999). Vgl. dagegen MAUS 1998, 91, die auf die Diskrepanz hinweist, dass „innerstaatliche Strafermäßigungen als kultureller Fortschritt bewertet" werden, „alles Strafbedürfnis dagegen auf internationale Konfliktaustragungen" verschoben wird. Ihr zufolge ist der „Kriegsverbrecher" derjenige, „an dem zuerst das Verbrechen begangen wurde, ihm das Töten im Krieg zu befehlen". Unbeachtet lässt sie allerdings die Politiker, die verantwortlich für diese Befehle sind.

[8] Für eine Transformation des Nationalstaats plädieren u.a. HAVEL 1999 und GLOTZ 1990, dagegen MAUS 1998, 108 f. Eine differenzierte Einschätzung findet sich bei STEINVORTH 1996, HÖFFE 1996, HÖFFE 1998 und LUTZ-BACHMANN 1999.

werden kann. Zum anderen kann er aber auch verstanden werden im Sinne von „kulturelle, ethnische, religiöse, sprachliche, historisch gewachsene, geographische und überhaupt alle Gruppen, die sich aufgrund welcher Kriterien auch immer als zusammengehörig betrachten". *Drittens* fordert die Charta die Wahrung der „territorialen Unversehrtheit" und „politischen Unabhängigkeit" von Staaten (Artikel 2,4). Und *viertens* gebietet sie auch die „Achtung vor den Menschenrechten" (Artikel 1,3). Alle vier Werte und Normen, so scheint es, können nicht immer gleichzeitig und gleichrangig geschützt werden.[9]

2. Völkerrechtliche Normen

2.1. Humanitäre Intervention

Bevor ich kurz auf einzelne der anscheinend heterogenen völkerrechtlichen Normen eingehe, möchte ich noch einige Bemerkungen zum Ausdruck „Humanitäre Intervention" machen, denn was unter erlaubter „‚Einmischung' bzw. verbotener ‚Intervention' zu verstehen ist", lässt sich im Völkerrecht „ebenso schwer bestimmen wie der Begriff der ‚inneren Angelegenheiten', der den staatlichen Bereich bezeichnet, der vor fremder Intervention geschützt sein soll".[10] Unbestimmt bleibt hier leider, ob Intervention und Interzession (Einmischung) sich immer sowohl sachlich als auch durch ihren rechtlichen Status der Verbotenheit bzw. Erlaubtheit unterscheiden (in diesem Fall wäre das jeweilige Adjektiv nur noch eine Explikation dessen, was im Substantiv schon enthalten ist); oder ob beide für sich, Intervention und Interzession, sowohl erlaubt als auch verboten sind.[11]

---

[9] Zum Umgang mit einer solchen Konkurrenz von Pflichten sind unterschiedliche Strategien vorgeschlagen worden. Nach einer Auffassung sollte zum Beispiel die Hierarchie der besagten Pflichten von der jeweiligen gesamtpolitischen Situation abhängig gemacht werden. In Zeiten des Kalten Krieges und der nuklearen Bedrohung hätten der Friede und das Prinzip der Nicht-Einmischung Vorrang vor Menschenrechtsverletzungen innerhalb von Staaten gehabt. Zur Zeit dagegen sei mit dem Ende des Kalten Krieges und angesichts der Vielzahl von Bürgerkriegen die Privilegierung des Schutzes von Menschenrechten geboten.

[10] BEYERLIN 1991, 378.

[11] „Weder in der Staatenpraxis noch in der Völkerrechtslehre sind bislang klare und zuverlässige Kriterien" für das „Problem der Abgrenzung zwischen verbotener Intervention und noch erlaubter Interzession" entwickelt worden. Als völkerrechtswidrige Intervention wird „nicht schon jeder Einsatz politisch-diplomatischen Drucks oder wirtschaftlicher Macht zur Beeinflussung des Willens eines anderen Staates zu werten sein, sondern nur ein solcher Eingriff, der den betroffenen Staat so massiv trifft, daß er in einer wichtigen Frage seiner inneren Ordnung oder Außenpolitik zu einen Verhalten

Der Ausdruck „Humanitäre Intervention" wird in einem weiten und einem engeren Sinne gebraucht. In dem heute verbreiteten weiten Sinne umfasst er das gesamte Kontinuum zwischen nichtmilitärischen Interventionen (wirtschaftliche, propagandistische, subversive, humanitäre, materiale, mediale) und bewaffneten Interventionen. Wirtschaftssanktionen, finanzielle und mediale Unterstützung der politischen Opposition, Materiallieferungen von Nahrung, Waffen, Medikamenten und die Etablierung von Flüchtlingslagern sind Beispiele für solche Interventionen. In dem klassischen engeren Sinn dagegen bezieht sich der Ausdruck auf militärische Interventionen, die die „Androhung oder Anwendung militärischer Gewalt implizieren". Ich werde ihn im Folgenden ausschließlich in diesem Sinne gebrauchen.[12]

Der Ausdruck „Intervention" beschreibt die *Art* der kollektiven Handlung, die in den Hoheitsbereich eines Staates eingreift. Als „verboten" gelten im allgemeinen militärische Interventionen, die *gegen den Willen* der Regierung oder auch eines Teils der Angehörigen des Staates durchgeführt werden, der von der Intervention betroffen ist. Bei der Diskussion um die Humanitären Interventionen geht es aber gerade um die Frage, ob und, wenn ja, welche Ausnahmen es von diesem generellen Verbot

---

gezwungen wird, zu dem er sich in freier Selbstbestimmung als unabhängiger und souveräner Staat nicht entschlossen hätte". „Keine völkerrechtswidrige Intervention liegt vor, wenn der von ihr betroffene Staat dem Vorgehen des Intervenienten ausdrücklich zugestimmt hat (sog. Erbetene Intervention). Dies gilt wohl auch noch für die Intervention im Bürgerkrieg auf Ersuchen der etablierten Regierung, soweit dem nicht das Selbstbestimmungsrecht des im Bürgerkrieg befindlichen Volkes entgegensteht. Im übrigen gelten die in der Charta und im Völkergewohnheitsrecht zugelassenen Ausnahmen vom Gewaltverbot auch für die bewaffnete Intervention. Von diesem Verbot nicht ausgenommen ist danach die ‚klassische' humanitäre Intervention, also das bewaffnete Eingreifen eines Staates in einem anderen Staat zum Schutz von Freiheit und Leben von dessen Bürgern in solchen Fällen, in denen die eigene Regierung dazu nicht Willens oder nicht in der Lage ist." Zu den vor fremder Intervention geschützten „‚inneren und äußeren Angelegenheiten eines Staates' zählen alle diejenigen, die nicht Gegenstand völkerrechtlicher Regelungen sind, sondern in die alleinige staatliche Zuständigkeit fallen. Schon traditionell den Staaten vorbehalten ist vor allem die Ausgestaltung der Verfassungsordnung, des politischen, wirtschaftlichen, sozialen und kulturellen Systems sowie des Staatsangehörigkeitsrechts. Der Kreis der ‚interventionsfreien' Angelegenheiten ist jedoch nicht statisch, sondern engt sich in dem Maße zunehmend ein, wie sich das Netz völkerrechtlicher Verträge zwischen den Staaten verdichtet und die völkerrechtliche Durchdringung von Materien, die ursprünglich der ausschließlichen staatlichen Zuständigkeit [...] vorbehalten waren, fortschreitet. So werden heute etwa auch Fragen des Ausländerrechts, des Asylrechts und vor allem der Menschenrechte [...] mehr und mehr von völkerrechtlichen Normierungen erfaßt. Sie sind damit insoweit der ‚domestic jurisdiction' der Staaten entzogen und zu Angelegenheiten von ‚international concern' geworden." (BEYERLIN 1991, 380 f.)

[12] Vgl. auch IPSEN 1999, 20 ff., 50 ff. Eine ausführliche Diskussion und Bewertung Humanitärer Interventionen findet sich bei ZANETTI 1998.

gibt. Das Adjektiv „humanitär" soll das Ziel der Intervention bestimmen. Als erfolgreich gilt eine militärische Intervention, wenn sie dem jeweils näher zu bestimmenden Wohl der Menschen dient, um dessentwillen sie unternommen wird.[13] Umstritten ist dabei, welche Ziele in dem Sinne als humanitär gelten dürfen, dass sie eine militärische Intervention rechtfertigen. Zur Diskussion stehen zum Beispiel die Unterstützung separatistischer bzw. sezessionistischer Bewegungen, Gegeninterventionen, die Durchsetzung von auf demokratischem Wege gewonnenen Wahlen, die Einführung demokratischer Verfassungen, Selbsterhaltung in einer drohenden oder aktuellen Hungersnot.[14] Ich erwäge im Folgenden nur einen bestimmten Typ Humanitärer Interventionen, die zum Schutz (eines Teils) der Bevölkerung eines fremden Staates vor Verletzungen der (moralischen) Rechte auf Leben und Unversehrtheit des Leibes in dem Fall vollzogen werden, in dem die Regierung des Staates diesen Schutz nicht gewährleisten kann, will oder sogar dazu beiträgt, dass diese Rechte verletzt werden. Mir geht es zudem primär um Humanitäre Interventionen, die gegen solche Verletzungen der Rechte auf Leben und Unversehrtheit des Leibes gerichtet sind, die direkt in menschlichen Handlungen ihren Ursprung haben.[15] Mir geht es, anders gesagt, nur um militärische Versuche der Beendigung drohender, angedrohter oder bereits praktizierter direkter Gewalt in einem anderen Land, in dem der Staat sein Gewaltmonopol nicht zur Eindämmung dieser Gewalt ausübt.

2.2. Krieg und Menschenrechte

Gewaltakte aber, als angedrohte oder faktische Verletzungen von Leib oder Leben, können auf unterschiedliche Weise beschrieben werden: als Verletzungen von Men-

[13] Im Unterschied zu MEGGLE 2000, 143 f., bin ich nicht der Ansicht, dass die Absicht, die innere Gesinnung, eine Intervention als „humanitär" charakterisiert. Entscheidend ist, dass das Ziel genannt wird und die Aktionen im Lichte dieses Zieles geeignet erscheinen. Irrelevant ist dabei, dass sich die Aktion auch auf ganz andere Weise beschreiben lässt (zum Beispiel als versuchte Einflussnahme und versuchter Machtzugewinn) und dass dies vielleicht auch der handlungsverursachende Grund ist. Wichtig ist nur, dass etwas getan wird oder zu tun versucht wird, das geeignet erscheint, bestimmte Wirkungen zu haben, die als Ziel und damit als Endpunkt und Erfolg der Aktion angekündigt werden (vgl. MERKER 2002).

[14] Vgl. den Überblick bei CHWASZCZA 1998; WALZER 1982, 136 ff.; BRUNKHORST 1996, 262; dagegen BRUNKHORST 1999a; LUBAN 1980; DOPPELT 1978; WALZER 1980; BEITZ 1980.

[15] Unbeachtet lasse ich damit Humanitäre Interventionen, zu denen man sich aufgrund von Naturkatastrophen entscheidet (auch wenn diese indirekt durch menschliche Handlungen mitverursacht wurden), gegen die die Regierung des betroffenen Landes keine Hilfsmaßnahmen ergreifen kann oder auch will. Ich glaube aber, dass zur (*prima facie-*) Rechtfertigung Humanitärer Interventionen dieses Typs meine Argumentation nur geringfügig verändert werden müsste.

schenrechten, als (Angriffs-, Verteidigungs-, Nothilfe-) Kriege, als Verletzungen der Souveränität von Staaten, als Bedrohungen des Weltfriedens, aber auch, wie sich noch zeigen wird, als Humanitäre Interventionen. Immer handelt es sich um Ereignisse oder Zustände der Gewalt, die aus jeweils unterschiedlicher Perspektive, zum Beispiel der ihrer gerechtfertigten oder ungerechtfertigten Zwecke oder der ihres normativen rechtlichen oder moralischen Status, beschrieben werden. Jede Aktion, in der Menschen gegen ihren Willen bedroht oder verletzt werden, lässt sich als Gewaltakt, als Verletzung basaler Menschenrechte, aber auch als Krieg in dem ursprünglich weiten Sinne verstehen, wie er zum Beispiel bei Locke zu finden ist.

In den unterschiedlichen Theorien des Naturzustandes gilt zum Beispiel jede Drohung oder Anwendung von Gewalt gegenüber Personen als Krieg. Nach Locke zum Beispiel hat jeder, der das „Recht auf Selbsterhaltung" verletzt, „damit der gesamten Menschheit den Krieg erklärt". Wer „durch Wort oder Tat einen nicht in Leidenschaft und Übereilung gefaßten, sondern in ruhiger Überlegung geplanten Anschlag auf das Leben eines anderen kundgibt, versetzt sich dem gegenüber, gegen den er eine solche Absicht erklärt hat, in den Kriegszustand".

Locke unterscheidet dabei zwischen dem „eigentlichen Naturzustand", also dem Zustand vor dem Gesellschaftsvertrag, und dem Naturzustand, der ein Kriegszustand ist und auch innerhalb einer politischen Gesellschaft jederzeit wieder eintreten kann. „Menschen, die nach der Vernunft zusammenleben, ohne auf Erden einen gemeinsamen Oberherrn mit der Macht, zwischen ihnen zu richten, über sich zu haben, befinden sich im eigentlichen Naturzustand. Gewalt aber, oder die erklärte Absicht, gegen die Person eines anderen Gewalt anzuwenden, bedeutet, wo es auf Erden keinen gemeinsamen Oberherrn gibt, den man um Hilfe anrufen könnte, den Kriegszustand. Gerade das Fehlen einer solchen Berufungsinstanz gibt dem Menschen das Recht, Krieg gegen einen Angreifer zu führen, selbst wenn er in der Gesellschaft lebt und genau wie er ein Untertan ist."[16]

Durch den Vertragsschluss wird das Recht auf eine notfalls gewaltsame Lösung von Interessenkonflikten auf den wie auch immer bestimmten unparteilichen Souverän monopolistisch übertragen. Mit der Etablierung einer solchen Berufungsinstanz beginnt auch die Trennung der Sphären von Innen und Außen wie von Privatem und Öffentlichem. Historisch korrespondiert dem in etwa die Entstehung der modernen Territorialstaaten und der modernen Nationen mit ihrer Trennung von Innen- und Außenpolitik. Dabei gewinnt die Grenze, die Staaten voneinander trennt, an Bedeutung, weil sie den Raum markiert, in dem ein einheitliches Recht herrscht.[17]

Unter der Prämisse nun, dass das Gewaltmonopol des Souveräns den inneren Frieden garantiert, wird der Begriff des Krieges auf die gewaltsame Lösung von Interessenkonflikten zwischen Staaten beschränkt, die untereinander weiter im Naturzustand verharren. Nur wenn der quasi innerstaatliche Naturzustand dadurch

[16] LOCKE 1690, 206, 209, 211.

[17] Vgl. dazu den informativen Artikel „Krieg" von Janssen (JANSSEN 1978).

wiederhergestellt wird, dass die staatliche Sanktionsinstanz erlischt, staatliche Sanktionen gegen Gewalt erfolglos bleiben oder gar nicht erst erfolgen, also zum Beispiel in unterschiedlichen Formen von nationalen oder internationalen Bürgerkriegen, seien sie religiös, politisch oder sozial motiviert, wird der Ausdruck „Krieg" wieder zu seiner ursprünglichen umfassenden Bedeutung als nicht staatlich sanktionierter Zustand zwischenmenschlicher Gewalt erweitert.[18]

Charakteristisch dagegen für das moderne Völkerrecht, wie es unter anderem in der Charta der Vereinten Nationen kodifiziert ist, ist ein *enges* Verständnis von Krieg und Frieden. Friede ist reduziert auf den äußeren Frieden, auf den Zustand, in dem das Prinzip der militärischen Nicht-Intervention in die staatliche Souveränität und territoriale Integrität fremder Staaten und damit das Gewaltverbot gegenüber fremden Staaten gewahrt ist. Entsprechend ist Krieg der äußere Krieg, der Zustand, in dem das Prinzip der militärischen Nicht-Intervention in die politische Selbstbestimmung und territoriale Integrität fremder Staaten und damit das Gewaltverbot nicht eingehalten ist.

Terminologisch also ist der Ausdruck „Krieg" zum einen in seiner Bedeutung und Referenz verengt, zum anderen scheint er langsam überhaupt aus dem Völkerrecht zu verschwinden. Ein Grund für diese völkerrechtliche Abstinenz ist vielleicht der Umstand, dass Krieg nicht nur auf den *äußeren* Krieg beschränkt, sondern auch als *Rechtszustand* betrachtet wird.[19] Diesem zufolge scheinen neben der Bedingung der Gewalt zwischen Staaten noch zwei zusätzliche Bedingungen erfüllt sein zu müssen, damit berechtigterweise von „Krieg" gesprochen werden darf: die förmliche *Erklärung* des Krieges und der *Abbruch* der friedlichen diplomatischen Beziehungen. Aber es ist nicht einsichtig, wieso das Nichteinhalten dieser Bestimmungen oder auch rechtlicher Bestimmungen anderer Art – wie das auf den Verteidigungs- bzw. Nothilfekrieg beschränkte Recht zum Krieg (*ius ad bellum*) oder bestimmte Verhaltensnormen im Krieg (*ius in bello*)[20] – dazu führen muss, dass die entsprechenden Gewaltakte terminologisch nicht mehr als „Kriege" bezeichnet werden.

Gegenüber dem weiten Lockeschen Verständnis von Krieg als Zustand staatlich nicht sanktionierter Gewalt gegenüber mindestens einer Person hat sich der heutige diffuse Gebrauch des Ausdrucks noch auf eine Weise verengt, die über die Reduktion auf den äußeren Krieg und die Bindung an (verfahrens-) rechtliche Normen hinausgeht. Vielleicht hängt es mit der häufigen Reduktion des Krieges auf den

---

[18] Von dieser weiten ‚anglo-amerikanischen' Verwendung des Kriegsbegriffs unterscheidet sich der ‚kontinental-europäische' Kriegsbegriff Rousseaus, für den der Krieg als Rechtszustand nicht eine Relation zwischen Menschen, sondern zwischen Staaten ist, in dem sich Menschen nur in ihrer Funktion als Soldaten als Feinde gegenüberstehen. Vgl. KIMMINICH 1976.

[19] Vgl. KIMMINICH 1995, 426 f.

[20] Charakteristisch für viele der gegenwärtigen Kriege ist auch, dass sich die gegenüberstehenden Menschen nicht mehr rechtlich als Soldaten, aber eben doch als Feinde betrachten.

äußeren Krieg zusammen, dass wir mit „Krieg" weiter eine freilich schwer zu präzisierende *Quantität* von Gewalt assoziieren und dieses auch dann, wenn es um innerstaatliche Gewalt geht.[21] Und schließlich scheint es auch eine Tendenz zu geben, nicht schon, wie Locke, jede drohende oder praktizierte Gewalt „ohne gemeinsamen Oberherrn, den man um Hilfe anrufen könnte, den Kriegszustand" zu nennen, sondern erst den *reziproken* Zustand, in dem auf diese erste Gewalt mit Gegengewalt reagiert wird.[22] Unterscheidungen dieser Art wären auch notwendig, wenn zum Beispiel Völkermord und Krieg voneinander unterschieden werden sollen.

Versteht man nun Friede nicht eingeschränkt auf den äußeren Frieden und damit als Zustand zwischen Staaten, in dem das Prinzip der Nicht-Intervention gewahrt ist, sondern grundlegender als Zustand der Gewaltlosigkeit, in dem die fundamentalen Menschenrechte auf Leben und Unversehrtheit des Leibes geachtet werden, oder als Zustand, in dem Gewalt durch die dafür vorgesehenen Instanzen wie Polizei und Justiz beendet und sanktioniert wird, dann kann es sein, dass der äußere Friede, der nur das Recht auf Nicht-Intervention wahrt, kein wirklicher Friede ist. Und versteht man umgekehrt unter Krieg nicht nur eingeschränkt den äußeren Krieg der Verletzung des Rechts auf Nicht-Intervention, sondern grundlegender den Zustand staatlich nicht sanktionierter oder gar staatlich initiierter Gewalt und damit der staatlich nicht sanktionierten Verletzung elementarer Menschenrechte, dann könnte es sein, dass ein Krieg, der das Recht auf Nicht-Intervention verletzt, um diese Menschenrechte zu schützen, die die exekutiven Organe eines Staates nicht mehr schützen können, wollen oder sollen, ein „gerechter Krieg" ist.[23] Wenn ein „ungerechter Krieg" ein Zustand drohender oder praktizierter staatlich unsanktionierter oder auch initiierter Gewalt ist, in dem elementare Menschenrechte bedroht und verletzt werden, dann ist ein legitimer Krieg ein Krieg mit dem Zweck der Wiederherstellung des Friedens, also mit dem Zweck der Wiederherstellung des Zustandes der Gewaltlosigkeit, in dem es keine drohenden oder praktizierten Verletzungen von Leib und Leben mehr gibt. Als „basal", „fundamental" oder „elementar" lassen sich die Menschenrechte bezeichnen, deren Wahrung die Voraussetzung für die Verwirklichung aller weiteren Interessen und für den Schutz aller weiteren Rechte ist.[24]

Sieht man den Zweck der Charta der Vereinten Nationen nun in der Wahrung oder Wiederherstellung des Weltfriedens und den Frieden begrifflich verknüpft mit Gewaltfreiheit und damit der Wahrung der basalen Menschenrechte auf Leben und

---

[21] Zum Beispiel sprechen wir von einem „Bandenkrieg" und unterstellen dabei, dass einer solchen „Bande" jeweils mehr als eine Person zugehört.

[22] Vgl. zu dieser Auffassung von Clausewitz und zur Verwischung der Grenzen zwischen Krieg und Frieden auch MÜNKLER 1992.

[23] Zu Theorien des gerechten Krieges vgl. auch MERKER 2002.

[24] Kersting nennt die Menschenrechte, deren Achtung Bedingung der Möglichkeit für die Chance ist, weitere Menschenrechte überhaupt in Anspruch nehmen zu können, „transzendental" (KERSTING 2000, 218 ff.).

Unversehrtheit des Leibes, dann folgt daraus, dass staatlich nicht sanktionierte Verletzungen dieser Rechte *prima facie* ein legitimer Grund für eine Nothilfe sind, die notfalls in Form eines Krieges, einer militärischen Intervention durchgeführt werden muss.

2.3. Interventionsverbot und staatliche Souveränität

Die Plausibilität des Interventionsverbots beruht bekanntlich zunächst auf der Analogie zwischen Individuum und Staat, die die politische Philosophie seit ihren Platonischen Anfängen begleitet hat. So wie die Autonomie des Individuums vor böswilligen und paternalistischen Interventionen geschützt werden soll, so auch die Autonomie von Staaten, wie die leibliche Unversehrtheit so auch die territoriale Unverletztheit. Die Grenze des Staates korrespondiert der Haut des Individuums.[25] Auch das Interventionsverbot lässt sich also als Gewaltverbot, nämlich als Gewaltverbot gegen Staaten verstehen.

Ein Staat ist allerdings keine moralische Person im eigentlichen Sinne,[26] sondern ein Verbund von Personen, die nicht nur von außen, sondern auch staatsintern bedroht und verletzt werden und im Staat ihre politische Selbstbestimmung zum Ausdruck bringen (können). Staatssouveränität ist gebunden an Volkssouveränität.[27] Daher die umstrittene Antwort auf die Frage, ob und unter welchen Bedingungen in einen illegalen oder illegitimen Staat interveniert werden darf oder sollte, der nicht den allgemeinen Willen des Volkes zum Ausdruck bringt und dessen Gesetze, Institutionen und Exekutionen nicht allgemein zustimmungsfähig und gerecht sind.[28] Betrachtet man als Kern des Interventionsverbotes aber die Gewaltfreiheit

[25] Vgl. ibid., 190 ff.

[26] Wenn Kant den Staat als eine „moralische Person" bezeichnet, ist damit das gemeint, was wir heute als „juristische Person" bezeichnen würden. Vgl. MAUS 1998, 108, und ihre dortige Bemerkung zu KAMBARTEL 1996, 240 ff.

[27] Damit ist der ältere an Bodin und Hobbes orientierte Begriff der Staatssouveränität als Fürstensouveränität durch den an Rousseau orientierten Begriff der Staatssouveränität als Volkssouveränität abgelöst worden. Vgl. zu den unterschiedlichen Auffassungen der Differenz und Übereinstimmung von Staatssouveränität und Volkssouveränität KERSTING 2000, 198 ff.; BRUNKHORST 1999a, 174 f.; BRUNKHORST 1996, 260 ff.; MAUS 1998; DUSCHE 2000, Kap. VII.

[28] Entschieden dagegen argumentiert Maus mit Kant, dass „die Integrität der Staatssouveränität die normative Bedingung" für die „Möglichkeit zur künftigen Verwirklichung von Volkssouveränität ist" (MAUS 1998, 105). Irgendeine „rechtliche, obzwar nur in geringem Grade rechtmäßige Verfassung" sei besser als gar keine, da nur unter den Rahmenbedingungen einer ‚Verfassung überhaupt' eine legitime, republikanische Verfassung erreicht werden könne (ibid., 106). Sie plädiert dafür, dass „die innergesellschaftlichen Lernprozesse bis zur Errichtung einer Republik autonom bleiben müssen, wenn nicht das Ziel der politischen Selbstbestimmung durch das konträre Mittel der

und unterstellt man zudem, dass zu den politisch selbstbestimmten Staatszwecken in jedem Fall die Aufrechterhaltung der Gewaltfreiheit im Inneren gehört, da die „einschlägigen Menschenrechte wie das Recht auf Leib und Leben [...] interkulturell gültig, nachzulesen in jedem Strafgesetzbuch sind“[29], dann wird dieses Interventionsverbot hinfällig, sobald der Staat bzw. die gesetzlich dafür vorgesehenen exekutiven Organe ihrer Aufgabe nicht mehr nachkommen, Rechtsverletzungen zu sanktionieren und die Staatsangehörigen vor Verletzungen basaler Menschenrechte durch Privatpersonen oder öffentliche Funktionäre eigener oder fremder Staaten zu bewahren.[30] Wegen dieser Gewalt verhindernden und Gewalt sanktionierenden und damit Recht überhaupt erst verwirklichenden Funktion von Staaten, und nicht nur wegen der autonomieeinschränkenden völkerrechtlichen Verträge und globalen Vernet-

---

Fremdbestimmung erreicht (und desavouiert) werden soll“. Mit Hegel lässt sich aber fragen, ob Recht, das in basalen Teilen weder anerkannt noch sanktioniert wird, überhaupt als Recht existiert. Immerhin schließt auch Maus Humanitäre Interventionen nicht in jedem Fall aus: „Barbarische Rechtsverletzungen“ nämlich fallen für sie außerhalb des Rechts. „Für das extreme Verbrechen des Völkermords existiert [...] nur die extreme Möglichkeit der außerrechtlichen Intervention.“ In diesem Sinne behandelt sie im Einklang mit Kant auch das Problem des Separatismus: „Solange überhaupt noch eine Verfassung besteht, also Anarchie, d.h. der ‚Naturzustand‘, noch nicht eingetreten ist, wird von Kant der Beistand äußerer Mächte für einen der streitenden Teile als skandalöse Verletzung der Rechte des Staatsvolks des noch existierenden Gesamtstaats qualifiziert.“ (Ibid.) Die Frage, die sich daran anschließt, ist die nach einem Kriterium für die Unterscheidung eines Staates mit einer noch bestehenden Verfassung und einer Anarchie. Für Hegel ist in seinen frühen Schriften seit Jena wie für Rousseau die Bereitschaft der Bürger, im Krieg ihr Leben für den Staat zu riskieren, der letzte Test für die Existenz eines Staates (vgl. SIEP 1995, 267). Auch völkerrechtlich scheint es solche, möglicherweise aber auch umstrittenen, Kriterien zu geben. Ipsen zufolge ist „ein politisch und rechtlich organisierter Gebiets- und Personenverband dann ein Staat, wenn eine – nach außen nur an das Völkerrecht gebundene, nach innen autonome – *Gewalt* gegeben ist, die einem *Volk* und einem abgegrenzten *Gebiet* zugeordnet ist. [...] Das Element der Staatsgewalt und damit der Staat sind erst dann vorhanden, wenn sich die Staatsgewalt tatsächlich durchgesetzt hat (Grundsatz der *Effektivität*). [...] Die Rechtmäßigkeit der Staatsgewalt nach der eigenen Verfassung (Legalität) ist – wie die Staatenpraxis zeigt – grundsätzlich nicht maßgeblich. Ebensowenig ist es die Legitimität der Staatsgewalt, d.h. ihre Ausrichtung an außerrechtlichen Grundwerten. Wie sich der Staat organisiert, ist trotz der zunehmenden Berücksichtigung der Menschenrechte für die Bestimmung der Staatseigenschaft nicht relevant.“ (IPSEN 1999, 55 ff.) Höffe weist darauf hin, dass schon bei Bodin der Souverän rechtsmoralischen Verbindlichkeiten unterworfen war. „Die Legitimation staatlicher Gewalt verbindet sich also schon immer mit ihrer Legitimation; eine absolute, uneingeschränkte Hoheitsgewalt war die Souveränität nie.“ (HÖFFE 2000, 174)

[29] Vgl. ibid., 171 ff.

[30] Dies gilt allerdings nicht nur für Staatsangehörige; vgl. BRUNKHORST 1999a, 174.

zungen, kann ihre Autonomie nur eine bedingte sein.[31] Damit aber ist das Interventionsverbot nicht mehr absolut zu rechtfertigen.

3. Moralische Argumente

Ich habe bislang versucht zu zeigen, dass der basale und einheitliche Sinn der anscheinend heterogenen völkerrechtlichen Normen die Vermeidung, Verhinderung oder Beendigung von Gewalt gegenüber Menschen ist. Das Gebot der Achtung der Menschenrechte, das Gebot der Wahrung des Weltfriedens, das Gebot der Anerkennung der territorialen Integrität und staatlichen Souveränität als Ausdruck der politischen Selbstbestimmung des Staatsvolks – diese Gebote implizieren allesamt auf unterschiedlich direkte Weise das Gebot der Gewaltfreiheit.

Der Versuch, die anscheinend heterogenen völkerrechtlichen Normen auf den homogenen Nenner der Vermeidung, Verhinderung oder Beendigung von Gewalt zu bringen, beseitigt allerdings nicht die Konflikte, in die wir geraten können, wenn wir diese Normen gleichzeitig und gleichrangig zu erfüllen versuchen. Mein Versuch, den letzten Sinn der völkerrechtlichen Normen als umfassendes Gebot zur Wahrung oder Wiederherstellung von Gewaltfreiheit zu explizieren, macht nur deutlicher, *worin* die Konflikte genau bestehen. Es handelt sich nämlich nicht um einen Konflikt heterogener *Normen*, sondern um das Problem, dass nicht alle völkerrechtlichen Normen gleichermaßen und gleichzeitig *erfüllbar* zu sein scheinen. Es handelt sich, so möchte ich zeigen, um das Problem der Abwägung zwischen unterschiedlichen Formen des Umgangs mit Gewalt. Der moralische Konflikt besteht nämlich darin, dass gelegentlich bei der gebotenen *Verhinderung* drohender bzw. angedrohter Gewalt und bei der *Beendigung* bereits praktizierter Gewalt reaktive Gegengewalt nicht *vermieden* werden kann. Und umgekehrt besteht der Konflikt darin, dass die gebotene *Vermeidung* von Gewalt drohende oder bereits praktizierte

[31] Der systematische Verzicht auf die innerstaatliche Sanktionierung von Gewalt, nicht erst Extreme wie der Völkermord, lassen den Staat sozusagen aus dem Rechtszustand wieder in den Naturzustand zurückfallen. Das Versäumnis der Sanktionierung einzelner Gewaltakte rechtfertigt allerdings noch keine Intervention, sondern liefert nur einen Grund für die Aufhebung des Interventionsverbots. Für eine praktische Überlegungen abschließende Rechtfertigung sind zusätzliche Faktoren wie die Implikationen, Begleiterscheinungen und Folgen Humanitärer Interventionen zu berücksichtigen. Vgl. zur Differenz der Auffassung interner Souveränität und Volkssouveränität als legislative oder exekutive Kompetenz MAUS 1998, die u.a. Habermas vorwirft, dass er die gesetzgebende Souveränität mit dem exekutivischen Gewaltmonopol identifiziere, wenn er schreibt: „Innere Souveränität bedeutet die auf das Gewaltmonopol gestützte Fähigkeit, im eigenen Lande mit Mitteln der administrativen Macht und des positiven Rechts Ruhe und Ordnung aufrechtzuerhalten.“ (Ibid., 104)

Gewalt gelegentlich nicht *verhindern* oder *beenden* kann. Die entscheidende moralische Frage ist daher, ob und unter welchen Bedingungen reaktive Gewalt gegen Gewalt moralisch legitim ist.

Eine weitere Frage ist, ob die innerstaatliche Lösung dieses Problems auf internationale bzw. globale Verhältnisse übertragen werden kann. Gewalt gegenüber Personen legitimiert im innerstaatlichen Bereich Gegengewalt durch die staatlichen Instanzen, denen das Gewaltmonopol übertragen wurde und die daher für die Verhinderung, Beendigung und Sanktionierung von Gewalt zuständig sind, nämlich Polizei und Justiz. Auch hier besteht das Problem, dass zur Verhinderung oder Beendigung von Gewalt gegen Leib und Leben Gegengewalt gelegentlich nicht vermeidbar, sondern notwendig ist. Sofern nun die dafür zuständigen staatlichen Instanzen, aus welchen Gründen auch immer, ihre Pflicht zur Verhinderung oder Beendigung von Gewalt nicht erfüllen, tritt der Zustand ein, den Locke als Kriegszustand beschrieben hat: „Gerade das Fehlen einer solchen Berufungsinstanz gibt dem Menschen das Recht, Krieg gegen einen Angreifer zu führen, selbst wenn er in der Gesellschaft lebt und genau wie er ein Untertan ist."[32] In dieser Situation erlischt sozusagen das staatliche Gewaltmonopol, das an die Bedingung gebunden ist, dass der Staat seiner vorrangigen Aufgabe der Sicherung des inneren Friedens nachkommt. Sofern dies nicht geschieht, haben die, deren Recht auf Leben und leibliche Unversehrtheit durch Gewalt bedroht ist, selber das bedingte Recht zur reaktiven Gegengewalt. Sie haben das Recht zur Selbstverteidigung, also zur *Notwehr*, und das Recht auf Nothilfe. Andere haben die dadurch bedingte *prima facie*-Pflicht zur *Nothilfe*.

Aus der Perspektive einer universalistischen Moral ist diese Pflicht zur Nothilfe ebenfalls eine universale. Es ist eine *prima facie*-Pflicht, die prinzipiell an alle Menschen ergeht, auch wenn es z.B. aus Gründen der Rechtsmoral und Praktikabilität wünschenswert ist, dass die Erfüllung dieser Pflicht an dazu legitimierte Institutionen wie z.B. bestimmte Organe der Vereinten Nationen delegiert wird. Durch eine solche Erfüllung der *prima facie*-Pflicht zur Nothilfe wird gleichsam die Lücke ausgefüllt, die die staatliche Untätigkeit hinterlassen hat.[33]

Überträgt man nun diese Argumentation auf globale Verhältnisse, weil moralisch betrachtet hier keine relevante Differenz besteht, dann ist unter der Voraussetzung der moralisch notwendigen *Verhinderung* drohender und *Beendigung* praktizierter Gewalt auch hier die Gewalt *unvermeidlich*, die mit militärischer Nothilfe leider meistens verbunden ist. Es handelt sich dabei zwar um Gewalt, aber nicht um eine Verletzung des Rechtes auf staatliche Souveränität und territoriale Integrität, wenn man dieses Recht als gebunden betrachtet an die Erfüllung der Pflicht zur Verhinderung, Beendigung und Sanktionierung von Gewalt im Inneren des Staates. Sofern diese Pflicht nicht erfüllt wird, ist ihre Erfüllung keine innerstaatliche Angelegenheit mehr

---

[32] Vgl. Anm. 16.

[33] Eine Argumentation dieser Art steht wohl auch hinter der mehrdeutigen Rede von der „Weltpolizei".

und Nothilfe, die notfalls die Form einer militärischen Intervention annehmen muss, damit nicht nur *unvermeidlich* zur moralisch notwendigen Wiederherstellung von Gewaltfreiheit, sondern *prima facie* auch selber moralisch notwendig und damit *legitim*.

Ein legitimer Zweck einer militärischen Intervention ist dieser moralischen Argumentation zufolge nicht die Durchsetzung oder Optimierung von Menschenrechten insgesamt, nicht die Verbesserung einer Verfassung oder die Herstellung der „Passung" zwischen Volkswille und Regierung, wie immer diese Passung feststellbar ist.[34] Das entscheidende Kriterium für die Legitimität von Nothilfe in Form einer militärischen Intervention, die nur als legitime auch eine „humanitäre" ist, ist also nicht die externe oder interne Bewertung eines Staates als in irgendeiner Hinsicht illegal oder illegitim, als verbesserungswürdig und -bedürftig. Vielmehr ist es der relativ problemlos feststellbare Zustand, in dem die zuständigen staatlichen Organe ihrer konstitutiven Aufgabe, Leib und Leben der bedrohten Staatsangehörigen zu schützen, nicht mehr nachkommen.[35]

Dabei ist es aber wichtig zu unterscheiden, in welcher Situation welche Weise der Notwehr und Nothilfe legitim ist. Es ist eben etwas anderes, ob die Polizei, die ja nicht die ständige Präsenz eines Schutzengels hat, zufällig nicht zur rechten Zeit am rechten Ort ist, um eine Gewaltaktion zu verhindern oder zu beenden, oder ob sie ihre Pflicht zur Sorge für den inneren Frieden, aus welchen Gründen auch immer, systematisch nicht erfüllt und damit als Polizei auch aufhört zu existieren. Erst in diesem letzten Fall, in dem Gewalt wie Staatsterror, Völkermord oder Deportation unsanktioniert bleibt, ist das Staatsvolk insgesamt und andauernd, nicht nur punktuell, aus dem Rechtszustand wieder in den Naturzustand zurückgefallen.[36] Dieses

---

[34] Kersting verweist auf die Schwierigkeiten der Feststellung einer solchen „Passung" sowohl in Theorien, die diese Passung als Ausdruck politischer Selbstbestimmung explizit vertragstheoretisch deuten, als auch in Theorien, die sie empirisch anhand impliziter oder expliziter Zustimmung feststellen wollen. Das Problem ist jeweils die Art der Deutung dieser Kriterien. Versteht man sie stark, dann ist Intervention fast immer erlaubt, versteht man sie schwach, dann ist sie es nie, weil jeder Staat als Ausdruck der politischen Selbstbestimmung betrachtet werden kann „auf Kosten einer vollständigen semantischen Denaturierung des Begriffs der Selbstbestimmung" (KERSTING 2000, 203).

[35] Eine in diesem Sinne verstandene Humanitäre Intervention müsste auch die Billigung vernünftiger Völker, wohlgeordneter liberaler wie hierarchischer Gesellschaften finden; vgl. RAWLS 1996, 54.

[36] Für Kersting tritt der Naturzustand, also Anarchie und staatlich unsanktionierte Gewalt, erst dann wieder ein, wenn „ein Staat selbst die ihm gegebenen Mittel gegen das grundlegende Ziel der Verrechtlichung der Gewaltverhältnisse kehrt, wenn nicht von außen Gewalt in eine institutionelle Ordnung einbricht und sie verheert, sondern wenn die Machthaber ihr Gewaltmonopol und die Rechtssicherungsmittel und Verteidigungsinstrumente gegen das eigene Volk richten" (KERSTING 2000, 217). Das scheint mir zwar eine hinreichende, aber keine notwendige Bedingung für den Rückfall eines Staates

strenge Kriterium staatlich nicht sanktionierter Gewalt für die *prima facie*-Legitimität von Nothilfe in Form einer militärischen Intervention ist auch mit Positionen vereinbar, denen zufolge politische Souveränität nicht durch Interventionen geschenkt oder aufgezwungen werden sollte, sondern in einem mühsamen Prozess lernender Auseinandersetzung verdient werden müsse.[37]

---

in den Naturzustand zu sein und scheint auf den ersten Blick auch seiner eigenen Auffassung zu widersprechen, dass Bürgerkriege „ein bestehendes Staatsgebiet in den Naturzustand" verwandeln, in dem unterschiedliche Parteien um die politische Gestaltungsmacht, um das Gewaltmonopol kämpfen". Doch weil hier „Staatlichkeit ausgesetzt" ist und „unterschiedliche Parteien um die Macht" kämpfen, „ihrem Willen die Form der Staatlichkeit zu geben", stellen „Bürgerkriege" im Unterschied zu Fällen, wo sozusagen innerhalb von Staaten der Naturzustand wiederhergestellt wird (Staatsterror), „als solche daher keinen Interventionsfall dar" (ibid.).

[37] Mill zufolge wird durch paternalistische Interventionen die Unmündigkeit des Volkes nur verlängert. Nach Mill hängt die politische Freiheit von bestimmten Tugenden einzelner Angehöriger eines Staats ab, und er hält es für unwahrscheinlich, dass diese durch Intervention importiert werden können – außer durch Initiierung aktiven Widerstands und einer Politik der Selbstbestimmung. Mill gesteht zwar zu, dass Menschen unter einer langen Tyrannei besondere Schwierigkeiten haben, „die Tugenden zu entwickeln, die erforderlich sind, um die Freiheit aufrechtzuerhalten" (MILL 1873, 262). Doch er betrachtet dies nicht als ein zwingendes Argument gegen die Pflicht zur Selbsthilfe: „Während eines harten Kampfes, der zur Befreiung durch eigene Anstrengung führt, können sich diese Tugenden am besten entwickeln." (Ibid., 261) In diesem Sinne geht Mill davon aus, dass Bürger stets die Regierung haben, die sie verdienen oder die zu ihnen passt. Ähnlich argumentiert Walzer, der zudem aus einer vorsichtig kommunitaristischen Perspektive (es geht ihm um politische Gemeinschaften) noch zu bedenken gibt, dass externe Einschätzungen anderer Kulturen zumindest schwierig sind und daher auch die Einschätzung der Bewertung der Legitimität eines Staates aus der Innenperspektive seiner Angehörigen. Doch auch Walzer hält, wie Mill, in bestimmten Fällen der Gegenintervention und Sezession, in denen die Separatisten in ausreichender Zahl sind und ihre ausdauernde Kampfbereitschaft unter Beweis gestellt haben, Interventionen für legitim. Im Unterschied zu Mill plädiert er für Intervention aber auch in dem Fall, „wenn die Verletzung der Menschenrechte innerhalb dieser Grenzen so gravierend ist, daß es zynisch und irrelevant wäre, von Gemeinschaft, Selbstbestimmung oder einem ‚harten Kampf' zu sprechen, also im Fall der Versklavung oder eines Massakers" (WALZER 1982, 141). Walzer zufolge rechtfertigt Mills Argument „Militäraktionen sowohl gegen Unterdrückung durch imperialistische oder Kolonialmächte als auch gegen Intervention von außen. Nur innerstaatliche Tyrannen sind vor diesen Aktionen sicher, denn es kann in der internationalen Gemeinschaft nicht unser Ziel sein (und laut Mill ist das auch gar nicht möglich), liberale oder demokratische Gemeinschaften zu gründen; unser Ziel ist die unabhängige Gemeinschaft" (ibid., 146). Kersting kritisiert Mills republikanische Auffassung, „daß politische Selbstbestimmung den höchstrangigen Beurteilungsgesichtspunkt bildet und es keine dringlicheren Werte und übergeordneten Rechtsansprüche gäbe, die eine Intervention erlauben könnten". Er hält es für

Prima facie also, so die Argumentation, ist der Zweck der Verhinderung drohender und der Beendigung praktizierter Gewalt und damit die Verletzung der basalen Menschenrechte auf Leben und leibliche Unversehrtheit bei Untätigkeit der für den inneren Frieden zuständigen Instanzen ein legitimer Grund (*causa iusta*) für Nothilfe, die unterschiedliche Formen annehmen kann. Eine davon ist die einer militärischen Intervention. Diese ist *prima facie* humanitär und legitim, wenn sie versucht, Nothilfe zu leisten, die auf andere Weise nicht geleistet werden kann. Versteht man Humanitäre Interventionen als erfolgversprechende Versuche der Verhinderung drohender und Beendigung bereits praktizierter Gewalt in Situationen, in denen alternative Formen der Nothilfe nicht verfügbar sind, dann bleibt die Frage, unter welchen Bedingungen diese mit militärischen Interventionen verknüpfte Drohung bzw. Anwendung sekundärer Gewalt zur Eindämmung von Gewalt moralisch legitim ist.

Das eigentliche moralische Dilemma besteht hier nicht schon darin, dass zur Verhinderung oder Beendigung von Gewalt gelegentlich Gegengewalt nicht vermieden werden kann. Vielmehr besteht es darin, dass die moderne Form der Kriegfüh-

---

„lächerlich, Intervention etwa mit dem Argument der Verhinderung der Selbstbefreiung eines Volkes von einer ungeliebten oder gar tyrannischen Regierung zu verbieten, wenn dieses Volk sich infolge dauerhafter Unterdrückung gar nicht mehr in einem Zustand befindet, der Selbstbefreiung gestattete; wenn das Volk Opfer von Deportation, Mord und brutaler Vernichtung wird" (KERSTING 2000, 205). Unberechtigt dagegen ist seine Kritik an Walzer, man müsse „nicht in eine Kultur eintauchen, um Genozid, Verfolgung von Minderheiten, Entrechtung und Deportation von ganzen Bevölkerungsgruppen als Menschenrechtsverletzungen zu erkennen" (ibid., 207). Genau dies ist auch die Position Walzers. Zu Maus' republikanischer Argumentation vgl. auch Anm. 27. Auch Brunkhorst scheint einerseits im Ergebnis mit Walzer und Mill übereinzustimmen, dass aus der fehlenden „Identifikation von Staats- und Volkssouveränität" noch „keine Erlaubnis zur Aggression gegen Diktaturen folgt" (BRUNKHORST 1996, 262). Andererseits plädiert Brunkhorst dafür, dass der „zwangsbewehrte Durchgriff durch die Hülle der Souveränität" nicht nur im Falle massiver Menschenrechtsverletzungen erlaubt sei, sondern auch bei „groben Verstößen" und „schwerwiegenden Mißachtungen des Demokratieprinzips". Seine Beispiele dafür sind die gewaltsame Verhinderung des Amtsantritts einer rechtmäßigen Regierung im Falle Haitis 1993 und die Aufhebung des innerstaatlichen Autonomiestatus der Kosovaren durch die jugoslawische Bundesregierung. Er scheint die Argumente von Mill und Walzer zu den konservativen Einwänden gegen Humanitäre Interventionen zu zählen, wenn er polemisch beschreibt und kritisiert, dass ihnen zufolge „das Selbstbewußtsein neuer Staaten sich in der reziproken Nahkampfmoral des Kampfes um Anerkennung bis zum Tod" bilde. Auch die Polizei müsse Gangstern die Anerkennung des fairen Kampfes verweigern (BRUNKHORST 1999b). Auch Habermas scheint als legitimes und von der NATO auch verfolgtes Ziel der Intervention in Jugoslawien nicht nur die Beendigung der Gewalt, die „Frieden schaffende Mission", vor Augen zu haben, sondern auch eine „militärische Strafaktion", die „mit dem erklärten Ziel" durchgeführt wird, „liberale Regelungen für die Autonomie des Kosovo innerhalb Serbiens durchzusetzen" (HABERMAS 1999).

rung Schwierigkeiten hat, die moralisch relevante Unterscheidung zwischen Kombattanten und Nicht-Kombattanten zu beachten und ebenso die Unterscheidung zwischen den schuldigen Tätern, deren Gewalt es einzudämmen gilt, und den unschuldigen Opfern, die entweder bereits Opfer eben dieser Gewalttäter waren oder – möglicherweise auch noch – Opfer der militärischen Intervention werden. Diese Gewalt gegen unschuldige Opfer ist zur Beendigung von Gewalt oft unvermeidbar und teils zurückzuführen auf die verständliche Bemühung der intervenierenden Partei, Schädigungen der eigenen Soldaten möglichst gering zu halten. Nothelfer haben nicht die Pflicht, Leib und Leben aufs Spiel zu setzen, auch wenn sie es freiwillig tun können. Aber ist eine Nothilfe, die zwar direkt oder indirekt den Notleidenden zur Hilfe kommt, doch zugleich unvermeidlich Unschuldige zu Toten oder Notleidenden macht, legitim?

In dieser dilemmatisch erscheinenden Situation lässt sich *erstens* radikal pazifistisch argumentieren, dass jede Tötung verboten und folglich zu unterlassen sei, nicht nur die Tötung Unschuldiger, also der Menschen, die keine Gefahr bedeuten, weil sie nicht in den Krieg und die zur Kriegführung erforderlichen Tätigkeiten involviert sind. *Zweitens* lässt sich deontologisch argumentieren, dass die *Vermeidung* der Tötung Unschuldiger Priorität vor der *Verhinderung* der Tötung Unschuldiger hat. Moralisch relevant ist demnach die Unterscheidung zwischen den schlechten Konsequenzen der Unterlassung der Verhinderung von Tötungen und der eigenen handelnden Herbeiführung schlechter Konsequenzen. Dieser Position zufolge gibt es Handlungen, die wir unter keinen Umständen vollziehen dürfen, was auch immer die Folgen einer solchen Unterlassung sind. Humanitäre Interventionen, die empirisch immer mit Gewalt gegen Unschuldige verbunden sind, sind demnach moralisch nicht legitim. Die Rechte der Unschuldigen auf Leben und Unversehrtheit des Leibes sind um jeden Preis zu wahren. *Drittens* lässt sich auf eine Weise argumentieren, die man „wertrational" nennen könnte. Die Verhinderung von Gewalt und die Wiederherstellung eines Zustands der Achtung vor den basalen Menschenrechten ist dieser Argumentation zufolge ein so zentraler und dominanter moralischer Wert, dass (fast) jedes Mittel legitim ist, das geeignet ist, ihn zu realisieren. Der Zweck heiligt hier die Mittel, auch wenn es geboten ist, unter alternativen Mitteln die auszuwählen, die mit möglichst geringen moralischen Kosten verbunden sind.[38] *Viertens* ließe sich auch konsequentialistisch argumentieren. Dabei müssen nicht nur die Zahlen der Toten und Verletzten gegeneinander abgewogen werden, sondern auch andere Konsequenzen: die durch eine Intervention verursachte Gesamtsituation in ihren Kosten und ihrem Nutzen. Hier kommt es nicht so sehr darauf an, was wir tun,

[38] Faktisch scheint diese Argumentation, die während des Kosovo-Krieges gelegentlich politisch vertreten wurde, oft verbunden zu werden mit der Vorstellung, dass die moralischen Kosten vor allem für die eigene Partei minimiert werden sollten.

sondern darauf, wie der Weltzustand insgesamt zu bewerten ist, der teils durch unser Tun, teils auf andere Weise kausal herbeigeführt wird.[39]

Die klassische Lehre von der Doppelwirkung sucht einen Ausweg aus der Alternative ‚Deontologie' oder ‚Konsequentialismus', indem sie beide auf bestimmte Weise miteinander so verbindet, dass das Resultat dieser Verbindung weiter als deontologische Position auftreten kann. Für sie macht es einen moralisch relevanten Unterschied, ob jemand den Tod eines Unschuldigen intendiert bewirkt, sei es als Zweck oder Mittel, oder ob jemand ihn (wissentlich) als Nebenwirkung von etwas anderem bewirkt oder zulässt, was eigentlich intendiert ist. Demnach ist es also legitim, etwas wissentlich als Nebenwirkung einer Handlung zu verursachen, zuzulassen, in Kauf zu nehmen, was als Mittel oder Zweck hervorzubringen oder zuzulassen illegitim wäre. Die Intentionen derer, die eine Humanitäre Aktion befehlen oder ausführen, sind für ihre moralische Bewertung als Handlung aber gleichgültig. Was zählt, sind *ex post* die Folgen und *ex ante* die Vorhersehbarkeit dieser Folgen. Auch Walzers Vorschlag, die Verhinderung solcher Nebenwirkungen in die Intention aufzunehmen und die klassische Lehre von der Doppelwirkung so durch die Lehre von der doppelten Intention zu ersetzen, kann das moralische Problem der Verletzung der Rechte von Unschuldigen, der so genannten „Kollateralschäden", nicht aus der Welt schaffen.[40]

Wer für eine Humanitäre Intervention plädiert, so meine These, muss entweder wertrational oder konsequentialistisch argumentieren. Die Alternative dazu wäre eine Abkehr von der Konzeption einer universalistischen Moral: ein Plädoyer für eine partikularistische Ethik oder eine Sonderethik für den politischen[41] und internationalen Bereich.

Aus der Perspektive einer universalistischen Moral sind nur in einem konsequentialistischen Bewertungskontext auch einschränkende Überlegungen legitim wie die, dass ausschließlich eine erhebliche Quantität der Gewalt eine Humanitäre Intervention alles in allem rechtfertigen kann. Deontologisch betrachtet ist jede Verletzung

---

[39] Diese konsequentialistische Abwägung muss keine utilitaristische sein, die einem auch noch so geringen Übergewicht des Nutzens Priorität bei der Entscheidung einräumt. Vgl. zu einer utilitaristischen Argumentation der Konflikt-Beseitigung BRANDT 1972; HARE 1972. Die Zwischenposition zwischen einem deontologischen Absolutismus, der die Tötung Unschuldiger um jeden Preis verbietet, und einer Version des Utilitarismus, der sie immer dann erlaubt, wenn die guten Folgen dieser Aktion die schlechten überwiegen, diese Zwischenposition, die ich hier als „konsequentialistisch" bezeichnet habe, kommt vielleicht der Position nahe, die Nagel als „weniger strengen deontologischen Standpunkt als den Absolutismus" bezeichnet (NAGEL 1984, 77). Dort finden sich auch bedenkenswerte Überlegungen zur Begründung der unterschiedlichen Behandlung von Kombattanten und Unschuldigen (Ungefährlichen) (ibid., 79 ff.). Vgl. auch WILLIAMS 1978; WILLIAMS 1981.

[40] WALZER 1982, 230 f. Vgl. zur Lehre von der Doppelwirkung auch ANSCOMBE 1981.

[41] Überlegungen in diese Richtung finden sich bei WALZER 1973.

des Rechts auf Leben und Unversehrtheit des Leibes mit der Pflicht zur Nothilfe verbunden, sofern Selbsthilfe nicht erfolgversprechend ist und die Nothilfe Gewalt gegenüber Unschuldigen vermeiden kann. Jeder ist moralisch gesehen gleich wichtig und zählt gleich viel. Wer also sagt, dass erst eine bestimmte Extension von Gewalt eine Humanitäre Intervention rechtfertigt, hat vermutlich die höheren Risiken, die mit militärischen Interventionen im Unterschied zu Polizeiaktionen faktisch verbunden sind, bei der Abwägung miteinbezogen. Auch das Faktum der Selektion: dass nicht überall da interveniert wird, wo basale Menschenrechte direkt durch menschliche Handlungen oder auf andere Weise verletzt werden, ist nur unter konsequentialistischen Kosten-Nutzen-Abwägungen zu rechtfertigen oder durch Wechsel der Perspektive hin zu einer partikularistischen Moral: Jugoslawien liegt uns dann (geographisch?) näher als die Türkei oder Tschetschenien.[42]

Ob eine Humanitäre Intervention nicht nur *prima facie*, sondern auch konsequentialistisch und *alles in allem* betrachtet moralisch erlaubt oder notwendig ist, hängt zum einen von den Mitteln ab[43], durch die der humanitäre Zweck der Verhinderung oder Beendigung von Gewalt erreicht werden soll, und von den Konsequenzen, die die Realisierung dieses Zwecks weitergehend hat. Eine explizite Legalisierung der Humanitären Intervention und der damit beauftragten Institutionen oder Personen im Völkerrecht hätte auf eine solche Kasuistik Rücksicht zu nehmen.

Literatur

ANSCOMBE, G.E.M. (1981): *War and Murder*, *The Justice of the Present War*, in: ANSCOMBE, G.E.M.: *The Collected Papers of G.E.M. Anscombe*, Vol. 3: Ethics, Religion and Politics, Oxford, 51-61, 72-81.

BEITZ, C.R. (1980): *Nonintervention and Communal Integrity*, in: Philosophy and Public Affairs 9, 383-403.

BEYERLIN, U. (1991): *Interventionsverbot*, in: WOLFRUM, R. (Hg.): Handbuch Vereinte Nationen, München, 378-383.

[42] Habermas schreibt mit Blick auf die Forderung nach der Universalität gebotener Interventionen: „Die Frage stellt sich auch dann, wenn man nicht überall eingreifen kann – nicht zugunsten der Kurden, nicht zugunsten der Tschetschenen oder Tibetaner, aber wenigstens vor der eigenen Haustür auf dem zerrissenen Balkan." (HABERMAS 1999) Ich vermute, dieses „kann" ist moralisch-konsequentialistisch, nicht deontologisch-sonderethisch oder technisch-pragmatisch gemeint.

[43] Eine Bewertung solcher Mittel habe ich in MERKER 2002 als Bestandteil der Theorie eines gerechten Krieges untersucht. Vgl. auch MEGGLE 2000; MERKEL 2000; WALZER 1982.

BRANDT, R. (1972): *Utilitarianism and the Rules of War*, in: Philosophy and Public Affairs 1, 145-165.

BRUNKHORST, H. (1996): *Paradigmenwechsel im Völkerrecht? Lehren aus Bosnien*, in: BOHMAN, J., LUTZ-BACHMANN, M. (Hg.): Frieden durch Recht. Kants Friedensidee und das Problem einer neuen Weltordnung, Frankfurt a.M., 251-271.

– (1999a): *Menschenrechte und Souveränität – ein Dilemma?*, in: BRUNKHORST, H., KÖHLER, W.R., LUTZ-BACHMANN, M. (Hg.): Recht auf Menschenrechte. Menschenrechte, Demokratie und internationale Politik, Frankfurt a.M., 157-175.

– (1999b): *Moral und Augenmaß*, in: Frankfurter Rundschau 163.

CHWASZCZA, C. (1998): *Selbstbestimmung, Sezession und Souveränität. Überlegungen zur normativen Bedeutung politischer Grenzen*, in: CHWASZCZA, C., KERSTING, W. (Hg.): Philosophie der internationalen Beziehungen, Frankfurt a.M., 467-501.

DOPPELT, G. (1978): *Walzer's Theory of Morality in International Relations*, in: Philosophy and Public Affairs 8, 3-26.

DUSCHE, M. (2000): *Der Philosoph als Mediator. Anwendungsbedingungen globaler Gerechtigkeit*, Wien.

GLOTZ, P. (1990): *Der Irrweg des Nationalstaats*, Stuttgart.

HABERMAS, J. (1999): *Bestialität und Humanität. Ein Krieg an der Grenze zwischen Recht und Moral*, in: DIE ZEIT 18; abgedruckt in: MERKEL, R. (Hg.): Der Kosovo-Krieg und das Völkerrecht, Frankfurt a.M. 2000, 51-65.

HARE, R.M. (1972): *Rules of War and Moral Reasoning*, in: Philosophy and Public Affairs 1, 166-181.

HAVEL, V. (1999): *Kosovo and The End of the Nation-State*, in: The New York Review 138.

HÖFFE, O. (1996): *Eine Weltrepublik als Minimalstaat. Zur Theorie internationaler politischer Gerechtigkeit*, in: MERKEL, R., WITTMANN, R. (Hg.): „Zum ewigen Frieden“. Grundlagen, Aktualität und Aussichten einer Idee von Immanuel Kant, Frankfurt a.M., 154-171.

– (1998): *Für und wider eine Weltrepublik*, in: CHWASZCZA, C., KERSTING, W. (Hg.): Philosophie der internationalen Beziehungen, Frankfurt a.M., 204-222.

– (2000): *Humanitäre Intervention? Rechtsethische Überlegungen*, in: MERKEL, R. (Hg.): Der Kosovo-Krieg und das Völkerrecht, Frankfurt a.M., 167-186.

IPSEN, K. (1999): *Völkerrecht*, München.

JANSSEN, W. (1978): *Art. „Krieg“*, in: BRUNNER, O., CONZE, W., KOSELLECK, R. (Hg.): Geschichtliche Grundbegriffe, Bd. III, Stuttgart, 567-615.

KAMBARTEL, F. (1996): *Kants Entwurf und das Prinzip der Nichteinmischung in die inneren Staatsangelegenheiten. Grundsätzliches zur Politik der Vereinten Nationen*, in: BOHMAN,

J., LUTZ-BACHMANN, M. (Hg.): Frieden durch Recht. Kants Friedensidee und das Problem einer neuen Weltordnung, Frankfurt a.M., 240-250.

KERSTING, W. (2000): *Bewaffnete Intervention als Menschenrechtsschutz*, in: MERKEL, R. (Hg.): Der Kosovo-Krieg und das Völkerrecht, Frankfurt a.M., 187-231.

KIMMINICH, O. (1976): *Art. „Krieg"*, in: RITTER, R., GRÜNDER, K. (Hg.): Historisches Wörterbuch der Philosophie, Bd. 4, Basel, Sp. 1230-1235.

– (1995): *Einführung in das Völkerrecht*, Tübingen, Basel.

KLEIN, E. (1999): *Keine innere Angelegenheit*, in: Frankfurter Allgemeine Zeitung 140.

LOCKE, J. (1690): *Zwei Abhandlungen über die Regierung*, Frankfurt a.M. 1998.

LUBAN, D. (1980): *Just War and Human Rights*, in: Philosophy and Public Affairs 9 (2), 161-181.

LUTZ-BACHMANN, M. (1999): *‚Weltstaatlichkeit' und Menschenrechte nach dem Ende des überlieferten ‚Nationalstaats'*, in: BRUNKHORST, H., KÖHLER, W.R., LUTZ-BACHMANN, M. (Hg.): Recht auf Menschenrechte. Menschenrechte, Demokratie und internationale Politik, Frankfurt a.M., 199-215.

MAUS, I. (1998): *Volkssouveränität und das Prinzip der Nichtintervention in der Friedensphilosophie Immanuel Kants*, in: BRUNKHORST, H. (Hg.): Einmischung erwünscht? Menschenrechte und bewaffnete Intervention, Frankfurt a.M., 88-116.

– (1999): *Tugendkeule Menschenrechte*, in: Die Wochenzeitung 25.

MEGGLE, G. (2000): *Ist dieser Krieg gut? Ein ethischer Kommentar*, in: MERKEL, R. (Hg.): Der Kosovo-Krieg und das Völkerrecht, Frankfurt a.M., 138-159.

MERKEL, R. (2000): *Das Elend der Beschützten. Rechtsethische Grundlagen und Grenzen der sogenannten humanitären Intervention und die Verwerflichkeit der NATO-Aktion im Kosovo-Krieg*, in: MERKEL, R. (Hg.): Der Kosovo-Krieg und das Völkerrecht, Frankfurt a.M., 66-98.

MERKER, B. (2002): *Gibt es einen gerechten Krieg?*, in: JANSSEN, D., QUANTE, M. (Hg.): Theorien des gerechten Krieges, Paderborn (in Vorb.).

MILL, J.ST. (1873): *Dissertations and Discussions*, Vol. III, New York; darin: *Nonintervention*, 238-263.

MÜNKLER, H. (1992): *Gewalt und Ordnung. Das Bild des Krieges im politischen Denken*, Frankfurt a.M.

NAGEL, T. (1984): *Krieg und Massenmord*, in: NAGEL, T.: Über das Leben, die Seele und den Tod, Königstein i.Ts, 69-90.

RAWLS, J. (1996): *Das Völkerrecht*, in: HURLEY, S., SHUTE, S. (Hg.): Die Idee der Menschenrechte, Frankfurt a.M., 53-103.

SENGHAAS, D. (1999): *Recht auf Nothilfe*, in: Frankfurter Allgemeine Zeitung 158; abgedruckt in: MERKEL, R. (Hg.): Der Kosovo-Krieg und das Völkerrecht, Frankfurt a.M. 2000, 99-114.

SIEP, L. (1995): *Kant and Hegel on Peace and International Law*, in: ROBINSON, H. (ed.): Proceedings of the Eighth International Kant Congress, Vol. 1,1, Memphis, 259-272.

SIMMA, B. (2000), *Die NATO, die UN und militärische Gewaltanwendung: Rechtliche Aspekte*, in: MERKEL, R. (Hg.): Der Kosovo-Krieg und das Völkerrecht, Frankfurt a.M., 9-50.

STEINVORTH, U. (1996): *Soll es mehrere Staaten geben?*, in: MERKEL, R., WITTMANN, R. (Hg.): „Zum ewigen Frieden". Grundlagen, Aktualität und Aussichten einer Idee von Immanuel Kant, Frankfurt a.M., 256-289.

TÖNNIES, S. (1999): *Die gute Absicht allein ist suspekt*, in: Frankfurter Allgemeine Zeitung 128.

WALZER, M. (1973): *Political Action: The Problem of Dirty Hands*, in: Philosophy and Public Affairs 2, 160-180.

– (1980): *The Moral Standing of States: A Response to Four Critics*, in: Philosophy and Public Affairs 9, 209-229.

– (1982): *Gibt es den gerechten Krieg?*, Stuttgart.

WILLIAMS, B. (1978): *Widerspruchsfreiheit in der Ethik*, in: WILLIAMS, B.: Probleme des Selbst, Stuttgart, 263-296.

– (1981): *Konflikte von Werten*, in: WILLIAMS, B.: Moralischer Zufall, Königsstein i.Ts., 82-93.

ZANETTI, V. (1998): *Ethik des Interventionsrechts*, in: CHWASZCZA, C., KERSTING, W. (Hg.): Philosophie der internationalen Beziehungen, Frankfurt a.M., 297-324.

Die ethische Problematik der placebokontrollierten Studie

von Giovanni Maio

Seit den Vierzigerjahren gehört die Doppelblindstudie mit Randomisierung zum Standarddesign klinischer Studien.[1] Bestandteil der Doppelblindanordnung ist die Etablierung einer Kontrollgruppe, in der beispielsweise das zu prüfende Medikament entweder mit dem Standardmedikament oder mit einem Placebo oder mit beiden verglichen wird. Gerade die Placebogabe unter der Randomisierung ist seit Jahren heftiger Diskussionspunkt der Forschungsethik.[2] Doch was ist das ethische Problem, das sich aus der Placeboanwendung ergibt? Autoren, die die Placeboanwendung für ethisch fragwürdig halten, verweisen zur Begründung gern auf die Frühgeschichte klinischer Studien. So berichtet Beecher in seinem berühmten Artikel von 1966 von Studien an Militärpersonen, bei denen Streptokokkeninfektionen in der Kontrollstudie mit Placebopräparaten behandelt wurden, mit der Folge, dass mehrere Versuchspersonen am Rheumatischen Fieber und an akuter Nephritis erkrankten.[3] Sissela Bok prangert einen Versuch an, bei dem 1971 südamerikanische Frauen ohne ihr Wissen in eine Studie über Kontrazeptiva eingeschleust wurden, wovon die Kontrollstudie eine Placebogabe vorsah, mit dem Ergebnis, dass zahlreiche ungewollte Schwangerschaften bei diesen Frauen auftraten.[4] Der Mailänder Bioethiker Roberto Mordacci führt diese beiden Studien als Beispiele dafür an, wie ethisch problematisch die Placeboanwendung sein kann.[5]

Doch es stellt sich die Frage, ob mit diesen Beispielen wirklich das ethische Problem der Placeboanwendung adäquat beschrieben ist. Hier sind zwei Bedenken anzumelden. Zum einen bezieht sich die Kriminalität der genannten Studien nicht so sehr auf die Placebogabe an sich, sondern vielmehr auf die Tatsache, dass die Versuchspersonen nichts von der Gefahr wussten, in eine Kontrollgruppe zu geraten, die ihnen den Zugang zum wirksamen Medikament versperren würde. In beiden Studien gingen die Teilnehmer davon aus, die Standardtherapie zu erhalten, und

---

[1] Siehe hierzu näher MARKS 1997.

[2] Siehe zu diesem Problemfeld BEGEMANN 1988; BOK 1974; CATTORINI 1991; DE DEYN, D'HOOGE 1996; HUTTON 1996; KIENE 1997; KOPELMAN 1986; LEBACQZ 1980; LEVINE 1985; MAIO 2001b; MINOGUE et al. 1995; MORMONT 1998; ROTHMAN, MICHELS 1994; SCHAFER 1982; SCHAFER 1994; SCHMIDT 1998; SPIRO 1987; WELIE 1998.

[3] BEECHER 1966, 1356.

[4] BOK 1974.

[5] MORDACCI 1997, 148.

das ist das ethisch Problematische an diesen Studien. Zum anderen verschleiert der Rekurs auf diese historischen Beispiele die Tatsache, dass die Placebogabe in den alltäglichen randomisierten klinischen Studien nicht als Ersatz für eine schon bestehende effektive Therapie erfolgt, sondern gerade deswegen erfolgt, weil die Effektivität der zu testenden Substanz eben (noch) nicht erwiesen ist. Daher stellen die erwähnten Studien die tatsächliche ethische Problemlage der gängigen randomisierten Studien nicht adäquat dar. Allerdings weisen diese historischen Beispiele auf den ethischen Grundkonflikt hin, der sich aus der Placeboanwendung ergeben kann, den Grundkonflikt zwischen der Verpflichtung zur effektiven Behandlung einerseits und der Verpflichtung zur Gewährung der besten verfügbaren Therapie andererseits. Die ethischen Probleme, die bei der Placeboanwendung auftreten, lassen sich auf drei verschiedenen Ebenen festmachen: (1) Prinzip der Individualität; (2) Prinzip des therapeutischen Mandats; (3) Prinzip der Freiwilligkeit.

1. Das Prinzip der Individualität

Woran sich die Kritiker der Anwendung der Placebostudie am meisten stoßen, ist die Vorstellung, dass durch die per Zufall erfolgte Zuteilung eines Patienten in eine mögliche Kontrollgruppe mit Placebogabe diesem einzelnen Patienten die Behandlung versagt wird, die sein spezieller Zustand erfordern würde. Mit der Placebogabe wird das rechtfertigungsbedürftige Moment in Verbindung gebracht, dass die Entscheidung über die Behandlungsweise nicht als eine patientenorientierte, individuelle Entscheidung gefällt wird, sondern als eine Entscheidung, die völlig losgelöst von den Bedürfnissen des Einzelnen dem Primat der wissenschaftlichen Methode folgt.[6] Diese Vorstellung steht in Kontrast zum Fundament der Arzt-Patient-Beziehung, die jede Handlung des Arztes nur im Rekurs auf die Belange des jeweilig einzelnen Patienten rechtfertigt. Der Philosoph Arthur Schafer hat dies sehr treffend mit folgenden Worten ausgedrückt: „When, if ever, is it morally justifiable to sacrifice the patient's right to completely individualized treatment for the benefit of scientific progress?“[7]

Eine Behandlung des Patienten dem reinen Zufall zu überlassen, steht in scheinbarem Widerspruch zu dem Auftrag des Arztes, sich für die individuellen und spezifischen Belange des Einzelnen einzusetzen. Diesem Einwand kann allerdings entgegnet werden, dass sich die tatsächliche Problemlage bei der Entscheidung über eine randomisierte Studie nicht in der Weise darstellt, dass die Behandlung eines Patienten tatsächlich dem Zufall überlassen wird. Die randomisierte Studie kommt dann zur Anwendung, wenn im Vorfeld gar nicht erwiesen ist, durch welche

[6] Siehe z.B. FRIED 1974, 148 f.

[7] SCHAFER 1982.

Behandlung man besser helfen kann. Die Studie dient somit gerade dazu, die tatsächlich wirksame Substanz ausfindig zu machen. Gerade der Verzicht auf die placebokontrollierte Studie würde die Situation begünstigen, dass Patienten nur auf dem Boden von bloßen Vermutungen behandelt würden anstelle von empirisch erwiesenen Fakten. Die placebokontrollierte Studie hat somit eher die Funktion, Zufallsentscheidungen zu vermeiden, und daher greift das Argument der Individualität zu kurz.

Von Bedeutung ist dieses Argument jedoch in einer anderen Hinsicht, und zwar weniger vor dem Hintergrund der Placebogabe als vor dem Hintergrund der Randomisierung als solcher. Denn *de facto* liegt nur in den seltensten Fällen eine unentschiedene Situation im Hinblick auf die Wirksamkeit der zu prüfenden Methoden vor. Oft besteht die Motivation zur Randomisierung gerade darin, dass eine bestimmte Hypothese formuliert ist, die es statistisch zu belegen gilt. Nun geht der Versuchsleiter in den meisten Fällen von der Überlegenheit einer bestimmten Methode aus, und dies stellt besondere Anforderungen an das Aufklärungsgespräch. Denn um die Randomisierung zu rechtfertigen, müsste der Versuchsleiter sagen können, dass er nicht wisse, welche Methode am ehesten wirksam wäre. Mit einer solchen Aussage aber wäre der Patient ethisch gesehen nicht vollends aufgeklärt, denn der Versuchsleiter hätte ihm verschwiegen, dass er im Grunde an die Überlegenheit der einen Methode glaubt. Wenn er dem Patienten aber von dieser seiner Vermutung berichtete, so wäre der Patient zwar besser aufgeklärt, aber es ist fraglich, ob der Patient in dieser Situation nicht die Anwendung der vermutet wirksameren Methode vor der Randomisierung vorzöge. Die Randomisierung als solche kann in dieser Hinsicht eher eine Dilemmasituation darstellen als die Placebogabe.

2. Das Prinzip des therapeutischen Mandats

Eine andere oft vorgebrachte Befürchtung geht auf die landläufige Vorstellung zurück, dass durch die Placebogabe dem jeweiligen Patienten die Chance genommen wird, von einem „echten" – wenngleich unerprobten – Medikament zu profitieren.[8] Die Placebogabe wird somit als Verstoß gegen das therapeutische Mandat des Arztes empfunden.[9] Hinter einer solchen Argumentation jedoch verbirgt sich eine Dichotomisierung von Placebogabe und Verumgabe, die von der Sache her nicht gerechtfertigt ist. Die Placebogabe nur als Verlust einer Chance zu betrachten und die Gabe eines nicht hinreichend erprobten Medikaments hingegen als potentiell nützlich zu bewerten, stellt eine verkürzte Vorstellung dar, denn die Placeboanwendung ist keineswegs nur als Chancenverlust zu werten. Auf der einen Seite hat

[8] Siehe hierzu GIFFORD 1986.

[9] Siehe MARQUIS 1986.

auch das Placebo seine therapeutische Wirksamkeit, die bei der Bewertung mit bedacht werden muss. Auf der anderen Seite muss berücksichtigt werden, dass jede Gabe eines nicht zugelassenen Medikamentes nicht nur mit Chancen, sondern gleichzeitig mit Risiken einhergeht, Risiken, die der Placebogruppe wiederum erspart bleiben. Die Placebogruppe ist somit nicht automatisch die benachteiligte Gruppe, sie kann genauso die bevorzugte sein.

Die ethische Brisanz der placebokontrollierten Studie fängt erst dort an, wo dem Patienten durch die Randomisierung ein Schaden entsteht. Dies könnte z.B. dann der Fall sein, wenn der Patient durch seine Teilnahme an der randomisierten Studie um seine Standardbehandlung gebracht wird. Mag es weitgehend einen Konsens darüber geben, dass ein solcher Ersatz der Standardtherapie durch Placebo bei ernsten Erkrankungen nicht vertretbar ist, so gibt es jedoch unterschiedliche Meinungen darüber, ob bei weniger schwerwiegenden Symptomen ein solches Vorgehen nicht vielleicht doch gerechtfertigt sein kann.[10] Die Frage, die sich hier stellt, besteht also darin, ob dem Patienten im Interesse eines wissenschaftlichen Erkenntnisgewinns minimale Risiken zugemutet werden dürfen. Aus ethischer Perspektive ist ein solches Handeln rechtfertigungsbedürftig, denn in diesem Falle würde der Versuchsleiter die Interessen des Patienten den Interessen der Wissenschaft unterordnen, und eine solche Prioritätensetzung scheint in Widerspruch zum ärztlichen Auftrag zu stehen.[11] Aber im Grunde kann auch dieses Handeln gerechtfertigt werden, und zwar ab dem Moment, wo eine freie Einwilligung nach umfassender Aufklärung vorliegt. Dass jedoch eine solche Einwilligung Probleme bereiten kann, wird noch zu erörtern sein.

3. Das Prinzip der Freiwilligkeit

Das dritte Problem, das in Zusammenhang mit der Placeboanwendung auftaucht, ist das der freiwilligen Einwilligung und die Gefahr der Benutzung besonders hoffnungslos erkrankter Menschen.[12] Leitlinie zur Beurteilung der Freiwilligkeit kann letztlich nur die der Handlung (also der Einwilligung) zugrunde liegende Motivation sein. Idealerweise müsste die Versuchsperson in eine Studie einwilligen, weil sie sich mit dem Forschungsziel identifiziert – eine Voraussetzung, die zugegebenermaßen nur in den wenigsten Fällen realisiert werden kann, aber dies zumindest wäre der Idealzustand einer freiwilligen Einwilligung in eine Studie. Eine Respektierung der Einwilligung als autonome Handlung läge beispielsweise ab dem Moment vor, wo

---

10 Siehe Jost 2000; Simon 2000.

11 Nicht zuletzt in der Helsinki-Deklaration wird diese Prioritätensetzung ausdrücklich verurteilt. Ähnlich kritisch auch Rothman, Michels 1994.

12 Siehe hierzu Maio 2001a.

der Versuchsperson – trotz fehlender Therapiealternativen – unterstellt werden könnte, dass die Triebfeder ihrer Entscheidung nicht aus der Not gewachsen ist, sondern aus einer genuin altruistischen Haltung heraus. Die tatsächliche Einwilligungssituation ist weit entfernt von diesem Idealzustand. Meist willigt die Versuchsperson nur aus Verzweiflung in eine Studie ein, weil diese die einzige potentiell kurative Chance bietet oder die einzige Chance, sich Zugang zu einem möglicherweise wirksamen neuen Medikament zu verschaffen, wie es im Falle der AIDS-Kranken oft genug der Fall gewesen ist. Die Grenze zur Ausnutzung der Not eines Menschen ist hier fließend.

Wenn die Versuchsperson sich zur Teilnahme an einer Placebostudie entschließt, nur weil dies die einzige Möglichkeit ist, zumindest potentiell in den Vorzug einer neuen Therapie zu gelangen, dann kann hier nicht von einer genuin freiwilligen Einwilligung die Rede sein. Freiwillig wäre diese Einwilligung in die Randomisierung nur dann, wenn der Versuchsperson tatsächlich die Wahl bliebe, die Wahl zwischen einer randomisierten Studie und einer tatsächlichen Gabe des unerprobten Medikaments. Von einer freiwilligen Einwilligung kann erst ab dem Moment gesprochen werden, wo sich eine Versuchsperson deswegen zur randomisierten Studie entscheidet, weil sie zur weiteren Aufklärung der Therapiemöglichkeiten aktiv beitragen will. Wenn die Versuchsperson aber die Placebogabe nur in Kauf nimmt, weil sie keine andere Möglichkeit hat, zum unerprobten Medikament zu gelangen, so ist dieses Moment der Freiwilligkeit nur bedingt erfüllt.

Um einer möglichen Ausnutzung der verzweifelten Lage von schwerstkranken Patienten vorzubeugen, hat der Philosoph Brendan P. Minogue dafür plädiert, dass für die Placebostudie nur die Patienten ins Auge gefasst werden, deren Erkrankung weniger hoffnungslos ist oder die von einer altruistischen Grundhaltung geprägt sind, während den so genannten *desperate volunteers* die Option gelassen werden müsse, zwischen der sicheren Gabe des unerprobten Medikaments und der Einschleusung in eine Kontrollstudie zu entscheiden. Denn nur auf diese Weise – so Minogue – erhielten diese schwerstkranken Patienten eine echte Wahlmöglichkeit. Sonst würde ihr Zustand dazu benutzt werden, eine Entscheidung zu fällen, die sie außerhalb dieser Notlage nicht fällen würden.[13] Minogue bewertet hier das Erfordernis einer freiwilligen Einwilligung höher als das Erfordernis einer Ausweitung der Therapiemöglichkeiten und gibt zu bedenken, dass der Preis für den therapeutischen Fortschritt zu hoch sei, wenn er mit einer Verletzung des Freiwilligkeitsgrundsatzes erkauft werde.[14] Doch Minogues Vorschlag bereitet auch Probleme. Das eine Problem betrifft das Studiendesign, weil es natürlich methodisch fraglich ist, ob man mit einer derartigen Patientenselektion zu validen Daten gelangt. Probleme bereitet Minogues Vorschlag aber vor allem deswegen, weil damit die Gefahr besteht, jede Entscheidung eines Einwilligungsfähigen in Frage zu stellen. Dies kann zu einem ungerechtfertigten Paternalismus führen, der genauso gegen das Prinzip

[13] MINOGUE et al. 1995.

[14] Ibid., 52.

der Autonomie verstößt wie die mögliche Ausnutzung einer Notlage des Kranken und die damit verbundene Aufdrängung einer mehr oder weniger unfreiwilligen Einwilligung.

4. Warum die Placeboanwendung trotzdem vertretbar und notwendig ist

Letztlich kann es nicht darum gehen, die Placeboanwendung als eine konstitutiv illegitime Aktion zu diskreditieren. Denn die Placeboanwendung findet ihre Rechtfertigung vor allem darin, dass – wenn man den Statistikern glauben möchte – nur die kontrollierte Studie am Ende zu validen Ergebnissen kommen kann. Die Placeboanwendung muss somit als Methode aufgefasst werden, die eine Garantie dafür gibt, dass das durch die Studie erworbene Wissen auch „echtes" Wissen ist. So ist letztlich die placeborandomisierte Studie nichts anderes als die Voraussetzung dafür, dass Studien nicht unnötig gemacht werden. Denn jede Studie, die aufgrund einer schlechten Methodik zu keinen validen Ergebnissen führt, ist eine unnötige Studie. So kann die Kontrollgruppe als Sicherheitsvorkehrung betrachtet werden, die dafür sorgt, dass nicht die gesamte Studie nur eine unnötige Belastung darstellt.

Unter der Voraussetzung, dass tatsächlich nur die kontrollierte Studie verwertbare Ergebnisse generieren kann, besteht eine zweite wesentliche Legitimation der Placebostudie darin, dass nur sie die Zahl der unwirksamen Medikamente und der ineffektiven Behandlungsmethoden reduzieren kann.[15] Aus dieser Sicht steht die placeborandomisierte Studie somit im Dienst der Risikominimierung, da jede ineffektive Behandlung Nebenwirkungen impliziert, die durch eine entsprechende placebogestützte Studie vermieden werden könnten.[16] Die placeborandomisierte Studie kann daher sogar als eine ethische Verpflichtung betrachtet werden. Gleichwohl kann das Placebo nicht bedenkenlos eingesetzt werden. Letztlich ist die ethische Rechtfertigung der Placebostudie an eine Vielzahl von Voraussetzungen geknüpft, die alle darauf abzielen, eine Benachteiligung der Versuchspersonen zu vermeiden. Zu diesen Voraussetzungen zählt zum einen die Forderung, dass keine der zu kontrollierenden Behandlungsmethoden im Vorfeld eine größere Wirksamkeitswahrscheinlichkeit hat.[17] Hierbei ist weniger die Vermutung des Versuchsleiters von Bedeutung – denn meist geht man bei Studien von der Überlegenheit einer Behandlungsmethode aus, die man nur noch bestätigt bekommen möchte –, sondern ausschlaggebend kann nur sein, ob in der breiten „scientific community" ein Dissens über die Überlegenheit der einen Behandlungsmethode über die ande-

[15] Siehe hierzu DE DEYN, D'HOOGE 1996.

[16] Siehe hierzu MAIO 2001a.

[17] Siehe BEAUCHAMP 1995.

ren besteht.[18] Hinter dieser Bedingung steckt das Prinzip, dass der Patient immer nur den besten Standard der verfügbaren Therapie erhalten soll und dass sein therapeutisches Interesse dem Interesse der Wissenschaft nicht untergeordnet werden darf.[19]

Überdies ist die Placebogabe beim Kranken nur dort angezeigt, wo es keine wirksame Behandlungsform gibt oder wo vorhandene Behandlungsformen mit zu großen Nebenwirkungen behaftet sind.[20] Denn sonst würde man dem Patienten durch die Verweigerung der Therapie einen Schaden zufügen, der durch den Erkenntniszuwachs nicht gerechtfertigt werden könnte. Wenn aber die Wirksamkeit des zu testenden Medikaments nur mit einer bestimmten Wahrscheinlichkeit höher ist als die des Standardmedikaments, so kann eine Benachteiligung der Versuchsperson dadurch verhindert werden, dass ab dem Moment, da statistisch bereits die Überlegenheit einer Methode über die andere feststeht, dies der Versuchsperson mitgeteilt wird.[21]

In jedem Fall erscheint es ungerechtfertigt, die Placebogabe als solche für fragwürdiger zu halten als den Vergleich mit einer unerprobten Behandlungsform, denn jedes unerprobte Mittel ist nicht nur unter dem Aspekt des therapeutischen Potentials, sondern auch unter dem Aspekt der unbekannten Risikos zu bewerten.[22] Daher ist ein ethischer Dualismus von ungerechtfertigtem Placebo und gerechtfertigtem unerprobtem Mittel nicht zu halten. Überdies erscheint die Bindung der ethischen Rechtfertigung einer Placebostudie an den Zustand des Patienten ebenfalls als verkürzt. Auch schwerkranke Patienten können sich mit einem solchen Studiendesign durchaus identifizieren, und dann wäre es nicht gerechtfertigt, ihnen fremdbestimmt eine Teilnahme zu verweigern. Daher kann die Entscheidung über die ethische Rechtfertigung einer Placebostudie nur von der Freiwilligkeit der Zustimmung der Versuchsperson abhängen. Wenn diese an strenge Kriterien geknüpft bleibt, so kann die Placebostudie eine gute Verknüpfung von Autonomie, Fürsorge und Schadensvermeidung sein.

---

18 Siehe hierzu FREEDMAN 1987.

19 Es gibt einige wenige Gegenmeinungen, die hier im Falle geringer therapeutischer Unterschiede es für zulässig erachten, dass der Patient auch der etwas weniger wirksamen Behandlungsmethode unterworfen wird. Siehe beispielsweise MEIER 1979.

20 Siehe DE DEYN, D'HOOGE 1996; LEVINE 1985.

21 Siehe hierzu BEAUCHAMP 1995.

22 Siehe hierzu MAIO 2000.

Literatur

BEAUCHAMP, T.L. (1995): *The intersection of research and practice*, in: GOLDWORTH, A. (ed.): Ethics & Perinatology, New York, 1995, 231-244.

BEECHER, H.K. (1966): *Ethics and clinical research*, in: New England Journal of Medicine 274, 1354-1360.

BEGEMANN, H. (1988): *Therapie als Wissenschaft. Bemerkungen zum Problem der vergleichenden Therapiebewertung am Beispiel der Zytostatika*, in: Deutsche Medizinische Wochenschrift 113 (30), 1198-1203.

BOK, S. (1974): *The ethics of giving placebos*, in: Scientific American 231, 17-23.

CATTORINI, P. (1991): *Livelli di eticità nella sperimentazione clinico-farmacologica*, in: MORI, M. (ed.): La bioetica. Questioni morali e politiche per il futuro dell'uomo, Milano, 169-174.

DE DEYN, P.P., D'HOOGE, R. (1996): *Placebos in clinical practice and research*, in: Journal of Medical Ethics 22, 140-146.

FREEDMAN, B. (1987): *Equipoise and the ethics of clinical research*, in: New England Journal of Medicine 317, 141-145.

FRIED, C. (1974): *Medical experimentation: Personal integrity and social policy*, New York.

GIFFORD, F. (1986): *The conflict between randomized clinical trials and the therapeutic obligation*, in: The Journal of Medicine and Philosophy 11, 347-366.

HUTTON, J.L. (1996): *The ethics of randomised controlled trials: A matter of statistical belief?*, in: Health Care Analysis 4, 95-102.

JOST, T.S. (2000): *Are placebo-controlled studies permissible?*, in: DEUTSCH, E., TAUPITZ, J. (Hg.): Forschungsfreiheit und Forschungskontrolle in der Medizin, Berlin, 315-325.

KIENE, H. (1997): *Kassenerstattung und wissenschaftlicher Wirksamkeitsnachweis. Welche Anforderungen dürfen gestellt werden?*, in: Medizinrecht 15, 313-316.

KOPELMAN, L.M. (1986): *Consent and randomized clinical trials: are there moral or design problems?*, in: Journal of Medicine and Philosophy 11, 316-345.

LEBACQZ, K.A. (1980): *Controlled clinical trials: some ethical issues*, in: Controlled Clinical Trials 1, 29-36.

LEVINE, R.J. (1985): *The use of placebos in randomized clinical trials*, in: IRB – A Review of Human Subjects Research 7 (2), 1-4.

MAIO, G. (2000): *Zur Philosophie der Nutzen-Risiko-Analyse in der ethischen Diskussion um die Forschung am Menschen*, in: Ethica 8, 385-404.

– (2001a): *Zur Begründung einer Ethik der Forschung an nicht einwilligungsfähigen Patienten*, in: Zeitschrift für Evangelische Ethik 45, 135-148.

– (2001b): *Ethik der Forschung am Menschen*, Stuttgart (im Druck).

MARKS, H.M. (1997): *The progress of experiment. Science and therapeutic reform in the United States, 1900-1990*, Cambridge.

MARQUIS, D. (1986): *An argument that all prerandomized clinical trials are unethical*, in: Journal of Medicine and Philosophy 11, 367-383.

MEIER, P. (1979): *Terminating a trial – the ethical problem*, in: Clinical Pharmacology and Therapeutics 25, 633-640.

MINOGUE, B.P., PALMER-FERNANDEZ, G., UDELL, L., WALLER, B.N. (1995): *Individual autonomy and the double-blind controlled experiment: The case of desperate volunteers*, in: Journal of Medicine and Philosophy 20, 43-55.

MORDACCI, R. (1997): *Bioetica della sperimentazione. Fodamenti e linee-guida*, Milano.

MORMONT, C. (1998): *Ethical questions pertaining to the use of placebos*, in: WEISSTUB, D.N. (ed.): Research on human subjects. Ethics, law and social policy, Oxford, 531-546.

ROTHMAN, K.J., MICHELS, K.B. (1994): *The Continuing Unethical Use of Placebo Controls*, in: The New England Journal of Medicine 331, 394-398.

SCHAFER, A. (1982): *The ethics of the randomized clinical trial*, in: New England Journal of Medicine 307, 719-724.

– (1994): *The moral anatomy and ethical pathology of the randomized clinical trial*, in: DE DEYN, P.P. (ed.): The ethics of animal and human experimentation, London, 269-276.

SCHMIDT, J.G. (1998): *Die Vision einer pragmatischen klinischen Forschung oder das Ende der Diskussion über ‚Placebo' und ‚spezifische Wirkungen'*, in: Forschende Komplementärmedizin 5, Suppl. 1, 102-111.

SIMON, R. (2000): *Are placebo-controlled trials ethical or needed when alternative treatment exists?*, in: Annals of Internal Medicine 133 (6), 474-475.

SPIRO, H.M. (1987): *Doctors, Patients, and Placebos*, New Haven.

WELIE, J.V.M. (1998): *Placebo treatment*, in: CHADWICK, R. (ed.): Encyclopedia of Applied Ethics, Vol. 3, San Diego, 493-501.

II. Berichte und Kommentare

Wissen mit Folgen. Zukunftsperspektiven und Regelungsbedarf der genetischen Diagnostik innerhalb und außerhalb der Humangenetik

von Kurt Bayertz, Johann S. Ach und Rainer Paslack

I. Einleitung

Genetische Diagnoseverfahren sind in den vergangenen Jahren in zahlreichen Anwendungsfeldern der Medizin zu einem festen Bestandteil der Praxis geworden. Gentests finden zum Beispiel in der Pädiatrie ebenso Verwendung wie in der Neurologie, der Onkologie, der Pathologie oder vielen anderen Bereichen der Medizin. Der Zuwachs an genetischem Wissen im Zuge insbesondere des Humangenom-Projektes und verschiedene technische Entwicklungen werden in den kommenden Jahren allerdings dazu führen, dass DNA-Tests für sehr viel mehr krankheitsrelevante Mutationen und genetische Polymorphismen zur Verfügung stehen werden als zur Zeit. Zugleich werden die Testverfahren zunehmend leistungsfähiger, einfacher handhabbar und billiger. Es kann kaum ein Zweifel daran bestehen, dass diese Entwicklungen eine Ausweitung der Testpraxis mit sich bringen werden.

Von anderen (medizinischen) Informationen unterscheiden sich genetische Informationen insbesondere dadurch, dass sie ein großes prädiktives Potential besitzen, Kenntnisse über genetisch bedingte Eigenschaften auch von Familienangehörigen der getesteten Person offenbaren und aufgrund ihrer weitgehenden Aussagekraft auch für Dritte (Versicherer, Arbeitgeber) von Interesse sein können. Die neuen Möglichkeiten der Gendiagnostik werfen daher eine Reihe schwerwiegender ethischer, rechtlicher, sozialer und psychosozialer Probleme auf. Insbesondere stehen den Hoffnungen auf eine „Individualisierung" der Medizin erhöhte Gefahren einer „genetischen Diskriminierung" und Entsolidarisierung gegenüber.

Die hierdurch aufgeworfenen Probleme waren Gegenstand einer umfangreichen Untersuchung, die 1998/99 am *argos-Institut für gesellschaftswissenschaftliche Studien, praktische Philosophie und Bildung e.V.* in Münster im Auftrag des *Büros für Technikfolgen-Abschätzung beim Deutschen Bundestag (TAB)* zu Zukunftsperspektiven und Regelungsbedarf der genetischen Diagnostik in den Bereichen innerhalb und außerhalb der Humangenetik, der Arbeitsmedizin sowie im Versicherungswesen durchgeführt wurde. Bei dem folgenden Text handelt es sich um eine Zusammenfassung der Ergebnisse dieser Untersuchung, bezogen auf den Stand der Entwicklung innerhalb und außerhalb der Humangenetik. Das vollständige Gutachten wird voraussichtlich demnächst auf den Internet-Seiten des *argos-Instituts* zur Verfügung stehen. Der Bericht des TAB, in den das Gutachten eingeflossen ist, ist mittlerweile auch als Buchpublikation zugänglich.[1]

II. Übergreifende Trends

1. Quantitative Ausweitung

Neue technische Verfahren und die im Rahmen des Humangenom-Projektes erfolgte Sequenzierung des menschlichen Genoms werden in den kommenden Jahren voraussehbar zu einer quantitativen Ausweitung der genetischen Testpraxis führen. Dies bedeutet, dass

- immer mehr Merkmale routinemäßig testbar werden;
- die Durchführung genetischer Tests immer einfacher wird; und
- die einzelnen Tests zunehmend billiger werden (was jedoch möglicherweise durch ein höheres Testaufkommen kompensiert werden wird).

Zu den wichtigsten neuen technischen Verfahren gehören: massenspektrometrische Verfahren (z.B. MALDI), neuartige Sequenzierautomaten sowie verschiedene DNA-Chip-Technologien; insbesondere den Gen-Chips wird von vielen Experten für die Zukunft eine herausragende Bedeutung für viele Anwendungen inner- und außerhalb der Humanmedizin zugesprochen. Gleichwohl ist die Situation derzeit immer noch durch eine gewisse Unübersichtlichkeit gekennzeichnet. Auch eine neuere Stellungnahme der DFG stellt fest: „Es gibt eine Vielzahl von genetischen Testverfahren. Sie unterscheiden sich bezüglich ihrer Ziele, Genauigkeit, Aussagekraft, Anwendungsmöglichkeiten, Zuverlässigkeit und Aufwand. Es gibt derzeit noch kein allgemein umfassendes Testverfahren."[2]

Gleichzeitig ist auch die wissenschaftliche Aufklärung der molekularen Grundlagen zahlreicher Krankheiten vorangeschritten. Von erheblicher Bedeutung ist in diesem Zusammenhang natürlich das Humangenom-Projekt (HGP). In der zweiten Phase dieses Projektes wird verstärkt die funktionelle Aufklärung der Gene im Vordergrund des Forschungsinteresses stehen. Es wird erwartet, dass dies der Entwicklung von Gentests weiteren Auftrieb geben wird, insofern dann die molekulargenetischen Grundlagen sowohl zahlreicher (monogener) Erbkrankheiten als auch der individuellen Unterschiede in der Empfindlichkeit für bestimmte Expositionen

---

[1] HENNEN, PETERMANN, SAUTER 2001.

[2] DEUTSCHE FORSCHUNGSGEMEINSCHAFT 1999, 16.

oder Medikamente besser verstehbar sein werden. Hier sind bereits heute einige wichtige Fortschritte zu verzeichnen (etwa in der Pharmakogenomik).

Es kann nicht überraschen, dass sich auf dieser Grundlage schon jetzt eine deutliche quantitative Ausweitung der *Anwendung* von Gentests in der Medizin ergeben hat. Allerdings gilt dies nicht für alle Anwendungsbereiche: Für die Arbeitsmedizin sind ebenso wie für das Versicherungswesen keine grundlegenden Änderungen gegenüber früheren Untersuchungen zu verzeichnen.[3] Dass in diesen Feldern Gentests nach wie vor *nicht* angewandt werden, kann als ein Indiz dafür angesehen werden, dass neben der wissenschaftlich-technischen Entwicklung auch soziale, politische und rechtliche Rahmenbedingungen einen erheblichen – sei es hemmenden, sei es fördernden – Einfluss auf den Fortschritt und die praktische Implementierung dieser Technologie haben.[4]

2. Auf dem Wege zu einer molekularen Medizin

Über die quantitative Ausweitung der genetischen Testpraxis hinaus sind für die heutige Situation auch *qualitative Änderungen* zu verzeichnen. Diese hängen zunächst damit zusammen, dass Gentests nicht mehr nur zur Diagnose der „klassischen" monogenen Erkrankungen der Humangenetik angewandt werden, sondern in immer größerem Umfang auch zur Diagnose von weit verbreiteten „Volkskrankheiten", darunter vor allem von Tumor-, Herz-Kreislauf-, Infektions- und Autoimmunerkrankungen. Obwohl auch diese Entwicklung bereits Anfang der 90er Jahre absehbar war, zeichnet sich heute deutlicher als damals die Tatsache ab, dass im Zuge dieser Entwicklung ein rascher Prozess der „Diffusion" von Gentests über die Humangenetik hinaus in nahezu alle Bereiche der Medizin stattfindet.

Diese Diffusion muss als Teil eines tiefgreifenden Wandels der Medizin überhaupt begriffen werden. Die Medizin befindet sich offenbar inmitten eines *Paradigmenwechsels*, in dem das bisher dominierende biochemische von einem molekularen Paradigma abgelöst wird.[5] Die künftige „molekulare Medizin" wird gekennzeichnet sein:

- durch ein wesentlich stärker von den genetischen und molekularen „Mechanismen" der Entstehung und des Verlaufs geprägtes theoretisches *Verständnis* von Krankheit;
- durch eine nahezu universelle Anwendung genetischer Verfahren zur *Diagnose* von Krankheiten und Krankheitsdispositionen;

---

[3] HENNEN, PETERMANN, SCHMITT 1996.

[4] Vgl. zur Arbeitsmedizin auch: HENNEN, PETERMANN, SAUTER 2001; zum Versicherungswesen: BARTRAM et al. 2000; HENNEN, PETERMANN, SAUTER 2001; SIMON 2001.

[5] HENTZE et al. 1999.

- durch deutlich erweiterte Interventionsmöglichkeiten auf der molekularen Ebene sowie durch ein stärkeres Gewicht der Prävention.

3. Die Rolle von Gentests in der molekularen Medizin

Im Rahmen einer solchen molekularen Medizin gewinnen Gentests vor allem aus zwei Gründen an Attraktivität:

- Gentests haben gegenüber anderen diagnostischen Verfahren ein deutlich größeres *prädiktives* Potential. Dies gilt insbesondere für die Diagnose von hereditären Erkrankungen. Durch einen Gentest kann hier das Risiko einer Erkrankung lange vor ihrem möglichen tatsächlichen Ausbruch festgestellt werden. Gentests sind aber auch bei anderen genetischen Merkmalen einsetzbar. Dies gilt nicht zuletzt für die Bestimmung individueller Suszeptibilitäten: etwa für bestimmte Umweltnoxen im Bereich der Arbeits- und Umweltmedizin oder hinsichtlich der Verträglichkeit bzw. Verstoffwechslung von bestimmten Arzneimitteln (Pharmakogenomik).
- Gentests fungieren in mindestens zweifachem Sinne als Vehikel der *Individualisierung* der Medizin: Zum ersten ermöglichen sie in vielen Fällen die Feststellung eines individuellen Erkrankungsrisikos oder einer genetisch bedingten Empfindlichkeit gegenüber Stoffen; zum zweiten ermöglichen sie auch Aussagen über den individuellen Verlauf und die Schwere der jeweiligen Erkrankung, da dieser Verlauf von der jeweils vorliegenden Mutation abhängig ist. Gentests werden damit tendenziell zur Grundlage für die Auswahl oder Optimierung von Therapien sowie für die „Maßschneiderung" oder Adaptierung von Medikamenten.

Es liegt auf der Hand, dass solche individuellen Risikovorhersagen in vielen Fällen die Grundlage für bisher in dieser Präzision nicht gegebene *präventive* Handlungsoptionen legen. Dies sind zum einen medizinische Präventionsmöglichkeiten wie die vorsorgliche Verabreichung von Medikamenten oder die Durchführung chirurgischer Eingriffe; zum anderen Lebensstiländerungen auf Seiten der betroffenen Personen. Diesen zweifellos begrüßenswerten medizinischen Möglichkeiten stehen allerdings auch soziale Risiken gegenüber: Die Individualisierung kann durchaus mit Tendenzen der Entsolidarisierung und/oder Diskriminierung verbunden sein.[6]

[6] Vgl. BAYERTZ, SCHMIDTKE 1994.

4. Das Verhältnis von Diagnose und Therapie

Ein wichtiges Problem der Gendiagnostik besteht in dem immer weiteren Auseinanderklaffen von (genetischer) Diagnose und Therapie.[7] Dies gilt insbesondere unter der Prämisse, dass durchgreifende klinische Erfolge der Gentherapie bisher noch auf sich warten lassen. Gegenwärtig muss damit gerechnet werden, dass sich die Schere zwischen genetischer Diagnostik und Therapie weiter öffnen wird, dass also die Zahl der testbaren Krankheiten schneller wächst als die zur Verfügung stehenden therapeutischen Möglichkeiten.

Allerdings kann man es heute bei dieser Feststellung nicht mehr belassen: Es zeichnet sich ein differenzierteres Bild des Verhältnisses von genetischer Diagnose und Therapie ab, als dies noch vor einigen Jahren der Fall war. Zumindest in einigen Bereichen werden sich für die nähere Zukunft voraussichtlich auch Möglichkeiten zu einer engeren Kombination von genetischer Diagnose und Therapie ergeben (etwa bei der Therapiewahl und Arzneimitteldosierung). Dies gilt vor allem für verschiedene zahlenmäßig weit verbreitete Erkrankungen wie hereditäre Tumoren, bestimmte Autoimmunkrankheiten, Endokrinopathien und rheumatoide Erkrankungen; schließlich auch für Infektionskrankheiten, insofern etwa die exakte Bestimmung von Erregerstämmen (insbesondere bei Resistenzen) eine individuell abgestimmtere Therapie gestattet. Insgesamt erlauben die wachsenden Möglichkeiten der Gendiagnostik eine immer bessere Reduktion von Behandlungsrisiken und – damit einhergehend – eine Effizienzsteigerung von Therapien.

III. Gentests innerhalb der Humangenetik

1. Ausweitung und Strukturwandel

In den 90er Jahren ist es in Deutschland zu einer bemerkenswerten Ausweitung humangenetischer Serviceleistungen gekommen: Bei der DNA-Analyse hat sich zwischen 1991 bis 1994 die Zahl der getesteten Personen mehr als verdoppelt; dies bedeutet einen jährlichen Zuwachs von mehr als 25%. Zu den Ursachen dieser Ausweitung gehören sicherlich die gestiegene Nachfrage aufgrund einer größeren Bekanntheit dieser Technologie sowie die Erweiterung der technischen Möglichkeiten selbst.

Die laufende wissenschaftlich-technische Innovation im Bereich der Humangenetik lässt eine weitere Vervielfältigung, leichtere Handhabbarkeit und Verbilligung genetischer Testmöglichkeiten auch für die nähere Zukunft erwarten. Der bereits in den zurückliegenden Jahren beobachtbare Trend einer rapiden Zunahme

[7] HENNEN, PETERMANN, SCHMITT 1996, 72 ff.

der Anzahl von mit genanalytischen Verfahren untersuchten Personen wird sich im Zuge dieser Entwicklung fortsetzen: Es werden immer mehr Personen auf eine wachsende Zahl von Merkmalen getestet werden.

Im Zuge dieser quantitativen Ausweitung zeichnen sich auch qualitative Änderungen ab, die insbesondere die Struktur der Anbieterseite betreffen. Die „Vielfalt der Anbieter und das breite Spektrum genetischer Testverfahren machen die Situation gegenwärtig unübersichtlich."[8] Dennoch lassen sich als Folge dieses Prozesses Tendenzen zu einer strukturellen Verschiebung sowohl auf der Seite der Anbieter genetischer Testangebote als auch auf der Seite der Nachfrage nach solchen Angeboten und deren Inhalten erkennen. Offensichtlich ist gegenwärtig ein Trend hin zu einer stärkeren Differenzierung und Diversifizierung der genetische Untersuchungsmethoden anbietenden Institutionen. Die heutige Situation wird insbesondere von drei Hauptanbietern bestimmt:

- Humangenetische Institute und niedergelassene Fachärzte;
- Großlabors mit einer Tendenz zur Industrialisierung der Labormedizin (bei großen Probendurchsatzzahlen);
- kleinere Firmen, die durch ihre Nähe zur akademischen Wissenschaft einerseits und zur Wirtschaft andererseits gekennzeichnet sind. Gegenwärtig ist das Hauptarbeitsgebiet dieser Firmen die Entwicklung und Herstellung von Tests in Kooperation mit Ärzten und Kliniken. Bereits heute deutet sich ein Trend an, dass diese Unternehmen sich auch direkt an „Endverbraucher" von Tests wenden werden, um ihre Dienste anzubieten, ohne dass diese dabei über die Kassen abrechenbar zu sein brauchen. Bislang geschieht dies aber – zumindest in Deutschland – nicht in einem nennenswertem Umfang.

2. Erweitertes Testangebot

Die Struktur des Angebots an genetischen Tests ist natürlich vom weiteren technischen Fortschritt abhängig: von der Zahl und Art der testbaren Merkmale. Im Hinblick auf den Inhalt des Testangebotes, d.h. auf die Art der zu testenden Merkmale, ist schon jetzt absehbar, dass über die bisher im Vordergrund stehenden „klassischen" humangenetischen Erkrankungen hinaus in Zukunft auch multifaktorielle Erkrankungen testbar sein werden.

Eine Ausweitung des Testpraxis ist insbesondere in folgenden Bereichen zu erwarten:

- *„Klassische" monogene Erbkrankheiten.* Im Hinblick auf den Inhalt des Testangebotes, d.h. auf die Art der zu testenden Merkmale, ist davon auszugehen, dass die bisherige Fokussierung auf wenige und meist seltene, aber klar umrissene Krank-

[8] DEUTSCHE FORSCHUNGSGEMEINSCHAFT 1999, 18.

heitsbilder in Zukunft nicht fortbestehen wird. Allerdings gibt es auch hier ein Potential für eine Ausweitung der Testpraxis. Ungefähr 3 bis 5% der erwachsenen Bevölkerung erkranken an einem spätmanifestierenden, monogenen Erbleiden. Dabei handelt es sich im Wesentlichen um drei verschiedene Krankheiten: den familiären Brustkrebs, den familiären Darmkrebs und die Alzheimersche Erkrankung, die zusammen bereits rund 2,5% aller Erkrankungen ausmachen. Würden die zur Verfügung stehenden Testverfahren in größerem Umfang genutzt, als dies gegenwärtig der Fall ist, dann ergäbe sich daraus eine erhebliche Erweiterung des Testmarktes.

– *„Volkskrankheiten“.* Neben den monogenetischen Erbkrankheiten wird in Zukunft die Diagnostik von multifaktoriell bedingten Erkrankungen eine wachsende Bedeutung erhalten. Zu diesen gehören unter anderem einige der häufigsten so genannten „Zivilisationskrankheiten“ wie Erkrankungen des Kreislaufsystems, die Zuckerkrankheit oder einige Krebserkrankungen, bei denen die Entwicklung von Testsystemen aufgrund ihrer weiten Verbreitung ökonomisch besonders lukrativ wäre. Die Diagnose solcher Erkrankungen wird umso größere Bedeutung erhalten, je mehr es gelingt, Präventionsmöglichkeiten zu entwickeln. Alfred Bach von der BASF-LYNX Bioscience AG in Heidelberg hebt daher die große Bedeutung der Diagnostik solcher Erkrankungen hervor: „Diesem Aspekt der wachsenden diagnostischen Möglichkeiten messe ich eine große Bedeutung bei, da in vielen Fällen eine zielgerichtete Prävention möglich sein wird. Bei Individuen, bei denen Expressionsmuster oder bestimmte disponierende Allele ein höheres Risiko für Herz-Kreislauf-Erkrankungen erwarten lassen, wird man dann vermutlich selbst bei grenzwertigen Lipid- oder Blutdruckwerten eine entsprechende Therapie einleiten. Bei einigen erblichen Tumorerkrankungen ermöglicht uns die Gendiagnose eine Krankheitsprävention. Lassen Sie mich als ein Beispiel die Familiäre Adenomatöse Polypose erwähnen, eine Darmerkrankung, die mit einer Häufigkeit von ca. 1:10.000 auftritt und die in aller Regel in Dickdarmkrebs endet. Eine regelmäßige endoskopische Kontrolle und gegebenenfalls Intervention vermag den früher unvermeidbaren Dickdarmkrebs in den meisten Fällen zu verhindern. Brustkrebs ist ein weiteres Beispiel. Weisen die Brustkrebsgene BRCA1 und 2 auffällige Mutationen auf, so wird man bildgebende diagnostische Verfahren und gegebenenfalls biochemische Untersuchungsmethoden engmaschig einsetzen, um eventuell auftretende Tumore in der Frühphase zu erkennen und zu eliminieren.“[9]

– *Testangebote im „grauen Bereich“.* Zunehmen werden voraussichtlich auch Testangebote im „grauen Bereich“ von ärztlich vertretbaren, aber medizinisch nicht notwendigen Leistungen. Solche Testangebote werden vermutlich gerade von kleineren Firmen gemacht werden, die versuchen könnten, sich dadurch eine ökonomische Nische zu sichern. Insbesondere die DNA-Chip-Technologie könnte hier dazu führen, „daß neue und relativ einfach durchführbare Testver-

[9] BACH 1998, 43 f.

fahren entwickelt werden. Dadurch wird es erleichtert, daß Tests auch dann angeboten und durchgeführt werden, wenn dafür keine ärztliche Veranlassung besteht."[10] Erfolgreich werden solche Testangebote dann werden, wenn die Tests billig sind und es den Testanbietern gelingt, mit dem Test ein plausibles Interventionsangebot für den potentiellen Kunden zu verbinden, das zudem einfach durchführbar sein muss. Für den Verbreitungsgrad solcher Angebote entscheidend wird darüber hinaus aber auch sein, inwieweit es den Anbietern gelingt, mit ihrem Angebot in das traditionelle Medizinsystem und die klinische Praxis einzudringen. Hierbei könnten insbesondere private Krankenversicherer eine Rolle spielen: Wenn entsprechende Tests bei diesen abgerechnet werden können, dann ist eine breitere Diffusion solcher Testangebote durchaus vorstellbar. Vor allem könnten sich gesetzliche Krankenkassen dann irgendwann dazu genötigt sehen, ihrerseits nachzuziehen und entsprechende Angebote ebenfalls in ihren Leistungskatalog aufzunehmen.

- *Anonyme Tests.* Eine Zunahme der Nachfrage nach Gentests bei kleineren Labors könnte sich schließlich auch daraus ergeben, dass Einzelne sich zur Vermeidung von etwaigen Nachteilen, möglicherweise unter Verzicht auf eine genetische Beratung, zu einem *anonymen Test* entschließen. Hier zeigt sich die Bedeutung der rechtlichen und sozialen Rahmenbedingungen für die Richtung der künftigen Nutzung von Gentests.
- *Nicht-gesundheitsbezogene Nachfragen.* Neben der gesundheitsbezogenen Inanspruchnahme genetischer Testverfahren werden in Zukunft voraussichtlich auch *nicht-gesundheitsbezogene Nachfragen* nach Gentests eine zunehmende Rolle spielen. Ein Beispiel dafür sind – auch wenn es sich dabei gegenwärtig noch um eher niedrige Zahlen handelt – pränatale Vaterschaftstests. In den USA, wo – anders als in Deutschland – für Vaterschaftstests auf molekulargenetischer Grundlage offensiv Werbung gemacht wird, gibt es für entsprechende Testangebote inzwischen bereits einen kommerziellen Markt; aber auch in Deutschland gibt es einzelne Anfragen an Diagnoselabors nach Vaterschaftstests. Ein weiteres zunehmend bedeutender werdendes Praxisfeld für den Einsatz DNA-diagnostischer Methoden ist der Bereich der forensischen Medizin. Die Entwicklung zuverlässiger Verfahren des „DNA-Fingerprintings" hat hier in den vergangenen Jahren große Fortschritte gemacht. Allerdings mussten erst strenge Standards formuliert, Qualitätssicherungsprogramme entwickelt und Kontrollen für die Einhaltung der Standards etabliert werden, bis „saubere", insbesondere kontaminationsfreie Ergebnisse mit Beweiskraft erzielt werden konnten. Die Zuverlässigkeit von DNA-Tests ist inzwischen so groß, dass zumindest in Fällen von Vaterschaftsstreitigkeiten, Inzest- und Vergewaltigungsfällen fast immer eindeutige Identifizierungen durchgeführt werden können, selbst dann, wenn das DNA-Material (Blut, Hautgewebe, Haare, Spermien, Bakterien usw.) nur in geringen Mengen vorliegt. DNA-Fingerprintings werden inzwischen verstärkt auch bei polizei-

[10] DEUTSCHE FORSCHUNGSGEMEINSCHAFT 1999, 21.

lichen Ermittlungen (Fahndungen) eingesetzt.[11] Gleichwohl sind die hiermit verbundenen datenschutzrechtlichen Probleme noch längst nicht befriedigend gelöst; dies wird nicht zuletzt an den aktuellen Diskussionen zu der Zulässigkeit einer Vorab-Erfassung und Speicherung von genetischen Fingerabdrücken im Vorfeld von Straftaten deutlich.

3. Testangebote auf dem freien Markt

Eine Ausweitung der Nutzung genanalytischer Untersuchungsmethoden könnte sich dadurch ergeben, dass vermehrt Testangebote auf dem „freien Markt" gemacht werden. In den USA gibt es einen kommerziellen Testmarkt bereits seit einiger Zeit. Zum Beispiel bietet die Firma *Myriad Genetics* in Salt Lake City schon seit Oktober 1996 einen Gentest für BRCA1 an. Bei dem BRCAnalysis genannten Test wird für eine Gebühr von rund 2.400 $ die gesamte DNS des BRCA1-Gens sequenziert. Hat man eine Genveränderung identifiziert, so kostet der Test für diese Mutation jedes weitere Familienmitglied nur noch knapp 400 $. *Myriad* empfiehlt zwar, dass Patientinnen sich vor Inanspruchnahme dieses Tests von einem Arzt informieren und beraten lassen. Verpflichtend ist dieses Vorgehen jedoch nicht.[12]

Bislang – vor allem aus den USA – vorliegende Erfahrungen deuten gegenwärtig allerdings darauf hin, dass entsprechende Angebote zur Zeit noch zurückhaltender wahrgenommen werden als erwartet. Bereits 1993 kam eine in den USA erstellte Studie zu dem Ergebnis, dass die Anzahl der Zentren, die einen präsymptomatischen Test für die Huntingtonsche Erkrankung anboten, nach einen anfänglichen Ansteigen zurückgegangen sei: „Results indicate that, after an initial increase, the number of centers offering testing has leveled off. By year, the number of new centers offering testing is as follows: 1986 (2), 1987 (2), 1988 (2), 1989 (8), 1990 (8), 1991 (2), and 1992 (2). Seventeen (65%) of the 26 centers are university based, although in different departments: neurology (3), psychiatry (4), genetics (4) and pediatrics (6). Two are based in health maintenance organizations, three in private genetics clinics, one in a medical center, and two in nonprofit organizations, while one was unspecified. Twelve (46%) of the centers have an HD clinic associated with the program, and 14 do not. Most centers, 19 (73%), have completed fewer than 15 tests."[13] In eine ähnliche Richtung deuten die bislang vorliegenden Erfahrungen mit dem BRCA1- und BRCA2-Test. Auch hier wurden enthusiastische Erwartungen der Anbieter mittlerweile offenbar enttäuscht.

Dies deutet darauf hin, dass sich die Befürchtung, es könne sich eine breite und intensiv genutzte kommerzielle Testpraxis entwickeln[14], zumindest bislang nicht

---

[11] Siehe grundlegend KRAWCZAK, SCHMIDTKE 1994.

[12] STAMATIADIS-SMIDT, ZUR HAUSEN 1998, 220.

[13] QUAID, MORRIS 1993.

[14] HENNEN, PETERMANN, SCHMITT 1996, 42.

bestätigt hat. Freilich bedeutet dies keine Garantie für die Zukunft. Ob sich ein bedeutender „freier Markt" entwickeln wird und ob die dort angebotenen gendiagnostischen Leistungen in großem Umfang genutzt werden, wird von verschiedenen Voraussetzungen abhängen: Entscheidend dafür, in welchem Umfang die Ausweitung von neuen Diagnosemöglichkeiten tatsächlich zu einer größeren, angebotsinduzierten Nachfrage führen werden, sind neben der *technischen Entwicklung* auch *kulturelle und politische Aspekte* im Hinblick auf die Möglichkeiten einer direkten Vermarktung genanalytischer Testangebote.

Die eher zurückhaltende Wahrnehmung von Test-Angeboten gilt aus verschiedenen Gründen jedoch nicht in gleicher Weise auch für *pränatale Diagnoseangebote.*

4. Screening-Programme

Neben einer individuellen Diagnostik werden die neuen genanalytischen Untersuchungsmethoden in Zukunft auch die Durchführung von Tests ermöglichen, die Gruppennachfragen bedienen.[15] Genetische Screening-Programme dürften insbesondere vor dem Hintergrund der zunehmenden Attraktivität von Strategien der Kostenreduktion im Gesundheitswesen durch präventive Maßnahmen eine wachsende Bedeutung erlangen.

Zur Zeit wird der Einsatz genetischer Screening-Programme „vor allem durch knappe technische und materielle Ressourcen limitiert. Beim aktuellen Stand der Analyse des menschlichen Genoms sind erst wenige Erbleiden und genetische Risikofaktoren einer Untersuchung zugänglich; zudem sind durch den hohen Aufwand der Mutationsanalyse mit konventionellen molekulargenetischen Techniken auch enge finanzielle Grenzen für ein breites Screening gesetzt."[16] Henn weist darauf hin, dass „dementsprechend [...] in jüngster Zeit zahlreiche Arbeitsgruppen die Methodik in Richtung auf miniaturisierte, automatisierbare und damit kostengünstig in großem Maßstab anwendbare Verfahren vorangetrieben"[17] haben. Insbesondere der DNA-Chip biete die idealen technische Voraussetzungen für die Etablierung breit angelegter genetischer Screening-Programme: „Während sich z.B. das aktuelle Angebot eines Heterozygotenscreenings für werdende Eltern weitgehend auf die cystische Fibrose beschränkt, läßt sich bald das Spektrum der untersuchbaren elterlichen Anlageträgerschaften um ein Vielfaches erweitern. Pränatal ließen sich auch aus fetalen Zellen, z.B. aus einer Chorionzottenbiopsie, kindliche prädiktive Parameter wie Dispositionen zu Tumoren oder neurologischen Abbauerkrankungen testen."[18]

---

[15] SCHMIDTKE 1997, 231 ff.

[16] HENN 1998a, 130.

[17] Ibid., 130.

[18] Ibid., 134.

- *Pränatale Screening-Verfahren.* Unmittelbare Auswirkungen werden die neuen Möglichkeiten der genetischen Diagnostik vor allem für die pränatale Diagnostik und die Durchführung *pränataler Screening-Verfahren* haben, da „für immer mehr Erkrankungen, ob in der Schwangerschaft und Kindheit manifest oder nicht, Eintrittswahrscheinlichkeiten ermittelt werden können."[19] Im Hinblick auf pränatale Screenings werden gegenwärtig vor allem CF-Carrier-Screenings und Fragiles-X-Anlageträger-Screenings diskutiert. So wurde beispielsweise bei einer Consensus-Konferenz der US-amerikanischen NIH die Durchführung eines CF-Carrier-Screenings empfohlen. Ob sich diese Empfehlung praktisch umsetzen lässt, ist jedoch fraglich. Erste Erfahrungen geben zur Skepsis Anlass. Die gegenwärtig beobachtbare Zurückhaltung scheint sich dabei insbesondere dem Umstand zu verdanken, dass sich die US-amerikanischen Gynäkologen dieser Empfehlung nicht angeschlossen haben.
- *Bevölkerungs-Screening.* In einer Reihe von Ländern, darunter Israel, Australien und den USA, werden Screening-Programme, zum Beispiel für die Tay-Sachs-Krankheit, bereits seit Jahren durchgeführt.[20] Auch in Deutschland gibt es erste Anzeichen für ein zunehmendes Interesse an der Durchführung von breiter angelegten Screening-Programmen. In einem von der Kaufmännischen Krankenkasse Hannover (KKH) und der Medizinischen Hochschule Hannover (MHH) gestarteten Modellversuch wird derzeit ein genetisches Screening auf Hämochromatose durchgeführt. Geplant ist, dass sich insgesamt rund 10.000 Versicherte der KKH an diesem Projekt beteiligen. Die Hämochromatose ist eine erbliche Stoffwechselerkrankung („Eisenspeicherkrankheit"). Die Häufigkeit der Homozygoten beträgt etwa 1:400 in der Bevölkerung; rund jeder zehnte Homozygote erkrankt – bis hin zum Leberkarzinom – schwerwiegend. Eine Früherkennung und rechtzeitige Betreuung kann diese Folge verhindern: Anlageträger brauchen sich in der überwiegenden Mehrheit der Fälle nur regelmäßigen Aderlässen zu unterziehen. Ob man dieses Pilotprojekt als erstes Indiz für ein Abweichen von der bislang geübten Zurückhaltung der deutschen Humangenetik in der Frage der Durchführung von Populations-Screenings werten muss, ist fraglich. Immerhin bedeutet die Durchführung eines Hämochromatose-Screenings jedoch, dass in Deutschland zum ersten Mal ein Bevölkerungs-Screening-Programm auf molekularbiologischer Grundlage durchgeführt wird.

5. Gesundheits- und gesellschaftspolitische Vorgaben

Die von manchen befürchtete, durch die zunehmende Leistungsfähigkeit der DNA-Diagnostik und die Standardisierung und Vereinfachung von Gentests induzierte,

[19] BACH 1998, 44.
[20] SCHMIDTKE 1997, 231 ff.

Kommerzialisierung und breite unqualifizierte Nutzung genetischer Diagnostik[21] hat bislang nicht stattgefunden. Auch in den USA ist eine unkontrollierte „Wucherung" des Testmarktes gegenwärtig nicht zu beobachten. Die Anbieter dort legen im Gegenteil in der Regel Wert auf eine Anbindung an das etablierte medizinische System. Gleichwohl bleibt zu bedenken, dass der technisch-ökonomische Innovationsschub der letzten Jahre noch nicht bis zur Anwendung auf breiterer Ebene vorgedrungen ist. Die Entwicklung steht daher noch immer am Anfang. Im Hinblick auf die Möglichkeit einer massiven Ausweitung der Anwendung genetischer Diagnostik wird vor allem entscheidend sein,

- ob es der Diagnostik- und Pharmaindustrie gelingen wird, niedergelassene Allgemeinärzte und nicht-humangenetische Fachärzte als Nutzer für ihre Testangebote zu gewinnen, da diese – zumindest für die nähere Zukunft – die entscheidenden „gatekeeper" für die Anwendung genetischer Diagnoseverfahren in großem Maßstab bleiben werden; und
- ob und in welchem Umfang es der Diagnostik- und Pharmaindustrie gelingen wird, genetische Diagnosen mit (tatsächlichen oder auch nur vermeintlichen) Interventionsangeboten zu koppeln.

Neben den aus der Medizin selbst und den – direkt wie indirekt – aus dem medizintechnischen Forstschritt erwachsenden Strukturveränderungen spielen aber auch nicht-medizinische Faktoren im Hinblick auf die Ausweitung der Testpraxis und die Inanspruchnahme genetischer Testverfahren eine mitentscheidende Rolle, deren Bedeutung in Zukunft vermutlich eher noch zunehmen wird. Dazu gehören sowohl im engeren Sinne politische Vorgaben als auch gesundheitsökonomische Entwicklungen und kulturelle Änderungen in Richtung auf eine sich möglicherweise in stärkerem Maße etablierende „Kultur der gesundheitlichen Selbstverantwortung". Es ist klar, dass diese verschiedenen Aspekte nicht isoliert voneinander betrachtet werden können, sondern sich wechselseitig ergänzen oder verstärken können.

Zu diesen Entwicklungen gehören unter anderem die folgenden:

- Ein wichtiger Anreiz zu einer extensiven Nutzung gendiagnostischer Methoden könnte vor allem von der Kostenentwicklung im Gesundheitswesen ausgehen. Der wachsende Ökonomisierungsdruck führt zu einer verstärkten Suche nach Einsparmöglichkeiten. Das bedeutet zunächst, dass präventive Strategien zunehmend an Attraktivität gewinnen. „Da von der genetischen Diagnostik – zumindest auf mittlere Sicht – die Feststellbarkeit von Krankheitsdispositionen erwartet wird, bietet sie sich als diagnostische Basis präventiver Strategien an."[22] Neben einer individuellen Krankheitsprävention werden genetische Diagnoseverfahren

[21] HENNEN, PETERMANN, SCHMITT 1996, 42.
[22] BAYERTZ, SCHMIDTKE 1994, 88.

in größerem Umfang aber auch gesundheitsökonomische Strategien ermöglichen, die auf die Gesamtheit der Bevölkerung bezogen sind.

- Eine wichtige Rolle könnte darüber hinaus der Umstand spielen, dass den Prinzipien der Autonomie und der Selbstbestimmung sowie der Idee der Selbstverantwortung in der Medizin allgemein ebenso wie in der Humangenetik eine zunehmende Bedeutung zukommt. Für diese Entwicklung verantwortlich sind eine Reihe von Gründen, zu denen ein moderne Gesellschaften generell kennzeichnender Wertepluralismus ebenso gehört wie die Diskrepanz zwischen Diagnose- und Therapiemöglichkeiten, die den Betroffenen allenfalls die Möglichkeit lässt, ihr generatives Verhalten im Hinblick auf ihren „genetischen Status" zu überprüfen oder ihr Leben im Horizont der genetischen Prognose zu (re-) organisieren, und eine Veränderung des Gesundheitsbewusstseins zumindest in Teilen der Bevölkerung. Vor diesem Hintergrund könnte bereits das allgemeine Wissen um die Möglichkeit genetischer Tests zu einer Nachfrage nach Testangeboten führen, die die Möglichkeit der Vorsorge und der Verhütung von Leiden versprechen.[23]
- Ein weiterer, in diesem Zusammenhang bedeutsamer Aspekt ist der durch die Erweiterungen der genetischen Diagnosemöglichkeiten mit-induzierte Wandel des Krankheitsbegriffes. Mit dem Fortschritt von Wissenschaft und Technik werden immer mehr genetisch (mit-) bedingte Krankheitsdispositionen testbar werden. Das führt – da davon auszugehen ist, dass (nahezu) jeder Mensch anfällig für irgendwelche Krankheiten ist – dazu, dass es „auf längere Sicht unbelastete Personen überhaupt nicht mehr geben" wird. „Die Bevölkerung wird nur noch aus (mehr oder weniger) krankheitsanfälligen Personen bestehen. Es wird eine ‚universelle präsymptomatische Multimorbidität' entstehen."[24] Welche psychosozialen, sozialen und kulturellen Folgen diese Entwicklung haben wird, ist gegenwärtig kaum absehbar.

IV. Gentests außerhalb der Humangenetik

1. Potentiale und Perspektiven

Auch außerhalb der Humangenetik haben sich genetische Tests mittlerweile fest in vielen Bereichen der klinischen Medizin etabliert: sei es zur Abklärung bestehender Verdachtsdiagnosen, sei es zur Prädiktion von Erkrankungsrisiken oder sei es zur Feststellung individueller Suszeptibilitäten. Diese Feststellung verweist auf einen neuen Trend. Mittlerweile gibt es zahlreiche molekulargenetische Diagnostika, die sich nicht mehr auf relativ seltene Erbkrankheiten wie Chorea Huntington oder

---

[23] HENNEN, PETERMANN, SCHMITT 1996, 90.
[24] BAYERTZ, SCHMIDTKE 1994, 105.

Mukoviszidose beziehen, sondern die genetische Disposition für weitverbreitete „Volkskrankheiten" (wie z.B. Herz-Kreislauf-Erkrankungen) oder für individuell unterschiedliche Merkmalsausprägungen, die spezifische Empfindlichkeiten bedingen, ins Visier nehmen.

Schon jetzt lässt sich eine Reihe von *Krankheiten und Krankheitsgruppen* außerhalb der Humangenetik benennen, für die verschiedene Testverfahren zur prädiktiven Feststellung von Erkrankungsrisiken existieren. Dies gilt insbesondere für folgende Anwendungsfelder:

- Stoffwechselkrankheiten und Endokrinopathien;
- Störungen der Blutgerinnung;
- Krebserkrankungen;
- Neuropsychiatrische Erkrankungen;
- Autoimmunkrankheiten;
- Infektionserkrankungen.

Zu den strukturellen Folgen der Vervielfältigung der testbaren Krankheiten bzw. Merkmale gehören Veränderungen im *Anwender- und Anbieterspektrum*. Neben die humangenetischen Universitätsinstitute treten vermehrt neue Anwender bzw. Anbieter dieser Technologie auf den Plan. Dabei eröffnen sich je nach Interessenlage und Kapazitäten unterschiedliche Perspektiven für große und kleine Pharma- bzw. Diagnostikaunternehmen als Herstellern von Gendiagostika bzw. patientenadaptierten Medikamenten sowie für Kliniken, große und kleine Diagnoselabors als Anwendern. Mit der zunehmenden Vereinfachung und Verbilligung der Verfahren könnten auch niedergelassene Ärzte verschiedenster Fachrichtungen in die Lage versetzt werden, genetische Tests anzubieten.

2. Technische Entwicklung (Gen-Chips)

Zweifellos wird die weitere Entwicklung der Nachweistechnologien in den kommenden Jahren dazu führen, dass die Feststellung von Gendefekten (Mutationen) und Genvarianten (Polymorphismen) immer rascher, kostengünstiger und leichter zu bewerkstelligen sein wird. Die Testpraxis wird dadurch insgesamt eine *starke Ausweitung* erfahren. Dabei ist die Konkurrenzsituation zwischen den verschiedenen Methoden im Ganzen noch recht unübersichtlich.

Für die Zukunft des Methodenarsenals von besonderer Bedeutung könnte die Einführung sogenannter *DNA-Chip-Technologien* werden, an deren Entwicklung weltweit in verschiedenen Unternehmen und Forschungseinrichtungen gearbeitet wird. Solche Gen-Chips sollen vor allem bei der Analyse von Hochdurchsatzproben zum Einsatz kommen. Gegenwärtig befinden sich die verschiedenen Chip-Technologien noch in einem relativ frühen Stadium ihrer Entwicklung und haben noch kaum in die Praxis Eingang gefunden. Allerdings gibt es erste Anwendungen innerhalb der pharmazeutischen Industrie und der Infektionsdiagnostik (HI-Virus) sowie vereinzelte klinische Erprobungen (Brustkrebsgentest). Effektive und effiziente DNA-Chips könnten eines Tages auch für viele klinische Anwendungen nützlich sein: beim Nachweis von monogen/polygen bedingten Krankheiten nicht minder als für die Bestimmung von Polymorphismen, Krebsmarkern und Krankheitskeimen, zur Analyse von Expressionsmustern, zur Kontrolle von Therapieverläufen und Stoffwechselreaktionen.

Das Spektrum der Erwartungen, an denen sich der Optimismus vieler Forscher und Unternehmer festmacht, ist insgesamt außerordentlich weit gespannt:

- Miniaturisierte Systeme zur Genomanalyse (DNA-Chips) werden schon bald auf dem diagnostischen Markt erhältlich sein.
- Genmutationen und genetische Polymorphismen werden preiswert und ohne großen Aufwand detektiert werden können.
- DNA-Chips werden auch zur Aufklärung von Genfunktionen und polygenen Krankheits-Prädispositionen geeignet sein.
- Das Verständnis von Krankheitsursachen (Dispositionen, Anfälligkeiten) wird durch die Verwendung von Gen-Chips, etwa bei der Erstellung von gewebespezifischen Expressionsprofilen, gefördert werden.
- Gen-Chips werden den individuellen Zuschnitt von Arzneimitteln ermöglichen.
- Nebenwirkungen, etwa von Medikamenten, können vorhergesagt werden.
- Die Diagnose, Prävention und Therapie von Infektionskrankheiten wird verbessert werden.
- Die Einsatzschwelle für Gentests mit leichterer und preiswerterer Verfügbarkeit wird in den nächsten Jahren deutlich sinken.
- Auch die Entwicklung von Tests für eher seltene Erbkrankheiten wird bei sinkenden Herstellungskosten lukrativ sein, zumal DNA-Chips und ähnliche „array"-Technologien für den Nachweis gleich von mehreren Tausend Genen/Genvarianten verwendbar sein werden.
- Zu einer größeren Verbreitung von DNA-Chips und ähnlichen Verfahren in Kliniken und Arztpraxen wird aber vermutlich weniger die Diagnose seltener Erbkrankheiten als die Krebsdiagnostik und die Auswahl und Überwachung von Therapieverfahren beitragen.[25]

3. Diagnose und Therapie auf neuen Wegen

3.1 Individualisierung von Prävention und Therapie

Insofern Erkrankungen bzw. Erkrankungsdispositionen von genetischen Faktoren, die eine individuelle Charakteristik aufweisen, bedingt werden, erlaubt die genetische Analyse im Prinzip eine *Individualisierung* von Therapien bzw. präventiven Maßnah-

[25] Vgl. HENN 1998b; WESS 1998.

men. Dabei bedeutet „Individualisierung" zwar zunächst nicht die Berücksichtigung des „ganzen Menschen" im Rahmen medizinischer Prozesse, sondern ausschließlich das Eingehen auf seine besondere genetisch-biologische Situation nach der Maxime „Jeder Mensch hat seine je eigene Krankheit, Krankheitsneigung und Krankengeschichte". Gleichwohl kommen im Kontext der genetischen Beratung, die einem Gentest vorangeht und ihm nachfolgt, auch zahlreiche nicht-biologische Aspekte – etwa psychosoziale und ökonomische Faktoren – zum Tragen, so dass an dieser Stelle die Individualisierung die je persönliche Situation des Patienten mit dem genetisch spezifizierten Testresultat in gewisser Weise doch „ganzheitlich" verklammert. Auf jeden Fall gewinnt der Spielraum möglicher Handlungswahlen durch die gendiagnostisch genauere Erfassung der besonderen genetischen Situation eines Patienten an Differenzierung; und entsprechend differenzierter kann auch der Arzt-Patient-Dialog ablaufen.

Mit individuell unterschiedlichen Mutationen und Suszeptibilitäten sind ja nicht nur individuell unterschiedliche Erkrankungsrisiken, sondern auch je verschiedene Krankheitsverläufe sowie je unterschiedliche Wirkungsprofile von verfügbaren präventiven/therapeutischen Interventionen verbunden. Je nachdem wie die Diagnose bzw. Prognose nach einem Gentest ausfällt, kann ein auf das jeweilige Individuum zugeschnittenes Therapie- bzw. Präventionskonzept erstellt werden. Dies gilt für die Behandlung von Diabetes mellitus vom Typ II nicht weniger als etwa für die Prävention von Brustkrebs, die Dosierung von Chemotherapien oder für vorsorgliche Maßnahmen zur Verhütung von Herzinfarkten. Sicherlich ist eine solche Individualisierung medizinischer Interventionen noch in vielen Bereichen ein mehr oder minder fernes Ziel, zumal die Bedeutung der genetischen Faktoren – und insbesondere ihr Zusammenspiel mit Umwelt- und Lebensstilfaktoren – vielfach noch nicht hinreichend verstanden ist. Aber die Entwicklung schreitet hier offenbar zügig voran.

Was die *Individualisierung von Therapien* im Einzelnen bedeuten kann, sollen folgende Hinweise veranschaulichen:

- In der Onkologie kann man über tumorspezifische Marker die Biologie des jeweils vorliegenden Tumors genauer bestimmen. Diese Individualisierung der Krebserkrankung ermöglicht eine Individualisierung der Therapie. Gegenwärtig wird ein Teil der Patienten im Rahmen der Chemotherapie mit Überdosen, ein anderer mit zu geringen Dosen behandelt; eine entsprechend differenzierende Diagnostik ermöglicht hier eine risikoadaptierte Therapie.
- Durch die exakte Bestimmung des Erregertypus (bzw. von Resistenzen) kann z.B. die Therapie von Infektionskrankheiten individuell optimiert und die Verabreichung von Breitbandantibiotika vermieden werden.
- Die Pharmakogenomik wird es künftig ermöglichen, die individuelle Wirkung und Verträglichkeit von Medikamenten vorauszusagen. Die Auswahl und Dosierung von Arzneimitteln kann auf diese Weise den genetischen Besonderheiten jedes einzelnen Patienten angepasst werden.

Die Vorzüge solcher individualisierter Therapien liegen auf der Hand. Einerseits wird durch sie die Effizienz der Therapie erhöht, während die Risiken gleichzeitig verringert werden. Andererseits wird man auf überflüssige Therapien verzichten können, wenn man erkennen kann, dass ein Patient auf die zur Verfügung stehenden Medikamente oder Verfahren nicht ansprechen wird. Wo bei einem Tumorpatienten Resistenzgene gegen Zytostatika festgestellt werden, kann durch den Verzicht auf wirkungslose Interventionen (i) die verbleibende Lebensqualität der terminal Kranken verbessert werden; gleichzeitig werden (ii) Kosten eingespart, die sich bei Hochdosistherapien auf Beträge von immerhin ca. 100.000 DM belaufen können (laut Bernd Dörken von der Berliner Robert-Rössle-Klinik).

3.2 Individualisierung von Arzneimitteln (Pharmakogenomik)

Im Folgenden soll exemplarisch ein Bereich genauer betrachtet werden, in dem genetische Testmöglichkeiten eine „Individualisierung" der Medikation in Aussicht stellen, was enorme Konsequenzen für die Medizin insgesamt haben könnte.

Die pharmazeutische Industrie schenkt den Möglichkeiten der DNA-Diagnostik seit vielen Jahren ein wachsendes Interesse. Dies wird auch durch ihr starkes Engagement bei der Aufklärung des Humangenoms belegt. „Drug companies hope to create a map of genetic landmarks that will become a potent new tool for uncovering the minute inborn differences that make some individuals particularly susceptible to certain diseases. With that knowledge, the drug makers hope to develop safer, more potent drugs that can more precisely target the variety of biological quirks that underlie each major disease. Their goal: a cornucopia of personalized medicines that will produce huge profits into the next century."[26] Aus diesem Grunde haben sich 1999 elf der weltweit größten Pharmaunternehmen mit verschiedenen führenden Universitätszentren zu einer Arbeitsgemeinschaft (SNP-Konsortium) zusammengeschlossen.[27] Die aus einem gemeinsamen Fonds finanzierten Forschungen sollen insbesondere zur Aufklärung von im menschlichen Erbgut häufig vorkommenden Variationen (sogenannten SNPs für „single nucleotide polymorphisms") beitragen, um so Ausgangspunkte z.B. für die Entwicklung neuartiger „individueller" Präparate zu schaffen. „Das SNP-Konsortium beabsichtigt, bis zu 300.000 SNPs zu identifizieren und mindestens 150.000 auf der Karte unterzubringen". Die dadurch gewonnenen Erkenntnisse hätten „das Potential, die Medizin grundlegend zu verändern", heißt es in der Pressemitteilung.

Seit Beginn der 90er Jahre hat sich innerhalb der Biotech-Industrie ein neues Segment herausgebildet, das als „Genomik"-Branche bezeichnet wird und gewissermaßen als ökonomischer Ableger des internationalen „Human-Genom-Projekts" gesehen werden kann.[28] Die Unternehmen in diesem Sektor (z.B. *Genset* in Frank-

---

[26] SCHÖLKENS 1999.

[27] Pressemitteilung des SNP-Konsortiums vom 15. 4. 1999.

[28] Eine umfassende Darstellung bietet BELL, TAYLOR 1998.

reich und *Myriad Genetics* in den USA) befassen sich mit der Detektion, Sequenzierung, Klonierung und funktionellen Aufklärung von wirtschaftlich – insbesondere pharmazeutisch – interessanten Gensequenzen des Menschen, aber auch von Mikroorganismen, die etwa als „targets" für die Entwicklung neuer Pharmaka dienen können. Wichtig ist dabei zunächst die Sicherung von Patenten auf Gensequenzen, die als kommerziell wertvoll erscheinen (ein Beispiel ist die Entdeckung von Brustkrebsgenen, auf deren Basis verschiedene Gentests entwickelt wurden und bereits vermarktet werden).

Insbesondere aber das Aufspüren bestimmter *genetischer Varianten* (Polymorphismen), die für die Pharmakokinetik und -dynamik bedeutsam sind, wird die Art der Entwicklung und Distribution zahlreicher Pharmaka wesentlich verändern. „The pharmaceutical industry makes billions of dollars a year selling one-size-fits-all medicines. But now the race is on to come up with tailor-made drugs that will treat people based on their individual genetic makeup."[29] Mit Hilfe der so genannten *Pharmakogenomik* scheint es erstmals möglich zu verstehen, warum verschiedene Patienten z.T. erheblich unterschiedlich auf ein und dasselbe Arzneimittel reagieren.[30] Zugleich wird es durch die Genotypisierung von Patienten möglich, die individuelle Wirkung eines verabreichten Präparats vorauszusagen und das Patientengut in Subpopulationen so zu stratifizieren, dass eine optimale Medikation gewährleistet werden kann. Das Ziel ist, jedes Medikament so maßzuschneidern bzw. zu dosieren, dass es den genetischen Besonderheiten des Patienten – etwa im Hinblick darauf, wie er ein Präparat metabolisiert oder welcher Gendefekt von mehreren möglichen „kompensiert" werden soll – gerecht wird.[31] „The leading strategies for pharmacogenomics involve selecting candidate genes on pathways for drug action, activation, and elimination in humans and identifying variances in the gene sequences."[32]

Es sind mehrere Gruppen von Enzymen bekannt, die für die Metabolisierung von Medikamenten von zentraler Bedeutung sind. In Abhängigkeit davon, welche Variante (Polymorphismus) eines solchen Enzyms ein Patient besitzt, vermag er verabreichte Medikamente besser oder schlechter bzw. gar nicht zu verstoffwechseln. Die Hoffnung ist, die Medikamente individuell so zu designen, dass der Organismus des Patienten diese optimal metabolisieren kann. Ein oft genanntes Beispiel bildet die Familie der Cytochrom-Enzyme P450 (CYP 450): Je nach dem beim Patienten bestehenden Polymorphismus erweist sich ein Patient als „guter" oder „schlechter" Metabolisierer für bestimmte Arzneimittel. Bei Wirkstoffen mit enger therapeutischer Breite können somit leicht Überdosierungen auftreten. „Many companies are focusing on CYP enzymes to make their first foray into pharmacogenomic arena."[33] Andere bekannte Beispiele sind die diversen Allele von N-Acetyl-

---

[29] SCHÖLKENS 1999.

[30] Zur Historie dieses Gebiets siehe MARSHALL 1998a.

[31] So etwa BALL, BORMAN 1998, 5.

[32] HOUSMAN, LEDLEY 1998, 2.

[33] WILSON 1998, 2.

transferase und des Apolipoproteins E (APOE): „[...] differences in apolipoprotein E genotyping appear to explain differences in patients' responses to drug therapy."[34]

Manche Forscher und Pharmahersteller bewerten die Pharmakogenomik als ein „neues Paradigma", das zur Einführung neuer „individualisierender" Strategien in die Behandlung von Krankheiten führt. Es wird erwartet, dass in der näheren Zukunft immer mehr Medikamente in Kombination mit Testkits zur differentiellen Genotypisierung von Patientenpopulationen auf den Markt kommen werden. Die Pharmakogenomik werde die Entwicklung von Medikamenten und die Praxis der Medizin innerhalb der nächsten fünf Jahre revolutionieren.[35] Bei diesen Testkits geht es nicht um die *Prädiktion* von Krankheiten, sondern um die *Prognose* des therapeutischen Erfolgs eines Präparates: Sie sagen voraus, wie ein Patient mit bestimmten genetischen Eigenschaften auf das Medikament ansprechen und wie sodann der wahrscheinliche Verlauf der Krankheit sein wird. Chustecka spricht daher von „prognostics".[36]

Viele *medizinische Vorteile* der Pharmakogenomik liegen auf der Hand:

- Patienten, die für Nebenwirkungen von Arzneimitteln empfindlich sind, können rasch identifiziert und selektiert werden.
- Das kostspielige Monitoring von Patienten im Hinblick auf mögliche toxische Wirkungen der verabreichten Mittel kann u.U. erheblich reduziert werden.
- Eine hohe und kostensparende Wirksamkeit der Therapie wird von Beginn an erreicht, zumal die optimale Substanz in ihrer optimalen Dosierung rasch gefunden werden kann.[37]
- Eine geringere Zahl von Arztbesuchen ist notwendig.
- Kosten, die durch die Verschreibung ineffektiver Arzneimittel entstehen (sowie durch die Behandlung dadurch hervorgerufener Nebenwirkungen), lassen sich vermeiden.
- Die Behandlung von Patienten kann insgesamt sicherer, effektiver und verträglicher erfolgen als bisher, wenn sie individualisiert und risikoadaptiert geschieht.[38]

Die volle Bedeutung der Pharmakogenomik wird jedoch erst deutlich, wenn man sich einige *spezielle Anwendungsgebiete*[39] vor Augen führt, wie etwa:

- die Behandlung von *Infektionen*: Die rasche Genotypisierung von Viren (man denke an Hepatitis oder AIDS) bzw. Bakterien erlaubt es dem Arzt, die jeweils individuell erfolgversprechendste Therapie auszuwählen (was besonders wichtig

---

[34] CHUSTECKA 1998, 3.
[35] Ibid., 3; vgl. GRAHAM-SMITH 1999.
[36] CHUSTECKA 1998.
[37] MARSHALL 1998b, 9.
[38] GRAHAM-SMITH 1999.
[39] Siehe dazu etwa MARSHALL 1998b, 11.

ist, wenn resistente Erregerstämme rechtzeitig beim Patienten entdeckt werden müssen);
- therapeutische bzw. präventive Maßnahmen in der *Onkologie*: Hier erlaubt die genomische Analyse z.B. die Feststellung von Resistenzen eines Patienten gegenüber bestimmten Chemotherapeutika (etwa Zytostatika) oder eine frühe Diagnose von Primärtumoren bzw. (Mikro-) Metastasen durch den Nachweis von Tumormarkern, p53-Mutationen usw.;
- die *Differentialdiagnostik* von symptomatisch komplexen Krankheitsbildern: Polygenetisch bedingten Erkrankungen wie der Alzheimerschen Krankheit, der Schizophrenie oder der Hypertonie liegen sehr verschiedene molekulare Mechanismen zugrunde, die entsprechend unterschiedliche Behandlungsmethoden erfordern.[40]

Insgesamt könnten die Erkenntnisse der Pharmakogenomik für zahlreiche Medikamente von großer Bedeutung sein, die sich ihrerseits auf ein weites therapeutisches Spektrum beziehen: von der Krebstherapie über die Behandlung kardiovaskulärer und neuropsychiatrischer Erkrankungen bis hin zur Bekämpfung von Infektionen.[41]

Es ist abzusehen, dass die Anwendung pharmakogenomischer Tests *Auswirkungen auf den Pharmamarkt* zeitigen wird[42], dergestalt dass

- eine relative Fragmentierung des Marktes einsetzt, insofern bestimmte Medikamente nur noch für kleinere Patientenpopulationen als bisher optimal wirksam (und zugelassen) sein werden;
- „Blockbuster"-Arzneimittel an Bedeutung verlieren[43], die dadurch bewirkten Umsatzverringerungen aber vielleicht durch die raschere Entwicklung mehrerer patientenselektiver Produkte kompensiert werden können;
- verstärkt kleinere Unternehmen eine Chance zum Besetzen von Pharma-Nischen erhalten;
- Therapeutika zunehmend in Kombination mit pharmakogenomischen „Prognostika" vermarktet werden, um die klinische Anwendung abzusichern.[44]

Es fragt sich allerdings, wie groß insgesamt der künftige Markt für Arzneimittel zu veranschlagen ist, die auf der Basis pharmakogenomischer Erkenntnisse produziert werden. Immerhin gehen einige Schätzungen von ca. 5% des Gesamtmarktes an Pharmaka aus. Des Weiteren lässt sich fragen, welche Anreize es gibt, dass sich auch große Unternehmen in der Pharmakogenomik engagieren, wird doch die Zielgruppe für bestimmte Medikamente durch den Ausschluss von Patienten („non-respond-

[40] Vgl. GRAHAM-SMITH 1999.
[41] Siehe dazu BELL, TAYLOR 1998, 29 ff.
[42] Siehe dazu etwa ibid., 47 ff.
[43] Siehe dazu etwa WILSON 1998.
[44] HOUSMAN, LEDLEY 1998, 3.

ers") verkleinert und der zu realisierende Profit entsprechend reduziert. Derartige *Anreize* könnten sein:

- Medikamente, die sich auf Erkenntnisse der Pharmakogenomik stützen können, werden für Ärzte und Patienten attraktiver sein als Arzneimittel, deren Sicherheit, Wirksamkeit und Verträglichkeit nicht in dieser Weise abgesichert sind.
- Möglicherweise wird die Zulassung für neue Medikamente (auch von „orphan drugs" für kleine Patientengruppen) durch die Bereitstellung valider pharmakogenomischer Daten leichter zu erhalten sein; insbesondere gilt dies für die Zulassung in anderen Ländern, wenn nämlich belegt werden kann, dass die besonderen genetischen „Empfindlichkeiten" der dort lebenden Ethnien schon bei der Entwicklung berücksichtigt worden sind.[45]
- Die Vorausselektion der „gut ansprechbaren" Patienten ist im Prinzip ein Argument für die Reduzierung präklinischer Tierexperimente und vor allem klinischer Versuche.
- Auch ältere „Problem-Arzneimittel", die bei einem ansonsten ausgezeichneten Wirkungsprofil bei einigen wenigen Patienten zu schweren und schwersten Nebenwirkungen führen, könnten durch Ausschluss der gefährdeten Patienten therapeutisch aufgewertet werden ein (Beispiel ist das Mittel *Clozapin* gegen Schizophrenie).
- Bei einer früheren klinischen Prüfung „durchgefallene" Medikamente könnten „gerettet" werden, insofern ihre Eignung für ein spezielles Patientengut pharmakogenomisch nachgewiesen werden kann.[46]
- Medikamente, die bereits aus dem Patentschutz herausgefallen sind, könnten durch patientenspezifische Optimierungen mit Hilfe pharmakogenomischer Analysen neuen Patentschutz erhalten und somit „wiederbelebt" werden.
- Desaströse Fehlschläge bei der Entwicklung neuer Medikamente in der Phase III der klinischen Prüfung könnten eventuell vermieden werden, wenn sie bereits frühzeitig pharmakogenomisch vorausgesehen werden[47]; man bedenke, dass gegenwärtig ca. 80% der Kandidaten für ein neues Präparat bei der klinischen Prüfung durchfallen.

Durch die wachsende Bedeutung der „Managed Care"-Ökonomie wird der Wettbewerb zwischen therapeutischen, insbesondere medikamentösen Alternativen wahrscheinlich noch verschärft werden. Umso wichtiger wird es für ein Pharmaunternehmen sein, die Überlegenheit des eigenen Produkts gegenüber konkurrierenden Angeboten herauszustellen: Wie sicher, wirksam, nebenwirkungsfrei ist sein Produkt? Hier soll die Pharmakogenomik durch eine Differenzierung des Patientenguts Wettbewerbsvorteile verschaffen helfen. „Once pharmacogenomic information

[45] HODGSON, MARSHALL 1998, 15.
[46] Z.B. CHUSTECKA 1998; WILSON 1998, 1.
[47] MARSHALL 1998a, 8.

starts to become available, drugs that arrive on the market without it might seem somehow lacking, both to doctors, and eventually even to regulatory authorities."[48] Der Nachweis von pharmakologisch bedeutsamen Empfindlichkeiten hängt freilich entscheidend von der Verfügbarkeit valider und aussagekräftiger Detektionsmethoden sowie einer qualitativ hochwertigen Probenvorbereitung ab. In diesem Zusammenhang setzen viele Pharmakogenomikforscher große Hoffnungen auf die Verwendung von Gen-Chips: „High-throughput techniques (e.g. gene chips) could be used to obtain genetic fingerprints for all patients in clinical trials. Such profiling could provide data that establish a genetic basis for clinical trial nonresponders."[49]

Noch aber ist vieles Zukunftsmusik. Und während sich die Pharmakogenomik-Forscher – ganz so wie die Entwickler der oben besprochenen DNA-Chips – insgesamt recht optimistisch geben, ist die Resonanz auf der Anwenderseite bislang eher verhalten bis ausgesprochen skeptisch. „One participant in a recent pharmacogenomics meeting commented, wryly, that the most important pharmacogenetic discovery would be the gene which determined non-compliance with prescribed treatment."[50] Auch die Pharmaindustrie selbst ist nicht durchgängig von den Zukunfts- und insbesondere Gewinnaussichten dieses neuen Ansatzes überzeugt; dies schon deshalb, weil – wie oben dargelegt – die möglichen strukturellen Auswirkungen auf den Pharmamarkt im Ganzen derzeit noch unabsehbar sind, so dass es nicht unriskant ist, sich auf die Pharmakogenomik eingelassen. Gleichwohl will auch niemand den Anschluss verpassen, so dass so gut wie alle großen Pharmaunternehmen in der Pharmakogenomik engagiert sind. Ein weiterer Gesichtspunkt in diesem Zusammenhang ist die Frage, wie sich Arzneimittelzulassungsbehörden verhalten werden: ob die – aus Sicherheitsgründen geforderte – Ausgrenzung bestimmter Patienten durch genetische Testung akzeptiert wird bzw. ob Studien an genetisch „selektierten" Respondern anerkannt werden.[51]

V. Probleme und Regelungsbedarf

Auf internationaler wie auch nationaler Ebene ist die Notwendigkeit einer Regulierung des Bereiches der genetischen Diagnostik inzwischen weitgehend erkannt worden, die einerseits eine Nutzung der positiven Potentiale der genetischen Diagnostik ermöglichen, andererseits jedoch gleichzeitig einen möglichen Missbrauch sowie einen drohenden „Wildwuchs" in diesem Bereich verhindern soll. In diesem Sinne fordert beispielsweise die *Senatskommission der Deutschen Forschungsgemeinschaft*, dass es

48 WILSON 1998.
49 BALL, BORMAN 1998, 5.
50 DOLLERY 1999.
51 HODGSON, MARSHALL 1998.

eine „freie, nur den Gesetzen des Marktes unterliegende Anwendung diagnostischer genetischer Tests mit den dann zu befürchtenden negativen Auswirkungen" nicht geben dürfe.[52] Handlungsbedarf wird darüber hinaus vor allem im Hinblick auf die zunehmende Diskrepanz zwischen der steigenden Anzahl genetischer Diagnosen einerseits und dem Angebot einer qualifizierten Beratung andererseits, hinsichtlich der Sicherung der Qualität bei der Durchführung genetischer Tests sowie der Erfordernisse des Datenschutzes gesehen.

1. Arztvorbehalt

Die Besonderheiten der genetischen Diagnostik lassen es geraten erscheinen, bei ihrer Anwendung große Umsicht und Behutsamkeit walten zu lassen. Ob der in dieser Technologie enthaltene Nutzen optimal entfaltet werden kann, hängt nicht allein (möglicherweise nicht einmal in erster Linie) von ihrer technischen Reife ab, sondern auch von den gesellschaftlichen, politischen, rechtlichen und kulturellen Rahmenbedingungen der Nutzung. Abgesehen von den Fragen der Qualitätssicherung und des Datenschutzes hängt die Sozialverträglichkeit der Testpraxis von ihrem *unmittelbaren* institutionellen Kontext sowie von ihrer Zielsetzung ab. Es herrscht eine weitgehende Einigkeit darüber, dass eine kompetente Beratung vor und nach der Diagnose als eine essentielle Forderung angesehen werden muss: (a) Zum einen kann von einem „informed consent" nur dort die Rede sein, wo eine Aufklärung der jeweiligen Klienten über das Ziel, die mögliche Aussage und die möglichen Konsequenzen etc. eines Test stattgefunden hat. (b) Außerdem kommt – angesichts der großen Reichweite genetischer Diagnosen bei weit verbreiteter Unkenntnis über genetische Zusammenhänge – der angemessenen Auswertung und Interpretation des Testergebnisses eine große Bedeutung zu. Von Experten wird daher hervorgehoben, dass Diagnosen genauso desaströse Wirkungen haben können wie Therapeutika.

Um die Folgen zu vermeiden, die mit einer unqualifizierten und unkontrollierten Testpraxis verbunden sein können, sind zwei Vorschläge in der Diskussion, die darauf abzielen, einen klaren und bewährten Rahmen für die Durchführung von Gentests festzulegen:

- *Bindung von genetischen Analysen an gesundheitliche Zwecke (health purposes).* Die Bindung der Durchführung genetischer Diagnosen an „Gesundheitszwecke" wird beispielsweise in Artikel 12 des Übereinkommens zum Schutz der Menschenrechte und der Menschenwürde im Hinblick auf die Anwendung von Biologie und Medizin des Europarates von 1997 gefordert: „Tests which are predictive of genetic diseases or which serve either to identify the subject as a carrier of a gene responsibility for a disease or to detect a genetic predisposition or susceptibility

[52] DEUTSCHE FORSCHUNGSGEMEINSCHAFT 1999, 26.

to a disease may be performed only for health purposes or for scientific research linked to health purposes, and subject to appropriate genetic counselling."[53] Die Forderung nach einer Begrenzung prädiktiver Tests auf „gesundheitliche Zwecke" verfolgt, wie Ludwig Siep anlässlich der Tagung „Prädiktive genetische Tests: ‚Health Purposes' und Indikationsstellung als Kriterien der Anwendung", die 1997 am *Institut für Wissenschaft und Ethik* (IWE) in Bonn stattfand, feststellte, mehrere Ziele: „Erstens soll die Diskriminierung von Menschen mit genetischen Dispositionen zu Krankheiten verhindert werden – sei es durch Abtreibung oder durch soziale Benachteiligung am Arbeitsplatz oder in Versicherungsverträgen; zweitens soll die Belastung durch ein für Vorbeugungs- oder Heilungszwecke unbrauchbares Wissen zumindest eingeschränkt werden; drittens soll der Versuchung, genetische Tests zur Verbesserung oder zur Züchtung eines ‚besseren' Menschen (beispielsweise durch Keimbahntherapie) zu nutzen, Widerstand geleistet werden."[54]

– *Bindung von genetischen Analysen an einen Arztvorbehalt.* Schon vor Jahren stellte die Bund-Länder-Arbeitsgruppe „Genomanalyse" in ihrem Abschlussbericht fest: „Genetische Diagnostik ist Ausübung der Heilkunde, denn das Untersuchungsergebnis ermöglicht Schlüsse auf eine Krankheit und kann Entscheidungen über zusätzliche Laboruntersuchungen erfordern."[55] In jüngster Zeit hat sich beispielsweise auch eine an der *Europäischen Akademie zur Erforschung von Folgen wissenschaftlich-technischer Entwicklungen* in Bad Neuenahr-Ahrweiler angesiedelte Arbeitsgruppe vorsichtig in Richtung eines – allerdings beschränkten – Arztvorbehaltes ausgesprochen: „Tests, die es ermöglichen oder mit der Zielsetzung angeboten werden, genetisch bedingte Krankheiten, Körperschäden oder Leiden vorherzusagen oder bei einer Person entweder das Vorhandensein eines für eine Krankheit, einen Körperschaden oder ein Leiden verantwortlichen Gens festzustellen oder eine genetische Prädisposition oder Anfälligkeit für eine Krankheit, einen Körperschaden oder ein Leiden zu erkennen (Maßnahmen genetischer Diagnostik), dürfen zu personenbezogenen prophylaktischen, diagnostischen oder therapeutischen Zwecken berufs- oder gewerbsmäßig nur von einem Arzt/einer Ärztin veranlasst, interpretiert und von den Ergebnissen her vermittelt werden."[56]

Beide Vorschläge sind nicht identisch. Die Formulierung „gesundheitliche Zwecke" schließt nicht aus, dass Tests auch von Nicht-Ärzten (z.B. von Biologen) durchgeführt werden; „Arztvorbehalt" dagegen schließt nicht aus, dass von Ärzten auch solche Merkmale getestet werden, die medizinisch irrelevant sind. Eine mögliche Regelungsoption besteht daher darin, beide Einschränkungen miteinander zu kom-

---

[53] COUNCIL OF EUROPE 1997, 291.
[54] Zitiert nach LANZERATH 1998, 197.
[55] BUND-LÄNDER-ARBEITSGRUPPE „GENOMANALYSE" 1990, 28.
[56] BARTRAM et al. 2000, 187.

binieren. Dies ist zum Beispiel von der *Senatskommission der Deutschen Forschungsgemeinschaft* in ihrer Stellungnahme zur Humangenomforschung und genetischen Diagnostik gefordert worden: „Zur angemessenen sozialen Implementierung gehört nicht nur die Bindung an medizinische Zwecke, sondern auch ein Arzt-/ Patientenverhältnis und damit eine qualifizierte Beratung."[57] Ähnlich lautende Forderungen finden sich auch in einem Eckpunkte-Papier für eine ethische und rechtliche Orientierung bezüglich prädiktiver Gentests des *Ethik-Beirats beim Bundesministerium für Gesundheit*.[58]

Zu den Vorteilen einer solchen strengen Regelung würde gehören:

- Eine Ausweitung der Testpraxis auf beliebige, medizinisch irrelevante Merkmale würde vermieden werden. Ein „freier Testmarkt", auf dem „Genbuden" (Bartram) nach rein kommerziellen Gesichtspunkten ihre Leistungen anbieten, könnte nicht entstehen; die Durchführung von Gentests bliebe auf das etablierte System der medizinischen Versorgung beschränkt.
- Für eine kompetente Durchführung der Tests durch geschultes Personal und eine angemessene Beratung wären günstige Voraussetzungen geschaffen.
- Von Ärzten (oder unter ihrer Leitung) durchgeführte Diagnosen würden unter das Arztgeheimnis fallen. Dies böte einen relativ hohen apriori-Standard des Datenschutzes.

Es ist allerdings nicht zu übersehen, dass diesen Vorzügen auch diverse Schwierigkeiten gegenüberstehen. Betrachten wir zunächst die Beschränkung auf „gesundheitliche Zwecke". Hier stellen sich (zumindest) zwei Fragen:

- Wie ist eine angemessen scharfe Abgrenzung zwischen gesundheitsrelevanten und anderen Merkmalen möglich? Wir haben es wahrscheinlich nicht mit zwei distinkten Klassen zu tun, sondern mit einem breiten Spektrum von Merkmalen, das von eindeutig gesundheitsrelevanten Merkmalen (Krankheiten oder Dispositionen) bis hin zu solchen Merkmalen reicht, die dies klarerweise nicht sind (Vaterschaftsbestimmung, Personenidentifikation). Dazwischen wird es zahlreiche Merkmale geben, die unter bestimmten Voraussetzungen eine Relevanz für medizinische Fragen haben können, eine solche aber nicht unbedingt haben müssen.
- Kann es gerechtfertigt werden, Individuen medizinisch irrelevante Informationen über ihre eigene Person vorzuenthalten, wenn sie diese – aus welchen Gründen auch immer – zu haben wünschen? Abgesehen davon, dass man eine Vorenthaltung solcher Informationen als einen *moralisch* ungerechtfertigten Paternalismus ansehen kann, stellt sich auch die *verfassungsrechtliche* Frage, ob eine solche Ein-

57 DEUTSCHE FORSCHUNGSGEMEINSCHAFT 1999, 19.

58 ETHIK-BEIRAT BEIM BUNDESMINISTERIUM FÜR GESUNDHEIT 2000.

schränkung mit dem Recht auf informationelle Selbstbestimmung in Einklang zu bringen wäre.

Ähnliche Fragen stellen sich auch im Hinblick auf den Arztvorbehalt:

- Sofern der Arztvorbehalt mit der Beschränkung auf gesundheitliche Zwecke gekoppelt ist, stellt sich die Frage nach der moralischen bzw. rechtlichen Legitimation dafür, kompetenten Individuen Informationen über ihre genetische Ausstattung zu verweigern.
- Besteht eine solche Koppelung nicht – ist der Arzt also dazu berechtigt, auch medizinisch irrelevante Befunde zu erheben –, so stellt sich die Frage, warum nur Ärzte dazu berechtigt sein sollten, Befunde zu erheben, die *per definitionem* medizinisch irrelevant sind. In Zukunft könnten zum Beispiel im Rahmen der pharmakogenetischen Diagnostik Testverfahren relevant werden, die zwar erhebliche medizinische Relevanz haben, die aber dennoch vom Arztvorbehalt ausgenommen werden könnten.

Angesichts solcher Schwierigkeiten kann es nicht verwundern, dass es in der Diskussion auch Stimmen gibt, die den beiden genannten Einschränkungen zurückhaltend oder ablehnend gegenüberstehen. So kann man fragen, ob die Forderung nach einem Arztvorbehalt nicht eher einem medizinischen Standesinteresse als einer ethischen und sozialen Notwendigkeit entspringt. Zudem steht die Forderung nach einem Arztvorbehalt in einem Interessenkonflikt mit dem grundrechtlich verbrieften Anspruch des Bürgers auf freien Zugang zur Information und mit den marktwirtschaftlichen Interessen potentieller Anbieter genetischer Information, die heute in zunehmenden Maße keine approbierten Ärzte mit humangenetischer Fachausbildung sind.

Weder die Vor- und Nachteile der verschiedenen Regelungsoptionen, noch ihre Praktikabilität und rechtliche Stichhaltigkeit können hier detailliert diskutiert werden.[59] In einer soziologischen Perspektive stellt sich die skizzierte Debatte als eine Auseinandersetzung über die soziale Kontrolle und inhaltliche Normierung der genetischen Testpraxis dar: „Die Frage, wer die Tests kontrolliert und wer die Entscheidung über ihre Anwendung sowie über die aus einem positiven Testergebnis zu ziehenden Konsequenzen trifft, stellt sich als Frage danach, wer in der Lage ist zu normieren, *was eine gute oder schlechte Testpraxis ist.*“[60] Dass in solchen Auseinandersetzungen eine Vielzahl von zum Teil divergierenden Interessen und Perspektiven im Spiel ist, kann nicht verwundern und ist in einer pluralistischen Gesellschaft zunächst auch kein Grund zu Beunruhigung. Andererseits erübrigt sich auch unter solchen Bedingungen nicht die Notwendigkeit einer sozialverträglichen Gestaltung

[59] Vgl. BARTRAM et al. 2000.

[60] HENNEN, PETERMANN, SCHMITT 1996, 25.

des technologischen Fortschritts. Diese ist nur möglich, wenn sinnvolle und übersichtliche rechtliche Rahmenbedingungen geschaffen werden.

2. Die Trias „Beratung – Diagnose – Beratung"

Genetische Daten sind eng mit dem Kern der Persönlichkeit von Menschen verbunden, und ihre Auswertung kann gravierende Konsequenzen für das Leben der Betroffenen nach sich ziehen. Von herausragender Bedeutung ist daher die Sicherstellung einer qualifizierten Beratung von Patienten bzw. Ratsuchenden. Nach einhelliger Auffassung der von uns befragten Experten ist eine solche Kopplung unverzichtbar.

Gegenwärtig ist eine – im Zuge der Vereinfachung, Verbilligung und Vervielfältigung genetischer Testverfahren voraussehbar weiter zunehmende – Diskrepanz zwischen Diagnose- und Beratungskapazitäten zu beklagen. An dieser Stelle ist eine politische Intervention erforderlich, soll das von allen an der Diskussion Beteiligten für wünschenswert oder sogar unverzichtbar gehaltene Junktim zwischen Beratung und Diagnose unter praktischen Bedingungen, insbesondere hinsichtlich personeller und ökonomischer Ressourcen, durchführbar sein und auch eingehalten werden. Ein erster wichtiger Schritt in diese Richtung müsste darin bestehen, geeignete politische Maßnahmen zu ergreifen, die dazu führen, dass die im Sozialgesetzbuch vorgesehen Qualifikationsvereinbarungen auch im Bereich der Humangenetik zustande kommen. In eine solche Qualitätsvereinbarung wäre auch das Junktim von Beratung und Diagnose bzw. der Dreischritt „Beratung – Diagnose – Beratung" einzubetten. Zu prüfen wäre darüber hinaus, welche (gesetzgeberischen) Möglichkeiten es gibt, Beratungsangebote so „attraktiv" zu machen, dass sie auch tatsächlich angeboten werden.

Von verschiedenen Seiten wird in diesem Zusammenhang auch die Forderung erhoben, zu einer Verbesserung der Beratungssituation vor einer Pränataldiagnostik zu gelangen; wobei insbesondere neben der medizinischen bzw. humangenetischen Kompetenz auch die in Beratungssituationen erforderliche psychosoziale Beratungskompetenz betont wird. Als erstes Bundesland hat beispielsweise Bremen eine interdisziplinär besetzte *Beratende Kommission Humangenetik* eingerichtet, die zwischenzeitlich eine „Stellungnahme zur Verbesserung der Beratungssituation vor Pränataldiagnostik in Bremen" vorgelegt hat.[61] Generell wird – insbesondere von Seiten der Humangenetiker – an der Forderung festgehalten, dass in den Beratungsprozess die Kompetenz eines Humangenetikers obligatorisch einbezogen werde. Dies unter anderem deshalb, weil bislang nur innerhalb der Humangenetik Beratungskonzepte fest etabliert seien und weil der nicht-humangenetische Arzt sich in der Regel auf einzelne Patienten konzentriere und nicht auch – wie in der Human-

[61] BERATENDE KOMMISSION HUMANGENETIK 1997.

genetik üblich – die Implikationen von Diagnosen für die Familienmitglieder mitberücksichtige.

Zu prüfen wäre, ob eine differenzierte Beratungspflicht vor Inanspruchnahme eines genetischen Tests je nach Testangebot sinnvoll ist. Kriterien könnten hierbei etwa die prognostische Aussagekraft und die Validität von Testverfahren oder auch die Wahrscheinlichkeit sein, mit der Testergebnisse bei Betroffenen möglicherweise zu (existentiellen) psychischen Belastungen führen. Praktisch wäre dies beispielsweise dadurch zu realisieren, dass bestimmte Testangebote entweder unter den Arztvorbehalt gestellt werden oder zumindest nicht „über den Ladentisch" direkt an Konsumentinnen und Konsumenten verkauft beziehungsweise nur von besonders ausgewiesenen Labors durchgeführt werden dürfen.

3. Qualitätssicherung

Viele der derzeit existierenden Testmöglichkeiten sind noch mit erheblichen methodischen Unsicherheiten belastet. Ihre Aussagekraft ist oft zweifelhaft. Daraus entspringen zahlreiche Aufgaben für die Qualitätssicherung und Qualitätskontrolle. Durch geeignete Vorkehrungen müssen

- die technische Qualität der Tests (Validität, Reproduzierbarkeit usw.),
- die Beherrschung der Technik im Laborkontext, und
- eine angemessene Interpretation der Testresultate im Rahmen der genetischen Beratung

sichergestellt werden. Auch unter der Voraussetzung, dass ein Test von klinischem Nutzen ist, kann sein prädiktives Potential nur dann sinnvoll ausgeschöpft werden, wenn ein klares *Präventionskonzept* vorhanden ist oder definiert wird.

Will man die Qualitätssicherung nicht einfach dem „freien Spiel der Marktkräfte" überlassen, dann bieten sich zur Sicherstellung der in diagnostischen Laboratorien erbrachten Leistungen verschiedene Regelungsoptionen an, die einander keineswegs ausschließen müssen:

- *Freiwillige Zertifizierung von Laboratorien.* Bislang sind Zertifizierungsmaßnahmen freiwillig und besitzen im Wesentlichen einen gewissen Werbecharakter für die jeweiligen Labore. Attraktiv ist eine freiwillige Zertifizierung oder Akkreditierung von Laboren für Nutzerinnen und Nutzer genetischer Testverfahren freilich nur unter der Voraussetzung, dass das Angebot transparent gestaltet ist. Freiwillige Zertifizierungsmaßnahmen könnten über ihre Werbewirkung hinaus einen weitergehenden Effekt insbesondere dann haben, wenn Krankenkassen Leistungen nur noch mit akkreditierten Labors abrechnen. Zumindest ließe sich im Rahmen der vertragsärztlichen Versorgung fordern, dass die Krankenkassen nur dann Geld geben, wenn das Labor die Akkreditierung nachweisen kann.

- *Kassenabrechnung als Steuerungsinstrument.* Da – zumindest innerhalb des etablierten Medizinsystems – eine nur geringe Neigung dazu besteht, Testverfahren einzusetzen, wenn diese nicht durch Kassen abgerechnet werden können, könnte sich auch die *Ärztliche Gebührenordnung* als Steuerungsinstrument eignen. So könnte man zum Beispiel im Rahmen der vertragsärztlichen Versorgung fordern, dass die Krankenkassen genetische Tests nur dann finanzieren, wenn das Labor, das die Testung durchführt, eine Akkreditierung nachweisen kann.
- *Institutionelle Regelungen.* Schließlich wird die Einrichtung einer zentralen Kommission bzw. eines zentralen Gremiums diskutiert, das – neben anderen Aufgaben – auch Richtlinien für die Zulassung von neuen Tests und Qualitätsanforderungen an bearbeitende Labors formulieren, deren Einhaltung überwachen, die Entwicklungen im Bereich des genetischen Testens kontinuierlich beobachten und Bericht erstatten könnte.

Die meisten der von uns befragten Experten gehen davon aus, dass die Qualitätssicherungsprobleme im Rahmen einer organisierten Selbstkontrolle weitgehend gelöst werden können, so dass die staatliche Fremdkontrolle in Maßen gehalten werden sollte. Gleichwohl wäre darüber nachzudenken, inwieweit gesetzliche Grundlagen diesen Prozess durch das Setzen von Rahmenbedingungen zu unterstützen vermögen. Hier könnte der Blick auf im Ausland vorliegende Regelungen vielleicht instruktiv sein. So verlangt etwa das österreichische Gentechnikgesetz von 1994, dass das ausführende Labor für seine Zulassung über angemessene Qualifikationen und Erfahrungen der Mitarbeiter sowie ausreichende Maßnahmen zur Sicherstellung der Qualität (gemäß dem jeweiligen Stand des wissenschaftlich-technischen Wissens) verfügen muss und die gewonnenen Daten strikten Schutzvorkehrungen unterliegen. Auch auf *internationaler Ebene* existiert mittlerweile eine Reihe von Initiativen und Institutionen, die insbesondere der Harmonisierung der nationalen Qualitätssicherungsmaßnahmen im Bereich der Labordiagnostik dienen.

4. Datenschutz

Schließlich ergeben sich spezifische Regelungsprobleme hinsichtlich des Datenschutzes: Neben Fragen nach der Zulässigkeit bzw. den Voraussetzungen von Datenerhebungen betrifft dies vor allem die Regelung des Zugriffs auf und die Verwendung von genetischen Daten, insbesondere um Gefahren einer „genetischen Diskriminierung" vorzubeugen. Zu den Folgen der Ausweitung der genetischen Diagnostik wird es gehören, dass immer mehr genetische Daten über Patientinnen und Patienten sowie über Nutzerinnen und Nutzer von Gentests erhoben, gesammelt und gespeichert werden.

Von anderen Daten unterscheiden sich genetische Daten in mehrfacher Hinsicht: *Erstens* beziehen sich genetische Daten – zumindest teilweise – auf den Kernbereich der Persönlichkeit eines Menschen bzw. auf deren biologische Grundlagen. Die persönliche Natur der Informationen, die in der DNA eines Menschen enthalten ist, lässt sich, wie Annas et al. in ihrer Einleitung zu einem US-amerikanischen Gesetzentwurf, der den Umgang und den Schutz genetischer Daten zum Gegenstand hat, meinen, am besten illustrieren, indem man sie als eine Art von „zukünftigem Tagebuch" einer Person versteht: „A diary is perhaps the most personal and private document a person can create. It contains a person's innermost thoughts and perceptions, and is usually hidden and locked to assure its secrecy. Diaries describe the past. The information in one's genetic code can be thought of as a coded probabilistic future diary because it describes an important part of a unique and personal future."[62] *Zweitens* besitzen genetische Daten einen prädiktiven Wert im Hinblick auf die Gesundheit und die Lebenserwartung, möglicherweise auch im Hinblick auf bestimmte Verhaltensdispositionen eines Menschen. Und *drittens* geben sie darüber hinaus Aufschluss nicht nur über genetisch bedingte Eigenschaften der Person, von der die Daten stammen, sondern über genetisch bedingte Eigenschaften ihrer Familienangehörigen. Genetische Daten sind daher besonders sensible Daten und bedürfen eines speziellen Schutzes.

Der Schutz genetischer Daten darf sich allerdings nicht nur auf solche Daten beschränken, die im engeren Sinne Ergebnis einer genanalytischen Untersuchung sind. Letztlich geht es beim Schutz von Daten vor allem darum, dass *alle* Daten schutzwürdig sind, unabhängig davon, mit welchen *Methoden* sie erhoben wurden. Es geht um den Schutz genetischer Informationen, die die Persönlichkeitsrechte – insbesondere das Recht auf informationelle Selbstbestimmung – betreffen. Entscheidend ist das prädiktive Potential.[63] Ähnlich argumentiert auch Wiese: „Entscheidend ist nicht die Art des Verfahrens, sondern die dadurch ermöglichte Offenlegung genetischer Merkmale."[64] Maßgeblich für eine noch zu treffende gesetzliche Regelung zum Schutz der in diesem Zusammenhang verarbeiteten Daten müssen somit nicht so sehr die eingesetzten Untersuchungsmethoden, als vielmehr die mit den jeweiligen Untersuchungen erzielten oder zu erzielenden Befunde sein.

Genetische Daten sind unter anderem aus den folgenden Gründen besonders gefährdet:

- *Genetische Daten sind leicht zu gewinnen.* Ein absoluter Schutz genetischer Daten vor dem unberechtigten Zugriff durch Dritte ist aus prinzipiellem Gründen nicht möglich, da mit genanalytischen Methoden theoretisch genetische Daten einer Person erhoben werden können, ohne dass diese davon weiß. Da das Erbgut eines Menschen in jeder Zelle abgespeichert ist, enthält prinzipiell alles biologische Material eines Menschen, von einem beim Frisör liegen gebliebenen Haar bis zum Speichelrest auf einer Briefmarke, die genetischen Informationen eines Menschen und könnte prinzipiell auf alle möglichen Eigenschaften hin untersucht werden.

[62] ANNAS, GLANTZ, ROCHE 1996, i.
[63] HUBER 1994, 117 f.
[64] WIESE 1994, 126.

- *Genetische Daten werden in Zukunft an einer immer größeren Zahl von Stellen ohnehin anfallen.* Dies führt zunächst dazu, dass in immer größerem Umfang genetische Daten über Menschen bei verschiedenen Stellen und Institutionen vorliegen, gesammelt und gespeichert werden. Dies ist unter anderem deshalb problematisch, weil vorliegende Daten auch für anderweitige Zwecke ausgewertet werden können. Es besteht also, mit anderen Worten, die Gefahr einer *Zweitauswertung* von genetischen Daten zu Zwecken, denen die getestete Person nicht zugestimmt hat. Dass diese Gefahr durchaus real ist, zeigt das Beispiel einer Firma in den USA, die solche erneuten Auswertungen gespeicherter Gensequenzen Privatpersonen sogar direkt anbietet, damit diese sich über in ihrem persönlichen Erbgut neu entdeckte Gene und mögliche Gendefekte informieren lassen können.[65]
- *Genetische Daten sind darüber hinaus auch für Dritte „interessant".* Genetische Informationen können nicht nur für die Person, von der sie stammen, sondern auch für eine Vielzahl von anderen Personen und Institutionen im Hinblick auf unterschiedliche Verwendungszwecke von Interesse sein. Dazu gehören zum Beispiel Familienangehörige ebenso wie privatwirtschaftliche Unternehmen, Arbeitgeber, Versicherungen, Strafverfolgungsbehörden, Bundeswehr und sonstige öffentliche Institutionen sowie wissenschaftliche Einrichtungen und Betreiber von Forschungsprojekten.

In vielen Fällen entsteht daher ein struktureller Konflikt: Einerseits ist die Verfügung über genetische Daten für die getestete Person häufig unter medizinischen Aspekten sinnvoll und nützlich; andererseits ist der Schutz genetischer Daten (wenn sie einmal existieren) schwer zu gewährleisten. Um genanalytische Verfahren effektiv nutzen zu können, gleichwohl jedoch den mit ihrer Anwendung im Hinblick auf die Erfordernisse des Datenschutzes verbundenen besonderen Risiken wirksam begegnen zu können, sind daher Regelungen erforderlich, die eindeutig festlegen, welche Personen oder Institutionen zur Gewinnung, Sammlung, Weitergabe oder Verarbeitung genetischer Daten berechtigt sind und welche Voraussetzungen an eine legitime Gewinnung, Sammlung, Weitergabe oder Verarbeitung von genetischen Daten zu knüpfen sind, einschließlich eines ausdrücklichen, strikten Verbotes aller Nutzungs- und Verarbeitungsmöglichkeiten dieser Daten. Konkreter wären bei einer Regelung insbesondere die folgenden Aspekte zu berücksichtigen:

- Genetische Daten dürfen nicht ohne Wissen und Einwilligung des Untersuchten erhoben, abgespeichert und in irgendeiner Weise verwendet werden. Die Durchführung genanalytischer Untersuchungen bedarf – mit wenigen definierten Ausnahmen – der informierten Einwilligung der bzw. des Betroffenen. Diese Einwilligung muss jederzeit widerrufbar sein. Von besonderer Bedeutung ist es daher, die legalen Möglichkeiten der Gewinnung und Speicherung genetischer Daten zu

[65] KOLATA 1996.

begrenzen und jede nicht-autorisierte Form der Gewinnung und Speicherung genetischer Daten zu verbieten.[66]

- Die Betroffenen müssen sowohl das Recht haben, den Zweck zu bestimmen, zu dem das biologische Material, das im Zusammenhang einer genetischen Untersuchung anfällt, analysiert wird, als auch ein Recht darauf, zu jedem Zeitpunkt die Vernichtung des vorliegenden biologischen Materials anzuordnen.
- Darüber hinaus müssen Betroffene die Möglichkeit haben, die Richtigkeit gespeicherter genetischer Daten überprüfen zu lassen. Dies gilt insbesondere auch für solche Daten, über die Behörden, Arbeitgeber, Versicherer etc. möglicherweise verfügen.
- Bei der Durchführung anonymer Tests muss die Verfügungsgewalt über die anfallenden genetischen Daten (gesetzlich) geklärt werden.
- Der Datenschutz sollte alle möglichen genetischen Daten abdecken, unabhängig davon, ob sie mit genetischen Tests erhoben oder auf anderem Wege gewonnen wurden. Ziel muss der Schutz genetischer Informationen sein, die die Persönlichkeitsrechte – insbesondere das Recht auf informationelle Selbstbestimmung – betreffen.
- Es sollte sichergestellt werden, dass bei einer genetischen Untersuchung keine Daten „nebenher" erhoben werden, die nicht der Beantwortung der primären Fragestellung der Untersuchung dienen, vor allem keine medizinisch „irrelevanten" Daten, etwa zu Verhaltensbesonderheiten der untersuchten Person. „Jede Genomanalyse muß zweckorientiert vorgenommen werden. Es ist diejenige genomanalytische Methode zu wählen, die keine oder die geringste Menge an Überschußinformationen bringt. Überschußinformationen sind unverzüglich zu vernichten."[67]
- Das Problem der Möglichkeit einer zweckverändernden Nutzung bzw. Zweitauswertung genetischer Daten muss gelöst werden. Grundsätzlich muss sichergestellt werden, dass jede zweckverändernde Nutzung der Zustimmung der betroffenen Person bedarf.
- Insofern genetische Datenbanken angelegt werden oder genetische Daten in Patientenberichten usw. Eingang finden, muss dies gegenüber unbefugten Personen und Institutionen zugriffssicher (durch Anonymisierung und andere Vorkehrungen) geschehen. Geprüft werden muss, ob die üblicherweise angewendeten Verfahren der Anonymisierung von genetischen Patientendaten vor ihrer Aufnahme in größere Datenbanken noch als ausreichender Schutz angesehen werden kann, wenn – im Zuge einer Zusammenführung von Daten aus verschiedenen Quellen – die Möglichkeit besteht, vorhandene genetische Profile mit anderen personbezogenen Daten in einer Weise abzugleichen, die eine eindeutige Identifizierung nachträglich möglich macht. Es ist wichtig, hierbei auch die besondere Schutzbedürftigkeit gelagerter Gewebeproben zu bedenken, insofern sich aus

[66] ANNAS, GLANTZ, ROCHE 1996, vi.

[67] LANDESBEAUFTRAGTER FÜR DEN DATENSCHUTZ NORDRHEIN-WESTFALEN, 173-175.

solchen Proben relativ leicht genetische Profile erstellen lassen, mit denen dann in medizinischen Datenbanken nach den zugehörigen Patientendaten gefahndet werden kann.[68]

- Ein besonderes datenschutzrechtliches Problem ergibt sich aus der Möglichkeit, dass gesammelte Daten erst späterhin – wenn entsprechende wissenschaftliche Erkenntnisse oder methodische Zugriffsmodalitäten bestehen – neue Aufschlüsse erlauben, die zum Zeitpunkt des Tests noch gar nicht absehbar waren. Besonders die Verknüpfung der genetischen Daten von zahlreichen Personen kann zu neuen Fragestellungen und Einsichten führen, die möglicherweise für die betroffenen Personen von Nachteil sind (sofern die Anonymität der Proben nicht gewahrt bleiben kann).

5. Zentrale Gendiagnostik-Kommission

In verschiedenen Staaten hat die Diskussion zur Formulierung gesetzlicher Regelungen (vgl. zum Beispiel das österreichische Gentechnikgesetz von 1994 oder den schweizerischen Entwurf für ein Bundesgesetz über genetische Untersuchungen beim Menschen vom September 1998) bzw. zur Einrichtung zentraler nationaler Kommissionen geführt. Einige der von uns befragten Expertinnen und Experten waren der Meinung, dass die Einrichtung einer zentralen Gendiagnostik-Kommission auch für die Situation in Deutschland bedenkenswert wäre.

Die Einführung eines nationalen zentralen Gremiums wird in Deutschland gegenwärtig vor allem hinsichtlich der Beurteilung und Kontrolle der Durchführung von Screening-Programmen im allgemeinen diskutiert.[69] Überlegenswert wäre jedoch, ob der Aufgabenbereich einer entsprechenden Kommission nicht, wie zum Beispiel in den USA oder in Großbritannien gefordert und teilweise bereits geschehen, über genetische Screening-Programme hinaus auf den ganzen Bereich genetischer Tests ausgeweitet werden kann. So hat beispielsweise die *Task Force on Genetic Testing* in den USA die Einberufung eines *Advisory committee on genetic testing* beim *Secretary of Health and Human Services* (HHS) gefordert. Die Aufgabe dieses Komitees wird folgendermaßen beschrieben: „The committee would [...] ensure that (a) the introduction of new genetic tests into clinical use is based on evidence of their analytical and clinical validity, and utility to those tested; (b) all stages of the genetic testing process in clinical laboratories meet quality standards; (c) health providers who offer and order genetic tests have sufficient competence in genetics and genetic testing to protect the well-being of their patients; and (d) there be continued and expanded availability of tests for rare diseases.“[70]

---

[68] Vgl. WESS 1998, 48.
[69] ROHDEWOHLD 1997, 496.
[70] HOLTZMANN, WATSON 1997.

Dem Vorschlag der *Task Force* zufolge sollten die Mitglieder dieses Gremiums „represent the stakeholders in genetic testing, including professional societies (general medicine, genetics, pathology, genetic counseling), the biotechnology industry, consumers, and insurers, as well as other interested parties. The various HHS agencies with activities related to the development and delivery of genetic tests should send nonvoting representatives to the advisory committee, which can also coordinate the relevant activities of these agencies and private organizations.“[71]

Bereits 1993 war auch vom *Nuffield Council on Bioethics* in Großbritannien in seinem Bericht über die ethischen und sozialen Aspekte genetischer Testverfahren die Einrichtung eines zentralen Gremiums empfohlen worden, das genetische Screening-Programme beurteilen und ihre Durchführung kontrollieren sollte. Drei Jahre später, 1996, hat die britische Regierung zwei Kommissionen einberufen, die sich mit der Bewertung neuer Verfahren in der Humangenetik befassen sollen[72]: „Aufgabe der HGAC (Human Genetics Advisory Commission) ist es, die Entwicklungen auf den Gebieten der medizinischen Genetik bzw. Humangenetik zu beobachten und ihre sozialen und ethischen Implikationen, das heißt vor allem ihre Auswirkungen auf das öffentliche Gesundheitswesen, auf die berufliche Sphäre sowie auf das Versicherungs- und Patentwesen zu bewerten. Die Kommission berichtet dem Gesundheits- und dem Handelsministerium. Zu den Aufgaben der ACGT (Advisory Committee on Genetic Testing) zählt die fachliche Beratung der Ministerien sowie die Erarbeitung von Richtlinien, die eine sichere Anwendung genetischer Testverfahren garantieren sollen.“[73]

Literatur

ANNAS, G.J., GLANTZ, L.H., ROCHE, P.A. (1996): *The Genetic Privacy Act and Commentary*, Boston (2nd pr.).

BACH, A. (1998): *Genomforschung: Aufbruch in ein neues Zeitalter der Medizin?* In: SCHNABL, H. (Hg.): Die neue Biotechnologie – Chancen für Deutschland, Bonn, 32-49.

BALL, S., BORMAN, N. (1998): *Pharmacogenetics and drug metabolism*, in: Nature Biotechnology 16, Suppl., 4-5.

BARTRAM, C.R., BECKMANN, J.P., BREYER, F., FEY, G., FONTASCH, C., IRRGANG, B., TAUPITZ, J., SEEL, K.-M., THIELE, F. (2000): *Humangenetische Diagnostik. Wissenschaftliche Grundlagen und gesellschaftliche Konsequenzen*, Berlin, Heidelberg.

---

[71] Ibid., 7.

[72] ROHDEWOHLD 1997, 496.

[73] Ibid., 496 f.

BAYERTZ, K., SCHMIDTKE, J. (1994): *Genomanalyse: Wer zieht den Gewinn? Ethische und soziale Probleme der molekulargenetischen Diagnostik erblich bedingter Erkrankungen*, in: Mannheimer Forum 93/94, München.

BELL, J., TAYLOR, J. (1998): *Pharmacogenomics: A New Approach To Targeting Therapies*, SCRIP-Reports, Richmond.

BERATENDE KOMMISSION HUMANGENETIK (1997): *Stellungnahme zur Verbesserung der Beratungssituation vor Pränataldiagnostik in Bremen*, Bremen.

BUND-LÄNDER-ARBEITSGRUPPE „GENOMANALYSE" (1990): *Abschlußbericht „Genomanalyse"*, Bundesanzeiger Nr. 161a (29. 8. 1990), Bonn.

CHUSTECKA, Z. (1998): *The impact of genomics on drug discovery*, in: SCRIP – World Pharmaceutical News 22 (10. 4. 1998), 1-3.

COUNCIL OF EUROPE (1997): *Convention for the Protection of Human Rights and Dignity of the Human Being with Regard to the Application of Biology and Medicine: Convention on Human Rights and Biomedicine*, in: Jahrbuch für Wissenschaft und Ethik, Bd. 2, Berlin, New York, 285-303.

DEUTSCHE FORSCHUNGSGEMEINSCHAFT (1999): *Humangenomforschung und genetische Diagnostik. Möglichkeiten – Grenzen – Konsequenzen. Stellungnahme der Senatskommission für Grundsatzfragen der Genforschung*, Bonn.

DOLLERY, C.T. (1999): *Drug discovery and development in the molecular era*, in: British Journal of Clinical Pharmacology 47, 5-6.

ETHIK-BEIRAT BEIM BUNDESMINISTERIUM FÜR GESUNDHEIT (2000): *Prädiktive Gentests. Eckpunkte für eine ethische und rechtliche Orientierung*, abgedruckt in diesem Jahrbuch auf den Seiten 443-456.

GRAHAM-SMITH, D.G. (1999): *How will knowledge of the human genome affect drug therapy?*, in: British Journal of Clinical Pharmacology 47, 7-10.

HENN, W. (1998a): *Der DNA-Chip – Schlüsseltechnologie für ethisch problematische neue Formen genetischen Screenings?*, in: Ethik in der Medizin 10, 128-137.

– (1998b): *Predictive Diagnosis and Genetic Screening: Manipulation of Fate?*, in: Perspectives in Biology and Medicine 41 (2), 282-289.

HENNEN, L., PETERMANN, T., SAUTER, A. (2001): *Das genetische Orakel. Prognosen und Diagnosen durch Gentests – eine aktuelle Bilanz*, Berlin.

HENNEN, L., PETERMANN, T., SCHMITT, J.J. (1996): *Genetische Diagnostik – Chancen und Risiken. Der Bericht des Büros für Technikfolgen-Abschätzung*, Berlin.

HENTZE, M.W., KULOZIK, A.E., HAGEMEIER, CHR., BARTRAM, C.R. (1999): *Molekulare Medizin. Grundlagen – Pathomechanismen – Krankheitsbilder*, Berlin.

HODGSON, J., MARSHALL, A. (1998): *Pharmacogenomics: Will the regulators approve?*, in: Nature Biotechnology 16, Suppl., 13-15.

HOLTZMANN, N.A., WATSON, M.S. (eds.) (1997): *Promoting Safe and Effective Genetic Testing in the United States. Final Report of the Task Force on Genetic Testing*, http://www.nhgri.nih.gov/Elsi/TFGT_final/.

HOUSMAN, D., LEDLEY, F.D. (1998): *Why pharmacogenomics? Why now?*, in: Nature Biotechnology 16, Suppl., 2-3.

HUBER, W. (1994): *Medizinische Kriterien arbeitsmedizinischer Vorsorge und Überwachung in der Biotechnologie – Genanalytische Untersuchungsmethoden in der arbeitsmedizinischen Vorsorge*, in: IG METALL (Hg.): Sprockhöveler Gespräche – Förderung der Gesundheit oder Gesundheitskontrolle, Frankfurt a.M., 107-122.

KOLATA, G. (1996): *A headstone, a coffin and now, the DNA bank*, in: The New York Times, 24. 12. 1996, A1.

KRAWCZAK, M., SCHMIDTKE, J. (1994): *DNA-Fingerprinting*, Heidelberg, Berlin, Oxford.

LANDESBEAUFTRAGTER FÜR DEN DATENSCHUTZ NORDRHEIN-WESTFALEN: *10. Tätigkeitsbericht*.

LANZERATH, D. (1998): *Prädiktive genetische Tests im Spannungsfeld von ärztlicher Indikation und informationeller Selbstbestimmung*, in: Jahrbuch für Wissenschaft und Ethik, Bd. 3, Berlin, New York, 193-203.

MARSHALL, A. (1998a): *Laying the foundations for personalized medicines*, in: Nature Biotechnology 16, Suppl., 6-8.

– (1998b): *Getting the right drug into the right patient*, in: Nature Biotechnology 16, Suppl., 9-12.

QUAID, K.A., MORRIS, M. (1993): *Reluctance to Undergo Predictive Testing: The Case of Huntington Disease*, in: American Journal of Human Genetics 45, 41-45.

ROHDEWOHLD, H. (1997): *Die moderne Genetik: Von der Forschung in die medizinische Versorgung – soziale und ethische Implikationen für Nutzer und Anbieter. Tagungsbericht über den internationalen Workshop „The new genetics: From research into health care – social and ethical implications for users and providers" im Juni 1997 in Berlin*, in: Bundesgesundheitsblatt 12, 495-498.

SCHMIDTKE, J. (1997): *Vererbung und Ererbtes – Ein humangenetischer Ratgeber*, Reinbek bei Hamburg.

SCHÖLKENS, B. (1999): *Personalized Medicine Targets Drugs For Unique Profiles*, in: Wall Street Journal, April 1999.

SIMON, J. (2001): *Gendiagnostik und Versicherungen. Die internationale Lage im Vergleich*, Baden-Baden.

STAMATIADIS-SMIDT, H., ZUR HAUSEN, H. (Hg.) (1998): *Das Genom-Puzzle. Forscher auf der Spur der Erbanlagen*, Berlin, Heidelberg.

WESS, L. (1998): *Stand und Perspektiven der DNA-Chip-Technologie*, unveröffentlichtes Manuskript im Auftrag des Büros für Technikfolgenabschätzung beim Deutschen Bundestag (TAB), Hamburg.

WIESE, G. (1994): *Genetische Analysen und Rechtsordnung*, Berlin.

WILSON, C. (1998): *Pharmacogenomics: the future of drug development?*, in: SCRIP – World Pharmaceutical News 35 (1. 5. 1998), 1-3.

Zum Stellenwert der Ethik in der gegenwärtigen biopolitischen Diskussion

Kommentar zu den „Empfehlungen der Deutschen Forschungsgemeinschaft zur Forschung mit menschlichen Stammzellen"*

von Gerhard Höver

1. Kontext und Vorgeschichte

Strittigkeit der Ergebnisse liegt seit eh und je in der Natur ethischer Erwägungen. Unmittelbarer Grund dafür ist zumeist das Auftreten neuer Handlungsmöglichkeiten, die den Zielhorizont erweitern und somit im Kontext der bislang geltenden Mittel-Ziel-Relationen nicht mehr zureichend einer ethischen Orientierung zugänglich gemacht werden können. Nahezu regelmäßig geht dieser Prozess einher mit einer neuen Einschätzung der moralischen Relevanz der erreichbar gewordenen Zielgüter im Vergleich zu den bisherigen Gewichtungen. Beides zusammen – die Beurteilung der aktuellen wie der zu erwartenden Handlungsmöglichkeiten hinsichtlich ihrer Triftigkeit zur Erreichung hochrangiger Ziele einerseits und die kritische Prüfung bestehender Vorzugsregeln auf gegebenenfalls neue Anforderungsprofile und Angemessenheitserfordernisse andererseits – macht die „Dialektik" ethischer Reflexionsprozesse aus und erweckt nicht selten den Eindruck, es könne hierbei keine allgemein rational vermittelbaren Maßstäbe geben.

In keinem Bereich erleben wir diese Strittigkeit mit solcher Intensität und Deutlichkeit wie in der gegenwärtigen biopolitischen Debatte. Die rasanten Entwicklungen der Zellbiologie, welche die Züchtung menschlicher Zellen im Labor möglich gemacht hat, sowie der Molekulargenetik, deren potentielle Eingriffstiefe in das Leben überhaupt kaum abzuschätzen ist, haben die Biomedizin zu einem der größten Hoffnungsträger für die Zukunft moderner Gesellschaften werden lassen. Allein im wissenschaftlichen Handlungskontext der *Entscheidungen und Initiativen der DFG*

---

* Die *Empfehlungen der Deutschen Forschungsgemeinschaft zur Forschung mit menschlichen Stammzellen* vom Mai 2001 (DEUTSCHE FORSCHUNGSGEMEINSCHAFT 2001a) sind abgedruckt in diesem Jahrbuch auf den Seiten 349-385. Die *DFG-Stellungnahme zum Problemkreis „Humane embryonale Stammzellen"* vom März 1999 (DEUTSCHE FORSCHUNGSGEMEINSCHAFT 1999) ist abgedruckt in Band 4 (1999) des Jahrbuchs auf den Seiten 393-399.

zum Thema Stammzellforschung 1997-2001[1] spiegelt sich die der Natur ethischer Erwägungen eigene Strittigkeit fast überdeutlich wider. Der Stellenwert, der hierbei der Ethik gegeben wird, kommt schon in der Einrichtung der *Förderinitiative „Bioethik"* im Jahr 1997 zum Ausdruck. Zutreffend wird hierzu gesagt:

> „‚Bioethik' ist ein Kunstwort. Daß es sich in der wissenschaftspolitischen Diskussion in ganz Europa im Verlauf weniger Jahre so eingebürgert hat, ist ein Zeichen für die große gesellschaftliche Bedeutung, die heute nicht mehr nur [...] der Anwendung von Forschungsergebnissen der Biologie, sondern mittlerweile auch der biologischen Forschung selbst zugewachsen ist. Im Zentrum der aktuellen Diskussion steht die vor kurzem verkündete (nahezu) vollständige Entschlüsselung aller Bausteine des menschlichen Genoms. Die seither geführten Diskussionen haben deutlich gemacht, wie unmittelbar die Ergebnisse der Genomforschung nicht nur die gesellschaftlichen Verhältnisse im Großen, sondern jeden einzelnen betreffen können."[2]

Schon die *DFG-Stellungnahme zum Problemkreis „Humane embryonale Stammzellen"* vom 19. März 1999 entfaltet ein Zielspektrum der so genannten regenerativen und individualisierten Medizin, das auch weit diesseits utopischer Erwartungen dazu angetan ist, Hoffnungen zu wecken:

> „Die Möglichkeit, pluripotente menschliche Stammzellen in Kultur zu halten, eröffnet eine völlig neue Dimension medizinischer Forschung. Erstmals ist es beim Menschen möglich, die weitgehend unverstandenen, komplexen Prozesse der Gewebedifferenzierung und Organbildung in vitro zu studieren."[3]

Die Ziele dieser Forschung umfassen neben Grundlagenstudien zum Verständnis der Zelldifferenzierungs- und Reprogrammierungsmechanismen einschließlich der Faktoren möglicher Pathogenese in der Embryonalentwicklung die „Entwicklung neuartiger Medikamente aus der Kenntnis der Wirkungsmechanismen der Stoffe,

---

[1] DEUTSCHE FORSCHUNGSGEMEINSCHAFT (2001b): *Entscheidungen und Initiativen der DFG zum Thema Stammzellforschung 1997-2001*, http://www.dfg.de/aktuell/stellungnahmen/genforschung/stammzellen_historie.html. Vgl. ferner die Zusammenstellung der internationalen Dokumente zur Stammzellforschung im Dossier des Deutschen Referenzzentrums für Ethik in den Biowissenschaften: DEUTSCHES REFERENZZENTRUM FÜR ETHIK IN DEN BIOWISSENSCHAFTEN (2000): *Dossier Forschung an menschlichen embryonalen Stammzellen und Anwendung von Klonierungstechniken beim Menschen: November 2000*, Bonn.

[2] DEUTSCHE FORSCHUNGSGEMEINSCHAFT (2001C): *Förderinitiative „Bioethik"*, http://www.dfg.de/aktuell/stellungnahmen/genforschung/bioethik_aus_jahresbericht_2000.html.

[3] DEUTSCHE FORSCHUNGSGEMEINSCHAFT (1999): *DFG-Stellungnahme zum Problemkreis „Humane embryonale Stammzellen"*, in: Jahrbuch für Wissenschaft und Ethik, Bd. 4, Berlin, New York, 393-399, 393.

die an der Zelldifferenzierung beteiligt sind", sowie toxikologische Untersuchungen *in vitro* mit vergleichsweise großer Zuverlässigkeit; schließlich steht im Zielspektrum auch die „Entwicklung von Zelltransplantationstherapien für Erkrankungen, für die derzeit noch keine Therapieverfahren zur Verfügung stehen, wie die Alzheimersche Krankheit, und für Erkrankungen, für die eine Verbesserung der Behandlungsmöglichkeiten dringend erforderlich wäre, wie Herz-Kreislauf-Erkrankungen, Krebs, Diabetes oder Krankheiten des Nervensystems, z.B. der Parkinsonschen Krankheit. Ein langfristiges Ziel besteht in der Generierung komplexer Gewebeverbände oder ganzer Organe, die die derzeitigen Engpässe und immunologisch bedingten Probleme sowie die Risiken einer Krankheitsübertragung bei der Organtransplantation umgehen könnten."[4]

Ungeachtet dessen, dass – wie die jüngsten Diskussionen um die Chancen der Stammzellforschung zeigen – viele dieser Ziele wie z.B. die Behandlung der Alzheimerschen Krankheit oder die Generierung ganzer Organe deutlich im Fernhorizont anzusiedeln sind, hat die DFG in der Stellungnahme von 1999 trotz der sich eröffnenden großen Chancen für die Medizin *rechtliche und ethische Bedenken* geltend gemacht, die derzeit keinen Handlungsbedarf für eine Änderung der deutschen Rechtslage angezeigt und stattdessen die Alternative der ethisch unbedenklichen Erforschung des Potentials der gewebespezifischen adulten Stammzellen angeraten sein lassen:

> „Die DFG wird [...] gezielt Forschungsvorhaben fördern, die darauf abzielen, pluripotente Zellen zu nutzen, ohne den Weg über totipotente Zellen zu gehen."[5]

Das setzt allerdings Klarheit über den Status menschlicher pluripotenter Zellen voraus. Bereits auf biologischer Ebene scheint hier ein Problem zu liegen:

> „Es ist nicht geklärt, inwieweit die nach den verschiedenen Methoden gewonnen pluripotenten Stammzellen wirklich identisch sind bzw. ein identisches Potential für die Gewebezüchtung haben. Dies kann nach der geltenden Rechtslage in Deutschland aber nicht festgestellt werden."[6]

Voraussetzung zur Klärung der Frage wäre eben eine vergleichende Forschung des Entwicklungspotentials humaner embryonaler Stammzellen und gewebespezifischer adulter Stammzellen hinsichtlich der Zelldifferenzierungs- und der Reprogrammierbarkeitsmechanismen. Hinzu käme eine genauere Abklärung des Totipotenz-Pluripotenz-Problems und der ein- bzw. auszuschließenden Möglichkeit der erneuten Ausbildung eines Stadiums der Totipotenz trotz induzierter Prozesse zur Ausbildung pluripotenter Entwicklungsstadien – eventuell auf der Basis vorangehender

---

[4] Ibid., 394.
[5] Ibid., 399.
[6] Ibid., 398.

Forschungen an Primatenembryonen.[7] Ob man angesichts dieser Problemkonstellation schon, wie es die DFG tut, von einem „*Dilemma*“[8] sprechen kann, das in den derzeitigen gesetzlichen Schranken des Embryonenschutzgesetzes nicht lösbar erscheint, mag bezüglich des biologischen Diskussionsstandes dahingestellt bleiben. Da man aber in Anbetracht des bereits bestehenden Handlungsfeldes nicht auf ein Ende dieser naturwissenschaftlichen Klärungsprozesse warten kann, ist es erforderlich, bereits jetzt in praktischer Hinsicht zu Grenzziehungen zu gelangen. Insofern ist es völlig richtig, wenn die DFG im März 1999 ein in der Sprache des Bundesverfassungsgerichts so zu bezeichnendes „*Untermaßverbot*“[9] formuliert hat:

> „Nach Meinung der DFG muß [...] in jedem Fall ausgeschlossen sein, daß sich aus ES- oder EG-Zellen Embryonen gleich welchen Erbguts entwickeln. Ebenso muß ausgeschlossen sein, daß Ei- oder Samenzellen aus menschlichen Stammzellen erzeugt und bei der Imprägnierung einer Eizelle und deren Weiterentwicklung verwendet werden. Außerdem ist durch effektive Maßnahmen sicherzustellen, daß das Klonen von Menschen oder die Erzeugung von Menschen mit künstlich verändertem Erbgut ausgeschlossen bleiben.“[10]

In diesem „Untermaßverbot“ als einem Normniveau, das auf keinen Fall unterschritten werden darf, ist der bestehende Konsens über die rechtlich-ethische Bewertung der Art und Weise der Gewinnung humaner Stammzellen wie in einer Generalklausel zusammengefasst. Es beinhaltet die international konsentierte Ächtung von „Praktiken, die der Menschenwürde widersprechen, wie Keimbahninterventionen und reproduzierendes Klonen von Menschen“[11], ferner die Verbotsschranken, die das Embryonenschutzgesetz der fremdnützigen Verwendung von und der verbrauchenden Forschung mit Embryonen setzt; schließlich berücksichtigt es auch trotz der vom Recht eingeräumten Möglichkeiten der Gewinnung von EG-Zellen aus abgetriebenen Feten die „ethischen Bedenken, da die Beachtung der Rechte der betroffenen Eltern und der gebotenen Pietätspflichten noch nicht die Gefahr ausräumt, daß die medizinische Verwendung von Gewebe abgetriebener Feten als nachträgliche ethische Rechtfertigung einer Abtreibung betrachtet werden“[12], d.h. den Tatbestand einer formellen *cooperatio ad malum* erfüllen könnte. So gesehen geht die Stellungnahme der DFG von 1999 noch von einem *relativ hohen*

---

[7] Vgl. hierzu DENKER, H.-W. (2000): *Embryonale Stammzellen und ihre ethische Wertigkeit: Aspekte des Totipotenz-Problems*, in: Jahrbuch für Wissenschaft und Ethik, Bd. 5, Berlin, New York, 291-304; KUMMER, C. (2000): *Stammzellkulturen – ein brisantes Entwicklungspotential*, in: Stimmen der Zeit 218, 547-554.

[8] DEUTSCHE FORSCHUNGSGEMEINSCHAFT 1999, 398 (Hervorhebung vom Verfasser).

[9] BVerfGE 88, 21, 203-366, 254 (Urteil vom 28. Mai 1993).

[10] DEUTSCHE FORSCHUNGSGEMEINSCHAFT 1999, 399.

[11] Ibid., 398.

[12] Ibid.

Konsensstand, was das Untermaßverbot bezüglich der „Arbeit an und mit Stammzellen des Menschen" betrifft, aus.

Nun ist das gesamte Forschungsgebiet der „Arbeit an und mit Stammzellen des Menschen" in so heterogene Handlungskontexte eingebunden, dass eine entsprechend den jeweiligen ethischen Implikationen *differenzierende Betrachtungsweise* unumgänglich ist. Das Bundesverfassungsgericht hat im Urteil vom 28. Mai 1993[13] trotz aller Widersprüchlichkeiten, Unzulänglichkeiten und Lücken auf der Basis seiner maßstäblichen Ausführungen zum Lebensschutz im Schwangerschaftskonflikt im Rahmen der staatlichen Schutzpflicht zumindest bezüglich der Frage, wie man im Horizont grundgesetzlicher Vorgaben bei in vielfacher Hinsicht schwierigen Problemlagen zu Regelungen gelangen kann, die den verfassungsmäßigen Grundgeboten näherkommen, einen *Verfahrensmodus* aufgewiesen, der durch die Unterscheidung dreier Ebenen auch für die Behandlung anderer Problemkomplexe hilfreich sein kann: (1) *zulässige, im Rahmen der Verfassung befindliche Einschätzungen;* (2) *notwendige Rahmenbedingungen auf der Basis eines Untermaßverbots;* und (3) *Bindungen bei der normativen Ausgestaltung der Begleitprozesse*. Die heutige Diskussion über die Wertungswidersprüche und den Stellenwert der Rechtsprechung des Bundesverfassungsgerichts zu den Fragen von Menschenwürde und Lebensbeginn ignoriert nicht selten diesen behutsam zu praktizierenden Verfahrensmodus.

Angewandt auf die Stellungnahme der DFG von 1999 lassen sich diese drei Betrachtungsebenen, auch wenn sie nicht ausdrücklich thematisiert sind, *de facto* leicht ausmachen. Sie helfen nicht nur, die gegenwärtigen Diskussionen besser zu strukturieren, sie lassen auch den Stellenwert der Ethik im Rahmen der biopolitischen Debatte präziser bestimmen, als dies bislang möglich war.

2. Zum Problem der grundrechtsrelevanten Einschätzungen

Auf der Ebene der zulässigen Einschätzungen geht es um die *Dignität und Realistik der Ziele* sowie um die Abschätzung der sich abzeichnenden *Problemlagen bei Anwendung der jeweils zuhandenen Mittel einschließlich der Alternativen*. In dieser Abschätzung können *Ziel-Konflikte, Mittel-Ziel-Konflikte sowie kontextbezogene Konflikte* in den Blick treten, die sich in Form von Dilemmasituationen beschreiben lassen, ohne dass damit allerdings schon bewiesen wäre, dass diese im Horizont von Freiheit als real unauflösbare Antinomien wirklich existent sind. Gerade die *kontextbezogenen Konflikte* nun, die sich aus dem die deutsche Forschungssituation kennzeichnenden und mit dem Embryonenschutzgesetz unmittelbar verknüpften Wertungsansatz in Beziehung zu anderen, außerhalb Deutschlands existierenden Wertungsansätzen erge-

[13] BVerfGE 88, 21.

ben[14], werden bereits 1999 deutlich artikuliert. So heißt es im Hinblick auf das Beispiel Großbritanniens:

> „Dieser in bestimmten Ländern vertretene andere Wertungsansatz wirft die Frage auf, ob es auch in Deutschland in Zukunft aus ethischer Sicht vertretbar erscheinen könnte, hinsichtlich der Forschung an und mit menschlichen Stammzellen stärker als bisher darauf abzustellen, ob die anzuwendenden Methoden und Techniken legitime therapeutische Ziele verfolgen. *Für* eine begrenzte Ermöglichung der Forschung an und mit embryonalen Stammzellen bzw. an und mit totipotenten Zellen, die durch einen Zellkerntransfer in eine enukleierte Eizelle entstanden sind, könnte das in dieser Forschung liegende diagnostische und therapeutische Potential und die Tatsache, daß in anderen Staaten die Möglichkeit für derartige Forschungsarbeiten besteht bzw. eröffnet wird, sprechen. Es wäre auch ethisch schwer vertretbar, später die aus diesen Forschungsarbeiten entwickelten therapeutischen Methoden übernehmen zu wollen, wenn vorher die Zulässigkeit der Forschung verneint wurde."[15]

Da die biomedizinische Forschung längst ein grenzüberschreitender Prozess geworden ist, bedarf es auch bei der Formulierung der notwendigen Rahmenbedingungen nicht nur nationaler, sondern auch *internationaler Standards*. Daher ist es für die DFG im Bereich der notwendigen Rahmenbedingungen unabdingbar, „auf die Entwicklung einheitlicher europäischer Standards hinzuwirken, die auch die gebotenen Risikoabschätzungen gegenüber fundamentalen und grundgesetzlich garantierten Lebenswerten wie der Menschenwürde und der Gesundheit einschließen".[16]

Freilich steht nach der wohl zutreffenden Einschätzung der DFG „der Meinungsbildungsprozeß über ethische und embryologische Fragen im Zusammenhang mit der Forschung an Stammzellen in Deutschland wie im Ausland noch am Anfang".[17] Dies kommt schon dadurch zum Ausdruck, dass die DFG bezüglich der wissenschaftlichen, rechtlichen und ethischen Begleitung von Forschungen mit EG- und ES-Zellen es bei der bloßen Forderung nach Einrichtung einer zentralen Kommission belässt, ohne explizite Bindungen bei der normativen Ausgestaltung des Verfahrens zu formulieren. Dies ist allerdings auch keineswegs bloße Experten/-innen-Sache, sondern Sache *allgemeiner biopolitischer Meinungsbildung auf breiter Basis*, wie sie in der Stellungnahme von 1999 mit Nachdruck eingefordert wird.

Am Ende dieser Stellungnahme geht die DFG noch von der Einschätzung aus, „daß angesichts der schnellen und überraschenden Entwicklungen auf diesem

---

[14] Vgl. DEUTSCHE FORSCHUNGSGEMEINSCHAFT (2001e): *Richtlinien zum Umgang mit humanen embryonalen Stammzellen im Ausland*, http://www.dfg.de/aktuell/stellungnahmen/genforschung/stammzellforschung_links.html.

[15] DEUTSCHE FORSCHUNGSGEMEINSCHAFT 1999, 398 f.

[16] Ibid., 399.

[17] Ibid.

Gebiet in den vergangenen zwei Jahren durch technische Modifikationen oder Weiterentwicklungen bislang bekannter Verfahren gewährleistet werden wird, daß zur Gewinnung von pluripotenten Zellen der Weg über totipotente Zellen vermeidbar ist."[18]

Mit den *Empfehlungen der Deutschen Forschungsgemeinschaft zur Forschung mit menschlichen Stammzellen* vom 3. Mai 2001[19] hat die DFG gerade diese Einschätzung geändert und damit einen *forschungspolitischen Kurswechsel* herbeigeführt. Vorgängig dazu hat die DFG sowohl das Schwerpunktprogramm „Embryonale und gewebespezifische Stammzellen: Regenerative Zellsysteme für Zell- und Gewebeersatz" (das so genannte Schwerpunktprogramm 1109 „Stammzellen") einschließlich der Errichtung eines begleitenden ethischen Diskussionskreises beschlossen als auch die deutsche Rechtslage zur „Einfuhr von humanen toti- und pluripotenten Stammzellen aus dem Ausland zu wissenschaftlichen Zwecken" gutachterlich klären lassen.[20] Die ethischen Fragen bei der Gewinnung bzw. bei der Verwendung von Embryonen bleiben im Rechtsgutachten mit Verweis auf die Stellungnahme vom März 1999 ausdrücklich ausgeklammert. Der inzwischen gestellte Antrag auf Forschung mit humanen embryonalen Stammzelllinien gab den Anstoß, auch den ethischen Hintergrund dieser Forschung eingehend zu reflektieren. Trotz weiter bestehender Priorisierung der Forschung mit adulten humanen Stammzellen aber hat der hier vollzogene Kurswechsel zusammen mit den praktischen Erkundungen möglicher Realisierungwege eine biopolitische Diskussion ausgelöst, die hinsichtlich des Engagements breiter Teile der Bevölkerung für viele doch unerwartet war.

Ansatzpunkt für die Neuorientierung der DFG ist die *Einschätzung der Chancen der Stammzellforschung*, die aufgrund der großen Fortschritte allein innerhalb der letzten zwei Jahre es als nicht mehr vertretbar erscheinen lasse, potentielle Patienten wie auch Wissenschaftler in Deutschland von diesen Entwicklungen auszuschließen. Wenngleich vor zu schnellen und zu hohen Erwartungen deutlicher noch als 1999 gewarnt wird, werden die Möglichkeiten, die diese Forschung bietet, als so bedeutsam erachtet, dass man hierauf nicht ohne Grund verzichten dürfe. *Damit ist mehr gesagt, als dass die Forschungsziele aufgrund ihrer Hochrangigkeit legitim sind, vielmehr sind sie*

---

[18] Ibid.

[19] DEUTSCHE FORSCHUNGSGEMEINSCHAFT (2001a): *Empfehlungen der Deutschen Forschungsgemeinschaft zur Forschung mit menschlichen Stammzellen*, http://www.dfg.de/aktuell/stellungnahmen/genforschung/empfehlungen_stammzellen_03_05_01.html (abgedruckt in diesem Jahrbuch auf den Seiten 349-385); vgl. auch die Pressemitteilung DEUTSCHE FORSCHUNGSGEMEINSCHAFT (2001d): *Neue Empfehlungen der DFG zur Forschung mit menschlichen Stammzellen*, http://www.dfg.de/aktuell/pressemitteilungen/forschungspolitik/presse_2001_16.html.

[20] Vgl. WOLFRUM, R., ZELLER, A. (1999): *Gutachten zur Einfuhr von humanen toti- und pluripotenten Stammzellen aus dem Ausland zu wissenschaftlichen Zwecken. Rechtslage in Deutschland* (11. November 1999), http://www.dfg.de/aktuell/stellungnahmen/genforschung/stammzellen_historie.html.

geradezu grundrechtsrelevant. So heißt es in den ausführlichen Empfehlungen der DFG vom 3. Mai 2001:

> „Die dargestellten Ziele der wissenschaftlichen Forschung sind als solche nicht nur ethisch und verfassungsrechtlich vertretbar, sondern geboten, denn die Verbesserung der medizinischen Versorgung des Menschen ist eine Aufgabe, der die medizinische Forschung verpflichtet ist. Insofern lassen sich mit der Stammzellforschung angestrebte therapeutische Ziele auf Art. 2 GG stützen. In diesem Zusammenhang ist darauf hinzuweisen, daß sich Deutschland durch seinen Beitritt zu dem Internationalen Pakt für wirtschaftliche, soziale und kulturelle Rechte dazu verpflichtet hat, die Rechte eines jeden ‚auf das für ihn erreichbare Höchstmaß an körperlicher und geistiger Gesundheit' zu schützen. Der Expertenausschuß dieses Paktes hat dieses Recht in seinem ‚General Comment' Nr. 14 (2000) näher ausdifferenziert. Zumindest bedarf danach eine vom Staat veranlaßte Einschränkung therapeutischer Möglichkeiten einer besonderen Begründung."[21]

Dies bedeutet nichts anderes, als dass für das Feld der Stammzellforschung *grundrechtliche Proportionalitäten* existieren, deren Klärung weder durch „bloße Deduktion aus übergeordneten Prinzipien" noch durch „rein situativ bestimmte Problemanalysen" erfolgen kann, sondern der *ethischen Urteilsfindung* obliegt, d.h. also der praktischen Urteilskraft bedarf:

> „Normative Orientierungen und Analyse des konkreten, zu bewertenden Lebenssachverhaltes stehen [...] in einem Wechselverhältnis. Erst im Lichte normativer Prinzipien werden ethische Konfliktlagen definierbar, umgekehrt erlaubt erst der Blick auf den jeweiligen Sachverhalt ein Formulieren konkreter Regeln und Grenzziehungen."[22]

Man kann diese Aussagen auch so interpretieren, dass im Hinblick auf das Forschungsfeld „Stammzellforschung" mit all den politischen, ökonomischen, rechtlichen und ethischen Implikationen eine die verschiedenen Handlungssituationen differenzierende Betrachtungsweise nicht nur angezeigt, sondern verfassungsrechtlich sogar geboten ist.

So strittig nun diese Urteilsfindung ist, so unstrittig ist die Existenz der vorauszusetzenden Ethik. Es ist die *Ethik der Menschenrechte mit ihrem Kerngehalt der Unantastbarkeit der Men-*

---

[21] DEUTSCHE FORSCHUNGSGEMEINSCHAFT 2001a, Juristischer Hintergrund, 16 (in diesem Jahrbuch: 361); vgl. zum „Recht eines jeden auf das für ihn erreichbare Höchstmaß an körperlicher und geistiger Gesundheit" : Internationaler Pakt über wirtschaftliche, soziale und kulturelle Rechte vom 19. Dezember 1966, Art. 12 (1), abgedruckt in: BUNDESZENTRALE FÜR POLITISCHE BILDUNG (Hg.) (1999): *Menschenrechte. Dokumente und Deklarationen*, 3. Aufl., Bonn, 59-70.

[22] DEUTSCHE FORSCHUNGSGEMEINSCHAFT 2001a, Ethischer Hintergrund, 31 (370).

schenwürde. So hat auch Bundeskanzler Gerhard Schröder in seiner Rede zur konstituierenden Sitzung des Nationalen Ethikrates deutlich gemacht:

> „Wohlgemerkt: Es geht nicht darum, an welchen Maßstäben wir die rechtlichen Rahmenbedingungen für die Nutzung der Gen- und Biotechnologie ausrichten wollen. Diese Maßstäbe sind bekannt. Sie ergeben sich aus der Grundlage unseres Zusammenlebens in einer freien, demokratischen Gesellschaft – und natürlich zuallererst aus der Grundsatznorm des Grundgesetzes, dem Artikel 1 nämlich, der festlegt, dass die Würde des Menschen unantastbar ist."[23]

Nun bringt die DFG im Rahmen der Maßstäbe ethischen Argumentierens neben der Würde des Menschen die *Forschungsfreiheit* und das *Recht auf Leben* gleicherweise als *Ausdruck grundlegender Ansprüche und Rechte* ins Spiel. Damit aber deutet sich eine gewisse *Disproportionalität der Zielgüter* an, da mit ihnen ein *jeweils verschiedenes Theorie-Praxis-Verhältnis* impliziert ist. Die inhaltliche Ausweisung des Rechts auf Leben ist primär Sache der praktischen Vernunft; wenngleich natürlich auch dieses Recht auf objektiven Erkenntnissen basieren muss, so genügt doch unter dem Aspekt der moralischen Verpflichtung schon die bloße Wahrscheinlichkeit, es mit einer menschlichen Person zu tun zu haben, um strikte Eingriffsverbote zu rechtfertigen. Umgekehrt reicht die Vermutung einer bedeutsamen Anwendbarkeit nicht aus, um daraus Begrenzungen anderer Grundrechte abzuleiten. Die Nichtbeachtung der unterschiedlichen Theorie-Praxis-Verhältnisse kann von vornherein den Stellenwert der Ethik im Prozess der geforderten Urteilsbildung einschränken und damit die ethische Urteilskraft beeinträchtigen, die zur Findung „vermittelnder Prinzipien für den konkreten Sachverhalt"[24] erforderlich ist. Da aber die Prinzipien der Menschenwürde und der Menschenrechte nur vermittels solcher Prinzipien ihre „entscheidungsorientierende Funktion entfalten"[25] können, bewirkt eine strukturelle Reduzierung der ethischen Urteilskraft eine Schwächung der entscheidungsorientierenden Bedeutung der Ethik in Problemkomplexen, die – wie die Stammzellforschung – wegen der unmittelbaren Grundrechtsrelevanz gerade auf solche Orientierung angewiesen sind.

Die *gegenwärtige biopolitische Diskussion* scheint von der quasi selbstverständlichen Voraussetzung auszugehen, dass der theoretischen Urteilsbildung über die Chancen und Möglichkeiten der Primat vor der praktisch-ethischen Urteilsfindung zukommt. So plädiert der britische Premierminister Tony Blair für eine klare Abfolge:

---

[23] SCHRÖDER, G. (2001): *Rede von Bundeskanzler Gerhard Schröder anlässlich der konstituierenden Sitzung des Nationalen Ethikrates*, 8. Juni 2001, Berlin, http://www.bundesregierung.de/dokumente/Rede/ix_43811_1706.html.

[24] DEUTSCHE FORSCHUNGSGEMEINSCHAFT 2001a, Ethischer Hintergrund, 32 (370).

[25] Ibid.

> „Schauen wir uns [...] zunächst die Fakten an, und entscheiden wir dann erst über ihre ethischen Folgen. Es besteht die Gefahr, dass wir, fast ohne es zu merken oder zu wollen, wissenschaftsfeindlich werden. Ich glaube, der Unterschied ist folgender: Unsere Überzeugung, was natürlich oder richtig ist, darf die Rolle der Wissenschaft bei der Wahrheitsfindung nicht behindern, sondern sie muß helfen zu urteilen, welche Konsequenzen oder Implikationen die von der Wissenschaft gefundene Wahrheit hat oder haben sollte.“[26]

Der Ansatz ‚*zunächst die Fakten, dann die Entscheidung über ihre ethischen Folgen*‘ scheint auf den ersten Blick etwas Plausibles zu haben; denn nur wenn man informiert ist, kann man über die ethischen Abgrenzungsfragen sachkompetent mitreden. So soll auch nach Ansicht des Bundeskanzlers der Nationale Ethikrat helfen, „den Stand der Wissenschaft zu erkennen. Denn nur wenn das geschieht, kann man auch Folgerungen daraus ziehen.“[27] Betrachtet man solche auf der pragmatischen Ebene durchaus plausiblen Ansätze von der Hintergrundproblematik her, wird eines klar: *Die Ethik kommt immer erst danach, und das heißt zu spät – zeitlich und sachlich.* Es nützt nicht sehr viel, Menschenrechte und Menschenwürde zu proklamieren, wenn man *de facto* deren „entscheidungsorientierende Funktion“ und damit die entscheidungsorientierende Funktion der Ethik selbst von vornherein nachsetzt und damit reduziert. An dieser *Strukturblindheit* leidet derzeit die ganze Debatte. Wenn man ähnlich in der DFG-Stellungnahme zu wenig beachtet, dass diese Problematik fast verdeckt schon auf der Ebene der grundrechtsrelevanten Einschätzungen beginnt, lassen sich auch die mit jeder Konkretionsstufe größer werdenden ethischen Herausforderungen nicht mehr in einer Weise bewältigen, die der anfangs vorausgesetzten Ethik entspricht.

3. Zur Frage der notwendige Rahmenbedingungen

Dies zeigt sich deutlich auf der zweiten Ebene der notwendigen Rahmenbedingungen für die Forschung mit menschlichen Stammzellen. Die Überlegungen der DFG zum ethischen Hintergrund verfolgen hierbei ein *zweistufiges Argumentationsverfahren. Zunächst* ist im Licht der zuvor aufgezeigten Prüfungsmaßstäbe zu fragen, „welcher ethische und rechtliche Status bzw. welche Schutzwürdigkeit menschlichen Embryonen in ihrer frühesten Entwicklung im Hinblick auf das Recht auf Leben

[26] BLAIR, T. (2000): *Wir werden Europa führen*, in: Frankfurter Allgemeine Zeitung 52, (8. Dezember 2000), 45.

[27] SCHRÖDER 2001.

zukommen."[28] Trotz allen Meinungsstreits liegt auch nach Einschätzung der DFG eine höchstrichterliche Rechtsprechung zu dieser Frage vor:

> „Das Bundesverfassungsgericht hat in seinen Entscheidungen zum Schwangerschaftsabbruch festgestellt, daß auch frühe Stadien menschlichen Lebens in den objektiven Schutzbereich des Rechts auf Leben einbezogen sind."[29]

Auf der *zweiten Argumentationsstufe* geht es um die Reichweite der Forschungsfreiheit. Diese ist verfassungsrechtlich gesehen ohne Zweifel weit zu definieren, wenigstens in dem Sinne, dass staatliche Forschungsreglementierungen stets begründungspflichtig sind:

> „Eine Begrenzung des Schutzbereiches der Forschungsfreiheit aus ethischen Gründen wird daher überwiegend abgelehnt."[30]

Am Ende der beiden Argumentationsgänge steht dann die für die konkrete Beurteilung ethisch und rechtlich maßgebliche „Abwägung von Lebensrecht und Forschungsfreiheit", die unter den „formalen Prinzipien von Widerspruchsfreiheit und Verhältnismäßigkeit"[31] steht.

Gerade an dieser Stelle kommt nun das nicht hinreichend entfaltete Bewusstsein der strukturellen Aspekte der Problematik zur Auswirkung. Es wird nämlich nicht deutlich genug gemacht, dass es bei der Ausformulierung der notwendigen Rahmenbedingungen um die *Strukturierung des Forschungsraums selbst vorab aller Einzelabwägungen* geht, um die ethische Qualifizierung des in Frage stehenden Handlungsraumes. Dieser *Forschungsraum* – darüber besteht Konsens – kann wegen der Interdependenzen kein rein nationaler mehr sein, er ist zumindest ein *europäischer*. Im Bereich der Biomedizin kann es gemäß den Worten des Bundeskanzlers bei seiner Rede vor dem Nationalen Ethikrat „eine beschränkte Debatte auf die Fragen, die sich im nationalen Maßstab stellen, gar nicht geben [...], weil das, was wir hier zu besprechen haben, längst Teil einer internationalen, mindestens aber einer europäischen Diskussion ist".[32] Es ist klar, dass wir die Fragen der Biotechnologie, der Genmedizin, der Lebenswissenschaften insgesamt nur dann der Problemgröße angemessen behandeln können, wenn wir gleichzeitig ein europäisches Bewusstsein dafür entwickeln. Das so genannte *europäische Bewusstsein* ist im Unterschied zur geschichtlich gewachsenen europäischen Identität jüngeren Datums. Es ist eine Folgeerscheinung der Geschehnisse des Ersten Weltkrieges (1914-1918) und fügt der bloßen historisch-biographischen Identität Europas eine moralische und politische

---

[28] DEUTSCHE FORSCHUNGSGEMEINSCHAFT 2001a, Ethischer Hintergrund, 32 (370).

[29] Ibid., 32 (371).

[30] Ibid.

[31] Ibid.

[32] SCHRÖDER 2001.

Dimension neuer Qualität hinzu: Es handelt sich um das Bewusstsein der *Notwendigkeit*, Europa zu schaffen. Die Entwicklung eines solchen Bewusstseins für den Stellenwert der Biomedizin im Hinblick auf die europäische Integration gehört somit zu den primären Rahmenbedingungen.

Unübersehbarer Ausdruck dieses Bemühens ist das Konzept des so genannten „*Europäischen Forschungsraums*", welches die Europäische Kommission am 21. Februar 2001 als *6. Forschungsrahmenprogramm 2002-2006* vorgelegt hat. Unter den wissenschaftlichen Schwerpunkten des 17,5 Milliarden Euro starken Programms steht an erste Stelle „Genomik und Biotechnologie im Dienste der Medizin". Ziel der Maßnahmen in diesem Bereich ist es, „Europa durch vereinte Forschungsanstrengungen dabei zu unterstützen, die Ergebnisse des Durchbruchs bei der Entzifferung der Genome lebender Organismen besonders zugunsten der Gesundheit der Bürger und zur Stärkung der Wettbewerbsfähigkeit der Biotechnologiebranche in Europa zu nutzen".[33] Zu den geplanten Maßnahmen der Gemeinschaft gehören neben der Erforschung der Grundlagen und Basisinstrumente der funktionellen Genomik deren medizinische Anwendung vor allem bei der Bekämpfung von Krebs, degenerativen Krankheiten des Nervensystems, Herz-Kreislauf-Erkrankungen und seltenen Krankheiten sowie bei der Erforschung der Entwicklung des Menschen, des Gehirns und der Alterung. Bei der Beteiligung an gemeinsam durchgeführten nationalen Programmen ist an assoziierte Staaten wie Island, Israel, Liechtenstein und Norwegen sowie an Beitrittsländer gedacht, was die Expansionsbewegung dieses Forschungsraums umso deutlicher erkennen lässt. Konsequenterweise ist im Ratsbeschluss dann auch von der weitgehenden „Öffnung des Programms für den Rest der Welt"[34] die Rede, und zwar im Sinne der Mitwirkungsmöglichkeit nicht assoziierter Drittländer.

Die Gefahr, die hier aufscheint, ist klar: Der Begriff eines europäischen Forschungsraums würde durch die Ausdehnung seines Umfangs in unterschiedslose Globalität dessen verlustig gehen, was seinen spezifischen Gehalt ausmacht, nämlich der Idee europäischer Einheit als einer durch europäisches Bewusstsein qualifizierten Identität. Rat und Kommission haben das drohende *Expansionsdilemma* wahrgenommen, wenn hinsichtlich der Bewertungskriterien europäischer Forschung die Bedeutung zweier *Schlüsselbegriffe* explizit betont wird: „*wissenschaftliche Spitzenleistungen*" und „*europäischer Mehrwert*". Während sich der erste Schlüsselbegriff von selbst versteht, ist der zweite noch recht interpretationsbedürftig. Im Rahmen des medizinischen Genomik- und Biotechnologieprogramms wird der Begriff ausschließlich

[33] KOMMISSION DER EUROPÄISCHEN GEMEINSCHAFTEN (2001): *Vorschlag für einen Beschluss des Europäischen Parlaments und des Rates über das mehrjährige Rahmenprogramm 2002-2006 der Europäischen Gemeinschaft im Bereich der Forschung, technologischen Entwicklung und Demonstration als Beitrag zur Verwirklichung des Europäischen Forschungsraums*, KOM (2001) 94 (21. Februar 2001), http://europa.eu.int/eur-lex/de/com/pdf/2001/de_501PC0094_02.pdf), 18.

[34] Ibid., 5.

durch den Vergleich der Forschungsinvestitionen in den USA und in der EU definiert: 70% der Genomikfirmen haben ihren Sitz in den Vereinigten Staaten, und ein beträchtlicher, noch wachsender Teil der privaten europäischen Investitionen fließt nach Amerika, so wird konstatiert. Daher müssen die Investitionen der EU spürbar erhöht und die Forschungstätigkeiten in Europa gebündelt werden.[35]

Wenn man den Schlüsselbegriff des *„europäischen Mehrwerts“* wirklich ernst nimmt, so steckt darin der Gedanke einer *Integration des europäischen Forschungsraums auf der Basis einer Ethik der Menschenrechte. Europa* nämlich ist nicht einfach ein geographisch vorgegebener Kontinent, sondern stellt nach einem treffenden Wort von Josef Isensee die *politische Erfindung eines Erdteils* dar[36], dessen Grenzen von den Grenzen der Organisation des politischen, kulturellen und ethisch-religiösen Willens von Europa bestimmt werden[37]. Es entspricht daher einer Eigentümlichkeit europäischer Zivilisationsgeschichte, die Ethik nicht nur als Antwort auf die Frage *Was ist das für den Menschen Gute?* zu verstehen, sondern zugleich auch als raumrelevanten Faktor, als strukturbildendes Element, das von innen heraus wirkt. Daraus lässt sich keinesfalls eine vergleichende Bewertung verschiedener Kulturräume und ihrer Strukturfaktoren ableiten; es ist lediglich ein Proprium, wie man in Europa „Einheit“ sieht und begreift. Von daher wäre eben auch für den Bereich der Biomedizin die *europäische Gewissensfrage* so zu formulieren: *Welche Realität gibt man der Ethik bei der Strukturierung des Forschungsraums Europa und bei der Bestimmung dessen, was „europäischer Mehrwert“ heißen könnte?* Ohne Zweifel wird Europa derzeit hinsichtlich seines Forschungsraumes bzw. seiner Forschungsräume durch die Formulierung der notwendigen Rahmenbedingungen gewissermaßen neu „vermessen“. Die „Vermessung“ der neuen Forschungsräume ist seit Abschluss der ersten Entschlüsselungsphase des menschlichen Genoms ein globales Problem.

So unterschiedlich die Praktiken dieser „Vermessung“ in den einzelnen Regionen sein mögen, so sicher ist die grundlegende *europäische „Maßeinheit“* zur Bestimmung dieses Forschungsraums und damit auch zur Bestimmung dessen, was „europäischer Mehrwert“ heißen könnte, die Überzeugung von der *Unveräußerlichkeit der Rechte des Menschen mit deren Kerngehalt der Unantastbarkeit der Menschenwürde.* Würde haben ist unverdiente Mitgift, die jedem Menschen vorab aller Leistungsfähigkeit mit seiner Existenz verliehen ist, biblisch ausgedrückt weder verdienbares noch weggebbares Geschenk der Gottebenbildlichkeit. Ihr Gehalt ist mit der Evidenz der sittlichen Grunderfahrung gegeben, unvertretbar in einer unabdingbaren Verantwortung zu stehen, die mit keiner konkreten Aufgabenerfüllung abgegolten werden

---

[35] Ibid., 18 f.

[36] Vgl. ISENSEE, J. (1994): *Nachwort. Europa – die politische Erfindung eines Erdteils*, in: ISENSEE, J. (Hg.): Europa als politische Idee und als rechtliche Form, 2. Aufl., Berlin, 103-138.

[37] Vgl. KÜHNHARDT, L. (1999): *Die Zukunft des europäischen Einigungsgedankens* (Discussion Paper 53, hg. vom Zentrum für Europäische Integrationsforschung, Rheinische Friedrich-Wilhelms-Universität Bonn), Bonn, 23.

könnte. Für die „Würde" kann es somit keinen äquivalenten Wert geben, gegen den sie verrechnet werden könnte. Kant spricht daher in seiner Tugendlehre auch von einem „absoluten innern Wert".[38] Auch derjenige, der gelernt hätte, diesen „absoluten innern Wert" und damit sich selbst zu schätzen, stünde nur je wieder an einem Neuanfang seiner sittlichen Verantwortung. Er wüsste lediglich um diesen Neuanfang, hätte aber keinen „Mehrwert" im Sinne eines Platzvorteils, der es ihm erlaubte, seine Ansprüche mit höherer Dignität aufzuladen und als größeren „Lebenswert" gegenüber anderen durchzusetzen. Wer sich in seinem „absoluten innern Wert" wirklich zu schätzen gelernt hat, würde umgekehrt wollen, sich selbst zurückzunehmen und dem anderen Raum zu geben, dass er in sein Dasein als Zweck an sich selbst kommt und es erlernen kann, sich selbst zu schätzen.

Dies will besagen, dass bereits im „Prinzip Menschenwürde" die Idee einer räumlich im Modus wechselseitiger Einschränkung zu verstehenden Freiheit enthalten ist. Vergegenwärtigt man sich, wie lange es gebraucht hat, diesen Gehalt der Menschenwürde in seinen grundrechtlichen Dimensionen als Strukturprinzip von Verfassungen zu begreifen, welche Verblendungen es gegeben hat und bis heute noch gibt, lässt sich erahnen, welcher Anstrengungen es bedürfen wird, die „Würde" in ihren Dimensionen des Menschenwürdigen im Forschungsraum Europa zu verorten und den Begriff des „europäischen Mehrwerts" in den Kategorien der Würde inhaltlich zu bestimmen. So werden beispielsweise „ethisch qualifizierte Integrierbarkeit" und „ethische Notwendigkeit" in einer solchen Kategorientafel anzusiedeln sein.

Indirekt kommt dieser raumstrukturierende Aspekt von Ethik auch in der Stellungnahme der DFG zum Ausdruck, wenngleich *ex negativo*. Hinsichtlich der geschichtlichen Verortung der ganzen Problematik der Forschung an und mit humanen Stammzellen ist sich die DFG „der Problematik bewußt, einerseits frühes menschliches Leben zu Forschungszwecken zwar nicht explizit herzustellen, andererseits aber doch zu verwenden. Sie ist der Meinung, daß der Rubikon in dieser Frage mit der Einführung der künstlichen Befruchtung überschritten wurde und daß es unrealistisch wäre zu glauben, unsere Gesellschaft könne in einem Umfeld bereits bestehender Entscheidungen zum Lebensrecht des Embryos (dauerhafte Aufbewahrung künstlich befruchteter Eizellen, Einführung von Nidationshemmern, Schwangerschaftsabbruch) zum status quo ante zurückkehren."[39]

Zumindest ist damit klar, dass der *Forschungsraum* nicht wie eine logisch vorauszusetzende *materia prima* kennzeichenlos ist, sondern eine geschichtlich gewordene

[38] Vgl. KANT, I. (1797): *Metaphysik der Sitten*, Tugendlehre, § 11, in: KANT, I.: Werke in zehn Bänden, hg. von WEISCHEDEL, W., Bd. 7, Darmstadt 1968, 569 (A 93); vgl. zu diesem Problemkreis HONNEFELDER, L. (1996): *Person und Menschenwürde*, in: HONNEFELDER, L., KRIEGER, G. (Hg.): Philosophische Propädeutik, Bd. 2: Ethik, Paderborn, 213-266; HÖFFE, O. (2001): *Rechtspflichten vor Tugendpflichten. Das Prinzip Menschenwürde im Zeitalter der Biomedizin*, in: Frankfurter Allgemeine Zeitung 53 (31. März 2001), 11.

[39] DEUTSCHE FORSCHUNGSGEMEINSCHAFT 2001a, 6 f. (Nr. 14) (352).

Vorstrukturierung aufweist, die in Differenz zu seiner apriorischen Merkmalsauszeichnung steht. Zu dieser *Merkmalsauszeichnung* gehört in jedem Fall die primäre Orientierung der Biomedizin insgesamt am Schutz von Würde und Identität aller Menschen. Dieses Prinzip begründet in unmittelbarer Folge den Vorrang der Interessen und des Wohlergehens des Menschen vor den alleinigen Interessen von Gesellschaft oder Wissenschaft, wie es – und darin liegt die große Bedeutung – das *Menschenrechtsübereinkommen zur Biomedizin* von 1997 in den ersten beiden Artikeln klar formuliert hat.[40] Jede „Ethik des Heilens und Helfens" hat von dieser Priorität ihren Ausgang zu nehmen.

4. Notwendigkeiten zwischen „Untermaß"- und „Übermaßverbot"?

Zu den *strukturbildenden Inhalten der notwendigen Rahmenbedingungen* gehört ohne Zweifel aber auch das *„Untermaßverbot"*. Die neuere Stellungnahme der DFG steht hier durchaus in Kontinuität zur Erklärung von 1999, wenngleich die Bewertung der jeweiligen Mittel der Stammzellforschung nun explizit auf der *Basis zweier Grundpositionen zum moralischen Status früher menschlicher Embryonen* vorgenommen wird: die des *ungestuften* Lebensschutzes von Anfang an und die des *gestuften, graduellen* Lebensschutzes. Erstere geht von der Identität des geborenen Menschen mit dem ungeborenen menschlichen Lebewesen aus, „das sein Leben mit abgeschlossener Befruchtung beginnt und sich ohne moralisch relevante Zäsuren bis zur Geburt entwickelt [...]. Aufgrund der Annahme, daß Leben die Grundlage von Würde ist, schließt der Schutz der Würde den des Lebens notwendig ein."[41] Die Vertreter der zweiten Position „sehen weder in der Zugehörigkeit zur menschlichen Gattung noch im bloßen Potential, sich zu einem vollständigen Menschen zu entwickeln, noch in anderen Eigenschaften früher Embryonen bereits hinreichende Kriterien dafür, diesen ‚ethisch' denselben Anspruch auf Lebensschutz zuzuschreiben wie geborenen Menschen"; sie sind der Auffassung, „daß der Lebensschutz früher Embryonen

---

[40] COUNCIL OF EUROPE (1997): *Übereinkommen zum Schutz der Menschenrechte und der Menschenwürde im Hinblick auf die Anwendung von Biologie und Medizin: Menschenrechtsübereinkommen zur Biomedizin des Europarats*, in: Jahrbuch für Wissenschaft und Ethik, Bd. 2, Berlin, New York, 285-303; vgl. dazu HONNEFELDER, L. (1997): *Das Menschenrechtsübereinkommen zur Biomedizin des Europarats. Zur zweiten und endgültigen Fassung des Dokuments*, in: Jahrbuch für Wissenschaft und Ethik, Bd. 2, Berlin, New York, 305-318.

[41] DEUTSCHE FORSCHUNGSGEMEINSCHAFT 2001a, Ethischer Hintergrund, 36 (373).

grundsätzlich gegen andere gewichtige moralische Werte abgewogen werden kann".[42]

Wenn man sich auf die Sachdiskussion zu dieser Frage einlässt, ist es auch hier ratsam, sich zuvor der *erkenntnisstrukturellen Voraussetzungen* zu vergewissern. In der Rechtsprechung des Bundesverfassungsgerichts beinhaltet das *Grundgesetz* eine maßgebliche, mit dem Menschenwürde-Prinzip geltend gemachte Erkenntnis:

> „Das Grundgesetz enthält für das ungeborene Leben keine vom Ablauf bestimmter Fristen abhängige, dem Entwicklungsprozeß der Schwangerschaft folgende Abstufung des Lebensrechts und seines Schutzes."[43]

Dies bedeutet zumindest, dass im verfassungsrechtlichen Rahmen, wie er derzeit höchstrichterlich ausgelegt wird, die Unterscheidung zwischen einer ungestuften und einer gestuften Grundposition zur Frage des moralischen Status des Embryos *nicht gleichwertig* ist und in jedem Fall derjenige die *Beweislast* zu tragen hat, der den sich aus dem Menschenwürde-Prinzip ergebenden Lebensschutz einzuschränken trachtet. Darüber hinaus aber gilt von den erkenntnisstrukturellen Voraussetzungen her allgemein, dass es eine *Beurteilung des moralischen Status des Embryos nicht unabhängig vom eigenen Selbstverständnis und Selbstbild* geben kann. Was immer man wahrnimmt, wird in der Weise des Rezipienten wahrgenommen.

Nicht selten wird nun die These des ungestuften Lebensschutzes damit begründet, dass der Mensch von der Befruchtung an das volle Entwicklungspotential in sich trage, kraft dessen er sich als ein „jemand" entwickle. Seitens der Vertreter der zweiten Grundposition aber wird dieses Potentialitäts-Prinzip nicht zuletzt vor dem Hintergrund der Klonierungstechniken bei Tieren und der damit gewonnenen Einsichten kritisch hinterfragt. So habe die so genannte Dolly-Technologie gezeigt, dass jeder Zellkern das Potential besitze, sich in neuer Individualität weiterzuentwickeln. Daher sei zu fragen, ob das Embryonenschutzgesetz nicht in einer Weise auf dem Potentialitätsbegriff aufbaue, der von den heutigen Erkenntnissen her nicht mehr zu halten ist.[44] Hinsichtlich dieser durchaus sehr ernst zu nehmenden Argumentation ist gleichwohl zu fragen, ob es überhaupt richtig ist, mit einer Erkenntnisstruktur an die Beurteilung des menschlichen Lebensbeginns und des moralischen Status des Embryos heranzugehen, die im strengen Sinne aus der Methodik der Tierzucht gewonnen wurde. Man kann sogar ganz generell fragen: Ist es überhaupt richtig, den

---

[42] Ibid.; vgl. zur Problematik insgesamt RAGER, G. (Hg.) (1998): *Beginn, Personalität und Würde des Menschen*, 2. Aufl., Freiburg, München.

[43] BVerfGE 88, 21, 254.

[44] Vgl. zur Problemdiskussion HEINEMANN, T. (2000): *Klonierung menschlicher embryonaler Stammzellen: Zu den Statusargumenten aus naturwissenschaftlicher und moralphilosophischer Sicht*, in: Jahrbuch für Wissenschaft und Ethik, Bd. 5, Berlin, New York, 259-276; VIEBAHN, C. (2000): *Achsenbildung und Individuation während der embryonalen Entwicklung des Menschen*, in: Jahrbuch für Wissenschaft und Ethik, Bd. 5, Berlin, New York, 277-290.

Menschen mit Hilfe einzelner Potentiale, die gegebenenfalls empirisch erforschbar gemacht werden können, zu beschreiben? Streng genommen würde man damit das „human being“ als *animal potentiale* verstehen. Die Annahme eines graduellen Lebensschutzes setzt in irgendeiner Form eine Abstufbarkeit zwischen Teil- und Vollpotentialität und damit eben auch eine Aufrechenbarkeit der Fähigkeit, sich selbst zu schätzen, voraus.[45] Die Frage stellt sich, ob hier nicht eine Selbstdefinition des Menschen als „vollpotentielles“ Wesen *auf Kosten* anderer „menschlicher Lebewesen“ vorgenommen wird. Da diese Abstufung nicht neutral ist, sondern Konsequenzen im Umgang beinhaltet, ist zu fragen, ob man nicht mit dem Versuch, sich auf Kosten anderer zu definieren, gegen das Bilderverbot im Sinne einer erkenntnisstrukturellen Definitionsschranke zu verstoßen Gefahr läuft.

Die theologische Tradition bringt diesen Vorbehalt dadurch zum Ausdruck, dass sie den Terminus *creatura humana* verwendet und somit die *Dignitas-Tradition*, welche die *Gottebenbildlichkeit bzw. die Personwürde im engeren rechtsethischen Sinne* thematisiert, in den weiteren Horizont der *Bonitas-Tradition* von Geschöpflichkeit allgemein stellt. „Creatio“ und „elevatio“, „Schöpfung“ und „Erhebung“ des Menschen sind nicht zwei getrennte Vorgänge, sondern geschehen „in uno actu“. Die Unantastbarkeit dieses Ursprungs begründet in theologischer Sicht den *inhaltlich starken Begriff der geschöpflichen Würde*. Der gesamte Zusammenhang der Weitergabe des Lebens, also all das, was Elternschaft, Fruchtbarkeit, Schwangerschaft, Gebürtlichkeit usw. beinhalten, hat teil damit an dieser Würde und ist in dieser Partizipationsbeziehung eben auch verletzbar. Wenn die DFG feststellt, dass bereits mit Einführung der Reproduktionsmedizin der Rubikon überschritten ist, so ist dies ja gerade die Bestätigung *für die im Kontext von Würde zu begreifende Verletzbarkeit elementarer Lebenszusammenhänge.*

Da mit dem Embryonenschutzgesetz aber eine klare Wertentscheidung der heutigen Gesellschaft zugunsten der Reproduktionsmedizin gegeben ist, sieht man sich nun praktisch genötigt, mit den *bestehenden Wertungswidersprüchen* zu leben. Die Konsequenz ist klar: Die *„notwendigen“ Rahmenbedingungen* für die Ausgestaltung des neuen Forschungsraums erhalten den Charakter des *Zwangsläufigen*, nicht mehr im Horizont von Freiheit Gestaltbaren. Dies aber würde eine Relativierung des angestrebten Ziels bedeuten, nämlich grundrechtsrelevante Forschungsstrukturen auszubilden.

So überrascht fast nicht, dass in der Stellungnahme der DFG das *„Untermaßverbot“*, das, wie die Ausführungen zeigen, auch bei Annahme der zweiten Grundposition vor allem im Hinblick auf die nicht abwägbaren Folgen weitenteils Bestand hat, gewissermaßen von einem „*Übermaßverbot*“ konterkariert wird, das den Realitätsgehalt der Ethik deutlich beschneidet und ihre „entscheidungsorientierende Funktion“ erheblich reduziert. In Folge dessen werden *Abwägungsrelationen* zwischen

[45] Vgl. zur Problematik etwa RICKEN, F. (1998): *Ist die Person oder der Mensch Zweck an sich selbst?*, in: DREYER, M., FLEISCHHAUER, K. (Hg.): Natur und Person im ethischen Disput, Freiburg i.Br., München 1998,147-168.

Lebensrecht und Forschungsfreiheit in solche *Schieflagen* gebracht[46], dass gerade *das verunmöglicht wird, was eigentlich intendiert ist, nämlich eine im Horizont des „Prinzips Menschenwürde" begriffene Differenzierungsfähigkeit.* Durch Abwägung können nur solche Fragen normativ-rational beantwortet werden, die schon in einem sinnvollen Handlungsraum stehen. Versucht man ohne einen solchen Rahmen allein durch Abwägung eine – wie der Bundeskanzler formuliert – „Ethik des Heilens und des Helfens mit der Achtung vor der Schöpfung und dem Schutz des Lebens in Einklang zu bringen"[47], so fragmentiert man damit nicht nur in zunehmendem Maße elementare Lebenszusammenhänge, sondern auch den „Forschungsraum Europa".

In der europäischen Aufklärung hat man die Realität der Ethik als eigenständigen Sinnraum der Freiheit gegenüber religiösen und staatsabsolutistischen Autoritäten zur Geltung gebracht.[48] Heute – das ist das Merkwürdige – erleben wir eine *Vorab-Reduzierung des Realitätsgehalts der Ethik zugunsten ganz anderer Instanzen.* Es scheint, dass die moderne Wissensgesellschaft es noch nicht gelernt hat, mit den neuen Machtgebilden des Wissens in einer Weise umzugehen, die dem „Prinzip Menschenwürde" adäquat ist. Wir müssen vermutlich erst lernen, die Fragen zu formulieren, auf die wir wirklich und unabdingbar zu antworten haben. So nützt es dann auch noch nicht sehr viel, wenn man bei der Frage der Bindungen bezüglich der normativen Ausgestaltung des wissenschaftlich-rechtlich-ethischen Begleitverfahrens die Gewissensfreiheit des einzelnen Wissenschaftlers zur Sprache bringt[49], wenn man nicht recht weiß, welche Gewissensfrage überhaupt zu stellen ist. Erst wenn wir gemeinsam – und in dieser konstruktiven Sicht versteht sich auch die vorliegende kritische Kommentierung – in die Lage kommen, diese Strukturzusammenhänge wahrzunehmen, vermögen wir ein europäisches Bewusstsein zu entwickeln, das uns hilft, im Kontext der gegenwärtigen biopolitischen Situation der Ethik den Stellenwert zu geben, der ihr als „entscheidungsorientierender" Größe ersten Ranges gebührt.

---

[46] Vgl. DEUTSCHE FORSCHUNGSGEMEINSCHAFT 2001a, 3 (Nr. 9.2) (351): „Die Entscheidung über diese Frage läuft auf einen Abwägungsprozeß zwischen dem verfassungsrechtlichen Lebensschutz des Embryos einerseits und der ebenfalls verfassungsrechtlich geschützten Forschungsfreiheit andererseits heraus. Der ethische und rechtliche Schutz der Forschungsfreiheit ist nicht absolut; genausowenig wie das Lebensrecht des Embryos."

[47] SCHRÖDER 2001.

[48] Vgl. SCHWARTLÄNDER, J. (1980): *Nicht nur Autonomie der Moral, sondern Moral der Autonomie*, in: MIETH, D., WEBER, H. (Hg.): Anspruch der Wirklichkeit und christlicher Glaube. Probleme und Wege theologischer Ethik heute, Düsseldorf, 75-94.

[49] DEUTSCHE FORSCHUNGSGEMEINSCHAFT 2001a, Ethischer Hintergrund, 47 (380).

Müssen, können und dürfen wir in unserer medizinischen Versorgung Prioritäten setzen?

Kommentar zur Stellungnahme der Zentralen Ethikkommission bei der Bundesärztekammer „Prioritäten in der medizinischen Versorgung im System der Gesetzlichen Krankenversicherung (GKV)"*

von Heiner Raspe

1. Einleitung

Der Titel ist eng gewählt und soll noch weiter eingegrenzt werden: Er fokussiert auf unsere *medizinische Versorgung*, nicht auf alle gesundheitsbezogenen Leistungen, die geeignet sind, die Gesundheit der Bevölkerung (Public Health) zu verbessern. Im engeren soll es sogar nur um die Versorgung gehen, deren Kosten in solidarischer Finanzierung von der *Gesetzlichen Krankenversicherung* (GKV) getragen wird. *Solidarisch* bedeutet heute, dass von allen Pflichtversicherten (innerhalb bestimmter Grenzen und unabhängig von ihren Gesundheitsrisiken) ein prozentual etwa gleicher Anteil ihres Einkommens zwangsweise einbehalten, um äquivalente Arbeitgeberanteile vermehrt, den gesetzlichen Krankenkassen zur Verfügung gestellt und von diesen für gesundheitsbezogene Leistungen „bedarfsgerecht" (§ 70 SGB V) ausgegeben, also *umverteilt* wird. Dabei profitieren Kranke von Gesunden und unter jenen weniger Verdienende von besser Verdienenden, mitversicherte Familienmitglieder von Alleinstehenden, Frauen von Männern, Alte von Jungen, oder jeweils anders gesagt: Diese sind, ob sie es wollen oder nicht, mit jenen solidarisch. Das zur Verfügung stehende Finanzvolumen ist variabel, aber dennoch begrenzt, weil direkt an das Einkommen aller abhängig beschäftigten Pflichtversicherten gebunden. Ein stagnierender Arbeitsmarkt und eine sinkende Lohnquote führen zu relativen Einnahmeverlusten und verschärfen unter dem Gebot der Beitragsstabilität (§ 71 SGB V) die Spannung zwischen verfügbaren Einnahmen und rasch wachsenden Ausgaben.

---

* Die Stellungnahme *Prioritäten in der medizinischen Versorgung im System der Gesetzlichen Krankenversicherung (GKV): Müssen und können wir uns entscheiden?* der Zentralen Kommission zur Wahrung ethischer Grundsätze in der Medizin und ihren Grenzgebieten (ZENTRALE ETHIKKOMMISSION BEI DER BUNDESÄRZTEKAMMER 2000) ist abgedruckt in Band 5 (2000) des Jahrbuchs auf den Seiten 401-413.

Im Augenblick (Frühsommer 2001) ist wieder einmal von Budgetüberschreitungen, steigenden Beiträgen und drohender Rationierung die Rede – auch und vor allem unter dem Eindruck des demographischen und des epidemiologischen Wandels und eines sich beschleunigenden und in der Regel additiven und kostspieligen medizinischen Fortschritts.

In dieser Situation werden erneut mehr oder weniger radikale Lösungswege angeboten, um Einnahmen und Ausgaben der GKV ins Gleichgewicht zu bringen: Kaum einer propagiert eine vollständige Preisgabe des GKV-Systems, auch wenn viele mit einer weitgehenden Liberalisierung unseres regulierten Marktes gesundheitlicher Leistungen unter der Parole „Stärkung der Eigenverantwortung" liebäugeln. Kaum einer plädiert auf der anderen Seite dafür, der Medizin unbegrenzte Mittel zur Verfügung zu stellen. Alle sind dafür, die Beiträge für solidarisch und paritätisch finanzierte Leistungen im Wesentlichen stabil zu halten.

Eine Minorvariante einer weitgehenden Deregulierung ist die *Aufspaltung* des Gesamtmarktes in zwei je nach Vorschlag unterschiedlich große Teile: einen einer eher knappen Grund-/Regelversorgung, der grundsätzlich solidarisch finanziert werden soll, und einen zweiten einer weniger regulierten Zusatz-/Wahlversorgung nach dem Modell der Privaten Krankenversicherung (PKV) bzw. der „Individuellen Gesundheitsleistungen" (IGEL).[1] Manche präferieren eine Dreiteilung in Regelleistungen, Satzungsleistungen und Wahlleistungen.(„Kieler Modell" nach Beske[2]). Andere möchten zusätzlich „Schuld-und-Sühne"-Elemente im Sinne einer Herausnahme von Folgen „persönlichen Fehlverhaltens" aus der Pflichtversicherung einführen.[3]

Den genannten Autoren gemeinsam ist, dass sie – bei Fortbestehen des augenblicklichen Systems – eine Rationierung medizinischer Leistungen für unabwendbar halten – *Rationierung* hier definiert als bewusstes und systematisches Vorenthalten medizinisch als notwendig geltender und von Patienten gewünschter, jedenfalls akzeptierter Leistungen aufgrund knapper finanzieller Ressourcen mit dem Ziel, das Notwendigste sicherzustellen und den herrschenden Mangel gleichmäßig zu verteilen.

Es gibt nur wenige Wissenschaftler und Arbeitsgruppen, die an der Unabwendbarkeit einer solchen Rationierung zweifeln. Eine solche Arbeitsgruppe ist die um Stephen Frankel in Bristol (Großbritannien). Er hält die Vorstellung eines unbegrenzten Bedarfs für einen „Mythos" und sieht engere „limits to demand of health care".[4] Weder aus der demographischen Transition noch aus dem Fortschreiten der medizinischen Möglichkeiten noch aus den sich verändernden Erwartungen der Bevölkerung ergebe sich automatisch ein alle Finanzierungsgrenzen sprengender medizinischer Leistungsbedarf. Für begrenzend gehalten wird das ärztliche Modell

---

[1] Siehe z.B. http://www.medwell.de.

[2] BESKE 2001.

[3] BREYER 2001.

[4] FRANKEL 1991; FRANKEL, EBRAHIM, SMITH 2000.

eines altruistischen und möglichst sparsamen klinischen Handelns, das auf *objektivierbaren Indikationen* beruhen soll. Angebotsinduzierte Nachfrage und eine „Medizin à la carte“ sollen generell abgewehrt und zurückgedrängt werden.

Diese Orientierung und Zielrichtung verfolgt auch eine dritte – *struktur- und wertkonservative* – Lösung, die der *Priorisierung* medizinischer Leistungen. Sie scheint im bestehenden System erreichbar und umsetzbar. Dabei verstehe ich mit der *Zentralen Ethikkommission bei der Bundesärztekammer* (ZEKO) unter Priorisierung die ausdrückliche *Feststellung der Vorrangigkeit* bestimmter Interventionen, Patientengruppen oder – beides zusammenfassend – *Indikationen* vor anderen. Ihr Gegenteil wird mit Posteriorisierung bezeichnet. Priorisierung unterstellt, dass in der Medizin nicht alles gleich nützlich oder zweckmäßig ist. Selbst im Bereich des so genannten Notwendigen sind, wie sich zeigen wird, Abstufungen möglich. Plädiert wird für die Unterscheidung von Graustufen und gegen Schwarz-Weiß-Kontrastierungen, wie sie auch die skizzierte Aufspaltung des Leistungskatalogs und die Rationierungsbefürchtungen (s.o.) prägen.

Am Ende eines Priorisierungsverfahrens ergibt sich eine Rangreihe; an ihrem oberen Ende stehen Leistungen, die nach Datenlage und Konsens als mehr oder weniger unverzichtbar gelten, ganz unten rangieren solche, die sich auf triviale Gesundheitsstörungen beziehen, unwirksam sind oder mehr schaden als nutzen. Auch wenn die Priorisierung durch Mittelknappheit veranlasst ist – die Rangreihe selbst ist von ihr unabhängig. Sie ändert sich nicht dadurch, dass einmal mehr, ein anderes Mal weniger Mittel zur Verfügung stehen.

Es ist erstaunlich, wie wenig sich gerade diejenigen mit dem Problem der Priorisierung beschäftigen, die Rationierung für unabwendbar halten. Denn man kann mit Recht argumentieren, dass Priorisierung *die* zeitlich-sachliche, logische und ethische *Voraussetzung* jeder Rationierung und jeder Aufteilung des Leistungskatalogs zu sein habe. Man wird Rationierung ja nicht im Zentrum des Notwendigsten, der ärztlich so genannten absoluten Indikationen beginnen wollen. Und unter die Wahlleistungen wird man bei uns wohl auch nicht die unumstritten oft lebensrettende Lysetherapie des akuten Herzinfarktes oder die die tödliche Urämie abwendende Dialyse bei akutem Nierenversagen zählen wollen (auch wenn dieses auf einen Analgetikaabusus zurückgehen sollte).

So zwingend diese Überlegung zu sein scheint – diejenigen, die Rationierung für unausweichlich oder eine Teilung des Leistungskatalogs für angezeigt halten, machen sich selten die Mühe, ihre Prioritäten systematisch zu entwickeln, empirisch zu begründen und ethisch zu rechtfertigen.

Wenig reflektiert wird auch, dass die bei uns tagtäglich sich vollziehende Versorgung immer schon Prioritäten enthält und bekräftigt. Teils liegen sie in der unterschiedlichen Bedeutung verborgen, die bei uns der Kuration vs. Prävention vs. Rehabilitation zugemessen wird, teils in der Bereitstellung grob unterschiedlicher finanzieller Mittel für Medikamente vs. physio- oder ergotherapeutische Verfahren, teils finden sie sich – innerhalb einzelner Indikationsbereiche – in den jeweiligen Mustern der Unter-, Über- und Fehlversorgung.

Der folgende Text sollte im Zusammenhang mit einer Stellungnahme der *Zentralen Ethikkommission bei der Bundesärztekammer* (ZEKO) vom April 2000[5] aufgenommen werden, an der der Autor beteiligt war.

2. Priorisierung und Rationierung: Implikationen der Unterscheidung

Wenn man Priorisierung als Voraussetzung von Rationierung versteht, behauptet man gleichzeitig die Nichtidentität beider Prozesse. Priorisierung ist ein anspruchsvoller eigenständiger Prozess; er muss keineswegs immer in Rationierung im oben definierten Sinne enden. Es könnte sich durchaus ergeben, dass die uns verfügbaren Mittel noch für alle wesentlichen Leistungen ausreichen oder dass sich durch eine ausdrückliche Priorisierung Nachfrage- und Angebotsmuster ändern. So hat sich z.B. herausgestellt, dass sich die von mir angenommene Notwendigkeit, nach dem Wirtschafts- und Beschäftigungsförderungsgesetz WFG (1996) rehabilitative Leistungen priorisieren zu müssen, nicht einstellte: Die Zahl der Anträge auf medizinische oder berufliche Rehabilitation ist „spontan" so weit zurückgegangen, dass Rentenversicherungsträger ihre gesetzlich drastisch beschnittenen Budgets heute nicht einmal ausschöpfen.

Denkbar ist auch, dass eine ausdrückliche Priorisierung dazu führt, Rationierung zu vermeiden. Dies kann z.B. durch eine vernünftige Gestaltung von Wartelisten vor elektiven chirurgischen Eingriffen (z.B. Hüftendoprothetik) erfolgen. Nach meiner Auffassung kann dort nicht mehr von Rationierung gesprochen werden, wo eine nicht dringend indizierte (wenn auch *notwendige*, zur Definition s.u.) Gelenkoperation nicht versagt, sondern „nur" aufgeschoben wird – auch wenn dies zu einer längeren, aber absehbaren Zeit belastender Beschwerden führt.

Die Konzentration auf Priorisierung als einen eigenständigen sozialen Prozess hat weitere Implikationen und Vorteile:

1. Eine breite gesellschaftliche Diskussion von Priorisierung im System der GKV wird Zeit beanspruchen; sie kostet, aber sie gibt auch Zeit. Wir brauchen sie, um in die uns noch weitgehend unvertrauten Probleme, Überlegungen und Konflikte hineinzufinden. Die Debatte hat in anderen Ländern eine mehr als zehnjährige Geschichte. Auch wenn sie etwa in Holland, Schweden, dem Vereinigten Königreich, in Dänemark oder Israel so gut wie nie zu dramatischen Entscheidungen oder Umbrüchen geführt hat, so scheint sie den genannten Gesellschaften doch zu einer vernünftigen und facettenreichen Selbstvergewisserung über Anlässe,

[5] Zentrale Ethikkommission bei der Bundesärztekammer 2000.

Ziele und Nutzen der medizinischen Versorgung in Zeiten (relativ) knapper Ressourcen verholfen zu haben.

2. Diese Gesellschaften sind damit wahrscheinlich besser gerüstet, weiteren Belastungen der Gesundheitsbudgets, vor allem durch neue Angebote (seitens der Leistungserbringer und der Industrie) und eine erweiterte Nachfrage (seitens der Versicherten) zu begegnen. Priorisierungsdiskussionen scheinen mir vor allem ein präventives Potential zu haben.
3. Rationierung und Teilung von Leistungskatalogen beinhalten zum Teil irreversible Strukturentscheidungen. Die Feststellung von Prioritäten klärt – in einem sozialen Prozess – komplexe Entscheidungssituationen, ihre Voraussetzungen und Folgen. Sie bereitet demokratische Entscheidungen vor; sie vollzieht sie nicht.
4. Während „Rationierung" und „Neubestimmung des Leistungskatalogs der GKV" unvertraute und bedrohliche Konzepte sind, sind uns allen Priorisierungsüberlegungen vertraut, als Kranke und Patienten ebenso wie als Ärzte und andere Leistungserbringer. Wir alle leben von, in und mit Prioritäten. Wir alle wissen, dass medizinische Leistungen unterschiedlich wichtige Anlässe haben, unterschiedlich wichtige Ziele verfolgen und unterschiedlich nützlich sind. Wir wundern uns eher, dass solches Wissen bisher nicht weiter systematisiert und genutzt wurde.

Statt einer öffentlichen Diskussion um Prioritäten erleben wir zur Zeit, dass durch Entscheidungen des *Bundesausschusses der Ärzte und Krankenkassen* bei uns Prioritäten nicht nur festgestellt, sondern auch durchgesetzt werden. Ein Beispiel: Im März 2000 hat sich der Ausschuss gegen eine Aufnahme der Knochendichtemessung mit Röntgenstrahlen zur unselektiven Früherkennung der Osteoporose in den so genannten Einheitlichen Bewertungsmaßstab (den EBM) ausgesprochen, die Finanzierung der Osteodensitometrie als Differentialdiagnostikum bei eingetretenen Frakturen aber empfohlen. Da das Verfahren in der erstgenannten Indikation klinisch nicht völlig nutzlos ist, sondern nur weniger nützlich als in der tertiärpräventiven Anwendung[6], ist hier offensichtlich nach Priorität entschieden worden. An diesem bemerkenswerten Beispiel lassen sich einige institutionelle Voraussetzungen von Priorisierung herausarbeiten:

- Priorisierung bedarf eines verlässlichen sozialstaatlichen und ethischen Rahmens, wie er bei uns in der Verfassung und im allgemeinen wie speziellen Sozialrecht gegeben ist.
- Sie bedarf „machtvoller" Institutionen, deren Entscheidungsraum und -befugnis rechtlich wiederum zu normieren und demokratisch zu legitimieren sind. In unserem Osteoporose-Beispiel handelte es sich typischerweise um ein Institut der so genannten gemeinsamen Selbstverwaltung, den oben genannten Bundes-

[6] LÜHMANN et al. 2000.

ausschuss, dessen Aufgaben und Funktionen in §§ 91 ff., 135 ff. SGB V geregelt sind (auch wenn über die Qualität seiner demokratischen Legitimation zur Zeit gestritten wird).

- Dieser Bundesausschuss arbeitet und entscheidet intern auf der Grundlage kodifizierter Verfahren und Standards, der so genannten BUB-Richtlinien (zuletzt von März 2000) als untergesetzliche Rechtsnorm. Seine Entscheidungen werden im Bundesgesetzblatt veröffentlicht.
- Priorisierungsentscheidungen bedürfen eines, und sie haben in diesem Falle einen klaren Adressaten, die gesetzlichen Krankenversicherungen. Diese müssen die Richtlinien des Bundesausschusses umsetzen – auch wenn dies dem Wettbewerb und den Interessen einzelner Kassen (-arten) durchaus entgegenlaufen kann (wie es z.B. im Ringen um die Akupunkturentscheidung des Bundesausschusses im Jahr 2000 deutlich geworden ist).
- Die wesentliche Basis der Ausschussentscheidungen sind die Ergebnisse wissenschaftlicher, vor allem klinisch-evaluativer Studien zu Nutzen, Notwendigkeit und Wirtschaftlichkeit der jeweils bewerteten ärztlichen Untersuchungs- und Behandlungsmethoden. Sie stehen in Originalveröffentlichungen, systematischen Übersichtsarbeiten und zunehmend auch in Verfahrensbewertungen (Health Technology Assessments) zur Verfügung.[7] Ihre Bewertung folgt den Grundsätzen der evidenzbasierten Medizin.[8] Der Ausschuss ist dazu übergegangen, seine Materialien via Internet zu veröffentlichen.[9]

3. Verfahrensschritte und Probleme der Priorisierung

In der Stellungnahme der Zentralen Ethikkommission wurde ein Verfahren zur Entwicklung von Prioritäten innerhalb der GKV angedeutet. Es umfasst neun Schritte (siehe *Übersicht 1*). Es setzt die Bildung einer multidisziplinär besetzten Arbeitsgruppe voraus (Kliniker, Methodiker, Ökonom, Ethiker, Jurist).

Anders als im Oregon-Modell[10] werden wir in der Bundesrepublik nicht in der Lage sein, alle denkbaren medizinischen Interventionen in eine einzige Rangreihe mit vielen hundert Positionen zu bringen. Die m.E. unvermeidliche Fokussierung macht die vorgängige Klärung der der Priorisierung zugrunde gelegten ethischen (z.B. ärztliche Deontologie vs. Patientenautonomie vs. Utilitarismus), rechtlichen (Privat- vs. Sozialrecht) und politischen (direkte Bürgerbeteiligung vs. repräsentative Demokratie) Prinzipien nicht überflüssig. Die Zentrale Ethikkommission hat sich

[7] Vgl. http://www.dimdi.de.

[8] KUNZ et al. 2000.

[9] Vgl. http://www.kbv.de.

[10] BODENHEIMER 1997.

klar an der ärztlichen Deontologie und dem verfassungs- und sozialrechtlich verankerten Sozialstaatsprinzip und dem diesen beiden Grundorientierungen innewohnenden benevolenten Paternalismus ausgerichtet.

1. Klärung der zugrunde zu legenden ethischen, rechtlichen und politischen Prinzipien
2. Auswahl eines Versorgungsbereichs, Feststellung seiner Aufgaben und Ziele
3. Darstellung und Beurteilung der aktuellen Versorgungssituation und ihrer impliziten wie expliziten Prioritäten
4. Bestimmung der qualitativen und quantitativen Merkmale der Krankheitslast nach Schweregrad, Prognose und Dringlichkeit
5. Beurteilung der Notwendigkeit und Zweckmäßigkeit der auf sie bezogenen Interventionen (Evidenzlage?)
6. Abwägung von Risiken und unerwünschten Wirkungen
7. Bestimmung der direkten und indirekten Kosten, der Effizienz
8. Vorschlag einer ersten Rangreihe
9. Abgleich der Interessen, Erwartungen und Präferenzen aller (potentiell) Beteiligten und Betroffenen (geregeltes Konsultationsverfahren)

Übersicht 1: Schritte einer Priorisierungsdiskussion innerhalb eines umgrenzten Versorgungs- und Indikationsbereiches

Begrenzt man sich in dieser Perspektive beispielhaft auf das Gebiet muskuloskelettaler Erkrankungen, dann lässt sich folgende Rangreihe von Krankheiten, genauer gesagt von Indikationen (in Oregon sprach man von „condition-treatment pairs“) erwägen (siehe *Übersicht 2*).

Maßgebend ist nicht die Häufigkeit der unterschiedlichen Krankheiten, sondern vielmehr ihre Gefährlichkeit im natürlichen Verlauf im Vergleich zum so genannten klinischen Verlauf unter optimaler Behandlung. Damit rangieren potentiell lebensbedrohliche und gleichzeitig heilbare Krankheiten an erster Stelle; sie erhalten höchste Priorität. Am unteren Ende der Skala finden sich vergleichsweise gutartige und unaufwendige Gesundheitsstörungen, bei denen medizinische Interventionen die sowieso zu erwartende Heilung höchstens beschleunigen oder als iatrogene Chronifizierungsfaktoren sogar negativ wirken können. Bei solchen groben Kontrastierungen ist wenig Widerspruch zu erwarten.

schlechtestmögliches Ergebnis unbehandelt	bestmögliches Ergebnis behandelt	Beispiel
Tod	Heilung	septische Arthritis M. Whipple M. Wegener
Tod	schwere Behinderung	Rheumatoide Arthritis
Tod	Palliation	
schwere oder anhaltende Behinderung	Heilung	Arthrose großer Gelenke Gicht
	Residuen, Behinderung	Rheumatoide Arthritis Osteoporose Kongenitale Deformität
	Linderung, Bewältigung	Fibromyalgie
geringe oder vorübergehende Behinderung	Heilung	unkomplizierte traumatische Fraktur
	Residuen	Arthrose im Handgelenksbereich unspezifische Rückenschmerzen
	Linderung, Bewältigung	Fußdeformitäten
Beschwerden	Linderung	Arthrose im Fingerbereich
selbstheilende Störungen	raschere Wiederherstellung	Distorsionen reaktive Arthritis
Tod, Behinderung, Symptome	Nicht-Auftreten	1.-3. gradige Prävention (Stürzen, Osteoporose)

Übersicht 2: Prioritätsstufen
mit beispielhaften Indikationen aus der Rheumatologie-Orthopädie

Allerdings ist am oberen Ende des Spektrums eine weitere Differenzierung nötig und möglich. Dies gilt selbst für den scheinbar homogenen Bereich des „medizinisch Notwendigen“ – wenn man darunter (in Anlehnung und Weiterentwicklung der Kategorien der BUB-Richtlinien des Bundesausschusses Ärzte und Krankenkassen) dringliche, aufwendige, effektive und alternativlose Interventionen bei schweren und gefährlichen Krankheiten (z.B. M. Wegener vs. Riesenzell-Arteriitis) versteht. Auch wenn das Kriterium der Alternativlosigkeit (der zytostatischen oder Steroid-Therapie) in beiden Fällen erfüllt ist – die anderen Kriterien lassen durchaus Abstufungen zu. Die beiden Krankheiten sind nicht gleich schwer und gefährlich, und die Therapien sind unterschiedlich wirksam und nachhaltig.

Probleme sind auch und vor allem bei Vergleichen im mittleren Bereich zu erwarten. Dazu mag man sich zwei chronisch-rheumatische Erkrankungen vorstellen, die beide nicht lebensbedrohlich sind, aber doch langfristig zu einer Invalidisierung der Betroffenen führen können. Wieder halten wir die Häufigkeit der Störungen (z.B. Fibromyalgie – 3% Prävalenz unter Erwachsenen – vs. die deutlich häufigere symptomatische Hüftgelenksarthrose) nicht für relevant. Wichtig sind vielmehr der *status praesens*, die typische Verlaufsgestalt (z.B. chronisch-fluktuierend vs. chronisch progredient) und die zu erwartenden Endpunkte (chronische Schmerzen bei in der Regel erhaltener Funktionskapazität im Alltag vs. zunehmende Schmerzen und Behinderung in allen Lebensbereichen; vgl. Übersicht 1, Schritt 4) und die Erfolgsaussichten der Behandlung (nach relativer wie absoluter Erfolgswahrscheinlichkeit; vgl. Übersicht 1, Schritt 5). Während sich die Fibromyalgie in einer Vielzahl der Fälle therapieresistent zeigt und dramatische Besserungen selten sind, führt der Gelenkersatz bei der Hüftgelenksarthrose fast immer zu einer annähernd vollständigen Rehabilitation der Operierten. Natürlich müssen auch noch die Risiken, Nebenwirkungen und Kosten der in Frage kommenden Interventionen berücksichtigt werden (vgl. Übersicht 1, Schritte 6 und 7). Vermutlich dürften alle bisherigen Gesichtspunkte dafür sprechen, der Behandlung der Hüftgelenksarthrose eine höhere Priorität zuzusprechen. Das „New Zealand priority criteria project“[11] hat verdeutlicht, dass es durchaus möglich ist, *innerhalb* der Gruppe der Hüftkranken weiter zu differenzieren und dringliche von weniger dringlichen Indikationen zu unterscheiden. Dazu wurden Schmerz, Funktionskapazität und der Lokalbefund erfasst und abgestuft.

Zu diskutieren ist, welchen Einfluss die aktuelle Versorgungssituation auf die *Umsetzung* von Prioritäten bzw. Posterioritäten haben sollte (Übersicht 1, Schritt 3). Wären Fibromyalgiekranke anders einzustufen, wenn sich herausstellte, dass sie als Gruppe deutlich schlechter versorgt wären als Hüftkranke? Wäre es ethisch (und politisch) geboten, vorrangig für eine gewisse Versorgungsgleichmäßigkeit zwischen beiden Gruppen zu sorgen?

Ein besonders schwieriges Feld (Übersicht 1, Schritt 9) ist der zuletzt genannte Abgleich mit den Interessen, Erwartungen und Präferenzen aller Beteiligten. Während die durchweg älteren Arthrose-Patienten sich als Gruppe so gut wie nicht artikulieren, verfügen die Fibromyalgiekranken bei uns über eine sehr aktive und schlagkräftige Selbsthilfeorganisation. Soll Priorisierung der Qualität der Lobbyarbeit folgen und die vorziehen, die sich am lautesten und wirkungsvollsten zur Geltung bringen? Dann würde nicht das „principle of need and solidarity“[12] gelten,

[11] HADORN, HOLMES 1997.

[12] SWEDISH PARLIAMENTARY PRIORITIES COMMISSION 1995.

sondern das Prinzip von Stimmengewalt und Nachfrage. Beide Faktoren haben den Nachteil, durch interessierte Leistungsanbieter angeregt und verstärkt werden zu können („angebotsinduzierte Nachfrage"). Deshalb hat die Zentrale Ethikkommission ihren Überlegungen die Kategorie eines (in Grenzen) objektivierbaren Bedarfs auf der Basis nachprüfbarer empirischer Evidenz und offengelegter Wertentscheidungen zugrunde gelegt. Sie folgte damit ärztlichen Grundorientierungen, auch in der stellvertretenden (paternalen) Übernahme von Verantwortung für Kranke und Patienten.

Dennoch ist in Zukunft, auch vor dem Hintergrund des „Ausbau[s] von Patientenrechten im Gesundheitswesen"[13], zu klären, wie Bürger an Priorisierungsprozessen beteiligt werden können. Bisher ist die Frage offen, wer eigentlich gefragt werden sollte: nur die direkt betroffenen Kranken (in welcher Auswahl?), ihre gesunden Alters- und Geschlechtsgenossen, die Beitragszahler, die „Normalbevölkerung" oder verschiedene Gruppen von Leistungsanbietern und beruflich Involvierten?

Nach Daten aus unserer Arbeitsgruppe ist jedenfalls sicher, dass unterschiedliche Gruppen unterschiedliche Präferenzen erkennen lassen.[14] Dazu haben R. Westphal und A. Röstermundt[15] einerseits eine systematische Stichprobe aus der deutschen Wohnbevölkerung Lübecks im Alter von 25-64 Jahren (N = 1000) und andererseits kleine Gruppen von vorklinischen und klinischen Medizinstudenten, Primärärzten, Krankenschwestern, Senioren und chronisch Herzkranken befragt. Die Daten wurden mit einem Selbstausfüllfragebogen erhoben. Im Einzelnen ging es um präventive, therapeutische und rehabilitative Interventionen bei leicht- bis schwerkranken Kindern, Erwachsenen und Älteren. Die Befragten konnten die Indikationen (z.B. „regelmäßige Mammographie (= Röntgen der weiblichen Brust) zur Brustkrebsvorsorge bei Frauen") als „sehr wichtig – wichtig – unwichtig – ganz unwichtig" einstufen. *Tabelle 1* zeigt einige Ergebnisse.

Die Ergebnisse verdeutlichen vor allem zweierlei: eine aus Sicht der evidenzbasierten Medizin nicht immer nachvollziehbare Gewichtung und eine erhebliche Heterogenität der Einschätzungen. Dies führt zu einer Reihe von Fragen u.a. nach der Methodik des oben genannten Abgleichs der Präferenzen, der Auswahl und Repräsentation der zu involvierenden Gruppen, der Bedeutung ihrer Urteile, des Umgangs mit Fehleinschätzungen und Heterogenität. Sicher ist heute nur, dass der Königsweg zur „Bürgerbeteiligung" („consumer involvement") noch nicht gefunden ist.[16]

---

[13] BRUNNER et al. 2000; RIEDEL 2000.

[14] STRONKS et al. 1997; DOMENIGHETTI, MAGGI 2000.

[15] RÖSTERMUNDT, WESTPHAL, RASPE 2001; WESTPHAL, RÖSTERMUNDT, RASPE 2001.

[16] MULLEN, SPURGEON 2000.

	Bevölkerung	Stud. Med.	Cand. Med.	Ärzte	Pflegende	Chronisch Kranke	Senioren
Regelmäßige Mammographie zur Brustkrebsvorsorge bei Frauen	51	48	35	18	45	62	66
Akupunktur zur Behandlung chronischer Kopfschmerzen bei einer 55-Jährigen	29	10	10	16	19	32	14
Rehabilitation eines 75-Jährigen nach Schlaganfall zur Wiederherstellung der Selbständigkeit	35	17	29	31	38	46	42

Tabelle 1: Die Bedeutung ausgewählter medizinischer Maßnahmen im Lichte eines Fragebogensurveys (% „sehr wichtig")

4. Zum Schluss: Antworten auf die im Titel gestellten Fragen

Müssen wir über Prioritäten entscheiden? Dies ist nicht sicher, wahrscheinlich wird es sich nicht umgehen lassen. Wir werden systematisch über Prioritäten diskutieren und entscheiden *müssen*, wenn wir medizinische Leistungen rationieren müssen – aus welchen Gründen auch immer. Und bei Licht betrachtet haben wir mit der Priorisierung schon begonnen – man denke etwa an den Leistungsausschluss unaufwendiger Therapien von trivialen Gesundheitsstörungen (nach § 34 SGB V), an die Entscheidung des Bundesausschusses zur Osteodensitometrie im März 2000 (s.o.), an die Vergabe knapper Organe im Feld der Transplantationsmedizin oder an Konzepte einer „risikoadaptierten Therapie" in verschiedenen Indikationsbereichen (u.a. dem der Therapie der Hypercholesterinämie mit Statinen[17]). Vermutlich wird die Häufigkeit und Dringlichkeit solcher Entscheidungen zunehmen. Es wäre klug, sich darauf vorzubereiten.

Können wir uns geordnet und kriteriengestützt, also rational entscheiden (wenn wir es denn müssten)? Theoretisch scheint dies auf dem Boden der Vorschläge der Zentralen Ethikkommission möglich, auch wenn viele Fragen zu Grundlagen und Praxis der Priorisierung weiter unbeantwortet, z.T. wohl noch ungestellt sind.[18] Antworten wird man aber nur finden, wenn man sich den Fragen stellt und das Verfahren exemplarisch erprobt. Dazu böten sich Versorgungsbereiche an, bei denen die eingangs behandelte Dynamik wirksam ist (Bedarfs- und/oder Leistungsausweitung bei begrenzten oder schrumpfenden Ressourcen). Es sah eine Zeitlang so aus, als wäre die rehabilitative Versorgung durch die Rentenversicherung ein solcher Bereich (s.o.). Als weiterer Kandidat zeichnete sich die Arzneimittelversorgung ab. Jüngste gesundheitspolitische Entwicklungen (Zurückstellung der Positivliste, Lockerung der Budgets) lassen auch hier Zweifel aufkommen. Vielleicht ist es die klinische Prävention?[19] Aber stehen wir in der Bundesrepublik wirklich schon am Rande der „tragic choices“[20], einer unaufhaltsam auf uns zukommenden Rationierung? Eher machen wir die Erfahrung einer (viele überraschenden) Systemelastizität. Die Voraussage von Uhlenbruck, „dass die Kostenexplosion im Gesundheitswesen spätestens ab dem Jahr 2000 dazu führen wird, medizinische Leistungen zu rationieren“[21], war jedenfalls nicht zutreffend.

Dürfen wir uns – ethisch und rechtlich gesehen – entscheiden? Grundsätzlich ist dies wohl zu bejahen. Priorisierung scheint bei uns im Einklang mit existierenden verfassungs- und sozialrechtlichen Normen und der ärztlichen Deontologie zu stehen. Dies gilt offensichtlich auch für die ja weiter gehende offene explizite und harte Rationierung[22] z.B. in Triagesituationen und in der Transplantationsmedizin. Das heißt nicht, dass eine leistungsrechtlich wirksame Priorisierung nicht ethische und rechtliche Probleme aufwirft. Priorisierung beinhaltet Posteriorisierung; es wird Gewinner und Verlierer geben. Priorisierung scheint aber größere Probleme zu vermeiden, etwa die einer regional, sozial oder nach Alter oder ethnischer Zugehörigkeit ungleichmäßigen Behandlung. Sie steht (wie auch Rationierung) im Dienste der Verteilungsgerechtigkeit innerhalb eines Solidarsystems.

Der Preis der Solidarität ist ein Verlust der Freiheit, subjektiv benötigte, objektiv aber „das Maß des Notwendigen überschreitende“ (§ 70 SGB V) medizinische Leistungen beanspruchen zu können. Damit fixiert sich Priorisierung auf die Kategorie

[17] MONKMAN 2000.

[18] SINGER 2000.

[19] SACHVERSTÄNDIGENRAT FÜR DIE KONZERTIERTE AKTION IM GESUNDHEITSWESEN 2001.

[20] MAYNARD, BLOOR 1998.

[21] UHLENBRUCK 1995.

[22] Zur Definition vgl. FUCHS 1998; JANSEN 2000; STEVENS, RAFTERY 1994.

des (partiell) objektivierbaren Bedarfs (siehe *Übersicht 3*). Diese ist von „Angebot", „subjektiver Bedürftigkeit", „Nachfrage" und „tatsächlicher Versorgung" zu unterscheiden.[23]

> Auf „Bedarf" an einer gesundheitsbezogenen Leistung kann innerhalb einer sozialrechtlich verfassten Solidargemeinschaft nur dort erkannt werden, wo
>
> – *ein nicht-triviales („erhebliches") Gesundheitsrisiko bzw. eine entsprechende Gesundheitsstörung gegeben ist*
> (zu graduieren nach Schweregrad, Gefährlichkeit, Prognose)
>
> und
>
> – *die Leistung geeignet ist, die Störung / das Risiko im Vergleich zum natürlichen Verlauf günstig zu beeinflussen*
>
> – in Richtung auf ein gesellschaftlich akzeptiertes Ziel
> – mit ausreichender Effektstärke und Nachhaltigkeit
> – in ausreichender Wahrscheinlichkeit
> – ohne disproportionale Risiken
> – getestet in kontrollierten Studien
> – bewährt unter Alltagsbedingungen
> – akzeptabel für Kranke und Gefährdete
> – leistungsrechtlich abgesichert.

Übersicht 3: Determinanten von individuellem und gruppenbezogenem Versorgungsbedarf

Allerdings ist eine sozial wirksame Priorisierung an enge Voraussetzungen gebunden. Zu ihnen gehören ein legitimer institutioneller Kontext (z.B. Gesetzgebungsverfahren, gemeinsame Selbstverwaltung), transparente ethische und empirische Kriterien, die Einbindung verschiedener Perspektiven (u.a. „a critical mass of public participation"[24]) sowie geregelte und demokratische Verfahren und Widerspruchsmöglichkeiten.

Die Zentrale Ethikkommission hatte deshalb die Bildung einer eigenen Parlamentskommission ins Auge gefasst, auch wenn sie der Auffassung war, dass der erste Vorschlag einer Prioritätenliste von einer multidisziplinär zu besetzenden Expertenkommission zu erarbeiten sei. Dieser Vorschlag hat bisher keinerlei Resonanz gefunden, ebenso wenig wie die gesamte Stellungnahme, weder in der allgemeinen noch in der Fachöffentlichkeit. Nur vereinzelt haben Presseorgane und

---

[23] SINGER et al. 2000.

[24] Ibid.

soziale Institutionen (vor allem Gliederungen der Evangelischen Kirche) von dem Lösungsansatz Kenntnis genommen. Das Heft 1-2/2001 der Zeitschrift *Ethik in der Medizin* enthält fünf Arbeiten zum Themenkreis Rationierung, Verteilungsgerechtigkeit und Priorisierung. Nur eine einzige zitiert die Stellungnahme der Zentralen Ethikkommission am Rande.[25] Alle behaupten aber über die Unausweichlichkeit der Rationierung – ohne deren wesentlichste sachliche und ethische Voraussetzung, die Feststellung von Prioritäten ernsthaft anzugehen. Es entsteht einmal mehr der Verdacht, dass der Problemdruck bei uns nicht groß genug ist, um mit einer konfliktträchtigen Arbeit konkret zu beginnen.

Literatur

BESKE, F. (2001): *Neubestimmung und Finanzierung des Leistungskatalogs der gesetzlichen Krankenversicherung. Kieler Konzept – Paradigmenwechsel im Gesundheitswesen*, Berlin.

BODENHEIMER, T. (1997): *The Oregon Health Plan – Lessons for the Nation. Part I*, in: New England Journal of Medicine 337, 651-655; *Part II*, in: New England Journal of Medicine 337, 720-723.

BREYER, F. (2001): *Ökonomische Grundlagen der Finanzierungsprobleme im Gesundheitswesen: Status Quo und Lösungsmöglichkeiten*, in: AUFDERHEIDE, D., DABROWSKI, M. (Hg.): Gesundheit – Ethik – Ökonomie (im Druck).

BRUNNER, A., WILDNER, M., FISCHER, R., et al. (2000): *Patientenrechte in vier deutschsprachigen europäischen Regionen*, in: Zeitschrift für Gesundheitswissenschaften 8, 273-286.

DOMENIGHETTI, G., MAGGI, J. (2000): *Gesundheitspolitische Prioritäten und Rationierung: Meinungen der Bevölkerung, der Spitalverwaltungen und der kantonalen Gesundheitsdirektionen*, in: Soziale Sicherheit 5, 270-274.

EIBACH, U. (2001): *Grenzen der Finanzierbarkeit des Gesundheitswesens und die Sorge für chronisch kranke Menschen. Sozialethische, christliche Aspekte der Verteilung der Mittel im Gesundheitswesen und die Diskussion über den „Lebenswert" chronisch kranker und schwerstpflegebedürftiger Menschen*, in: Ethik in der Medizin 13, 61-75.

FRANKEL, ST. (1991): *The epidemiology of indications*, in: Journal of Epidemiology and Community Health 45, 257-259.

FRANKEL, ST., EBRAHIM, S., SMITH, G.D. (2000): *The limits to demand for health care*, in: British Medical Journal 321, 40-44.

[25] EIBACH 2001.

FUCHS, C. (1998): *Was heißt hier Rationierung?*, in: NAGEL, E., FUCHS, C. (Hg.): Rationalisierung und Rationierung im Gesundheitswesen, Stuttgart, 42-50.

HADORN, D.C., HOLMES, A.C. (1997): *The New Zealand priority criteria project. Part I: Overview*, in: British Medical Journal 314, 131-134.

JANSEN, CH. (2000): *Rechtsprobleme bei der Allokation natürlich begrenzter Ressourcen*, in: Zeitschrift für ärztliche Fortbildung und Qualitätssicherung 94, 812-815.

KUNZ, R., OLLENSCHLÄGER, G., RASPE, H., JONITZ, G., KOLKMANN, F.W. (Hg.) (2000): *Lehrbuch evidenzbasierte Medizin in Klinik und Praxis*, Köln.

LÜHMANN, D., KOHLMANN, T., LANGE, S., RASPE, H. (2000): *Die Rolle der Osteodensitometrie im Rahmen der Primär-, Sekundär- und Tertiärprävention/Therapie der Osteoporose*, in: SCHWARTZ, F.W., KÖBBERLING, J., RASPE, H., SCHULENBURG, J.M. GRAF VON DER (Hg.): Health Technology Assessment (= Band 13 der Schriftenreihe des Deutschen Instituts für Medizinische Dokumentation und Information im Auftrag des Bundesministeriums für Gesundheit), Baden-Baden.

MAYNARD, A., BLOOR, K. (1998): *Our certain fate: Rationing in health care*, London.

MONKMAN, D. (2000): *Treating dyslipidaemia in primary care*, in: British Medical Journal 321, 1299-1300.

MULLEN, P., SPURGEON, P. (2000): *Priority Setting and the Public*, Oxon.

RIEDEL, U. (2000): *Ausbau von Patientenrechten im Gesundheitswesen*, in: Krankenversicherung 12, 344-349.

RÖSTERMUNDT, A., WESTPHAL, R., RASPE, H. (2001): *Relevanz und Finanzierung von Gesundheitsleistungen: Eine Befragung von Ärzten, Studenten, Patienten, Pflegepersonal und Senioren*, in: Gesundheitswesen 63, 311-318.

SACHVERSTÄNDIGENRAT FÜR DIE KONZERTIERTE AKTION IM GESUNDHEITSWESEN (2001): *Bedarfsgerechtigkeit und Wirtschaftlichkeit. Band I: Zielbildung, Prävention, Nutzerorientierung und Partizipation. Gutachten 2000/2001*, Köln.

SINGER, P.A. (2000): *Medical ethics*, in: British Medical Journal 321, 282-285.

SINGER, P.A., MARTIN, D.K., GIACOMINI, M. PURDY, L. (2000): *Priority setting for new technologies in medicine: qualitative case study*, in: British Medical Journal 321, 1316-1319.

STEVENS, A., RAFTERY, J. (eds.) (1994): *Health care needs assessment*, Oxford.

STRONKS, K., STRIJBIS, A.M., WENDTE, J.F., GUNNING-SCHEPERS, L.J. (1997): *Who should decide? Qualitative analysis of panel data from public, patients, healthcare professionals, and insurers on priorities in health care*, in: British Medical Journal 315, 92-96.

SWEDISH PARLIAMENTARY PRIORITIES COMMISSION (1995): *Priorities in Health Care*, Stockholm.

UHLENBRUCK, W. (1995): *Rechtliche Grenzen einer Rationierung in der Medizin*, in: Medizinrecht 11, 427-437.

WESTPHAL, R., RÖSTERMUNDT, A., RASPE, H. (2001): *Die Bedeutung ausgewählter präventiver, therapeutischer und rehabilitativer Leistungen im Spiegel eines Gesundheitssurveys*, in: Gesundheitswesen 63, 302-310.

ZENTRALE ETHIKKOMMISSION BEI DER BUNDESÄRZTEKAMMER (ZEKO) (2000): *Prioritäten in der medizinischen Versorgung im System der Gesetzlichen Krankenversicherung (GKV): Müssen und können wir uns entscheiden?*, in: Deutsches Ärzteblatt 97 (15), A-1017-1023 (abgedruckt in: Jahrbuch für Wissenschaft und Ethik, Bd. 5, Berlin, New York 2000, 401-413).

III. Dokumentation

Entschließung des Europäischen Parlaments zum Klonen von Menschen*

Europäisches Parlament

(September 2000)

Das Europäische Parlament,

- in Kenntnis des Vorschlags der Regierung des Vereinigten Königreichs, medizinische Forschung unter Verwendung von Embryonen zuzulassen, die durch die Ersetzung des Zellkerns (sogenanntes „therapeutisches Klonen") produziert wurden,
- unter Hinweis auf seine Entschließungen vom 16. März 1989 zu den ethischen und rechtlichen Problemen der Genmanipulation[1] und zur künstlichen In-vivo- und In-vitro-Befruchtung[2], vom 28. Oktober 1993 zur Klonierung des menschlichen Embryos[3], vom 12. März 1997 zum Klonen[4], vom 15. Januar 1998 zum Klonen von Menschen[5] und vom 30. März 2000[6],
- unter Hinweis auf die Konvention des Europarats zum Schutz der Menschenrechte und der Menschenwürde hinsichtlich der Anwendung von Biologie und Medizin – Konvention über Menschenrechte und Biomedizin – und seine eigene Entschließung vom 20. September 1996 zu diesem Thema[7] sowie das Zusatzprotokoll, das das Klonen von Menschen untersagt,
- unter Hinweis auf die Empfehlung 1046 der Parlamentarischen Versammlung des Europarats zur Verwendung menschlicher Embryonen,
- unter Hinweis auf das Fünfte Forschungsrahmenprogramm der Gemeinschaft und darunter fallende spezifische Programme,
- unter Hinweis auf die Richtlinie 98/44/EG des Europäischen Parlaments und des Rates vom 6. Juli 1998 über den rechtlichen Schutz biotechnologischer Erfindungen[8],

---

* Protokoll vom 7. September 2000 – vorläufige Ausgabe; B5-0710, 0751, 0753 und 0764/2000. Das Dokument ist im World Wide Web über die Suchliste „http://www.europarl.eu.int/plenary/default_de.htm#adop" abrufbar.

1 ABl. C 96 vom 17. 4. 1989, S. 165.

2 ABl. C 96 vom 17. 4. 1989, S. 171.

3 ABl. C 315 vom 22. 11. 1993, S. 224.

4 ABl. C 115 vom 14. 4. 1997, S. 92.

5 ABl. C 34 vom 2. 2. 1998, S. 164.

6 Angenommene Texte Punkt 9.

7 ABl. C 320 vom 20. 9. 1996, S. 268.

8 ABl. L 213 vom 30. 7. 1998, S. 13.

A. in der Erwägung, dass die Menschenwürde und der daraus abgeleitete Wert jedes Menschen die Hauptziele der Mitgliedstaaten sind, wie dies in vielen modernen Verfassungen verankert ist,

B. in der Erwägung, dass der zweifellosen Notwendigkeit medizinischer Forschungen infolge der Fortschritte in der Humangenetik strikte ethische und soziale Einschränkungen entgegengestellt werden müssen,

C. in der Erwägung, dass es andere Methoden zur Heilung ernsthafter Erkrankungen als das Klonen von Embryonen gibt, beispielsweise die Entnahme von Stammzellen von Erwachsenen oder aus der Nabelschnur Neugeborener, und andere äußere Krankheitsursachen, die Forschung notwendig machen,

D. in der Erwägung, dass im Fünften Forschungsrahmenprogramm und in der Entscheidung 1999/167/EG des Rates vom 25. Januar 1999 über ein spezifisches Programm für Forschung, technologische Entwicklung und Demonstration auf dem Gebiet „Lebensqualität und Management lebender Ressourcen" (1998-2002) erklärt wird: „Auch werden keine Forschungstätigkeiten im Bereich der Klonierung unterstützt, die darauf abzielen, den Zellkern einer Keimzelle oder einer embryonalen Zelle durch den Zellkern eines anderen Individuums zu ersetzen, der im embryonalen Stadium oder zu einem späteren Zeitpunkt der menschlichen Entwicklung entnommen wurde",

E. in der Erwägung, dass daher die direkte oder indirekte Verwendung von Gemeinschaftsmitteln für derartige Forschungsarbeiten verboten ist,

F. in der Erwägung, dass in der Richtlinie 98/44/EG erklärt wird, dass innerhalb der Gemeinschaft Übereinstimmung darüber besteht, dass der Eingriff in die Keimbahn menschlicher Lebewesen und das Klonen von menschlichen Lebewesen gegen die öffentliche Ordnung und die guten Sitten verstoßen,

G. in der Erwägung, dass mit einer neuen semantischen Strategie versucht wird, die moralische Bedeutung des Klonens von Menschen herunterzuspielen,

H. in der Erwägung, dass es keine Unterscheidung zwischen therapeutischem Klonen und Klonen zu Reproduktionszwecken gibt und dass jede Lockerung des derzeitigen Verbotes zu einem Druck nach Weiterentwicklungen in der Produktion und der Verwendung von Embryonen führen wird,

I. in der Erwägung, dass es das Klonen von Menschen als Schaffung menschlicher Embryonen definiert, die die gleiche genetische Ausstattung wie ein anderer verstorbener oder lebender Mensch haben, und zwar auf jeder Stufe ihrer Entwicklung, ohne jede mögliche Unterscheidung der angewandten Methode,

J. in der Erwägung, dass die Vorschläge der Regierung des Vereinigten Königreichs die Zustimmung der Mitglieder beider Häuser des Parlaments des Vereinigten Königreichs erfordern, die die Möglichkeit haben müssen, in dieser Frage nach ihrem Gewissen zu entscheiden,

1. ist der Überzeugung, dass die Menschenrechte und die Achtung der Menschenwürde und des menschlichen Lebens beständiges Ziel der politischen und legislativen Tätigkeit sein müssen;

2. vertritt die Ansicht, dass das „therapeutische Klonen", das die Produktion menschlicher Embryonen allein zu Forschungszwecken impliziert, ein grundlegendes ethisches Dilemma aufwirft, eine nicht wieder rückgängig zu machende Grenzüberschreitung der Forschungsnormen darstellt und der öffentlich vertretenen Politik der Europäischen Union widerspricht;

3. fordert die Regierung des Vereinigten Königreichs auf, ihre Position zum Klonen menschlicher Embryonen zu überprüfen, und fordert seine Amtskollegen im Parlament des Vereinigten Königreichs auf, von ihrer Gewissensentscheidung Gebrauch zu machen und gegen den Vorschlag zu stimmen, wonach die Verwendung von durch Zellkernübertragung produzierten Embryonen in der Forschung erlaubt werden soll;
4. wiederholt seine Forderung an die einzelnen Mitgliedstaaten, verbindliche Rechtsvorschriften in Kraft zu setzen, die alle Formen von Forschungen über das Klonen von Menschen auf ihrem Hoheitsgebiet untersagen, und strafrechtliche Sanktionen für Verstöße vorzusehen;
5. fordert weitestgehende politische, legislative, wissenschaftliche und wirtschaftliche Bemühungen mit dem Ziel von Therapien, die Stammzellen von Erwachsenen benutzen;
6. bekräftigt seine uneingeschränkte Unterstützung biotechnologischer wissenschaftlicher Forschung in der Medizin, sofern strikte ethische und soziale Einschränkungen dafür aufgestellt werden;
7. wiederholt seine Forderung nach Techniken künstlicher Befruchtung beim Menschen, die keine überschüssigen Embryonen erzeugen, um die Herstellung überschüssiger Embryonen zu verhindern;
8. ersucht die zuständigen nationalen und gemeinschaftlichen Behörden, dafür Sorge zu tragen, dass das Verbot der Patentierbarkeit und des Klonens der den Menschen betreffenden Bereiche bekräftigt wird, und diesbezügliche Regulierungsmaßnahmen zu ergreifen;
9. fordert die Kommission auf, die volle Einhaltung der Bestimmungen des Fünften Rahmenprogramms und aller dazugehörigen spezifischen Programme zu gewährleisten, und weist darauf hin, dass die optimale Methode zur Durchführung dieser Entscheidung darin besteht, zu gewährleisten, dass keine Forschungseinrichtung, die in irgendeiner Weise am Klonen menschlicher Embryonen beteiligt ist, Gelder aus dem EU-Haushalt für ihre Arbeiten erhält;
10. bekräftigt erneut seine Forderung nach einem universellen und spezifischen Verbot der Klonierung des Menschen in allen Phasen seiner Entstehung und Entwicklung auf der Ebene der Vereinten Nationen;
11. ist der Auffassung, dass ein von ihm einzusetzender nichtständiger Ausschuss zur Untersuchung der durch neue Entwicklungen im Bereich der Humangenetik aufgeworfenen ethischen und rechtlichen Probleme die bereits in seinen Entschließungen zum Ausdruck gebrachten Ansichten als Ausgangspunkt nehmen sollte; der Ausschuss sollte Fragen prüfen, bei denen es noch keinen klaren Standpunkt zum Ausdruck gebracht hat; seine Befugnisse, Zusammensetzung und Mandatsdauer sind auf Grund eines Vorschlags der Konferenz der Präsidenten zu bestimmen, ohne irgendeine Begrenzung der Befugnisse des ständigen Ausschusses, der für Angelegenheiten in Verbindung mit der Überwachung und der Anwendung des Gemeinschaftsrechts bei diesen Fragen zuständig ist;
12. beauftragt seine Präsidentin, diese Entschließung dem Rat, der Kommission, den Regierungen der Mitgliedstaaten, den Mitgliedern des Parlaments des Vereinigten Königreichs und dem Generalsekretär der Vereinten Nationen zu übermitteln.

Empfehlungen der Deutschen Forschungsgemeinschaft zur Forschung mit menschlichen Stammzellen*

Deutsche Forschungsgemeinschaft (DFG)

(Mai 2001)

1: Fortschritte in der modernen Stammzellforschung eröffnen der Medizin neue Perspektiven für den wissenschaftlichen Erkenntnisgewinn und die Entwicklung neuer Therapien. Langfristig könnte die Transplantation von Stammzellen und daraus gewonnener Gewebe die medizinische Behandlung zahlreicher Erkrankungen wesentlich verbessern. Menschen mit chronischen, aber auch akuten Organausfällen infolge vererbter oder erworbener Krankheiten würden von solchen Therapieansätzen bezüglich Lebenserwartung und Lebensqualität sehr profitieren.

2: Die Erwartungen auf diesem Gebiet erhalten durch Forschungsergebnisse der letzten Jahre eine wissenschaftlich begründete und erfolgversprechende Basis. Allerdings ist zu berücksichtigen, daß die Verwirklichung der angestrebten therapeutischen Möglichkeiten noch Jahre, wahrscheinlich sogar Jahrzehnte intensiver Forschung voraussetzen wird und daß diese neuen Behandlungsmöglichkeiten Krankheiten nicht prinzipiell eliminieren werden.

3: Vor diesem Hintergrund ist die Frage nach der Herstellung und Verwendung menschlicher Embryonen zu Forschungszwecken in der letzten Zeit immer mehr in das Zentrum wissenschaftsinterner wie auch öffentlicher Diskussion geraten. Ausgangspunkt dieser Diskussionen sind zwei technische Entwicklungen der vergangenen vier Jahre, nämlich die Möglichkeit der Herstellung erbgleicher Organismen durch Zellkerntransplantation (Dolly-Verfahren) sowie der Herstellung menschlicher embryonaler Stammzellen aus menschlichen Embryonen.

4: Die DFG ist der Ansicht, daß sowohl das reproduktive als auch das therapeutische Klonen über Kerntransplantation in entkernte menschliche Eizellen weder naturwissenschaftlich zu begründen noch ethisch zu verantworten sind und daher nicht statthaft sein können.

5: Die DFG ist überdies der Ansicht, daß es beim Menschen keine irgendwie geartete Rechtfertigung für Keimbahninterventionen sowie für die Herstellung von Chimären oder Hybriden geben kann. Das Verfolgen derartiger Forschungsziele muß weiterhin durch den Gesetzgeber ausgeschlossen bleiben.

---

* Die vierzehn Punkte sind im World Wide Web unter der Adresse „http://www.dfg.de/aktuell/stellungnahmen/empfehlungen_stammzellen_03_05_01.pdf" verfügbar. Die Hintergrundberichte sind im World Wide Web unter der Adresse „http://www.dfg.de/aktuell/stellungnahmen/empfehlungen_stammzellen_hintergrund_03_05_01.pdf" verfügbar.
Die *DFG-Stellungnahme zum Problemkreis „Humane embryonale Stammzellen"* vom März 1999 ist abgedruckt in Band 4 (1999) des Jahrbuchs auf den Seiten 393-399.

6: Die vergangenen zwei Jahre seit dem letzten Bericht der DFG zu diesem Thema (März 1999) haben große Fortschritte sowohl in der embryonalen wie auch in der gewebespezifischen (adulte) Stammzellforschung gebracht. Gewebespezifische Stammzellen besitzen eine sehr viel größere entwicklungsbiologische Flexibilität (Plastizität) als zunächst vermutet. So ist die Gewebespezifizität sowohl im Menschen als auch in der Maus nicht mehr nur auf einen definierten Zelltyp allein beschränkt. Unter geeigneten Bedingungen können sich Zelltypen auch ineinander umwandeln.

   Menschliche embryonale Stammzellen lassen sich heute besser als früher gezielt in bestimmte Zelltypen umwandeln, wenn auch bislang nur die Herstellung angereicherter Populationen möglich ist. Die DFG ist daher der Ansicht, daß die Wissenschaft jetzt einen Stand erreicht hat, der sowohl potentielle Patienten als auch Wissenschaftler in Deutschland in Zukunft nicht mehr von diesen Entwicklungen ausschließen sollte. Hinter dieser Feststellung liegt auch die Vermutung, daß sich möglicherweise das wahre Potential adulter Stammzellen am Ende nur durch einen Vergleich mit Zellen am anderen Ende des entwicklungsbiologischen Potentialspektrums, also mit pluripotenten Stammzellen, wird zeigen lassen.

7: Die Herstellung menschlicher embryonaler Stammzellen zu Forschungszwecken ist nach geltendem Recht verboten. Nicht verboten ist hingegen der Import embryonaler Stammzellen, da diese nicht mehr totipotent, sondern nur mehr pluripotent sind und daher gar nicht unter das Embryonenschutzgesetz fallen. Soweit dagegen Bedenken geltend gemacht werden, weist die DFG darauf hin, daß der Respekt vor der Souveränität anderer Staaten und ihrer Rechtsetzungsgewalt, wie er umgekehrt auch von anderen Staaten gegenüber dem deutschen Recht und seinen Lösungen erwartet wird, es gebietet, grundsätzlich nur Handlungen im Inland an den heimischen Rechtsvorstellungen zu messen. Akzeptiert man daher, daß Rechtsunterschiede im internationalen Vergleich nicht per se anstößig sind und Handlungen im Ausland, abgesehen von Fällen weltweit geächteten Unrechts, an den jeweils dort geltenden Rechtsvorstellungen zu messen sind, dann gibt es mit Blick auf die verfassungsrechtliche Garantie der Forschungsfreiheit keine Rechtfertigung dafür, die Forschung mit legal im Ausland hergestellten embryonalen Stammzellen grundsätzlich auszuschließen. Die DFG spricht sich daher dafür aus, die bestehende rechtliche Zulässigkeit des Imports menschlicher embryonaler Stammzellen nicht einzuschränken. Allerdings sollen nach Auffassung der DFG nur Stammzellen importiert werden dürfen, die aus sogenannten „überzähligen" Embryonen gewonnen wurden.

8: Der bloße Import von embryonalen Stammzellen erscheint der DFG jedoch nicht ausreichend. Er erlaubt deutschen Wissenschaftlern keinerlei Einfluß auf die Herstellung embryonaler Stammzellinien, und er setzt sie unvertretbaren Abhängigkeiten aus, sofern diese Linien aus rein kommerziellen Quellen stammen. Die aktive Teilnahme deutscher Wissenschaftler an der Herstellung embryonaler Stammzellinien ist aber vor allem deshalb wünschenswert, da sie an dem internationalen Standardisierungsprozeß teilnehmen und teilhaben sollten, der sich auf diesem Felde abzeichnen muß. In der Maus verwenden weit über 90% der Wissenschaftler, die auf diesem Feld arbeiten, nur etwa fünf verschiedene embryonale Stammzellinien. Diese lassen sich beim Nachlassen ihrer Pluripotenz auch reklonieren, so daß nur in Ausnahmefällen überhaupt ein Rekurs auf Mäuseblastozysten notwendig ist. Diese Situation, von der wir allerdings im menschlichen System gegenwärtig weit entfernt sind, müßte nach Ansicht der DFG auch in diesem Umfeld angestrebt werden.

9: Ein stärkeres Engagement deutscher Wissenschaftler in der Forschung mit menschlichen Stammzellen ist in folgenden Schritten vorstellbar:

   9.1: In einem ersten Schritt könnte – auch und gerade mit Förderung durch die DFG – eine institutionelle internationale Zusammenarbeit entwickelt werden, deren Aufgabe es ist, die Anforderungen an die notwendigen Zellinien zu formulieren, diese zu standardisieren und für ihre Etablierung in der wissenschaftlichen Praxis Sorge zu tragen. Eine derartige Aktivität gibt es derzeit nicht. Die Mitarbeit in solchen Referenzzentren oder Gremien würde deutsche Wissenschaftler an der Gewinnung essentiellen Wissens beteiligen und ihnen die Mitwirkung an der Entwicklung elementarer Ressourcen ermöglichen. Diese Aktivität bedürfte nach Meinung der DFG keiner Änderung des Embryonenschutzgesetzes.

9.2: Sollten sich die Wissenschaftlern in Deutschland zur Verfügung stehenden pluripotenten Zellinien objektiv als nicht geeignet erweisen oder sollten die Forschungsarbeiten mit ihnen in nicht zu rechtfertigender Weise eingeschränkt sein, schlägt die DFG dem Gesetzgeber als zweiten Schritt vor, in Überlegungen einzutreten, Wissenschaftlern in Deutschland die Möglichkeit zu eröffnen, aktiv an der Gewinnung von menschlichen embryonalen Stammzellen zu arbeiten. Voraussetzung allerdings ist, daß die unter Ziffern 10 und 11 aufgestellten Konditionen und das dort entwickelte Verfahren eingehalten sind. Der DFG sollte die Finanzierung solcher Arbeiten möglich sein.

Die Entscheidung über diese Frage läuft auf einen Abwägungsprozeß zwischen dem verfassungsrechtlichen Lebensschutz des Embryos einerseits und der ebenfalls verfassungsrechtlich geschützten Forschungsfreiheit andererseits heraus. Der ethische und rechtliche Schutz der Forschungsfreiheit ist nicht absolut; genauso wenig wie das Lebensrecht des Embryos. Indem der Gesetzgeber bestimmte Verfahren der Empfängnisverhütung, beispielsweise Nidationshemmer, gestattet und auch den Schwangerschaftsabbruch unter bestimmten Bedingungen von der Strafverfolgung ausnimmt, ist auch der Schutz des menschlichen Embryos nicht uneingeschränkt gewährt. Aus der Sicht der DFG setzt ein Abwägungsprozeß zugunsten der wissenschaftlichen Forschung die Hochrangigkeit der Forschungsziele voraus. Diese allerdings kann sich nicht auf Heilungsversprechen allein beziehen, sondern setzt echte Chancen auf deren Realisierbarkeit voraus. Die Entwicklungen der vergangenen zwei Jahre deuten darauf hin, daß eine solche Erwartung als nicht unbegründet anzusehen ist.

Abgelehnt wird von der DFG die Herstellung von Embryonen ausschließlich zu Forschungszwecken (Dolly-Verfahren).

10: Die DFG hält es allerdings für zwingend erforderlich, daß eine etwaige Herstellung von embryonalen Stammzellen, wie auch das Arbeiten mit embryonalen Stammzellinien – einschließlich der importierten – in jedem einzelnen Falle nur unter streng kontrollierten Bedingungen möglich sein darf.

Die Voraussetzungen für die Gewinnung von embryonalen Stammzellen in Deutschland, die vom Gesetzgeber zu formulieren wären, sollten folgendes festlegen:

- Embryonale Stammzellen dürfen nur aus Embryonen gewonnen werden, die für eine gesetzlich zulässige künstliche Befruchtung hergestellt wurden, die aber aus Gründen, die bei der Spenderin der Eizelle liegen, auf Dauer nicht mehr zu diesem Zweck eingesetzt werden; die Herstellung menschlicher Embryonen allein zu Forschungszwecken soll und muß verboten bleiben.
- Die Eizellspenderin muß mit der Verwendung des Embryos zur Herstellung von Stammzellen einverstanden sein; eine finanzielle Vergütung darf ihr weder angeboten noch gewährt werden.
- Die Gewinnung von Stammzellen aus derartigen Embryonen darf nicht durch denjenigen Arzt erfolgen, der die Embryonen zur künstlichen Befruchtung hergestellt hat.
- Die Gewinnung menschlicher embryonaler Stammzellen und die Forschung mit diesen, einschließlich der Forschung an importierten embryonalen Stammzellen bedürfen der Geneh-

migung. Diese Genehmigung ergeht auf der Basis eines zweistufigen Prüfungsverfahrens, in dem festgestellt wird, daß das Vorhaben erstens allen wissenschaftlichen Anforderungen an Exzellenz, Methodik und Zielsetzung entspricht und zweitens ethisch vertretbar ist.

- Die wissenschaftliche Prüfung soll in einem Verfahren erfolgen, das dem Gutachterverfahren der DFG entspricht und das die besondere wissenschaftliche Qualifikation des Antragstellers mitberücksichtigt (Lizensierung von Institution und Antragsteller).
- Die Feststellung der ethischen Vertretbarkeit der Gewinnung von und der Forschung an embryonalen Stammzellen soll in jedem Einzelfall durch eine unabhängige, pluralistisch zusammengesetzte Kommission auf Bundesebene erfolgen. Vorgeschlagen wird damit ein Verfahren, das bereits im Zusammenhang mit dem Gentechnik-Gesetz eingeführt wurde, zur Zentralen Kommission für die Biologische Sicherheit (ZKBS) geführt und sich in Fragen der Gentechnik-Sicherheit bewährt hat.

11: Die unter Punkt 10 vorgeschlagene Kommission sollte folgende Aufgaben leisten:

- die Aufstellung von Rahmenbedingungen für Arbeiten mit humanen embryonalen Stammzellen, insbesondere im Rahmen des Gesetzes die Konkretisierung der Bedingungen, unter denen menschliche überzählige Embryonen zur Gewinnung von embryonalen Stammzellen eingesetzt werden dürfen.
- die Begutachtung von Einzelanträgen (analog zur ZKBS) sowohl aus öffentlich finanzierten als auch aus privat finanzierten Einrichtungen.

Dabei sollten bei der Beurteilung von Forschungsvorhaben folgende Kriterien besonders berücksichtigt werden, wobei sich die Kommission an der internationalen wissenschaftlichen Entwicklung orientiert:

- Es sollte aus guten Gründen zu erwarten sein, daß die Befunde zur Wachstums- und Differenzierungsfähigkeit von embryonalen Stammzellen aus tierischem Material sich auf bereits etablierte menschliche embryonale Stammzellen übertragen lassen.
- Die therapeutische Wirksamkeit bereits etablierter menschlicher embryonaler Stammzellen muß, soweit möglich, am Tiermodell erprobt worden sein.
- Es sollte aus guten Gründen zu erwarten sein, daß die Verwendung von embryonalen Stammzellen für die jeweilige Fragestellung entscheidende medizinische Vorteile bietet, die mit anderen, insbesondere adulten Stammzellen nicht zu erzielen sind.

12: Die DFG ist unverändert der Ansicht, daß die Verwendung von gewebespezifischen (adulten) Stammzellen als Alternative zu menschlichen embryonalen Stammzellen in allen Überlegungen Vorrang haben muß und weiterhin von der DFG intensiv gefördert werden muß.

13: Die Freigabe der Herstellung embryonaler Stammzellen aus überzähligen Embryonen in der unter Ziffer 9.2 angesprochenen Form sollte zunächst nur auf fünf Jahre befristet erfolgen. Danach sollten Bundesregierung und Gesetzgeber erneut über dieses Vorhaben entscheiden.

14: Die DFG ist sich – auch vor dem Hintergrund der jüngsten deutschen Geschichte – der Problematik bewußt, einerseits frühes menschliches Leben zu Forschungszwecken zwar nicht explizit herzustellen, andererseits aber doch zu verwenden. Sie ist der Meinung, daß der Rubikon in dieser Frage mit der Einführung der künstlichen Befruchtung überschritten wurde und daß es unrealistisch wäre zu glauben, unsere Gesellschaft könne in einem Umfeld bereits bestehender Entscheidungen zum Lebensrecht des Embryos (dauerhafte Aufbewahrung künstlich befruchteter Eizellen, Einführung von Nidationshemmern, Schwangerschaftsabbruch) zum status quo ante zurückkehren. Sie ist jedoch davon überzeugt, daß die vorliegenden Empfehlungen einerseits unserem Verfassungsverständnis und Rechtsempfinden, andererseits aber auch einem

Menschenbild entsprechen, das der wissenschaftlichen Forschung an sich wie auch den berechtigten Interessen kranker Menschen gerecht wird.

Naturwissenschaftlicher Hintergrund

1. Vorbemerkung und Definitionen

Die jüngsten Entwicklungen auf dem Gebiet der Zell- und Molekularbiologie eröffnen der Forschung an Stammzellen weitreichende Möglichkeiten, die bislang weitgehend unverstandenen Prozesse der Entwicklung von Geweben und Organen zu studieren. Darüber hinaus weisen sie der Stammzellforschung ein großes Anwendungspotential in der Medizin zu. Erstmals erscheint es denkbar, in einer vielleicht nicht allzu fernen Zukunft Spenderzellen für die Transplantation in verschiedenste Organsysteme durch Zellkulturverfahren herzustellen. Die bislang in Tierversuchen gewonnenen Befunde lassen neue Therapiestrategien für bisher kaum oder nur begrenzt behandelbare Krankheiten als nicht unrealistisch erscheinen (Übersicht in Science 290, 1672-1674 (2000)).

Unter dem Begriff des Embryos werden verschiedene frühe Stadien der Embryonalentwicklung zusammengefaßt. Das früheste Stadium, die befruchtete Eizelle, wird auch als Zygote bezeichnet. Spätere Stadien sind die Morula, ein 8- bis 16-Zellstadium, und die Blastocyste (siehe Kapitel 2.1). Die Embryonalentwicklung endet mit Abschluß der 9. Entwicklungswoche, danach bezeichnet man den Embryo als Foetus (siehe Glossar).

Je nach ihrer Herkunft unterscheidet man embryonale Stammzellen (ES-Zellen), embryonale Keimzellen (EG-Zellen) und gewebespezifische (adulte) Stammzellen. ES-Zellen werden aus undifferenzierten Zellen früher Embryonalstadien in Säugern hergestellt, EG-Zellen aus den Vorläufern von Keimzellen aus Embryonen oder frühen Foeten und adulte Stammzellen aus den verschiedensten Geweben eines erwachsenen Organismus. Gemeinsames Merkmal aller Stammzellen sind ihre Vermehrungsfähigkeit sowie ihre Fähigkeit, in einzelne oder mehrere Zelltypen auszureifen (zu differenzieren). Die entwicklungsbiologischen Potentiale sind in den embryonalen, foetalen und adulten Stammzellen in unterschiedlichem Maße ausgeprägt. Ideal für eine Zelltherapie wäre eine Situation, die es erlaubte, adulte Stammzellen eines Patienten zu entnehmen, in den gewünschten und benötigten Zelltyp umzuwandeln und den Patienten mit diesen Zellen zu behandeln. Von diesem Zustand sind wir weit entfernt. Derzeit ist nicht bekannt, welche Arten von Stammzellen sich gegebenenfalls für welche Zellersatzstrategie verwenden lassen.

Die Deutsche Forschungsgemeinschaft hat zur Frage der Herstellung und Verwendung von humanen embryonalen Stammzellen in Forschung und Anwendung erstmals eine Stellungnahme im März 1999 vorgelegt. Die erwähnten, raschen Entwicklungen auf diesem Gebiet ließen es als sinnvoll erscheinen, eine neue Stellungnahme zu erarbeiten und der Öffentlichkeit zur Diskussion vorzulegen. Im vorliegenden Papier werden sowohl die naturwissenschaftlichen, juristischen und ethischen Hintergründe des Arbeitens mit Stammzellen dargelegt, als auch eine Reihe von konkreten Empfehlungen abgegeben.

2. Embryonale Stammzellen (ES-Zellen)

2.1 Gewinnung

ES-Zellen werden aus unausgereiften (undifferenzierten) Zellen früher Embryonalstadien nach künstlicher Befruchtung gewonnen. Zur Herstellung der erstmals von Thomson und Mitarbeitern (1998) publizierten menschlichen ES-Zellen kamen künstlich befruchtete Eizellen zur Anwendung, die ursprünglich zum Zweck der Herbeiführung einer Schwangerschaft hergestellt worden waren, aber nicht mehr eingesetzt werden konnten.

Nach der Vereinigung der männlichen und weiblichen Vorkerne durchläuft die befruchtete Eizelle eine Reihe von Zellteilungen, bis nach ca. 4 Tagen das sogenannte Blastocystenstadium erreicht ist. Aus einem bestimmten Zelltyp im Innern dieser Blastocyste, die man sich als eine Kugel mit etwa 100-200 Zellen vorstellen muß, lassen sich embryonale Stammzellen gewinnen, die in Zellkultur in undifferenzierter Form gehalten werden können. Die Gewinnung dieser Zellen kann innerhalb von drei Tagen erfolgen und hat mit den bisher angewandten Methoden die Zerstörung des Embryos zur Folge. Obwohl sich in der Maus Entwicklungen abzeichnen, die das Anlegen solcher Zellkulturen aus nur einzelnen Zellen erlauben und damit den Embryo intakt lassen, erscheint es angesichts des unbekannten Verletzungsrisikos allerdings unvertretbar, menschliche Blastocysten nach einer derartigen Zellentnahme für die Einleitung einer Schwangerschaft zu verwenden.

Nach den bislang an ES-Zellen der Maus gewonnenen Erfahrungen (siehe Tabelle 2) lassen sich ES-Zellen als sogenannte Zellinien dauerhaft und nahezu unbegrenzt in undifferenziertem Zustand kultiviert und über lange Zeiträume hinweg tiefgefroren aufbewahren. Von menschlichen ES-Zellen konnte kürzlich gezeigt werden, daß sie immerhin über 250 Generationen hinweg in Kultur gehalten werden können und dabei ihre Pluripotenz erhalten (Amit et al., 2000, Tabelle 2). Ebenfalls in der Maus sind Herstellung und Kultivierung embryonaler Stammzellen im Laufe der Jahre derart standardisiert und optimiert worden, daß weltweit heute weit über 90% der Arbeiten mit nur fünf Zellinien durchgeführt werden. Für den Fall, daß diese Zellinien ihr entwicklungsbiologisches Potential verlieren, können sie aus tiefgefrorenem Material reisoliert und rekloniert werden, ohne Rekurs auf Embryonen nehmen zu müssen. Von diesem Grad der Standardisierung, so wünschenswert sie wäre, sind wir bei menschlichen ES-Zellen weit entfernt (siehe Tabelle 2).

2.2 *Eigenschaften*

2.2.1 Allgemeine Eigenschaften

ES-Zellen der Maus zeichnen sich nicht nur durch die Fähigkeit aus, sich langfristig in Kultur zu vermehren, sondern sich auch in viele verschiedene Körperzellen entwickeln zu können. Um eine Ausreifung in gewebespezifische Zelltypen einzuleiten, werden ES-Zellen für einige Tage in Form von Zellverbänden kultiviert. Derartige Zellverbände werden auch als „Embryoid-Körper" (embryoid bodies) bezeichnet. Diese Bezeichnung ist insofern irreführend, als „embryoid bodies" keine Embryonen sind und sich nach derzeitigem Erkenntnisstand auch nicht als Embryonen weiter entwickeln können. In der Regel führt die spontane Ausreifung von ES-Zellen in der Zellkultur zu einem Gemisch verschiedener Zelltypen, darunter kontrahierende Herzmuskelzellen, Hirnzellen, Fettzellen, Zellen des Immunsystems, Knorpelzellen und viele andere (zusammengefaßt in Cell Tissues Organs 165, 3-4: 129-245 (1999)). Mit Hilfe spezifischer Wachstums- und Differenzierungsfaktoren ist es möglich, aus diesem Gemisch einzelne Zelltypen anzureichern (siehe Kapitel 2.3).

2.2.2 Entwicklungsbiologisches Potential von ES-Zellen

Stammzellen werden über ihr entwicklungsbiologisches Potential definiert. Der diesbezügliche Kenntnisstand läßt sich, wie folgt, zusammenfassen:

a) Das entwicklungsbiologische Potential einer befruchteten Eizelle wird als totipotent bezeichnet, weil sich aus ihr ein ganzer Organismus entwickeln kann, inklusive der Zellen, die nicht Teil des Embryos sind, wie die Placenta. Alle bisherigen Befunde sprechen dafür, daß während der natürlichen Entwicklung des Menschen das Stadium der vollen Entwicklungsfähigkeit (Totipotenz) auf die befruchtete Eizelle und die aus den ersten Teilungsstadien hervorgegangenen Tochterzellen begrenzt ist. Auch bei Tieren gibt es bisher keine Hinweise darauf, daß die jenseits des 8-Zellstadiums gewonnenen Zellen eine eigenständige Entwicklung in einen Organismus durchlaufen könnten. Aus vereinzelten Zellen des 16-Zellstadiums von Kaninchen, Schaf und Schwein ließen sich bis heute in keinem Fall entwicklungsfähige Embryonen gewinnen (siehe Beier, 2000).

b) Dies am Menschen direkt zu überprüfen ist ethisch nicht vertretbar. Der Zustand der entwicklungsbiologischen Potenz früher Wachstumsstadien der menschlichen Embryonalentwicklung läßt sich daher nur indirekt bestimmen und eingrenzen. In Zellkultur durchgeführte Studien aus den USA und Großbritannien ergaben, daß bereits in menschlichen 8-Zellstadien innerhalb der einzelnen Zellen unterschiedliche Konzentrationsgefälle von Eiweißbestandteilen nachweisbar waren, was auf einen unterschiedlichen Entwicklungsstand der einzelnen Zellen schließen läßt (Antczak und van Blerkom, 1997). Dies wiederum läßt vermuten, daß die einzelnen Zellen bereits vor dem 8-Zellstadium ihre uneingeschränkte Entwicklungsfähigkeit verloren haben.

c) ES-Zellen der Maus haben die Eigenschaft, nach Überführung in eine andere Blastocyste an deren Embryonalentwicklung teilhaben zu können. Dabei können sie sich in alle Zelltypen dieses Organismus entwickeln, inklusive der Keimzellen. ES-Zellen werden daher als pluripotent bezeichnet. Der Unterschied zwischen einer pluripotenten ES-Zelle und einer totipotenten Zygote liegt darin, daß die Zygote sich als einzelne Zelle zu einem intakten Organismus entwickeln kann, während die ES-Zelle dies nur im Kontext einer bereits vorhandenen Blastocyste zu tun in der Lage ist.

2.3 Stand der Forschung an und mit ES-Zellen

Die Forschung an embryonalen Stammzellen verfolgt unterschiedliche Ziele. Rein wissenschaftlich gesehen geht es um die Frage, wie und unter welchen Bedingungen sich solche Zellen zu bestimmten Zelltypen hin entwickeln lassen und was bei diesen Entwicklungsprozessen spezifisch für die frühe Embryonalentwicklung des Menschen ist. Schon vor dem Abschluß der Entschlüsselung des menschlichen Genoms waren über 2000 Eiweißfaktoren bekannt, die im Prinzip an den Entscheidungsprozessen beteiligt sein könnten, die ES-Zellen bei ihrer Differenzierung durchlaufen müssen. Obwohl es als sehr komplex erscheinen mag, sind auf diesem Felde dennoch erste Fortschritte zu verzeichnen.

ES-Zellen der Maus lassen sich beispielsweise durch den Wachstumsfaktor IL-3 in weiße Blutkörperchen, durch IL-6 in rote Blutkörperchen und ihre Vorläufer und durch Retinsäure, ein Vitamin A-Derivat, in Abhängigkeit von der Konzentration, z.B. in Gehirnzellen (Neuronen) oder in glatte Muskelzellen umwandeln (siehe Fuchs und Segre, 2000). Bei ES-Zellen des Menschen steht man bezüglich der Untersuchung dieser Fragen noch ganz am Anfang. Immerhin konnte kürzlich durch den Einsatz acht verschiedener Wachstumsfaktoren gezeigt werden, daß diese auch bei menschlichen ES-Zellen sehr spezifische, wenn auch ganz unterschiedliche Effekte auf deren Reifung ausüben (Schuldiner et al., 2000).

Die mögliche therapeutische Eignung von ES-Zellen bezieht sich auf ihren Einsatz in Zellersatzstrategien. Aussichtsreich erscheint der Einsatz von ES-Zellen besonders bei solchen Geweben, die beim erwachsenen Menschen nur ein sehr eingeschränktes oder gar fehlendes Regenerationsvermögen aufweisen. Dies trifft insbesondere für das Nervensystem zu. So konnte gezeigt werden, daß aus ES-Zellen der Maus abgeleitete Vorläufer sogenannter Gliazellen in einem Rattenmodell einer menschlichen Myelinmangelkrankheit (Pelizäus-Merzbacher Syndrom) dem Myelinmangel wieder abhelfen konnten (Brüstle et al., 1999). Da auch die Multiple Sklerose eine Myelinmangelkrankheit darstellt, allerdings mit anderer Genese als die oben erwähnte Erbkrankheit, sind analoge Therapieansätze bei dieser Krankheit ebenfalls denkbar. Ebenso ist es gelungen, aus Maus-ES-Zellen Nervenzelltypen herzustellen, die bei der Parkinson'schen Erkrankung defekt sind (Lee et al., 2000). Auch über erste Tierversuche zum Ersatz von Herzgewebe wurde berichtet (Klug et al.,

1996). Die Transplantation ES-Zell-abgeleiteter Herzmuskelzellen könnte ein großes Potential für die Behandlung bestimmter Formen der Herzinsuffizienz haben. Ein weiterer, therapeutisch vielversprechender Weg ist die in vitro-Differenzierung Insulin-bildender Zellen zur Behandlung des Diabetes mellitus (Soria et al., 2000).

Grundvoraussetzung für die therapeutische Verwendung von ES-Zellen sind Verfahren, welche die Gewinnung reiner Populationen eines definierten Zelltyps erlauben. Dies ist deshalb wichtig, weil Verunreinigungen der Spenderzellen mit unreifen embryonalen Zellen nach Transplantation wegen der Pluripotenz dieser Zellen zur Bildung von Fremdgewebe oder auch von Tumoren führen können (Teratome oder Teratokarzinome; Stevens 1983). In den beschriebenen Experimenten ist dies durch den Einsatz spezieller Kulturbedingungen vermieden worden, die die Entwicklung der gewünschten neuralen Vorläuferzellen bevorzugen und die Vorläufer anderer Zelltypen offensichtlich benachteiligen und nach längerer Haltung in Zellkultur auch beseitigen.

Eine Transplantation von aus ES-Zellen abgeleiteten Spenderzellen würde allerdings zu immunologischen Abstoßungsreaktionen führen, deren Beherrschung dieselben medikamentösen Eingriffe mit allen ihren Nebenwirkungen erfordern würde, wie heute bei Organtransplantationen notwendig und üblich. Ein entscheidender Vorteil von ES-Zellen ist, daß sich praktisch jedes beliebige Gen entfernen, ersetzen oder modifizieren läßt (z.B. durch homologe Rekombination). Es könnten gezielt Gene ausgeschaltet werden, deren Produkte an der Krankheitsentstehung und an der Auslösung von Autoimmunkrankheiten sowie insbesondere an Abstoßungsreaktionen beteiligt sind, andererseits könnten vor einer Transplantation therapeutisch bedeutsame Gene in ES-Zellen eingeführt werden. Ob sich aus menschlichen ES-Zellen Spenderzellen gewinnen lassen, ist unbekannt und wird sich am Ende nur durch Forschungsarbeiten an menschlichen ES-Zellen selbst zeigen lassen (siehe Tabelle 2).

3. Embryonale Keimzellen (EG-Zellen)

3.1 Gewinnung

Menschliche embryonale Keimzellen (EG-Zellen) können aus den Vorläuferzellen von Ei- und Samenzellen, sogenannten primordialen Keimzellen gewonnen werden. Letztere lassen sich aus mehrere Wochen alten menschlichen Foeten nach induziertem Abort isolieren. Die bisher beschriebenen menschlichen EG-Zellinien wurden aus Foeten der 5. bis 11. Schwangerschaftswoche erhalten (Shamblott et al., 1998, 2001)

3.2 Eigenschaften

EG-Zellen der Maus verfügen in ähnlicher Weise wie ES-Zellen über ein hohes Proliferations- und Entwicklungspotential. Genauso wie diese bilden sie in Gegenwart bestimmter Wachstumsfaktoren zunächst komplexe, dreidimensionale Zellaggregate aus, sogenannte „embryoid bodies". Über diese Zwischenstufe können sie dann eine Vielzahl spezialisierter Zelltypen, wie Herz- oder Skelettmuskelzellen, Nervenzellen, Zellen des blutbildenden Systems etc. bilden. Dennoch werden auf Grund von an EG-Zellen der Maus erhobenen Befunden Unterschiede zwischen den entwicklungsbiologischen Potentialen von EG- und ES-Zellen vermutet. Während der Entwicklung eines Organismus werden einzelne Gene durch Modifikation der DNA (Methylierung) selektiv inaktiviert, ein Prozeß, der auch als Imprinting bezeichnet wird. Er erlaubt es dem Organismus, die Aktivität dieser Gene zu steuern und gegenüber dem Zustand in einem Embryo herabzusetzen. In den Vorläufern von Keimzellen, die für die Entwicklung von EG-Zellen verwendet werden, ist dieser Modifikationsmechanismus aufgehoben. Wenn nun Zellkerne von Maus-EG-Zellen in entkernte Eizellen der Maus eingebracht und die entstehenden Zygoten zur Entwicklung gebracht werden, dann wachsen diese Embryonen nur etwa bis zur Hälfte der normalen Tragzeit (9.5 statt 21 Tagen). Zu diesem Zeitpunkt sind sie größer als normale Embryonen und weisen Skelettanomalien auf. Offenbar beeinträchtigt der Verlust des Imprinting das entwicklungsbiologische Potential dieser Zellen (Kato et al., 1999).

Die Gewinnung von EG-Zellen ist technisch schwierig, da das für die Isolierung verwendete abortierte Gewebe aus Foeten unterschiedlicher Entwicklungsstadien stammt, primordiale Keimzellen sich aber nur während eines engen Entwicklungsfensters gewinnen lassen. Aufgrund einer Fehlbildung oder einer Embryopathie elektiv abortierte Foeten würden sich wegen möglicher assoziierter zellulärer Schäden nur bedingt für die Gewinnung therapeutisch einsetzbarer Spenderzellen eignen.

Ansonsten besitzen menschliche EG-Zellen Genaktivitätsmuster, die auf ein bemerkenswertes Differenzierungspotential schließen lassen (Shamblott et al., 2001). Humane EG-Zellen lassen sich wie ES-Zellen in verschiedene spezialisierte somatische Zelltypen entwickeln, ihre Proliferation ist nach bisherigen Befunden jedoch begrenzt und derzeit nur über „embryoid body"-abgeleitete Zellderivate möglich (Shamblott et al., 2001). Derzeit läßt sich aber noch keine Aussage darüber machen, ob und inwieweit aus menschlichen EG-Zellen hergestellte Spenderzellen nach Transplantation in Tiermodelle zur Geweberegeneration eingesetzt werden können. Da EG-Zellen von einem inkompatiblen Spender hergestellt werden, sind bei ihnen ähnliche Schwierigkeiten bezüglich der Transplantatabstoßung zu erwarten wie bei ES-Zellen.

4. Gewebespezifische (adulte) Stammzellen

4.1 Eigenschaften

Gewebespezifische Stammzellen sind dadurch gekennzeichnet, daß sie die Fähigkeit sowohl zur Selbsterneuerung als auch zur Entwicklung in spezialisierte Zelltypen besitzen. Die Fähigkeit zur Ausbildung spezialisierter Zelltypen, von denen ein erwachsener menschlicher Organismus ca. 300 besitzt, wird nicht nur während der Embryogenese und der Entwicklung eines Organismus benötigt. Auch in erwachsenen Organismen müssen Zellen ständig erneuert werden, entweder weil sie auf natürliche Weise sterben, oder durch Verletzung. Das Vermögen zur Selbsterneuerung von Zellen und Geweben ist in der Natur sehr unterschiedlich ausgeprägt. In Fröschen und einigen anderen Amphibien können ganze Gliedmaßen regeneriert werden, wenn sie durch Verletzung verloren gehen. Während bei Säugern diese extreme Art der Plastizität verloren gegangen ist, können diese immer noch Teile ihrer Leber oder ihrer Haut regenerieren, wenn die Verletzung nicht allzu groß war. Darüber hinaus gibt es Gewebe und Organe, wie die Haut, die Haare, das Blut, das Gewebe der Darminnenwand, die sich ständig in einem Zustand hohen Zellumsatzes befinden und ständig erneuert werden müssen. Sie enthalten zu diesem Zweck regenerative Vorläuferzellen, sogenannte adulte Stammzellen, die gewissermaßen in Lauerstellung auf ihren Einsatz warten. Dies gilt seit einiger Zeit auch für Gewebe mit geringen Zellumsatzraten, wie beispielsweise das Nervensystem. So wurde beispielsweise im Hippocampus des erwachsenen Menschen eine begrenzte Nachbildung von Nervenzellen nachgewiesen (Eriksson et al., 1998). Bis heute sind schon an die 20 Haupttypen von adulten Stammzellen in Säugern bekannt geworden.

4.2 Gewinnung

Die am längsten bekannten adulten Stammzellen sind die des Blutes. Sie kommen in einer Konzentration von nur einer Zelle auf ca. 10.000 Blutzellen im Knochenmark vor, wobei eine einzige Stammzelle das gesamte Blutsystem eines Organismus generieren kann (Osawa et al., 1996). Blutbildende Stammzellen werden bereits heute in der medizinischen Praxis routinemäßig für Transplantationen des blutbildenden Systems eingesetzt, um beispielsweise bestimmte Formen von Blut-krebs zu behandeln. Neben Stammzellen des Blutes enthält das Knochenmark aber auch mesenchymale Stammzellen, die u.a. in Fett-, Knorpel-, Knochen-, Sehnen- oder Muskelzellen differenzieren können. In Spezialkliniken werden diese Stammzellen des Knochenmarks bereits für einen Gewebeersatz bei Knorpel- und Knochendefekten eingesetzt (Bruder et al., 1994; Caplan, 2000). Die Regenerationsfähigkeit von Hautgewebe wird bereits heute genutzt, um beispielsweise Hautpartien, die durch Verbrennungen geschädigt sind, durch in Zellkultur vermehrte Stammzellen der Haut zu ersetzen.

Eine weitere Quelle zur Gewinnung von adulten Stammzellen stellt das Nabelschnurblut dar. Es enthält nicht nur Stammzellen des blutbildenden Systems, sondern auch mesenchymale Stammzellen (Erices et al., 2000). Die Menge an adulten Stammzellen im Nabelschnurblut wird derzeit noch als zu gering erachtet, um sie für die Behandlung von Erwachsenen einzusetzen.

Adulte Stammzellen können sich nicht nur in „ihr" Ursprungsgewebe hin entwickeln, sondern auch in andere Zelltypen ausreifen. In den vergangenen zwei Jahren wurde berichtet, daß adulte neurale Stammzellen der Maus nach Implantation in frühe Embryonalstadien in zahlreichen Geweben und Organen, wie beispielsweise Herz, Blut und Skelettmuskel identifiziert wurden (Bjornson et al., 1999; Clarke et al., 2000). Ein breites Differenzierungsspektrum wurde auch für andere Stammzellen aus dem erwachsenen Organismus nachgewiesen. Beispielsweise entwickeln sich Stammzellen des Knochenmarks in Leberzellen (Petersen et al., 1999) oder in Muskelzellen (Ferrari et al., 1998), und Muskelzellen entwickeln sich in Zellen des Blutes (Gussoni et al., 1999). Auch beim Menschen konnte gezeigt werden, daß Stammzellen des Blutes, die bei Knochenmarktransplantationen verabreicht wurden, als Leberzellen aufzufinden waren. In Tiermodellen erwiesen sich adulte Stammzellen aus dem Knochenmark von Mensch und Maus als in der Lage, Herzmuskelzellen, die nach einem induzierten Infarkt abgestorben waren, zu ersetzen und die Funktion des Herzens zu verbessern (Orlic et al., 2001; Kocher et al., 2001).

Die Ursachen der hohen Plastizität adulter, gewebespezifischer Stammzellen sowie die Mechanismen ihrer Transdifferenzierung in andere Zelltypen sind noch unverstanden. Die derzeitigen Befunde sprechen dafür, daß Stammzellen in der jeweiligen Mikroumgebung durch spezifische, derzeit noch unbekannte Eiweißfaktoren reprogrammiert werden und sich dann in ganz unterschiedliche Zelltypen entwickeln können (Watt und Hogan, 2000). Wenn es gelänge, diese Faktoren zu identifizieren und entsprechende Zellkultursysteme zu etablieren, wäre dadurch eine gezielte Gewinnung von Spenderzellen für die verschiedensten Gewebe aus adulten Stammzellen möglich. Als Ausgangsmaterial kämen hierfür vielleicht weniger die Stammzellen des blutbildenden Systems in Frage, die sich in Kultur nur schwer vermehren lassen, sondern Stammzellen der Haut oder des Nabelschnurbluts, da diese Stammzellen sich leichter vermehren lassen (Fuchs und Segre, 2000). Die Wissenschaft ist allerdings weit davon entfernt, diese Stammzellen gezielt und in ausreichenden Mengen in geeignete Zelltypen umwandeln zu können. Der Einsatz adulter Stammzellen hätte allerdings gegenüber den ES-Zellen den Vorteil, daß mit dieser Strategie Abstoßungsreaktionen vermieden werden könnten, da es sich um körpereigene (autologe) Zellen handelt.

5. *Reprogrammierung somatischer Zellen durch Zellkerntransplantation*

5.1 *Mechanismen und Probleme der Kerntransplantation*

Die Geburt des Klonschafs „Dolly" hat gezeigt, daß durch Übertragung des Zellkerns einer Körperzelle eines erwachsenen Organismus in eine von ihrem eigenen Zellkern befreite (entkernte) Eizelle auch bei Säugern eine ungeschlechtliche Vermehrung möglich ist (Wilmut et al., 1997). Offensichtlich kann das hochdifferenzierte genetische Programm des Genoms einer Körperzelle im Zellinnern einer Eizelle eine weitgehende Reprogrammierung bis hin zur Totipotenz erfahren.

Experimentell kann der Kerntransfer durch Injektion oder durch Elektrofusion erfolgen. Bei der Elektrofusion erfolgt ein Zusammenfließen der Zellinhalte (Zytoplasma) beider Zellen. Die entstehenden Zellen können daher Kern- und Zytoplasma verschiedener Organismen oder sogar verschiedener Spezies enthalten. Da es im Zellinnern nicht nur die genomische DNA des Zellkerns, sondern auch sogenannte mitochondriale DNA gibt, können Kern-DNA und mitochondriale DNA in diesen chimären Zellen von unterschiedlicher Herkunft sein. Strenggenommen handelt es sich daher bei den nach dem „Dolly"-Verfahren hergestellten Klonen nicht um echte Klone, sondern nur um Kerngenom-identische Zellen.

Das mitochondriale Genom enthält nicht genügend Gene (beim Menschen insgesamt nur 13), um das zugehörige Zellorganell, das Mitochondrion, aufzubauen. Wesentliche Bestandteile dieses Organells, das für die Energieversorgung der Zellen unentbehrlich ist, sind im Kerngenom instruiert. Erst im Zusammenwirken der Genprodukte beider Genome kann daher das Mitochondrion entstehen. Wahrscheinlich ist dies der Grund, warum chimäre Gebilde aus menschlichen Zellkernen und Rindereizell-Zytoplasma kaum über das 8- bis 16-Zellstadium hinauskommen. Menschliche und Rindermitochondrien sind in ihrer Funktion extrem spezialisiert und daher sind auch die entsprechenden Gene und ihre Produkte miteinander inkompatibel (Lanza et al., 1999).

Die normale Entwicklung eines durch Kerntransfer entstandenen Embryos ist von verschiedenen Faktoren abhängig. Entscheidend ist die schon von Wilmut und Mitarbeitern (1997) gemachte Beobachtung, daß Spenderzellkern und Empfänger-Cytoplast hinsichtlich ihrer Zellzyklusstadien miteinander synchronisiert sein müssen, so daß der resultierende Embryo sein Erbgut korrekt teilen kann. Die Vermehrung des Erbguts einer Zelle findet in einer ganz bestimmten Phase des Lebenszyklus einer Zelle statt, der sogenannten S- oder Synthesephase. Dazwischen gibt es sogenannte G-Phasen und die mitotische Phase, in der sich die beiden neuen Tochterzellen bilden. Sind die Phasen nicht synchronisiert und gerät etwa der aus einer ruhenden Zelle stammende Zellkern in eine entkernte Zelle, die gerade ihre Chromosomen auf die Zellteilung vorzubereiten im Begriff war, dann kann es geschehen, daß es zur Zerstörung der DNA im neu eingeführten Zellkern kommt.

Der Beweis der erfolgreichen Reprogrammierung von Genomen aus ausgereiften Körperzellen wurde mit der Geburt gesunder Nachkommen für Schaf, Rind, Maus, Ziege und Schwein erbracht (z.B. Wakayama et al., 1999; Betthauser et al., 2000). Die Ausbeuten waren aber in allen Fällen extrem gering. Außerdem ergaben sich im überwiegenden Teil der Studien Probleme während der Trächtigkeiten, Störungen bei der Placentaentwicklung, eine erhöhte Abortrate, fötales Riesenwachstum sowie erhöhte Sterbe- und Fehlbildungsraten bei den neugeborenen Tieren. Das Spektrum der beobachteten Störungen läßt nicht auf eine einheitliche Herkunft dieser Schwierigkeiten schließen. Denkbar wäre, daß durch fehlerhafte Reprogrammierung eine abnormale Aktivierung entwicklungsrelevanter Gene ausgelöst wird, die zu den genannten Defekten führt. Die Aufklärung der Mechanismen der Reprogrammierung bzw. ihrer Störungen ist Gegenstand zahlreicher Forschungsvorhaben im In- und Ausland.

Das erfolgreiche Klonen von Tieren durch Kerntransplantation stellt uns vor die Frage, ob der Begriff der Totipotenz überdacht werden muß. Seit „Dolly" sind nicht mehr nur Embryonen totipotent, sondern auch Zellkerne aus adulten Zellen in den totipotenten Zustand überführt worden. Die Totipotenz solcher Zellkerne ist allerdings niemals natürlich, sondern immer nur experimentell induziert. Nicht nur müßte dies in Zukunft spezifiziert werden (Beier, 2000), sondern es kann die Eigenschaft der Totipotenz an sich noch nicht als Rechtfertigung für juristischen oder moralischen Schutz herangezogen werden (siehe Tabelle 1 und Kapitel 7 im Teil ‚Juristischer Hintergrund').

5.2 Reproduktives Klonen

Das Klonen durch Zellkerntransplantation müßte im Prinzip auch beim Menschen möglich sein. In einer Denkschrift aus dem Jahre 1997 sowie in mehreren Stellungnahmen hat sich die DFG gegen das reproduktive Klonen von Menschen ausgesprochen und dies ausführlich begründet (Deutsche Forschungsgemeinschaft 1997, 1998, 1999). Zahlreiche Länder und Organisationen haben ähnliche Vorbehalte ausgesprochen.

5.3 Therapeutisches Klonen

Durch Transfer somatischer Zellkerne in entkernte Eizellen entstehen Embryonen, die wie natürlich befruchtete Eizellen in Kultur zu Blastocysten herangezogen werden können. Die aus solchen Blastocysten gewonnenen ES-Zellen wären nicht nur in bezug auf das Kerngenom mit dem Erbgut des Patienten identisch. Durch Behandlung mit geeigneten Wachstums- und Differenzierungsfaktoren ließen sich im Prinzip aus diesen individualspezifischen Stammzellen Spenderzellen erhalten, die bei einer Übertragung auf den Patienten vermutlich keine immunologischen Abstoßungsreaktionen hervorrufen würden. Dieses Konzept wird im Unterschied zum reproduktiven Klonen, das zu ganzen Organismen führt, als therapeutisches Klonen bezeichnet (Lanza et al., 1999).

Die Umsetzung dieses Verfahrens auf den Menschen ist mit zahlreichen Problemen behaftet. Dazu gehört zunächst einmal die Bereitstellung reifer menschlicher Eizellen, deren Reifung in Kultur noch nicht ausreichend verstanden ist. Ferner bleibt die Frage nach dem Zustand des durch Kerntransplantation erhaltenen Gewebes, nachdem es, wie erwähnt, in tierischen Systemen zu schweren Entwicklungsstörungen kommt (siehe Kapitel 3.2 und 5.1). Unklar ist ebenfalls, ob solches Gewebe normal und zusammen mit anderem, umliegendem Gewebe des Organismus altert und ob es nicht, wie ebenfalls in tierischen Systemen beobachtet, zur Fehlentwicklung tendiert (Jaenisch und Wilmut, 2001). Genauso ungeklärt ist die Frage, ob durch die Verwendung eines patienteneigenen Zellkerns tatsächlich die Frage der immunologischen Abstoßung vermieden werden kann.

All diese und andere Fragen haben die Suche nach anderen Strategien der Kerntransplantation beflügelt. So werden beispielsweise als mögliche Alternativen für menschliche Eizellen auch Eizellen tierischen Ursprungs oder aber künstliche Cytoplasten aus ES- bzw. EG-Zellen diskutiert (Solter, 1999; Gearhart, 2000). Wie bereits erwähnt, ergaben bisherige Versuche zur Übertragung menschlicher Zellkerne in entkernte tierische Eizellen keine entwicklungsfähigen Blastocysten. Obwohl am Ende die Unterschiede zwischen tierischen Systemen und dem Menschen so groß sein werden, daß menschliche Zellen eingesetzt werden müßten, um das Konzept des therapeutische Klonens beim Menschen zu validieren, ist die Forschung zum gegenwärtigen Zeitpunkt weit davon entfernt, diesen Schritt gehen zu müssen. Die anstehenden Grundsatzfragen müssen zunächst in tierischen Systemen geklärt werden.

Juristischer Hintergrund

1. Vorbemerkung

Die Gewinnung von embryonalen Stammzellen sowie die Forschung mit diesen steht in einem Spannungsverhältnis zwischen dem Schutz der Menschenwürde gemäß Art. 1 Abs. 1 GG und der Freiheit von Wissenschaft und Forschung gemäß Art. 5 Abs. 3 S. 1 GG. Das Bundesverfassungsgericht hat in seinen Entscheidungen über die Verfassungsmäßigkeit der Regelungen zum Schwangerschaftsabbruch ausdrücklich festgestellt, daß Menschenwürde auch schon dem ungeborenen Leben zukomme, wenn es auch nicht ausdrücklich entschieden hat, ob menschliches Leben bereits mit der Verschmelzung von Ei und Samenzelle entsteht. Die Forschungsfreiheit ist, obwohl das Grundgesetz Einschränkungen nicht ausdrücklich vorsieht, nicht unbegrenzt, sondern sie kann durch andere Verfassungsgüter eingeschränkt werden. Verfassungsgüter, die hier besonders in Betracht zu ziehen sind, sind der Schutz der Menschenwürde sowie der Schutz des menschlichen Lebens und der menschlichen Gesundheit. Die Konkretisierung derartiger verfassungsrechtlicher Schranken liegt in erster Linie bei dem Gesetzgeber, der einen Ausgleich zwischen den konkurrierenden Verfassungsgütern herstellen muß. Im Embryonenschutzgesetz wurden verfassungsrechtliche Schranken für die Forschungsfreiheit hinsichtlich der Arbeit an und mit Embryonen konkretisiert. Die Verbote des Embryonenschutzgesetzes sollen Menschenwürde und Lebensschutz von Lebensbeginn an sichern. Als Beginn individuellen menschlichen Lebens wird dort (§ 8) der Abschluß der Befruchtung einer Eizelle, d.h. die Verschmelzung der Kerne einer Eizelle und einer Samenzelle zu einem neuen, individuellen Genom angesehen. Dies gilt auch im Falle der extrakorporalen Befruchtung. Als Embryonen sind durch das Gesetz zudem alle einem Embryo entnommenen totipotenten Zellen definiert, die sich bei Vorliegen der erforderlichen weiteren Voraussetzungen zu teilen und zu einem Individuum zu entwickeln vermögen. In die Entwicklung eines menschlichen Embryos darf nach dem Gesetz nur zum Wohle des Embryos eingegriffen werden.

Die ethische und rechtliche Beurteilung der wissenschaftlichen Forschung mit Stammzellen muß drei Bereiche unterscheiden, nämlich: die Art und Weise der Gewinnung humaner Stammzellen, die im Rahmen der Forschung mit humanen Stammzellen angewandten Methoden sowie die von der wissenschaftlichen Forschung verfolgten Ziele.

Dabei liegt es nahe, auch nach der Legitimität der Ziele zu fragen, für die die oben genannten Handlungsmöglichkeiten in Anspruch genommen werden können, und die Vertretbarkeit der eingesetzten Mittel hinsichtlich ihrer intendierten wie ihrer nichtintendierten Wirkungen zu prüfen. Als Beurteilungsmaßstäbe sind dabei die ethischen Prinzipien heranzuziehen, wie sie vor allem in der Verfassung ihren juristischen Niederschlag gefunden haben.

Die dargestellten Ziele der wissenschaftlichen Forschung sind als solche nicht nur ethisch und verfassungsrechtlich vertretbar, sondern geboten, denn die Verbesserung der medizinischen Versorgung des Menschen ist eine Aufgabe, der die medizinische Forschung verpflichtet ist. Insofern lassen sich mit der Stammzellforschung angestrebte therapeutische Ziele auf Art. 2 GG stützen. In diesem Zusammenhang ist darauf hinzuweisen, daß sich Deutschland durch seinen Beitritt zu dem Internationalen Pakt für wirtschaftliche, soziale und kulturelle Rechte dazu verpflichtet hat, die Rechte eines jeden „auf das für ihn erreichbare Höchstmaß an körperlicher und geistiger Gesundheit" zu schützen. Der Expertenausschuß dieses Paktes hat dieses Recht in seinem „General Comment" Nr. 14 (2000) näher ausdifferenziert. Zumindest bedarf danach eine vom Staat veranlaßte Einschränkung therapeutischer Möglichkeiten einer besonderen Begründung.

Dies kann aber nun nicht dahin verstanden werden, daß therapeutischen Zielsetzungen gegenüber dem Schutz der Menschenwürde Vorrang einzuräumen wäre. Zu berücksichtigen ist demgegenüber insbesondere der hohe verfassungsrechtliche Wert des Schutzes der Menschenwürde; sein Kernbereich ist absolut geschützt. Geprüft werden muß aber, mit welchem Gewicht eine potentielle Gewinnung von embryonalen Stammzellen in die Menschenwürde eingreift, ob die Bedeutung dieses Eingriffs reduzierbar ist und vor allem, ob humane embryonale Stammzellen die einzige Alternative für die verfolgten therapeutischen Ziele bzw. Ziele der Grundlagenforschung darstellen. Die Entscheidung hierzu liegt letztlich bei dem Gesetzgeber.

Im folgenden ist auf die verschiedenen Wege zur Gewinnung von humanen Stammzellen einzugehen; sie unterscheiden sich aus rechtlicher Sicht zum Teil ganz erheblich.

2. *Embryonale Stammzellen*

Für die Gewinnung von sowie das wissenschaftliche Arbeiten mit ES-Zellen ist das Embryonenschutzgesetz maßgeblich. Es geht davon aus, daß das menschliche Leben von seinem Beginn an, d.h. der abgeschlossenen Kernverschmelzung, unter dem Schutz der menschlichen Würde, des Lebens und der Gesundheit steht. Hieraus ergeben sich das Verbot der fremdnützigen Verwendung menschlicher Embryonen, d.h. einer Nutzung, die nicht der Erhaltung des Embryos dient, und dasjenige des Klonens von menschlichem Leben. Von entscheidender Bedeutung in bezug auf das letztgenannte Verbot ist die Tatsache, daß nach dem Embryonenschutzgesetz bereits das Erzeugen eines Embryos mit demselben Erbgut eines Menschen verboten ist.

Die Entnahme von embryonalen Stammzellen aus Blastocysten erfolgt zu einem nicht der Erhaltung des Embryos dienenden Zweck. Sie ist demgemäß nicht mit dem Embryonenschutzgesetz vereinbar. Dies gilt selbst für den Fall, daß der Embryo durch die Entnahme einiger Zellen in seiner Entwicklung nicht geschädigt würde.

Das Verbot fremdnütziger Verwendung von Embryonen gilt nach der derzeitigen Rechtslage auch für Embryonen, die für eine künstliche Befruchtung nicht mehr eingesetzt werden können (beispielsweise weil die Patientin vorher verstorben ist). Derartige Embryonen werden in der Praxis vernichtet; das Embryonenschutzgesetz enthält hierzu allerdings keine Regelung.

Verboten ist schließlich nach derzeitiger Rechtslage die Herstellung von Embryonen zu anderen Zwecken als zur künstlichen Befruchtung. Dies schließt eine Herstellung von Embryonen zu Forschungszwecken aus.

3. EG-Zellen

Die Entnahme von primordialen Keimzellen (EG-Zellen) aus Foeten nach frühen Schwangerschaftsabbrüchen zu wissenschaftlichen, therapeutischen und diagnostischen Zwecken ist in den „Richtlinien zur Verwendung fetaler Zellen und fetaler Gewebe" der Bundesärztekammer geregelt. Zellen und Gewebe von solchen Foeten dürfen danach für fremdnützige experimentelle und therapeutische Zwecke verwendet werden. Die Entscheidung zum Schwangerschaftsabbruch muß unabhängig von einer solchen Verwendung erfolgen, und die Schwangere muß ihre Einwilligung in die Verwendung nach erfolgter Aufklärung schriftlich erteilen. Vergünstigungen, mit denen die Entscheidung zum Schwangerschaftsabbruch oder zur Verwendung des Foetus beeinflußt werden sollen, dürfen weder angeboten noch gewährt werden.

Das Embryonenschutzgesetz erfaßt diese Entnahme nicht, da es nur den Zeitraum bis zur Einnistung des Embryos in den Uterus regelt. Das Transplantationsgesetz gilt nicht für embryonale und fetale Organe und Gewebe. Das heißt, daß die Entnahme von primordialen Keimzellen aus spontan abgegangenen oder abgetriebenen Foeten nach der geltenden Rechtslage erlaubt ist.

Die Erzeugung von Keimzellen (Ei- und Samenzellen) aus pluripotenten Stammzellen ist gemäß dem Embryonenschutzgesetz verboten, sofern die Erbinformation der Keimzelle zuvor künstlich verändert wurde (§ 5 Abs. 1 und Abs. 4 Nr. 2 b) ESchG). Ferner dürfen Keimzellen mit künstlich veränderter Erbinformation nicht auf einen Embryo, Foetus oder Menschen übertragen werden.

4. Adulte und gewebespezifische Stammzellen

Die Gewinnung und Verwendung gewebespezifischer Stammzellen wird nicht durch das Transplantationsgesetz erfaßt, das die Entnahme von menschlichen Organen, Organteilen oder Geweben (Organe i.S.d. TPG) zum Zwecke der Übertragung auf andere Menschen regelt. Bei gewebespezifischen Stammzellen handelt es sich nicht um ein Organ im Sinne des Transplantationsgesetzes, d.h. um einen aus Zellen und Geweben zusammengesetzten Teil des Körpers, der eine Einheit mit bestimmten Funktionen bildet. Ebensowenig stellen sie ein Gewebe im Sinne der medizinischen Definition dar, d.h. einen Verband von Zellen gleichartiger Differenzierung und spezifischer Aufgaben. Blut und Knochenmark, die besonders geeignete Quellen zur Gewinnung gewebespezifischer Stammzellen darstellen, sind zudem ausdrücklich vom Anwendungsbereich des Transplantationsgesetzes ausgenommen (§ 1 Abs. 2 TPG).

Die Verwendung gewebespezifischer Stammzellen als solcher ist darüber hinaus nicht Gegenstand des Embryonenschutzgesetzes. Es handelt sich bei diesen somatischen Stammzellen nicht um Keimbahnzellen, so daß auch die genetische Manipulation mit anschließender Übertragung auf einen Menschen nach dem Embryonenschutzgesetz nicht untersagt ist. Zu beachten sind im Falle der somatischen Gentherapie die Vorschriften des Arzneimittelrechts. Die angewandten Gentherapeutika sind Arzneimittel im Sinne des § 2 Abs. 1 AMG. Es handelt sich um Stoffe, die dazu bestimmt sind, Krankheiten zu heilen oder zu lindern. Für die Herstellung, die Zulassung und die Überwachung gelten die Vorschriften des Arzneimittelrechts. Die Anwendung nicht zugelassener gentherapeutischer Arzneimittel ist grundsätzlich als klinische Prüfung einzustufen, so daß die §§ 40 bis 42 AMG zu beachten sind. Darüber hinaus ist die Zulässigkeit von klinischen Versuchen mit somatischem Gentransfer in den „Richtlinien zum Gentransfer in menschliche Körperzellen" der Bundesärztekammer geregelt. Die somatische Gentherapie darf danach nur auf schwere Krankheiten angewendet werden, insbesondere solche, die mit anderen Medikamenten nicht heilbar sind und häufig tödlich verlaufen. Nach Auffassung der Bund-Länder-Arbeitsgruppe „Somatische Gentherapie" sind die Richtlinien der Bundesärztekammer über klinische Studien hinaus bei jeder Anwendung der somatischen Gentherapie zu beachten. Eine entsprechende ausdrückliche Klarstellung in den Richtlinien wird angeregt.

Die gentechnischen Arbeiten im Labor, d.h. die gentechnische Methodik der Herstellung von Stammzellen in vitro, unterliegen der Anmelde- oder Genehmigungspflicht gemäß §§ 8 ff. GenTG. Die Behandlung des Patienten mit gentechnisch veränderten gewebespezifischen Stammzellen wird dagegen nicht vom Geltungsbereich des Gentechnikgesetzes erfaßt.

Gewinnung von Stammzellen aus dem Blut

Bei der Gewinnung und Verwendung von Blutstammzellen sind zudem die Regelungen des Transfusionsgesetzes zu beachten. Zweck des Transfusionsgesetzes ist die sichere Gewinnung von Blut und Blutbestandteilen sowie die gesicherte und sichere Versorgung der Bevölkerung mit Blutprodukten. Das Gesetz zielt zwar in erster Linie auf das Blutspendewesen. Die Regelungen zur Gewinnung von Blut und Blutbestandteilen (z.B. die Auswahl der spendenden Personen, Aufklärung und Einwilligung oder Vorbehandlung zur Blutstammzellseparation) und zur Anwendung von Blutprodukten (z.B. die Qualitätssicherung oder Verwendung nicht angewendeter Blutprodukte) sind jedoch auch bei der Gewinnung, Erforschung und Verwendung von Blutstammzellen im Rahmen der Stammzelltherapie zum Schutz von Spender und Patient anwendbar. Zu beachten sind darüber hinaus die Richtlinien der Bundesärztekammer, in denen der allgemein anerkannte Stand der medizinischen Wissenschaft und Technik für die Separation von Blutstammzellen und zur Anwendung von Blutprodukten festgestellt wird (§ 12 Abs. 1 Nr. 8, § 18 TFG). Die Anwendung dieser Richtlinien sollte zumindest insoweit erfolgen, als die medizinischen Sachverhalte vergleichbar und der erforderliche Stand von Wissenschaft und Technik damit auf die Stammzellforschung übertragbar sind. Ergänzend sind die „Richtlinien zur Transplantation peripherer Blutstammzellen" zu beachten.

Gewinnung von Stammzellen aus Nabelschnurblut

Schließlich bilden die „Richtlinien zur Transplantation von Stammzellen aus Nabelschnurblut" (Cord Blood, CB) der Bundesärztekammer die Grundlage für die Gewinnung, Aufbereitung und Lagerung von aus Nabelschnurblut gewonnenen blutbildenden Zellen sowie die Behandlung von

Patienten mit Stammzellen aus Nabelschnurblut. Bei der Entnahme von CB muß das vordringlichste Ziel sein, daß für die Gebärende und für das Neugeborene kein zusätzliches Risiko entsteht. Insbesondere darf die CB-Entnahme nicht in den Entbindungsablauf eingreifen. Vor Weitergabe des CB an das Verarbeitungszentrum muß das schriftliche Einverständnis der Schwangeren vorliegen. Das Einverständnis des biologischen Vaters ist wünschenswert. Die allogene CB-Transplantation ist gegenwärtig nur im Rahmen von klinischen Prüfungen gemäß den Vorgaben des AMG nach Genehmigung der zuständigen Ethikkommission durchführbar.

Sowohl in den „Richtlinien zur Transplantation von Stammzellen aus Nabelschnurblut" als auch in den „Richtlinien zur Transplantation peripherer Blutstammzellen" wird darauf hingewiesen, daß bei der Herstellung von andersartigen Blutstammzellpräparaten (wie z.B. aus in vitro expandierten Zellen) zumindest die in den genannten Richtlinien dargestellten Sicherheitskriterien zu beachten und entsprechend zu ergänzen sind. Gleiches sollte – soweit die medizinischen Sachverhalte vergleichbar sind – für die Gewinnung und Verwendung von sonstigen gewebespezifischen Stammzellen gelten, solange eigenständige Regelungen nicht vorliegen.

5. Zellkerntransfer und Reprogrammierung

Der Zellkerntransfer in enukleierte humane Eizellen erfüllt den Straftatbestand des Klonens, da eine totipotente Zelle entsteht, die nach den Bestimmungen des Embryonenschutzgesetzes als Embryo gilt. Auch die Weiterentwicklung einer totipotenten Zelle zur Blastocyste und die Gewinnung von embryonalen Stammzellen daraus wären verboten und strafbar. Gleiches gilt für den Versuch.

Chimären- und Hybridbildung durch Zellkerntransfer

Die in vitro-Fusion von menschlichen somatischen Kernen mit enukleierten tierischen Eizellen wurde als eine mögliche Methode diskutiert, um ES-Zellinien zu erhalten und um frühe Differenzierungsvorgänge untersuchen zu können.

Das Embryonenschutzgesetz verbietet die Erzeugung von intra- und interspezifischen Chimären und Hybriden unter Verwendung mindestens eines menschlichen Embryos (§ 7 Abs. 1 (1), (2)) oder einer menschlichen Keimzelle (§ 7 Abs. 1 (3)). Ebenso ist die Übertragung eines solchermaßen entstandenen Embryos auf eine Frau oder ein Tier verboten (§ 7 Abs. 2 (1)). Diese Bestimmungen sind aber nicht einschlägig für den Zellkerntransfer eines menschlichen Zellkerns in eine tierische Eizelle, weil kein menschlicher Embryo und keine menschliche Keimzelle verwendet werden. Demnach wäre es nach den Bestimmungen des Embryonenschutzgesetz über Chimären- und Hybridbildung nicht verboten, durch einen solchen Zellkerntransfer menschlich-tierische Hybridzellen zu erzeugen, die die Fähigkeit zur in vitro-Differenzierung besitzen.

Es könnte aber argumentiert werden, bei einem menschlichen Zellkern in einer tierischen enukleierten Eizelle handele es sich um einen menschlichen Klon im frühesten Stadium. Diese Ansicht könnte sich auf die Stellungnahme „Klonierung beim Menschen. Biologische und ethisch-rechtliche Bewertung" von A. Eser, W. Frühwald, L. Honnefelder, H. Markl, J. Reiter, W. Tanner und E.-L. Winnacker für den Rat für Forschung, Technologie und Innovation (April 1999) stützen, die allerdings einen anderen Sachverhalt anspricht. Danach ist allein entscheidend die Entwicklungsfähigkeit, nicht die Herkunft der Zellarten.

Zu berücksichtigen ist allerdings, daß es sich bei dem Embryonenschutzgesetz um ein Strafgesetz handelt, damit der Grundsatz nulla poena sine lege greift und somit auch das verfassungsrechtlich verankerte Analogieverbot. Danach ist eine Ausdehnung der Strafbarkeit über den Gesetzeswortlaut hinaus auf ähnlich strafbedürftig und strafwürdig erscheinende Verhaltensweisen verboten. Auf dieser Basis ist zumindest verboten die Übertragung einer menschlich-tierischen Hybridzelle auf eine Frau und die Übertragung der Hybridzelle auf ein Tier. Erlaubt ist dagegen die Fusion von menschlichen somatischen Kernen mit enukleierten tierischen Eizellen unter Bildung einer in vitro differenzierungsfähigen Hybridzelle, mit dem Ziel, aus einer entstehenden Blastocyste pluripotente Stammzellen zu gewinnen. Zur ethischen Bewertung dieser Methode wird auf den letzten Teil dieser Stellungnahme verwiesen.

Reprogrammierung somatischer Zellen

Für die Reprogrammierung von Kernen somatischer Zellen und von pluripotenten zu totipotenten Zellen ist festzustellen, daß nach den Bestimmungen des Embryonenschutzgesetzes die – wissenschaftlich derzeit nicht realisierbare – Reprogrammierung von pluripotenten Zellen zu totipotenten Zellen als Klonen definiert ist, da eine totipotente Zelle als Embryo gilt und demgemäß „künstlich bewirkt wird, daß ein menschlicher Embryo mit der gleichen Erbinformation wie ein anderer Embryo, ein Foetus, ein Mensch oder ein Verstorbener entsteht". Das bedeutet, daß sowohl die Durchführung einer solchen Reprogrammierung als auch der entsprechende Versuch verboten sind. Darüber hinaus ist auch jegliche Weiterentwicklung des so entstandenen menschlichen Embryos, ob extrakorporal oder in vivo, sowie seine fremdnützige Verwendung verboten und unter Strafe gestellt. Dies gilt auch für die Reprogrammierung somatischer Zellen zu deren Pluripotenz, wenn diese nur über den Weg der Totipotenz erreicht werden kann oder dieser Zwischenschritt billigend in Kauf genommen wird.

Führt die genetische Veränderung mit anschließender Reprogrammierung dazu, daß eine totipotente Zelle nicht mehr die gleiche Erbinformation wie der Spender der pluripotenten Zelle besitzt, scheidet eine Strafbarkeit wegen Klonens gemäß § 6 Abs. 1 ESchG aus. Es handelt sich um die künstliche Veränderung der Erbinformation einer menschlichen Keimbahnzelle, die nicht auf einen Embryo übertragen wird (§ 5 Abs. 4 Nr. 2 a), aus der allerdings ein solcher entsteht. Dem Wortlaut des Embryonenschutzgesetzes läßt sich die Strafbarkeit einer derartigen Reprogrammierung mit vorausgehender Genmanipulation nicht entnehmen. Eine entsprechende Auslegung würde wegen des eindeutigen Wortlauts die Grenzen des strafrechtlichen Analogieverbots überschreiten. Der Regierungsbericht zur Frage eines gesetzgeberischen Handlungsbedarfs beim Embryonenschutzgesetz hat diese Gesetzeslücke bereits im Rahmen der Kerntransplantation mit vorausgehender Genmanipulation erörtert. Danach sollte das Embryonenschutzgesetz um einen Tatbestand ergänzt werden, der generell untersagt, einen Embryo zu schaffen, ohne daß es zur Befruchtung einer menschlichen Eizelle durch eine menschliche Samenzelle kommt.

6. Import von humanen embryonalen Stammzellen und Forschungsarbeiten Deutscher mit humanen embryonalen Stammzellen im Ausland

In bezug auf eine Nutzung im Ausland hergestellter humaner embryonaler Stammzellen in Deutschland stellen sich im Grunde zwei voneinander zu trennende Fragen, nämlich (1) die juristische Bewertung von Handlungen im Ausland, die zur Herstellung embryonaler Stammzellen führen, und (2) die juristische Bewertung der Einfuhr an sich.

Der räumliche Geltungsbereich des Embryonenschutzgesetzes bestimmt sich nach dem Strafgesetzbuch; Anknüpfungspunkt für eine Bestrafung von Verstößen hiergegen ist das Territorialitätsprinzip (lex loci, § 3 StGB), welches an den Tatort und nicht an den Täter anknüpft. Strafbar ist also nur der in Deutschland begangene Verstoß, grundsätzlich unterliegen hingegen Handlungen von Deutschen im Ausland nicht dem Embryonenschutzgesetz. Allerdings gibt es eine wesentliche Einschränkung dieses Prinzips. Strafbar ist nach deutschem Recht auch die Teilnahme (Anstiftung oder Beihilfe) an Auslandstaten, sofern der Teilnehmer innerhalb Deutschlands gehandelt hat. Ob die im Ausland vom Täter begangene Haupttat dort mit Strafe bedroht ist, spielt dafür keine Rolle; entscheidend ist insoweit lediglich das deutsche Recht (§ 9, Abs. 2 StGB). Dies ist sowohl für die Einfuhr von embryonalen Stammzellen als auch für die Forschung mit embryonalen Stammzellen im Ausland von Bedeutung.

Die Einfuhr von totipotenten Stammzellen zu Forschungszwecken wird von dem Embryonenschutzgesetz erfaßt. Totipotente (Stamm-) Zellen sind gemäß der Legaldefinition § 8 Abs. 1 ESchG Embryonen. Eine Einfuhr von totipotenten Zellen ist damit rechtlich gesehen eine Einfuhr von Embryonen. Dafür ist unerheblich, wie die totipotente Zelle im Ausland erzeugt wurde, sei es durch in vitro-Fertilisation und Embryonen-splitting, durch Zellkerntransfer in eine enukleierte Eizelle, durch Reprogrammierung einer pluripotenten Stammzelle in ein totipotentes Stadium oder durch sonstige jetzt oder in Zukunft zugängliche Verfahren.

Verboten durch das Embryonenschutzgesetz und damit strafbar ist der Erwerb und die Verwendung von Embryonen zu einem nicht ihrer Erhaltung dienenden Zweck (§ 2 Abs. 1 ESchG). Bereits der Versuch ist strafbar. Der Begriff „Erwerb" erfaßt jede entgeltliche oder unentgeltliche Inbesitznahme eines Embryos.

Der Wortlaut des Gesetzes unterscheidet nicht zwischen dem Erwerb von Embryonen innerhalb Deutschlands oder aus dem Ausland. Allein entscheidend ist, daß der Embryo im Inland erworben wird, nicht, woher der Embryo stammt. Als nicht der Erhaltung dienend ist jede Behandlung eines Embryos zu fremdnützigen Zwecken anzusehen. Dazu zählt die Verwendung für die Forschung mit embryonalen Stammzellen, selbst dann, wenn die Entnahme einer einzelnen pluripotenten Stammzelle aus der Blastocyste den Embryo nicht schädigen sollte.

Einfuhr pluripotenter Stammzellen

Anders stellt sich die Situation für die Einfuhr pluripotenter embryonaler Stammzellen dar; diese ist nach der geltenden Rechtslage grundsätzlich zulässig. Pluripotente embryonale Stammzellen unterliegen nicht dem Erwerbsverbot von Embryonen in § 2 Abs. 1 ESchG, weil als Embryonen nur der Embryo vom Zeitpunkt der Befruchtung der Eizelle und jede dem Embryo entnommene totipotente Zelle definiert sind. Dem ist entgegengehalten worden, hier finde eine Umgehung des Embyonenschutzgesetzes statt. Juristisch ist dieses Argument nicht haltbar. Das Embryonenschutzgesetz ist ein Nebenstrafrecht, verboten sind daher nur die von ihm ausdrücklich geregelten Lebenssachverhalte; ein Versuch, dieses Verbot durch Analogie zu erweitern, verstößt gegen Art. 103 GG. Ein Embryo im Blastocysten-Stadium, in dem er keine totipotenten, sondern nur noch pluripotente Stammzellen enthält, ist von dem Erwerbsverbot jedoch selbstverständlich erfaßt.

Nach der in Deutschland geltenden Rechtslage ist die Einfuhr von pluripotenten Stammzellen aus dem Ausland allerdings nur dann strafrechtlich unproblematisch, wenn die Einführenden im strafrechtlichen Sinne weder als Anstifter noch als Gehilfen derjenigen einzustufen sind, die im Ausland embryonale Stammzellen herstellen. Ausgeschlossen ist daher unter anderem eine finanzielle, technische oder personelle Unterstützung der Herstellung embryonaler Stammzellen im Ausland. Die Einfuhr von pluripotenten Stammzellen ist dagegen nicht strafbar, wenn die Entnahme aus der Blastocyste nicht im Zusammenhang mit dem Import nach Deutschland gestanden hat, d.h. nicht konkret für diesen Importfall erfolgt. Unproblematisch aus strafrechtlicher Sicht ist daher der Import von bereits kultivierten embryonalen Stammzellen.

Rechtlich besteht kein Unterschied zwischen der Einfuhr von pluripotenten Stammzellen, die aus Embryonen aus in vitro-Fertilisation oder aus zu Forschungszwecken gespendeten Eizellen gewonnen wurden, und der Einfuhr von pluripotenten Stammzellen, die aus mit Hilfe von Klonierungstechniken erzeugten totipotenten Zellen gewonnen wurden. Auch pluripotente Zellen, welche über eine nach dem ESchG verbotene Chimären- und Hybridbildung hergestellt wurden, können eingeführt werden. Ebenso ist die Einfuhr von pluripotenten Stammzellen erlaubt, welche mit Hilfe einer nach dem ESchG nicht verbotenen Methode erhalten wurden, wie etwa aus primordialen Keimzellen oder durch Reprogrammierung von Körperstammzellen des Menschen.

Die Verwendung nach Deutschland eingeführter embryonaler Stammzellen kann dem Embryonenschutzgesetz unterliegen. Dies gilt für den Versuch ihrer Reprogrammierung zu totipotenten Stammzellen; außerdem dürfen nach diesem Gesetz pluripotente Stammzellen nicht für die Erzeugung oder die Modifizierung eines Embryos verwendet werden.

Andere Gesetze oder Regelungen, die die Einfuhr von humanen pluripotenten Stammzellen einschränken könnten, existieren in Deutschland derzeit nicht. Das Transplantationsgesetz verbietet zwar den Handel mit menschlichen Organen, dessen Bestimmungen sind aber für das hier vorliegende Problem nicht relevant, da das Transplantationsgesetz nicht für embryonale und fetale Organe und Gewebe gilt.

In den USA wird der Transfer von biologischem Material im Inland wie ins Ausland durch weitgehend standardisierte, sogenannte „Material Transfer Agreements" geregelt. Das Einholen einer speziellen Export-Lizenz ist nur in Ausnahmefällen erforderlich, z.B. für Materialien, die in biologischen Waffen eingesetzt werden können. „Material Transfer Agreements" enthalten regelmäßig Bestimmungen über die Eigentumsrechte am Material und an den Ergebnissen der Forschung mit dem Material, Bestimmungen über eine beschränkte Nutzungsbefugnis für wissenschaftliche Zwecke und über die Verpflichtung des Nehmers, ggf. mögliche kommerzielle Verwertungsmöglichkeiten dem Geber anzuzeigen bzw. vor einer solchen Verwertung mit diesem einen besonderen Verwertungsvertrag abzuschließen.

7. Embryonenschutzgesetz und naturwissenschaftlicher Erkenntnisstand

Das Embryonenschutzgesetz baut auf dem naturwissenschaftlichen Erkenntnisstand zur Zeit seines Erlasses auf. Dieser ist inzwischen überholt, und dies führt dazu, daß einzelne Regelungen nicht mehr adäquat sind. Ohne Anspruch auf Vollständigkeit sind insoweit zu nennen:

Nach § 8 Abs. 1 gilt als „Embryo ... bereits die befruchtete, entwicklungsfähige menschliche Eizelle vom Zeitpunkt der Kernverschmelzung an, ferner jede einem Embryo entnommene totipotente Zelle, die sich bei Vorliegen der dafür erforderlichen weiteren Voraussetzungen zu teilen und zu einem Individuum zu entwickeln vermag." Diese Definition eines Embryos ist nicht mehr haltbar, nachdem im Tierversuch gezeigt wurde, daß sich nicht nur aus totipotenten embryonalen Zellen (Zygoten, Blastomeren des 2-, 4-, 8-Zellstadiums) ein ganzer Organismus entwickeln kann, sondern daß sich auch Zellkerne adulter Körperzellen nach Verschmelzung mit dem Kern der Eizellen in ein totipotentes Stadium zurückführen lassen, aus denen ein Organismus entstehen kann (siehe Tabelle 1).

§ 2 regelt nur die mißbräuchliche Verwendung menschlicher Embryonen, nicht den Verbleib kryokonservierter, nicht mehr zur Reproduktion verwendeter Embryonen (eine Kryokonservierung von Eizellen bzw. eine Vernichtung nicht reimplantierter Embryonen ist nicht vorgesehen). Es muß jedoch davon ausgegangen werden, daß derartig befruchtete Eizellen tiefgefroren vorhanden sind, die auf Wunsch der genetischen Mutter nicht mehr zur Herbeiführung einer Schwangerschaft eingesetzt werden konnten und können.

§ 6 regelt nur den Tatbestand des reproduktiven Klonens. Therapeutisches Klonen war bei Erlaß des Embryonenschutzgesetzes noch nicht bekannt.

Nicht geregelt ist der Verbleib von Eizellen im Pronukleus-Stadium, die im Zuge der in vitro-Fertilisation entstehen, aber nicht transferiert wurden. Tatsächlich sind zahlreiche solche Eizellen im Pronukleus-Stadium auch in Deutschland vorhanden. Die genaue Zahl ist nicht bekannt.

8. Rechtslage im Ausland

8.1 *Vorbemerkung*

Im internationalen Vergleich besteht weitgehend Konsens darüber, daß Praktiken, die der Menschenwürde widersprechen, wie Keimbahninterventionen und reproduzierendes Klonen von Menschen, verboten werden sollen, sofern dies, wie in Deutschland, nicht schon der Fall ist. Es besteht auch überwiegende Übereinstimmung, daß Embryonen nicht zu Forschungszwecken erzeugt werden dürfen und Forschungsarbeiten nur mit nicht mehr für eine künstliche Befruchtung benötigten Embryonen durchgeführt werden sollen. Schließlich besteht auch Übereinstimmung, daß behandelte Embryonen nicht mehr implantiert werden dürfen. Belegt wird diese internationale Übereinstimmung durch die UNESCO-Erklärung über das menschliche Genom und Menschenrechte sowie das Übereinkommen des Europarats über Menschenrechte und Biomedizin. Eine im August/September 2000 verabschiedete Resolution des Europäischen Parlaments sieht ebenfalls einen weitgehenden Schutz des Embryos vor. Danach wäre eine Forschung bereits an für eine künstliche Befruchtung nicht mehr einsetzbaren Embryonen ausgeschlossen.

Erhebliche Unterschiede zwischen den Staaten bestehen in der Bestimmung des Schutzniveaus menschlichen Lebens in den verschiedenen Entwicklungsphasen und in der Einstellung zur Forschung an und mit menschlichen Embryonen.

8.2 *USA*

Nach der derzeitigen Rechtslage in den Vereinigten Staaten gibt es kein Verbot der Entnahme von Stammzellen von menschlichen Embryonen. Jedoch dürfen nach dem „Public Health Service Act" von 1996 keine Bundesmittel für die Forschung verwendet werden, die einem menschlichen Embryo schadet. Dementsprechend gibt es nur aus privaten Mitteln geförderte Forschung mit menschlichen embryonalen Stammzellen.

Nach Ansicht des U.S. „Department of Health and Human Services" ist die Forschung mit Bundesmitteln an bereits etablierten ES-Zellen nicht verboten, da es sich dabei nicht um die Forschung an menschlichen Embryonen handelt. Am 23. 8. 2000 haben die National Institutes of Health (NIH) nach ausführlichem Diskurs mit der Öffentlichkeit, dem Senat und anderen interessierten Bereichen ihre „Final Guidelines for Stem Cell Research" bekanntgegeben und im „Federal Register" veröffentlicht. Danach ist es weiterhin verboten, Stammzellen von Embryonen mit NIH-Mitteln zu erzeugen. NIH-Mittel dürfen jedoch unter bestimmten Auflagen zur Forschung an bereits etablierten embryonalen Stammzellen verwendet werden, sofern diese von zum Zwecke der Fortpflanzung erzeugten, überzähligen Embryonen gewonnen wurden, die eingefroren waren und freiwillig für Forschungszwecke gespendet wurden. Die Richtlinie schreibt ein Antragsverfahren bei der zu errichtenden „Human Pluripotent Stem Cell Review Group" vor und schließt die Verwendung von embryonalen Stammzellen für bestimmte Forschungsgebiete aus.

Eine gesetzliche Lockerung dieser Situation in nächster Zeit ist nicht zu erwarten.

8.3 *Großbritannien*

Nach dem „Human Fertilisation and Embryology Act" (HFEA) von 1990 ist das reproduktive Klonen von Menschen verboten. Die Forschung mit bis zu 14 Tage alten Embryonen (Entwicklungsstadium) ist erlaubt, sofern sie bestimmten Zwecken dient. Nach dem Gesetz ist die „Human Fertilisation and Embryology Authority" (HFEA), die für die Überwachung von Kliniken und Labors sowohl aus dem staatlichen als auch privaten Sektor zuständig ist, verantwortlich für die Vergabe von Genehmigungen für alle Arten von Forschung an und mit menschlichen Embryonen in vitro. Zu den gesetzlich bestimmten Zwecken darf mit Genehmigung der HFEA auch ein Kerntransfer vorgenommen werden, sofern diese Methode erforderlich ist. Bisher war die Forschung an Embryonen zur Behandlung von Krankheiten, die nicht Geburtsdefekte darstellen, nicht erlaubt. Daher war die Herstellung einer Blastocyste und die Entnahme von Stammzellen unzulässig, da dies nicht der Behandlung von Geburtsdefekten dient.

Weitere Zwecke der Forschung mit bis zu 14 Tage alten Embryonen können aber im Wege von „affirmative regulations" hinzugefügt werden: Im Dezember 1998 hat die HFEA zusammen mit der „Human Genetics Advisory Commission" einen Bericht vorgelegt mit dem Titel „Cloning Issues in Reproduction, Science and Medicine". Dieser Bericht empfahl das weitere Verbot von reproduktivem Klonen, sprach sich jedoch für die Genehmigung von Klonierung von Gewebe durch die HFEA aus, damit dieses Gewebe zur Therapie eingesetzt werden kann. Die von der Regierung einberufene „Chief Medical Officer's Expert Advisory Group" empfahl in ihrem im August 2000 veröffentlichen Bericht, die Forschung mit Embryonen, die durch in vitro-Fertilisation (IVF) oder Zelltransfer entstehen, zum Zwecke der Aufklärung und Behandlung von Krankheiten im Rahmen der HFEA zuzulassen. Die Empfehlungen der Expertengruppe wurden am 16. 8. 2000 von der britischen Regierung akzeptiert und fanden nachfolgend die Zustimmung im Unterhaus sowie im Oberhaus.

Die Forschung mit bereits dem Embryo entnommenen Stammzellen ist derzeit nicht gesetzlich geregelt. Der Import von embryonalen Stammzellen ist nicht verboten. Zulässig ist auch die Entnahme und Forschung von adulten Stammzellen sowie von Stammzellen aus abgestorbenen Foeten.

8.4 *Frankreich*

Nach der derzeitigen Rechtslage ist die Forschung an und mit menschlichen Embryonen in Frankreich grundsätzlich gesetzlich verboten. Enge Ausnahmen bilden die unter bestimmten Bedingungen zulässige Präimplantationsdiagnosik (Code de la santé publique) sowie die dem Embryo bzw. der Fortpflanzung dienliche Forschung. Rechtsgrundlage für das grundsätzliche Verbot der Embryonenforschung sind die drei Bioethikgesetze.

Über das reproduktive Klonen von Menschen enthalten die Bioethikgesetze, da sie bereits 1994 verabschiedet wurden, keine Regelung. Es ist nach allgemeiner Ansicht durch Artikel 16-4 des „Code Civil" implizit verboten, da es eine Gefahr für die Integrität der menschlichen Spezies darstellt und der Gentransfer zur Modifikation der Abstammung einer Person erfolgt. Das therapeutische Klonen wird von dem Verbot der Erzeugung menschlicher Embryonen zu Forschungszwecken erfaßt. Die Erzeugung von Embryonen in vitro darf nämlich nur zum Zwecke der Fortpflanzung erfolgen. Die Forschung mit bereits isolierten embryonalen Stammzellen wird von den Bioethikgesetzen nicht erfaßt. Verboten ist lediglich die Forschung mit Embryonen und damit auch die Gewinnung von embryonalen Stammzellen. Derzeit wird eine Überprüfung der Bioethikgesetze erwogen.

Der „Conseil d'Etat" hat in seinem Bericht „Les lois de bioéthique: cinq ans après" vom November 1999 vorgeschlagen, die Forschung mit Embryonen in vitro oder zumindest die Forschung zum

Zwecke der Arbeit mit embryonalen Stammzellen unter bestimmten strengen Bedingungen zuzulassen. Aufgrund der Aussicht auf Heilung schwerer Krankheiten empfiehlt der „Conseil d'Etat" einen Mittelweg zwischen dem völligen Verbot und einer weiten Zulässigkeit der Embryonenforschung. Vorgeschlagen wird eine Beschränkung der Forschung auf überzählige Embryonen aus in vitro-Fertilisation, die sonst ohnehin vernichtet würden.

Die Regierung hat auf dieser Basis eine Revision der Bioethikgesetze vorgeschlagen, die allerdings noch von der Nationalversammlung akzeptiert werden muß.

Ethischer Hintergrund

1. Vorbemerkung

Die Forschung an menschlichen Stammzellen ist mit gewichtigen ethischen Fragen verbunden, die in unserer Gesellschaft kontrovers beantwortet werden. Deshalb bedarf es auf gesellschaftlicher und politischer Ebene einer umfassenden Diskussion darüber, wie eine angemessene Lösung im Umgang mit den voneinander abweichenden und einander zum Teil unversöhnlich gegenüber stehenden ethischen Auffassungen gewonnen werden kann. Diese Diskussion darf sich nicht nur im Rahmen des bestehenden positiven Rechts bewegen. Da es um neuartige Erkenntnisse und Handlungsmöglichkeiten geht, die das positive Recht noch nicht im Blick haben konnte, ist vielmehr auch zu fragen, was im Blick auf diese neuen Möglichkeiten das rechtspolitisch Wünschenswerte und Vertretbare ist.

2. Forschung in den Grenzen der ethischen und rechtlichen Normen

2.1 Der normative Rahmen: Ethik und Recht

Ethische Urteilsfindung kann weder als bloße Deduktion aus übergeordneten Prinzipien beschrieben werden, noch erschöpft sie sich umgekehrt in einer rein situativ bestimmten Problemanalyse. Normative Orientierungen und Analyse des konkreten, zu bewertenden Lebenssachverhaltes stehen vielmehr in einem Wechselverhältnis. Erst im Lichte normativer Prinzipien werden ethische Konfliktlagen definierbar, umgekehrt erlaubt erst der Blick auf den jeweiligen Sachverhalt ein Formulieren konkreter Regeln und Grenzziehungen.

Die Maßstäbe ethischen Argumentierens sind auf der Ebene der übergeordneten Prinzipien die normativen Maßstäbe, die im Sinne eines ethischen Minimums durch Konsens getragen und verfassungsrechtlich sanktioniert sind. Dazu gehören die Würde des Menschen, die Wahrung grundlegender Ansprüche und Rechte, insbesondere des Rechts auf Leben und der Forschungsfreiheit, aber auch formale Vernunftmaßstäbe wie die Grundsätze der Widerspruchsfreiheit der Normen und der Verhältnismäßigkeit. Sie bilden den Rahmen des ethischen Diskurses um die Grenzziehung im Bereich der Stammzellforschung. Da die Prinzipien der Menschenwürde und der Menschenrechte in bestimmten Grenzen interpretationsoffen sind, können sie nur mit Hilfe vermittelnder Prinzipien für den konkreten Sachverhalt entscheidungsorientierende Funktion entfalten.

Im Licht dieser Prüfungsmaßstäbe ist zunächst zu fragen, welcher ethische und rechtliche Status bzw. welche Schutzwürdigkeit menschlichen Embryonen in ihrer frühesten Entwicklung im Hinblick auf das Recht auf Leben zukommen. Bereits auf dieser Argumentationsstufe werden verschiedene Auffassungen vertreten. Sie reichen vom Anerkennen des vollen Schutzanspruches, der auch Rechtssubjekten zukommt, über ein Einbezogensein in den objektiven Schutzbereich des Rechts auf Leben bis zur Ablehnung eines eigenständigen Lebensrechts von verfassungsrechtlichem Rang. Auch die letztgenannte Auffassung stellt den Embryo indes nicht schutzlos, sondern unterwirft den Umgang mit frühesten Formen menschlichen Lebens zumindest dem rechtsstaatlich begründeten

Willkürverbot. Das Bundesverfassungsgericht hat in seinen Entscheidungen zum Schwangerschaftsabbruch festgestellt, daß auch frühe Stadien menschlichen Lebens in den objektiven Schutzbereich des Rechts auf Leben einbezogen sind.

Auf einer zweiten Argumentationsstufe stellt sich die Frage nach der Reichweite der Forschungsfreiheit. Aus rechtswissenschaftlicher Sicht wird der Schutzbereich der Forschungsfreiheit nach überwiegender Auffassung weit definiert; in diesem Sinn soll er auch solche Forschungsstrategien umfassen, die in Rechte Dritter oder Rechtsgüter von Verfassungsrang eingreifen oder sie verletzen. Staatliche Forschungsreglementierungen sind auf diese Weise stets begründungspflichtig. Eine Begrenzung des Schutzbereiches der Forschungsfreiheit aus ethischen Gründen wird daher überwiegend abgelehnt.

Für die konkrete Beurteilung ist ethisch und rechtlich die Abwägung von Lebensrecht und Forschungsfreiheit maßgeblich. Sie steht unter den bereits angesprochenen formalen Prinzipien von Widerspruchsfreiheit und Verhältnismäßigkeit. Ungeeignete oder im Blick auf Alternativen nicht erforderliche Eingriffe können auf diese Weise negativ ausgegrenzt werden. Die Abwägung folgt dabei nicht einer starren Wertrangordnung, sondern differenziert die jeweiligen Ziele und Mittel der Forschung in den unterschiedlichen Anwendungsbereichen. Ansätze verbrauchender Embryonenforschung, die weder geeignet noch erforderlich sind, werden daher übereinstimmend als ethisch und rechtlich nicht vertretbar erachtet.

Erst jenseits dieser Schwelle führen die unterschiedlichen rechtlichen und ethischen Positionen zu signifikant unterschiedlichen Ergebnissen. Soweit Embryonen kein eigenständiger Verfassungsrang zugebilligt wird, führt dies zu einer Präponderanz der Forschungsfreiheit, die nur durch Rechtsgüter von Verfassungsrang eingeschränkt werden kann. Eine Verhältnismäßigkeitsabwägung im Sinne der Gewichtung kollidierender Rechtsgüter scheidet aus.

Wird frühen Embryonen hingegen ein eigenständiger, nicht nur über das Willkürverbot sowie den Grundsatz der Verhältnismäßigkeit vermittelter Schutzanspruch zugebilligt, müssen Lebensrecht und Forschungsfreiheit abgewogen werden. Die Würde des Menschen fungiert dabei als das die Abwägung leitende Prinzip. Denn die Menschenwürde bildet nicht nur die gemeinsame Basisnorm von Recht und Ethik, sondern auch das Telos ihrer menschenrechtlichen Konkretisierung. Bei der Interpretation der Menschenrechte treten ethischer und verfassungsrechtlicher Diskurs in einen engen Zusammenhang.

Die Würde des Menschen ist ihrerseits ein interpretationsoffenes Prinzip, wobei vielfältige Ansätze vertreten werden. Im Hinblick auf den zu diskutierenden Forschungsbereich rücken vor allem zwei Definitionsfragen in den Mittelpunkt der Diskussion: die der Menschenwürde und die des moralischen Status des Embryos. Nach der vom Bundesverfassungsgericht vertretenen Definition der Menschenwürde vom Verletzungstatbestand her verstößt es gegen die Würde des Menschen, wenn der Mensch ausschließlich fremdnützigen Zwecken unterworfen wird. Diese Frage stellt sich sowohl im Hinblick auf die Verwendung überzähliger Embryonen als auch auf das ‚therapeutische Klonen'.

Festzuhalten bleibt, daß Konsens darüber besteht, daß über menschliche Embryonen nicht beliebig verfügt werden darf. Ihre Verwendung ist jedenfalls dann unzulässig, wenn sie für die Erreichung der jeweiligen Forschungsziele weder geeignet noch erforderlich sind. Jenseits dieses Minimalkonsenses werden unterschiedliche Auffassungen vertreten. Auf jeden Fall ist im Hinblick auf die Rechtsprechung des Bundesverfassungsgerichts darüber hinaus eine Abwägung am Maßstab der Menschenwürde vorzunehmen.

Der Konsens über die verfassungsrechtlich anzuwendenden Maßstäbe führt nicht bereits notwendigerweise zu einheitlichen Auffassungen darüber, wie die einzelnen Sachverhalte bezogen auf diese

Maßstäbe zu bewerten sind. Dennoch vermag er den Diskurs zu strukturieren, die Zahl der strittigen Fälle einzugrenzen und die jeweiligen Fragestellungen zu konkretisieren.

2.2 Bewertung der Ziele der Stammzellforschung

Wie aus den vorausgehenden naturwissenschaftlichen Ausführungen hervorgeht, verspricht die Forschung mit Embryonen Erkenntnisfortschritte, zudem knüpfen sich hieran Hoffnungen auf neue therapeutische Verfahren. An die wissenschaftlichen und medizinischen Erwartungen knüpfen sich auch Interessen auf wirtschaftliches Wachstum und die Entwicklung neuer Arbeitsplätze. Freilich läßt sich gegenwärtig nicht mit Sicherheit vorhersagen, inwieweit und in welchem Zeitraum diese Hoffnungen überhaupt realisierbar sind.

Insgesamt muß die Verfolgung der genannten Ziele in ethischer Hinsicht als dringlich betrachtet werden, geht es doch um die Förderung des menschlichen Lebens selbst, dem als einem fundamentalen Gut im Vergleich zu anderen Gütern ein besonderer Rang zukommt. Zusätzliche Interessen auf wirtschaftliches Wachstum und auf die Schaffung neuer Arbeitsplätze sind dem klarerweise nachgeordnet.

Stammzellforschung, die dem Erkenntnisgewinn und der Zellersatztherapie dient, ist deutlich zu unterscheiden vom reproduktiven Klonen, also dem Zur-Welt-Bringen erbgleicher Individuen sowie von gentechnischen Eingriffen in die Keimbahn. Diese Verfahren sind mit ethischen Problemen verbunden, die zu international nahezu einhelligen Verboten geführt haben. Diese Verbote sind gerechtfertigt und mit Nachdruck zu befürworten. Der Einwand, Stammzellforschung der oben genannten Art stelle einen Einstieg in das reproduktive Klonen dar, verkennt, daß sich strikte Grenzen zwischen so unterschiedlichen Zielsetzungen – wie auch in anderen Zusammenhängen – durchaus erfolgreich ziehen lassen.

2.3 Bewertung der Mittel der Stammzellforschung

Wie aus den naturwissenschaftlichen Ausführungen hervorgeht, sind zur Erreichung der oben genannten hochrangigen Ziele der Stammzellforschung unterschiedliche Wege und Mittel einsetzbar. Forschung kann mit Stammzellen betrieben werden, die aus dem erwachsenen Organismus (AS-Zellen), aus abgestorbenen Foeten (EG-Zellen) oder aus dem Blastocystenstadium von Embryonen (ES-Zellen) stammen. Letztgenannte wiederum können von Embryonen stammen, die entweder ‚überzählig' sind oder eigens zu Forschungszwecken hergestellt wurden – sei es durch künstliche geschlechtliche Zeugung oder durch somatischen Zellkerntransfer (‚therapeutisches Klonen'). Hinsichtlich ihrer ethischen und rechtlichen Vertretbarkeit sind die verschiedenen Wege der Gewinnung der Stammzellen höchst unterschiedlich zu bewerten, so daß sich die Frage ergibt, ob und in welcher Abfolge die verschiedenen Wege in ethischer und rechtlicher Hinsicht verfolgt werden können und sollen.

Besondere ethisch-rechtliche Probleme wirft diejenige Stammzellforschung auf, welche die Entnahme von Zellen aus menschlichen Embryonen erforderlich macht. Bei lebenden Embryonen führt diese Entnahme nach gegenwärtigem Stand notwendigerweise dazu, daß der betreffende Embryo abstirbt oder jedenfalls zu einer Implantation in die Gebärmutter nicht mehr verwendet werden kann. Das wäre immer der Fall bei der Gewinnung von embryonalen Stammzellen aus Embryonen im Blastocysten-Stadium. Unabhängig von weiteren ethisch relevanten Unterscheidungen wie der zwischen überzähligen und eigens hergestellten Embryonen weisen alle diese Verfahren die zentrale Frage nach dem moralischen Status des menschlichen Embryos und den daraus erwachsenden Schutzansprüchen auf. Darüber hinaus können Stammzellen auch aus abgestorbenen Embryonen deutlich späterer Entwicklungsstadien gewonnen werden, die aus einem Schwangerschaftsabbruch stammen, was ethische Probleme anderer Art aufwirft. Und schließlich erweckt jede Embryonenforschung Besorgnisse darüber, wie sich die Gesellschaft, die solche Forschung zuließe, in ihren Werthaltungen verstehen und verändern würde.

2.4 *Der moralische Status früher menschlicher Embryonen*

Der „moralische Status" von etwas oder jemandem bringt dessen ethisch begründete Ansprüche gegenüber dem Handeln anderer zum Ausdruck. Die Debatten über den moralischen Status menschlicher Embryonen drehen sich im Kern um die Frage, ob dieser dem moralischen Status von Kindern und Erwachsenen entspricht – mit einem grundsätzlich gleichrangigen ethischen Recht auf Leben. In dieser Frage werden in Deutschland – wie weltweit – unterschiedliche Auffassungen vertreten. Insbesondere divergieren die Kriterien, gemäß denen der moralische Status des Embryos bestimmt wird. Dabei reichen die Extreme von der Annahme, mit dem Abschluß der Befruchtung liege ein menschliches Lebewesen vor, das sich in seinem Status als Person in nichts von einem geborenen Menschen unterscheide, bis zu der Auffassung, daß ein menschliches Lebewesen erst nach Vollendung der Geburt oder gar erst zu einem späteren Zeitpunkt nach dem Erwerb bestimmter Eigenschaften den Status einer Person und die damit verbundenen spezifischen Schutzansprüche erwerbe. Zahlreiche der vertretenen Positionen liegen zwischen diesen Extremen.

Mit Blick auf die im vorliegenden Zusammenhang entscheidende Frage nach dem moralischen Status des Embryos in der allerersten Phase seiner Entwicklung, insbesondere in vitro, lassen sich die vertretenen Auffassungen zwei Grundpositionen zuordnen:

Die erste Position geht davon aus, daß jedem Menschen Würde zukommt, weil zur menschlichen Natur das Vermögen gehört, sittliches Subjekt zu sein. Da der geborene Mensch aber mit dem ungeborenen menschlichen Lebewesen identisch ist, das sein Leben mit abgeschlossener Befruchtung beginnt und sich ohne moralisch relevante Zäsuren bis zur Geburt entwickelt, fällt nach dieser Auffassung das menschliche Lebewesen bereits von der abgeschlossenen Befruchtung an unter den Schutz der dem Menschen geltenden Würde. Aufgrund der Annahme, daß Leben die Grundlage der Würde ist, schließt der Schutz der Würde den des Lebens notwendig ein.

Die zweite Position bejaht demgegenüber eine Abstufung in der Schutzwürdigkeit. Ihre Vertreter sehen weder in der Zugehörigkeit zur menschlichen Gattung noch im bloßen Potential, sich zu einem vollständigen Menschen zu entwickeln, noch in anderen Eigenschaften früher Embryonen bereits hinreichende Kriterien dafür, diesen ethisch denselben Anspruch auf Lebensschutz zuzuschreiben wie geborenen Menschen. Entweder sind sie der Auffassung, dieser sei an das Entstehen bestimmter Eigenschaften wie vorhandene (oder einmal vorhanden gewesene) Empfindungs- oder Bewußtseinsfähigkeit gebunden. Oder sie sind mit den Vertretern der ersten Position darin einig, daß es hier keinen allein relevanten Entwicklungseinschnitt gebe, schließen daraus aber nicht auf vollen, sondern auf mit der Entwicklung allmählich ansteigenden Lebensschutz. So sehr sich die hier zusammengefaßten Überzeugungen also im einzelnen voneinander unterscheiden können, so eint sie doch die Auffassung, daß der Lebensschutz früher Embryonen grundsätzlich gegen andere gewichtige moralische Werte abgewogen werden kann. In ihren konkreten Abwägungsresultaten können die verschiedenen Ansichten wiederum weit auseinander fallen. Auch manche Vertreter dieser Position schreiben schon dem frühen Embryo „Menschenwürde" zu – nun aber in einem gegenüber der Würde geborener Menschen abgeschwächten Sinn.

Die Vertreter der beiden genannten Positionen stimmen darin überein, daß menschliches Leben mit der Befruchtung beginnt. Sie teilen in aller Regel auch die Ansicht, daß die frühen Formen menschlichen Lebens Achtung und Respekt verdienen. Doch während die Befürworter der ersten Position diesen Respekt als Recht auf nicht abgestuften Lebensschutz verstehen, geht es den Vertretern der zweiten Position um einen würdigen Umgang mit frühen Embryonen bei gleichzeitiger Anerkennung eines von vornherein abgeschwächten Lebensrechts. Die Unterschiede beider Positionen führen auch zu entsprechend unterschiedlichen Positionen in der Verfassungsinterpretation und in der Rechtspolitik bezüglich des Umgangs mit frühen Embryonen. Diese Kontroversen sind bereits im Kontext der Gesetzgebung zum Schwangerschaftsabbruch zum Ausdruck gekommen.

Das Bundesverfassungsgericht ging im Blick auf diese Problematik in seinem Urteil von 1975 von der Auffassung aus, daß nach dem Prinzip des effektiven Grundrechtsschutzes auch der Embryo von der abgeschlossenen Befruchtung an unter dem Schutz der Menschenwürde stehe, daß sich das Grundrecht auf Leben auf individuelles menschliches Leben beziehe und individuelles Leben „im Sinne der geschichtlichen Existenz eines menschlichen Individuums" spätestens vom 14. Tag nach abgeschlossener Befruchtung an vorliege. Die Entdeckung, daß jede embryonale Zelle – wie man inzwischen weiß möglicherweise bis zum 8-Zell-Stadium – in der Lage ist, sich zu einem ganzen Embryo zu entwickeln, hat dann den Gesetzgeber dazu geführt, im ESchG auch diese totipotenten Zellen als Embryo zu verstehen und unter den entsprechenden Schutz zu stellen.

Hierbei geht das Bundesverfassungsgericht davon aus, daß das menschliche Leben als die „vitale Basis der Menschenwürde" innerhalb der grundgesetzlichen Ordnung einen „Höchstwert" darstellt; doch stellt das Grundgesetz das Recht auf Leben zugleich unter Gesetzesvorbehalt, betrachtet es also grundsätzlich als einer Abwägung zugänglich. Was die Menschenwürde betrifft, so ist sie in ethischer wie auch in verfassungsrechtlicher Hinsicht interpretatorisch offen. Als konsentierter Kern des normativen Begriffs der Würde muß die Anerkennung der moralischen und rechtlichen Subjektstellung betrachtet werden, die den Menschen als Menschen auszeichnet. Sie verbietet es, über den Menschen zu verfügen, ihn zum „Objekt" zu machen. Dem widerspricht es, menschliches Leben zu fremdnützigen Zwecken zu verwenden. Doch nicht jeder Eingriff in die Rechte bzw. die ethisch begründeten Fundamentalansprüche verletzt den Menschen in seiner Würde, zumal wenn die „Objektformel", wie das Bundesverfassungsgericht feststellt, „lediglich die Richtung andeute(t), in der Fälle der Verletzung der Menschenwürde gefunden werden können".

Ebenso wie das Recht auf Leben ist auch das Recht auf Freiheit der Forschung nicht nur ein von der Verfassung geschütztes Recht, sondern auch ein ethischer Wert, dessen Rang sich aus der Subjektstellung des Menschen und der Funktion von Wissenschaft und Forschung für das Wohl von Individuum, Staat und Gesellschaft ergibt. Dies erfordert Unabhängigkeit im Sinn von Rechtfertigungsfreiheit. Grundlagenforschung bedarf daher keiner Rechtfertigung, sofern sie andere grundrechtlich geschützte Güter nicht einschränkt. Ethischer Bewertung und Abwägung unterliegt sie nur im Eingriffs- und Konkurrenzfall. Dann ist ein möglicher Anwendungsnutzen in die Prüfung miteinzubeziehen.

Vertreter der oben sogenannten ersten Position können diese höchstgerichtliche Verfassungsinterpretation wohl weitgehend als Entsprechung ihrer eigenen ethischen Auffassung begrüßen. Im Ergebnis sollen hier Abwägungen embryonalen Lebensrechts nur dann zugelassen werden, wenn sie unvermeidlich sind und keine Relativierung desselben gegenüber dem Lebensrecht geborener Menschen unterstellen.

Aus der Perspektive der zweiten Position ist die Interpretation des Bundesverfassungsgerichts – und ebenso deren Bestätigung von 1993 – unplausibel. Auch wenn aus dieser Sicht keineswegs eo ipso darauf verzichtet werden muß, Embryonen unter den Schutzbereich von Menschenwürde zu stellen, so wäre dieser Leitbegriff in seiner Anwendung auf Embryonen jedenfalls viel schwächer zu verstehen, als dies das Bundesverfassungsgericht tat. Dessen zugrunde liegende ethische Auffassung ist aus dieser Sicht nicht einleuchtend, weil die bloße Potentialität zur Menschbildung einen Anspruch auf Lebensschutz eben nicht zu begründen vermöge. Überdies, so die zweite Position, sei die besagte verfassungsgerichtliche Auffassung nicht einmal konsequent umgesetzt, sondern stehe im Widerspruch zur Tolerierung einer im Ergebnis liberalen Rechtspraxis der Abtreibung. Noch offensichtlicher aber sei der Wertungswiderspruch zwischen dem Postulat vollen embryonalen

Lebensschutzes einerseits und der straffreien und weithin praktizierten Nidationshemmung früher Embryonen (durch die sogenannte Spirale) andererseits. Die hier zutage tretende Bereitschaft weiter Teile der Gesellschaft, frühe Embryonen im Rahmen von Fortpflanzungskontrolle nahezu routinemäßig zu „opfern", sei Ausdruck einer berechtigten permissiven Einstellung hierzu, die man analog auch in Hinblick auf die Embryonenforschung entwickeln solle. Aus dieser Sicht steht letzten Endes auch eine neuerliche breite Verfassungsdebatte dieser Fragen an.

Im übrigen hat die relativ neue Entdeckung, daß auch Kerne von somatischen Zellen höherer Säugetiere zur Totipotenz reprogrammiert werden können und in diesem Sinn totipotent sind (siehe Tabelle 1), zur Folge, daß die Frage nach der Reichweite der Schutzwürdigkeit weltweit erneut diskutiert wird. Dies wirft auch Fragen hinsichtlich des Embryonenschutzgesetzes auf, das diesen Sachverhalt noch nicht berücksichtigen konnte.

Unabhängig von der Einschätzung des moralischen Status des menschlichen Embryos und den von der Forschung verfolgten Zielen besteht in Teilen unserer Gesellschaft die Sorge, daß eine Nutzung von lebenden oder abgestorbenen Embryonen zu Forschungszwecken den in der Gesellschaft vorhandenen Respekt vor dem menschlichen Leben untergraben könnte. Demgegenüber weisen andere Stimmen darauf hin, daß die Bereitschaft, eng begrenzte Embryonenforschung zuzulassen, nicht als Anzeichen von Wertewandel oder der Werteerosion angesehen werden müsse, sondern ihren berechtigten Grund darin haben könne, daß sich aufgrund neuer Erkenntnisse der Wissenschaft neue Fragen hinsichtlich des Status des Embryos wie auch neue Möglichkeiten ergeben haben, menschlichem Leben durch Heilung bislang unbehandelbarer Krankheiten zu dienen, und daß deshalb innerhalb der zu respektierenden Grenzen neue Abwägungen erforderlich sind.

2.5 *Die Frage nach einem übergreifenden Konsens*

Was die unterschiedlichen Positionen in der Bewertung des Status bzw. der Schutzwürdigkeit des menschlichen Embryos betrifft, so ist nicht davon auszugehen, daß sich in der weiteren Debatte eine Annäherung der Standpunkte erreichen läßt. Doch muß in der Frage der Stammzellforschung eine Entscheidung getroffen werden, die den genannten hochrangigen Zielen gerecht wird. Angesichts dieser Umstände liegt es nahe, von dem partiellen ethischen Konsens auszugehen, der dem Verfassungsrecht zugrunde liegt, und sich auf dieser Grundlage über die rechtlichen Grenzen zu verständigen, die das weitere Vorgehen bestimmen sollen, und die Bedingungen anzugeben, die bei der Nutzung rechtlich möglicher Handlungsräume zu beachten sind. Dies ist nicht ohne eine intensive gesellschaftliche Diskussion möglich.

2.6 *Bewertung der Wege zur Gewinnung von ES-Zellen*

Zu fragen ist, wie sich angesichts der genannten Wertüberzeugungen die verschiedenen Wege darstellen, auf denen die Ziele der Stammzellforschung derzeit angestrebt werden, und wie angesichts der unterschiedlichen ethischen Einschätzungen rechtspolitisch zu verfahren ist.

2.6.1 Gewinnung von ES-Zellen aus ‚überzähligen' Embryonen

Die oben genannten Ziele der Stammzellforschung könnten zum einen dadurch verfolgt werden, daß Stammzellen aus dem Blastocystenstadium von ‚überzähligen', d.h. zur Herbeiführung einer Schwangerschaft erzeugten, aber nicht zu diesem Zweck verwendeten Embryonen gewonnen würden. Zwar bestimmt das ESchG, daß nur so viele Embryonen hergestellt werden dürfen, wie unmittelbar zur Implantation kommen. Aber auch unter dieser Regelung kann es dazu kommen, daß die erzeugten Embryonen in Fällen einer Erkrankung oder eines Rücktritts der Frau nicht mehr eingesetzt werden können und damit dem Tode geweiht sind. Da eine unbegrenzte Kryokonservierung nicht in Frage kommen kann und das ESchG eine Embryonenspende ausschließt, müssen sie absterben.

Aus der Sicht der zweiten der beiden Positionen (siehe Kapitel 2.4) zur Bewertung der Schutzwürdigkeit des menschlichen Embryos liegt eine forschende Verwendung dieser ohnehin ihres realen Entwicklungspotentials beraubten Embryonen dann nahe, wenn dabei hochrangige und realistische Forschungsziele intendiert werden. Beim Fehlen anderweitiger Gegengründe müßte eine solche Forschung grundsätzlich sogar ethisch geboten sein. Ethisch gewichtige Gegengründe könnten hier theoretisch in Mißbrauchsgefahren einerseits und andererseits in der Tatsache gesehen werden, daß Teile der Bevölkerung solche Forschungsvorhaben mit Ablehnung und mit Besorgnis betrachten würden. Was den ersten Punkt betrifft, so müßte Embryonenforschung jedenfalls einer strikten Kontrolle unterworfen werden – so wie sie erfolgreich ja auch in anderen Forschungsbereichen erfolgt.

Geht man dagegen mit der ersten der beiden Positionen (siehe Kapitel 2.4) zur Bewertung des moralischen Status des menschlichen Embryos davon aus, daß der Embryo vom Zeitpunkt der abgeschlossenen Befruchtung an unter den Schutz der Unverletzlichkeit der Menschenwürde fällt, dann steht einer Forschung an solchen überzähligen Embryonen der Anspruch auf Lebensschutz gegenüber, der aus der Unverletzlichkeit der Menschenwürde folgt. Es bleibt die Frage, ob der Schutz der Menschenwürde die Forschung auch an solchen Embryonen verbietet, bei denen eine Implantation in den Uterus nicht mehr in Betracht kommt und die daher unweigerlich absterben müssen. Denn in diesem – auch unter den Bedingungen des ESchG möglichen – Fall gibt es die Chance der Entwicklung zu einem menschlichen Individuum nicht. Ihr Gewicht gewinnt diese Frage, wenn sich die Forschung an solchen Embryonen als notwendig erweist, um Heilungschancen für bislang nur begrenzt behandelbare Krankheiten zu entwickeln, an denen eine große Zahl von Menschen leidet, dem Schutz des ‚überzähligen' Embryos also die Förderung menschlichen Lebens gegenübersteht.

In Situationen, in denen das ethische Urteil zu unterschiedlichen Ergebnissen führt, stellt sich die Frage, welches Maß an Schutz das für alle geltende Recht vorzusehen hat. Selbstredend ist die Rechtsetzung an die ethischen Normen gebunden, die vom Grundgesetz verbindlich formuliert sind. Doch kann sie zugleich den Gestaltungsrahmen nutzen, den diese Normen dem Gesetzgeber lassen. Dies ist dann erforderlich, wenn dem Schutz der Menschenwürde, der auch dem überzähligen Embryo zukommt, die hochrangigen Ziele gegenüberstehen, die durch die wissenschaftliche Entwicklung inzwischen in greifbare Nähe gerückt sind. Unter dieser Bedingung ist – wie dies 1985 schon die Benda-Kommission getan hat – zu fragen, ob eine solchen Zielen gewidmete Forschung aus dem strafrechtlichen Verbot ausgenommen werden kann.

Nach den rechtsstaatlichen Kriterien kann eine Abwägung der genannten Art nur als möglich betrachtet werden, wenn nachgewiesen ist, daß die in Frage stehende Forschung zur Erreichung der genannten hochrangigen Ziele geeignet ist. Das Postulat eines generellen Forschungsinteresses reicht dazu nicht aus, vielmehr bedarf es eines detaillierten Nachweises. Darüber hinaus muß gezeigt werden, daß Forschung dieser Art erforderlich ist, d.h. daß gleichwertige Forschungsalternativen – etwa im Tiermodell oder durch Verwendung ethisch weniger problematischer Methoden der Stammzellforschung – nicht in Betracht kommen, um die deklarierten Ziele zu erreichen. Schließlich bedarf es der Prüfung der Verhältnismäßigkeit von Zielen und gewähltem Mittel im Blick auf die in Frage stehenden Schutzansprüche, sowie bestimmter institutioneller Voraussetzungen wie eines gesetzlich geregelten Antrags- und eines transparenten Zulassungsverfahrens. Aus der Sicht der zweiten der oben genannten Positionen liegt nicht erst bei diesen Zulässigkeitsbedingungen die Last der Rechtfertigung, gleichwohl sind sie auch aus dieser Sicht zu erfüllen.

Zusammenfassend ist festzustellen, daß die Gewinnung von Stammzellen aus ‚überzähligen' Embryonen in ethischer Hinsicht eine durchaus kontroverse Beurteilung findet, möglicherweise jedoch die Zustimmung von Vertretern beider Grundpositionen (siehe Kapitel 2.4) erhalten könnte. Angesichts der hochrangigen Ziele, zu der die wissenschaftliche Entwicklung geführt hat, erscheint es jedenfalls geboten, daß der Gesetzgeber innerhalb des verfassungsrechtlichen Rahmens prüft, ob nicht unter den genannten engen Kautelen solche Forschung aus dem bisherigen strafrechtlichen Verbot ausgenommen werden kann.

2.6.2 Das Herstellen von Embryonen zu Forschungszwecken

Zwei der in den naturwissenschaftlichen Ausführungen genannten Aspekte künftiger Stammzellforschung veranlassen dazu, die ethische Bewertung eines weitergehenden Schrittes zu prüfen, nämlich die gezielte Herstellung von Embryonen zu Zwecken der Forschung. Zum einen könnte zukünftig die kontrollierte Etablierung einer genetisch vielfältigen Stammzellbank wünschenswert werden, um auf diese Weise genauere und gezieltere Therapieforschung betreiben zu können. So ist aus heutiger Sicht denkbar, analog zu Knochenmarkbanken eine internationale Bank humaner Stammzellen einzurichten. Theoretisch wäre so für jeden immunologisch determinierten individuellen Gewebetyp Zellmaterial für einen Gewebeersatz verfügbar zu machen. Zum anderen geht es darum, autologe, d.h. empfängerspezifische Zell- und Gewebstransplantate herstellen zu können, um deren immunologische Verträglichkeit zu garantieren. Diesem Ziel könnte das im naturwissenschaftlichen Teil erläuterte Verfahren dienen, zur Entnahme von Stammzellen Embryonen durch somatischen Zellkerntransfer des späteren Empfängers (sog. ‚therapeutisches Klonen') herzustellen (siehe Kapitel 5.3 des Teils ‚Naturwissenschaftlicher Hintergrund').

Unabhängig von der Frage, um welchen Weg der Herstellung von Embryonen es sich handelt, stellt die Herstellung von Embryonen zu Forschungszwecken in ethischer Hinsicht ein Problem dar, das sich von der Nutzung überzähliger Embryonen noch einmal deutlich unterscheidet, wird doch hier ein Embryo eigens deshalb hergestellt, um die angestrebte Entnahme von Stammzellen zu ermöglichen.

Aus Sicht der ersten der beiden oben erwähnten Positionen (siehe Kapitel 2.4) zur Bewertung des Status des menschlichen Embryos dient eine solche Herstellung zwar den genannten hochrangigen Zielen, doch ist sie als eine Instrumentalisierung zu betrachten, die dem Schutz der Menschenwürde widerspricht und die auch durch die genannten Ziele nicht gerechtfertigt werden kann.

Aus Sicht der zweiten Position werden auf die Frage der ethischen Vertretbarkeit heterogene Antworten gegeben. Manche Stimmen halten den Unterschied zwischen dem Herstellen von Embryonen und dem Verwenden überzähliger früher Embryonen für moralisch nicht sehr bedeutsam. Entscheidende Zulässigkeitsbedingungen seien in beiden Fällen gleichermaßen, daß (1) frühen Embryonen ein von vornherein eingeschränkter Lebensschutz zukomme, und daß (2) die Forschungsziele hochrangig seien. Die Umstände ihrer Entstehung seien unter diesen Bedingungen ethisch irrelevant. Für andere Vertreter der zweiten Position hat jedoch die Frage der Kausalbeteiligung von Forschern an der Zeugung ihrer Forschungsobjekte durchaus moralisches Gewicht. Sie betrachten die Instrumentalisierung der Lebenszeugung selbst – zumindest symbolisch, wenn nicht noch aus anderen Gründen – als einen bedenklichen weiteren Schritt in die Richtung eines eigendynamischen Machbarkeitswahns.

Vor dem so skizzierten Hintergrund sollte deshalb forschungspolitisch und -ethisch die erwogene Verwendung überzähliger Embryonen strikt unterschieden werden von deren gezielter Herstellung mit Forschungsabsicht. Daß die gezielte Herstellung weiterhin als unzulässig betrachtet werden sollte, ist für die erste Position eine Folgerung aus dem aus dem Schutz der Menschenwürde folgenden Instrumentalisierungsverbot, aus der Sicht mancher Vertreter der zweiten Position hingegen eine Auffassung, die im Licht besserer medizinischer Gründe durchaus erneut diskutiert werden müßte.

2.6.3 Gewinnung von ES-Zellen aus durch Zellkerntransfer erzeugten Embryonen (‚therapeutisches Klonen')

Die Frage ist, wie sich das sog. ‚therapeutische Klonen' in der ethischen Bewertung darstellt. Betrachtet man das Verfahren aus der Perspektive der ersten Position (siehe Kapitel 2.4), dann ist einzuräumen, daß die Übertragung des Zellkerns in die entkernte Eizelle nicht in der Absicht erfolgt, einen Menschen zur Geburt zu bringen (‚reproduktives Klonen'), und daß die Verfolgung dieser Absicht durch ein entsprechendes Verbot ausgeschlossen werden kann. Doch ist die hergestellte Blastocyste – auch wenn sie nicht durch Konjugation einer Ei- und einer Samenzelle entstanden ist – als totipotent einzustufen, da ihr – wie das ‚Dolly'-Experiment gezeigt hat – die Fähigkeit zur Ganzheitsbildung eigen ist. Man wird ihr daher einen Status wie einem Embryo zuerkennen müssen, sofern am Kriterium der Totipotenz (siehe Tabelle 1) in Verbindung mit dem Kriterium der Gattungszugehörigkeit festgehalten wird.

Geht man von diesem Status aus, dann muß die Gewinnung von Stammzellen als ein Verstoß gegen den einem Embryo zukommenden Schutz der Menschenwürde betrachtet werden. Insbesondere vermag diese Methode einen Eingriff in das Lebensrecht des Embryo nicht zu vermeiden. Mehr noch, zur Therapie verwendet bedeutet sie einen tieferen Eingriff nach Zahl und Intention; denn in jedem individuellen Fall müßte ein menschlicher Embryo eigens erzeugt werden. Seine Existenz wäre bereits im Zeitpunkt der Erzeugung instrumentalisiert, Zwecken außerhalb seiner selbst untergeordnet. Menschliches Leben würde bei diesem Ansatz unvermeidlich „verobjektiviert". Dies vermag kein noch so hochrangiges Forschungsziel zu rechtfertigen. Dies wäre anders, wenn ein Verfahren der Reprogrammierung eines somatischen Zellkerns verfügbar wäre, das nicht zu einem totipotenten Stadium, sondern nur zur Pluripotenz der hergestellten Zellen führte.

Als ethisch problematisch muß auch die zum ‚therapeutischen Klonen' nach heutigem Kenntnisstand erforderliche Zahl von Eizellspenden betrachtet werden, die als solche bereits einen breiten Einsatz der Methode des oben beschriebenen somatischen Zellkerntransfers verbietet. Hinzu kommt die bereits erwähnte Mißbrauchbarkeit des Verfahrens zu dem aus ethischer Sicht nicht zu rechtfertigenden Zweck des sog. ‚reproduktiven Klonens'.

Angesichts der kontroversen ethischen Beurteilung des ‚therapeutischen Klonens' stellt sich erneut die Frage, was der verfassungsrechtliche Rahmen fordert bzw. ob er Raum läßt, ein Verfahren wie das ‚therapeutische Klonen' nicht unter ein strafrechtliches Verbot zu stellen. Ohne Zweifel stellt sich die Herstellung eines Embryos auch zu hochrangigen Zwecken Dritter anders dar als die Nutzung eines todgeweihten Embryos zu den gleichen Zwecken, so daß nicht zu erkennen ist, wie eine Zulassung des ‚therapeutischen Klonens' verfassungsrechtlich zu begründen ist.

Für Vertreter der zweiten der beiden oben genannten Positionen (siehe Kapitel 2.4) stellt sich ‚therapeutisches Klonen' ethisch ähnlich dar wie das zuvor erörterte gezielte Herstellen von Forschungsembryonen durch die künstliche Verschmelzung von Ei- und Samenzellen. Die moralische Relevanz der Entstehungsumstände besteht aus dieser Sicht – vor dem Hintergrund eines von vornherein abgestuften Lebensschutzes für frühe Embryonen – entweder nur auf einer relativ schwachen symbolischen Ebene oder eben darin, einem möglichen künftigen Forschungsmißbrauch Vorschub zu leisten. Wo diese Gefahren als nicht gravierend eingeschätzt werden, muß als weiteres und spezifisches Mißbrauchsargument die von verschiedenen Seiten befürchtete Grenzüberschreitung hin zum reproduktiven Klonen bedacht werden.

2.6.4 Chimärenbildung (Kerntransfer humaner Kerne in tierische Eizellen)

Was die Einsetzung eines menschlichen somatischen Zellkerns in eine entkernte tierische Eizelle betrifft, wie dies im Kontext des ‚therapeutischen Klonens' bzw. der Erforschung der an der Reprogrammierung beteiligten Faktoren erwogen wird, entsteht keine Interspezieschimäre im Sinne der Definition der Embryonenschutzgesetzes, da weder ein menschlicher Embryo noch eine menschliche Keimzelle verwendet werden. Das Plasma der tierischen Eizelle dient als Reprogrammierungsfaktor, allerdings sind die möglichen Einflüsse dieser Faktoren auf die Ausprägung und Entwicklung des Keims noch nicht vollständig geklärt. Auch wenn kein vollentwickeltes Individuum heranreifen könnte, erscheint es ethisch als problematisch, Zellgebilde von totipotentem oder pluripotentem Charakter zu erzeugen, die Interspeziescharakter haben könnten. Die Klärung der Frage, ob ein vollentwickeltes Individuum heranreifen könnte, setzte eine Aufklärung der Einflüsse der Mitochondrien des tierischen Eiplasmas auf die Ausprägung und Entwicklung des Keims voraus. Dieses Verfahren sollte daher – vor allen denkbaren weiteren Abwägungen – vorläufig mit einem Moratorium belegt werden.

2.6.5 Gewinnung von EG-Zellen aus fetalem Gewebe

Da die Gewinnung von EG-Zellen aus fetalem Gewebe post mortem erfolgt und der Schwangerschaftsabbruch, nicht aber die Entnahme des Gewebes für das Absterben des Embryos ursächlich ist, stellt die Entnahme keinen Eingriff in das Lebensrecht des Embryos dar. Doch wird eingewendet, daß Schwangerschaftsabbrüche zu diesem Behuf vorgenommen oder damit gerechtfertigt werden könnten oder daß solche Nutzung einer generellen Billigung von Abtreibung Vorschub leisten könnte. Ferner wird eingewendet, daß die Entnahme von Gewebe gegen die auch dem Ungeborenen geschuldete Achtung über den Tod hinaus und gegen das Pietätsgefühl gegenüber den Angehörigen und der Allgemeinheit verstoßen, zu einer Instrumentalisierung der betroffenen Frau führen sowie negative Auswirkungen auf das gesellschaftliche Bewußtsein haben könnten.

Befürworter weisen dagegen darauf hin, daß es um eine Entnahme nach dem Tod geht, die zumindest indirekt der Erhaltung menschlichen Lebens dient und deren problematische Seiten vermieden werden können, wenn zwischen der Entscheidung für den Schwangerschaftsabbruch und der Entscheidung zur Entnahme klar getrennt und weitere Kautelen beachtet würden.

2.6.6 Gewebespezifische fetale Zellen

Die Gewinnung gewebsspezifischer Stammzellen aus abortierten Foeten (wie sie bisher vor allem zur Transplantationsbehandlung der Parkinson'schen Krankheit diskutiert und im Ausland praktiziert wird) wirft – von der Risiko-Nutzen-Abwägung einmal abgesehen – analoge ethische Fragen auf. Hinzu kommt hier aber noch das Faktum, daß eine einzelne Transplantationsbehandlung die Synchronisierung von 5-9 Schwangerschaftsabbrüchen erforderlich macht. Im Unterschied zu den wenigen Fällen einer Gewebsentnahme aus einem einzelnen abortierten Foeten, wie sie zur Gewinnung einer EG-Stammzellinie erforderlich ist (vgl. 2.4.2), würde dieses Entnahmeverfahren somit eine in jeder der skizzierten Hinsichten problematischere Praxis etablieren.

2.6.7 Gewinnung aus adulten Stammzellen und aus Nabelschnurblut

Aufgrund neuerer Forschung erweisen sich die Hoffnungen darauf, adulte Stammzellen der unterschiedlichen Gewebetypen auffinden oder durch Reprogammierung herstellen und dann therapeutisch einsetzen zu können, als nicht unrealistisch. Aus ethischer Sicht wäre jedenfalls die Gewinnung von Stammzellen aus dem adulten Organismus und aus Nabelschnurblut anderen Formen der

Stammzellgewinnung eindeutig vorzuziehen, denn sie vermeidet die Verwendung embryonalen Gewebes und verlangt nur die Wahrung der für Forschung generell geltenden Normen (Einwilligung nach Aufklärung, Einschätzung des Risikos etc.). Nach dem gegenwärtigen Forschungsstand besteht jedoch die Frage, ob dieser Weg ohne den Umweg über zumindest zeitweilige Forschung an ES-Zellen erreichbar ist. Die Ergebnisse aus solcher Forschung in anderen Ländern abzuwarten, kann ethisch jedenfalls nicht als Lösung betrachtet werden.

2.6.8 Bewertung des Imports von ES-Zellinien

Was die Forschung an ES-Zellinien betrifft, die nach einem in Deutschland verbotenen Verfahren, nämlich aus ‚überzähligen' Embryonen, gewonnen wurden, nach deutschem Recht aber legal importiert werden können, so bestehen die ethischen Probleme nicht in der Forschung selbst. Denn diese Forschung erfolgt an pluripotenten Zellen, die nicht unter den Schutz der (totipotenten) embryonalen Zellen fallen, welche sich zu einem ganzen Embryo entwickeln können.

Aus ethischer Sicht gibt es mehrere Aspekte und Argumente zu bedenken.

Zum einen läßt sich vertreten, daß Forschung außerhalb der immanenten rechtlichen Schranken frei sein müsse, um ihre kritische und dynamische Funktion für Staat und Gesellschaft erfüllen zu können. Bindungen kann sich, aus dieser Sicht, lediglich der einzelne Wissenschaftler als moralisches Subjekt auferlegen. Dies ist Ausdruck seiner Gewissensfreiheit. Die Entscheidung, importierte Stammzellinien im Rahmen des rechtlich Zulässigen zu nutzen, liegt damit in der ethischen Verantwortung der Forschenden. Kodizes von Forschergemeinschaften können dem einzelnen dabei Orientierungshilfe geben.

Zum anderen muß der Einwand der „Doppelmoral" bedacht werden. Diejenigen, die ihn vorbringen, verweisen auf die mögliche Inkonsistenz zwischen einer ausdrücklichen ethischen Mißbilligung der im Ausland stattfindenden Stammzellgewinnung und deren gleichzeitiger Inanspruchnahme durch Zellimporte. Die diese ermöglichende permissivere Handhabung der „Exportländer" dürfte dann ethisch auch nicht beanstandet werden. Dieser Appell richtet sich letztlich an das Gewissen der einzelnen Forscher und Forschungspolitiker.

Wie im juristischen Teil ausgeführt, ist der Import embryonaler Stammzellinien strafrechtlich nicht verboten, wenn keine direkte oder indirekte kausale Mitwirkung der deutschen Forschung am Stammzellgewinn erfolgt. Auch läßt es das Völkerrecht nicht zu, im Sinne eines „Rechtskolonialismus" außerhalb des Geltungsbereichs des deutschen Rechts Geltung für Verbote eines solchen Imports beanspruchen zu wollen. Es wäre auch im Blick auf andere Rechtsgebiete inkonsistent. Denn insbesondere im Umwelt- und Technikrecht ist es ein alltäglicher Vorgang, daß Produkte unter rechtlichen Rahmenbedingungen hergestellt werden, die weit unterhalb der Standards des deutschen Rechts liegen. Innerhalb der EG gilt zudem der Grundsatz des freien Warenverkehrs, so daß Importverbote ohnehin nur unter engen Voraussetzungen verwirklicht werden können.

2.7 Zur Präferenz der Alternativen

Sind die Mittel und Wege, auf denen in der Forschung hochrangige Ziele angestrebt werden, von unterschiedlicher ethischer und rechtlicher Vertretbarkeit, dann ist nach Prüfung des jeweiligen Mittels unter dem Gesichtspunkt seiner Geeignetheit, Erforderlichkeit und Verhältnismäßigkeit für das angestrebte Ziel abzuwägen, welche der Alternativen in welcher Abfolge verfolgt werden kann und soll. Als Kriterium dieser Abwägung kann die Regel betrachtet werden, daß bei gleicher Geeignetheit und Erforderlichkeit demjenigen Mittel der Vorzug zu geben ist, das mit keinen oder geringeren ethischen und rechtlichen Problemen verbunden ist. Deren abwägende Inkaufnahme erfolgt dann zugunsten der Forschungsfreiheit, mit der Absicht, gravierende menschliche Leiden behandeln zu können. Dies ist im Bereich der Stammzellforschung bei der Gewinnung von Stammzellinien aus adulten Zellen und aus Nabelschnurblut der Fall. Sofern diese Wege nicht ausreichen, erscheint unter entsprechenden Kautelen auch die Gewinnung aus fetalem Gewebe abgestorbener Embryonen ethisch noch vertretbar. Hinsichtlich der weiteren Wege der Stammzellforschung durch Gewinnung von Stammzellinien aus sog. ‚überzähligen' Embryonen sowie aus eigens zu diesem Zweck hergestellten Embryonen unterscheiden sich die ethischen Beurteilungen.

Tabelle 1: Toti-/Pluripotenz von Zellen und Kernen (nach Campbell und Wilmut, 1997)

	Zellen		**Kerne**	
	Totipotenz	Pluripotenz	Totipotenz	Pluripotenz
Definition	Fähigkeit, einen ganzen Organismus zu bilden	Fähigkeit, sich in viele Gewebe einschließlich der Keimbahn in Chimären zu entwickeln	Fähigkeit, sich nach Transfer in enukleierte Eizellen zu einem kompletten Organismus zu entwickeln	Fähigkeit, die Entwicklung nach Kerntransfer in enukleierte Eizellen teilweise zu unterstützen
Beispiele	Zygote, Blastomeren früher Embryonalstadien (2-, 4-, 8-Zellstadium der Maus)	Zellen der Inneren Zellmasse (ICM), EC-, ES-, EG-Zellen*	Schaf: kultivierte Embryonalzellen, fötale Fibroblasten, Brustdrüsenzellen Rind: fötale Fibroblasten, Keimzellen, Hautfibroblasten, Uteruszellen Maus: Kumuluszellen	Rind: Oogonien, Trophoblastzellen Maus: Sertoli-Zellen
Technologie	Embryosplitting, Blastomerenisolierung	Aggregation mit Morulae, Injektion in Blastocysten	Kerntransfer	Kerntransfer

EC-Zellen = embryonale Karzinomzellen
ES-Zellen = embryonale Stammzellen
EG-Zellen = embryonale Keimzellen

* in früheren Arbeiten wurden teilweise auch Keimbahn-transmissive ES-Zellen als totipotent bezeichnet

Tabelle 2: Eigenschaften von pluripotenten ES-Zell-Linien von Maus und Mensch*

Eigenschaften	*ES-Zellen der Maus*	*ES-Zellen des Menschen*
Potential zu nahezu unbegrenzter Proliferation	ja	wahrscheinlich†
Wachstum als kompakte Zell-kolonien	ja	ja
Hohes Kern-Zytoplasma-Verhält-nis	ja	ja
Alkalische Phosphatase-Aktivität	ja	ja
Stadien-spezifische embryonale Antigene	SSEA-1	SSEA-3, -4
Membranassoziierte Proteo-glykane	nein	TRA-1-60, TRA-1-81, GCTM-2
Hohe Telomerase-Aktivität	ja	ja
Stabiles Entwicklungspotential	ja	möglich†
Euploider, stabiler Karyotyp	ja	ja
Feeder-layer-Abhängigkeit	ja/ oder IL-6-Zytokine	ja
Faktoren, die Stammzell-Pro-liferation regulieren	IL-6 Zytokine	unbekannt
Oct-4 Expression	ja	ja
Kurze G1 Phase des Zellzyklus	ja	unbekannt
Differenzierungspotential in Zellen aller 3 Keimblätter	ja	ja
Keimbahn-Transmission	ja	unbekannt/unethisch

* nach Thomson et al., 1998, und Pera et al., 2000.

† jedoch bisher noch nicht nachgewiesen.

Verwendete Abkürzungen

AMG	Arzneimittelgesetz
CB	Cord Blood, Nabelschnurblut
ESchG	Embryonenschutzgesetz
GG	Grundgesetz
NIH	National Institutes of Health der USA
TFG	Transfusionsgesetz
TPG	Transplantationsgesetz
StGB	Strafgesetzbuch

[... Naturwissenschaftlich-medizinisches Glossar ...]

Literaturverzeichnis

AMIT, M., CARPENTER, M.K., INOKUMA, M.S., DHIU, C.P., HARRIS, C.P., WAKNITZ, M.A., ITSKOVITZ-ELDOR, J., and THOMSON, J.A. (2000): Clonally derived human embryonic stem cell lines maintain pluripotency and proliferation potential for prolonged periods of culture. Dev. Biol. *15*, 271-278.

ANTCZAK, M. and VAN BLERKOM, J. (1997): Oocyte influences on early development: The regulatory proteins leptin and STAT3 are polarized in mouse and human oocytes and differentially distributed within the cells of the preimplantation stage embryo. Mol. Hum. Reprod. *3*, 1067-1086.

BEIER, H.M. (2000): Zum Sinn des Klonens: Die Erkenntnisse über natürliche und experimentelle Totipotenz ebnen den Weg für neue Perspektiven in der Transplantationsmedizin. Nova Acta Leopoldina NF 83, *318*, 37-54.

BETTHAUSER, J., FORSBERG, E., AUGENSTEIN, M., CHILDS, L., EILERTSEN, K., ENOS, J., FORSYTHE, T., GOLUEKE, P., JURGELLA, G., KOPPANG, R., LESMEISTER, T., MALLON, K., MELL, G., MISICA, P., PACE, M., PFISTER-GENSKOW, M., STRELCHENKO, N., VOELKER, G., WATT, S., THOMPSON, S., and BISHOP, M. (2000): Production of cloned pigs from in vitro systems. Nature Biotech. *18*, 1055-1059.

BJORNSON, C.R.R., RIETZE, R.L., REYNOLDS, B.A., MAGLI, M.C., and VESCOVI, A.L. (1999): Turning brain into blood: A hematopoietic fate adopted by adult neural stem cells in vivo. Science *283*, 534-537.

BRUDER, S.P., FINK, D.J., and CAPLAN, A.I. (1994): Mesenchymal stem cells in bone development, bone repair, and skeletal regeneration therapy. J. Cell. Biochem. *56*, 283-294.

BRÜSTLE, O., JONES, N.K., LEARISH, R. D., KARRAM, K., CHOUDHARY, K., WIESTLER, O.D., DUNCAN, I.D., and MCKAY, R.D.G. (1999): Embryonic stem cell-derived glial precursors: A source of myelinating transplants. Science *285*, 54-65.

CAPLAN, A.I. (2000): Mesenchymal stem cells and gene therapy. Clin. Orthop. *379*, 67-70.

CLARKE, D.L., JOHANSSON, C.B., WILBERTZ, J., VERESS, B., NILSSON, E., KARLSTRÖM, H. LENDAHL, U., and FRISÉN, J. (2000): Generalized potential of adult neural stem cells. Science *288*, 1660-1663.

ERICES, A., CUNGET, P., and MINCUBLL, J.J. (2000): Mesenchymal progenitor cells in human umbilical cord blood. Brit. J. Haematol. *109*, 235-242.

ERIKSSON, P.S., PERFILIEVA, E., BJORK-ERIKSSON, T., ALBORN, A.M., NORDBORG, C., PETERSEN, D.A., and GAGE, F.H. (1998): Neurogenesis in the adult hippocampus. Nature Medicine *4*, 1313-1317.

FERRARI, G., CUSELLA-DE ANGELIS, G., COLETTA, M., PAOLUCCI, E., STORNAIUOLO, A., COSSU, G., and MAVILIO, F. (1998): Muscle regeneration by bone marrow-derived myogenic progenitors. Science *279*, 1528-1530.

FUCHS, E., and SEGRE, J.A. (2000): Stem cells: A new lease on life. Cell *100*, 143-155.

GEARHART, J. (2000): Potential of stem cell research for tissue and organ regeneration. BMBF-Statusseminar: Die Verwendung humaner Stammzellen in der Medizin – Perspektiven und Grenzen, Berlin, 29. 3. 2000.

GUSSONI, E., SONEOKA, Y., STRICKLAND, C.D., BUZNEY, E.A., KHAN, M.K., FLINT, A.F., KUNKEL, L.M., and MULLIGAN, R.C. (1999): Dystrophin expression in the mdx mouse restored by stem cell transplantation. Nature *401*, 390-394.

JAENISCH, R., and WILMUT, I. (2001): Don't clone humans! Science *291*, 2552.

KATO, Y., RIDEOUT, W.M. 3rd, HILTON, K., BARTON, S.C., TSUNODA, Y., and SURANI, M.A. (1999): Development potential of mouse primordial germ cells. Development *126*, 1823-1832

KLUG, M.G., SOONPA, M.H., KOH, G.Y., and FIELD, L.J. (1996): Genetically selected cardiomyocytes from differentiating embryonic stem cells form stable intracardiac grafts. J. Clin. Invest. *98*, 216-224.

KOCHER, A.A., SCHUSTER, M.D., SZABOLCS, M.J., TAKUMA, S., BURKHOFF, D., WANG HOMMA, S., EDWARDS, N.M., and ITESCU, S. (2001): Neovascularization of ischemic myocardium by human bone-marrow-derived angioblasts prevents cardiomyocyte apoptosis, reduces remodeling and improves cardiac function. Nature Med. *7*, 430-436.

LANZA, R.P., CIBELLI, J.B., and WEST, M.D. (1999): Human therapeutic cloning. Nature Med. *5*, 975-976.

LEE, S.-H., LUMELSKY, N., LORENZ, S., AUERBACH, J.M., and MCKAY, R.D. (2000): Efficient generation of midbrain and hindbrain neurons from mouse embryonic stem cells. Nature Biotech. *18*, 675-679.

ORLIC, D., KAJSTURA, J., CHIMENTI, S., JAKONIUK, I., ANDERSON, S.M., BAOSHENG, L., PICKEL, J., MCKAY, R., NADAL-GINARD, B., BODINE, D.M., LERI, A., and ANVERSA, P. (2001): Bone marrow cells regenerate infrated myocardium. Nature *410*, 701-705.

OSAWA, M., HANADA, K., HAMADA, H., and NAKAUCHI, H. (1996): Long-term lymphohematopoietic reconstitution by a single CD34-low/negative hematopoietic stem cell. Science *273*, 242-245.

PERA, M.F., REUBINOFF, B., and TROUNSON A. (2000): Human embryonic stem cells. J. Cell Sci. *113*, 5-10

PETERSEN, B.E., BOWEN, W.C., PATRENE, K.D., MARS, W.M., SULLIVAN, A.K., MURASE, N., BOGGS, S.S., GREENBERGER, J.S., and GOFF, J.P. (1999): Bone marrow as a potential source of hepatic oval cells. Science *284*, 1168-1170.

SCHULDINER, M., YANUKA, O., ITSKOVITZ-ELDOR, J., MELTON, D.A., and BENVENISTY, N. (2000): Effects of eight growth factors on the differentiation of cells derived from human embryonic stem cells. Proc. Natl. Acad. Sci. USA *97*, 11307-11312.

SHAMBLOTT, M.J., AXELMAN, J., WANG, S., BUGG, E.M., LITTLEFIELD, J.W., DONOVAN, P.J., BLUMENTHAL, P.D., HUGGINS, G.R., and GEARHART, J.D. (1998): Derivation of pluripotent stem cells from cultured human primordial germ cells. Proc. Natl. Acad. Sci. USA *95*, 13726-13731.

SHAMBLOTT, M.J., AXELMAN, J., LITTLEFIELD, J.W., BLUMENTHAL, P.D., HUGGINS, G.R., CUI, Y., CHENG, L. AND GEARHART, J.D. (2001): Human embryonic germ cell derivatives express a broad range of developmentally distinct markers and proliferate extensively *in vitro*. Proc. Natl. Acad. Sci. USA *98*, 113-118.

SOLTER, D.(1999): Cloning and embryonic stem cells: A new era in human biology and medicine. Croatian Med. J. *40*, 309-318.

SORIA, B., ROCHE, E., BERNA, E., LEON-QUINTO, T., REIG, J.A., and MARTIN, F. (2000): Insulin-secreting cells derived from embryonic stem cells normalize glycemia in streptozotocin-induced diabetic mice. Diabetes *49*, 1-6.

STEVENS, L.C. (1983): The origin and development of testicular, ovarian, and embryo-derived teratomas. In: Teratocarcinoma Stem Cells. Silver, L.M., Martin, G.R., and Strickland, S. (Eds.) Cold Spring Harbor Laboratory Press, Cold Spring Harbor, New York, pp. 23-36.

THOMSON, J.A., ITSKOVITZ-ELDOR, J., SHAPIRO, S.S., WAKNITZ, M.A., SWIERGIEL, J.J., MARSHALL, V.S., and JONES, J.M. (1998): Embryonic stem cell lines derived from human blastocysts. Science *282*, 1145-1147.

WAKAYAMA, T., RODRIGUEZ, I., PERRY, A.C.F., YANAGIMACHI, R., and MOMBAERTS, P. (1999): Mice cloned form embryonic stem cells. Proc. Natl. Acad. Sci. USA *96*, 14984-14989.

WATT, F.M., and HOGAN, B.L.M. (2000): Out of eden: Stem cells and their niches. Science *287*, 1427-1430.

WILMUT, I., SCHNIEKE, A.E., MCWHIR, J., KIND, A.J., and CAMPBELL, K.H.S. (1997): Viable offspring derived from fetal and adult mammalian cells. Nature *385*, 810-813.

Die zitierten Stellungnahmen der Deutschen Forschungsgemeinschaft sind unter http://www.dfg.de/aktuell/dokumentation.html abrufbar.

Die zitierten Richtlinien der Bundesärztekammer sind unter http://www.bundesaerztekammer.de abrufbar.

Ethical Aspects of Human Stem Cell Research and Use*

European Group on Ethics in Science and New Technologies (EGE)
(Rapporteurs: Anne McLaren and Göran Hermerén)

(November 2000)

The European Group on Ethics in Science and New Technologies (EGE),

Having regard to the Treaty on European Union as amended by the Treaty of Amsterdam, and in particular Article 6 (formerly Article F) of the common provisions, concerning the respect for fundamental rights, Article 152 (formerly Article 129) of the EC Treaty on public health, (namely paragraph 4(a) referring to substances of human origin) and Articles 163-173 (formerly Articles 130F-130P) on research and technological development;

Having regard to the European Parliament and Council Directive 65/65/CEE of 26 January 1965 and the modified Directive 75/319/CEE of 20 May 1975 concerning medicinal products;

Having regard to the Council Directive 93/42/EEC of 14 June 1993 concerning medical devices and the European Parliament and Council Directive 98/79/EC of 27 October 1998 concerning *in vitro* diagnostic medical devices, in particular Article 1-4 which refers to ethics and requires the respect of the principles of the Convention of the Council of Europe on Human Rights and Biomedicine, with regard to the removal, collection and use of tissues, cells and substances of human origin;

Having regard to the Council Directive 98/44/EC of 6 July 1998 on the legal protection of biotechnological inventions and in particular Article 6, concerning certain inventions excluded from patentability, and Article 7 giving mandate to the European Group on Ethics (EGE) to evaluate "all ethical aspects of biotechnology";

Having regard to the Parliament and Council Decision of 22 December 1998 concerning the 5th Framework Programme of the European Community for research, technological development and demonstration activities (1998-2002) and in particular Article 7 requesting compliance with fundamental ethical principles;

Having regard to the Council Decision of 25 January 1999 adopting the specific programme for research, technological development and demonstration activities on quality of life and management of living resources and in particular the ethical requirements mentioned in its Annex II;

Having regard to the Charter of 28 September 2000 on Fundamental Rights of the European Union, approved by the European Council in Biarritz on October 14th, 2000, in particular

* Das Dokument ist im World Wide Web unter der Adresse „http://europa.eu.int/comm/secretariat_general/sgc/ethics/avis_en.htm" verfügbar.

Article 1 on "Human dignity", Article 3 on the "Right to the integrity of the person", which refers to the principle of "free and informed consent" and prohibits "the reproductive cloning of human beings" and Article 22 on "Cultural, religious and linguistic diversity";

Having regard to the Council of Europe's Convention on Human Rights and Biomedicine, signed on 4 April 1997 in Oviedo, in particular Article 18 on embryo research, and to the additional protocol to the Convention on the prohibition of cloning human beings signed on 12 January 1998 in Paris;

Having regard to the Universal Declaration on the Human Genome and Human Rights adopted by the United Nations on 11 December 1998, in particular Article 11 which recommends to prohibit reproductive cloning of human beings, and Article 13 which refers to the responsibilities of researchers as well as of science policy makers;

Having regard to national regulations on stem cell and on embryo research and to national ethics bodies opinions, at the European Union level, concerning these subjects;

Having regard to the reports of the US National Bioethics Advisory Committee dated September 13, 1999, on the "Ethical Issues on Human Stem Cell Research", the hearings on the same subject by the US Congress on April 2000 and the guidelines published by the Clinton administration on August 26, 2000, to be forwarded to a NIH (National Institutes of Health) scientific review in 2001;

Having regard to the Round Table organised by the Group on 26 June 2000 in Brussels with members of the European Parliament, jurists, philosophers, scientists, representatives of industries, of religions, of patients' associations, and of international organisations (Council of Europe, UNESCO, WHO);

Having regard to the Hearings of scientific experts on 6 June 2000 and on 2 October 2000, and to the Hearings of representatives of religions on 8 September 2000;

Having heard the rapporteurs Anne McLaren and Göran Hermerén;

1 – Whereas

Scientific background

1.1. How to define stem cells?

Stem cells are cells that can divide to produce either cells like themselves (self-renewal), or cells of one or several specific differentiated types. Stem cells are not yet fully differentiated and therefore can reconstitute one or several types of tissues.

1.2. What are the different kinds of stem cells?

Different kinds of stem cells can be distinguished according to their potential to differentiate. They are progenitor, multipotent or pluripotent stem cells.

- *Progenitor stem cells* are those whose terminally differentiated progeny consist of a single cell type only. For instance, epidermal stem cells or spermatogonial stem cells can differentiate respectively into only keratinocytes and spermatozoa.
- *Multipotent stem cells* are those which can give rise to several terminally differentiated cell types constituting a specific tissue or organ. Examples are skin stem cells, which give rise to epidermal cells, sebaceous glands and hair follicles or haematopoietic stem cells, which give rise to all the diverse blood cells (erythrocytes, lymphocytes, antibody-producing cells and so on), and neural

stem cells, which give rise to all the cell types in the nervous system, including glia (sheath cells), and the many different types of neurons.

- *Pluripotent stem cells* are able to give rise to all different cell types *in vitro*. Nevertheless, they cannot on their own form an embryo. Pluripotent stem cells, which are isolated from primordial germ cells in the foetus, are called: embryonic germ cells ("EG cells"). Those stem cells, which are isolated from the inner cell mass of a blastocyst-stage embryo, are called: embryonic stem cells ("ES cells").

It should be noted that scientists do not yet all agree on the terminology concerning these types of stem cells.

1.3. What are the characteristics of the different stem cells?

Progenitor and multipotent stem cells may persist throughout life. In the foetus, these stem cells are essential to the formation of tissues and organs. In the adult, they replenish tissues whose cells have a limited life span, for instance skin stem cells, intestinal stem cells and haematopoietic stem cells. In the absence of stem cells, our various tissues would wear out and we would die. They are more abundant in the foetus than in the adult. For instance haematopoietic stem cells can be derived from adult bone marrow but they are particularly abundant in umbilical cord blood.

Pluripotent stem cells do not occur naturally in the body, which distinguishes them from progenitor and multipotent stem cells.

1.4. Where can stem cells be found?

The possible sources of stem cells include adult, foetus and embryos. Accordingly, there are:

- *Adult stem cells:* progenitor and multipotent stem cells are present in adults. Mammals appear to contain some 20 major types of somatic stem cells that can generate liver, pancreas, bone and cartilage but they are rather difficult to find and isolate. For instance, access to neural stem cells is limited since they are located in the brain. Haematopoietic stem cells are present in the blood, but their harvesting requires stimulatory treatment of the donor's bone marrow. By and large, adult stem cells are rare and do not have the same developmental potential as embryonic or foetal stem cells.
- *Stem cells of foetal origin:*
  - *Haematopoietic stem cells* can be retrieved from the umbilical cord blood.
  - *Foetal tissue* obtained after pregnancy termination can be used to derive multipotent stem cells like neural stem cells which can be isolated from foetal neural tissue and multiplied in culture, though they have a limited life span. Foetal tissue can also give rise to pluripotent EG cells isolated from the primordial germ cells of the foetus.
- *Stem cells of embryonic origin:* Pluripotent ES cells are those which are derived from an embryo at the blastocyst stage. Embryos could be produced either by *in vitro* fertilisation (IVF) or by transfer of an adult nucleus to an enucleated egg cell or oocyte (somatic cell nuclear transfer – SCNT).

1.5. Human embryonic development

- *At two to three days* after fertilisation, an embryo consists of identical cells which are *totipotent.* That is to say that each could give rise to an emryo on its own producing for example identical twins or quadruplets. They are totally unspecialised and have the capacity to differentiate into any of the cells which will constitute the foetus as well as the placenta and membranes around the foetus.
- *At four to five days* after fertilisation *(morula stage)*, the embryo is still made up of unspecialised embryonic cells, but these cells can no longer give rise to an embryo on their own.
- *At five to seven days* after fertilisation *(blastocyst stage)*, a hollow appears in the centre of the morula, and the cells constituting the embryo start to be differentiated into inner and outer cells:
  - The *outer cells* will constitute the tissues around the foetus, including the placenta.
  - The *inner cells* (20 to 30 cells) will give rise to the foetus itself as well as to some of the surrounding tissues. If these inner cells are isolated and grown in the presence of certain chemical substances (growth factors), *pluripotent* ES cells can be derived. ES cells are pluripotent, not totipotent since they cannot develop into an embryo on their own. If they are transferred to a uterus, they would neither implant nor develop into an embryo.

Historical background

1.6. Research on animals

- *Embryonic stem cells*

  Scientists have been working with mouse embryonic stem cells *in vitro* for more than 20 years, noting very early their remarkable capacity to divide. Some mouse ES cell lines have been cultured for more than 10 years, while retaining their ability to differentiate.

  There is today some evidence from animal models that multipotent stem cells can be used for somatic therapy. Convincing evidence however has been provided up until now from ES cell-derived, and not adult-derived multipotent somatic cells. For instance neural differentiated mouse ES cells when transplanted into a rat spinal cord several days after a traumatic injury can reconstitute neuronal tissue resulting in the (partial) recovery of hindlimb co-ordinated motility. Similarly, selected cardiomyocytes obtained from differentiating ES cells can be grafted into the heart of dystrophic mice to effect myocardial repair. Whether the same cellular derivatives when obtained from adult stem cells would be able to correct for the deficiencies induced in those animal models remains to be determined.

  Much research on mouse ES cells has also been focused on using these cells to create transgenic animals, in particular as disease models to study human genetic disorders.

- *Adult stem cells*

  Research is also carried out on mouse adult stem cells. While many scientists had assumed that these cells were programmed to produce specific tissues and were thus no longer able to produce other sorts of tissue, *recent studies suggest that adult stem cells may be able to show more malleability than previously believed.* For instance, it has been shown that mouse neural stem cells could give rise, in specific conditions of culture, to cells of other organs such as blood, muscle, intestine, liver and heart. Moreover marrow stromal cells can generate astrocytes, a non-neuronal type of cells of the central nervous system, and haematopoietic stem cells can give rise to myocytes.

1.7. First grafts of human foetal cells

Stem cells in tissues such as skin or blood are able to repair the tissues throughout life. By contrast, the nervous system has a very limited capacity for self-repair because the neural stem cells in the adult brain are few in number and have a poor capacity to generate new neurons for instance to repair injury.

Based on the positive results of experimentation on rodents and primates, *clinical trials in patients with Parkinson's disease have been performed on around 200 patients over the last 10 years* especially in Sweden and the USA. They have shown that the transplantation of neural cells derived from the human foetus can have a therapeutic effect, with an important reduction of the symptoms of the disease in the treated patients. The clinical improvement among these patients has been observed for 6-24 months after transplantation and in some cases for 5-10 years. It has recently been shown that 10 years after the transplantation surgery, the transplanted neural cells were still alive and producing dopamine, the compound which is deficient in the brain of patients with Parkinson's disease.

However, *this therapeutic approach still remains experimental.* In addition, the availability of neural foetal tissue is very limited. Five to six aborted foetuses are needed to provide enough neural tissue to treat one Parkinson's patient. That is why new sources of neural cells have been explored in some countries such as the US and Sweden. The aim is to derive neural stem cells from foetuses: these stem cells could be induced to *proliferate in culture*, providing much greater amounts of neural tissue for transplantation.

1.8. Transplantation of human haematopoietic stem cells

The transplantation of human haematopoietic stem cells is routinely used to restore the production of blood cells in patients affected by leukaemia or aplastic anaemia after chemotherapy. There are two sources of haematopoietic stem cells:

- *Adult stem cells:* they can be retrieved under anaesthesia, from the bone marrow of donors, or from the patients themselves (before chemotherapy). Haematopoietic stem cells can also be retrieved directly from the blood, which requires a treatment to induce the passage of stem cells from the bone marrow into the blood circulation.
- *Stem cells of foetal origin:* haematopoietic stem cells can be retrieved from the umbilical cord blood at birth, though care must be taken to ensure that the baby receives enough cord blood. There are at present cord blood banks designated to facilitate haematopoietic stem cell transplantation. The systematic retrieval and cryopreservation of cord blood, at birth, has even been considered in order to have autologous stem cells available in case of later need. Stem cells of foetal origin give rise to less rejection reaction than adult stem cells.

1.9. Discoveries on human stem cells

In the late 70's, the *progress of infertility treatment* led to the birth of the first child by *in vitro* fertilisation. The formation of human embryos *in vitro* during the course of infertility treatment has made possible the study of human embryogenesis following fertilisation, and thus has increased our knowledge of the behaviour and characteristics of embryonic cells at a very early stage.

Since 1998, derivation and culture of embryonic and foetal human pluripotent stem cells has been performed, a process which had never been achieved before with human cells. A team at the *University of Wisconsin* in Madison (USA) announced in November 1998 that it had successfully isolated and cultured for several months cells from 14 human blastocysts obtained from donated surplus embryos produced by *in vitro* fertilisation. This team established five embryonic ES cell lines with the ability to be grown continuously without losing their capacity to differentiate into the many kinds of cells that constitute the body. At the same time, a team at the *Johns Hopkins University* in Baltimore (USA) reported that foetal primordial germ cells had been isolated from the gonads of foetuses obtained after pregnancy termination and cultured to make EG cells. Cell lines derived from these cells were grown for many months while maintaining the same capacity to differentiate as the ES cell lines.

In 1999, research on adult stem cells revealed that their plasticity was much higher than previously thought. Adult neural stem cells have been reported to give rise occasionally to other cell types including blood cells. A team at the *University of Minnesota* in Minneapolis (USA) has shown that cells isolated from the bone marrow of adults or children were able to become neural or muscle cells. Nevertheless, bone marrow cells with such extraordinary malleability are extremely rare. In any case, these recent findings still require to be substantiated.

The future challenge is to control the differentiation of human stem cells. It has been shown in animals that by culturing stem cells in the presence of certain chemical substances referred to as *"growth factors"*, it is possible to induce differentiation of specific cell types. Experiments on human stem cells are less advanced but finding ways to direct differentiation is presently an active focus of research.

1.10. What is the main interest of stem cell research and what are the hopes?

The main interests at present include:

- *Basic developmental biology.* Culturing of human stem cells offers insights that cannot be studied directly in the human embryo or understood through the use of animal models. For instance, basic research on stem cells could help to understand the causes of birth defects, infertility and pregnancy loss. It could also be useful to give a better understanding of normal and abnormal human development.
- *Studies of human diseases on animal models.* For example, mouse ES cells can be engineered to incorporate human initiated genes known to be associated with particular diseases and then used to make transgenic mouse strains. If such mice express the pathology of the human disease, this confirms the hypothesis that the gene is involved with the etiology of the disease. This strategy also yields an animal model of the human disease which has in most cases a much better predictability for the human situation than more conventional animal models. One of the most illustrative examples of that method is its use in order to address the potential causes of Alzheimer's disease.
- *Culturing specific differentiated cell lines to be used for pharmacology studies and toxicology testing.* This is the most likely immediate biomedical application, making possible the rapid screening of large numbers of chemicals. By measuring how pure populations of specific differentiated cells respond to potential drugs, it will be possible to sort out medicinal products that may be either useful or on the contrary problematic in human medicine.
- *Use of stem cells in gene therapy.* Stem cells could be used as vectors for the delivery of gene therapy. One current application in clinical trials is the use of haematopoietic stem cells genetically modified to make them resistant to the HIV (virus responsible for AIDS).
- *Production of specific cell lines for therapeutic transplantation.* If feasible, this would be the *most promising therapeutic application of ES cells.* Research is being actively pursued, mostly in the mouse, with the aim of directing the differentiation of pluripotent stem cells to produce pure populations of particular cell types to be used for the repair of diseased or damaged tissues. For instance, the aim would be to produce cardiac muscle cells to be used to alleviate ischaemic heart disease, pancreatic islet cells for treatment of diabetes (juvenile onset diabetes mellitus), liver cells for hepatitis, neural cells for degenerative brain diseases such as Parkinson's disease, and perhaps

even cells for treating some forms of cancer. The transplantation of stem cells could also help, for example, to repair spinal cord damage which occurs frequently, namely following trauma (for instance car accidents) and is responsible for paraplegia. Results of that kind of cell therapy on animals are promising, but *are still years away from clinical application.* Even more remote (possibly decades away) is the prospect of being able to grow whole organs *in vitro*, but if tissues for the repair of organs become available, it would greatly relieve the existing unsatisfied demand for donated organs for transplantation. In providing a potentially unlimited source of specific clinically important cells such as bone, muscle, liver or blood cells, the use of human stem cells could open the way to a new "regenerative medicine".

1.11. Why is somatic cell nuclear transfer (SCNT) considered?

Apart from its interest for *basic research*, SCNT is considered as a possible strategy, in "regenerative medicine", for the *avoidance of immunological problems* after transplantation. Neural tissues can sometimes be transplanted from one individual to another without suffering immunological rejection, but for all other tissues, stem cell therapy would need to be accompanied by long-term treatments with immunosuppressive drugs, leading to increased susceptibility to infections and even to cancer.

- *One approach* to avoid this immune rejection problem would involve genetic engineering of stem cells to render them non-antigenic, or immunological manipulation of the patients to render them tolerant.
- *An alternative approach* is based on somatic cell nuclear transfer. It consists of transferring nuclei from the patient's own body cells into donated human or even animal unfertilised eggs from which the nuclei have been removed. If these reconstructed eggs were stimulated for example with electricity to develop to the blastocyst stage, pluripotent stem cells could be derived from them to form cells genetically identical to the patient. No rejection of any transplanted cells would then occur.
- *Related technology* could lead to the cloning of human individuals if the reconstructed embryos were transferred to a woman's uterus. However, this is contrary to European Community law and prohibited in most European countries.

1.12. Possible origins of the embryos in countries which allow embryo research

These embryos are:

- either *"spare embryos" (i.e. supernumerary embryos)* created for infertility treatment to enhance the success rate of IVF, but no longer needed for this purpose. They are intended to be discarded but, instead, may be donated for research by the couples concerned,
- or *research embryos*, created for the sole purpose of research.
  - These may either be produced with donated gametes, i.e. they are derived from the fertilisation *in vitro* of a human oocyte by a human sperm,
  - or they may be produced by embryo splitting or nuclear transfer. In the latter case they would be derived by introducing the nucleus of an adult somatic cell into an enucleated human oocyte (sometimes misleadingly termed "embryo cloning" or "therapeutic cloning").

Legal background

1.13. Legal situation in the Member States

At national level, stem cell research is not regulated as such.

With regard to embryonic stem cell research, it is thus necessary to refer to the general legislation on embryo research. In this respect, *the situation in the Member States is diverse*:

- *Ireland* is the only country of the EU whose Constitution affirms the right to life of the "unborn" and that this right is equal to that of the mother.
- *In some Member States no legislation on embryo research exists.* This is the case of Belgium and of the Netherlands, where embryo research is nevertheless carried out. In Portugal however, in the absence of legislation, no embryo research seems to be performed. This also seems to be the case in Italy although artificial reproductive techniques are widely practised.
- *Where embryo research is legislated*, legislation either prohibits any kind of embryo research (Austria, Germany), or authorises this research under specified conditions (Finland, Spain, Sweden, and UK). In France, where embryo research is still prohibited, the law authorises "the study of embryos without prejudicing their integrity" as well as preimplantation diagnosis.
- *In some countries the Constitutional Courts have dealt with the use of human embryos* (judgement of the French Constitutional Court of July 27, 1994 on Bioethics, and judgement of the Spanish Constitutional Court of July 10, 1999 on the legislation concerning assisted human reproduction techniques).

The legal situation of many countries in Europe is under development. *New legislation is being drafted namely in response to the challenge of stem cell research.*

- In some countries, draft legislation is being prepared to allow research on stem cells derived from *supernumerary embryos* after *in vitro* fertilisation (the Netherlands).
- In other countries, draft legislation provides for *the possibility of creating embryos by nuclear transfer, for the sole purpose of stem cell research.* This is the case in Belgium, and in the UK. (In the latter case, legislation allowed creation of embryos for the purpose of research, but only in relation to the treatment of infertility, to contraception or to the avoidance of genetic disease.) In France legislation is under preparation.

1.14. European legislation in the field

At the Council of Europe's level, the Convention on Human Rights and Biomedicine signed in Oviedo in 1997 in its *Article 18* establishes that it is up to each country to decide whether to authorise or not embryo research. Each country is only obliged to respect two conditions: "to ensure adequate protection of the embryo", that is to say to adopt a legislation fixing the conditions and limits of such research; and to prohibit "the creation of human embryos for research purposes". The Convention is binding only for the States which have ratified it. In the European Union so far only three countries have completed the procedure and some are in the process of doing so.

At EU level, although there is no legislative competence to regulate research, some Directives allude to the issue of embryo research and use. For instance, *the Directive 98/44/EC on the legal protection of biotechnological inventions* (patenting on life) stipulates that "processes for cloning human beings" and "uses of human embryos for industrial or commercial purposes" ... "shall be considered unpatentable". *The Directive 98/79/EC on in vitro diagnostic medical devices* (including the use of human tissues) provides that "the removal, collection and use of tissues, cells and substances of human origin shall be governed, in relation to ethics, by the principles laid down in the Convention of the Council of Europe for the protection of human rights and dignity of the human being with regard to the application of biology and medicine and by any Member States regulations on this matter".

At this same level, the Charter on Fundamental Rights of the European Union approved by the European Council in Biarritz (France) on October 14, 2000 prohibits different kinds of practices possibly related to embryo research, namely "eugenic practices, in particular those aiming at the selection of persons" and "the reproductive cloning of human beings".

1.15. US approach related to embryo research and stem cell research

The situation in the US contrasts with that in Europe. A substantial difference is a sharp distinction between the public and the private sector. Since 1995 the US Congress has been adopting each year a provision in the Appropriation Bill to prohibit public funding for embryo research. Thus, the National Institutes of Health (NIH) cannot carry out embryo research, which, in the absence of legislation, remains free and beyond control in the private sector.

New discoveries concerning the culturing of human stem cells in 1998 have led to the reopening of the debate. The National Bioethics Advisory Committee (NBAC) issued a report on September 1999; hearings took place in 1999 and 2000 before the competent Committees of the US Congress and finally the Clinton administration proposed that, under certain conditions, the funding of research to derive and study human ES cells be permitted. *New guidelines of the NIH were published in August 2000 according to which research on human ES cells can be publicly funded if two conditions are respected.* First, the cells must be taken from frozen spare embryos from fertility clinics and already destined to be discarded; second, Federal funds could not be used to destroy the embryos to obtain the cells; privately funded researchers will have to pass them on to Federally supported scientists.

Ethical background

1.16. Main ethical issues with regard to stem cell research

Human stem cell research is an example of bioethical value conflicts. On the one hand, the prospect of new therapies, even in the far future, is attractive in offering an alternative to organ and tissue donation. On the other hand, when this research involves the use of human embryos, it raises the question of its ethical acceptability and of the limits and conditions for such research. Embryo research has been extensively debated in the context of research carried out to improve IVF as a treatment for infertility. Embryonic stem cell research raises the following specific additional ethical questions:

New types of research to be performed on human embryos. Up until now, research that involved destroying embryos, if allowed, was limited to research on reproduction, contraception or congenital diseases. With human stem cell research, a much wider scope of research is being considered.

The use of ES cells and stem cell lines for therapeutic purposes. Human embryos used for research were destroyed after the research was completed and therefore were never used for fertility treatment. What remained was additional knowledge. Human embryonic stem cell research is aimed at creating cell lines with appropriate characteristics, in terms of purity and specificity. There is thus continuity from the embryonic cells to the therapeutic material obtained by culture.

The creation of embryos for research purposes. This delicate issue is now raised again since there is a scientific justification of this practice, namely the possibility of producing stem cells identical to the patient's cells and thus avoiding problems of rejection in the context of the future "regenerative medicine". At the same time, creating human embryos raises new ethical concerns. The ethical acceptability of stem cell research depends not only on the objectives but also on the source of the stem cells; each source raising partly different ethical questions. Those who condemn embryo research in general will not accept this difference, but for those who accept it, this issue is of major importance.

1.17. Ethical issues in transplantation of stem cells

Clinical research and potential future applications in this field raise the same ethical issues as those dealt with in the EGE's Opinion on Human Tissue Banking (21/07/1998), concerning the respect of the donor, who should give informed consent to this use of the donated cells, the respect of the autonomy of the patients, their right to safety and to the protection of their private life and the right to a fair and equal access to new therapies.

2 – Opinion

The Group submits the following Opinion:

Scope of the Opinion

2.1. Ethical issues of stem cell research and use for clinical purposes

This Opinion reviews ethical issues raised by human stem cell research and use, in the context of the European Union research policy and European Community public health competence to improve human health and to set high standards for the safety of substances of human origin.

With regard to the specific ethical questions related to the patenting of inventions involving human stem cells, on which President Prodi requested an Opinion from the Group on 18 October 2000, this will be made public in Brussels at a later date. The following Opinion therefore excludes the patenting issue.

General approach

2.2. Fundamental Ethical Principles at Stake

The fundamental ethical principles applicable are those already recognised in former opinions of the EGE, and more specifically:

- the principle of respect for human dignity
- the principle of individual autonomy (entailing the giving of informed consent, and respect for privacy and confidentiality of personal data)
- the principle of justice and of beneficence (namely with regard to the improvement and protection of health)
- the principle of freedom of research (which is to be balanced against other fundamental principles)
- the principle of proportionality (including that research methods are necessary to the aims pursued and that no alternative more acceptable methods are available).

In addition, the Group considers it important to take into account, based on a precautionary approach, the potential long-term consequences of stem cell research and use for individuals and the society.

2.3. Pluralism and European ethics

Pluralism is characteristic of the European Union, mirroring the richness of its tradition and adding a need for mutual respect and tolerance. Respect for different philosophical, moral or legal approaches and for diverse cultures is implicit in the *ethical dimension of building a democratic European society.*

From a legal point of view, respect for pluralism is in line with Article 22 of the Charter on Fundamental Rights on "Cultural, religious and linguistic diversity" and with Article 6 of the Amsterdam Treaty which ensures the protection of fundamental rights at EU level, notably based on international instruments as well as common constitutional traditions, while also stressing the respect for the national identity of all Member States.

Basic research on human stem cells

2.4. Principal requirements according to the diverse sources of stem cells

- The retrieval of *adult stem cells* requires the same conditions as those required in the case of tissue donation, based on respect for the integrity of the human body and the free and informed consent of the donor.
- The retrieval of stem cells *from the umbilical cord blood* after delivery requires that the donor (the woman or the couple concerned) is informed of possible uses of the cells for this specific purpose of research and that the consent of the donor is obtained.
- The retrieval of *foetal tissues* to derive stem cells requires, besides informed consent, that no abortion is induced for the purpose of obtaining the tissues and that the termination timing and the way it is carried out are not influenced by this retrieval.
- The derivation of *stem cells from embryonic blastocysts* raises the issue of the moral status of the human embryo. In the context of European pluralism, it is up to each Member State to forbid or authorise embryo research. In the latter case, respect for human dignity requires regulation of embryo research and the provision of guarantees against risks of arbitrary experimentation and instrumentalisation of human embryos.

2.5. Ethical acceptability of the field of the research concerned

The Group notes that in some countries embryo research is forbidden. But when this research is allowed, with the purpose of improving treatment for infertility, *it is hard to see any specific argument which would prohibit extending the scope of such research* in order to develop new treatments to cure severe diseases or injuries. As in the case of research on infertility, stem cell research aims to alleviate severe human suffering. In any case, the embryos that have been used for research are required to be destroyed. Consequently, there is no argument for excluding funding of this kind of research from the Framework Programme of research of the European Union if it complies with ethical and legal requirements as defined in this programme.

2.6. Public control of ES cell research

The Group deems it essential to underline the sensitivity attached to the use of embryonic stem cells, since this use may change our vision of the respect due to the human embryo.

According to the Group, it is crucial to place ES cell research, in the countries where it is permitted, under *strict public control by a centralised authority* – following, for instance, the pattern of the UK licensing body (the Human Fertilisation and Embryology Authority) – and to provide that authorisations given to such research are highly selective and based on a case by case approach, while ensuring maximum transparency. This must apply whether the research in question is carried out by either the public or the private sector.

2.7. *Alternative methods to the creation of embryos for the purpose of stem cell research*

The Group considers that the creation of embryos for the sole purpose of research raises serious concerns since it represents a further step in the instrumentalisation of human life.

- The Group deems the *creation of embryos* with gametes donated for the purpose of stem cell procurement ethically unacceptable, when spare embryos represent a ready alternative source.
- The Group takes into account interest in performing *somatic cell nuclear transfer* (SCNT) with the objective of studying the conditions necessary for "reprogramming" adult human cells. It is also aware that, in view of future cell therapy, *the creation of embryos by this technique may be the most effective way* to derive pluripotent stem cells genetically identical to the patient and consequently *to obtain perfectly histocompatible tissues*, with the aim of avoiding rejection after transplantation. *But, these remote therapeutic perspectives must be balanced against considerations related to the risks of trivialising the use of embryos and exerting pressure on women, as sources of oocytes, and increasing the possibility of their instrumentalisation.* Given current high levels of inefficiency in SCNT, the provision of cell lines would require large numbers of oocytes.
- In the opinion of the Group, in such a highly sensitive matter, *the proportionality principle and a precautionary approach* must be applied: it is not sufficient to consider the legitimacy of the pursued aim of alleviating human sufferings, it is also essential to consider the means employed. In particular, the hopes of regenerative medicine are still very speculative and debated among scientists. Calling for prudence, the Group considers that, at present, *the creation of embryos by somatic cell nuclear transfer for research on stem cell therapy would be premature*, since there is a wide field of research to be carried out with alternative sources of human stem cells (from spare embryos, foetal tissues and adult stem cells).

2.8. *Stem cell research in the European Framework Programme of research*

Stem cell research based on alternative sources (spare embryos, foetal tissues and adult stem cells) requires *a specific Community research budget. In particular, EU funding should be devoted to testing the validity of recent discoveries about the potential of differentiation of adult stem cells.* The EU should insist that the results of such research be widely disseminated and not hidden for reasons of commercial interest.

At European Union level, within the Framework Programme of research, there is a specific responsibility to provide funding for *stem cell research*. This implies the establishment of appropriate procedures and provision of sufficient means to permit ethical assessment not only before the launching of a project but also in monitoring its implementation.

2.9. *Stem cell research and rights of women*

Women who undergo infertility treatment are subject to high psychological and physical strain. The Group stresses the necessity *to ensure that the demand for spare embryos and oocyte donation does not increase the burden on women.*

Clinical research on human stem cells

The speed with which researchers, throughout the world, are moving to test stem cells in patients is remarkable, even if ES cell transplantation is unlikely to be attempted in the near future. Clinical trials with stem cells other than ES carried out on patients suffering from severe conditions such as Parkinson's disease, heart disease or diabetes raise the following issues:

2.10. Free and informed consent

Free and informed consent is required not only from the donor but also from the recipient as stated in the Group's Opinion on Human Tissue Banking (21/07/1998). In each case, it is necessary to inform the donor (the woman or the couple) of the possible use of the embryonal cells for the specific purpose in question before requesting consent.

2.11. Risk-benefit assessment

Risk-benefit assessment is crucial in stem cell research, as in any research, but is more difficult as the uncertainties are considerable given the gaps in our knowledge. Attempts to minimise the risks and increase the benefits should include optimising the strategies for safety. It is not enough to test the cultured stem cells or tissues derived from them for bacteria, viruses or toxicity. Safety and security aspects are of utmost importance in the transplantation of genetically modified cells and when stem cells are derived from somatic cells. For example, the risks that transplanted stem cells cause abnormalities or induce creation of tumours or cancer have to be assessed. It is important that the potential benefits for the patients should be taken into account but not exaggerated. The grounds of a precautionary approach need to be taken into account.

2.12. Protection of the health of persons involved in clinical trials

The possibility that irreversible and potentially harmful changes are introduced in clinical applications of stem cell research should be minimised. Techniques enhancing the possibilities of reversibility should be used whenever possible. If, for example, genetically modified cells were encapsulated when they are transplanted in order to stimulate neural cell growth, it should be possible for the procedure to be reversed if something goes wrong.

2.13. Scientific evaluation of stem cell use for therapeutic purposes

It is urgent to outline strategies and specific requirements for the best evaluation of ethically sound and safe use of stem cells as means of therapy (gene therapy, transplantation, etc.). Such an evaluation should be done in collaboration with the European Agency for the Evaluation of Medicinal Products.

2.14. Anonymity of the donation

Steps must be taken to protect and preserve the identity of both the donor and the recipient in stem cell research and use. As stated in the EGE's Opinion on Human Tissue Banking (21/07/1998): "in the interests of anonymity, it is prohibited to disclose information that could identify the donor, and the recipient. In general, the donor should not know the identity of the recipient, nor should the recipient know the identity of the donor".

2.15. Stem cell banks and safety

Procurement and storage of stem cells in stem cell banks leads to the collection and storage of a growing number of personal and familial data. Cell banks should be regulated at European level in order to facilitate the implementation of a precautionary approach. If unsatisfactory side effects occur, it should be possible to trace donor and recipient and to reach their medical files. Traceability must be one of the conditions required for the authorisation of cell banks at national or European level.

2.16. Stem cell banks and confidentiality

In order to reconcile the traceability requirement and the need to protect the donor's rights – medical confidentiality and privacy – cell banks must take the necessary steps to protect confidentiality of the data.

2.17. Prohibition of commerce in embryos and cadaveric foetal tissue

The potential for coercive pressure should not be underestimated when there are financial incentives. Embryos as well as cadaveric foetal tissue must not be bought or sold not even offered for sale. Measures should be taken to prevent such commercialisation.

2.18. Export and import of stem cell products

Stem cell imports or exports should be licensed by public authorities either at national or European level. Authorisation should be subject to ethical as well as safety rules.

2.19. Education and dialogue

There is a need for continuing dialogue and education to promote the participation of citizens, including patients, in scientific governance, namely in the social choices created by new scientific developments.

Stem Cell Research: Medical Progress with Responsibility

A Report from the Chief Medical Officer's Expert Group Reviewing the Potential of Developments in Stem Cell Research and Cell Nuclear Replacement to Benefit Human Health

Executive Summary*

Department of Health, UK

(June 2000)

1. This report has been produced by an Expert Group established by the Government and chaired by the Chief Medical Officer. The Group was asked to undertake an assessment of the anticipated benefits of new areas of research using human embryos, the risks and the alternatives and, in the light of that assessment, to advise whether these new areas of research should be permitted.

2. It must be emphasised that the report considers and makes recommendations on aspects of cellular research and development. This is basic research which if permitted would precede, probably by many years, any possible application to treatment.

The Stem Cell

3. Many of the scientific issues central to the Expert Group's deliberations concern stem cells, unspecialised cells which have not yet differentiated into any specific type of tissue. The successful application of stem cell research would depend upon:

   – whether stem cells can be successfully isolated and grown in the laboratory;

   – whether stem cells grown in the laboratory can be influenced to turn into specific cell types;

   – whether stem cells that have formed particular cell types could be used to treat patients whose tissue was diseased or damaged through injury;

---

* Das vollständige Dokument ist im World Wide Web unter der Adresse „http://www.doh.gov.uk/cegc/stemcellreport.pdf" verfügbar.

- whether tissue grown in this way would develop normally or whether there might be risks to the patient.

Potential Sources of Stem Cells

4. Scientists consider that stem cells could be derived from a number of sources:
   - from early embryos (blastocysts) created by *in vitro* fertilisation – either those which are not needed for infertility treatment (sometimes called 'spare embryos') or created specifically for research;
   - from early embryos created by inserting the nucleus from an adult cell into an egg with its nucleus removed – cell nuclear replacement (sometimes called 'cloning');
   - from the germ cells or organs of an aborted fetus;
   - from the blood cells of the umbilical cord at the time of birth;
   - from some adult tissues (such as bone marrow);
   - from mature adult tissue cells reprogrammed to behave like stem cells.
5. These different types of stem cell are unlikely all to have the same properties or the same potential to develop into particular tissues. Theoretically, stem cells derived from early embryos have the greatest potential to develop into most types of tissue (they are often referred to as 'pluripotent'). Stem cells taken from fetal tissue or umbilical cord blood appear to be more limited in the type of tissue they can be developed into. Stem cells can be extracted from some adult tissues but their potential to develop into other kinds of tissue is also likely to be limited. It may in the future become possible to reprogramme adult cells to behave like stem cells but at the moment this remains largely hypothetical and requires greater understanding of the mechanisms of reprogramming.

Treatment Possibilities

6. In the long term there could be considerable potential for the use of tissues derived from stem cells in the treatment of a wide range of disorders by replacing cells that have become damaged or diseased. Examples might include the use of insulin-secreting cells for diabetes; nerve cells in stroke or Parkinson's disease; or liver cells to repair a damaged organ. One means of deriving stem cells which are genetically compatible with the person being treated could be from cells created by the cell nuclear replacement technique. Further advances in understanding of how organs regenerate would increase the range of possible treatments that could be considered.
7. In addition to this potential to develop tissue for use in the repair of failing organs, or for replacement of diseased or damaged tissues, the technique of cell nuclear replacement might be applied to treat some rare but serious inherited disorders. Repairing a woman's eggs (oocytes) by this technique gives rise to the possibility of helping a woman with mitochondrial damage to give birth to a healthy child which inherits her genes together with those of her partner.

The Science in Perspective

8. Most scientists in this field see many technical and scientific hurdles to be overcome before the potential benefits of stem cell techniques could be realised. Consequently, it is very difficult to put a timescale on the developments in stem cell research outlined in this document.

9. However, research has shown that stem cells can be derived from embryos in a range of animal species (and, more recently, from human embryos), from fetal tissue, and from adult tissue including bone marrow, skin and blood. Studies, mainly in mice, have demonstrated that stem cells can then be made to differentiate into specific cell types and that cells derived in this way can be successfully transplanted. Applying this work to humans will take considerable time since it would be necessary to identify the chemicals required to encourage the growth of the cells and the appropriate conditions to obtain the required cell type. The research to date does, however, demonstrate why stem cells are regarded as having such considerable potential.

10. Embryos have been created by the technique of cell nuclear replacement in a range of animal species although it is not possible to predict how easy it would be to replicate the work in humans.

11. There are a number of technical and safety issues that have been raised by the early work on stem cells and cell nuclear replacement. These include whether the supply of spare eggs (oocytes) for therapy would be adequate; whether cells and tissues derived from cell nuclear replacement would develop normally or whether defects are likely to arise; whether stem cells and subsequent tissues will "age" normally; whether such tissues will be more prone to develop malignancy; and whether tissues generated from a reprogrammed adult nucleus would overcome the problems of rejection after transplantation as theory suggests they should. All these safety issues would need to be clarified by research. Many would require further study in animals before studies using human embryonic tissue were considered. However, the differences between species mean that human research would be needed both to demonstrate the validity of the concept and to investigate the safety issues.

12. Most scientists consulted felt that the science was still several years away from being able to deliver many of the technical building blocks needed to make significant progress in achieving healthcare benefits. In particular gaining knowledge about how stem cells differentiate, and on how this process might be controlled to produce the particular kinds of tissue needed for treatment, is only just beginning.

Legal Restrictions

13. The UK has a well-established system for regulating the creation and use of embryos, both in research and treatment, embodied in the Human Fertilisation and Embryology Act 1990 (the 1990 Act). This Act is administered by the Human Fertilisation and Embryology Authority (the HFEA). The 1990 Act allows for the creation and use of embryos for research, provided that the research is for one of the five purposes currently specified in the Act and is granted a licence by the HFEA. Before a research project can receive a licence, the HFEA must be satisfied, on a case by case basis, that the use of embryos is necessary for the purposes of the research. Research can only be pursued under the aegis of the Act and with a licence from the HFEA. Embryos used in research cannot be kept for longer than 14 days (excluding periods of storage). Some 48,000 embryos which were no longer needed for *in vitro* fertilisation treatment were used in research between August 1991 and March 1998 and 118 embryos were created in the course of research in the same period.

14. Research involving the creation of an embryo by cell nuclear replacement is not prohibited under the 1990 Act provided it is for one of the existing specified research purposes. In such circumstances, the HFEA would consider each application for a research licence on its merits and would need to be satisfied that the creation of an embryo by cell nuclear replacement was necessary for the purposes of the research. So far no applications for a licence for such research have been made.

15. At present the creation or use of embryos for research to improve understanding or treatment of non-congenital diseases is not permitted under the 1990 Act although there is scope within the Act for additional research purposes to be added through Regulations (rather than new primary legislation).

16. There is no specific legislation currently in force in the UK to regulate research on stem cells once extracted from embryos or research aimed at deriving stem cells from other, non-embryonic, sources such as an aborted fetus or adult cells. A Code of Practice laid down by the Polkinghorne Committee in 1989 governs the use of fetal tissue, while guidance from professional and research bodies and from the Department of Health governs research more generally.

Ethical Considerations

17. A significant body of opinion holds that, as a moral principle, the use of any embryo for research purposes is unethical and unacceptable on the grounds that an embryo should be accorded full human status from the moment of its creation. At the other end of the spectrum, some argue that the embryo requires and deserves no particular moral attention whatsoever. Others accept the special status of an embryo as a potential human being, yet argue that the respect due to the embryo increases as it develops and that this respect, in the early stages in particular, may properly be weighed against the potential benefits arising from the proposed research. The current restrictions and controls on embryo research reflect this latter view, providing the human embryo with a degree of protection in law but allowing the benefits of the proposed research to be weighed against the respect due to the embryo.

18. The derivation of stem cells for research from early embryos no longer needed for infertility treatment ('spare embryos') or created by *in vitro* fertilisation specifically for research does not raise any new ethical issues provided that existing ethical safeguards within the 1990 Act are adhered to. If, as Parliament has judged, it is ethically acceptable to use embryos for the five currently permitted purposes then those in the ethical middle ground would argue that using them to obtain stem cells to study the development of tissue for potential therapeutic purposes, which offers significant potential benefits in health terms, does not seem to raise fundamentally different ethical issues within the current legislative framework.

19. However, research involving embryos created by cell nuclear replacement raises new concerns for many people, including those opposed to all embryo research and possibly some of those in the middle ground. Even those who accept the current research uses of embryos might express concern about the research use of embryos created in this way. Such embryos can be seen as being created simply as a means to an end and for use as a product source.

20. An alternative view is that the benefits of being able to develop an individual's own cells to create a new source of cells for their own future treatment make this action ethically justifiable. While research on embryos created by cell nuclear replacement does indeed involve using them as a means to an end, this can be said to apply to some degree to all research using embryos. The potential benefits of the research need to be weighed against these concerns. Research into cell nuclear replacement might well offer a means of producing compatible tissue for treatments and it may offer the only means of learning about the mechanisms for reprogramming adult cells. These benefits, if realised, would be substantial and may represent the best prospect of developing treatments for a number of degenerative disorders.

21. Concerns have also been expressed that allowing research on embryos created by cell nuclear replacement would be a first step on a 'slippery slope' towards human reproductive cloning. The Expert Group concluded that an inadvertent slide into reproductive cloning was not a realistic prospect because of the stringent controls operated in the UK by the Human Fertilisation and

Embryology Authority in its licensing both of research involving embryos outside the human body and of infertility treatment. The 14 day limit on keeping embryos outside the human body and the very clear position adopted by the Authority that they will not license the implantation of embryos created by cell nuclear replacement, provide clear and effective controls to prevent any access to reproductive cloning. Additional controls would require a new Act of Parliament.

Oocyte Nucleus Transfer

22. Mitochondria are small energy-producing structures in the cytoplasm of every cell, which are only inherited from the mother. The DNA contained in the mitochondria affects a number of important functions in providing energy for the cell. Although the nucleus contains the vast majority of the DNA, defects in mitochondrial DNA are known to cause more than fifty inherited metabolic diseases. In theory it may be possible to prevent a child inheriting damaged mitochondria from the mother by inserting the nucleus of the mother's egg into a donor egg with healthy mitochondria which has had its nucleus removed (a form of cell nuclear replacement). The egg formed in this way would then need to be fertilised by the father's sperm using *in vitro* fertilisation techniques. Any child born would inherit its nuclear DNA from the mother and the father plus healthy mitochondrial DNA from the donor egg. Very little research has been undertaken to investigate whether the theoretical promise of this form of cell nuclear replacement for the prevention of mitochondrial disorders is real.

23. Given the genetic make up of any child born as a result of this technique, it would not constitute reproductive cloning. The resulting child would not be genetically identical to anyone else. Nonetheless, concerns have been expressed that oocyte nucleus transfer represents a modification to the human genome which can be passed on to the next generation. Such modifications are subject to a moratorium in many countries, although basic research to modify eggs or sperm would be permitted under both international conventions and UK law. There does not appear to be any ethical objection to initiating this kind of basic research.

Conclusions and Recommendations

24. The picture presented to the Expert Group by the scientific community was of the enormous potential of stem cells as a source of new tissue for therapeutic uses in the repair of damaged tissue and organs for a wide range of currently incurable disorders. Work in animals and early work to extract stem cells from human embryos support this position. At present, stem cells from embryos appear to have the greatest potential to be developed into the widest range of tissues. In the long term the scientific view is that it will be possible to reprogramme adult cells to make them behave like stem cells with the full potential of embryonic stem cells but without the morally more contestable need to create an embryo.

25. The Expert Group concluded that the great potential to relieve suffering and treat disease meant that research was warranted across the whole range of possible sources of stem cells in the first instance, including embryos.

26. The Expert Group recognised that ethical opinion on the use of embryos in research as a source of stem cells is divided. There are those who believe that an embryo is a human being from the moment of its creation. Others consider that an early embryo is simply a collection of cells. The middle ground, on which the current research uses are based, recognises the special status of an embryo as a potential human being but accepts that it is justified to use early embryos for serious research purposes which may benefit others.

27. While respecting the views of those opposed to such research, the Expert Group concluded that the proposed new research uses to develop treatments for diseased tissues and organs did not raise fundamentally different ethical issues from the research uses currently permitted under the Human Fertilisation and Embryology Act 1990, at least as far as embryos no longer required for infertility treatment were concerned. The potential benefits of the research justified the use of such embryos as a source of stem cells at this early stage of their development.

28. The sensitivity of the issues associated with research involving the creation of embryos by cell nuclear replacement meant that even some people in the middle ground of ethical opinion may not accept that balancing the benefits of the research against the stage of development of the embryo is an appropriate basis for deciding whether to allow this form of research. Nevertheless, the science suggested that such research was desirable. Provided that the necessity of using embryos created by cell nuclear replacement is clearly demonstrated, on a case by case basis, with proper consent of the donors and under the regulatory control of the Human Fertilisation and Embryology Authority, the Expert Group was willing to support it. The Expert Group concluded that the potential benefit of discovering the mechanism for reprogramming adult cells and thereby providing compatible tissue for treatment justifies this transitional research involving the creation of embryos by cell nuclear replacement.

29. The Expert Group recognised that the Human Fertilisation and Embryology Act 1990 does not allow for distinctions to be made in Regulations between the research use of embryos created in different ways, although the manner of regulating any proposed research within the UK is sufficiently finely tuned to be able to take account of particular ethical concerns. Indeed, the UK enjoys a leading international position in the resolution of these difficult questions in that such research is mediated by the Human Fertilisation and Embryology Authority, a statutory body accountable to Parliament with the direct responsibility for reviewing and, if appropriate, licensing research proposals on a case by case basis.

30. The Expert Group considered that this well-established framework for the control of embryo research in the UK provides the necessary safeguards against the inappropriate use of embryos in research. In particular, the Human Fertilisation and Embryology Authority, in considering an application for a research licence for a project involving the creation or use of an embryo by cell nuclear replacement would need to be satisfied that the use of such an embryo was necessary for the purposes of the research (i.e. that the aims of the project could not be met in other ways including the use of 'spare embryos' generated in the course of treatment services). In addition, specific consent should be sought from individuals whose eggs or sperm have been used in the creation of embryos donated for research to their embryos being used for research involving the extraction of stem cells.

31. The Expert Group noted that there was currently no mechanism for monitoring subsequent research involving cultures of stem cells once they have been extracted from embryos, whether created in the UK or abroad. The Expert Group concluded that while additional controls on individual research proposals were unnecessary in the UK given the controls which would apply to the extraction of stem cells from embryos, it would be desirable for the research to be monitored and progress assessed by an appropriate body to establish whether the research is delivering the envisaged benefits and to highlight any currently unforeseen concerns which may arise.

32. The potential of the technique of cell nuclear replacement to provide treatment to prevent mitochondrial disorders (by oocyte nucleus transfer) led the Expert Group to conclude that basic research should be allowed to investigate that potential. While treatments developed from such research could be seen technically as constituting a modification of the human genome which would be passed on to the next generation, this modification was likely to be of a modest nature. Considerable research would be necessary to investigate the feasibility and efficacy of the

technique and the significance of any germ line effect before its use in treatment could be considered. Such basic research is allowed under international conventions.

Recommendations

33. The Expert Group makes the following recommendations:

Recommendation 1

Research using embryos (whether created by *in vitro* fertilisation or cell nuclear replacement) to increase understanding about human disease and disorders and their cell-based treatments should be permitted, subject to the controls in the Human Fertilisation and Embryology Act 1990.

Recommendation 2

In licensing any research using embryos created by cell nuclear replacement, the Human Fertilisation and Embryology Authority should satisfy itself that there are no other means of meeting the objectives of the research.

Recommendation 3

Individuals whose eggs or sperm are used to create the embryos to be used in research should give specific consent indicating whether the resulting embryos could be used in a research project to derive stem cells.

Recommendation 4

Research to increase understanding of, and develop treatments for, mitochondrial diseases using the cell nuclear replacement technique in human eggs, which are subsequently fertilised by human sperm, should be permitted subject to the controls in the Human Fertilisation and Embryology Act 1990.

Recommendation 5

The progress of research involving stem cells which have been derived from embryonic sources should be monitored by an appropriate body to establish whether the research is delivering the anticipated benefits and to identify any concerns which may arise.

Recommendation 6

The mixing of human adult (somatic) cells with the live eggs of any animal species should not be permitted.

Recommendation 7

The transfer of an embryo created by cell nuclear replacement into the uterus of a woman (so called 'reproductive cloning') should remain a criminal offence.

Recommendation 8

The need for legislation to permit the use of embryo-derived cells in treatments developed from this new research should be kept under review.

Recommendation 9

The Research Councils should be encouraged to establish a programme for stem cell research and to consider the feasibility of establishing collections of stem cells for research use.

Human Inheritable Genetic Modifications. Assessing Scientific, Ethical, Religious, and Policy Issues*

American Association for the Advancement of Science (AAAS), USA
(Authors: Mark S. Frankel and Audrey R. Chapman)

(September 2000)

This report is the product of a collaboration between the authors and a working group convened to advise the authors, and does not necessarily represent the views of American Association for the Advancement of Science or The Greenwall Foundation, which funded this study.

Acknowledgements

This report is a product of a two-and-a-half-year project to assess the scientific, ethical, religious, and policy issues associated with interventions in the human germ line. To carry out the study, the American Association for the Advancement of Science (AAAS) convened a working group of scientists, ethicists, theologians, and policy analysts to assist in developing recommendations. We are deeply indebted to them for their commitment to the project and their contributions to this report, which in many ways reflects their wise counsel and perceptive insights.

We also want to thank The Greenwall Foundation for its financial support, which enabled us to conduct the study in a deliberative fashion. It, too, saw the benefit in producing this analysis and generating public dialogue on the issues before the science overtakes society's ability to anticipate the possibilities that lie ahead so that we may make informed and reasoned choices about the future.

Several current and former AAAS staff also contributed to the conduct of the study and preparation of this report. We thank Aaron Goldenberg, Jim Miller, Bhavani Pathak, Margot Iverson, Michael MacDonald, Sheryl Wallin, Jason Borenstein, and Monica Hlavac. Special thanks goes to Rachel Gray, whose efforts in coordinating the project and assistance in producing this report were indispensable.

Audrey R. Chapman

Mark S. Frankel

* Das Dokument ist im World Wide Web unter der Adresse „http://www.aaas.org/spp/dspp/sfrl/germline/main.htm“ verfügbar.

Introduction

This report assesses the scientific prospects for inducing controlled inheritable genetic changes in human beings and explores the ethical, religious, and social implications of developing and introducing technologies that would change the genetic inheritance of future generations. The analysis leads to a set of recommendations as to whether and how to proceed. The report is based on the deliberations of a working group of eminent scientists, ethicists, theologians, and policy analysts convened by the American Association for the Advancement of Science (AAAS) and further analysis by project staff.

Rapid breakthroughs in genetic research, spurred by the Human Genome Project, advances in molecular biology, and new reproductive technologies, have advanced our understanding of how we might approach genetic interventions as possible remedies for diseases caused by genetic disorders, particularly for those caused by abnormalities in single genes. Limitations of current medical therapies to treat diseases with a genetic component have led to efforts to develop techniques for treating diseases at the molecular level, by altering a person's cells. To date, most of the research and clinical resources related to gene therapy have been invested in developing techniques for targeting nonreproductive body cells. Somatic gene therapies designed to treat or eliminate disease are intended to affect only the individuals receiving treatment. Very recently, researchers announced credible successes in improving patient health through gene therapy,[1] perhaps signaling that years of research are about to bear fruit.

Recent advances in animal research are also raising the possibility that we will eventually have the technical capacity to modify genes that are transmitted to future generations.[2] This report uses the term inheritable genetic modification (IGM) to refer to any biomedical intervention that can be expected to modify the genome that a person can transfer to his or her offspring. One form of IGM would be to treat the germ or reproductive cells that develop into the egg or sperm of a developing organism and transmit its heritable characteristics. Another form of germ line therapy would be to modify the gametes (sperm and egg cells) or the cells from which they are derived. Still other technologies under development, such as the insertion of artificial chromosomes, would also introduce inheritable genetic changes.

Greater knowledge of genetics is also making it possible to contemplate genetic interventions not only to treat or eliminate diseases but also to "enhance" normal human characteristics beyond what

---

1 Mark A. Kay, Catherine S. Manno, Margaret V. Ragni, Peter J. Larson, Linda B. Couto, Alan McClelland, Bertil Glader, Amy J. Chew, Shing J Tai, Roland W. Herzog, Valder Arruda, Fred Johnson, Ciaran Scallan, Erik Skarsgard, Alan W. Flake, Katherine A. High, "Evidence for Gene Transfer and Expression of Factor IX in Haemophilia B Patients Treated with an AAV Vector", *Nature Genetics* (2000) 24: 257-261, and Marina Cavazzana-Calvo, Salima Hacein-Bey, Geneviève de Saint Basile, Fabian Gross, Eric Yvon, Patrick Nusbaum, Françoise Selz, Christophe Hue, Stéphanie Certain, Jean-Laurent Casanova, Philippe Bousso, Françoise Le Deist, and Alain Fischer, "Gene Therapy of Human Severe Combined Immunodeficiency (SCID) – X1 Disease", *Science* (2000) 288: 669-672.

2 Two such advances were published this year. In one instance, scientists developed a method for cloning large animals (sheep) in which they can target a gene into a particular location or remove specific genes. While the process is not efficient at this stage of research, it is proof of principle that such genetic manipulations can be done in a way that would make them more predictable than current methods of altering animals' genes. See K.J. McCreath, J. Howcroft, K.H.S. Campbell, A. Coleman, A.E. Schnieke, and A.J. Kind, "Production of Gene-Targeted Sheep By Nuclear Transfer from Cultured Somatic Cells", *Nature* (June 29, 2000) 405: 1066-1069. In the second instance, researchers reported that they were able to make artificial chromosomes pass through three generations of mice and remain active. See Deborah O. Co, *et al.*, *Chromosome Research* (2000) 8: 183-191.

is necessary to sustain or restore good health. Examples would be efforts to improve height or intelligence or to intervene to change certain characteristics, such as the color of one's eyes or hair.[3] Such interventions could be attempted through either somatic modification or IGM.

What reasons do advocates give for developing and applying this technology? In theory, modifying the genes that are transmitted to future generations would have several advantages over somatic cell gene therapy. Inheritable genetic modifications offer the possibility of preventing the inheritance of some genetically based diseases within families rather than repeating somatic therapy generation after generation. Some scientists and ethicists argue that germ line intervention is medically necessary to prevent certain classes of disorders because there are situations where screening and selection procedures will not be applicable, such as when both parents have the same mutation.[4] Because germ line intervention would influence the earliest stage of human development, it also offers the potential for preventing irreversible damage attributable to defective genes before it occurs. Over a long period of time, germ line gene modification could be used to decrease the incidence of certain inherited diseases in the human gene pool currently causing great suffering.[5] By contrast, because somatic cell gene therapy treats only the affected individuals, it could not be used to decrease the incidence of diseases in the same way.

However, there are significant technical obstacles, as yet unresolved, to developing scientific procedures appropriate to inheritable genetic applications. Because these interventions would be transmitted to the progeny of the person treated, there would need to be compelling scientific evidence that these procedures are safe and effective; for those techniques that add foreign material, their stability across generations would need to be determined, based initially on molecular and animal studies, before proceeding with germ line interventions in humans. It is not yet possible to meet these standards. Nor is it possible to predict when we will be able to do so.

IGM also raises profound ethical, theological, and policy issues that need to be thoroughly discussed and evaluated. Efforts to modify genes that are transmitted to future generations have the potential to bring about not only a medical, but also a social revolution, for they offer us the power to mold our children in a variety of novel ways. These techniques could give us extraordinary control over biological properties and personality traits that we currently consider essential to our humanness. Even with the technical ability to proceed, we would still need to determine whether these procedures offer a theologically, socially, and ethically acceptable alternative to other technologies under development to treat genetic diseases. Do we have the wisdom, ethical commitment, and public policies necessary to apply these technologies in a manner that is equitable, just, and respectful of human dignity?

The potential magnitude of these interventions makes it very important to improve societal awareness of the technical possibilities, give careful consideration to the implications of their use, and design a process for sustained public discussion before proceeding. Informed public discussion will require an understanding of the scientific possibilities and risks, as well as the pressing moral concerns this technology raises.

---

3 See Erik Parens, ed. *Enhancing Human Traits: Ethical and Social Implications* (Washington, D.C.: Georgetown University Press, 1998), particularly the essay by Eric T. Juengst, "What Does Enhancement Mean?", pp. 29-47 in that volume.

4 Burke K. Zimmerman, "Human Germ Line Therapy: The Case for Its Development and Use", *The Journal of Medicine and Philosophy* (1991) 16: 597.

5 See, for example, LeRoy Walters and Julie Gage Palmer, *The Ethics of Human Gene Therapy* (New York and Oxford: Oxford University Press, 1997), pp. 62-63.

The furor over the possibility of cloning human beings through the application of the somatic cell nuclear transfer technology used to clone the lamb Dolly and subsequently other mammals underscores the importance of undertaking a serious examination of the scientific, ethical, religious, and policy implications of new technologies in advance of scientific breakthroughs. As the media coverage and public reaction to the Roslin Institute's work on mammalian cloning showed, it is far more difficult to have an informed and unemotional public discussion after a scientific discovery is announced than before it becomes a reality.

Scientists and ethicists have called attention to the need for scientific and ethical discussions related to inheritable human genetic interventions for nearly thirty years. As early as 1972, a few scientists warned that prospective somatic cell gene therapy would carry a risk of inadvertently altering germ cells as well as their targeted somatic cells.[6] In 1982, a Presidential Commission declared that "especially close scrutiny is appropriate for any procedure that would create inheritable genetic changes."[7]

To date, however, there has been little sustained public consideration of this topic.[8] While the science is advancing rapidly, our understanding of the ethical, religious, and policy implications has not kept pace. Typically, our society proceeds in a "reactionary mode", scrambling to match our values and policy to scientific developments. But with a scientific advance that raises profound issues related to the possibilities of modifying our genetic futures it is important to plan ahead, to decide whether and how to proceed with its development, and to give direction to this technology through rigorous analysis and public dialogue.

To facilitate public deliberations about IGM, two programs within AAAS – the Scientific Freedom, Responsibility and Law Program and the Program of Dialogue on Science, Ethics, and Religion – coorganized a two-and-a-half-year project assessing scientific, ethical, theological, and policy issues related to inheritable genetic modification (IGM). Our goal was to formulate recommendations as to what, if any, types of applications should be encouraged and what safeguards should be instituted. Building on a forum on human germ line issues cosponsored by the two programs in September 1997,[9] the project convened a working group of scientists, ethicists, theologians, and policy analysts to develop a series of recommendations. Much of the work was conducted in two subgroups, each of which was broadly multidisciplinary in composition. The first subgroup examined the feasibility of various kinds of human germ line applications, the risks involved, the appropriate scope and limits of germ line research and applications on human subjects, and consent issues. The second subgroup considered the social, ethical, and theological implications of IGM. The working groups met together to formulate findings and craft public policy recommendations. Members of the two working groups are identified in Appendix A.

---

[6] Theodore Friedmann and Richard Robin, "Gene Therapy for Human Genetic Disease?" *Science* (1972) 175: 952.

[7] President's Commission for the Study of Ethical Problems in Medicine and Behavioral Research, *Splicing Life: The Social and Ethical Issues of Genetic Engineering with Human Beings* (Washington, D.C.: U.S. Government Printing Office, November 1982), p. 3.

[8] There have been a few efforts to stimulate debate. In March 1998 a symposium entitled "Engineering the Human Germline" was held at UCLA. A publication was issued based on the symposium presentations. See Gregory Stock and John Campbell, eds., *Engineering the Human Germline: An Exploration of the Science and Ethics of Altering the Genes We Pass on to Our Children* (Oxford and New York: Oxford University Press, 2000). Also see David B. Resnik, Holly B. Steinkraus, and Pamela J. Langer, *Human Germline Gene Therapy: Scientific, Moral and Political Issues* (Austin, Texas: R.G. Landes Company, 1999).

[9] See http://www.aaas.org/spp/dspp/sfrl/projects/glforum.htm.

Major Findings, Concerns, and Recommendations

A majority of the project's working group members endorses the following findings, concerns, and recommendations.

Findings

- The working group concluded that IGM cannot presently be carried out safely and responsibly on humans. Current methods for somatic gene transfer are inefficient and unreliable because they involve addition of DNA to cells rather than correcting or replacing a mutated gene with a normal one. They are inappropriate for human germ line therapy because they cannot be shown to be safe and effective. A requirement for IGM, therefore, is the development of reliable gene correction or replacement techniques.
- With current gene addition technologies, iatrogenic genetic damage could occur as a result of the unintended germ line side effects of somatic cell therapy. These problems seem at least as great as the harmful genetic damage that might arise from intentional germ line transfers. Therefore, attention must also be given to the accompanying side effects of somatic cell therapies already in use or planned.
- The working group identified few scenarios where there was no alternative to IGM for couples to minimize the prospect that their offspring will have a specific genetic disorder. The further development of somatic cell gene transfer, moreover, will offer more options for treating one's offspring.
- Guided by the theologians – mainline Protestant, Catholic, and Jewish traditions – and ethicists on the working group, the group concluded that religious and ethical evaluations of IGM will depend on the nature of the technology, its impact on human nature, the level of safety and efficacy, and whether IGM is used for therapeutic or enhancement purposes. Ethical considerations related to the social effects of IGM, particularly its implications for social justice, will play a major role in shaping the attitudes of religious communities.
- To date, the private sector has played a prominent role in the funding of somatic cell genetic research, raising questions about the influence of commercial interests on the conduct of researchers and on the scope and direction of the research. Similar questions are likely to surface if IGM research and applications go forward.

Concerns

- The ability of IGM to shape the genetic inheritance of future generations raises major ethical concerns. IGM might change attitudes toward the human person, the nature of human reproduction, and parent-child relationships. IGM could exacerbate prejudice against persons with disabilities. The introduction of IGM in a society with differential access to health care would pose significant justice issues and could introduce new, or magnify existing, inequalities.
- IGM for enhancement purposes is particularly problematic. Enhancement applications designed to produce improvements in human form or function could widen the gap between the "haves" and the "have nots" to an unprecedented extent. Efforts to improve the inherited genome of persons might commodify human reproduction and foster attempts to have "perfect" children by "correcting" their genomes. Some types of enhancement applications might lead to the imposition of harmful conceptions of normality. The dilemma is that IGM techniques developed for therapeutic purposes are likely to be suitable for enhancement applications as well. Thus, going forward with IGM to treat disease or disability will make it difficult to avoid use of

such interventions for enhancement purposes even when this use is considered ethically unacceptable.

Recommendations

- Even in advance of a decision about whether to proceed with IGM as traditionally understood as gene transfer in reproductive cells, a public body should be assigned responsibility to monitor and oversee research and developments in IGM, more broadly conceptualized as any technique aimed at modifying the genes that a person can transmit to his or her offspring. Some interventions that fall within the scope of the working group's definition of IGM are already taking place without the oversight that we believe is necessary.
- It is important to promote extensive public education and discussion to ascertain societal attitudes about proceeding with IGM and to develop a meaningful process for making decisions about the future of this technology. These efforts should be informed by an understanding of the relevant science, involve an extended discussion of the cultural, religious, and ethical concerns associated with IGM, and be as open and inclusive as possible. International consultation on these matters should also be encouraged.
- If a societal decision is made to proceed with IGM, a comprehensive oversight mechanism should be put in place with authority to regulate IGM applications in both the public and private sectors. Such a mechanism would help to promote public safety, develop guidelines for the use of IGM, ensure adequate public participation in policy decisions regarding IGM, and address concerns about commercial influence and conflicts of interest.
- Any protocol for somatic cell transfer in which inheritable modifications are reasonably foreseeable should not proceed without assessing the short- and long-term risks and without proper public oversight.
- Before IGM can proceed, there should be a means in place for assessing the short- and long-term risks and benefits of such interventions. Society must decide how much evidence of safety, efficacy, and moral acceptance will be required before allowing human clinical trials or IGM applications.
- At this time, the investment of public funds in support of the clinical development of technologies for IGM is not warranted. However, basic research should proceed in molecular and cellular biology and in animals that is relevant to the feasibility and effects of germ line modification.
- Human trials of inheritable genetic changes should not be initiated until techniques are developed that meet agreed upon standards for safety and efficacy. In the case of the addition of foreign genetic material, the precise molecular change or the changes in the altered genome should be proven with molecular certainty, probably at the sequence level, to ascertain that no other changes have occurred. Furthermore, the functional effects of the designed alteration should be characterized over multiple generations to preclude slowly-developing genetic damage and the emergence of an iatrogenic genetic defect. In the case in which attempts at IGM involve precise correction of the mutant sequence and no addition of foreign material, human trials should not begin before it can be proven at the full genome sequence that only the intended genetic change, limited to only the intended site, has occurred. If it is shown at the full genome sequence level that the sequence of a functionally normal genome has been restored, there will likely be no need for multi-generation evaluation.
- The role of market forces in shaping the future of IGM research and applications should be carefully assessed to ensure that adequate attention is paid to public priorities and sensibilities.

- Existing conflict of interest guidelines governing research should be reviewed and, where appropriate, amended and vigorously enforced to address the increasing role of commercial interests in genetics research. The guidelines should specify when a financial interest in a commercial IGM venture is grounds for precluding an investigator's direct participation in a clinical trial supported by that company. They should require that investigators disclose any financial interests in the research during the informed consent process, and should prohibit researchers with a direct financial interest in a study's outcome from participating in that study's selection of patients, the informed consent process, or the direction of the study.

Defining Inheritable Genetic Modification

This report generally uses the terminology "inheritable genetic modification" rather than the more common "germ line" interventions.[10] It does so because the traditional distinction between somatic and germ line changes does not cover the full range of developing scientific technologies that open the possibility of creating inheritable genetic changes. Gene transfer into germ line cells constitutes the paradigm class of interventions able to shape the genes of offspring. Nevertheless, other technologies, techniques, and interventions can also introduce inheritable genetic changes. One example is the micromanipulation techniques already in use that make it possible to compensate for mitochondrial genetic diseases, either through inserting segments of healthy mitochondria or placing the nucleus in a substitute egg (in vitro ovum nuclear transplantation).[11] So may other new technologies, as, for example, the introduction of inheritable artificial chromosomes that could engineer human embryos without the need for any gene transfer intervention at all.

The term "modification" also seems preferable to the more commonly used "therapy". Somatic cell gene therapy generally refers to medical procedures that use DNA in the therapeutic treatment of a patient's disease. It was originally used to describe the transfer of a normal gene into a cell of a subject with a defective gene in an attempt to restore cell function. With recent technological advances, gene therapy now includes a wider range of treatments. In IGM, in contrast, while the immediate subject of the procedure is the patient, the ultimate subject is his/her progeny. The exception will be those rare cases in which somatic cell interventions done at a very early stage of development, such as *in utero* transfer, also result in inadvertent germ line changes.

A second reason why the term "modification" seems preferable is that potential germ line interventions may not necessarily be used for therapeutic purposes. For reasons discussed below, germ line transfers are just as likely, perhaps even more likely, to be used for enhancement purposes as to

---

[10] For a more in depth discussion of the definitional issues, see Eric Juengst and Erik Parens, "Germ Line Dancing: Definitional Considerations for Policy Makers", in Audrey R. Chapman and Mark S. Frankel, eds., *Human Genetic Modifications Across Generations: Assessing Scientific, Ethical, Religious, and Policy Issues* (forthcoming).

[11] In 1997, there was a report of the birth of a child following transfer of donor egg cytoplasm into a recipient egg taken from a woman who experienced poor embryo development and failed implantation. The baby inherited the mitochondrial genes from the donor cytoplasm and will likely produce offspring who will also inherit those genes. Although the main purpose of the intervention was to revitalize an egg, the transfer of mitochondrial genes in this case is an example of germ line modification. See Jacques Cohen, Richard Scott, Tim Schimmel, Jacob Levron, and Steen Willadsen, "Birth of Infant after Transfer of Anucleate Donor Oocyte Cytoplasm into Recipient Eggs", *Lancet* (1997) 350: 186-87. Also see Donald S. Rubenstein, David C. Thomasma, Eric A. Schon, and Michael J. Zinaman, "Germ-Line Therapy to Cure Mitochondrial Disease and Ethics of In Vitro Ovum Nuclear Transplantation", *Cambridge Quarterly of Healthcare Ethics* (1995) 4: 316-39.

treat disease or disability. Enhancement is a term referring to biomedical interventions intended to improve human performance, functioning, or appearance beyond that which is necessary to sustain or restore good health.[12] Examples of potential IGM modifications aimed at enhancement would be inserting additional copies of a growth hormone gene to try to attain additional height or altering the efficiency of gene expression related to cognitive abilities in an effort to increase memory.

IGM, as used in this report, refers to the technologies, techniques and interventions that are capable of modifying the set of genes that a subject has available to transmit to his or her offspring. IGM includes all interventions made early enough in embryonic or fetal development to have global affects and interventions later in life that affect the gametes' precursor tissues, as well as the sperm and ova themselves. IGM encompasses inheritable modifications regardless of whether the intervention modifies nuclear or extranuclear genomes, whether the intervention relies on molecular genetic or other technical strategies, and even whether the modification is a side effect or the central purpose of the intervention.

The kinds of interventions that fall within the scope of the definition of IGM are those that raise the following core issues:

- They are interventions that hold out the prospect of increasing our control over the specific hereditary traits of the next generation and beyond if they succeed;
- They are interventions that make inheritable changes in the genes of surviving offspring, rather than interventions that simply select among offspring on the basis of their naturally inherited genes;
- They are interventions associated with scientific research, i.e., biomedical interventions, rather than social practices;
- They pose the risk of creating iatrogenic and other genetic harms.

Therapeutic Need

Clear therapeutic need should be the primary criterion for proceeding with IGM, given the investment of resources that would be required to develop effective techniques for germ line intervention and concerns about safety. Yet, the working group could identify few instances where IGM would be needed. There are currently several alternative approaches available that will help parents avoid passing on defective genes to their offspring. These include genetic screening and counseling, prenatal diagnosis, and abortion, preimplantation diagnosis and embryo selection, gamete donation, and adoption. In the future, *in utero* somatic gene therapy and gene therapy on patients after birth are likely to offer effective means for correcting defects.

The use of IGM should be weighed for effectiveness, safety, efficiency, and social acceptance against these other means, but it is likely that modifying the germ line will carry with it greater uncertainty regarding outcomes. Moreover, at least initially and in most cases, IGM will still require prenatal diagnosis with the prospect of selective abortion to prevent the birth of seriously impaired children.

It has been suggested that IGM first be tried for the treatment of male infertility or disorders transmitted by the male through modifying sperm, or spermatogonia, the stem cell precursor of

---

[12] Eric T. Juengst, "What Does Enhancement Mean", p. 9.

fully matured spermatocytes.[13] A specific mutation has been identified that leads to infertility in males.[14] Correction of this mutation in spermatagonia cells would presumably lead to motile sperm that could be used for *in vitro* fertilization. While there is already an alternative way to treat infertility in the male that can result in a genetically-related child, intracytoplasmic sperm injection, or ICSI, this procedure has the disadvantage of passing on the infertility gene to the next generation.

There are several advantages to targeting infertility in males: (1) correction of the defect only requires altering the spermatagonia, without the need for systemic application; (2) successful correction would result in motile sperm that could be analyzed for any mutations prior to fertilization; and (3) a high efficiency of mutation correction would not be needed since only a limited number of sperm would be required for *in vitro* fertilization. Given the narrow application of this approach, the possibility of checking for mutations before creating an embryo, and the relatively low efficacy required, the working group also believed that this form of IGM could be a useful place to start. Nevertheless, it is not yet technically feasible to proceed with this use of IGM, and the working group did not believe that a major effort to develop IGM technologies for this purpose is warranted at this time.

Efficacy of Different Approaches to IGM

After many years of frustration in producing techniques for efficient gene transfer of somatic cell-based gene therapy, clinical scientists have recently published credible evidence for the therapeutic benefit of gene transfer techniques to patients with two diseases: hemophilia B and X-linked immunodeficiency.[15] The development of effective gene delivery techniques at the somatic cell level raises the inevitable question of the technical potential and the desirability of genetic modification to affect subsequent generations for either disease prevention or enhancement purposes. For such applications to become feasible would require solutions to a number of technical problems and questions, including the identification of the target cell, the nature and efficiency of the gene delivery methods, determination of both the short-term safety and long-term disease prevention or enhancement effects as well as the long-range developmental implications of the added genes.

In principle, genes and other foreign genetic elements might be introduced into the germ line of an organism by genetic modification of the gametes themselves, by genetic modification of the fertilized egg, or by gene transfer into the cells of an early embryo in a way that allows gene transfer into the developing gametes. There are several serious technical impediments, however, to safe and effective successful transfer of foreign genetic material into the human germ line through all of these approaches. One major obstacle is the limited capacity of most transfer methods that concentrate on replacement of the coding function of a gene unaccompanied by its full complement of regulatory genetic elements to ensure appropriate levels, timing, or distribution of gene expression. The development of new transfer techniques, such as artificial chromosomes, may partially overcome this obstacle, but may generate other problems associated with the presence of

---

13 Kenneth W. Culver, "Gene Repair, Genomics and Human Germ line Modification", in Audrey R. Chapman and Mark S. Frankel, eds., *Human Genetic Modifications Across Generations: Assessing Scientific, Ethical, Religious, and Policy Issues* (forthcoming).

14 *Ibid.*

15 Mark A. Kay, *et. al.*, "Evidence for Gene Transfer and Expression of Factor IX in Haemophilia B Patients Treated with an AAV Vector", and Marina Cavazzana-Calvo, *et. al*, "Gene Therapy of Human Severe Combined Immunodeficiency (SCID) – X1 Disease".

excessive amounts of some sequences and the uncertain effects of creating too many chromosome segments compared to the normal genotype.

Current methods of IGM in animals include introduction of foreign genes into the germ line by gene transfer into a fertilized egg.[16] Since the foreign gene is introduced into an embryo at its earliest stage of development (the fertilized egg), all the cells of the developing animal, including the reproductive cells, will contain the newly introduced gene, although gene expression will vary from one tissue to another. This is the basis for the now standard methods for producing animals that express foreign genes stably and permanently ("transgenic" animals). Unfortunately, even in the best hands, the methods are highly inefficient and produce offspring ("founder" animals) that express the foreign genetic material to variable extents in various tissues. Those founders with distribution of the foreign gene in the appropriate tissues must subsequently be bred to produce a transgenic animal line with the desirable properties. Such breeding programs would obviously not be ethically permissible in human studies.

An interesting new approach to the production of transgenic animals has recently been reported that may provide a means of providing very large amounts of genetic information to the germ line of mice in the form of independently replicating artificial chromosomes.[17] A study reports for the first time the introduction of an extra, artificially constructed chromosome to transgenic mice and its subsequent transmission to progeny mice. Obviously, it will be necessary to determine the long-term developmental effects of producing a state of aneuploidy (an abnormal number of chromosomes) in an animal. While artificial chromosomes in theory may permit the inclusion of large amounts of the necessary regulatory sequences to accompany a desired new genetic function in transgenic animals, such a manipulation could be accompanied by some genetic and developmental damage. There are no known states of aneuploidy in the human that are free of detectable, and in most cases very severe, genetic and developmental abnormalities.

Genetic modification is also currently practiced in animals by introducing a gene or other genetic element into cells derived from mammalian embryos or early fetuses that are "toti-potential" and that can develop on their own into an entirely new organism under the appropriate conditions.[18] Such "stem cells" can be grown indefinitely in the laboratory, genetically modified by established gene transfer methods, and then introduced into an early embryo in a way that allows the modified cells to contribute to all tissues of the developing animal, including the germ cells. Since animals born after this manipulation contain mixtures of unmodified and modified cells, they are "chimeric" and, like the transgenic animals described above, must be bred to establish animal lines that are entirely derived from the genetically modified stem cells. The imperfect efficiency of gene transfer that is tolerable in animal studies would not be acceptable for humans. Nor would it be acceptable in humans as it is in animal studies to eliminate damaged offspring in unsuccessful experiments, the requirement for breeding the genetically modified founder and chimeric animals. Only with the eventual development of specific targeted chemical correction of mutations would these unwanted effects be averted, thereby making IGM potentially safe and therefore feasible. The potential for safe and feasible modification, however, does not resolve the difficult questions of how and in what time scale the results of initial IGM studies involving gene transfer could possibly be tested.

---

[16] Jon W. Gordon and Frank H. Ruddle, "Gene Transfer into Mouse Embryos: Production of Transgenic Mice by Pronuclear Injection", *Methods in Enzymology* (1983) 101: 411-432.

[17] See Deborah O. Co, *et al.*, *Chromosome Research* (2000) 8: 183-191.

[18] James A. Thomson and Jon S. Odorico, "Human Embryonic Stem Cell and Embryonic Germ Cell Lines", *Trends in Biotechnology* (2000) 18: 53-57.

Studies in the mouse have proven that the introduction of foreign genes into the mammalian germ line can result in the correction or prevention of genetic disease in progeny of treated animals. While there is less experience with similar transgenic studies in other mammals, it seems likely that prevention of genetic disease would be just as feasible in other species. The impressive results in the mouse have come through the production of transgenic animals in which normal copies of genes are introduced into a fertilized mouse egg in a way that allows stable and heritable insertion of the foreign gene into the genome of the fertilized egg with subsequent permanent and stable gene expression. When transgenic mice carrying such foreign genes are identified and bred, subsequent generations of those founder mice can express the new gene stably and permanently and thereby can prevent or correct a genetic defect. Examples of such stable prevention of genetic disease in the mouse include correction of the genetic defects responsible for growth hormone deficiency in dwarfism, degenerative neurological diseases such the Lesch-Nyhan and "shiverer" defects, and genetic causes of atherosclerosis in the mouse, among many others. In such transgenic animals, the original mutant gene remains in place but its function is complemented by the product of the new gene that has been inserted into the genome.

Nevertheless, there are a number of important features of the transgenic technology in its present form that makes it inapplicable for human IGM. The transgene methodology is exceedingly inefficient, and produces animals possessing the desired traits with an efficiency, at best, of only several percent. Founder transgenic mice that demonstrate inadequate distribution or incorrect expression of the added gene or that are damaged by the procedure are generally destroyed. Such a technology is obviously not appropriate for humans.

Genetically altered "stem cells" can also be used to create animals with permanent new genetic properties in subsequent generations. Early mammalian embryos and fetuses contain cells that have the capacity to develop completely on their own into fully formed living progeny. Such cells include the so-called "embryonic stem cells" (ES) derived from the interior of early embryos or embryonic germinal ridge cells (EG) from early fetuses. Embryonic stem cells or embryonic germinal ridge cells have been isolated not only from mouse embryos but also from a number of other mammals, including humans. They can be grown indefinitely in the laboratory, modified by introduction of foreign genes via standard gene transfer methods, and finally reintroduced into an early embryo in a way that allows them to be incorporated into the tissues of resulting offspring, including the reproductive tissues. Since the ES and EG cells appear mixed in various amounts with original cells of the embryo, the resulting animals are chimeras of unmodified and modified cells. In order to establish lines of animals derived entirely from the genetically modified ES or EG cells and that contain no unmodified cells, it is necessary to identify and breed animals among the chimeras that contain reproductive cells derived from the modified ES or EG cells. However, despite the difficulties, at least one animal study has shown that ES cells can be used as carriers of therapeutic genes.[19]

Current methods do not allow safe and controlled application of this stem cell germ line modification in humans. As with transgenic animals, the efficiency of production of chimeric animals with stem cells is low and the degree with which the genetically altered stem cells become part of the developing embryo is highly unpredictable. Only by identifying the chimeras that contain the desired gene in the reproductive cells and by breeding them can animals be created with stable new genetic properties that can be passed to later generations. Therefore, until methods are developed

---

[19] Sara Benedetti, Barbara Pirola, Bianca Pollo, Lorenzo Magrassi, Maria Grazia Bruzzone, Dorotea Rigamonti, Rossella Galli, Silvia Selleri, Francesco Di Meco, Claudio De Fraja, Angelo Vescovi, Elena Cattaneo, and Gaetano Finocchiaro, "Gene Therapy Of Experimental Brain Tumors Using Neural Progenitor Cells", *Nature Medicine* (2000) 6: 447-450.

by which the incorporation of the stem cells can be made very highly efficient or, at least, more predictable, the best that one might achieve is a progeny animal with uncontrolled and unpredictable mixtures of defective and corrected cells, a situation obviously not appropriate for human application.

Gene transfer into eggs or sperm is not yet feasible. Germ line modification might most easily be approached by introducing foreign therapeutic genes directly into the reproductive cells – ova and sperm. Sperm would be an attractive possibility since they are so readily available. While progress has been made toward gene transfer into cultured cells that can be transplanted into the testis and produce mature sperm, there have been no published demonstrations of gene transfer into fully mature sperm themselves. Several studies have reported *in vivo* gene transfer into mouse spermatocytes through physical methods of gene transfer, and a recent unpublished study has also shown gene transfer into mouse spermatocytes after virus vector delivery to the blood of adult mice. In neither kind of study has gene transmission been demonstrated to offspring. No similar studies have been reported in female animals as a route of gene transfer to the eggs. Of course, human egg cells can also be obtained by moderately invasive methods already used commonly for *in vitro* fertilization (IVF) methods. While no studies have yet been reported on the genetic modification of such cells, it is likely that relatively simple gene transfer methods would eventually be capable of stable gene transfer into isolated single egg cells and that such cells could then readily be fertilized and used to produce progeny.

Several mouse studies have recently been reported in which sperm have been used as vehicles for carrying foreign genes into eggs and for expressing new genes in progeny animals. While these studies are in very preliminary stages and are not yet confirmed, it seems possible that this technology will permit relatively efficient and simple gene transfer into eggs in the context of IVF.

The development of mammalian cloning has provided still another method for stably introducing foreign, potentially therapeutic genes into descendents of a specific individual, not by initial introduction of a new genetic element into the germ line but rather by nuclear transfer. Cloning has been carried out successfully in animal systems including sheep, mice, pig, cows and others.[20] The donor nucleus can be genetically modified by any one of the methods for gene transfer prior to transfer into the enucleated oocyte, thereby producing a clone that expresses a specific new function that can then be transmitted through generations by the usual methods of sexual reproduction.[21]

While cloning successes are accelerating in a number of mammalian species, including mice, sheep, cows and others, major technical problems remain that must be overcome before cloning procedure can safely be applied to humans. The efficiency of successful cloning continues to be low, with efficiencies of only one in several hundred attempts in large animals such as sheep and cows. The derivation of the donor nucleus from a somatic cell implies the possible transfer to the cloned progeny of whatever genetic damage had accumulated in the donor cell prior to transfer, possibly predestining cloned animals to increased susceptibility to age-related disorders such as cancer and degenerative disease. Furthermore, the replication potential of cells in the cloned animals has yet to be fully characterized and may be altered by age-related changes in the telomeres-regions of the chromosomes that seem to serve as clocks that keep track of the number of divisions that a cell line has undergone. Early studies suggested, for instance, that cells of the cloned sheep Dolly contained

---

[20] Ian Wilmut, Angelina E. Schnieke, Jim McWhir, Alexander J. Kind, and Keith H.S. Campbell, "Viable Offspring Derived from Fetal and Adult Mammalian Cells", *Nature* (1997) 385: 810-813.

[21] Angelika E. Schnieke, Alexander J. Kind, William A. Ritchie, Karen Mycock, Angela R. Scott, Marjorie Ritchie, Ian Wilmut, Alan Colman, Keith H.S. Campbell, "Human Factor IX Transgenic Sheep Produced by Transfer of Nuclei from Transfected Fetal Fibroblasts", *Science* (1997) 278: 2130-2133.

somewhat shortened telomeres, implying that her cells had a reduced number of replications available to them. More recent and still unpublished studies in cows have not confirmed that finding.[22] Obviously it will be some time before the properties of donor nuclei and cloned animals will be well enough understood to permit studies in humans.

However, the cloning technology is now well enough established to have been combined recently with targeted gene delivery to develop a powerful new approach to IGM through a simplified and more controllable production of "transgenic" animals.[23] The method combined the use of sequence-specific gene targeting vectors to introduce potentially therapeutic genetic changes into fetal sheep fibroblasts followed by nuclear transfer into enucleated sheep oocytes by now-established mammalian cloning methods. Although the efficiency in this initial study of production of viable animals by this procedure was low, it did result in the live birth of genetically modified and apparently healthy sheep containing and expressing the added genetic elements. The approach has the advantage of obviating the need for ES or EG "stem" cells, and therefore avoiding the difficulties associated with the need to produce and breed chimeric animals. The method proves that genetically modified "transgenic" animals can indeed be produced through a cloning approach, using genetically targeted somatic cells rather than ES or EG cells, and thereby potentially lowers some of the technical barriers standing in the way of human application.

Several of the methods described above involve addition of foreign genes in ways that do not correct the genetic defect in the cells, but simply add new genes to provide the function that the mutant gene is unable to provide. Potentially important new gene therapy techniques are in very earliest phases of development. They are not intended to add new genes to cells without modifying or removing the endogenous defective genes but rather to carry out a very precise correction of the sequence error in the mutant gene.[24] These methods take advantage of precise, sequence-specific mechanisms that human and other mammalian cells have to alter gene sequences as part of mechanisms for correcting DNA damage and deleterious mutations. These "repair" mechanisms operate by processes of "mismatch repair" and "homologous recombination" that excise or chemically correct mutant sequences during the alignment of DNA strands containing normal and mutated sequences. The repair mechanisms recognize that one strand has undergone a sequence change that prevents proper alignment of the bases with the correct original sequence. The resulting repair mechanisms lead to the correction of the mutated sequence and the "replacement" of the mutant gene with a normal sequence. The result is the disappearance of the mutant base and its replacement with the proper base reconstituting the normal sequence. The advantage of this approach for correction of disease-related genes would be, at best, a specific replacement of abnormal sequence with the correct sequence identical to the wild-type sequence at that site and no trace of the disease-causing gene. At worst, since the gene modification is envisioned to be specific for the target site, failure to correct the defect or inefficiency of the correction would pose no added risks of further genetic damage.

---

22 Rick Weiss, "Dolly's Premature Aging Not Evident in Cloned Cows", *The Washington Post*, (April 28, 2000), p. A3.

23 See Kenneth J. McCreath, *et al.*, *Nature* (June 29, 2000) 405:1066-1069.

24 Betsy T. Kren, Paramita Bandyopadhyay, and Clifford J. Steer, "In Vivo Site-directed Mutagenesis of the Factor IX Gene by Chimeric RNA/DNA Oligonucleotides", *Nature Medicine* (1998) 4: 285-290, and Kenneth W. Culver, Wang-Ting Hsieh, Yentram Huyen, Vivian Chen, Jilan Liu, Yuri Khripine, and Alexander Khorlin, "Correction of Chromosomal Point Mutations in Human Cells with Bifunctional Oligonucleotides", *Nature Biotechnology* (1999) 17: 989-993.

All the methods described are susceptible to uncertainty and error. In biomedicine, as well as in all other forms of scientific research, one must be aware of technical problems and unexpected adverse results in initial studies so that one can design appropriate modifications in subsequent experiments.

Safety Issues

Members of the working group concluded that it is not now possible to undertake IGM safely and responsibly. For IGM technologies to meet safety standards, there must be evidence that the procedures used do not cause unacceptable short-term or long-term consequences either for the treated individual or succeeding generations of offspring. This means that an altered embryo must be able to transit all human developments without a mishap due to the induced intervention. And for those techniques that add foreign material, there must be multigenerational data showing that the modification or improvement of a specific genetically determined trait is stable and effective and does not interfere with the functioning of other genes.

The need for high safety standards reflects several considerations. IGM has the potential to shape the genetic future of not only a single individual but of multiple descendants across generations. Since IGM would affect the embryo at the earliest stage of development, such interventions are likely to have far more systemic effects than conventional medical therapies or even somatic gene transfers.

There are other factors that also support establishing stringent standards. Most of the patients involved in somatic gene trials are desperately ill and do not have an alternative means of treatment. In contrast, as noted earlier, there are other reproductive options for couples who wish to minimize the chance that their offspring will have a specific genetic abnormality.

At the present time the hazards of IGM are largely unknown and unpredictable. We do not have sufficient biological knowledge and understanding of the human genome to predict the long-term risks from genetically engineering human cells. Manipulating the germ line might generate harmful interactions between inserted or modified genes and other genes in the recipient genome that would have untoward and unanticipated side effects in children. An inadvertently introduced error might in some circumstances become a permanent part of a child's genetic legacy and might affect generations to come. In addition, the elimination of certain disease-linked genes might also remove some beneficial effects of having those genes.

Scientists have not yet developed vectors that deliver genes to the intended locations within the cell or the means of assuring proper gene expression over time. Genetic information that is inserted in the wrong place in the genome is not subject to normal control and evolution. Genes that are expressed in the wrong tissues, or wrong developmental stage, or at the wrong levels may have deleterious effects on the proper functioning of a cell, tissue, or organ. Leaving the defective gene in place also raises the possibility that the disease might reappear in future generations. Because gene addition techniques introduce viruses and other matter into cells, they also add to the risk of iatrogenic harms.

Thus a central requirement for IGM is the development of new technologies that replace deleterious genes by homologous recombination or some other method of gene replacement or correction rather than by gene addition. Gene replacement would minimize the potential for iatrogenic harms and increase the probability of appropriate gene expression across generations of offspring.[25]

Another requirement before conducting human trials of IGM involving gene addition is to obtain multigenerational data on which to make determinations of safety and efficacy. As noted, it is possible that some risks from the intervention would not manifest themselves for generations. Experience with somatic cell gene therapy will help clarify the long-term risks from genetically engineering human cells, but will not be able to show multigenerational effects. Animal research, particularly on non-human primates, will be a valuable source of data, but will not be conclusive for assessing IGM effects on human subjects. Tracing gene transfers that have inadvertent germ line effects could be a source of some data, but the yield would be limited because such effects are likely to be haphazard and not well controlled. Moreover, the techniques now used for somatic gene transfer will not necessarily be those used in the future for IGM. Even if these data are available though, it could take another sixty or eighty years to have any multigenerational data. As a society, we must begin to consider how much evidence of safety and efficacy will be required before permitting either human clinical trials or non-medical applications.

The risks of such research and problems associated with gathering sufficient data to examine their effects in the treated subject were recently highlighted in an "informal" proposal presented to the National Institutes of Health (NIH) Recombinant DNA Advisory Committee (RAC) in fall 1998. Preliminary discussion was sought by researchers seeking to correct genetic defects in a fetus before birth. The scientists pointed out that there is a "distinct possibility" that the experiment could cause inadvertent changes in the fetus's germ line cells,[26] leading to genetic alteration, including possible genetic mutations, that could be transmitted to that fetus's future children. At a previous meeting of the RAC, officials of the Food and Drug Administration (FDA) had expressed concern about the "potential risk for inadvertent germ line intervention" based on animal studies that had in some cases found that material distributed by vectors was detected in the animal's reproductive organs.[27] Both FDA and RAC participants at the meeting noted the need for "more rigorous experimental data ... to assure that there are no untoward effects on the germ line."[28]

For the reasons outlined above, many members of the working group, including several of the scientists, question whether we will ever have enough confidence in the safety of IGM to proceed to clinical use. This assessment led some to conclude that it would never be scientifically and ethically appropriate to begin human applications until we can surmount this problem.

---

[25] See Theodore Friedmann, "Approaches to Gene Transfer to the Mammalian Germ Line", and Kenneth Culver, "Gene Repair, Genomics, and Human Germ Line Modification", in Audrey R. Chapman and Mark S. Frankel, eds., *Human Genetic Modifications Across Generations: Assessing Scientific, Ethical, Religious, and Policy Issues* (forthcoming).

[26] Cover letter submitted by Dr. W. French Anderson to the NIH Office of Recombinant DNA Activities on July 31, 1998, accompanying two "pre-protocols" for *in utero* gene transfer. The pre-protocols were intended to provide a context for the identification of the scientific, safety, ethical, legal, and social issues raised by *in utero* gene transfer. During the September 24-25, 1998 meeting of RAC, members and other invited experts initiated a public dialogue on *in utero* gene transfer research as a first step in identifying the substantive public policy issues. Dr. Anderson was a member of the AAAS working group.

[27] Minutes from the Recombinant DNA Advisory Committee Meeting, December 15-16, 1997, *Human Gene Therapy* (1998) 9: 1658.

[28] *Ibid.*, p. 1659.

Inadvertent Germ Line Modifications

Current regulating mechanisms seek to prevent inadvertent germ line modifications. The document "Points to Consider in the Design and Submission of Protocols for the Transfer of Recombinant DNA Molecules into One or More Human Subjects" (Points to Consider), prepared by the NIH Recombinant DNA Advisory Committee (RAC), states that "RAC will not at present entertain proposals for germ line alterations but will consider proposals involving somatic cell transfer."[29] The one exception was RAC's recent consideration of the proposal to correct genetic defects in a fetus before birth described above, which could lead to inadvertent changes in the fetus's germ line cells. However, the scientists were seeking an informed discussion of the issues, not authorization to proceed.[30]

Despite these precautions, it is very likely that some of the somatic transfer trials authorized by RAC have had unintentional or secondary impacts on the germ line. It is difficult to know, however, because to-date data ascertaining the incidence of such effects, as for example through autopsies of research subjects who have died, have not been routinely collected.

As somatic gene therapy trials proceed, it is likely that some of the new technologies and approaches may increase the likelihood of secondary germ line modifications. *In utero* gene transfer, which has the potential benefit of correcting genetic deficiencies before they produce serious adverse consequences, raises the possibility of inadvertent gene transfer to the germ line. It is also possible that gene correction techniques currently under development may produce secondary germ line changes.

The possibility of genetic problems occurring as a result of the unintended germ line side-effects of somatic cell therapy seem at least as great or greater than those that might arise from intentional IGM. Presumably, if researchers were conducting intentional IGM they would be using methods designed to cause the least possible genetic disruption in germ cells. Further, if they were using *in vitro* embryos, they would attempt to monitor the effects of the genetic manipulation before they implanted an embryo. With intentional IGM, there would be at least some safeguards for minimizing the possibility that a person would be born with iatrogenic genetic damage. The same cannot be said of an inadvertent germ line modification.

Thus, the working group concluded that any somatic genetic therapy applications where there is a reasonably foreseeable possibility of IGM should not proceed at this time. There is first a need for further scientific analysis to assess short- and long-term risks and public discussion to determine the extent to which there is support for going forward with secondary germ line changes.

Religious Perspectives on IGM

Among the world's religious traditions, there is a widely shared presumption in favor of healing. Most faiths endorse medicine in some form as a highly valued human action. This support often includes the explicit recognition that medicine sometimes treats disease by altering nature in some respect, for example, by interfering with the natural course of a pathogen.

---

[29] NIH Guidelines for Research Involving Recombinant DNA Molecules, Appendix M., "Points to Consider in the Design and Submission of Protocols for the Transfer of Recombinant DNA Molecules into One or More Human Subjects", (Points to Consider), *Federal Register* (April 27, 1995) 60: 20737; or http://www4.od.nih.gov/oba/rac/guidelines.html.

[30] Cover letter submitted by Dr. W. French Anderson to the NIH Office of Recombinant DNA Activities on July 31, 1998.

Yet, the religious traditions represented in the project also share a deep uneasiness regarding actions that might alter human nature or affect human relationships. Such a cautionary approach has marked the responses of religious commentators to nearly every medical advance, and IGM is no exception.

In the 1990s, when religious scholars began to comment on the underlying principle of somatic cell gene therapy, they generally offered approval on the grounds that gene therapy is a reasonable extension of medicine and remains rooted in the presumption in favor of healing. Certain concerns were raised, but these were not uniquely religious or theological. They had to do with issues of safety, involvement of children, or justice in access to the therapy.[31]

Alterations that would affect the genetic inheritance of future generations have elicited a more cautious response. Positions of religious bodies on the appropriateness of intergenerational genetic interventions have ranged from the studied and intentional silence on the matter in a National Council of Churches statement[32] to various documents that have significant reservations about undertaking germ line intervention.[33] It is also relevant to note that Jeremy Rifkin, a social activist and critic of genetic engineering, obtained support from the chief officers of most major Protestant denominations and several Roman Catholic bishops for a 1983 position paper opposing all "efforts to engineer specific genetic traits into the germline of the human species." The document was released with "a call upon Congress to prohibit genetic engineering of the human germline cells."[34] This categorical opposition did not, however, mirror the official policies adopted by these communions.

The official position of most religious communities that have a relevant policy are better characterized as expressing caution rather than categorical rejection of IGM. In many of these policy statements the distinction between the acceptability of somatic cell therapy and the problematic nature of germ line therapies appears to be made primarily on the grounds of safety rather than intrinsic theological or ethical objection to germ line per se. Many of the documents advocate a temporary moratorium rather than a permanent ban so as to assure safety and provide ample time for ethical reflection to guide scientists and society.[35]

Our working group identified the following religious concerns in respect to IGM:

The Status of the Human Embryo

Religious traditions vary quite considerably in their views on the status of the human embryo and on the question of whether the embryo is to be regarded as a fully human person from the moment of conception. The fabrication of microscopic embryos entirely outside the womb from extracted gametes, separate from conjugal relationships, introduces unique quandaries unimagined in the

[31] Audrey R. Chapman, *Unprecedented Choices: Religious Ethics at the Frontiers of Science* (Minneapolis: Fortress, 1999), pp. 67-68.

[32] National Council of Churches of Christ in the U.S.A., "Genetic Science for Human Benefit", adopted by the Governing Board May 22, 1986.

[33] The strongest example of this latter category is a 1992 Methodist statement. See United Methodist Church, *Book of Discipline of the United Methodist Church* (Nashville, TN: United Methodist Publishing House, 1992), pp. 97-98.

[34] This document is quoted in Roger Lincoln Shinn, *The New Genetics: Challenges for Science, Faith and Politics* (Wakefield, R.I., and London: Moyer Bell, 1996), p. 125.

[35] See, for example, the World Council of Churches, *Biotechnology: Its Challenge to the Churches and the World* (Geneva: WCC, 1989), p. 14

canonical texts that govern religio-legal responses in many religious traditions. In the Jewish and Muslim traditions, for example, embryos created *in vitro* may not technically even be considered to be human. According to these traditions, all embryos, both those created as a result of sexual relationships and those brought into existence through IVF techniques, may be regarded as "like water" for the first 40 days of conception; such embryos are not considered to be "ensouled".[36] Many liberal Christian communities share a developmental view of the human embryo: it is accorded respect, regarded with dignity, but only gradually considered to have the full standing of a human person as the pregnancy progresses and it achieves the ability to live independently.[37]

In contrast, it is the official position of several major churches and the personal belief of many Christians, as well as adherents of some other traditions, that the human embryo is to be regarded as a human person from conception. This belief implies that the embryo is never to be treated as an object of experiment or research and then to be discarded. This concern bears upon some but not all strategies and techniques that may be used in the development and clinical application of germ line modifications. IGM would, for example, be permissible in the Roman Catholic tradition, as long as the procedure was clearly therapeutic; did not directly or indirectly destroy or injure the human intellect or will, or otherwise impair their respective functions; and did not involve *in vitro* fertilization, experimentation on embryos, their destruction in the course of developing the therapy, or the externalization of the embryos during the course of the therapy.[38]

Respect for Human Finitude

Many religions understand humans as limited not only by their ability to understand and comprehend fully, but also by the human creaturely condition, driven by needs, temptations, passion, and the fear of death. Religious thinkers tend to share the suspicion that human beings exaggerate their knowledge of and their ability to control nature through technology. Some traditions, notably some Christian denominations, also suggest that human beings routinely deceive themselves by thinking that they know more than they do or that they can predict the future more clearly than they can in fact, or that such predictions are free from self-serving bias. Linked to the concern that enthusiasm for science might blind us to its deleterious effects, many in the religious community worry that the temptation for power or dominance might confound the ability to use technology for beneficial purposes.

Like many other technologies, our ability to foresee the full consequences of going forward with IGM will be partial at best. Hence, there is concern among religious thinkers that our enthusiasm for this technology and its benefits will tend to downplay the limits of our ability to know the effects of our acts and to proceed responsibly.

---

[36] Laurie Zoloth-Dorfman, "Ethics of the Eighth Day: Jewish Perspective on Human Germ Line Interventions", in Audrey R. Chapman and Mark S. Frankel, eds., *Human Genetic Modifications Across Generations: Assessing Scientific, Ethical, Religious, and Policy Issues* (forthcoming).

[37] For a discussion of the theological basis of developmental perspectives, see Karen Lebacqz, Michael M. Mendiola, Ted Peters, Ernlé W.D. Young, and Laurie Zoloth-Dorfman, "Research with Human Embryonic Stem Cells: Ethical Implications", *The Hastings Center Report* (1999) 29: 31-36.

[38] Father Albert Moraczewski, "The Catholic Church's Moral Tradition and Germ Line Genetic Intervention", in Audrey R. Chapman and Mark S. Frankel, eds., *Human Genetic Modifications Across Generations: Assessing Scientific, Ethical, Religious, and Policy Issues* (forthcoming); Working Party of the Catholic Bishops Joint Committee on Bioethical Issues, *Genetic Intervention on Human Subjects* (London: Catholic Bishops Joint Committee on Bioethical Issues, 1996), p. 31.

Social Justice

Many religious traditions have a commitment to social and economic justice and are concerned about the existing unequal access to health care. For people of faith this inequality violates the belief that the benefits of creation, including those that come in part from human effort, are to be widely shared. This makes many within the religious community particularly sensitive to the issue of equity in access to IGM. There is concern that the technology will enable us to enhance offspring in socially desirable and competitive ways, thereby further privileging the wealthy and powerful by securing the position of their offspring against competition.[39]

The Relationship between Parents and Children

Religious traditions tend to emphasize the relational dimension of human life. In part, this is a challenge to what is sometimes viewed as the excessive individualism of secular culture. More deeply, this is grounded in a view of the world, articulated differently across the religions, but which sees value in structures and relationships such as the family. Like the concern of some secular ethicists, religious thinkers have worried that too great a readiness to attempt to control the genetic inheritance of our offspring will undermine the value and meaning of the parent-child relationship. Simply put, the intrusion of technology, even if very well intended, could reduce the child to an artifact, a product of technological design, at least in the mind of the child or of his or her parents. Parents would become designers, whose will to have a certain kind of child is etched into the genetic code of their offspring. This is not to glorify the fragile imperfections of nature but to ask a critical question: should we use our technology to alter the relationship so that parents and children become designers and product? This concern becomes all the more urgent if parents ever attempt to modify or enhance traits that are socially desirable or competitively advantageous.

Ethical Analysis: Intrinsic Considerations

There are additional ethical considerations that must be taken into account before attempting IGM. The first is whether there are fundamental reasons that such interventions are, in principle, morally impermissible. The second is the social and moral impact these technologies will have on the human community. Based on the analysis presented below, the working group concluded that if concerns about the safety and reliability of such modifications and their likely deleterious social and justice impact can be addressed, there would seem to be no reason to regard such interventions as morally prohibited in principle.

The value of genes

Some analysts maintain that human genes have a special significance and value because they are biologically essential to our existence as human beings. Others argue that our genes distinguish us from one another as individuals and are at the core of our humanness. Some persons holding these

39 A recent statement dealing with this issue is the "Resolution Opposing Experimental Research for and the Act of Genetic Engineering", voted by the 38th Annual Conference Session of the United Methodist Youth Fellowship of the North Carolina Conference of the United Methodist Church, July 23, 1999.

positions draw the conclusion that the special status of genes precludes intervening in the germ line to modify human genes.[40]

While acknowledging that human genes have special significance and value, the working group disagreed that the status of genes precludes undertaking IGM. Much like other body parts, genes have a derivative value and worth. In recognition of this special derivative worth, we refuse to sell human organs and certain other body parts or to mistreat human bodies after death, but this does not require us to consider bodies or body parts as sacrosanct and untouchable. Quite the contrary, just because our genes bear such special importance for our functioning as human beings, it is ethically important to ensure that they perform appropriately. Moreover, it can be argued that if we had the technical ability to do so, without seriously damaging our own well-being and values important to our society, we may even have an obligation to repair genes both in those who are currently alive and in our progeny as well.

Impact on the human gene pool

Some analysts have argued that future generations have a right to inherit an unmodified human gene pool because the gene pool represents their "genetic patrimony", a resource to which all people have equal claim as the "common heritage" of our species.[41] A corollary claim, made for example in a resolution adopted by the Parliamentary Assembly of the Council of Europe, is that individuals have a right to a genetic heritage that has not been tampered with artificially, except in circumstances that have been recognized as fully compatible with respect for human rights.[42]

The working group did not accept these claims. Strictly speaking, while individual humans have germ line cells and germ cell lineages, the human species does not have a "germ line" in the genealogical sense. The human gene pool is a heuristic abstraction, not a natural object, and lacks a material referent in nature. Individuals inherit a specific set of genes derived from their parents. Thus from a biomedical perspective, there is no intergeneration "human germ line" that could serve as an asset to the future.[43]

While it is important to ensure that future generations have fair access to the benefits of human genetic research, it is conceptually mistaken to interpret the human gene pool as an "endowment" accumulated by the wise investments of natural selection over which we now have stewardship.[44] The evolutionary process that controls the allelic content of the human gene pool is an unmanaged and unmanageable one. The human gene pool is not a stable given, but has been in flux over the course of human history.

---

40 Audrey R. Chapman, *Unprecedented Choices: Religious Ethics at the Frontiers of Science*, pp. 153-156, provides examples of this perspective.

41 See, for example, Emmanuel Agius, "Germ-line Cells: Our Responsibilities for Future Generations", in Salvino Busuttil, Emmanuel Agius, Peter Serracino Inglott, and Tony Macelli, eds., *Our Responsibilities Towards Future Generations* (Valletta, Malta: Foundation for International Studies, 1990), pp. 133-143.

42 Parliamentary Assembly, Council of Europe, "Recommendation 934 on Genetic Engineering", adopted January 26, 1982, in *Texts Adopted by the Assembly*, 33rd Ordinary Session, Third Part, January 25-29, 1982 (Strasbourg: the Council, 1982).

43 Eric T. Juengst, "Should We Treat the Human Germ-Line as a Global Human Resource?" in Emmanuel Aguis and Salvino Busuttil, eds., *Germ-Line Intervention and our Responsibilities to Future Generations* (Great Britain: Kluwer Academic Publishers, 1998), pp. 88-89.

44 *Ibid.*, pp. 85-93.

It is also doubtful that IGM would have a serious impact on the gene pool. The number of carriers of recessive alleles related to monogenic impairments is far greater than the number of homozygotes with the diseases. Therefore, if we treat the latter with IGM, we would eliminate only a miniscule percentage of the carriers and would not have a major effect on the gene pool.[45]

Lack of consent by future generations

Some analysts argue that it is wrong in principle to change the genetic makeup of future individuals through germ line interventions because we cannot obtain their consent.[46] It should be noted though that the topic of intergenerational ethics is itself controversial, with philosophers and ethicists disagreeing on the nature and basis of obligations to future generations.[47]

The working group acknowledged that we have an intergenerational responsibility to guard the interests of future persons who are currently voiceless in this respect, but it took issue with those who claim that this obligation precludes IGM. If we do have responsibilities to our descendants, our obligations undoubtedly encompass efforts to make life better for our children and subsequent descendants. This could include eliminating deleterious genes and thereby improving the health of future generations.

Ethical Analysis: Contextual Considerations and Societal Impact

Like all technologies, IGM will not be undertaken in the abstract. If we go forward with human applications, these genetic alterations will be conducted through some series of procedures, on particular subjects, for specific purposes, and in concrete social, economic, and cultural contexts. All of these contextual factors will contribute to its impact on society.

The working group identified a series of problems related to these contextual considerations. The implications for equity and justice are of particular concern. Some of these issues derive from contingent and variable factors, like the existing system of health care finance, which may be more equitable at some point in the future. Others are more ingrained, such as attitudes toward human beings in general and children in particular. These are less accessible to alteration through public policy initiatives. Many, but not all members of the working group, drew the conclusion that these contextual factors, singly and jointly, indicate that we are not currently at a point where we should allow the development and use of IGM.

---

[45] Bernard Davis, "Germ-line Gene Therapy: Evolutionary and Moral Considerations", *Human Gene Therapy* (1992) 3: 361-365.

[46] Marc Lappé, "Ethical Issues in Manipulating the Human Germ Line", *Journal of Medicine and Philosophy* (1991) 16: 621-639.

[47] See, for example, Pilar Ossosio, "Inheritable Genetic Modifications – Do We Owe Them to Our Children?" in Audrey R. Chapman and Mark S. Frankel, eds., *Human Genetic Modifications Across Generations: Assessing Scientific, Ethical, Religious, and Policy Issues* (forthcoming).

Inequities in access to genetic therapies

Unless there are major changes in the health care system in this country, there will likely be a lack of equity in access to IGM.[48] This reflects a number of factors: the absence of universal health insurance, patterns of inequalities in access to health care in this country, a projected scarcity in the availability of genetic services relative to demand, and the role of market forces in the development of such genetic interventions. At least initially, access will undoubtedly also be limited by the need for considerable knowledge and sophistication to take advantage of such a complex technology.

Current inequalities in access to medical care seem likely to operate with respect to genetic services. At present some one-sixth of the population, approximately 44 million people, lacks health insurance, and many other persons have forms of insurance that offer insufficient coverage. Minorities are far more likely to be uninsured than whites: about one-third of Hispanics and one-quarter of blacks lack health insurance as compared to about one-eighth of whites.[49] Moreover, various studies have shown that minorities with insurance are more likely to have only minimal or basic coverage and to suffer from various forms of "therapeutic discrimination" that limit access to a wide variety of procedures and therapies.[50]

IGM most likely would be available only to those with expensive private insurance or sufficient wealth to purchase it. At a minimum, most private insurers are likely to delay agreeing to reimburse policy holders for these genetic services until their efficacy and safety are clearly demonstrated. Another likely impediment to the accessibility of IGM is the refusal of most health insurers to pay for high technology reproductive services like *in vitro* fertilization (IVF) that are likely to be a necessary means of delivery of IGM.

Health insurance policies rarely cover anything considered to be nontherapeutic. This would of course apply to enhancement modifications. While it remains to be seen how costly these techniques would be, their development by the private sector on a for-profit basis means that they are likely to be beyond the means of many citizens, making them available only to a narrow, wealthy segment of society.[51]

To make techniques for IGM available in a system based on the ability to pay would be very problematic, even if they were employed on a small scale. It would add inherited advantages to all the benefits of nurture and education already enjoyed by the affluent, and constitute one more brick in the wall dividing "haves" from "have nots". Therefore, the working group concluded that reform of the health care system to make IGM available on a more equitable basis constituted an important ethical consideration.

---

48 See, for example, Audrey R. Chapman, "Justice Implications of Germ Line Modifications", in Audrey R. Chapman and Mark S. Frankel eds., *Human Genetic Modifications Across Generations: Assessing Scientific, Ethical, Religious, and Policy Issues* (forthcoming).

49 Herbert Nickens, "Health Services for Minority Populations", in Thomas H. Murray, Mark A. Rothstein, and Robert F. Murray, Jr., eds., *The Human Genome Project and the Future of Health Care* (Bloomington and Indianapolis: Indiana University Press, 1996), p. 70.

50 Marilyn A. Winkleby, "Accelerating Cardiovascular Risk Factor Change in Ethnic Minority and Low Socioeconomic Groups", *Annals of Epidemiology* (1997) 7: 5196-5103; George A. Kaplan and Julian E. Keil, "Socioeconomic Factors and Cardiovascular Disease: A Review of the Literature", *Circulation* (1993) 88: 1973-1998.

51 It has been estimated that current techniques of somatic gene therapy cost at least $100,000 per year per patient. On this point, see LeRoy Walters and Julie Gage-Palmer, *The Ethics of Human Gene Therapy*, p. 53.

Some members of the working group also held the view that as long as we cannot or do not provide basic health care to all members of our society we should not invest in the development of expensive new technologies like IGM. Others would go further and argue that it is pointless to talk about any kind of just distribution of genetic technologies unless and until all persons have access to adequate nutrition, potable water, sanitation, and basic vaccinations. However, other members countered that the world is full of inequalities in health care, but we do not restrict research and use of promising medical technologies.

Reinforce or increase existing discrimination

The working group was concerned that as long as Americans still discriminate unfairly on the basis of physical appearance, ancestry, or abilities, the introduction of IGM would pose some risk of exacerbating social prejudices. This is particularly a problem in a country, like our own, which has a long and disturbing history of drawing sharp distinctions among citizens on the basis of race and ethnicity and where many persons harbor beliefs in biological determinism. It is important to remember the ways in which past attempts to use reproductive interventions to improve the genetic prospects of future generations have reinforced and exacerbated social injustices against the poorer, less powerful, and more stigmatized amongst us.[52] IGM may increase prejudice against persons with disabilities. This is yet another reason that the development and introduction of IGM techniques should provoke concern, scrutiny, and caution, especially since the culture of prejudice is less susceptible to remedy by direct public policy initiatives.

Challenges to equality

As early as 1982, the President's Commission for the Study of Ethical Problems in Medicine and Biomedical Research raised the concern that human germ line therapy could create enormous social injustices.[53] Subsequently, other analysts have warned that the genetic revolution will pose unprecedented challenges to equal opportunity, particularly in a society such as ours with unequal access to genetic services.[54]

The working group acknowledged that IGM would not create new problems of inequity, but anticipated that it could significantly magnify inequalities already rooted in American culture. IGM would have a cumulative impact; the advantages and enhancements of one generation would be passed on to their progeny. Many members of the working group were very concerned that unequal access to IGM technologies would mean that those persons who can already provide the best "environments" for their children would also be able to purchase the best "natures". Thus, those who had preferential access to life's material goods would be able to purchase genetic improvements for their children and their children's descendants, and thereby become doubly advantaged. How much of an advantage this would confer and thereby contribute to inequality would depend, of course, on the types of modifications that will become possible.

---

[52] Troy Duster, *Backdoor to Eugenics* (New York: Routledge, 1990).

[53] President's Commission for the Study of Ethical Problems in Medicine and Behavioral Research, *Splicing Life*, p. 67.

[54] Thomas H. Murray, "Introduction: The Human Genome Project and Access to Health Care", in Thomas H. Murray, Mark A. Rothstein, and Robert F. Murray, Jr., *The Human Genome Project and the Future of Health Care*, p. ix.

Commercialization and commodification

Some ethicists and religious thinkers fear that human germ line manipulation would accelerate tendencies to commodify children and evaluate them according to standards of quality control.[55] In the existing market-based system of financing health care and related research, the patient is thought of in economic terms as the consumer and the health care provider as a seller of services on the open market. All manner of judgments, including decisions about medical treatment, are made in terms of cost-benefit analysis, functionality, and productivity. In such circumstances, the pull of commerce is very powerful, and it will be difficult to erect barriers to prevent the wholesale treatment of genetic intervention as simply one more commodity in the marketplace, a type of commercial service aimed at delivering the product of a desirable baby to the parent as consumer.

Members of the working group found merit in these concerns about commodification. Obviously, IGM will not constitute the source of the attitudes that make science and medicine just one more form of concentrated social power or turn parenting into an exercise of power over offspring for the sake of the satisfaction of parental desires. But it might well exacerbate such attitudes by providing parents with a powerful tool, which, when combined with the natural parental desire to enhance the quality of life of their children, will fuel further research and development of IGM that will require society to confront its uneasiness over commodification. If competitive parents keen for "success" for their offspring were to undertake to design the most advantageous genome for their offspring, this would undermine our ethical ideal of unconditional acceptance of children, no matter what their abilities and traits. This would constitute a further corruption of parenting and of human relationships in general.

Ethically Appropriate Applications of IGM: Therapy versus Enhancement

Like somatic cell interventions, IGM offers the possibility of genetic enhancements, genetic alterations intended to improve what are already "normal" genes. Modifying a complex normal trait will require far more sophisticated knowledge than we currently have about how genetic factors contribute to their development. It will also necessitate developing the technical ability to manipulate several different genes in concert with one another.

One of the reasons why a distinction is made between therapeutic and enhancement germ line intervention is the fear that the ability to discard unwanted traits and improve wanted characteristics will lead to a form of eugenics. First used by Francis Galton around the turn of the century, eugenics, meaning "good birth", became a movement in the early part of the 20th century with the goal of weeding out what proponents believed were the "bad" traits of society and promoting "good" ones. Negative eugenics sought to discourage breeding among those considered to be socially inferior, including the so-called feeble minded, criminals, and the incurably mentally ill. Prominent scientists in the United States, such as Charles Davenport, the director of the Cold Spring Harbor Laboratory, were proponents of eugenics principles. By the late 1920s, 28 states in this country had passed laws allowing for compulsory sterilization of undesirables, and such concerns contributed to the promulgation of restrictive immigration policies. It has been estimated that 30,000 people were sterilized on eugenic grounds in the United States by 1939, many against their will and most while incarcerated in prisons or mental institutions. Similar laws were adopted in

---

[55] See, for example, Cynthia Cohen, "Creating Tomorrow's Children: The Right to Reproduce and Oversight of Germ Line Interventions", and Sondra Wheeler, "Parental Liberty and the Right of Access to Germ Line Intervention", in Audrey R. Chapman and Mark S. Frankel, eds., *Human Genetic Modifications Across Generations: Assessing Scientific, Ethical, Religious, and Policy Issues* (forthcoming).

many European countries. On both sides of the Atlantic these laws were often only formally repealed or declared unconstitutional in the past thirty years.[56] Nazism, which went well beyond these measures by officially sanctioning both compulsory sterilization of patients and the killing of members of "inferior" races, is the most horrendous example of eugenics as a state policy.

The literature on enhancement poses the prospect that it will become increasingly difficult to differentiate between prevention and enhancement in genetic medical interventions. It is contended that in the absence of an objective definition for "normal" state, the meaning of what is considered normal will likely shift. The result could be that interventions now appearing to be radical will become acceptable in the future.[57] Similarly, interventions that currently are classified as enhancements may eventually become categorized as therapeutic.

Another theme is that enhancement applications of IGM, especially if this technology is heavily promoted by commercial developments, would tend to encourage affluent parents to attempt to "improve" their future children's genomes so as to endow them with various advantages. Some ethicists express a concern that this dynamic may promote something analogous to a kind of "soft eugenics", a "kinder, gentler program to 'perfect' human individuals by 'correcting' their genomes" in conformity to specific societal norms or to an identified "economically successful genotype".[58]

Other ethicists have raised the concern that enhancement technologies might lead to the imposition of harmful or skewed conceptions of normality and concomitantly what constitutes improvement of human traits. Some scientists and ethicists have seen dangers in the effort to define a normal human genome precisely because it also implies that deviations from the normal sequence would be considered abnormal or undesirable. Others have pointed out the tendency of individuals and societies to seek to impose their own standards and cultural particularities on the world.[59] IGM used for enhancement purposes would reflect and embody the values held by those sponsoring and having access to the technology who could then shape the genetic inheritance of future generations.

Would applications of IGM constitute a form of eugenics? The working group concluded that, with the qualifications noted earlier, the use of IGM to prevent and treat clear-cut diseases in future generations is ethically justifiable and does not constitute a form of eugenics. There were far stronger reservations about undertaking IGM for enhancement purposes.

While acknowledging that there will be difficult borderline cases, the working group believed that it would be possible to distinguish between IGM applications for therapy and enhancement. It strongly recommended that IGM should be used only for cases which are clearly therapeutic. And many members would add the further qualification that IGM should be pursued only when other treatment options are unavailable.

Most members also had fundamental misgivings about undertaking genetic interventions intended to enhance the traits of future generations. For at least some of the members of the working group,

---

56 Arthur J. Dyck, "Eugenics in Historical and Ethical Perspective", in John F. Kilner, Rebecca D. Pentz, and Frank E. Young, eds., *Genetic Ethics: Do the Ends Justify the Genes?* (Grand Rapids: William B. Eerdmans Publishing Co., 1997), pp. 25-39.

57 Gregory Fowler, Eric T. Juengst, and Burke K. Zimmerman, "Germ-Line Gene Therapy and the Clinical Ethics of Medical Genetics", *Theoretical Medicine* (1989) 10: 151-65.

58 Roger Lincoln Shinn, *The New Genetics*, pp. 140-141.

59 For a recounting of these discussions, see Roger Lincoln Shinn, *The New Genetics: Challenges for Science, Faith, and Politics*, pp. 97-102, and Anita Silvers, "A Fatal Attraction to Normalizing: Treating Disabilities as Deviations from 'Species-Typical' Functioning", in Erik Parens, ed., *Enhancing Human Traits*, pp. 95-123.

enhancement applications of IGM bordered on a form of "soft eugenics". Some members proposed that we should avoid inadvertently redefining our humanness unless and until we have consciously decided that it would be ethically acceptable to do so.

Nevertheless, the working group recognized that there is a fundamental dilemma in trying to draw a line between the acceptability of IGM for therapeutic purposes and the inappropriateness of using it for purposes of enhancement. The technology for therapy and enhancement procedures is basically the same. Thus, developing the applications to correct defective alleles is likely to promote creeping enhancement applications as well. For example, the ability to correct the genes responsible for Alzheimer's disease would mean that it might also be possible to enhance memory as well.

In theory, genetic enhancement could be accomplished through either somatic or germ line intervention. Whether or not the latter will start us down a slippery slope toward enhancements, the desire to undertake enhancements will most likely favor IGM over somatic technology. Genetic enhancements are likely to require altering several genes that work in concert with each other. Such genetic interventions are likely to be more effective when conducted early in the development of the embryo or on the fetus *in utero*, although this remains to be demonstrated. In many, perhaps most instances, such early intervention would result in alteration of the germ line whether or not it was intended.[60] The very considerable expense involved might incline parents to try to get the most for their investment, again favoring the IGM option. Medical centers offering somatic gene therapies appear less likely than IVF clinics to promote germ line enhancements or to encourage prospective parents to maximize their investment in reproductive services.[61]

Reproductive Rights

It has been argued that parents have the right to reproduce and to choose whatever means available, consistent with the availability of technology and avoidance of harm to others, in order to attempt to ensure a normal pregnancy and healthy baby.[62] Reproductive autonomy is understood as the individual's right to freedom from interference or constraint in the exercise of his/her reproductive capacity, including the right to make choices about conception, contraception, and termination of pregnancy. Advances in genetics and reproductive medicine promise to extend this range of choice. If safe and effective IGM is developed, it would enable parents not only to select the genes of their children, but also to influence the inheritance of their children's progeny.

Is the right to reproduce a global right that includes the right to apply IGM and other forms of "quality control" technologies to select and control the genetic makeup of future offspring? The working group concluded that individuals and couples are not entitled to proceed unimpeded to use these technologies to control the genes of future children in almost any way that they choose. While many legal commentators agree that decisions about whether to have children are deeply significant

---

[60] Maxwell J. Mehlman and Jeffrey R. Botkin, *Access to the Genome: The Challenge to Equality* (Washington, D.C.: Georgetown University Press, 1998), p. 34.

[61] See Mark S. Frankel and Michele S. Garfinkel, "To Market, To Market: The Effects of Commerce on Germ Line Intervention", in Audrey R. Chapman and Mark S. Frankel, eds., *Human Genetic Modifications Across Generations: Assessing Scientific, Ethical, Religious, and Policy Issues* (forthcoming).

[62] John A. Robertson, *Children of Choice: Freedom of Choice and the New Reproductive Technologies* (Princeton: Princeton University Press, 1994).

and should be given considerable scope, it is questionable as to whether the right to reproduce extends to the use of inheritable genetic modifications.[63]

The working group did not believe that parental authority over children would insulate parental decisions about the use of IGM from state control. In law, as in morality, the comprehensive liberty that parents enjoy in the care and rearing of their children is intended to provide the family with the means to nurture children into adulthood. When parents fall significantly below social standards of adequacy in the fulfillment of their responsibilities toward their children, their parental authority can be legally terminated.[64]

The working group concluded that the power to select the genetic constitution and selective characteristics of our descendants raises important ethical and social issues that are legitimate subjects of public regulation. By extension, government has the authority and responsibility to develop reasonable regulations covering the use of IGM in order to protect the interests of children as well as core values of the community.

Balancing Scientific Freedom and Responsibility

People recognize the enormous power of expert knowledge and the influence it can have on their lives. All of us look to scientists and physicians for authoritative answers to complex and serious problems of the day. And as a society, we have quite readily invested in the education and training of scientists, in research on important health and social issues, and in the infrastructure essential for sustaining scientific research. Nevertheless, recent history is replete with examples of increasing apprehension on the part of Americans about the effects of science, especially in the biomedical arena, on their lives. As a result, the extent of social controls over science has grown during the past several decades, as society tries to balance its faith in free scientific inquiry with broader social values.[65]

As we observe in this report, IGM is likely to generate both high hopes and uneasiness. Currently, it is the policy of the federal government not to "entertain proposals for germ line alterations".[66] This is not a policy of proscription; there is no explicit ban on such research. Rather, it is a policy that takes the view that it is premature on scientific and ethical grounds to proceed with IGM. Presumably, if these conditions were to change appreciably, the government would reconsider the policy. Certainly, change will not occur without allowing research to proceed at some level, concurrent with appropriate oversight and a society-wide dialogue on the moral questions surrounding IGM.

This policy imposes a heavy responsibility on scientists and their institutions, whether academic or commercial. "Scientific freedom … is an acquired right, generally approved by society as necessary

---

63 See Cynthia B. Cohen, "Creating Tomorrow's Children: The Right to Reproduce and Oversight of Germ Line Interventions", in Audrey R. Chapman and Mark S. Frankel, eds., *Human Genetic Modifications Across Generations: Assessing Scientific, Ethical, Religious, and Policy Issues* (forthcoming).

64 See Sondra Wheeler, "Parental Liberty and the Right of Access to Germ Line Intervention", in Audrey R. Chapman and Mark S. Frankel, eds., *Human Genetic Modifications Across Generations: Assessing Scientific, Ethical, Religious, and Policy Issues* (forthcoming).

65 David H. Guston, *Between Politics and Science* (United Kingdom: Cambridge University Press, 2000).

66 NIH Guidelines for Research Involving Recombinant DNA Molecules, Appendix M., "Points to Consider in the Design and Submission of Protocols for the Transfer of Recombinant DNA Molecules into One or More Human Subjects".

for the advancement of knowledge from which society may benefit."[67] But "scientific freedom and responsibility are basically inseparable".[68] Society expects scientists to pursue research within the constraints of established social controls, such as those to protect the rights and welfare of human subjects, and according to the norms and ethical traditions of the scientific community. To act responsibly, therefore, with respect to IGM means not engaging in such research until public regulatory mechanisms are in place to review proposals, while also supporting educational efforts to help scientists and the public consider the broader implications of the research.

Effective Public Oversight

If IGM is to be pursued, an effective system of public oversight must first be in place. There are four reasons for this:

- *Public Safety.* As indicated by somatic gene modification experiments, we must be vigilant to protect the safety of those participating in experimental studies. This is even more critical with IGM research since the well being of future children will be affected. Concern for public safety is heightened by the intense commercial interest in genetics research and potential applications, where pressures for quick results – and profits – have led to claims that a rush to clinical trials has outstripped our under-standing of the basic science involved.[69]
- *Social Values.* While the private sector can contribute valuable resources in developing IGM, the public interest requires the promotion of broad social values, such as freedom of scientific inquiry, assurances that people in need will have access to benefits derived from research, and that decisions on the uses of IGM will be openly vetted in the arena of public discourse. Effective public involvement will help to ensure that the scope and direction of IGM research reflect adequate attention to public priorities.
- *Transparency.* A system of oversight that promotes openness and the sharing of scientific data and findings is more likely to produce better science and expose unacceptable practices than a system biased toward secrecy. For IGM to progress, researchers must have ready access to data and experience from other studies to build on. Access will also help them spot trends that may have implications for the safety of patients enrolled in related studies. But as recent experience in many fields of science, including somatic gene research, over the past decade indicates, the influence of commerce has created incentives for investigators and companies supporting them to keep secret anything that reflects poorly on their progress.[70] This is not an environment in which science best flourishes or that inspires public confidence.
- *Public Confidence.* If the public does not trust a system of oversight to protect human subjects or to preserve and promote important social values, then research will not, and should not, go forward. Recent events associated with somatic gene experiments have raised public doubts about the cogency of scientists' claims regarding the promise of such research and about the ability of current oversight mechanisms to offer adequate safeguards for experimental subjects.

---

[67] AAAS Committee on Scientific Freedom and Responsibility, *Scientific Freedom and Responsibility* (Washington, D.C.: American Association for the Advancement of Science, 1975), p. 5.

[68] *Ibid.*

[69] Eliot Marshall, "Gene Therapy's Growing Pains", *Science* (1995) 269: 1050-55. The claim was voiced by former NIH director, Harold Varmus.

[70] Rick Weiss, "Gene Therapy Firms Resist Publicity", *The Washington Post* (December 11, 1999), p. A2.

Current Status of Oversight

Experience with somatic gene therapy research raises serious doubts that society is adequately prepared to proceed with IGM research in the absence of more effective public oversight. An array of bodies now oversee and regulate somatic gene research, including Institutional Review Boards, biosafety committees, the Office for Protection from Research Risks (recently renamed the Office of Human Research Protection) in the Department of Health and Human Services, the FDA, and the NIH's RAC. However, recent disclosures of deficiencies with informed consent procedures,[71] the lack of full disclosure of serious adverse outcomes,[72] charges of financial conflicts of interest among researchers in the field,[73] and at least one death in a clinical trial resulting from the application of a direct attempt at gene therapy[74] have thrown the adequacy of this system of oversight into serious question. Subsequent investigations by the government, including the U.S. Congress, revealed a number of disturbing features of the current system of oversight, leading one U.S. Senator to remark that "our oversight system is failing".[75]

A lack of coordination between the NIH and FDA and the way researchers perceive their reporting responsibilities to each agency have undoubtedly hampered existing oversight efforts. Federal regulations require gene therapy researchers to report all adverse events, no matter what the severity, to both the FDA and NIH. The NIH requirement is for immediate reporting, while the FDA has several categories of events with different reporting times. Many researchers appear to have been confused by these differing requirements, claiming that they did not know that they were supposed to notify NIH as well as FDA.[76] This is not a trivial matter, since the RAC's review of reports of adverse events is an open and public process, while the FDA is required by statute to conduct its review in private. To complicate matters further, the FDA has been criticized for not routinely communicating reports of adverse events that it receives to NIH.[77] Congress and the responsible federal agencies have responded to these problems in recent months. Legislation was introduced in Congress to tighten up the supervision of federally-funded somatic gene clinical trials.[78] Both NIH and FDA issued a clarification in fall 1999 to institutions, companies and researchers engaged in gene therapy research making clear the latter's reporting responsibilities,[79] and the

---

71 Eliot Marshall, "FDA Halts All Gene Therapy Trials at Penn", *Science* (2000) 282: 565-66.

72 Rick Weiss, "Gene Therapy Firms Resist Publicity".

73 Deborah Nelson and Rick Weiss, "Gene Research Moves Toward Secrecy", *The Washington Post* (November 3, 1999), p. A1.

74 Jeffrey Brainard, "Citing Patient Deaths, Key Senator Urges Better Oversight of Gene-Therapy Trials", *The Chronicle of Higher Education* (February 3, 2000), or http://www.chronicle.com/daily/2000/02/2000020301n.htm

75 *Ibid.* The remarks were made by Senator Bill Frist, Chair of the Senate Subcommittee on Public Health, at a February 2, 2000 hearing of the Sub-committee.

76 Theodore Friedmann, "Principles for Human Gene Therapy Studies", *Science* (2000) 287: 2163 and 2165.

77 Paul Smaglik, "NIH Tightens Up Monitoring Of Gene-Therapy Mishaps", *Nature* (2000) 404: 5.

78 Paul Smaglik, "Congress Gets Tough with Gene Therapy", *Nature* (2000) 403: 583-84.

79 Letter from Amy Patterson, Director of the NIH Office of Recombinant DNA Activities, to federally funded institutions (November 22, 1999); Letter from Kathryn C. Zoon, Director of the FDA Center for Biologics Evaluation and Research, to gene therapy IND sponsors and principal investigators (November 5, 1999).

RAC has recently recommended a plan that would harmonize the reporting requirements of NIH and FDA.[80] It remains to be seen how effective these steps will be.

In addition to inadequacies in the regulatory function of the current oversight system, there has not been adequate public consideration of the scope and direction of gene therapy research, much of which is driven by the private sector. The result is that the focus of the field has moved away from severe and rare genetic disorders to more common ailments, in part because of the greater health impact of these diseases and in part because of the potential of greater profits. There are those who believe that, without additional public deliberation, there will continue to be movement in the direction of treating non-medical conditions, for example, baldness or hair color, where far more money can be made than in treating disease.[81] There has not been sufficient public discourse devoted to identifying public priorities for somatic gene therapy research. This is not surprising given that there is only a single mechanism in place to coordinate such deliberations, the RAC, which only a few years ago had its mandate and scope of authority dramatically curtailed. More public involvement will be needed in setting priorities for IGM research lest we cede by default the future direction of such research to the private sector.

If IGM were to become widely available, consumer access, whether for medical or non-medical applications, would likely be through clinics such as those that now offer a range of assisted reproductive technologies to couples. These *in vitro* fertilization (IVF) clinics have prospered during the past decade with increasing consumer demand for access to new technologies that offer infertile couples the hope for a genetically-related baby. And IVF clinics are eager to meet those demands by offering a range of services, including, for example, treatments to allow post-menopausal women to bear children and for couples to achieve "family balancing" via techniques that increase the odds of having a child of a particular sex.[82] The industry is virtually unregulated, however, leaving couples to fend for themselves in a highly competitive environment, where due to "aggressive marketing of services by 300-plus clinics … the risks and concerns over the use of the techniques have been all but ignored".[83] This had led to an industry where couples seeking the "best genes money can buy" have precipitated bidding wars over certain donors,[84] where advertising by some clinics has been called questionable, if not deceptive,[85] where the process of informed consent used by some clinics has been described as "seriously deficient",[86] and where allegations of negligence have led to law suits against IVF clinics and practitioners.[87] The working group was concerned about the absence of effective public oversight for this commercial sector and worried that IGM technologies would become another "off-the-shelf" product that the industry will promote to attract customers.

---

80 Advisory Committee to the Director, Working Group on NIH Oversight of Clinical Gene Transfer Research. "Enhancing the Protection of Human Subjects in Gene Transfer Research at the National Institutes of Health", July 12, 2000; see http://www.nih.gov/about/director/07122000.htm.

81 Michael S. Langan, "Prohibit Unethical 'Enhancement' Gene Therapy", statement delivered at NIH Gene Policy Conference, Bethesda, MD, September 11, 1997.

82 Rick Weiss, "Va. Clinic Develops System for Choosing Sex of Babies", *The Washington Post* (September 10, 1998), p. A1.

83 Robert H. Blank, "IVF and the Internet", *Politics and the Life Sciences* (1999) 18: 119.

84 Lisa Gerson, "Human Harvest", *Boston Magazine* (May 1999), or http://www.bostonmagazine.com/highlights/humanharvest.shtml.

85 Robert H. Blank, "IVF and the Internet", pp. 119-22.

86 New York State Task Force on Life and the Law, *Assisted Reproductive Technologies: Analysis and Recommendations for Public Policy*, April 1998, p. 230.

87 *Ibid.*, p. 292.

A Framework for Oversight

Although there are major technical obstacles to developing human IGM in the responsible ways that we have recommended, it is possible that at some time in the future scientific advances will make it feasible to undertake IGM. Even prior to that, improvements in non-human IGM research may make it tempting to apply the techniques to humans in the absence of the precautionary approach that we propose, thereby presenting us with a policy decision about how to proceed. In the interest of ensuring that society is prepared for such developments, the working group recommended that a system of oversight be in place before human IGM research or applications are permitted.

A system of oversight should be established at the national level, with authority over human IGM activities in both the public and private sectors; it should balance the value of scientific freedom against an assessment of the effects of pursuing IGM research; it should be independent of the sources of funding for IGM research or applications; and it should pre-empt any state or local laws that would contradict its ability to fulfill its mandate. The oversight system would be responsible for:

- Promoting a national conversation (and encourage international participation as well) on the acceptability of IGM for therapeutic and enhancement applications, and under what conditions human research and application could proceed. This public dialogue should be informed by our best understanding of the relevant science; it should involve an extended discussion of the cultural, religious, and ethical concerns associated with IGM; and it should be as open and inclusive as possible so that the values of all citizens can be carefully considered and weighed by all relevant policymaking bodies.
- Designing a mechanism for assessing the risks and benefits, including ethical, religious, and social implications, associated with human IGM, and weighing that assessment against alternative means to achieve similar goals. As a society we must be prepared to consider how much evidence of safety, efficacy, and ethical acceptance will be required before endorsing either human clinical trials or applications outside an experimental protocol.
- Encouraging a national effort to develop guidelines to govern the use of IGM.
- Developing guidelines for managing conflicts of interest among IGM researchers and funders.
- Serving as a national repository for all data generated by IGM-related research and applications in animals or humans. Data from animal studies using IGM and from the use of other methods to modify the genome (e.g., somatic gene modification (including inadvertent effects), embryo preimplantation) may help to improve our understanding of the strengths and weaknesses of the various methods used to alter the germ line.

Once these steps have been taken and if a decision is made to proceed with human IGM, oversight should include:

- Independent scientific and ethical review of *all* IGM protocols or procedures in the public and private sectors, whether for therapeutic or enhancement purposes, as well as of somatic gene transfer experiments where inadvertent inheritable modifications may reasonably be foreseen.
- Procedures for monitoring the use of IGM in both public and private sectors to ensure that guidelines are followed.

IGM raises two types of concerns. One, that the techniques will succeed, raising questions about the moral and policy implications of increased genetic control; and two, that they may inflict unanticipated genetic harms on future generations or produce unforeseen evolutionary effects on the human genome. The proposed system of oversight, and we include public involvement in this effort, must consider both types of concerns, and we offer several "points to consider" during deliberations on these matters. These points should not be considered fixed, but rather should be subject to periodic review in order to take into account advances in knowledge and technology and changes in social mores. They should aim to produce guidance on the following:

- Applying the assessment of benefits and risks to the use of IGM in particular cases.
- Designing a plan to maximize access to relevant data produced by all IGM research and applications, with proper consideration of patient confidentiality and the protection of proprietary data. Public safety and the advancement of knowledge should weigh heavily when determining what data should be made public and the timing of the release.
- Selecting subjects to participate in IGM research.
- Developing an appropriate consent process for IGM research.
- Identifying the parameters of appropriate public-private partnerships.
- Providing just access to approved uses of IGM for those without the means to obtain them.

An Intermediate Step

Although the working group does not recommend proceeding with IGM in humans at this time, recognizing that various techniques with IGM implications are now in use, such as the micromanipulation techniques intended to compensate for mitochondrial genetic diseases (*in vitro* ovum nuclear transplantation), or are proposed that could have the effect of modifying the human germ line, we counsel an intermediate step. This step is justified in order to ensure that such interventions are as effective and safe as possible. Our recommendations include the following:

- Basic research at the cellular and animal level related to the effects of germ line modification should be encouraged. This is consistent with the long-standing tradition of scientific freedom and reflects an understanding that to foreclose such research could rob us of unexpected discoveries that might inform progress in other areas of medical research as well as in IGM research.
- Data collection on the effects of germ line interventions should be a high priority. A uniform system of reporting such data should be established, and researchers should be required to incorporate into their protocols provisions for transferring data into a data bank administered by a national oversight body.
- Using the data collected through the reporting system and data bank we recommend, studies should also be supported to design ways to help us evaluate and decide when human IGM research should proceed. How can we assess the short- and long-term effects of IGM? How much evidence of safety and efficacy should we require before going forward? How can we gather that evidence in a way that is consistent with our obligations to human subjects and their future children?
- There should be widespread public discussions to gather information about people's understanding and concerns related to IGM. We have not yet had this kind of civic discourse in the United States, and it is not too early to begin to take the pulse of America on what, if any, germ line research applications would be acceptable. It is essential that these discussions raise the level of public understanding of the science associated with IGM. Scientists must be prepared to communicate the results of their research in ways that are understandable to a diverse audience and are realistic in their appraisal of the promise and feasibility of IGM. The dialogue should aim to clear up misunderstandings and avoid false expectations, not perpetuate them.

- To help implement the above recommendations, there must be an oversight mechanism in place that can review these procedures already taking place that affect genetic inheritance as well as the prospect of IGMs. While we are not proposing the more elaborate system that was described above – it is neither justified by the extent of the ongoing research that would be covered nor the cost of establishing such a system – it is clear to us that this intermediate step needs to include a body that can assume a leadership role in establishing public confidence in a process that will track efficacy and ensure as much as possible the safety of research participants.
- This body should be independent of the sources of funding for the research.[88] (This requirement would preclude the current RAC from fulfilling this role. Nevertheless, we acknowledge the ongoing evaluation of the role that RAC should play in its oversight of somatic gene therapy, and we hope that these discussions can inform the development of an oversight mechanism for IGM.)
- This body should review and approve all protocols for somatic gene research in both the public and private sectors where inadvertent germ line alterations may occur as well as protocols for other studies that could alter the germ line more directly (e.g., IVONT, somatic cell nuclear transfer). Until this system of oversight is in place, no research or clinical applications involving humans should proceed that have the direct or indirect potential to cause inheritable modifications.
- In addition to reviewing non-human evidence of efficacy and safety, the review should encompass the plans proposed by investigators or others to document any germ line intervention and to transfer data to the data bank that we recommend be established.

Conclusion

This report has emphasized that inheritable genetic modification cannot be carried out safely and responsibly on humans utilizing current methods for somatic gene transfer. At some point in the future scientists could develop more reliable genetic technologies that replace harmful mutations or correct them. Even if we have the technical ability to proceed, however, we would need to determine whether IGM would offer a socially, ethically, and theologically acceptable alternative to other technologies in prospect of development to prevent or correct damage attributable to mutated genes.

As described in this report, IGM might some day offer us the power to shape our children and generations beyond in ways not now possible, giving us extraordinary control over biological and behavioral features that contribute to our humanness. The working group concluded that the prospect of shaping the genetic inheritance of future generations raises major ethical and religious concerns. IGM for enhancement purposes has particularly problematical implications.

One of the challenges posed by IGM stressed in this report is the need for public education and public discussion to determine whether, and if so, how to proceed with developing IGM for human use. Ideally, these efforts should be informed by an understanding of the relevant science, involve

---

[88] This is consistent with the recent decision by the U.S. Department of Health and Human Services to elevate its office to protect human research subjects into the Office of the Secretary to "remove the potential conflict of interest that existed because [it] has been part of the NIH, which finances some of the research the office has overseen." See Jeffrey Brainard, "Physician Is Called Top Candidate to Head Unit that Oversees Human Subjects Research", *The Chronicle of Higher Education* (May 17, 2000), or at http://chronicle.com/daily/2000/05/2000051703n.htm.

an extended discussion of the cultural, religious, and ethical concerns associated with IGM, and be as open and inclusive as possible. Until then, no research or applications that could cause inheritable modifications in humans should go forward.

The AAAS working group did not address the strategies and structures that would be required to construct and sustain such dialogue over time. We acknowledge, however, the critical importance of designing mechanisms that are open to all voices that wish to be heard and that can be expected to improve public understanding of what is at stake in proceeding with IGM. We encourage others to join with us in considering how best to begin and sustain such a national (and international) conversation.

We hope this report will be a useful contribution to those public conversations. The future is not fixed. It is critical that we understand the possibilities that lie ahead so that we can make informed and reasoned choices about the future.

Prädiktive Gentests. Eckpunkte für eine ethische und rechtliche Orientierung*

Ethik-Beirat beim Bundesministerium für Gesundheit

(November 2000)

Ethische Grundsätze

Genetische Diagnostik und daraus resultierende Anwendungen erfolgen in einem durch ethische Werte und Normen strukturierten Raum. Diese ethische Strukturierung ist für alle Beteiligten mit Verpflichtungen verbunden.

Prädiktive Gentests[1] dürfen nur zum Wohle und mit Einwilligung der Person, die den Test in Anspruch nimmt[2] eingesetzt werden.

Die Anwendung prädiktiver genetischer Tests kann legitimen Interessen der Gesundheitsvorsorge und der Lebensplanung dienen. Diese Interessen sind zu schützen. Dabei muß die Entscheidungsfähigkeit der Probanden gewährleistet und gefördert werden. Abgewehrt werden muß möglicher Mißbrauch, insbesondere der Einsatz prädiktiver Tests ohne oder gegen den Willen der zu Testenden.

Jeder Form von sozialer oder politischer Diskriminierung aufgrund von genetischen Merkmalen ist entgegenzutreten. Insbesondere sind behinderte Menschen zu schützen. Die Tatsache, daß genetische Tests pränatal eingesetzt werden und, wenn dem Kinde eine schwere Krankheit oder Behinderung droht, häufig zu selektiver Abtreibung führen, kann von behinderten Menschen als Bedrohung erlebt werden. Es bedarf einer angemessenen Politik zur Förderung der Chancengleichheit behinderter Menschen, um diese Ängste zu mindern.

In der Beratung und Betreuung von Klienten und Patienten stehen *individualethisch* die Achtung vor der Autonomie und das Wohl der Betroffenen im Vordergrund. Daraus können sich in der konkreten Situation spezifische Schwierigkeiten der Abwägung oder Konflikte ergeben. Im Zweifel muß die Achtung vor der Autonomie des Einzelnen und seinem Bemühen, ein selbstbestimmtes Leben zu führen, Vorrang erhalten. Hierzu gehören die abgeleiteten Regeln wie die Einholung der

---

* Das Dokument ist im World Wide Web unter der Adresse „http://www.bmgesundheit.de/themen/gen/gen.htm“ verfügbar.

1 Die folgenden Ausführungen beziehen sich vor allem auf prädiktive Gentests, auch wenn die Grenzen zu diagnostischen Tests nicht immer scharf zu ziehen sind. Kriminologische und Vaterschaftstests werden nicht behandelt.

2 Die Bezeichnung der Personen, die den Test in Anspruch nehmen, ist nicht einheitlich. Häufig werden die Begriffe Klient/Klientin, Proband/Probandin, Patient/Patientin oder auch Testperson verwendet. Der vorliegende Text spricht zumeist von Proband/Probandin.

informierten Entscheidung (Zustimmung oder Ablehnung), die Verschwiegenheit u.a. Das ethische Prinzip der Hilfeleistung im Verbund mit der Verpflichtung, Schäden und Risiken zu vermeiden bzw. zu mindern, behält im heilberuflichen Kontext und seiner gewachsenen Tradition (Ethos des Helfens) große Bedeutung, stellt jedoch keine Legitimation zur Fremdbestimmung dar.

Bei den Wünschen von Ratsuchenden in der genetischen Beratung ist darüber hinaus auch unter *sozialethischen* Aspekten zu berücksichtigen, daß die Rechte anderer auf Selbstbestimmung, Hilfe oder Vermeidung von Schaden betroffen sein können. Dazu gehören Konflikte um die Vertraulichkeit von Daten, die die Gesundheit Dritter (Verwandter) betreffen. Auch wenn der Berater oder die Beraterin die Selbstbestimmung der Klienten zu respektieren hat, erlaubt seine bzw. ihre fachliche Übersicht und ethische Reflexion doch Hinweise an die Probanden, die Folgen von dessen Wünschen für Betroffene mit zu berücksichtigen. Die Akzeptanz von Wünschen der Ratsuchenden findet ihre Grenzen dort, wo Gesundheitsgüter anderer Betroffener erheblich bedroht werden oder wo Gewissensentscheidungen des Beraters oder der Beraterin herausgefordert sind.

Hintergrund

Im Rahmen der modernen Humangenomforschung werden immer mehr Veränderungen des Erbmaterials identifiziert, die mit der Entstehung von Krankheiten ursächlich in Verbindung gebracht werden können oder die gehäuft mit ihrem Auftreten einhergehen. Sobald eine krankheitsrelevante Genvariante identifiziert ist, lassen sich die betreffenden Strukturveränderungen mithilfe molekulargenetischer Untersuchungen – sogenannten „Gentests" – untersuchen. Heute stehen in der klinischen Praxis eine Vielzahl solcher Tests zur Verfügung. Viele werden zur Untersuchung monogen bedingter Erkrankungen eingesetzt, die durch die funktionelle Störung eines Gens verursacht werden. Mittlerweile sind über 5000 solcher Erkrankungen bekannt. Überwiegend sind sie jedoch extrem selten. Insgesamt machen sie nur 2 bis 3% der gesamten Krankheitslast aus. Die meisten häufiger auftretenden Erkrankungen sind multifaktoriell bedingt. Zu ihrer Entstehung bzw. Entwicklung können sowohl genetische als auch Umweltfaktoren wie beispielsweise Krankheitserreger oder Schadstoffe beitragen. Die Veränderung eines Gens hat in einem solchen komplexen Zusammenspiel zumeist weitaus geringere Auswirkungen als bei monogen bedingten Erkrankungen.

Überwiegend werden molekulargenetische Untersuchungen heute in humangenetischen Universitätsinstituten, in humangenetischen Zentren nichtuniversitärer Kliniken oder von einschlägig spezialisierten niedergelassenen Ärzten eingesetzt. Zunehmend finden molekulargenetische Untersuchungsmethoden jedoch auch in andere Bereiche wie die Onkologie, die Pathologie, die Mikrobiologie, die Immunologie und die klinischen Disziplinen Eingang.

Genetische Tests stellen Informationen über eine Person und auch deren Verwandte zur Verfügung. Sie können weitreichende Entscheidungen provozieren und das Leben der Betroffenen in hohem Maße beeinflussen. Unter dem Gesichtspunkt der Schutzwürdigkeit persönlicher Daten greifen sie in den Schutzbereich des allgemeinen Persönlichkeitsrechts ein. Aus diesen Gründen bedarf die Erhebung genetischer Daten und der Umgang mit ihnen besonderer Regelungen.

Gentests: Definitionen und Kategorien

Grundsätzlich kann jede einmal beschriebene DNA-Sequenz inklusive ihrer Veränderungen mithilfe einer molekulargenetischen Untersuchung erkannt werden. Dazu können unterschiedliche Techniken benutzt werden. Vereinfachend werden solche Untersuchungen heute auch Gentests genannt. Gentests erfassen Unterschiede zwischen Individuen oder krankheitsrelevante Veränderungen auf der Ebene des Erbmaterials. Sie können nach dem Zweck ihres Einsatzes unterschieden werden:

- Ein *diagnostischer Test* will die Ursachen bereits aufgetretener Symptome durch die Erfassung von genetischen Veränderungen auf somatischer Ebene (z.B. bei Tumorerkrankungen oder auch Infektionserkrankungen) oder auf der Ebene der Keimbahn (z.B. Muskeldystrophie) aufklären.
- Ein *prädiktiver Test* zielt darauf ab, genetische Veränderungen (Mutationen) zu identifizieren, die in späteren Lebensstadien mit erhöhter oder mit an Sicherheit grenzender Wahrscheinlichkeit zu einer Krankheit führen (z.B. familiärer Brustkrebs, Chorea Huntington).
- Mit *genetischen Screenings* wird in Gruppen oder Populationen mit durchschnittlichem oder leicht erhöhtem Krankheitsrisiko nach rezessiven Krankheitsallelen[3] (z.B. β-Thalassämie, Cystische Fibrose) oder (dominanten) Krankheitsveranlagungen (z.B. Fettstoffwechselstörungen) gesucht.

Zu prädiktiven Zwecken eingesetzte Tests lassen sich wiederum unterscheiden in:

- *prädiktiv-deterministische* Tests: Sie erfassen Gene bzw. Genveränderungen, die mit an Sicherheit grenzender Wahrscheinlichkeit im späteren Leben zur Entwicklung eines Krankheitsbildes führen. Als paradigmatischer Fall kann hier die Chorea Huntington genannt werden.
- *prädiktiv-probabilistische* Tests: Sie identifizieren genetische Veränderungen, die eine weitaus geringere Durchschlagskraft (Penetranz) haben. Auf der Grundlage solcher Tests sind bestenfalls Aussagen über die Wahrscheinlichkeit des späteren Auftretens einer Krankheit möglich, aber keinesfalls sichere, individuelle Prognosen.

Durch Gentests können desweiteren sogenannte Polymorphismen erfaßt werden. Dabei handelt es sich um mehr oder weniger häufig in der Bevölkerung vorkommende, normale Varianten eines Gens. Gelegentlich werden Verknüpfungen (Assoziationen) zwischen normalen, variablen Merkmalen und Krankheiten beobachtet[4]. In anderen Fällen ist die Grenze zwischen einem neutralen Polymorphismus und einer medizinisch relevanten Genvariante fließend[5].

Ein Problem dieser häufig getroffenen Unterscheidungen zwischen diagnostischen oder prädiktiven Gentests, oder auch zwischen individueller Untersuchung und Screening besteht darin, daß die *Grenzen zwischen den einzelnen Kategorien fließend* sind. Eine Untersuchung auf genetischer Ebene, die im Fall bereits aufgetretener Symptome in diagnostischer Absicht durchgeführt wird, kann in einem anderen Fall zu prädiktiven Zwecken eingesetzt werden; auch ist die individuelle Untersuchung vieler Mitglieder einer bestimmten Gruppe (z.B. der schwangeren Frauen) im Ergebnis mit dem eines Screening zu vergleichen.

---

3 Allele sind verschiedene Varianten ein und desselben Gens. Während es in der Bevölkerung viele hundert verschiedene Allele eines Gens geben kann, hat jeder einzelne Mensch höchstens zwei verschiedene Allele an jedem Genort (je eins von der Mutter und vom Vater geerbt).

4 Beispielsweise findet man bei spätmanifestierenden, familiären Fällen der Alzheimer Erkrankung eine Assoziation mit der E4-Variante des Apolipoproteins E4, eines Fetttransportproteins. Etwa 90% aller E4/E4-homozygoten Personen aus diesen Familien erkranken in hohem Alter an Morbus Alzheimer. Das Erkrankungsrisiko einer Person aus der Durchschnittsbevölkerung mit einem E4/E4-Genotyp liegt jedoch nur bei etwa 6 Prozent und damit wenig über dem durchschnittlichen Bevölkerungsrisiko von zwei Prozent.

5 Beispielsweise können die Gene des Cytochrom P450-Komplexes die Reaktion eines Menschen auf bestimmte Medikamentengruppen beeinflussen und von daher klinisch bedeutsam sein, ohne daß sie selber zur Entstehung einer Krankheit beitragen.

Von daher ist zu bedenken, daß Regeln, die für die Anwendung prädiktiver Test formuliert werden, grundsätzlich auch für Tests gelten sollten, die zu diagnostischen Zwecken eingesetzt werden. Dies läßt sich aus praktischen Gründen allerdings kaum durchhalten. Gleichwohl sollte das Gebot einer vor dem Test durchzuführenden Beratung umso stärker berücksichtigt werden, je weitreichender die Aussagen eines zu diagnostischen Zwecken durchgeführten Tests sind.

Zulassung von Gentests

Rechtlich gehören Gentests zu den *in vitro*-Diagnostika. Wenn sie „in professionellem und kommerziellem Rahmen zum Zwecke der medizinischen Analyse hergestellt und verwendet"[6] oder in den Verkehr gebracht werden sollen, müssen sie zukünftig den Anforderungen der „Richtlinie 98/79/EG des Europäischen Parlaments und des Rates vom 27. Oktober 1998 über In-vitro-Diagnostika" (IVD-Richtlinie) genügen. Diese Richtlinie wird mit dem Medizinprodukterecht (MPG) in deutsches Recht umgesetzt. Das MPG regelt die Entwicklung, Herstellung, das erstmalige Inverkehrbringen, das weitere Inverkehrbringen, die Inbetriebnahme und Anwendung von Medizinprodukten sowie die Überwachung und Abwehr von Risiken bei Medizinprodukten. Es regelt nicht die medizinischen Voraussetzungen für die Anwendung und die Interpretation der Messergebnisse von Medizinprodukten. Die Formulierung von Regeln, die beschreiben, unter welchen Bedingungen ein Arzt eine In-vitro-Untersuchung durchführen lassen oder ein externes Labor mit der Durchführung beauftragen darf, ist anderem Recht vorbehalten (z.B. Berufsausübung des Arztes).

Es muß also bei In-vitro-Diagnostika zur Vornahme genetischer Tests (Gen-IVD) unterschieden werden zwischen der technischen Leistungsfähigkeit des Medizinproduktes einerseits, die unter den Anwendungsbereich des MPG fällt, und der ärztlichen Untersuchung von Erbinformationen einschließlich der Auswertung und Beurteilung der Testergebnisse andererseits, die nicht unter den Anwendungsbereich des MPG fällt. In einem Fall geht es also um die Qualität des Produktes (des Tests), und im anderen Fall um die Qualität des Prozesses (Bedingungen und Regeln der Anwendung des Tests).

Entwicklungsperspektiven von Gentests

Trotz vieler wissenschaftlicher und technischer Fortschritte ist die Durchführung von molekulargenetischen Untersuchungen immer noch relativ aufwendig. Dies ist besonders dann der Fall, wenn ein Gen auf viele verschiedene Veränderungen hin untersucht werden muß, oder auch spezifische Veränderungen in mehreren Genen analysiert werden sollen. Die sogenannten *DNA-Chips* versprechen, solche Untersuchungen erheblich zu erleichtern und die dafür benötigte Zeit deutlich zu verkürzen. Auf einem Kunststoffträger („Chip") werden im Herstellungsprozeß verschiedene DNA-Stücke eines Gens fixiert, die eine der verschiedenen bekannten Mutationen enthalten. Bei der Untersuchung wird das aus den Zellen des Patienten isolierte Erbmaterial auf den Chip aufgetragen, wo es gegebenenfalls an eine der auf dem Chip fixierten Sequenz bindet. Auf diesem Wege läßt sich feststellen, ob und wenn ja welche der potentiell krankmachenden Genvarianten in den Zellen vorhanden sind. Je mehr unterschiedliche Proben sich auf dem DNA-Chip befinden bzw. unterbringen lassen, desto mehr Mutationen können zur gleichen Zeit entdeckt werden. Inzwischen werden bereits Chips angeboten, die 15.000 unterschiedliche Oligonukleotidsequenzen (kurze DNA-Stückchen) tragen. Auch wenn die Chip-Technologie noch sehr teuer und nicht voll-

[6] Vgl. IVD-Richtlinie, Präambel, Ziffer 11.

ständig praxisreif ist, ist absehbar, daß sie in nicht allzu ferner Zukunft auch standardmäßig verfügbar sein wird. Dann wird eine DNA-Probe auf viele unterschiedliche genetische Merkmale gleichzeitig untersucht werden können.

Probleme und Rahmenbedingungen prädiktiver Gentests

Unklar ist, wie sich die Nachfrage nach prädiktiven genetischen Tests entwickeln wird. Beispielsweise könnte die Idee einer selbstverantwortlichen Zukunftsplanung und gesundheitlicher Autonomie im Zuge weitergehender Veränderungen im Gesundheitswesen an Boden gewinnen und zu einer wachsenden Akzeptanz von Gentests in der Bevölkerung führen. Das Wissen über Erkrankungsrisiken kann jedoch den noch gesunden Menschen im Einzelfall zu weitreichenden Entscheidungen zwingen und problematische psychische oder soziale Konsequenzen nach sich ziehen. Von daher ist es allgemeiner Konsens, den Ratsuchenden *vor* einer genetischen Untersuchung eine Beratung anzubieten, die nicht nur über die Eigenschaften des Tests, die möglichen Testresultate und ihre medizinische und psychische Bedeutung informiert, sondern auch über die im Falle eines für sie nachteiligen Ergebnisses zur Verfügung stehenden Handlungsoptionen.

Speziell geschulten Ärztinnen bzw. Ärzten kommt deshalb bei der Anwendung genetischer Tests in verschiedener Hinsicht eine Schlüsselstellung zu, denn sie sind diejenigen, die die Indikation für einen solchen Test stellen und auch die dazugehörige Beratung vornehmen oder veranlassen.

Das *positive Potential* prädiktiver genetischer Tests entfaltet sich am deutlichsten dann, wenn eine spätere Erkrankung vermieden werden kann oder beginnende Erkrankungen frühzeitig erkannt werden und dadurch ein früherer oder gezielterer Einsatz präventiver oder therapeutischer Maßnahmen möglich ist (Beispiele: Adenomatöse Polyposis coli [FAP], Multiple endokrine Neoplasie Typ 2 [MEN2]). In anderen Fällen stehen dem Wissen um Erkrankungsrisiken jedoch keine wissenschaftlich erwiesenermaßen wirksamen medizinischen Präventionsmöglichkeiten gegenüber (Beispiele: Chorea Huntington, erbliche Formen des Brustkrebses). Auch in diesen Fällen kann das Wissen um ein Erkrankungsrisiko bei der Lebens- und Familienplanung hilfreich sein. Je größer jedoch die Differenz zwischen wachsendem Wissen und begrenzten Handlungsmöglichkeiten wird, desto dringlicher stellt sich die Frage nach den *Risiken prädiktiver Tests* für die Ratsuchenden.

Diskutiert werden medizinische, psychische und soziale Risiken. Zu den *medizinischen Risiken* gehören die Auswirkungen prophylaktischer Interventionen, deren Nutzen nicht hinreichend bewiesen ist. In der angstbesetzten Situation eines positiven Testergebnisses kann das Probanden/Probandinnen dazu verleiten, sich solchen Eingriffen/Maßnahmen zu unterziehen. Bei Tests des prädiktiv-probabilistischen Typs wird darüber hinaus ein beträchtlicher Teil der positiv Getesteten die Krankheit möglicherweise erst in einem fortgeschrittenen Lebensalter, und ein anderer Teil gar nicht entwickeln. Im zuletzt genannten Fall stünde dem Risiko einer prophylaktischen Interventionen kein Nutzen gegenüber.

Zu den *psychischen Risiken* gehören Ängste und Depressionen, die durch ein positives Testergebnis verstärkt werden können. Das Testergebnis, das ein mehr oder weniger gesichertes statistisches Risiko benennt, erscheint wie eine Hypothek, die auf dem Leben des Gesunden lastet. Dies kann als ein iatrogen – also durch ärztliches Handeln – induzierter Verlust von Hoffnung und Lebensqualität angesehen werden.

Zu den *sozialen Risiken* prädiktiver Tests gehören durch sie induzierte Beeinträchtigungen im Lebensstil und in der Lebensplanung; wachsende Erwartungen an das Individuum, präventive Maßnahmen zu ergreifen; negative Einflüsse auf die Gestaltung von Sozialbeziehungen; Entstehung von Spannungsverhältnissen zwischen Familienmitgliedern; Verletzungen des Rechts auf Nicht-Wissen; der Bruch der Vertrauensbeziehung zwischen Ärzten und Patienten; die Stigmatisierung von Familien mit erblichen Krankheitsdisposition sowie Risiken der Diskriminierung durch private

Kranken- oder Lebensversicherungen und Arbeitgeber. Nicht zuletzt kann sich eine Art von Sozialpflicht zur Offenbarung genetischer Daten oder auch zur Teilnahme an Bevölkerungsstudien etablieren, wenn dies nach Maßgabe wissenschaftlicher Expertisen für erforderlich gehalten wird, um neue genetische Prädispositionen ausfindig zu machen, die nur durch Massenuntersuchungen identifiziert werden können.

Die prädiktive Diagnostik hat das Potential, das Verständnis von Krankheit und den Umgang damit grundlegend zu verändern. Krankheiten und Krankheitsprozesse, die bislang auf der symptomatischen Ebene wahrgenommen und interpretiert werden, erfahren dadurch eine radikale Neudefinition. Die Genetik macht eine neue Taxonomie von Krankheiten verfügbar, die weniger auf phänotypischen Merkmalen als auf molekularen Merkmalen beruht. Dieser radikalen Neudefinition des Krankheitsverständnisses entsprechen therapeutische Strategien, die nicht erst an der sich entwickelnden Krankheit ansetzen, sondern weit vorgelagert bereits an der genetischen Normabweichung. Das medizinische System kann dadurch zum einen eine deutliche Expansion erfahren. Zum anderen kann die dadurch vorangetriebene Genetisierung des Krankheitsverständnisses zu einer Entfremdung des Patienten gegenüber sich selber und seiner Leiblichkeit führen.

Angesichts der heute zu beobachtenden Dynamik im Bereich der Entwicklung von Gentests wäre es illusorisch – und auch nicht wünschenswert –, solchen Tests den Eingang in die ärztliche Praxis zu verwehren. Dennoch gilt: die Verfügbarkeit prädiktiver Tests begründet nicht die Akzeptabilität und Akzeptanz jeder Testvariante, jeder Indikation, oder jedes Anwendungskonzeptes. Sie alle müssen jeweils einzeln und spezifisch auf ihre Tragfähigkeit und ihre Grenzen hin untersucht und bei Vorliegen neuer Befunde weiterentwickelt werden. Demzufolge sind es nicht nur die spezifischen technischen Eigenschaften des jeweiligen Tests, sondern auch und vor allem die Rahmenbedingungen seines Einsatzes und seine Konsequenzen für die Probandin oder den Probanden, die über seine medizinische Indiziertheit hinaus seine ethische und soziale Vertretbarkeit ausmachen.

Zu diesen Rahmenbedingungen der Anwendung gehört an zentraler Stelle die Beratung. Vor dem Hintergrund der historischen Belastung durch Eugenik-Programme und deren Orientierung an einer Beeinflussung des Genpools der Bevölkerung haben Humangenetiker die Verhaltensregel der „nicht-direktiven Beratung“ entwickelt. Die hiermit angestrebte implizite ethische Orientierung wird am deutlichsten mit dem Prinzip der Achtung vor der Autonomie des Einzelnen vor allen Pflichten einer Fürsorge oder „Führung“ des Ratsuchenden nach den Vorstellungen des Beraters ausgedrückt. Da in der Praxis der Wille des Klienten selten statisch, nicht immer eindeutig und auch nicht unbedingt zu verabsolutieren ist, wäre eine strikte Zurückhaltung des Beraters vor jeder Orientierungshilfe für den Ratsuchenden (Vermeidung von „Direktivität“) ethisch nicht überzeugend und auch nicht durchführbar: Im Extremfall könnte aus dieser Abstinenz eine psychologische Vernachlässigung („Alleinlassen“) des Klienten folgen. Daher sollte die Beziehung zwischen Berater und Ratsuchendem ausdrücklich an den ethischen Prinzipien orientiert werden, die primär die Achtung der Ziele des Klienten (Selbstbestimmung) und ergänzend eine Hilfestellung bei deren Erreichen (Wohl) sicherstellen. Information, Kommunikation und Gesprächsbereitschaft der Beraterin oder des Beraters sind leitende Prinzipien der Beratung.

Eine in fachlicher und psychosozialer Hinsicht qualitätvolle Beratung vor und nach einem Gentest reicht jedoch nicht aus, um die durch prädiktive Tests aufgeworfenen Problemlagen auszubalancieren. Um den Schutz der Ratsuchenden und Getesteten auch rechtlich abzusichern, ist die Formulierung spezifischer individualitäts- und autonomieschützender Persönlichkeitsrechte, etwa in Form eines Rechtes auf „geninformationelle Selbstbestimmung“ unumgänglich. Ein solches Recht muß eine genaue Bestimmung des Informationsrechts, der individuellen Aufklärungsansprüche, der Begrenzung fremder Informationsherrschaft sowie die Abwehr unerwünschter, gar aufgedrängter Information enthalten. Letzteres betrifft insbesondere den Umgang mit konkurrierenden Ansprüchen zwischen genetisch eng Verwandten, also den Konflikt zwischen dem Recht auf Wissen und dem Recht auf Nicht-Wissen. Weiterhin muß ein solches Recht die Entwicklung von Qualitätsstandards der Aufklärung – also von Kriterien der Beurteilung dessen, was Stand des wissenschaftlichen Wissens ist und damit Inhalt der ärztlichen Aufklärung zu sein hat – und von Mindestanforderungen an die Verstehenssicherung sicherstellen.

Anwendung der Gendiagnostik: Orientierungspunkte für eine rechtliche Regelung

Vor dem Hintergrund der derzeitigen dynamischen Entwicklung von Genomforschung und Gendiagnostik, aber auch in Anbetracht möglicherweise damit verbundener Gefährdungen individueller Rechte und anderer von der Verfassung geschützter Güter lassen sich im Blick auf die oben formulierten ethischen Grundsätze folgende Orientierungspunkte einer zukünftigen Regelung der (prädiktiven) genetischen Diagnostik formulieren:

Zweckbindung, Arztvorbehalt und Indikation

1. Prädiktive Gentests dürfen nicht durchgeführt werden, um Zugangsbarrieren zu sozialen Sicherungssystemen, zu Ausbildungs- oder Arbeitsplätzen zu errichten oder Zugangsprivilegien zu erlangen.

2. Der Einsatz prädiktiver Gentests darf nur zu medizinischen Zwecken und bei Vorliegen einer medizinischen Indikation erfolgen.

   Erläuterung: Mit „medizinischen Zwecken" ist hier die Erfassung von genetischen Veränderungen gemeint, die Krankheitsdispositionen zugrunde liegen oder mit ihnen einhergehen. Die Anwendung prädiktiver Tests, die auf die Erfassung von Veranlagungen eines Menschen abzielen, die nicht krankheitsrelevant sind, fällt nicht unter diesen Begriff.

   Der Begriff der Indikation wird definiert als „Grund zur Anwendung eines bestimmten diagnostischen oder therapeutischen Verfahrens in einem Krankheitsfall, der seine Anwendung hinreichend rechtfertigt" (Pschyrembel, Klinisches Wörterbuch 1994) oder „Grund oder Umstand, eine bestimmte ärztliche Maßnahme durchzuführen, die nach Abschätzen des möglichen Nutzens und Risikos .... (für den Patienten) sinnvoll ist" (Roche-Lexikon Medizin 1993). Darüber hinaus wird in der Medizin häufig noch nach „strenger" oder „relativer" Indikation unterschieden, wobei eine Maßnahme umso strenger indiziert ist, je mehr ihre Nichtanwendung dem Patienten schaden würde. Als medizinische Indikation zählt also auch die Feststellung einer Anlage für eine möglicherweise zukünftig ausbrechende Erbkrankheit oder die Feststellung einer Erbanlage, die bei der Fortpflanzung möglicherweise zu einer ernsthaften erblichen Krankheit des Kindes führen kann.

3. Behinderung ist nicht gleichbedeutend mit Krankheit. Behinderung alleine ist keine Indikation für eine genetische Untersuchung.

4. Prädiktive genetische Untersuchungen oder Untersuchungen zur Feststellung eines Überträgerstatus dürfen nur auf Veranlassung eines Arztes / einer Ärztin durchgeführt werden. Der veranlassende Arzt / die Ärztin hat die Beratung sicherzustellen.

   Erläuterung: Durch den Arztvorbehalt wird ausgeschlossen, daß Gentests außerhalb der Arzt-Patient-Beziehung, also gewissermaßen als Service auf dem Supermarkt kommerziell angeboten werden. Diese Einschränkung dient dem Schutz der Probanden. Sie soll gewährleisten, daß Testpersonen vor und nach dem Test Zugang zu qualifizierter Beratung haben und nicht mit für sie unverständlichen und möglicherweise beängstigenden Testergebnissen allein gelassen werden. Ein Arztvorbehalt im deutschen oder europäischen Recht wird allerdings die freie Verfügbarkeit von Gentests auf dem Weltmarkt (und im Internet) kaum verhindern. Aber bei angemessener Regelung des Zugangs zu den Gentests im Rahmen der Arzt-Patient-Beziehung wird der Anreiz, auf kommerzielle Angebote im Internet auszuweichen, gering bleiben.

Genetische Beratung und Voraussetzungen für die Einwilligung

5. Prädiktive genetische Tests dürfen nur mit schriftlicher Einwilligung der zu untersuchenden Person durchgeführt werden. Es dürfen keine Tests durchgeführt werden, in die nicht eingewilligt wurde.

   Voraussetzungen für die Einwilligung sind:

   - Die Einwilligung muß frei erfolgen.
   - Der Proband / die Probandin muß einwilligungsfähig sein.
   - Vor dem Test muß eine *Aufklärung* erfolgen. Sie muß folgende Aspekte umfassen:
     - Art, Inhalt und Ziel des Tests, Sicherheit der Aussage etc.,
     - mögliche gesundheitliche Konsequenzen eines positiven/negativen Testergebnisses,
     - vorhandene oder fehlende medizinische Handlungsoptionen bei positiven Testergebnis, sowie deren Risiken und Erfolgschancen.

     Bei der Aufklärung über die Aussagefähigkeit von Tests und die Wirksamkeit präventiver Maßnahmen oder Interventionen sind die wissenschaftlichen Erkenntnisse der evidenzbasierten Medizin sowie der gesundheitsbezogenen Technikfolgenabschätzung zu berücksichtigen.
   - Handelt es sich um genetische Untersuchungsverfahren oder prädiktive Gentests, deren klinische Validität erst noch etabliert bzw. verifiziert werden muß, ist der erhöhten Unsicherheit ihrer Aussage bei der Aufklärung und vor allem bei der Beratung Rechnung zu tragen.
   - Vor und nach dem Test muß eine qualifizierte und interdisziplinäre *Beratung* durch einen formal dafür qualifizierten Arzt angeboten werden, die sich beziehen muß auf:
     - die genetischen Aspekte der Untersuchung,
     - mögliche medizinische Konsequenzen der Untersuchung oder ihrer Unterlassung,
     - mögliche psychische Konsequenzen der Untersuchung oder ihrer Unterlassung,
     - mögliche familiäre und soziale Konsequenzen der Untersuchung oder ihrer Unterlassung.

     Bei der Beratung sind die wissenschaftlichen Befunde der psychologischen und sozialen Forschung über die Folgen genetischer Tests zu berücksichtigen.
   - Die Beratung muß an der Autonomie der oder des Ratsuchenden orientiert sein. Sie muß dem in solchen Situationen bestehenden Spannungsverhältnis zwischen Selbstbestimmung und Fürsorge gerecht werden, d.h., die Ratsuchenden sollen nicht bevormundet, aber es soll ihnen auch kein Rat verweigert werden. Es darf keine aktive (aufgedrängte oder aufdrängende) Beratung stattfinden.
   - Vor der Einwilligung ist eine angemessene Bedenk- und Beratungszeit einzuräumen.
   - Die Einwilligung ist jederzeit widerrufbar. Für den Fall des Widerrufs einer Einwilligung sind sämtliche personenbeziehbaren und personenbezogenen Unterlagen und Materialien, die zu dieser Person vorhanden sind oder geschaffen worden sind, zu vernichten.

Kommentar: Der Ethikbeirat geht davon aus, daß beim Einsatz prädiktiver Gentests neben dem selbstverständlichen Erfordernis der Einwilligung die angemessene Aufklärung und Beratung der Testpersonen gewährleistet werden muß. Aufklärung und Beratung dienen dem Schutz der Entscheidungs- und Handlungsfreiheit und der Förderung der Autonomie der Probanden. Der Gesetzgeber sollte die Verpflichtung zur Aufklärung und das

Angebot von Beratung regeln, nicht aber die Annahme des Angebots der Beratung vorschreiben (Beratungszwang). Wie bei sonstigen medizinischen Behandlungen, müssen die Betroffenen auch bei genetischen Tests das Recht behalten, auf die Beratung nach eigener Abwägung zu verzichten.

Problematisch ist, daß die bestehenden Beratungsangebote personell und finanziell teilweise nicht so ausgestattet sind, daß die Anforderungen an die Beratung in optimaler Weise erfüllt werden können. Von einigen Mitgliedern des Ethikbeirats wurden insbesondere Defizite bei der psychosozialen Beratung kritisiert und ihr Ausbau gefordert. Andere empfahlen, die entsprechenden Qualifikationen in der ärztlichen Weiterbildung zu stärken.

Die Verbesserung der Beratung ist ein Ziel, aber keine Bedingung. Die Beratung dient dem Schutz und der Förderung der Autonomie der Probanden, nicht einem davon losgelösten öffentlichen Interesse. Die Autonomie ist aber auch dann zu respektieren, wenn die Schutzvorkehrungen unvollkommen sind. Daher muß man genetische Tests in Anspruch nehmen können, obwohl die Beratungsprobleme nicht zufriedenstellend gelöst sind.

6. Erfolgt ein Gentest im Zusammenhang mit einer Behinderung, so ist nicht erst bei einem prädiktiven, sondern schon bei einem diagnostischen Test vorher und nachher eine Beratung anzubieten.

   Begründung: Behinderung als solche ist keine Erkrankung, bei der es diagnostisch nur um die Klärung der Ursache oder die Abgrenzung von einer (zukünftigen) anderen Krankheit geht. In der Beratung ist anzusprechen, ob die betroffene Person mehr über den Ursprung ihrer Seinsweise, über ihre Zukunft, über mögliche therapeutische Veränderungen dieser Seinsweise oder darüber etwas wissen möchte, ob es in Zukunft auch noch andere Familienmitglieder mit ihrer Seinsweise geben kann.

7. Bei genetischen Untersuchungen behinderter Menschen, die nicht nur vorübergehend in Einrichtungen leben, sind an die Beratung besonders strenge Ansprüche zu stellen.

   Begründung: Die Freiwilligkeit des dauerhaften Aufenthalts in Einrichtungen ist grundsätzlich fraglich und die Fähigkeit zur freien Willensbildung unvermeidlich eingeschränkt.

8. Ist bei einem Menschen mit Behinderung die genetische Bedingtheit einer (Teil-)Störung diagnostisch erwiesen, ist eine andere Behandlung als die von Trägern derselben Störung ohne genetische Bedingtheit nur bei nachgewiesener Wirksamkeit und Befristung der Maßnahme und persönlicher Einwilligung zulässig.

   Begründung: Da die für Menschen mit Behinderung gegebene Wahrscheinlichkeit, unter Sonderbedingungen leben zu müssen, durch Feststellung der genetischen Bedingtheit ihrer Behinderung noch zunehmen kann, ist sicherzustellen, daß eine solche Maßnahme nicht oder – wenn doch – nur zu ihrem zweifelsfreien Wohl erfolgt.

9. Die Probanden haben das Recht auf Einsicht in die gesamte, Behandlung, Aufklärung und Beratung betreffende Dokumentation.

10. Über die ärztliche Beratung hinaus ist den Ratsuchenden (besonders im Zusammenhang mit einer pränatalen Diagnostik) eine unabhängige (nicht medizinische oder humangenetische) psychosoziale Beratung anzubieten. Entsprechende institutionalisierte Beratungsangebote sind zu gewährleisten und finanziell sicherzustellen.

Pränatale Diagnostik

11. Prädiktive Tests, die auf das Risiko einer erst spät im Leben auftretenden Erkrankung hinweisen, sollen pränatal grundsätzlich nicht eingesetzt werden.

    Erläuterung: Der Beirat hält pränatale Untersuchungen, mit denen Dispositionen für (unbehandelbare) Krankheiten erhoben werden, die erst spät im Leben auftreten, für ethisch bedenklich. Das gilt vor allem, aber nicht nur, wenn der Ausbruch der Krankheit nicht mit Sicherheit vorausgesagt werden kann, wie etwa bei einer Disposition für die Alzheimer-Erkrankung. Solche Untersuchungen können nur das Ziel haben, die Option der selektiven Abtreibung zu eröffnen. Ganz unabhängig von der möglichen strafrechtlichen Bewertung einer solchen Abtreibung, erscheint es aber dem Beirat fragwürdig, die Entscheidung über den Schwangerschaftsabbruch oder die Geburt des Kindes davon abhängig zu machen, was in vierzig oder auch siebzig Jahren vielleicht der Fall sein könnte. Hinzu kommt, daß angesichts der Fortschritte der Medizin durchaus die Chance besteht, daß Krankheiten, die heute nicht oder nur schwer zu behandeln sind, zu dem Zeitpunkt, in dem sie das zukünftige Kind treffen könnten, gut therapierbar sind.

Dieser grundsätzliche Vorbehalt schließt nicht aus, daß sich eine schwangere Frau in einer Konfliktlage nach Beratung und sorgfältiger Abwägung der für sie wichtigen Aspekte gegen das Austragen der Schwangerschaft entscheiden kann.

Prädiktive Gentests an Kindern und einwilligungsunfähigen Jugendlichen

12. Bei Kindern und nicht einwilligungsfähigen Minderjährigen sollen prädiktive Tests nur dann eingesetzt werden, wenn

- in diesem Alter erwiesenermaßen wirksame krankheitsvorbeugende Maßnahmen zur Verfügung stehen bzw. belastende Maßnahmen (Untersuchungen) dadurch vermieden werden können.

  Erläuterung: Um die Entwicklung bestimmter erblicher Krebserkrankungen (z.B. Multiple Endokrine Neoplasie [MEN] oder Retinoblastom) frühzeitig erkennen und ihnen vorbeugen zu können, sind häufig belastende Untersuchungen bereits im Kindesalter erforderlich. Ein frühzeitiger Gentest kann jedoch diejenigen Kinder, die die krankhafte Genveränderung nicht besitzen, vor solchen Untersuchungen bewahren. Wenn allerdings in diesem Alter keine vorbeugenden Maßnahmen zur Verfügung stehen oder diese genauso wirksam sind, wenn Volljährigkeit erreicht ist, sollte zum Schutz der Selbstbestimmung ein prädiktiver Test nicht eingesetzt werden. Dies ist als allgemeine Regel zu beachten.

  Abweichungen von dieser Regel unterliegen einer besonderen Begründungspflicht. Ein solcher Fall läge vor, wenn ein Kind getestet werden soll, um die für eine pränatale Untersuchung eines Ungeborenen (z.B. auf Muskeldystrophie Typ Duchenne) notwendigen genetischen Informationen zu erhalten. Solche Untersuchungen bedürfen einer eigenen Bewertung, bei der dem Kindeswohl Vorrang vor den Interessen der Eltern einzuräumen und der Widerstand von Kindern besonders zu berücksichtigen ist.

- wenn die dem Entwicklungsstand entsprechende Zustimmung berücksichtigt wird, und
- wenn die Zustimmung des Kindes und der Eltern dokumentiert ist.

Prädiktive Gentests an einwilligungsunfähigen Erwachsenen

13. An einwilligungsunfähigen Erwachsenen soll ein prädiktiver Test nur mit Einwilligung eines gegebenenfalls zu bestellenden Betreuers (§ 1901 BGB – Wohl des Betreuten – und § 1904 BGB – Genehmigung des Vormundschaftsgerichtes) und nur dann durchgeführt werden, wenn

- der oder dem Betreffenden ohne eine solche Untersuchung Leiden oder gesundheitliche Nachteile drohen, und
- wirksame präventive oder prophylaktische Maßnahmen zur Verfügung stehen, und
- nach nachweislich gesicherter Erkenntnis für die oder den Betreffende/n eine konkrete Heilungsaussicht besteht (Heilversuch), und
- die Risiken des dafür notwendigen gendiagnostischen Eingriffs geringer sind als der erwartete Nutzen für die oder den Betroffene/n selber, und

– der Betreuer beraten worden ist (hier gelten die unter Punkt 5 formulierten Anforderungen).

Erläuterung: Aus genetischen Schädigungen oder Risiken können sich diagnostische, therapeutische oder präventive Testindikationen ableiten, die dem Wohle des Betroffenen dienen. Deshalb sollen einwilligungsunfähige Erwachsene nicht grundsätzlich von genetischen Tests ausgeschlossen werden. Bei ihrer Durchführung hat das Wohl der zu testenden Person Priorität. Tests, die ausschließlich dem Wohle Dritter dienen, sind von daher – unabhängig von der Einwilligung eines Betreuers – ausgeschlossen.

Genetische Gruppenuntersuchung (Screening)

14. Gruppenuntersuchungen (engl.: screening) mit prädiktiven Gentests dürfen durchgeführt werden, wenn
    - die Freiwilligkeit gewährleistet ist,
    - es sich dabei um Untersuchungen auf genetische Dispositionen für nachweislich vermeidbare Erkrankungen handelt,
    - Aufklärungs- und Beratungsstandards eingehalten werden, wie sie für individuelle Tests gelten, und
    - der Datenschutz gesichert ist.

Desweiteren sind die Empfehlungen der „European Society of Human Genetics" zu berücksichtigen.

15. Gruppenuntersuchungen zur Identifikation von heterozygoten Überträgern rezessiver Krankheitsallele sind nicht zulässig.

Erläuterung: Anders als bei der ärztlichen Handlung, die durch das Bedürfnis einer notleidenden oder Rat und Aufklärung suchenden Person initiiert wird, übernimmt bei Gruppenuntersuchungen das Gesundheitssystem und damit der Staat die Rolle des Akteurs. In diesen Fällen würden auch Menschen mit einem Testangebot konfrontiert werden, für die keine individuelle Indikation vorliegt, für die allerdings ein – verglichen mit der Gesamtbevölkerung – mehr oder weniger erhöhtes Erkrankungsrisiko vorliegt.

Trotz der berechtigten und notwendigen Fokussierung auf das individuelle Wohl stellt sich an dieser Stelle die Frage nach dem Verhältnis zwischen Bürger bzw. Bürgerin und Staat. Der Ethikbeirat vertritt die Auffassung, daß die Möglichkeit der gezielten Krankheitsprävention es rechtfertigt, eine Gruppe von Menschen, für die keine individuelle Testindikation vorliegt, aktiv mit dem Test zu konfrontieren, damit die Personen mit einem positiven Testergebnis rechtzeitig präventive Maßnahmen in Anspruch nehmen können.

Bislang ist jedoch die Frage, ob der Einsatz prädiktiver Gentests in Form eines freiwilligen Angebots an bestimmte Bevölkerungsgruppen gegenüber anderen Maßnahmen einen Vorteil für die zu diesen Gruppen gehörigen Individuen hat, nicht hinreichend geklärt. Dennoch ist nicht auszuschließen, daß ein solcher Nutzen in bestimmten Fällen nachgewiesen werden kann. In solchen Fällen erscheinen Screenings mit prädiktiven Gentests auf Veranlagungen für vermeidbare Erkrankungen unter den oben genannten Bedingungen vertretbar.

Screeninguntersuchungen auf heterozygote Krankheitsallele, die bei den Trägern selber nicht zu Krankheiten führen, sind dagegen nicht zu rechtfertigen. Da es bei solchen Untersuchungen nicht um die Vermeidung einer Krankheit bei den untersuchten Individuen geht, treffen die Gründe, die ein Screening auf Veranlagungen für vermeidbare Krankheiten berechtigt erscheinen lassen, nicht zu.

Prädiktive Gentests im Rahmen von medizinischen Forschungsvorhaben

16. Werden prädiktive genetische Tests im Rahmen medizinischer Forschungsvorhaben vorgenommen, sind besondere Maßnahmen zum Schutz der informationellen Selbstbestimmung der Probanden zu ergreifen (siehe Kriterien in der Stellungnahme des Landesbeauftragten für den medizinischen Datenschutz Schleswig-Holstein vom 19. April 2000).

17. Die Nutzung von aus anderen Gründen entnommenen Gewebeproben für Genomanalysen ist grundsätzlich unzulässig.

18. Jede zusätzliche Nutzung von entnommenen Gewebeproben für genetische Untersuchungen ist grundsätzlich nur bei getrennter schriftlicher Zustimmung des Probanden zulässig.

19. Personenbezogene genetische Daten sind auf Wunsch des Probanden zu löschen.

    Kommentar: Solange keine gesetzlichen Regelungen vorliegen, schlägt der Ethikbeirat (unbeschadet einer weiteren Prüfung) vor, so zu verfahren, soweit dies gesetzlich zulässig ist. Desweiteren wird angeregt, eine gesetzliche Regelung zum Umgang mit alten Blut- und Gewebeproben zu schaffen, deren weitere Verwendung zum Zeitpunkt der Entnahme keiner expliziten Zustimmung bedurfte.

Schutz vor unerwünschter Information und Datenschutz

20. Jede Person hat das Recht auf Schutz vor von ihr nicht gewünschten Informationen, die ihre genetische Konstitution betreffen (Recht auf Nichtwissen).

21. Genetische Daten dürfen nur mit ausdrücklicher Zustimmung des Klienten / der Klientin an Dritte (auch an Verwandte) weitergegeben werden. Davon ausgenommen sind die Fälle, in denen der Arzt / die Ärztin nach Maßgabe des § 34 Strafgesetzbuch zum Schutz höherrangiger Interessen Dritter berechtigt ist, die Schweigepflicht zu brechen.

    Erläuterung: Aus ethischer Sicht kann es in besonderen Fällen sogar geboten sein, die Schweigepflicht zu brechen, um Schaden von Dritten abzuwenden. In diesen Fällen muß der Arzt den Patienten von der Weitergabe der Informationen unterrichten.

Prädiktive Gentests im Arbeits- und Versicherungsbereich

22. Im Rahmen von medizinischen Eignungsuntersuchungen vor dem Abschluß von Arbeitsverträgen dürfen prädiktive Gentests weder verlangt, noch angenommen oder sonstwie verwertet werden.

    Erläuterung: Ein Verwertungsverbot erscheint zum Schutz vor genetischer Diskriminierung auf dem Arbeitsmarkt geboten. Arbeitgeber können legitimerweise bei der Auswahl von Beschäftigten deren gegenwärtige (auch gesundheitliche) Eignung für den vorgesehenen Arbeitsplatz prüfen. Sie haben aber kein legitimes Interesse, auch das mögliche zukünftige Krankheitsschicksal der Arbeitnehmer dabei in Rechnung zu stellen.

    Aus arbeitsmedizinischer Sicht mag es naheliegen, Arbeitnehmer, die genetisch bedingt besonders anfällig für die Risiken des vorgesehenen Arbeitsplatzes sind, zu ihrem eigenen Schutz von dem Arbeitsplatz fernzuhalten – wenn diese Risiken nach den anerkannten Regeln des Arbeitsschutzes nicht durch andere Maßnahmen auszuschließen sind. Eine solche Prävention schützt aber den Arbeitnehmer nicht nur, sie schließt ihn auch von Beschäftigungsmöglichkeiten aus. Das kann allenfalls in Frage kommen, wenn der vorgesehene Arbeitsplatz eine erhebliche (zusätzliche) Gefährdung der Gesundheit oder des Lebens des Arbeitnehmers mit sich bringt. Bewerber sollten auf die Möglichkeit hingewiesen werden, sich außerhalb des Arbeitsverhältnisses genetisch testen zu lassen; sie sollten aber selbst entscheiden, ob sie ein eventuell erhöhtes Risiko in Kauf nehmen wollen.

Es kann gegenwärtig dahingestellt bleiben, ob man von diesem Grundsatz abweichen müßte, wenn (1) prädiktive Tests den Ausbruch einer Krankheit prognostizieren, durch die der Arbeitnehmer schlagartig funktionsunfähig wird, und (2) der plötzliche Ausfall am vorgesehenen Arbeitsplatz eine erhebliche Gefährdung Dritter bedeuten würde – hypothetische Beispiele wären Herzinfarkt oder Epilepsie bei Lokführern oder Flugzeugpiloten. Bisher sind solche Tests keine realistische Perspektive.

Ob es eine Indikation für die Anwendung prädiktiver Tests im Rahmen arbeitsmedizinischer Vorsorge innerhalb bestehender Arbeitsverhältnisse gibt, bleibt zu prüfen. In diesen Fällen würde der Arbeitnehmer aber jedenfalls den Schutz des bestehenden Arbeitsverhältnisses genießen.

23. Versicherer dürfen Ergebnisse prädiktiver Tests, die mit Sicherheit oder erhöhter Wahrscheinlichkeit auf das Auftreten einer Krankheit später im Leben hinweisen, weder verlangen oder annehmen oder sonstwie verwerten.

Hat der Versicherungsnehmer von sich aus einen prädiktiven Gentest veranlaßt, so ist er gegenüber privaten Versicherern verpflichtet, auf Nachfrage das Testergebnis mitzuteilen, falls er den Abschluß einer Versicherung mit einer ungewöhnlich hohen Versicherungssumme beantragt, wobei diese Grenze gesetzlich festzulegen ist.

Erläuterung: Es erscheint plausibel, die Nutzung prädiktiver Gentests auszuschließen, um Versicherungsnehmer vor der Gefahr genetischer Diskriminierung zu schützen. Allerdings ist die beim Abschluß von Versicherungsverträgen übliche Risikoeinstufung immer schon prädiktiv in dem Sinne, daß sie auf Indikatoren abstellt, die Informationen über die Wahrscheinlichkeit zukünftiger Krankheit und die Lebenserwartung enthalten. Dabei wird auch nach genetischen Merkmalen differenziert – teils nach solchen, die auf der Hand liegen, wie dem Geschlecht, teils nach solchen, für die es Anhaltspunkte aus einer medizinischen Prüfung gibt, wie den Befunden der Familienanamnese. Will man nicht auch die Nutzung solcher Informationen ausschließen, ergeben sich Abgrenzungsprobleme zu einigen prädiktiven Gentests für spät ausbrechende Krankheiten. Entscheidend dürfte sein, daß Versicherungsnehmer weder direkt noch indirekt gezwungen werden sollen, sich (unter Mißachtung ihres Rechts auf Nicht-Wissen) genetisch – und ggf. auch biochemisch – ausforschen zu lassen, um Versicherungsschutz zu üblichen Prämien zu bekommen.

Um dem Einzug prädiktiver Gentests in die Versicherungsverhältnisse vorzubeugen, muß es auch Versicherungsnehmern verwehrt bleiben, von sich aus Testergebnisse zu präsentieren, um eine für sie besonders günstige Risikoeinstufung und Prämiengestaltung zu erreichen. Ob sie solche Ergebnisse nutzen dürfen, um Indizien (etwa aus der Familienanamnese) auszuräumen, die bei der Risikoprüfung zu ihren Lasten veranschlagt worden sind und zu einer erhöhten Prämie geführt haben, bleibt zu prüfen.

Dem Grundgedanken des § 16 Versicherungsvertragsgesetz widerspricht es, daß Versicherungsnehmer eigenes Wissen aus prädiktiven Gentests in unfairer Weise ausnutzen. Allerdings sollte die bloße Tatsache, daß der Versicherungsnehmer bei Abschluß des Vertrages weiß, daß er in Zukunft mit dem Eintritt eines Risikos sicher zu rechnen hat, nicht als unfaire Ausnutzung gelten, wenn die beantragte Versicherung sich im üblichen Rahmen bewegt. Diese Regelung sollte verbindlich gemacht werden. Darüber hinaus ist zu prüfen, ob nicht festgelegt (und fortgeschrieben) werden kann, nach welchen Tests die Versicherer fragen dürfen, wenn der Abschluß einer Versicherung mit ungewöhnlich hoher Prämie beantragt wird. Eine solche Regelung wäre in besonderer Weise dafür geeignet auszuschließen, daß jemand, der sich aus medizinischen Gründen genetisch testen läßt und sich später versichern lassen will, dann Nachteile erleidet, weil er Kenntnis über seine genetischen Dispositionen hat. Er kann sich lediglich durch diese Kenntnis keine Vorteile verschaffen.

Neue Testtechnologien und Qualitätssicherung

24. Für den klinischen Einsatz von DNA-Chips sind besondere Standards zu entwickeln.

- An Chips sind vergleichbare Verläßlichkeits-, Reliabilitäts- und Validitätskriterien anzulegen wie an reguläre DNA-Tests.

- Mithilfe von DNA-Chips dürfen nur diejenigen Gene bzw. deren Veränderungen untersucht werden, die für ein spezifisches Krankheitsbild und dessen Behandlung relevant sind.
- An den Einsatz von DNA-Chips sind von daher die gleichen Regeln bezüglich der Indikation anzulegen wie an den Einsatz regulärer genetischer Untersuchungen.
- Mehrfach-Tests zur Erfassung von genetischen Veranlagungen für mehrere Krankheiten sind nur dann zu akzeptieren, wenn dabei die Anforderungen, die an Einzeltests zu stellen sind, eingehalten werden.

25. Zur Sicherung der Qualität von Diagnose und Beratung wird die Durchführung genetischer Untersuchungen von einer formalen Akkreditierung (formalen Zulassung) der gendiagnostischen Labore, Praxen oder Institute abhängig gemacht.

Unabhängige Kommission

26. Der Ethikbeirat empfiehlt dem Gesundheitsministerium, eine unabhängige Kommission zu berufen. Sie besteht aus Mitgliedern unterschiedlicher Disziplinen und gesellschaftlicher Gruppen unter Einschluß behinderter Menschen und anderer Betroffenengruppen. Sie beobachtet die Entwicklung der Gendiagnostik und berichtet in regelmäßigen Abständen über den Stand ihrer Anwendung und über dadurch ausgelöste Entwicklungen (z.B. im Bereich des Schutzes genetischer Daten).

    Sie formuliert Empfehlungen, nicht zuletzt im Blick auf die Fortschreibung bestehender rechtlicher Regelungen. In Verbindung mit ihrer beratenden Funktion wirkt die Kommission an der öffentlichen Diskussion über Genetik mit, dies insbesondere dann, wenn durch Entwicklungen in der Genetik das Gesundheitssystem und die Gesellschaft als ganze betroffen sind.

Protection of Genetic Information: An International Comparison

Executive Summary*

Human Genetics Commission (HGC), UK
(Author: Deborah Crosbie)

(September 2000)

1. The Human Genetics Commission is considering issues around the storage, protection and use of personal genetic information. As part of this work, it commissioned this report, which aims to provide a comprehensive review of international law and regulation concerning the protection of genetic data in a wide range of contexts. The report also examines policy statements and guidelines issued by relevant organisations. The report covers: Australia, Canada, the United States, Germany, the Netherlands, and Sweden. However, it focuses on Australia and Canada as the most relevant comparators to the United Kingdom. The report considers the existing law and regulation in each of these countries under seven heads: DNA data banks, insurance, employment, data protection and privacy, forensics, research, and adoption. A section is also included on international protections. Notwithstanding that these categories are considered individually, it should be borne in mind that they are in fact inter-related, and ideally should be read together.

2. A clear distinction exists between legislation and policy that relates to *criminal* DNA databanks, and that which relates to *clinical* DNA databanks. The only exception is the Australian *Genetic Privacy and Non-discrimination Bill* 1998, which sets out basic requirements intended to ensure that *all* collections of DNA samples achieve a minimum standard.

3. As regards legislation relating to criminal DNA databanks, there is considerable variation in the terms and provisions of national legislation. For example, the categories of offences that will result in convicted offenders being entered into the DNA databank vary considerably. Similar differences are to be found as regards the use of information and samples held in the databanks.

4. There is generally more consensus in terms of policy relating to clinical DNA databanks, which are established primarily to meet the health care and future service needs of individuals, and their families, affected by genetic disorders. For example, all the policy regarding clinical databanks considered in this report provides that, as a general rule, the subjects' written consent is

* Das vollständige Dokument ist im World Wide Web unter der Adresse „http://www.hgc.gov.uk/business_publications.htm#geneticregulations" verfügbar.

required before the information contained in the databank can be disclosed to third parties.[1] Moreover, all the policies specify that certain information must be provided to individuals whose DNA is to be stored for clinical purposes before obtaining their consent. Some require that the individual be informed of the potential risks of storage[2], and some also recommend that individuals should be informed of the possible consequences for family members[3]. All the recommendations stipulate that individuals whose DNA is to be stored in a clinical DNA databank should be informed of the purposes for which their sample is to be stored, and that participation is voluntary.

5. The issue of genetic discrimination in insurance is one of the most contentious, and, accordingly, it has attracted the attention of national legislators and policy-makers. Both the Netherlands and the USA[4] have enacted legislation that restricts genetic discrimination in insurance; Australia has attempted to; the Swedish State has signed an agreement with insurers governing their use of genetic information; and the German Bundestag has set up a Commission of Inquiry into "Law and Ethics in Modern Medicine" which will consider, amongst other things, genetic information. Notwithstanding the fact that these countries all agree that some form of regulation of insurers' use of genetic information is required, the type and terms of the protections differ considerably.

6. One explanation for some of the variation is that there are fundamental differences in terms of national provision of health care. For example, the Australian *Medicare* system provides universal health care to Australians, whereas the overwhelming majority of Americans rely on health insurance to meet their health care needs. Accordingly, US legislation focuses predominantly on prohibiting unfair discrimination with respect to health insurance, whereas the universal provision of health care under the *Medicare* scheme means that the discrimination issues are of most relevance with respect to life, disability, and employment insurance.

7. In terms of the restrictions provided by the various legislation, voluntary codes, and agreements, there is a general consensus that it is inappropriate to permit insurers to require applicants to undergo genetic testing as a condition of obtaining insurance, as this is incompatible with an individual's "right not to know". There is less agreement, however, as to what use insurers should be able to make of existing genetic information.

8. Another key difference in the various regulation is the meaning given to "genetic testing" and "genetic information". Some regulation construes "genetic testing" very narrowly, whereas other regulation defines it more inclusively. For example, the Swedish Agreement restricts the definition of genetic testing, for the purposes of the agreement, to presymptomatic, predictive, and susceptibility testing. In contrast, legislation enacted in South Carolina and Maine provide that a genetic test is any laboratory test for determining the presence or absence of genetic characteristics in an individual. Moreover, legislation such as the *Medical Checks Act* does not define either genetic testing or genetic information because such definitions are not relevant to the application of its provisions. Accordingly, it is not really possible, or indeed appropriate, to isolate the definitions of such terms for the purpose of comparison, as each must be read and understood in its context; that is, in terms of the aims and purpose of the legislation (or policy), and in light of the terms of other provisions.

---

[1] Note, however, the exception provided by the Australian Health Ethics Committee where the information is sought under subpoena.

[2] E.g. the Human Genetics Society of Australasia and the Canadian College of Medical Geneticists.

[3] E.g. the Human Genetics Society of Australasia and the Swedish Medical Research Council.

[4] At a state level.

9. Thus far, the only countries[5] with specifically enacted legislation to restrict employers' use of genetic information are The Netherlands and the USA. The Australian *Genetic Privacy and Non-discrimination Bill* 1998 would have addressed the issue had it been enacted, but the Senate Legal and Constitutional Committee recommended that the Bill did not proceed, pending further consideration of the issues. In those countries that do not have specific regulations prohibiting or limiting employers access to, and use of, genetic information, existing anti-discrimination and privacy legislation may nevertheless provide individuals with some protection. For example, current protections in Australia derive from the existing general disability discrimination legislation. However, the Senate Legal and Constitutional Committee concluded that such legislation does not provide adequate protection for employees against improper or unfair use of genetic testing. The Committee was also of the opinion that allowing employers to require applicants or employees to submit to genetic testing would conflict with an individual's "right not to know". Given that both Australia and the USA consider their existing protections to be inadequate, it is likely that these countries will enact specific legislation in the future.

10. 'Data protection and privacy' is a very broad category and it should be remembered that the protections considered under this head also have implications with regard to the collection, storage, and use of genetic information by employers, insurers, researchers, and other individuals and organisations.

11. Nearly all the legislation considered does not relate specifically to the protection of personal genetic data; rather, it is general data protection legislation that may nevertheless apply to the collection, storage, and use of personal genetic data. The one exception to this is the *Manitoba Personal Health Information Act* 1997, which explicitly states that the definition of "health information" includes genetic information. A further limited exception is the Dutch *Personal Data Protection Act* 2000, which contains a specific provision relating to the processing of "data concerning inherited characteristics". Under this provision such data may only be processed with respect to the data subject, unless a serious medical interest prevails or the processing is necessary for the purpose of scientific research or statistics.[6]

12. Not all of the legislation distinguishes between "health information" and other individually identifying "personal information".[7] Moreover, with the limited exception of the Dutch *Personal Data Protection Act*, none of the legislation distinguishes between "genetic information" and other "health information".[8] Indeed, the Swedish Ministry of Health and Social Affairs has expressly stated that there is no need to distinguish between genetic and other medical data, because data obtained from a genetic examination is already protected by existing legislation regarding the confidentiality of medical records.

13. The provisions considered under the section on Forensics relate very closely to the provisions considered in relation to criminal DNA databanks, and, ideally, the two should be considered in conjunction.

---

[5] Of those studied in this report.

[6] In which case: the research must serve the public interest; the processing must be necessary for the research concerned; it must be impossible, or would involve a disproportionate effort, to ask the individual for express consent; and sufficient guarantees must be provided to ensure that the data subject's privacy is not adversely affected to a disproportionate extent.

[7] See the German *Federal Data Protection Act* 1990.

[8] Note that the *Manitoba Personal Health Information Act* 1997 explicitly states that "health information" includes "genetic information".

14. There are considerable differences in the scope and terms of the forensic procedures legislation considered in this report. Firstly, the Australian *Crimes Amendment (Forensic Procedures) Act* 1998 is the only legislation that distinguishes between intimate and non-intimate forensic procedures. The significance of this distinction in terms of the Act relates primarily to the ordering of forensic procedures to which the suspect has not consented. Non-intimate procedures may be carried out without the suspect's consent on the order of a constable; whereas an order from a magistrate authorising the carrying out of the procedure must be obtained before an intimate procedure can be carried out on a suspect who has not consented. The Act specifically provides, however, that a court order must be obtained to authorise the carrying out of any forensic procedure on a minor or person who lacks the capacity to consent.

15. Other differences are to be found in terms of the types of procedures that may be authorised. For example, the Canadian Criminal Code[9] authorises the taking of buccal swabs, blood samples, and hairs, *including* the root sheath, whereas the Australian legislation specifically provides that the Act does not authorise the taking of a hair by removing the root. Moreover, the German *Code of Criminal Procedure* authorises the taking of blood and other "bodily intrusions".

16. The various legislation also contains different provisions regarding the use of force to enable a procedure to be carried out. At one extreme, the Canadian legislation provides that "as much force as is necessary" may be used for the purpose of carrying out the procedure. In contrast, the German legislation states that the use of direct force must be authorised by a special court order.

17. Research is an area that is generally self-regulated by national health and medical research councils.[10] There is a general consensus as to the ethical requirements of research involving human beings and, specifically, human genetics research.

18. All the policy statements provide that:

- informed consent is usually required;
- the consent requirement may be waived in certain circumstances[11];
- where the research subject is incapable of consenting to participation, consent should be sought from the subject's legal representative;
- an informed consent requires the individual to be provided with information regarding the purpose of the research, whether information obtained is to be coded, de-identified or identifiable, privacy protections, that the results of the research may be commercialised, the possible consequences of participating in the research, whether samples will be stored for future research purposes, and that participation is voluntary and consent may be withdrawn at any time;
- where the research is likely to produce results that relate to the individual's health status, appropriate genetic counselling should be available.

---

9 See, Canadian *DNA Identification Act* 1998 para 1.36 and following.

10 Note, however, the Swedish *Act Concerning Use of Gene Technology on Human Beings* 1991.

11 Generally, if the research entails "minimal risk" for the subjects, if the research requires the requirement to be waived, and if the research will not adversely affect the "rights and welfare" of the individual. Or, in cases where the individual has consented to the use of their genetic data in an earlier research project, and the subsequent project is directly related to the earlier project. Or, if the research involves de-identified or coded data.

19. The key issue with regard to research into human genetics is not, therefore, what ethical standards should apply, but rather how these standards are applied in practice. On this issue, the position in the USA gives much cause for concern. In short, it is not sufficient to have ethical guidelines or codes of conduct governing human genetics research if these guidelines cannot be, or are not, enforced effectively.

20. Thus far, the USA is the only country to specifically address the issue of genetic testing in adoption. The issue first attracted the attention of the American Society of Human Genetics (ASHG) in the mid-1980s. The ASHG's early statements reflect the enthusiasm of the scientific world about the potential uses and benefits of the developing genetic testing technology. Thus, in its 1986 report, the ASHG considered whether the collection of genetic information concerning adopted children and their parents should be *required by law.*

21. However, as the potential risks of genetic testing (particularly genetic discrimination and stigmatisation) became more widely recognised, the ASHG modified its approach. Accordingly, more recent statements recognise the need to distinguish between the types of genetic tests currently available, and the purpose of such tests. The ASHG considers that only genetic testing for preventable or treatable diseases, and testing for serious childhood diseases, should be viewed with "unqualified approval". As regards other types of genetic testing, such as for adult-onset diseases or carrier status, the ASHG recommends that such testing is inappropriate and cannot be justified.

22. The American Society of Human Genetics issued a joint statement with the American College of Medical Geneticists in 2000. The statement considers the issue of genetic testing in adoption in terms of the interests of a number of parties, including the adoptee, the adoptive parents, the biological parents, and the adoption agency. Notwithstanding the interests of other parties, the adoptees' interests should always prevail. Moreover, the ASHG/ACMG joint statement advises that caution must be exercised "to avoid crafting an approach that is too broad in encouraging the collection of genetic information in the adoption process", which arguably their earlier statements did.

The Use of Genetic Information in Insurance: Interim Recommendations of the Human Genetics Commission*

Human Genetics Commission (HGC), UK

(May 2001)

At the request of Ministers, the Human Genetics Commission (HGC) has been reviewing the wider social and ethical implications of the use of genetic information in insurance. As part of the ongoing review, the HGC met on 1 May to consider consultation responses, additional information from the insurance industry and the report of the House of Commons Science and Technology Committee.

The HGC concluded that it was important to establish a clear and defensible regulatory system which not only balances the interests of insurers, insured persons, and the broader community but also enjoys the confidence of the public. In order to achieve this aim, the HGC has therefore decided to recommend to Government an immediate moratorium on the use by insurance companies of the results of genetic tests. We note that the industry has accepted that genetic tests of any real predictive value are only relevant in relation to a very few rare diseases and agree that to exclude their use would have no serious economic impact on the insurance industry.

In the HGC's view the moratorium should embrace the following features:

No insurance company should require disclosure of adverse results of any genetic tests, or use such results in determining the availability or terms of all classes of insurance.

The moratorium should last for a period of not less than three years. This will allow time for a full review of regulatory options and afford the opportunity to collect data which is not currently available. The moratorium should continue if the issues have not been resolved satisfactorily within this period.

The moratorium will not affect the current ability of insurance companies to take into account favourable results of any genetic test result which the applicant has chosen to disclose.

The issue of family history information presents particular difficulties. The Commission is concerned that the insurance industry's principle of open disclosure and utmost good faith by the parties seems to fall most heavily on the consumer. Few people are provided with information as to how their premiums are loaded. HGC understands that family history information can amount to genetic information and is not always interpreted appropriately in underwriting.

---

* Das Dokument ist im World Wide Web unter der Adresse „http://www.hgc.gov.uk/business_publications_statement_01may.htm" verfügbar.

During the moratorium period HGC will address the issue as to how family history information is used by insurers.

An exception should be made for policies greater than £500,000. This will address concerns about adverse selection, the process by which persons having a known risk set out to acquire substantial insurance cover. (The HGC, however, has yet to see evidence of the extent to which adverse selection takes place in this context.) We recommend this upper financial limit on the basis of the industry's own tables and information as a protection from significant financial loss.

Only genetic tests approved by the Genetics and Insurance Committee (GAIC) should be taken into account for these high-value policies. The HGC believes that there remains a need for an expert body of this kind, but that the criticisms of the GAIC voiced by the House of Commons Science and Technology Select Committee must be addressed.

In view of the failings of the current system of self-regulation of the insurance industry a method of independent enforcement of this moratorium will be needed. The HGC believes that legislation will be necessary to achieve this.

During the moratorium period, the HGC will continue with its consideration of the wider issues and should work with other bodies to identify a system which enjoys public confidence and the confidence of the insurance industry. An appropriate recommendation could then be made to the Government which could replace the moratorium with new arrangements.

Background to the decision

The current public debate in the United Kingdom on the use of genetic information in insurance may be traced back to reports of the House of Commons Science and Technology Committee in 1995 and the Human Genetics Advisory Committee in 1997. This latter committee, which was a predecessor body of the Human Genetics Commission, suggested that there should be a two year moratorium in the insurance industry's practice of taking genetic test results into account in deciding whether or not to provide insurance cover to a particular applicant, or deciding the terms of such cover. This recommendation was not accepted, and agreement was reached on a system of voluntary regulation based largely on proposals put forward by the Association of British Insurers. As part of this system, the Government set up the Genetics and Insurance Committee (GAIC) and the Association of British Insurers published a Code of Conduct, which was intended to be observed by all members of the Association.

The aim of this system is twofold. Firstly, it is designed to prevent insurers from requiring applicants to take genetic tests. Secondly, it sets out to ensure that insurance companies do not give to any particular genetic test a weight which it does not deserve. If an applicant has already undergone such a test, then he or she is bound to make that fact known to the insurance company before insurance cover is agreed. This is in accordance with the well-established principle of "utmost good faith" that an applicant for insurance should make known to the insurance company all those facts which are relevant to the underwriting decision. However, insurance companies should pay attention only to those tests which have been considered by the GAIC and are scientifically reliable and are capable of yielding relevant information.

In theory, this policy should provide both reassurance for the public and protection from arbitrary and unjustifiable decisions. In practice, there is reason to believe that the system is not achieving these objectives.

The House of Commons Committee on Science and Technology has recently published a report entitled "Genetics and Insurance". The Committee took both oral and written evidence from a range of persons and bodies, including representatives of the Association of British Insurers, individual insurance companies, and clinical geneticists. The House of Commons report admirably sets out a number of concerns, the overall conclusion was that the current system was not working well.

The HGC is also aware of these and other concerns from its preliminary analysis of the response to its public consultation. In November 2000 the Human Genetics Commission launched its consultation document on personal genetic information, Whose hand on your genes? One of the issues which was raised in this document was that of genetics and insurance, and the public was invited to respond to a number of questions on this matter.

This attracted responses relating to insurance from about 50 organizations. These included those bodies which have a close interest in the subject – such as the Faculty and Institute of Actuaries and the Association of British Insurers – in addition to a wide range of charities, unions, and medical royal colleges. A number of individuals also made submissions. As might be expected, many contrasting views were expressed, but it is nonetheless possible to identify certain concerns which are repeatedly expressed in the responses.

The HGC is not yet in a position to make detailed comment on public attitudes to this question, but it now has a body of evidence which suggests that there is a fairly strong public opposition to the use of genetic test results by insurance companies. This is revealed in the major MORI public opinion survey undertaken by the HGC and published in March 2001. It is also revealed in the majority of the responses received from individuals and organisations. The HGC has therefore concluded that the level of public concern over this issue requires a response. It is not suggested, of course, that strongly expressed press or public demands should dictate the precise form of any recommendation which we might make; all that is suggested at this stage is that we cannot ignore the widely-held view that the current system is unsatisfactory.

The HGC has now decided to recommend a selective moratorium on the use by insurance companies of the results of genetic tests. This decision is reached for the following reasons:

Regulation

The current system is not achieving the objectives which were envisaged when it was created. The most cogent recent criticism of it is that expressed by the House of Commons Committee on Science and Technology, which concluded that individual insurance companies were not equally observing the ABI Code of Practice, that they were using genetic tests that had not been approved by GAIC, and that currently there seemed to be no satisfactory means of monitoring and enforcing the Code. The HGC agrees with this assessment of the situation.

Genetic tests

There remains a great deal of uncertainty about the interpretation of many genetic tests. The significance to be attributed to many tests is still a matter of debate, and this issue needs to be further clarified. It is likely that a clearer understanding of the possibilities and limitations of genetic testing will evolve, but at present it seems undesirable to apply a technology which is disputed.

Social exclusion

There are strong reasons for some effective form of regulation in this area, whether regulation is achieved by the insurance industry itself, or by more formal means. These reasons include the need to ensure that those who are affected by genetic conditions should not feel excluded from the normal benefits of society (employment, participation in public life, and, it might be argued, access to insurance). Over recent decades, the position of those with a disability has been steadily improved by legislation designed to enhance their opportunities in society. It would run counter to this commitment were society to allow new classes of persons to grow up which would be subjected to improper discrimination.

Individual and public health

Closely related to this consideration is the factor of public trust in genetic testing. If people feel that the taking of a genetic test may at some future stage seriously disadvantage them in some respect, then they may be reluctant to undergo genetic tests in a clinical context. There is evidence that this is already so. If this were to become widespread, then extremely important genetic screening programmes – such as those for some forms of cancer – would be adversely affected. This has implications for the health of appreciable numbers of people, and it is also relevant to public health issues.

Research

Concern that genetic analysis may adversely affect one's chance of obtaining insurance also threatens public participation in genetic research. The proposal to establish a major DNA research database in the United Kingdom, a proposal which would have far-reaching implications for progress in the treatment of disease, could be adversely affected by public reluctance to give samples for analysis. We welcome, however, the statement on genetic test results and research which was recently issued by the Association of British Insurers, the British Society of Human Genetics, and the United Kingdom Forum on Genetics and Insurance.

In view of these concerns, the HGC believes that it is vital that there should be a clear and defensible system of regulation which is capable of enjoying the confidence of the public. The setting up of such a system will involve the careful balancing of interests including those of insurers, insured persons, and the broader community. A variety of options is available, ranging from an almost complete ban on the use of genetic test results (as is found in some European systems), to a properly enforceable system in which limited use of certain results may be allowed. It seems to the HGC that at this stage the options of complete non-regulation and the option of continuing with the current system are not viable.

The task of identifying what is the best system is a major one. There is a case for this being performed by the HGC, as part of its overall enquiry into the use of personal genetic information. This would ensure consistency of approach in relation to a number of questions relating to genetic testing. The HGC has already given substantial consideration to this issue, and could continue to do so during the moratorium period with a view to making recommendations to Government. This would obviously involve further discussion with the insurance industry, as well as continued exploration of the economic and legal issues which the HGC has already started to address.

HGC believes that the priorities for further consideration should be:

- To review the use of family history information as part of the wider review of personal genetic information following our recent public consultation;
- To identify means of ensuring access to affordable insurance for those affected by a genetic condition;

- To promote openness about underwriting decisions involving genetic factors and the information given to consumers;
- To consider wider regulatory and arbitration systems for genetic information and insurance;
- To consider the role of insurance and the use of genetic information in a reformed welfare state; and
- To initiate a debate on the wider role of private insurance in providing access to social goods.

Kontrolle der Lebensbeendigung auf Verlangen und der Hilfe bei der Selbsttötung sowie Änderung des Strafgesetzbuchs und des Gesetzes über das Leichen- und Bestattungswesen*

Gesetz über die Kontrolle der Lebensbeendigung auf Verlangen und der Hilfe bei der Selbsttötung

Erste Kammer der Generalstaaten, Niederlande

(November 2000)

Geänderter Gesetzentwurf

Wir, Beatrix, von Gottes Gnaden Königin der Niederlande, Prinzessin von Oranien-Nassau usw. –

allen, die dies lesen oder hören, Unseren Gruß! – lassen wissen:

dass Wir, in der Erwägung, dass es wünschenswert ist, in das Strafgesetzbuch einen Strafausschließungsgrund für den Arzt aufzunehmen, der unter Berücksichtigung der gesetzlich zu verankernden Sorgfaltskriterien Lebensbeendigung auf Verlangen vornimmt oder Hilfe bei der Selbsttötung leistet, und dazu gesetzliche Vorschriften für ein Melde- und Kontrollverfahren zu erlassen, nach Anhörung des Staatsrats und im Einvernehmen mit den Generalstaaten folgendes Gesetz gutheißen und billigen:

Kapitel I. Begriffsbestimmungen

Artikel 1

Im Sinne dieses Gesetzes sind:

a) Unsere Minister: der Minister der Justiz und der Minister für Gesundheit, Gemeinwohl und Sport;

---

* Sitzungsjahr 2000-2001, 26 691, Nr. 137. Angenommen durch das Unterhaus des Niederländischen Parlaments (Zweite Kammer der Generalstaaten) am 28. November 2000, angenommen durch das Oberhaus des Niederländischen Parlaments (Erste Kammer der Generalstaaten) am 10. April 2001. Übersetzung des Niederländischen Außenministeriums (Ministerie van Buitenlandse Zaken).
Das Dokument ist im World Wide Web unter der Adresse „http://www.minbuza.nl/english/Content.asp?Key=414133&Pad=311185,257580,257630,257713" verfügbar.

b) Hilfe bei der Selbsttötung: die vorsätzliche Unterstützung eines anderen bei der Selbsttötung oder die Verschaffung der dazu erforderlichen Mittel im Sinne des Artikels 294 Absatz 2 Satz 2 Strafgesetzbuch;

c) der Arzt: der Arzt, der gemäß der Meldung Lebensbeendigung auf Verlangen vorgenommen oder Hilfe bei der Selbsttötung geleistet hat;

d) der beratende Arzt: der Arzt, der in Bezug auf das Vorhaben eines Arztes, Lebensbeendigung auf Verlangen vorzunehmen oder Hilfe bei der Selbsttötung zu leisten, zu Rate gezogen wurde;

e) die Behandelnden: Behandelnde im Sinne des Artikels 446 Absatz 1 von Buch 7 des Bürgerlichen Gesetzbuchs;

f) die Kommission: eine regionale Kontrollkommission im Sinne des Artikels 3;

g) Regionalinspekteur: ein Regionalinspekteur der Staatlichen Aufsichtsbehörde für das Gesundheitswesen.

Kapitel II. Sorgfaltskriterien

Artikel 2

1. Die in Artikel 293 Absatz 2 Strafgesetzbuch genannten Sorgfaltskriterien beinhalten, dass der Arzt
   a) zu der Überzeugung gelangt ist, dass der Patient seine Bitte freiwillig und nach reiflicher Überlegung gestellt hat,
   b) zu der Überzeugung gelangt ist, dass der Zustand des Patienten aussichtslos und sein Leiden unerträglich ist,
   c) den Patienten über dessen Situation und über dessen Aussichten aufgeklärt hat,
   d) gemeinsam mit dem Patienten zu der Überzeugung gelangt ist, dass es für dessen Situation keine andere annehmbare Lösung gibt,
   e) mindestens einen anderen, unabhängigen Arzt zu Rate gezogen hat, der den Patienten untersucht und schriftlich zu den unter den Buchstaben a bis d genannten Sorgfaltskriterien Stellung genommen hat, und
   f) bei der Lebensbeendigung oder bei der Hilfe bei der Selbsttötung mit medizinischer Sorgfalt vorgegangen ist.
2. Wenn ein Patient, der das sechzehnte Lebensjahr vollendet hat, nicht in der Lage ist, seinen Willen zu äußern, jedoch vor Eintritt dieses Zustands als zur vernünftigen Beurteilung seiner Interessen fähig betrachtet werden konnte und eine schriftliche Erklärung abgegeben hat, die eine Bitte um Lebensbeendigung beinhaltet, kann der Arzt dieser Bitte entsprechen. Die in Absatz 1 genannten Sorgfaltskriterien gelten entsprechend.
3. Wenn ein minderjähriger Patient sechzehn oder siebzehn Jahre alt ist und als zur vernünftigen Beurteilung seiner Interessen fähig betrachtet werden kann, kann der Arzt einer Bitte des Patienten um Lebensbeendigung oder Hilfe bei der Selbsttötung entsprechen, nachdem der Elternteil oder die Eltern, der oder die die Gewalt über ihn ausübt oder ausüben, beziehungsweise sein Vormund in die Beschlussfassung einbezogen worden sind.
4. Wenn ein minderjähriger Patient zwischen zwölf und fünfzehn Jahre alt ist und als zur vernünftigen Beurteilung seiner Interessen fähig betrachtet werden kann, kann der Arzt, wenn der Elternteil oder die Eltern, der oder die die Gewalt über ihn ausübt oder ausüben, beziehungs-

weise sein Vormund mit der Lebensbeendigung oder der Hilfe bei der Selbsttötung einverstanden sind, der Bitte des Patienten entsprechen. Absatz 2 gilt entsprechend.

Kapitel III. Regionale Kontrollkommissionen für die Lebensbeendigung auf Verlangen und die Hilfe bei der Selbsttötung

Abschnitt 1: Einsetzung, Zusammensetzung und Ernennung

Artikel 3

1. Es gibt regionale Kommissionen für die Kontrolle der Meldungen von Fällen von Lebensbeendigung auf Verlangen und Hilfe bei der Selbsttötung im Sinne des Artikels 293 Absatz 2 beziehungsweise des Artikels 294 Absatz 2 Satz 2 Strafgesetzbuch.
2. Eine Kommission besteht aus einer ungeraden Zahl von Mitgliedern, darunter in jedem Fall ein Jurist, der zugleich Vorsitzender ist, ein Arzt und ein Sachkundiger in Ethik- oder Sinnfragen. Zu einer Kommission gehören auch stellvertretende Mitglieder jeder der in Satz 1 genannten Kategorien.

Artikel 4

1. Der Vorsitzende und die Mitglieder sowie die stellvertretenden Mitglieder werden von Unseren Ministern für die Dauer von sechs Jahren ernannt. Eine Wiederernennung kann einmalig für die Dauer von sechs Jahren erfolgen.
2. Eine Kommission verfügt über einen Sekretär und einen oder mehrere stellvertretende Sekretäre, die alle Juristen sein müssen und von Unseren Ministern ernannt werden. Der Sekretär hat bei den Sitzungen der Kommission eine beratende Stimme.
3. Der Sekretär ist ausschließlich der Kommission Rechenschaft über seine Tätigkeiten schuldig.

Abschnitt 2: Entlassung

Artikel 5

Der Vorsitzende und die Mitglieder sowie die stellvertretenden Mitglieder können jederzeit auf eigenes Ersuchen von Unseren Ministern entlassen werden.

Artikel 6

Der Vorsitzende und die Mitglieder sowie die stellvertretenden Mitglieder können von Unseren Ministern wegen mangelnder Eignung oder mangelnder Sachkenntnis oder aus anderen schwerwiegenden Gründen entlassen werden.

Abschnitt 3: Besoldung

Artikel 7

Der Vorsitzende und die Mitglieder sowie die stellvertretenden Mitglieder erhalten Sitzungsgeld sowie eine Reisekostenvergütung gemäß den bestehenden staatlichen Regelungen, soweit nicht aus anderen Gründen eine Vergütung für diese Kosten aus öffentlichen Kassen geleistet wird.

Abschnitt 4: Aufgaben und Befugnisse

Artikel 8

1. Die Kommission beurteilt aufgrund der Meldung im Sinne des Artikels 7 Absatz 2 des Gesetzes über das Leichen- und Bestattungswesen, ob der Arzt, der die Lebensbeendigung auf Verlangen vorgenommen oder Hilfe bei der Selbsttötung geleistet hat, die in Artikel 2 genannten Sorgfaltskriterien eingehalten hat.
2. Die Kommission kann den Arzt ersuchen, seine Meldung schriftlich oder mündlich zu ergänzen, wenn dies für eine angemessene Beurteilung seines Handelns erforderlich ist.
3. Die Kommission kann beim Leichenbeschauer der Gemeinde, beim beratenden Arzt oder bei den beteiligten Behandelnden Auskünfte einholen, wenn dies für eine angemessene Beurteilung des Handelns des Arztes erforderlich ist.

Artikel 9

1. Die Kommission setzt den Arzt innerhalb von sechs Wochen nach Erhalt der in Artikel 8 Absatz 1 genannten Meldung schriftlich unter Angabe der Gründe von ihrer Beurteilung in Kenntnis.
2. Die Kommission setzt das Kollegium der Generalstaatsanwälte und die regionale Gesundheitsinspektion von ihrer Beurteilung in Kenntnis,
   a) wenn der Arzt nach Auffassung der Kommission nicht die in Artikel 2 genannten Sorgfaltskriterien eingehalten hat oder
   b) wenn eine Situation im Sinne des Artikels 12 letzter Satz des Gesetzes über das Leichen- und Bestattungswesen gegeben ist.

   Die Kommission setzt den Arzt hiervon in Kenntnis.
3. Die in Absatz 1 genannte Frist kann einmalig um höchstens sechs Wochen verlängert werden. Die Kommission setzt den Arzt hiervon in Kenntnis.
4. Die Kommission ist befugt, die von ihr abgegebene Beurteilung dem Arzt gegenüber mündlich zu erläutern. Diese mündliche Erläuterung kann auf Ersuchen der Kommission oder auf Ersuchen des Arztes stattfinden.

Artikel 10

Die Kommission ist verpflichtet, dem Staatsanwalt auf dessen Ersuchen hin alle Informationen zu erteilen, die dieser benötigt

1. für die Beurteilung des Handelns des Arztes in Fällen des Artikels 9 Absatz 2 oder
2. für ein Ermittlungsverfahren.

Die Kommission setzt den Arzt von der Erteilung von Informationen an den Staatsanwalt in Kenntnis.

Abschnitt 6: Arbeitsweise

Artikel 11

Die Kommission sorgt für die Registrierung der zur Beurteilung gemeldeten Fälle von Lebensbeendigung auf Verlangen oder Hilfe bei der Selbsttötung. Durch ministerielle Regelung Unserer Minister können hierzu nähere Vorschriften erlassen werden.

Artikel 12

1. Eine Beurteilung wird durch einfache Mehrheit der Stimmen festgestellt.
2. Eine Beurteilung kann von der Kommission nur dann festgestellt werden, wenn alle Mitglieder der Kommission an der Abstimmung teilgenommen haben.

Artikel 13

Die Vorsitzenden der regionalen Kontrollkommissionen beraten mindestens zweimal im Jahr miteinander über die Arbeitsweise und das Funktionieren der Kommissionen. Zu den Beratungen werden ein Vertreter des Kollegiums der Generalstaatsanwälte und ein Vertreter der Staatlichen Aufsichtsbehörde für das Gesundheitswesen eingeladen.

Abschnitt 7: Geheimhaltung und Ablehnung von Mitgliedern

Artikel 14

Die Mitglieder und die stellvertretenden Mitglieder der Kommission sind zur Geheimhaltung der Informationen, von denen sie bei ihren Tätigkeiten Kenntnis erlangen, verpflichtet, es sei denn, dass eine gesetzliche Vorschrift sie zur Mitteilung verpflichtet oder dass sich die Notwendigkeit zur Mitteilung aus ihrer Aufgabe ergibt.

Artikel 15

Ein Mitglied der Kommission, das bei der Behandlung eines Falls Sitz in der Kommission hat, lehnt sich selbst ab und kann abgelehnt werden, wenn es Tatsachen oder Umstände gibt, die die Unparteilichkeit seines Urteils beeinträchtigen könnten.

Artikel 16

Ein Mitglied, ein stellvertretendes Mitglied und der Sekretär der Kommission enthalten sich der Abgabe eines Urteils über das Vorhaben eines Arztes, Lebensbeendigung auf Verlangen vorzunehmen oder Hilfe bei der Selbsttötung zu leisten.

Abschnitt 8: Berichterstattung

Artikel 17

1. Die Kommissionen legen Unseren Ministern jährlich vor dem 1. April einen gemeinsamen Tätigkeitsbericht über das vergangene Kalenderjahr vor. Unsere Minister setzen hierfür durch ministerielle Regelung ein Muster fest.

2. Der Tätigkeitsbericht nach Absatz 1 enthält in jedem Fall:

   a) die Zahl der gemeldeten Fälle von Lebensbeendigung auf Verlangen oder Hilfe bei der Selbsttötung, zu denen die Kommission eine Beurteilung abgegeben hat;

   b) die Art dieser Fälle;

   c) die Beurteilungen und die zugrunde liegenden Erwägungen.

Artikel 18

Unsere Minister erstatten jährlich anlässlich der Einreichung des Haushalts den Generalstaaten Bericht über das Funktionieren der Kommissionen auf der Grundlage des Tätigkeitsberichts nach Artikel 17 Absatz 1.

Artikel 19

1. Auf Vorschlag Unserer Minister werden durch Rechtsverordnung in Bezug auf die Kommissionen Vorschriften erlassen über

   a) ihre Zahl und ihre örtliche Zuständigkeit;

   b) ihren Sitz.

2. Durch oder kraft Rechtsverordnung können Unsere Minister in Bezug auf die Kommissionen nähere Vorschriften erlassen über

   a) ihren Umfang und ihre Zusammensetzung;

   b) ihre Arbeitsweise und ihre Berichterstattung.

Kapitel IV. Änderung anderer Gesetze

Artikel 20

Das Strafgesetzbuch wird wie folgt geändert.

A

Artikel 293 erhält folgende Fassung:

Artikel 293

1. Wer vorsätzlich das Leben eines anderen auf dessen ausdrückliches und ernstliches Verlangen hin beendet, wird mit Gefängnisstrafe bis zu zwölf Jahren oder mit einer Geldstrafe der fünften Kategorie bestraft.

2. Die in Absatz 1 genannte Handlung ist nicht strafbar, wenn sie von einem Arzt begangen wurde, der dabei die in Artikel 2 des Gesetzes über die Kontrolle der Lebensbeendigung auf Verlangen und der Hilfe bei der Selbsttötung genannten Sorgfaltskriterien eingehalten und dem Leichenbeschauer der Gemeinde gemäß Artikel 7 Absatz 2 des Gesetzes über das Leichen- und Bestattungswesen Meldung erstattet hat.

B

Artikel 294 erhält folgende Fassung:

Artikel 294

1. Wer einen anderen vorsätzlich zur Selbsttötung anstiftet, wird, wenn die Selbsttötung vollzogen wird, mit Gefängnisstrafe bis zu drei Jahren oder mit einer Geldstrafe der vierten Kategorie bestraft.
2. Wer einem anderen vorsätzlich bei der Selbsttötung behilflich ist oder ihm die dazu erforderlichen Mittel verschafft, wird, wenn die Selbsttötung vollzogen wird, mit Gefängnisstrafe bis zu drei Jahren oder mit einer Geldstrafe der vierten Kategorie bestraft. Artikel 293 Absatz 2 gilt entsprechend.

C

In Artikel 295 wird nach „293" hinzugefügt: „Absatz 1".

D

In Artikel 422 wird nach „293" hinzugefügt: „Absatz 1".

Artikel 21

Das Gesetz über das Leichen- und Bestattungswesen wird wie folgt geändert.

A

Artikel 7 erhält folgende Fassung:

Artikel 7

1. Wer die Leichenschau verrichtet hat, stellt einen Totenschein aus, wenn er davon überzeugt ist, dass der Tod infolge einer natürlichen Ursache eingetreten ist.
2. Wenn der Tod die Folge von Lebensbeendigung auf Verlangen oder Hilfe bei der Selbsttötung im Sinne des Artikels 293 Absatz 2 beziehungsweise des Artikels 294 Absatz 2 Satz 2 Strafgesetzbuch war, stellt der behandelnde Arzt keinen Totenschein aus und teilt die Ursache des Todes mittels eines Formulars unverzüglich dem Leichenbeschauer der Gemeinde oder einem der Leichenbeschauer der Gemeinde mit. Dieser Mitteilung fügt der Arzt einen begründeten Bericht über die Einhaltung der in Artikel 2 des Gesetzes über die Kontrolle der Lebensbeendigung auf Verlangen und der Hilfe bei der Selbsttötung genannten Sorgfaltskriterien hinzu.
3. Wenn der behandelnde Arzt in anderen als den in Absatz 2 genannten Fällen der Auffassung ist, keinen Totenschein ausstellen zu können, teilt er dies mittels eines Formulars unverzüglich dem Leichenbeschauer der Gemeinde oder einem der Leichenbeschauer der Gemeinde mit.

B

Artikel 9 erhält folgende Fassung:

Artikel 9

1. Die Form und der Aufbau der Muster für den vom behandelnden Arzt und vom Leichenbeschauer der Gemeinde auszustellenden Totenschein werden durch Rechtsverordnung geregelt.
2. Die Form und der Aufbau der Muster für die Mitteilung und den Bericht nach Artikel 7 Absatz 2, für die Mitteilung nach Artikel 7 Absatz 3 und für die Formulare nach Artikel 10 Absätze 1 und 2 werden auf Vorschlag Unseres Ministers der Justiz und Unseres Ministers für Gesundheit, Gemeinwohl und Sport durch Rechtsverordnung geregelt.

C

Artikel 10 erhält folgende Fassung:

Artikel 10

1. Wenn der Leichenbeschauer der Gemeinde der Auffassung ist, keinen Totenschein ausstellen zu können, meldet er dies mittels eines Formulars unverzüglich dem Staatsanwalt und setzt hiervon unverzüglich den Standesbeamten in Kenntnis.
2. Unbeschadet des Absatzes 1 informiert der Leichenbeschauer der Gemeinde, wenn eine Mitteilung nach Artikel 7 Absatz 2 vorliegt, mittels eines Formulars unverzüglich die in Artikel 3 des Gesetzes über die Kontrolle der Lebensbeendigung auf Verlangen und der Hilfe bei der Selbsttötung genannte regionale Kontrollkommission. Dabei übersendet er auch den begründeten Bericht nach Artikel 7 Absatz 2.

D

Dem Artikel 12 wird folgender Satz angefügt:

Wenn der Staatsanwalt in den in Artikel 7 Absatz 2 genannten Fällen der Auffassung ist, keine Unbedenklichkeitsbescheinigung für ein Begräbnis oder eine Feuerbestattung ausstellen zu können, setzt er unverzüglich den Leichenbeschauer der Gemeinde und die in Artikel 3 des Gesetzes über die Kontrolle der Lebensbeendigung auf Verlangen und der Hilfe bei der Selbsttötung genannte regionale Kontrollkommission hiervon in Kenntnis.

E

In Artikel 81 Ziffer 1 wird „7 Absatz 1“ ersetzt durch „7 Absätze 1 und 2“.

Artikel 22

Das Allgemeine Gesetz über das Verwaltungsrecht wird wie folgt geändert.

In Artikel 1:6 wird am Ende von Buchstabe d der Punkt durch ein Semikolon ersetzt und wird folgender Buchstabe angefügt:

e) Beschlüsse und Handlungen zur Durchführung des Gesetzes über die Kontrolle der Lebensbeendigung auf Verlangen und der Hilfe bei der Selbsttötung.

Kapitel V. Schlussbestimmungen

Artikel 23

Dieses Gesetz tritt zu einem durch Königlichen Erlass festzulegenden Zeitpunkt in Kraft.

Artikel 24

Dieses Gesetz wird zitiert als: Gesetz zur Kontrolle der Lebensbeendigung auf Verlangen und der Hilfe bei der Selbsttötung.

Wir ordnen an, dass dieses Gesetz im Staatsblatt veröffentlicht wird und dass alle zuständigen Ministerien, Behörden, Gremien und Beamten für eine ordnungsgemäße Durchführung sorgen.

Der Minister der Justiz

Die Ministerin für Gesundheit, Gemeinwohl und Sport

Empfehlungen zur Lebendorganspende*

Bundesärztekammer

(Dezember 2000)

Vorwort

In Deutschland werden zunehmend mehr Lebendorganspenden durchgeführt. Das Transplantationsgesetz lässt sie subsidiär zu, wenn ein geeignetes Organ eines verstorbenen Spenders zum Zeitpunkt der Organentnahme nicht zur Verfügung steht. Darüber hinaus sind mit einer Lebendorganspende praktische Fragen verbunden, die allgemeiner Regelungen bedürfen, um die Praxis der Lebendorganspende so weit wie nötig zu vereinheitlichen und Unklarheiten so weit wie möglich zu vermeiden.

Prof. Dr. med. Jörg-Dietrich Hoppe, Präsident der Bundesärztekammer und des Deutschen Ärztetages

Prof. Dr. jur. Dr. med. h.c. H.-L. Schreiber, Vorsitzender der Ständigen Kommission Organtransplantation der Bundesärztekammer

Präambel

Trotz des eindeutigen Vorrangs der Transplantation postmortal gespendeter Organe nimmt die Lebendorganspende in Deutschland aus verschiedenen Gründen zu: Mangel an postmortal entnommenen Organen, individuell bessere Erfolgsaussicht einer Transplantation nach einer Lebendorganspende, wachsende Bereitschaft zur Organspende unter Verwandten und Menschen, die sich persönlich nahe stehen.

Für Organspenden von Lebenden eignen sich in erster Linie die Niere, aber auch Teile der Leber, der Lunge, eventuell des Dünndarms.

Der Arzt muss sich seiner besonderen Verantwortung gegenüber dem Spender bewusst sein: Einem Gesunden werden ausschließlich zum Wohl eines anderen die Entnahme eines unersetzlichen Organs oder eines Organteils, die dazu notwendige Operation und damit verbundene Belastungen und Risiken zugemutet.

---

* Veröffentlicht in: Deutsches Ärzteblatt 97 (48), A-3287-3288.
Die *Richtlinien zur Organtransplantation gemäß § 16 Transplantationsgesetz* der Bundesärztekammer sind abgedruckt in Band 5 (2000) des Jahrbuchs auf den Seiten 341-372. Das *Gesetz über die Spende, Entnahme und Übertragung von Organen (Transplantationsgesetz – TPG)* ist abgedruckt in Band 3 (1998) des Jahrbuchs auf den Seiten 259-273.

Bedingungen für die Lebendorganspende

Die Lebendorganspende kann und soll bei den Bemühungen der Medizin um das Leben und die Lebensqualität von Empfängern (§ 8 Abs. 1 Nr. 2 TPG) das Verfahren der postmortalen Organspende nur individuell ergänzen, nicht generell ersetzen.

Das Transplantationsgesetz schränkt in § 8 Abs. 1 Satz 2 die Lebendorganspende ein auf „Verwandte ersten oder zweiten Grades, Ehegatten, Verlobte oder andere Personen, die dem Spender in besonderer persönlicher Verbundenheit offenkundig nahe stehen".

Lebendorganspender können nur volljährige und einwilligungsfähige, über unmittelbare und mittelbare Folgen sowie Spätfolgen aufgeklärte Personen sein, die der Organentnahme freiwillig zugestimmt haben.

Die Lebendorganspende ist gemäß Transplantationsgesetz auch nur dann zulässig, wenn zum Zeitpunkt der Organentnahme kein geeignetes Organ eines Verstorbenen zur Verfügung steht. Deshalb muss der Empfänger rechtzeitig auf die Warteliste im Transplantationszentrum aufgenommen und bei der Vermittlungsstelle als transplantabel gemeldet werden.

Der Arzt hat sich über die besondere persönliche Verbundenheit von Spender und Empfänger zu informieren und sich der Freiwilligkeit der Organspende zu vergewissern. Bei nicht Deutsch sprechenden Ausländern ist immer ein hierfür geeigneter Dolmetscher hinzuzuziehen.

Spender und Empfänger müssen sich vor der Transplantation bereit erklären, an den ärztlich begründeten Nachsorgemaßnahmen teilzunehmen (§ 8 Abs. 3 TPG).

Aufklärung des Spenders

Eine rechtswirksame Aufklärung des Spenders zur Organentnahme muss durch den verantwortlichen Arzt gemeinsam mit einem weiteren approbierten Arzt erfolgen, der nicht mit der Transplantation befasst und von dem transplantierenden Arzt unabhängig ist. Sie muss folgendes umfassen:

- Möglichkeit der Transplantation eines postmortal entnommenen Organs ohne Belastung und Gefährdung des Lebendorganspenders
- Art und Umfang des Eingriffs sowie mögliche Komplikationen
- Folgen und Spätfolgen, Hinweis auf mögliche Minderung der Erwerbsfähigkeit
- Erfolgsaussicht der Transplantation
- versicherungsrechtliche Absicherung
- Erläuterung der ärztlich begründeten Nachsorgemaßnahmen
- Einbeziehung der Gutachterkommission
- Hinweis auf die Möglichkeit, auch in einem vertraulichen Gespräch die Einwilligung bis zum Eingriff zu widerrufen.

Die Aufklärung muss vollständig dokumentiert, das Protokoll von allen Gesprächsteilnehmern, die Einverständniserklärung vom Spender unterschrieben werden (§ 8 Abs. 2 TPG).

Versicherungsrechtliche Absicherung des Spenders

Die versicherungsrechtliche Absicherung des Spenders kann die anstehenden Entscheidungen beeinflussen. Deshalb muss der verantwortliche Arzt für verständliche und verbindliche versicherungsrechtliche Auskünfte sorgen, gegebenenfalls eine in Versicherungsfragen sachverständige Person hinzuziehen. In dieser Empfehlung sind nur Hinweise möglich.

Die Kosten der Lebendorganspende, ihrer Vorbereitung und der erforderlichen Nachbehandlung gelten als Behandlungskosten des Empfängers und werden deshalb von seiner Krankenversicherung getragen.

Einzelheiten der Zahlungsverpflichtung können von einzelnen gesetzlichen Krankenkassen unterschiedlich beurteilt und von einzelnen privaten Krankenversicherungen je nach Versicherungstarif verschieden weit abgedeckt werden. Daher erfordert es die Aufklärungspflicht, von der gesetzlichen oder der privaten Krankenkasse des potenziellen Empfängers eine schriftliche Zusage für die Übernahme der Kosten einzuholen. Sie muss dem Spender die Kostendeckung gewährleisten für:

- die erforderlichen Voruntersuchungen
- die Beurteilung durch die Kommission nach § 8 Abs. 3 TPG
- die erforderlichen Fahrten
- den stationären Aufenthalt
- die Organentnahme
- die unmittelbare Nachbehandlung und die ärztlich empfohlene Nachbetreuung
- den nachgewiesenen Ausfall des Nettoverdienstes.

Der Spender ist kraft Gesetzes auch in der gesetzlichen Unfallversicherung versichert. Zuständig ist der Unfallversicherungsträger des Transplantationszentrums. Von hier wird auch eine Komplikation gemeldet. Wann, wofür und wieweit die gesetzliche Unfallversicherung anstelle der Krankenversicherung des Empfängers Kosten übernimmt, müssen gegebenenfalls die beiden Versicherungsträger untereinander klären. Falls der Spender entsprechende Auskünfte wünscht, sollten sie von den Versicherungsträgern schriftlich eingeholt werden.

Die Kosten für mittelbare und Spätfolgen der Lebendorganspende werden außer der ärztlich empfohlenen Nachbetreuung von der Krankenversicherung des Empfängers nach derzeitigem Kenntnisstand nicht getragen. Darüber sind Spender und Empfänger ausdrücklich aufzuklären.

Eine Berufs- oder Erwerbsunfähigkeit in Folge einer Lebendorganspende ist von der jeweiligen Rentenversicherung, eine Pflegebedürftigkeit von der sozialen oder der privaten Pflegeversicherung abgedeckt. Nicht abgesichert ist das Risiko finanzieller Einbußen durch Arbeitsunfähigkeit und vorzeitige Erwerbs- oder Berufsunfähigkeit.

Ist der Empfänger oder der Spender oder sind beide nicht kranken- und rentenversichert, macht dies die große Verantwortung des transplantierenden Arztes und der Kommission nach § 8 Abs. 3 TPG besonders deutlich.

Aufklärung des Empfängers

Der Empfänger muss sowohl über alle transplantationsspezifischen Fragen aufgeklärt werden als auch über die

- Möglichkeit und gegebenenfalls sogar Notwendigkeit der Transplantation eines postmortal entnommenen Organs
- Belastungen und Gefährdungen des Lebendorganspenders
- Zustimmung zu ärztlich begründeten Nachsorgemaßnahmen.

Risikoeinschätzung

Um das Risiko bei einer Lebendorganspende so gering wie möglich zu halten, sind auch beim Organspender Untersuchungen der Organfunktion und der Organmorphologie sowie zur Beurteilung der Narkose- und Operationsrisiken durchzuführen.

Nach § 8 Abs. 1 TPG ist die Lebendorganspende nur dann zulässig, wenn sie den Spender „voraussichtlich nicht über das Operationsrisiko hinaus gefährdet oder über die unmittelbaren Folgen der Entnahme hinaus gesundheitlich schwer beeinträchtigt. ...“ Das heißt unter dem Aspekt der in dieser Situation besonderen ärztlichen Verantwortung: Die Lebendorganspende oder ihre Folgen dürfen Leben und Gesundheit des Spenders nicht mehr gefährden als ein vergleichbarer Heileingriff bei einem im Übrigen gesunden Patienten.

Gutachterliche Stellungnahme

Das TPG verlangt in § 8 Abs. 3 eine gutachterliche Stellungnahme einer nach Landesrecht zu bildenden unabhängigen Kommission. Sie hat nicht die medizinischen Aspekte einschließlich der Indikation der Transplantation zu beurteilen, sondern zu prüfen, ob begründete, tatsächliche Anhaltspunkte dafür vorliegen, dass die Entscheidungsfreiheit beeinträchtigt ist oder fehlt oder ein nach § 17 TPG verbotener Organhandel vorliegt. Sofern das jeweilige Landesgesetz nicht Gegenteiliges vorschreibt, ist die mündliche Anhörung jedes Spendewilligen vor der Kommission nicht zwingend notwendig, aber empfehlenswert.

Die Stellungnahme der Kommission muss der für die Organentnahme verantwortliche Arzt in die schriftliche Begründung seiner Entscheidung einbeziehen.

Richtlinien für die Transplantation außerhalb des ET-Bereichs postmortal entnommener Organe in Deutschland*

Richtlinien zur Organtransplantation gemäß § 16 TPG

Bundesärztekammer

(Dezember 2000)

Vorwort

Zwischen einigen deutschen und ausländischen (nicht zum Vermittlungsbereich von Eurotransplant gehörenden) Transplantationszentren bestehen Partnerschaftsverträge – so genannte Twinningverträge – die sich unter anderem auf die Ausbildung von Ärzten in der Transplantationsmedizin sowohl im Bereich der Organentnahme als auch der Organtransplantation beziehen und einen möglichen Organaustausch regeln. Die vorliegende Richtlinie stellt die Voraussetzungen für solche Partnerschaftsverträge zusammen und nennt die Bedingungen, die erfüllt sein müssen, wenn ein im Ausland postmortal entnommenes Organ verwendet werden soll. Die Organvermittlung hat auch in diesen Fällen nach § 12 Abs. 1 Transplantationsgesetz über die Vermittlungsstelle Eurotransplant und unter Einhaltung der Richtlinien der Bundesärztekammer zur Organvermittlung zu erfolgen.

Prof. Dr. med. Jörg-Dietrich Hoppe, Präsident der Bundesärztekammer und des Deutschen Ärztetages

Prof. Dr. jur. Dr. med. h.c. H.-L. Schreiber, Vorsitzender der Ständigen Kommission Organtransplantation der Bundesärztekammer

*

Einige deutsche Transplantationszentren waren und sind beim Aufbau von Transplantationseinrichtungen in osteuropäischen Ländern behilflich durch Ausbildung von Ärzten und medizi-

* Veröffentlicht in: Deutsches Ärzteblatt 97 (48), A-3290.
Die *Richtlinien zur Organtransplantation gemäß § 16 Transplantationsgesetz* der Bundesärztekammer sind abgedruckt in Band 5 (2000) des Jahrbuchs auf den Seiten 341-372. Das *Gesetz über die Spende, Entnahme und Übertragung von Organen (Transplantationsgesetz – TPG)* ist abgedruckt in Band 3 (1998) des Jahrbuchs auf den Seiten 259-273.

nischem Personal sowie durch medizinische, technische und organisatorische Unterstützung. Die daraus teilweise entstandenen Vereinbarungen (Twinning-Arrangements) auch über Organe, die in dem jeweiligen Land nicht transplantiert werden können, müssen dem Transplantationsgesetz angepasst werden.

Nach § 9 dürfen in Deutschland nur von der Vermittlungsstelle vermittelte Organe transplantiert werden. Nach § 12 Abs. 1 muss die Vermittlungsstelle bei der Vermittlung von „Organe(n), die außerhalb des Geltungsbereichs dieses Gesetzes entnommen werden ... auch gewährleisten, dass die zum Schutz der Organempfänger erforderlichen Maßnahmen nach dem Stand der Erkenntnisse der medizinischen Wissenschaft durchgeführt werden. Es dürfen nur Organe vermittelt werden, die im Einklang mit den am Ort der Entnahme geltenden Rechtsvorschriften entnommen worden sind, soweit deren Anwendung nicht zu einem Ergebnis führt, das mit wesentlichen Grundsätzen des deutschen Rechts, insbesondere mit den Grundrechten offensichtlich unvereinbar ist."

Das heißt:

Die Todesfeststellung muss den Richtlinien der Bundesärztekammer entsprechen. Das jeweilige deutsche Zentrum ist in jedem einzelnen Fall dafür mitverantwortlich, dass die Richtlinien zur Todesfeststellung und die Richtlinien zum Schutz der Organempfänger eingehalten worden sind. Es muss hierfür die Qualität und die Plausibilität der Daten des einzelnen Spenders und des einzelnen Organs überprüfen. Dies ist praktisch nur möglich, wenn ein in der Explantation bewährter Arzt die Organentnahme vornimmt oder überwacht.

Zur Vermittlung jedes einzelnen Organs in den ET-Bereich muss eine Erklärung der nationalen Transplantations-Organisation vorliegen, dass es im Spenderland nicht transplantiert werden kann. Dann muss das Organ mit den üblichen Begleitpapieren bei Eurotransplant angemeldet werden und unterliegt den gleichen Verteilungs-Richtlinien wie jedes in Deutschland von einem Transplantationszentrum in einer Region postmortal entnommene Organ.

Jede Vereinbarung zwischen einer ausländischen Transplantationseinrichtung und einem deutschen Transplantationszentrum muss der obersten nationalen Gesundheitsbehörde des betreffenden Landes, der Bundesärztekammer, der Vermittlungsstelle und der Koordinierungsstelle vorgelegt werden.

Ethical and Policy Issues in International Research: Clinical Trials in Developing Countries

Executive Summary*

National Bioethics Advisory Commission (NBAC), USA

(April 2001)

Introduction

In recent years, the increasingly global nature of health research, and in particular the conduct of clinical trials involving human participants[1], has highlighted a number of ethical issues, especially in those situations in which researchers or research sponsors from one country wish to conduct research in another country. The studies in question might simply be one way of helping the host country address a public health problem, or they might reflect a research sponsor's assessment that the foreign location is a more convenient, efficient, or less troublesome site for conducting a particular clinical trial. They might also represent a joint effort to address an important health concern faced by both parties.

As the pace and scope of international collaborative biomedical research have increased during the past decade, long-standing questions about the ethics of designing, conducting, and following up on international clinical trials have re-emerged. Some of these issues have begun to take center stage because of the concern that research conducted by scientists from more prosperous countries in poorer nations that are more heavily burdened by disease may, at times, be seen as imposing ethically inappropriate burdens on the host country and on those who participate in the research trials. The potential for such exploitation is cause for a concerted effort to ensure that protections are in place for all persons who participate in international clinical trials.

---

* Das vollständige Dokument ist im World Wide Web unter der Adresse „http://bioethics.gov/pubs.html" verfügbar.

[1] In past reports, the Commission has used the term *human subject* to describe an individual enrolled in research. This term is widely used and is found in the Federal Policy for the Protection of Human Subjects (45 CFR 46). For many, however, the term *subject* carries a negative image, implying a diminished position of those enrolled in research in relation to the researcher. NBAC recognizes that merely changing terminology cannot achieve the desired goal of true participation by individuals who volunteer for research, and NBAC does not imply that a truly participatory role is always the case. Nevertheless, for purposes of simplicity and from a desire to encourage a more equal role for research volunteers, in this report the term *participants* is adopted to describe those who are enrolled in research.

As with other National Bioethics Advisory Commission (NBAC) reports, several issues and activities prompted the Commission's decision to address this topic. First, several members of the public suggested that NBAC's mandate to examine the protection of the rights and welfare of human participants in research extends to international research conducted or sponsored by U.S. interests. In this respect, one particular dimension of research conducted internationally has attracted a great deal of attention, namely whether the existing rules and regulations that normally govern the conduct of U.S. investigators or others subject to U.S. regulations remain appropriate in the context of international research, or whether they unnecessarily complicate or frustrate otherwise worthy and ethically sound research projects.

A second circumstance – the changing landscape of international research – also is relevant. Increasingly, scientists from developing countries are becoming more involved as collaborators in research, as many of the countries from which these investigators come have developed their capacity for technical contributions to research projects and for appropriate ethical review of research protocols. Although the source of funding for such collaborative research is likely to continue to be the wealthier, developed countries, collaborators from developing countries are seeking – justifiably – to become fuller and more equal partners in the research enterprise. Finally, the current landscape of international research also reflects the growing importance of clinical trials conducted by pharmaceutical, biotechnology, and medical device companies. Some observers believe that market forces have pressured private companies to become more efficient in the conduct of research, which may – absent vigilance – compromise the protection of research participants. Although the extent, relevance, and force of these pressures are widely debated, it is clear that such pressures can exist regardless of the funding source.

Scope of this Report

This report discusses the ethical issues that arise when research that is subject to U.S. regulation is sponsored or conducted in *developing* countries, where local technical skills and other key resources are in relatively scarce supply. Within this context, the Commission's attention was focused on the conduct of *clinical trials* involving competent adults, in particular those trials – such as Phase III drug studies – that can lead to the development of effective new treatments. Complex and important ethical concerns are likely to be more pressing in clinical trials than in many other types of research investigations; thus, the focus of this report has been limited accordingly. Although much of the discussion in this report is relevant to other types of research, the particular characteristics of research endeavors other than clinical trials probably merit their own ethical assessment.

This report centers on the principal ethical requirements surrounding the conduct of clinical trials conducted by U.S. interests abroad, and in particular the need for such trials to be directly relevant to the health needs of the host country. Other major topics addressed include ethical issues surrounding the choice of research designs, especially in situations where a placebo control is proposed when an established effective treatment is known to exist; issues arising in the informed consent process in cultures whose norms of behavior differ from those in the United States; what benefits should be provided to research participants and by whom after their participation in a trial has ended; and what benefits, if any, should be made available to others in the host community or country. Finally, it makes recommendations about the need for developed countries to assist developing countries in building the capacity to become fuller partners in international research. Until this goal can be met, however, recommendations are made regarding how the United States should proceed in settings in which systems for protecting human participants equivalent to those of the United States have not yet been established.

Essential Requirements for the Ethical Conduct of Clinical Trials

Many of the ethical concerns regarding the treatment of human participants in international research are similar to those raised in conjunction with research conducted in the United States.[2] They include, among others, choosing the appropriate research question and design; ensuring prior scientific and ethical review of the proposed protocol; selecting participants equitably; obtaining voluntary informed consent; and providing appropriate treatment to participants during and after the trial. These concerns are consistent with principles endorsed in many international research ethics documents.

NBAC believes that two types of ethical requirements – substantive and procedural – must be carefully considered and distinguished when human research is conducted, regardless of the location. The principles embodied in the *Belmont Report: Ethical Principles and Guidelines for the Protection of Human Subjects of Research* serve as a foundation for the substantive ethical requirements incorporated into the system of protection of human participants in the United States. The *Belmont Report* sets forth three basic ethical principles, which provide an analytical framework for understanding many of the ethical issues arising from research involving human participants: respect for persons, beneficence, and justice. NBAC believes that in order to be ethically sound, research conducted with human beings must, at a minimum, be consistent with the ethical principles underlying the *Belmont Report*. In addition, ethically sound research must satisfy a number of important *procedural requirements*, including prior ethical review by a body that is competent to assess compliance with these substantive ethical principles. U.S. research regulations also set forth more specific rules to guide ethics review committees[3] (and researchers) in their work. NBAC believes that when conducting clinical trials abroad, U.S. researchers and sponsors should comply with these substantive ethical requirements for the protection of human research participants.

Recommendation 1.1 lists protections that should be provided for individuals participating in U.S. government-sponsored clinical trials, whether conducted domestically or abroad.[4] Although existing U.S. law and regulations impose limits on the extent to which non-federally funded research is subject to oversight, the Commission believes that these requirements should extend to all clinical trials, regardless of who sponsors or conducts them.

Recommendation 1.1: The U.S. government should not sponsor or conduct clinical trials that do not, at a minimum, provide the following ethical protections:

a) prior review of research by an ethics review committee(s);

b) minimization of risk to research participants;

---

2 An upcoming NBAC report on the oversight of research conducted with human participants in the United States will address the implications of the findings and conclusions of this report in the context of domestic research.

3 In the United States, committees that review the ethics of human research protocols are referred to in regulation and practice as Institutional Review Boards (IRBs). In other countries, different names might be used, such as research ethics committees or ethics review committees. In this report, references and recommendations that are specific to the United States will refer to these committees as IRBs. References and recommendations that refer to such committees generally regardless of their geographic location will call them ethics review committees.

4 Although these protections are generally meant to apply to all research involving more than minimal risk, there are exceptions in certain guidelines for informed consent to be waived in research involving minimal risk.

c) risks of harm that are reasonable in relation to potential benefits;

d) adequate care of and compensation to participants for injuries directly sustained during research;

e) individual informed consent from all competent adult participants in research;

f) equal regard for all participants; and

g) equitable distribution of the burdens and benefits of research.

Recommendation 1.2: The Food and Drug Administration should not accept data obtained from clinical trials that do not provide the substantive ethical protections outlined in Recommendation 1.1.

Responsiveness of the Research to the Health Needs of the Population

Sponsoring or conducting research in developing countries often poses special challenges arising from the combined effects of distinctive histories, cultures, politics, judicial systems, and economic situations. In addition, in countries in which extreme poverty afflicts so many, primary health care services generally are inadequate, and a majority of the population is unable to gain access to the most basic and essential health products and services. As a result of these difficult conditions, the people in these countries are often more vulnerable in situations (such as clinical trials) in which the promise of better health seems to be within reach.

Whether the research sponsor is the U.S. government or a private sector organization, some justification is needed for conducting research abroad other than a less stringent or troublesome set of regulatory or ethical requirements. Moreover, when the United States (or any developed country) proposes to sponsor or conduct research in another country when the same research could not be conducted ethically in the sponsoring country, the ethical concerns are more profound, and the research accordingly requires a more rigorous justification.

To meet the ethical principle of beneficence, the risks involved in any research with human beings must be reasonable in relation to the potential benefits. Plainly, the central focus of any assessment of risk is the potential harm to research participants themselves (in terms of probability and magnitude), although risks to others also are relevant. The potential benefits that are weighed against such risks may include those that will flow to the fund of human knowledge as well as to those now and in the future whose lives may be improved because of the research. In addition, some of the benefits must also accrue to the group from which the research participants are selected. NBAC understands the principle of justice to require that a population, especially a vulnerable one, should not be the focus of research unless some of the potential benefits of the research will accrue to that group after the trial. Thus, in the context of international research – and particularly when the population of a developing country has been sought as a source of research participants – U.S. and international research ethics require not merely that research risks are reasonable in relation to potential benefits, but also that they respond to the health needs of the population being studied. This is because, according to the principles of beneficence and justice, only research that is responsive to these needs can offer relevant benefits to the population.

Recommendation 1.3: Clinical trials conducted in developing countries should be limited to those studies that are responsive to the health needs of the host country.

Choosing a Research Design and the Relevance of Routine Care

Making a determination about the appropriate design for a clinical trial depends on various contextual considerations, so that what might be an ethically acceptable design in one situation could be problematic in another. For example, it might be unethical to conduct a clinical trial for a health condition in a country in which that condition is unlikely to be found. In comparison, the same trial might be quite appropriately conducted where the trial results could be important to the local population. A more challenging question is whether a research design that could not be ethically implemented in the sponsoring country can be ethically justified in a host country when the health problem being addressed is common to both nations.

In this report, NBAC is especially interested in exploring the following question: Can a research design that could not be ethically implemented in the sponsoring, developed country be ethically justified in the country in which the research is conducted? In all cases, there is an ethical requirement to choose a design that minimizes the risk of harm to human participants in clinical trials and that does not exploit them. Because the choice of a study design for any particular trial will depend on these and other factors, it would be inappropriate – indeed wrong – to prescribe any particular study design as ethical for all research situations. Nevertheless, under certain, specified conditions, one or another design can be held to be ethically preferable.

> *Recommendation 2.1:* Researchers should provide ethics review committees with a thorough justification of the research design to be used, including the procedures to be used to minimize risks to participants.

Providing Established Effective Treatment as the Control

From the perspective of the protection of human participants in research, one of the most critical issues in clinical trial design concerns the use and treatment of control groups, which often are an essential component in methodologies used to guard against bias. Although placebos are a frequently used control for clinical trials, it is increasingly commonplace to compare an experimental intervention to an existing established effective treatment. These types of studies are called *active-control* (or positive control) *studies*, which are often extremely useful in cases in which it would not be ethical to give participants a placebo because doing so would pose undue risk to their health or well-being.

Within the context of active treatment concurrent controls, it is useful to consider whether, and if so under what circumstances, researchers and sponsors have an obligation to provide an established effective treatment to the control group even if it is not available in the host country. This report adopts the phrase *an established effective treatment* to refer to a treatment that is *established* (it has achieved widespread acceptance by the global medical profession) and *effective* (it is as successful as any in treating the disease or condition). It does not mean that the treatment is currently available in that country.

Investigators must carefully explain and ethics review committees must cautiously scrutinize the justification for the selection of the research design, including the level of care provided to the control group. If in a proposed clinical trial the control group will receive less care than would be available under ideal circumstances, the burden on the investigator to justify the design should be heavier. Furthermore, representatives of the host country, including scientists, public officials, and persons with the condition under study, should have a strong voice in determining whether a proposed trial is appropriate.

Recommendation 2.2: Researchers and sponsors should design clinical trials that provide members of any control group with an established effective treatment, whether or not such treatment is available in the host country. Any study that would not provide the control group with an established effective treatment should include a justification for using an alternative design. Ethics review committees must assess the justification provided, including the risks to participants, and the overall ethical acceptability of the research design.

Community Involvement in Research Design and Implementation

Over the past three decades, researchers increasingly have deliberately involved communities in the design of research. In addition, research participants, health advocates, and other members of the communities from which participants are recruited have requested, and in some cases demanded, involvement in the design of clinical trials. By consulting with the community, researchers often gain insight about whether the research question is relevant and responsive to health needs of the community involved. In addition, community consultation can improve the informed consent process and resolve problems that arise in this process because of the use of difficult or unfamiliar concepts. Such discussions can provide insight into whether the balance of benefits and harms in the study is considered acceptable and whether the interventions and follow-up procedures are satisfactory. Community consultation is particularly important when the researcher does not share the culture or customs of the population from which research participants will be recruited.

Recommendation 2.3: Researchers and sponsors should involve representatives of the community of potential participants throughout the design and implementation of research projects. Researchers should describe in their proposed protocol how this will be done, and ethics review committees should review the appropriateness of this process. When community representatives will not be involved, the protocol presented to the ethics committee should justify why such involvement was not possible or relevant.

Fair and Respectful Treatment of Participants

The requirement to obtain voluntary informed consent from human participants before they are enrolled in research is a fundamental tenet of research ethics. It was the first requirement proclaimed in the Nuremberg Code in 1947, and it has appeared in all subsequent published national and international codes, regulations, and guidelines pertaining to research ethics, including those in many developing countries.

Nevertheless, discussion is ongoing about the value and importance of particular procedural approaches to informed consent in other countries. Problems involving the interpretation and application of the requirement to obtain voluntary informed consent – and its underlying ethical principles – arise for researchers, ethics review committees, and others. In some countries, the methods used in U.S.-based studies for identifying appropriate groups for study, enrolling individuals from those groups in a protocol, and obtaining informed voluntary consent might not succeed because of different cultural or social norms. Meeting the challenge of developing alternative methodologies requires careful attention to the ethical issues involved in recruiting research participants and obtaining their consent, which is necessary in order to ensure justice in the conduct of research and to avoid the risk of exploitation.

Recommendation 3.1: Research should not deviate from the substantive ethical standard of voluntary informed consent. Researchers should not propose, sponsors should not support, and ethics review committees should not approve research that deviates from this substantive ethical standard.

Disclosure Requirements

The basic disclosure requirements for satisfying the informed consent provisions in U.S. research regulations focus on the information needed by a potential participant in order to decide whether or not to participate in a study. Requirements for disclosure of information in the research setting usually exceed those for disclosure in clinical contexts. Indeed, the extent of disclosure of medical information to patients in clinical settings differs among cultures and can influence judgments about the amount and kind of information that should be disclosed in research settings. In the United States, the requirements for disclosure of information to potential participants in research are specific and detailed (45 CFR 46.116). The Commission has found some evidence that disclosures relating to diagnosis and risk, research design, and possible post-trial benefits are not always clearly presented in clinical trials conducted in developing countries, even though the current U.S. regulations include such requirements. For example, one disclosure requirement in the U.S. regulations focuses on potential benefits: "a description of any benefits to the subject or to others which may reasonably be expected from the research" (45 CFR 46.116(a)(1)). Traditionally, such a disclosure has been required to ensure that potential participants understand whether there is any possibility that the intervention itself might benefit them while they are enrolled in the study. There is, however, no specific mention of any possible post-trial benefits in current U.S. regulations. The Commission believes that, because this information is relevant to participants' decisions to participate in the trial, prospective participants should be informed of the potential benefits, if any, that they might receive after the trial is over.

Recommendation 3.2: Researchers should develop culturally appropriate ways to disclose information that is necessary for adherence to the substantive ethical standard of informed consent, with particular attention to disclosures relating to diagnosis and risk, research design, and possible post-trial benefits. Researchers should describe in their protocols and justify to the ethics review committee(s) the procedures they plan to use for disclosing such information to participants.

Recommendation 3.3: Ethics review committees should require that researchers include in the informed consent process and consent documents information about what benefits, if any, will be available to research participants when their participation in the study in question has ended.

Ensuring Comprehension

In some cultures, the belief system of potential research participants does not explain health and disease using the concepts and terms of modern medical science and technology. However, despite this potential barrier to adequate understanding, if they are willing to devote the time and effort to do so, researchers are often able to devise creative measures to overcome this barrier. Despite the acknowledged difficulties of administering tests of understanding, NBAC supports the idea of incorporating these tests into research protocols.

Recommendation 3.4: Researchers should develop procedures to ensure that potential participants do, in fact, understand the information provided in the consent process and should describe those procedures in their research protocols.

Recommendation 3.5: Researchers should consult with community representatives to develop innovative and effective means to communicate all necessary information in a manner that is understandable to potential participants. When community representatives will not be involved, the protocol presented to the ethics review committee should justify why such involvement is not possible or relevant.

Recognizing the Role of Others in the Consent Process

In some cultures, investigators must obtain permission from a community leader or village council before approaching potential research participants. Yet, it is important to distinguish between obtaining permission to enter a community for the purpose of conducting research and for obtaining individual informed consent. In their reports, NBAC consultants all noted that the role of community leaders or elders is an integral part of the process of recruiting research participants. Although these reports typically use the terminology of consent to refer to the community's permission or a leader's authorization for the researchers to approach individuals, NBAC will use this term to refer to the permission or authorization given by the individual being recruited as a research participant.

The need to obtain permission from a community leader before approaching individuals does not need to compromise the ethical standard requiring the individual's voluntary informed consent to participate in research. Gaining permission from a community leader is no different, in many circumstances, from the common requirement in this country of obtaining permission from a school principal before involving pupils in research or from a nursing home director before approaching individual residents. An ethical problem arises only when the community leader exerts pressure on the community in a way that compromises the voluntariness of individual consent. In NBAC's view, if the political system in a country or the local situation makes it impossible for individuals' consent to be voluntary and that fact is known in advance, then, because U.S. researchers cannot adhere to the substantive ethical standard of informed consent, it would be inappropriate for them to choose such settings.

Recommendation 3.6: Where culture or custom requires that permission of a community representative be granted before researchers may approach potential research participants, researchers should be sensitive to such local requirements. However, in no case may permission from a community representative or council replace the requirement of a competent individual's voluntary informed consent.

Recommendation 3.7: Researchers should strive to ensure that individuals agree to participate in research without coercion or undue inducements from community leaders or representatives.

Family Members

It is customary although not required in some societies for other members of a potential research participant's family to be involved in the informed consent process. For example, in cultures in which men are expected to speak for their unmarried adult daughters and husbands are expected to speak for their wives, a woman may not be permitted to consent on her own behalf to participate in research. In most instances, the need to involve the family is not intended as a substitute for individual consent, but rather as an additional step in the process. In many cases, family members may be approached before an individual is asked directly to participate in a research project. However, seeking permission from family members without engaging the potential research participants at all clearly departs from the ethical standard of informed consent. On the other hand, potential participants might also choose to involve others, such as family members, in the consent process. Indeed, involving family or community members in the informed consent process need not diminish, and might even enhance, the individual's ability to make his or her own choices and to give informed consent (or refusal).

It is often possible to obtain individual informed consent, which may require and indeed benefit from the involvement of family or community members, while at the same time preserving cultural norms. Such involvement ranges from providing written information sheets for potential participants to take home and discuss with family members to holding community meetings during which information is presented about the research and community consensus is obtained. When the potential participant wishes to involve family members in the consent discussion, the researcher should take appropriate steps to accommodate this desire.

> *Recommendation 3.8:* When a potential research participant wishes to involve family members in the consent process, the researcher should take appropriate steps to accommodate this wish. In no case, however, may a family member's permission replace the requirement of a competent individual's voluntary informed consent.

Consent by Women

A strict requirement that a husband must first grant permission before researchers may enroll his wife in research treats the woman as subordinate to her husband and as less than fully autonomous. In reality, it may be impossible to conduct some research on common, serious health problems that affect only women without involving the husband in the consent procedures. In such cases, a likely consequence would be a lack of knowledge on which to base health care decisions for women in that country. The prospect of denying such a substantial benefit to all women in a particular culture or country calls for a narrow exception to the requirement that researchers use the same procedures in the consent process for women as for men, one that would allow for obtaining the permission of a man in addition to the woman's own consent.

> *Recommendation 3.9:* Researchers should use the same procedures in the informed consent process for women and men. However, ethics review committees may accept a consent process in which a woman's individual consent to participate in research is supplemented by permission from a man if all of the following conditions are met:
>
> a) it would be impossible to conduct the research without obtaining such supplemental permission; and
>
> b) failure to conduct this research could deny its potential benefits to women in the host country; and
>
> c) measures to respect the woman's autonomy to consent to research are undertaken to the greatest extent possible.
>
> In no case may a competent adult woman be enrolled in research solely upon the consent of another person; her individual consent is always required.

Minimizing the Therapeutic Misconception

One barrier to understanding the relevant, important aspects of any proposed research is what has been called the *therapeutic misconception.* This term refers to the belief that the purpose of a clinical trial is to benefit the individual patient rather than to gather data for the purpose of contributing to scientific knowledge. The therapeutic misconception has been documented in a wide range of developing and developed countries.

It is important to distinguish the confusion that arises from the therapeutic misconception from a related consideration. In the research setting, participants often receive beneficial clinical care. In some developing countries, the type and level of clinical care provided to research participants may not be available to those individuals outside the research context. It is not a misconception to believe that participants probably will receive good clinical care during research. But it is a misconception to believe that the purpose of clinical trials is to administer treatment rather than to conduct research. Researchers should make clear to research participants, in the initial consent process and throughout the study, which activities are elements of research and which are elements of clinical care.

Recommendation 3.10: Researchers working in developing countries should indicate in their research protocols how they would minimize the likelihood that potential participants will believe mistakenly that the purpose of the research is solely to administer treatment rather than to contribute to scientific knowledge (see also Recommendation 3.2).

Addressing Procedural Requirements in the Consent Process

A number of issues may arise during the process of obtaining informed consent that require careful scrutiny before determining whether voluntary informed consent can be obtained. These include, for example, determining when it is necessary to obtain written consent and when oral consent should be permitted; when, if ever, it is appropriate to withhold important and relevant information from potential participants; the need in some cultures to obtain a community leader's or a family member's permission before seeking an individual's consent; and standards of disclosure for research participants in cultures in which people lack basic information about modern science or reject scientific explanations of disease in favor of traditional nonscientific beliefs.

In light of the cultural variation that might arise in international clinical trials, the Commission was especially interested in problems that may arise from expecting researchers in developing countries to adhere strictly to the substantive and procedural imperatives of the U.S. requirements for informed consent. NBAC was particularly interested in exploring ways of dealing with the situation that arises when cultural differences between the United States and other countries make it difficult or impossible to adhere strictly to the U.S. regulations that stipulate particular procedures for obtaining informed consent from individual participants. In general, it is important to distinguish procedural difficulties from those that reflect substantive differences in ethical standards. Clearly, more research is needed in this area.

Recommendation 3.11: U.S. research regulations should be amended to permit ethics review committees to waive the requirements for written and signed consent documents in accordance with local cultural norms. Ethics review committees should grant such waivers only if the research protocol specifies how the researchers and others could verify that research participants have given their voluntary informed consent.

Recommendation 3.12: The National Institutes of Health, the Centers for Disease Control and Prevention, and other U.S. departments and agencies should support research that addresses specifically the informed consent process in various cultural settings. In addition, those U.S. departments and agencies that conduct international research should sponsor workshops and conferences during which international researchers can share their knowledge of the informed consent process.

Access to Post-Trial Benefits

Discussions of the ethics of research with human beings usually center on issues regarding research design and approval and how individuals' rights and welfare are protected when they are enrolled in research protocols. The same has been true of the U.S. regulations, which only tangentially address what happens after a research project has ended by requiring that research participants must be informed in advance about what compensation, if any, will be provided if they are injured during the course of the research. Other questions about what should happen after a trial is completed are left unaddressed by U.S. guidelines.

Thus, central questions in the context of international research include the following: *What benefits (in the form of a proven, effective medical intervention) should be provided to research participants, and by whom, after their participation in a trial has ended, and what, if anything, should be made available to others in the host community or country?* Although these questions are relevant in terms of the ethical assessment of research – regardless of where the research is conducted – they are being posed with special force, especially regarding serious diseases that affect large numbers of people in developing countries. Therefore, the question of what benefits, if any, research sponsors should make available to participants or others in the host country at the conclusion of a clinical trial is particularly significant for those who live in developing countries in which neither the government nor the vast majority of the citizenry can afford the intervention resulting from the research. Of course, this is especially germane when a drug is proven to be effective in a clinical trial.

An ethically relevant feature that distinguishes most developing from developed countries is the lack of access to adequate health care by a large majority of the population. Many developed countries have long provided universal access to primary health care through a national health service or government-based insurance system. However, in the developing world, especially in the poorest countries in Africa and Asia, substantially fewer health care services are available (if any), and where they are available, access is severely limited. Access to health care is an important issue in research ethics, because an ethically appropriate clinical trial design requires an assessment of the level and nature of care or treatment available outside the research context, as well as any possible future health benefits that might arise from the research.

Recognizing that it is sometimes difficult to distinguish research from treatment when routine health care is inadequate or nonexistent, it cannot be denied that it may be difficult for participants, whose health status may be altered by their participation in a clinical trial, to distinguish between participating in research and receiving clinical care. Consequently, if all interventions by the research team cease at the end of a trial, participants may experience a loss and feel that the researchers in their clinical role have abandoned them. This sense of loss can take several forms, the starkest of which arises when participants are left worse off at the conclusion of the trial than they were before the clinical trial began. Being worse off does not mean that they were harmed by the research. It can simply mean that their medical condition has deteriorated because they were in what turned out to be the less advantageous arm of the protocol. Such an outcome – particularly when participants are worse off than they would have been had they received standard treatment or if they had been in the other arm of the trial – underlines the extent to which any research project can depart from the Hippocratic goal of "first, do no harm," despite the best intentions and efforts of all concerned. When such a result occurs, efforts to restore participants at least to their pretrial status could be regarded as attempts to reverse a result that would otherwise be at odds with the ethical principles of nonmaleficence and beneficence.

Ironically, people who have benefited from an experimental intervention may also experience a loss if the intervention is discontinued when the project ends. It might be said that this is a risk the participant accepted by enrolling in the trial. But participants who are ill when they enter the research protocol may not be able to appreciate fully how they will feel when they face a deterioration in their medical condition (once the trial is completed) after having first experienced an improvement, even if the net result is a return to the status quo ante. One of the ways to mediate or reduce the burden of such an *existential loss* (the experience of loss as perceived by the research participant) and to sustain an appropriate level of trust between potential participants and the research enterprise is to continue to provide to research participants an intervention that has been shown to be efficacious in the clinical trial if they still need it once the trial is over.

> *Recommendation 4.1:* Researchers and sponsors in clinical trials should make reasonable, good faith efforts before the initiation of a trial to secure, at its conclusion, continued access for all participants to needed experimental interventions that have been proven effective for the participants. Although the details of the arrangements will depend on a number of factors (including but not limited to the results of a trial), research protocols should typically describe the duration, extent, and financing of such continued access. When no arrangements have been negotiated, the researcher should justify to the ethics review committee why this is the case.

Providing Benefits to Others

Once it is recognized that research projects should sometimes arrange to provide post-trial benefits to participants, a question arises about the justice of differentiating between former trial participants and others in the host community who need similar medical treatments. *Is the distinction between former research participants and those who were not merely arbitrary?* Applying a competing concept of justice, typically referred to as the principle of fairness – *treat like cases alike, and treat different cases differently* – to this situation requires a consideration of whether family members (or others) who suffer from the same illness as the participants should be treated as "like cases" with respect to receiving an effective treatment. Similarly, are the claims to treatment of people who were eligible for and willing to participate in a clinical trial but who for any number of reasons were not selected comparable to the claims of those who were selected? Or are such cases not sufficiently similar because participants undertook the risks and experienced the inconveniences of the research?

In NBAC's view, the relevant distinction between research participants and these other groups of individuals is that research participants are exposed to the risks and inconveniences of the study. Moreover, a special relationship exists between participants and researchers that does not exist for others. These are the ethical considerations that support the argument to provide effective interventions to research participants after a trial is completed.

On what basis then can one justify an ethical obligation to make otherwise unaffordable (or undeliverable) effective interventions available to members of the broader community or host country? Given that global inequities in wealth and resources are so vast, expecting governmental or industrial research sponsors to seek to redress this particular global inequity is unfair and unrealistic, especially when no such requirement exists in other spheres of international relationships. Typically, it is not the primary purpose of clinical trials to seek to redress these inequities.

> *Recommendation 4.2:* Research proposals submitted to ethics review committees should include an explanation of how new interventions that are proven to be effective from the research will become available to some or all of the host country population beyond the research participants themselves. Where applicable, the investigator should describe any pre-research negotiations among sponsors, host country officials, and other appropriate parties aimed at making such interventions available. In cases in which investigators do not believe that successful interventions will become available to the host country population, they should explain to the relevant ethics review committee(s) why the research is nonetheless responsive to the health needs of the country and presents a reasonable risk/benefit ratio.

These concerns prompt the question of whether research sponsors should consider implementing arrangements, such as *prior agreements* (arrangements made before a clinical trial begins that address the post-trial availability of effective interventions to the host community and/or country after the study has been completed), that would allow some of the fruits of research to be available in the host country when the research is over. Such arrangements would be responsive to the health needs of the host country. The parties to these agreements usually include some combination of producers, sponsors, and potential users of research products. Although only a limited number of prior agreements, either formal (legally binding) or informal, are in place in international collaborative research today, it is useful to consider what role such agreements should play in the future.

> *Recommendation 4.3:* Wherever possible, preceding the start of research, agreements should be negotiated by the relevant parties to make the effective intervention or other research benefits available to the host country after the study is completed.

Mechanisms to Ensure the Protection of Research Participants in International Clinical Trials

The two principal approaches used to ensure the protection of human participants in international clinical trials are 1) relying on assurance processes and reviews by U.S. Institutional Review Boards (IRBs) to supplement and enhance local measures for determining that a host country or host country institution has a system of protections in place that is at least equivalent to that of the United States and 2) helping host countries build the capacity to independently conduct clinical trials and to conduct their own scientific and ethical review. In addition, a regulatory provision permits the substitution of foreign procedures that afford protections to research participants that are "at least equivalent" to those provided in the Common Rule. Clarification of the scope and limits of these mechanisms and their use would increase public confidence that a valid system of protections is in place for participants in clinical trials conducted abroad.

Negotiating Assurances of Compliance

U.S. researchers or sponsors and their collaborators often encounter difficulties with some of the procedural and administrative aspects of the U.S. research regulations or their implementation and at times perceive U.S. regulations as unnecessarily rigid. Among the many concerns NBAC heard were those relating to the process of negotiating assurances. An assurance is a document that commits an institution to conduct research ethically and in accordance with U.S. federal regulations. An approved assurance is a prerequisite to federally conducted or sponsored research.

In December 2000, the U.S. Office of Human Research Protections (OHRP) launched a new Federalwide Assurance (FWA) and IRB registration process. The process for filing institutional assurances with OHRP for protecting human research participants has been simplified by replacing Single, Multiple, and Cooperative Project Assurances with the FWA, one for domestic research and one for international research. Each legally separate institution must obtain its own FWA, and assurances approved under this process would cover all of the institution's federally supported human research. The proposed system eliminates the assurance documents now in place and replaces them with either a Federalwide Domestic Assurance or a Federalwide International Assurance, covering all federally supported human research.

NBAC was encouraged that OHRP is taking these steps to revise and simplify the current assurance process. It is not clear at this writing, however, whether the new FWA process will eliminate the problems and inconsistencies that exist among agencies such as the Department of Health and Human Services (DHHS), the Agency for International Development, and the Food and Drug

Administration (FDA), or the difficulties expressed by researchers who are familiar with the previous assurance system. Moreover, it should be noted that the assurance process itself does not provide a failsafe system of protections. Because weaknesses in this system have been noted in failures at U.S. research institutions, care should be taken not to rely too heavily on this single mechanism to achieve protections abroad, especially when it is not clear that OHRP will provide a visible presence in the host country (through, for example, site visits). However, it will be important to evaluate the success of these new initiatives.

> *Recommendation 5.1:* After a suitable period of time, an independent body should comprehensively evaluate the new assurance process being implemented by the Office for Human Research Protections.

Ethics Review

It is now widely accepted that research involving human participants should be conducted only after an appropriate ethics review has occurred. When research is sponsored or conducted in accordance with U.S. research regulations (and within the boundaries of these regulations), an appropriately constituted and designated IRB is empowered to make these assessments. However, spokespersons from developing countries have maintained that those who live in the countries in which the research is to be conducted are in the best position to decide what is appropriate, rather than those who may be unfamiliar with local health needs and culture. It is argued that committees that are familiar with the researchers, institutions, potential participants, and other factors associated with a study are likely to provide a more careful and fully informed review than a committee or other group that is geographically displaced or distant and that only local committees can exercise the kind of balanced and reasoned judgment required to review research protocols. The concept of local review has been a cornerstone of the U.S. system for protecting human participants. Whether this standard can or should be applied to research sponsored or conducted abroad was a focus of Commission deliberations.

NBAC found that the requirement for local review is occasionally tested and sometimes weakened when research is conducted in developing countries. In some cases, review by a local committee raises the potential for conflict of interest – or at least a heightened interest in approving research – when it means that valuable research funds would flow to a local institution. Although several developing countries have instituted national research ethics guidelines, and in some countries, ethics review is becoming more established, many difficulties and challenges to local review remain, including lack of experience with and expertise in ethics review principles and processes; conflict of interest among committee members; lack of resources for maintaining the committees; the length of time it can take to obtain approvals; and problems involved with interpreting and complying with U.S. regulations.

In NBAC's view, efforts to enhance collaboration in research must take into account the capacity of ethics review committees in developing countries to review research and the need for U.S. researchers and sponsors to ensure that their research projects, at the very least, are conducted according to the same ethical standards and requirements applied to research conducted in the United States. This has led NBAC to conclude that when clinical trials involve U.S. and foreign interests, these protocols must still be reviewed and approved by a U.S. IRB *and* by an ethics review committee in the host country, unless the host country or host country institution has in place a system of equivalent substantive ethical protections.

Ideally, equivalent (although not necessarily identical) systems for providing protections to research participants in developing countries would exist at both the national and institutional levels. In countries in which a system equivalent to the U.S. system exists at the national level, some institutions may be incapable of conducting research in accordance with that system. However, it is difficult to conceive of institutional systems being declared equivalent in the absence of an equivalent national system, although it may be possible in a few extremely rare cases. When multiple sponsors are participating in research, possibly all from developed countries, determining which ethics review committees (and how many) are required poses additional complexities. Because there may be legitimate reasons to question the capacity of host countries to support and conduct prior ethics review, NBAC believes that with respect to research sponsored and conducted by the United States, it will be necessary for an ethics review committee from the host country and a U.S. IRB to conduct a review. The FDA's regulatory provisions for accepting foreign studies not conducted under an investigational new drug application or an investigational device exemption do not address whether the foreign nation's system must meet U.S. ethical standards.

> *Recommendation 5.2:* The U.S. government should not sponsor or conduct clinical trials in developing countries unless such trials have received prior approval by an ethics review committee in the host country *and* by a U.S. Institutional Review Board. However, if the human participants protection system of the host country or a particular host country institution has been determined by the U.S. government to achieve all the substantive ethical protections outlined in Recommendation 1.1, then review by a host country ethics review committee alone is sufficient.

> *Recommendation 5.3:* The Food and Drug Administration should not accept data from clinical trials conducted in developing countries unless those trials have been approved by a host country ethics review committee *and* a U.S. Institutional Review Board. However, if the human participants protection system of the host country or a particular host country institution has been determined by the U.S. government to achieve all the substantive ethical protections outlined in Recommendation 1.1, then review by a host country ethics review committee alone is sufficient.

Lack of Resources as a Barrier to Ethics Review

Ethics review committees in developing countries may have difficulty complying with U.S. regulations because they lack the funds necessary to carry out their responsibilities. In previous reports, NBAC has recognized that there are costs to providing protection to human participants in research, and researchers and institutions should not be put in the position of having to choose between conducting research and protecting participants. Therefore, an additional means of enhancing international collaborative research is to make the necessary resources available for conducting ethics reviews.

> *Recommendation 5.4:* Federal agencies and others that sponsor international research in developing countries should provide financial support for the administrative and operational costs of host country compliance with requirements for oversight of research involving human participants.

Equivalent Protections

Although many countries have promulgated extensive regulations or have officially adopted international ethical guidelines invoking high standards for research involving human participants, the former Office for Protection from Research Risks (OPRR) never determined that any guidelines or rules from other countries – even countries such as Australia and Canada, where research ethics requirements closely parallel (and to some extent exceed) those of the United States – afford protections equal to those provided by U.S. regulations. If these variations cannot be mediated by joint efforts, difficulties may arise in international research that will prevent important and ethically sound research from going forward.

In June 2000, OHRP became the agency responsible for making determinations of equivalent protections for DHHS. However, to date, OHRP has not provided criteria for determining what constitutes equivalent protections or made any such determinations about other countries' guidelines. In lieu of having developed a process for making equivalent protections determinations, in the past OPRR relied on its usual process for negotiating assurances with foreign institutions to ensure the adequate protection of human participants.

Because the number of U.S.-sponsored studies undertaken in collaboration with other countries is increasing (including many studies that have different procedural requirements), there is a need to enhance the efficiency of those efforts through increased harmonization and understanding, without compromising the protection of research participants. A way must be found to adhere to widely accepted substantive ethical principles while at the same time avoiding the undue imposition of regulatory procedures that are peculiar to the United States.

> *Recommendation 5.5:* The U.S. government should identify procedural criteria and a process for determining whether the human participants protection system of a host country or a particular host country institution has achieved all the substantive ethical protections outlined in Recommendation 1.1.

Building Host Country Capacity to Review and Conduct Clinical Trials

A unique feature of international collaborative research is the degree to which economically more prosperous countries can enhance and encourage further collaboration by leaving the host community or country better off as a result. The kinds of benefits that could be realized as a result of the collaboration would depend on local health conditions, the state of economic development, and the scientific capabilities of the particular host country. The provision of post-trial benefits to participants or others in the form of effective interventions is one option. The appropriateness of providing a benefit other than the intervention will depend on the nature of the benefit and on the economic and technological state of development of the host country. In most cases, offering assistance to help build local research capacity is another viable option. These two options are not, of course, mutually exclusive. But no matter what form the benefit takes, the ultimate goal of providing it is to improve the welfare of those in the host country.

Approaches to capacity building are related to, but not fully dependent on, the clarification and improvement of current U.S. procedures for ensuring the protection of research participants in international clinical trials. Progress can and should occur simultaneously in both realms. Capacity building to conduct research could include activities undertaken by investigators or sponsors during a clinical trial to enhance the ability of host country researchers to conduct research (e.g., training and education) or to provide research infrastructure (e.g., equipment) so that future studies might proceed. Building capacity to conduct scientific and ethics review of studies, on the other hand, is primarily a matter of providing training and helping to establish systems designed to review proposed protocols and sustain mutually beneficial partnerships with other more experienced review bodies, including U.S. IRBs.

To enhance research collaborations between developing and developed nations, it is important to increase the capacity of resource-poor countries to become even more meaningful partners in international collaborative research. Making the necessary resources available for improving the technical capacity to conduct and sponsor research, as well as the ability to carry out prior ethics review, is one way to move forward in this effort.

> *Recommendation 5.6:* Where applicable, U.S. sponsors and researchers should develop and implement strategies that assist in building local capacity for designing, reviewing, and conducting

clinical trials in developing countries. Projects should specify plans for including or identifying funds or other resources necessary for building such capacity.

Recommendation 5.7: Where applicable, U.S. sponsors and researchers should assist in building the capacity of ethics review committees in developing countries to conduct scientific and ethical review of international collaborative research.

Conclusions

The ethical standards that NBAC is recommending for conducting research in other countries are minimum standards. Host countries might find it worthwhile to adopt human research participant protections that go beyond the protections that are currently provided under the U.S. system if these higher standards further promote the rights, dignity, and safety of research participants as well as the credibility of research results.

Ethical behaviors and commitments are not barriers to the research enterprise. Indeed, ethical behavior is not only an essential ingredient in sustaining public support for research, it is an integral part of the process of planning, designing, implementing, and monitoring research involving human beings. Just as good science requires appropriate research design, consideration of statistical factors, and a plan for data analysis, it must also be based on sound ethical principles. Only then can research succeed in being efficient and cost-effective, while at the same time embodying appropriate protections for the rights and welfare of human participants. Researchers and sponsors should strive to conduct research in the United States and abroad in a way that furthers these aspirations, even though, regrettably, financial, logistical, and public policy obstacles often stand in the way of immediately achieving this goal.

Although the recommendations in this report focus principally on clinical trials conducted by U.S. researchers or sponsors in developing countries, it will be important to consider their application to other areas of research. However, even though many ethical issues that arise in clinical trials also arise in other types of research, the relevance, scope, and implications of NBAC's recommendations in other types of studies may be very different. Similarly, many of the issues and recommendations discussed in this report may equally apply to research conducted in the United States.

The relationships and, ultimately, the level of trust established among individuals, institutions, communities, and countries are determined by complex and often contradictory social, cultural, political, economic, and historical factors. It is essential, therefore, that sponsors, the countries from which they come, and researchers work together to enhance these collaborations by creating an atmosphere that is based on trust and respect. Finally, because attention will continue to focus on the ethical and policy issues that arise in international research in general and regarding clinical trials in particular, this report provides another opportunity for ongoing public dialogue about how to provide appropriate protection to all research participants.

Verzeichnis der Autoren und Organisationen

Autoren

JOHANN S. ACH, Dr. phil., Wissenschaftlicher Mitarbeiter im Sekretariat der Enquete-Kommission „Recht und Ethik der modernen Medizin" beim Deutschen Bundestag. *Anschrift*: Sekretariat der Enquete-Kommission „Recht und Ethik der modernen Medizin", Deutscher Bundestag, Platz der Republik 1, 11011 Berlin.

KURT BAYERTZ, Dr. phil., Professor für Philosophie an der Universität Münster. *Anschrift*: Philosophisches Seminar der Universität Münster, Domplatz 23, 48143 Münster.

CHARLES A. ERIN, B.Sc. (Hons.), M.Sc., M.Sc., Ph.D., Senior Lecturer in Applied Philosophy, Centre for Social Ethics and Policy, Institute of Medicine, Law and Bioethics, School of Law, University of Manchester. *Address*: School of Law, University of Manchester, Williamson Building, Oxford Road, Manchester M13 9PL, United Kingdom.

MICHAEL FUCHS, Dr. phil., Geschäftsführer am Institut für Wissenschaft und Ethik, Bonn. *Anschrift*: Institut für Wissenschaft und Ethik, Niebuhrstraße 51, 53113 Bonn.

GÖRAN HERMERÉN, Ph.D., Professor of Medical Ethics, Department of Medical Ethics, Lund University. *Address*: Department of Medical Ethics, Lund University, St. Gråbrödersgatan 16, S-222 22 Lund, Sweden.

GERHARD HÖVER, Dr. theol., Professor für Moraltheologie, Direktor des Moraltheologischen Seminars an der Universität Bonn. *Anschrift*: Moraltheologisches Seminar an der Universität Bonn, Am Hof 1, 53113 Bonn.

SØREN HOLM, M.A., B.A., M.D., Ph.D., Dr. Med. Sci., Professor of Clinical Bioethics, Centre for Social Ethics and Policy, Institute of Medicine, Law and Bioethics, School of Law, University of Manchester. *Address*: School of Law, University of Manchester, Williamson Building, Oxford Road, Manchester M13 9PL, United Kingdom.

LUDGER HONNEFELDER, Dr. phil., Dr. h.c., em. Professor für Philosophie an der Universität Bonn, Geschäftsführendes Mitglied im Direktorium des Instituts für Wissenschaft und Ethik, Bonn. *Anschrift*: Institut für Wissenschaft und Ethik, Niebuhrstraße 51, 53113 Bonn.

Christoph Hubig, Dr. phil., Professor für Philosophie (Wissenschaftstheorie und Technikphilosophie) an der Universität Stuttgart. *Anschrift*: Institut für Philosophie, Pädagogik und Psychologie, Abteilung Wissenschaftstheorie und Technikphilosophie, Seidenstraße 36, 70174 Stuttgart.

Dietmar Hübner, Dr. phil., M.Phil., Dipl.-Phys., Wissenschaftlicher Mitarbeiter am Institut für Wissenschaft und Ethik, Bonn. *Anschrift*: Institut für Wissenschaft und Ethik, Niebuhrstraße 51, 53113 Bonn.

Giovanni Maio, Dr. med., Privatdozent für Ethik und Geschichte der Medizin, Leiter der Abteilung Forschung am Zentrum für Ethik und Recht in der Medizin der Universität Freiburg (ZERM). *Anschrift*: Zentrum für Ethik und Recht in der Medizin, Klinikum der Albert-Ludwigs-Universität Freiburg, Elsässer Straße 2m, Haus 1A, 79110 Freiburg.

Barbara Merker, Dr. phil., Professorin für Philosophie an der Universität Frankfurt. *Anschrift*: Institut für Philosophie der Universität Frankfurt, Grüneburgplatz 1, 60629 Frankfurt

Rainer Paslack, Dipl.-Soz., Leiter der Abteilung für Technikfolgenabschätzung am Institut für System- und Technikanalysen (SysTA), Bad Oeynhausen. *Anschrift*: Splittenbrede 36, 33613 Bielefeld.

Peter Propping, Dr. med., Professor für Humangenetik, Direktor des Instituts für Humangenetik der Universität Bonn. *Anschrift*: Institut für Humangenetik der Universität Bonn, Wilhelmstraße 31, 53111 Bonn.

Michael Quante, Dr. phil., Wissenschaftlicher Assistent am Philosophischen Seminar der Universität Münster. *Anschrift*: Philosophisches Seminar der Universität Münster, Domplatz 23, 48143 Münster.

Heiner Raspe, Dr. med., Dr. phil., Professor für Sozialmedizin, Direktor des Instituts für Sozialmedizin der Medizinischen Universität Lübeck. *Anschrift*: Medizinische Universität Lübeck, Institut für Sozialmedizin, Beckergrube 43-47, 23552 Lübeck.

Christian Streffer, Dr. rer. nat., Dr. med. h.c., em. Professor für Medizinische Strahlenbiologie am Universitätsklinikum Essen, Geschäftsführendes Mitglied im Direktorium des Instituts für Wissenschaft und Ethik, Bonn. *Anschrift*: Institut für Medizinische Strahlenbiologie des Universitätsklinikums Essen, Hufelandstraße 55, 45122 Essen.

Jochen Taupitz, Dr. jur., Professor für Bürgerliches Recht, Zivilprozessrecht, Internationales Privatrecht und Rechtsvergleichung an der Universität Mannheim,

Richter am Oberlandesgericht Karlsruhe, Geschäftsführender Direktor des Instituts für Deutsches, Europäisches und Internationales Medizinrecht, Gesundheitsrecht und Bioethik der Universitäten Heidelberg und Mannheim (IMGB). *Anschrift*: Institut für Deutsches, Europäisches und Internationales Medizinrecht, Gesundheitsrecht und Bioethik der Universitäten Heidelberg und Mannheim (IMGB), Kaiserring 10-12, 68161 Mannheim.

ANDREAS VIETH, Wissenschaftlicher Mitarbeiter am Institut für Wissenschaft und Ethik, Bonn. *Anschrift*: Institut für Wissenschaft und Ethik, Niebuhrstraße 51, 53113 Bonn.

Organisationen

AMERICAN ASSOCIATION FOR THE ADVANCEMENT OF SCIENCE (AAAS). *Address*: 1200 New York Avenue NW, Washington, DC 20005, USA.

BUNDESÄRZTEKAMMER. *Anschrift*: Hermann-Lewin-Straße 1, 50931 Köln.

DEPARTMENT OF HEALTH. *Address*: Richmond House, 79 Whitehall, London SW1A 2NS, United Kingdom.

DEUTSCHE FORSCHUNGSGEMEINSCHAFT (DFG). *Anschrift*: Kennedyallee 40, 53175 Bonn.

ERSTE KAMMER DER GENERALSTAATEN. *Anschrift*: Binnenhof 22, Postbus 20017, 2500 EA Den Haag, Niederlande.

ETHIK-BEIRAT BEIM BUNDESMINISTERIUM FÜR GESUNDHEIT. *Anschrift*: Am Probsthof 78a, 53121 Bonn; Mohrenstraße 62, 10117 Berlin.

EUROPÄISCHES PARLAMENT. *Address*: Rue Wiertz, B-1047 Bruxelles, Belgium.

EUROPEAN GROUP ON ETHICS IN SCIENCE AND NEW TECHNOLOGIES (EGE). *Address*: European Commission, Secretariat-General, 200 Rue de la Loi, B-1049 Bruxelles, Belgium.

HUMAN GENETICS COMMISSION (HGC). *Address*: Department of Health, Area 652C, Skipton House, 80 London Road, London SE1 6LH, United Kingdom.

NATIONAL BIOETHICS ADVISORY COMMISSION (NBAC). *Address*: 6705 Rockledge Drive, Suite 700, MSC 7979, Bethesda, MD, 20892-7979, USA.

Hinweise für Autoren

Das Jahrbuch für Wissenschaft und Ethik publiziert Beiträge, Berichte und Dokumente aus dem Bereich der ethischen Fragen von Medizin, Naturwissenschaften und Technik. Inhaltliche Schwerpunkte liegen in der philosophischen Reflexion von Grundfragen der Angewandten Ethik, in der ethischen Analyse von Anwendungsproblemen der modernen Wissenschaften sowie in der medizinischen, naturwissenschaftlichen, sozialwissenschaftlichen, ökonomischen und rechtlichen Untersuchung wissenschaftsethischer Problemfelder.

Das Jahrbuch nimmt nur bislang unveröffentlichte Beiträge und Berichte auf. Eingesandte Manuskripte werden zwei unabhängigen Gutachtern vorgelegt. Nach Entscheidung der Herausgeber über die Annahme des Manuskripts und Mitteilung an den Autor erbittet die Redaktion die Übersendung der endgültigen Fassung in einem der gebräuchlichen WORD-Dateiformate. Abschließend ist eine Druckfahnenkorrektur durch den Autor vorgesehen.

Letzter Termin für die Zusendung von Artikeln ist jeweils Ende Februar des Erscheinungsjahres. Manuskripte können zunächst in einfacher Kopie zugeschickt werden. Literaturangaben sollten der Zitationsweise des Jahrbuchs gemäß sein, ein entsprechendes Style Sheet kann angefordert werden.

Manuskripteinsendungen und Anfragen werden erbeten an:

Institut für Wissenschaft und Ethik
– Redaktion Jahrbuch –
Niebuhrstraße 51
53113 Bonn

Tel.: 0228 / 73 19 20
Fax: 0228 / 73 19 50
e-mail: iwe@iwe.uni-bonn.de
http://www.uni-bonn.de/iwe

Hinweis für Autoren